ViceVersa

DEUTSCHE MALER IN AMERIKA
AMERIKANISCHE MALER IN DEUTSCHLAND
1813–1913

ViceVersa

DEUTSCHE MALER IN AMERIKA
AMERIKANISCHE MALER IN DEUTSCHLAND
1813–1913

Herausgegeben von Katharina und Gerhard Bott

Mit Beiträgen von

Annette Blaugrund, Gerhard und Katharina Bott, Joanna D. Catron,
Dennis Crockett, Thomas W. Gaethgens, Barbara D. Gallati, William H. Gerdts,
Stefan Gronert, Dawn M. Leach, Thomas D. Lidtke,
Klaus Lubbers, Peter C. Merrill, Anne R. Norcross, Martina Sitt, John Wilson

DEUTSCHES HISTORISCHES MUSEUM
27. September 1996 bis 1. Dezember 1996

HIRMER VERLAG MÜNCHEN

Eine Ausstellung des Deutschen Historischen Museums Berlin

Konzeption und wissenschaftliche Leitung:
Katharina und Gerhard Bott

Katalog:
Katharina und Gerhard Bott

Redaktion:
Katharina und Gerhard Bott

Übersetzung aus dem Englischen:
Ingrid Hacker-Klier

Konservatorische Betreuung:
Werner Müller
Friederike Beseler
Ursula Fuhrer (Deutsches Historisches Museum)
und die Restaurierungswerkstätten des Deutschen
Historischen Museums

Leihverkehr:
Edith Michelsen (Deutsches Historisches Museum)

Ausstellungsarchitektur:
Werner Schulte (Deutsches Historisches Museum)

Öffentlichkeitsarbeit:
Angelika Wachs (Deutsches Historisches Museum)

Kunsttransporte:
Hasenkamp Internationale Transporte

Auf dem Umschlag:
Emanuel Leutze, Washington Crossing the
Delaware, 1851
The Metropolitan Museum of Art, New York

Die Deutsche Bibliothek – CIP Einheitsaufnahme
ViceVersa, Deutsche Maler in Amerika –
amerikanische Maler in Deutschland, 1813–1913 :
[eine Ausstellung des Deutschen Historischen
Museums, Berlin] / hrsg. von Katharina und
Gerhard Bott. Mit Beitr. von Annette Blaugrund …
[Übers. aus dem Engl.: Ingrid Hacker-Klier]. –
München : Hirmer, 1996
ISBN 3-7774-7180-1
NE: Bott, Katharina [Hrsg.]; Blaugrund, Annette;
Deutsches Historisches Museum <Berlin>

© 1996 by Deutsches Historisches Museum Berlin
und Hirmer Verlag GmbH München

Satz: Bruckmann, München
Lithographie: Dörfel, München
Druck und Bindung: Passavia, Passau
Umschlagentwurf: Dieter Vollendorf, München

ISBN 3-7774-7180-1

Printed in Germany

Leihgeber

Ann Arbor MI, University of Michigan Museum
  of Art
Baltimore MD, Maryland Historical Society
Baltimore MD, Walters Art Gallery
Boston MA, Museum of Fine Arts
Brooklyn NY, Brooklyn Museum
Chicago IL, Art Institute of Chicago
Chicago IL, Terra Museum of American Art
Cincinnati OH, Cincinnati Art Museum
Columbus OH, Columbus Museum of Art
Corning NY, Rockwell Museum
Detroit MI, Detroit Athletic Club
Detroit MI, Detroit Institute of Arts
East Lansing MI, Kresge Art Museum
Elmira NY, Arnot Art Museum
Fort Worth TX, Amon Carter Museum
Fredericksburg VA, Belmont Gari Melchers Estate
Greensburg PA, Westmoreland Museum of Art
Hagerstown MD, Washington County Museum
  of Fine Arts
Hartford CT, Wadsworth Atheneum
Indianapolis IN, Indianapolis Museum of Art
Indianapolis IN, Indiana State Museum
Lawrence KS, Mrs. Albert Bloch
Lincoln NE, Sheldon Memorial Art Gallery
Los Angeles CA, Los Angeles County Museum of Art
Milwaukee WI, Milwaukee Art Museum
Minneapolis MN, Collection Frederick R. Weisman
  Art Museum at the University of Minnesota
Moraga CA, Hearst Art Gallery
Muncie IN, Ball State University Museum of Art
Newark NJ, Newark Museum
Newburyport MA, Lepore Fine Arts
New York, New-York Historical Society
New York, Metropolitan Museum of Art
New York, Museum of the City of New York
New York, Spanierman Gallery
New York, Mrs. Eliza Reed
New York, Sotheby's

New York, Mr. George C. White
Norfolk VA, Chrysler Museum of Art
Omaha NE, Joslyn Art Museum
Philadelphia PA, American Swedish Historical
  Museum
Philadelphia PA, Museum of American Art of the
  Pennsylvania Academy of the Fine Arts
Pittsburgh PA, Carnegie Museum of Art
Richmond VA, Museum of the Confederacy
Saint Louis MO, Missouri Historical Society
San Diego CA, San Diego Museum of Art
San Francisco CA, Fine Art Museum of
  San Francisco
Santa Barbara CA, Santa Barbara Museum of Art
Santa Fe NM, Gerald Peters Gallery
Toledo OH, Toledo Museum of Art
Topeka KS, Harold M. Voth M. D.
Washington DC, Hirshhorn Museum and Sculpture
  Garden
Washington DC, National Museum of American Art
Waterford CT, Nelson Holbrook White
West Bend WI, West Bend Art Museum

Basel, Öffentliche Kunstsammlung Basel,
  Kunstmuseum
Berlin, Deutsches Historisches Museum
Darmstadt, Städtische Kunstsammlung Darmstadt
Düsseldorf, Galerie Paffrath
Düsseldorf, Kunstmuseum
Hannover, Sprengel Museum Hannover
München, Bayerische Staatsgemäldesammlungen
Neuss, Clemens-Sels-Museum
Rheine, Ludwig Kümpers u. Geschwister
Schwäbisch Gmünd, Museum für
  Natur & Stadtkultur
Schweinfurt, Sammlung Georg Schäfer
Stuttgart, Galerie der Stadt Stuttgart
Stuttgart, Staatsgalerie Stuttgart
Wuppertal, Sammlung Volmer

Inhalt

Vorwort

Kunst und Leben: Mit dem Wort vom spiegelbildlichen Verhältnis beider würde man es sich sicher zu einfach machen. Aber daß Kunstwerke mit den historischen Verhältnissen zu tun haben, daß sie Produkte künstlerischer Erfindung und zugleich Zeugen und Zeugnisse der Geschichte sind – darauf könnte man sich einigen. Für die Werke dieser Ausstellung treffen diese Vermutungen in besonderem Maße zu. »Kunstwerke sehen«, heißt in dieser Ausstellung Geschichte erleben, Geschichte in einer Dimension, die weit über Deutschland hinausgreift und ebenso das Geschehen in Deutschland ViceVersa miteinbezieht. Es ist eine exemplarische Ausstellung für das Deutsche Historische Museum, das den Auftrag hat, die deutsche Geschichte in die europäische und universale Geschichte einzubinden.

Seit der Unabhängigkeitserklärung der Vereinigten Staaten von Amerika 1776 mit ihrem Bekenntnis zu Toleranz und den Menschenrechten in einer freien Republik war das Land jenseits des Ozeans Ziel vieler Freiheitsträume und Landeplatz für viele freiheitsliebende, mutige und tatendurstige Auswanderer. Alleine aus Deutschland betraten im 19. Jahrhundert über 5 Millionen Emigranten amerikanischen Boden, sie prägten in vielen Zügen bis heute das neue Land. Wenn für Goethe Italien das Land einer rückwärtsgewandten sentimentalen Sehnsucht war, so war für ihn Amerika das Land der Verheißungen in eine unbeschwerte Zukunft: »Amerika, du hast es besser / Als unser Kontinent, das alte, / Hast keine verfallene Schlösser / Und keine Basalte. Dich stört nicht im Innern, / Zu lebendiger Zeit, / Unnützes Erinnern / Und vergeblicher Streit«, dichtete er ohne Kenntnis des Landes. Er wagte nicht die Überfahrt, die der Enkel seines fürstlichen Weimarer Gönners, Bernhard von Weimar, unternahm, um das »wahre« Amerika kennenzulernen. Amerika war keineswegs ein Land ohne Geschichte, wie Goethe meinte, ja die Auseinandersetzung der Einwanderer mit gerade dieser eigenständigen Geschichte, mit dem Leben und den Traditionen der uralten, und hochstehenden Indianerkultur,

prägt einen Teil der »neuen« Geschichte der Vereinigten Staaten – bis heute, wo immer noch Wild-West-Romantik und Indianerlegenden zu unsachlichen historischen Schlüssen führen.

Die deutschen Künstler, die im vorigen Jahrhundert nach Amerika kamen, hatten viele Gründe, die beschwerliche Reise über den Ozean zu unternehmen. Es begann bereits zur Zeit der Wirren der Französischen Revolution und der in Deutschland bald danach einsetzenden Restauration, daß aus politischen und religiösen Motiven deutsche Künstler ihre Heimat verließen. Andere begleiteten die ersten Expeditionen in das Innere des bis dahin unerforschten Landes als »zeichnende« Berichterstatter. Die fehlgeschlagene Revolution von 1848 brachte einen großen Schub freiheitsliebender deutscher Künstler nach den USA. Von nun an begann das Geben und Nehmen. Viele Deutsche waren in einem Land, das andere Sorgen hatte, als junge Künstler auszubilden, als Lehrer tätig, wurden Mitbegründer von Kunstakademien. So festigte sich der Ruf Deutschlands als Ausbildungsplatz auch für amerikanische Kunststudenten, die nach Düsseldorf, München oder anderen deutschen Kunstakademien in Scharen kamen und sich das Rüstzeug für ihre spätere Malerkarriere in den USA holten. Hatten die nach Amerika ausgewanderten deutschen Maler den »Blick des Fremden« mitgebracht und die großartigen Naturschönheiten des unberührten Landes für sich – und für ihre amerikanischen Kunden – entdeckt, so nahmen die gut ausgebildeten amerikanischen Maler später aus Deutschland berufsmäßige Routine bei der Ausübung ihrer Kunst mit, die der in Amerika entstehenden Kunst allmählich den Anschluß an europäisches Niveau ermöglichte. Ab 1913, dem Zeitpunkt der berühmten »Armory-Show« in New York, gab es dann eine »amerikanische Kunst« mit eigenem Antlitz, gespeist von Vorbildern der englischen Kunst, dem Einfluß der Pariser Kunst des Impressionismus – und den wechselseitigen künstlerischen Beziehungen zwischen Deutschland und Amerika.

Die Themen der ausgestellten Bilder sind deutlich bezogen auf die besonderen Umstände der Künstler in einem für sie neuen Land. Neue Landschaftseindrücke, neue Lebensformen, neue Gesichter faszinierten sie. Sie wurden so auch für die ansässigen Amerikaner zu »Entdeckern«. Deutsche »Gegenden«, das deutsche Mittelgebirge wie die idyllischen oberbayerischen Dörfer mit ihren Bewohnern und deutsche Lebensgepflogenheiten wurden zur Kulisse für junge Amerikaner, die in ihre Heimat ein Stück Europa hineintrugen, aber auch den Wunsch, sich von diesem Europa zu befreien.

ViceVersa ist eine Ausstellung, die das genaue Hinsehen lohnt. Wer sich in die Bilder und in die Künstler-Biographien vertieft, der taucht ein in eine Welt der innigsten Wechselbeziehungen zwischen zwei Kulturen, die nur scheinbar durch eine damals schier unermeßliche Distanz geschieden waren. Das Wiederfinden dieser lange Zeit vergessenen, versunkenen Wechselbeziehungen erforderte viele intensive Forschungen. Das Deutsche Historische Museum dankt allen Wissenschaftlern diesseits und jenseits des Atlantiks für ihre Liebe zum Thema, die nun kunsthistorisch so ertragreich geworden ist.

Christoph Stölzl

KATHARINA BOTT

ViceVersa. Deutsche Maler in Amerika – amerikanische Maler in Deutschland 1813–1913

Den Vereinigten Staaten.

Amerika, du hast es besser
Als unser Kontinent, das alte,
Hast keine verfallene Schlösser
Und keine Basalte.

Dich stört nicht im Innern
Zu lebendiger Zeit
Unnützes Erinnern
Und vergeblicher Streit.

I.

1831 wurde dieses Goethe-Gedicht in Wendts »Musenalmanach« auf Seite 42 zum ersten Mal abgedruckt. Einiges von dem, was Goethe ausgedrückt hat – der Ballast der Vergangenheit und der alltägliche Ärger –, mag auch zahlreiche deutsche Auswanderer bewegt haben, ein neues Leben in einem unbekannten, noch jungen Land zu beginnen. Der Alltag im Heimatland war für viele in ihren Familien und in ihrer politischen Umgebung so unerträglich geworden, daß sie die unbekannte Zukunft und wochenlange, beschwerliche Überfahrten über den Atlantik auf sich nahmen, um noch einmal von vorne ihr Schicksal zu gestalten. Vornehmlich wirtschaftliche und politische Gründe haben zur Auswandererflut geführt, die nach den Revolutionswirren von 1848 und nach 1880 ihre Höhepunkte erreichte. Erst im Jahre 1820 hatte die amerikanische Einwanderungsbehörde die Ankommenden statistisch zu erfassen begonnen. Mehr als fünfeinhalb Millionen Deutsche wanderten in dem Zeitraum von 1820 bis 1920, der als das »Jahrhundert der Einwanderung« bezeichnet wird, in die Vereinigten Staaten aus, eineinhalb Millionen allein in den Jahren zwischen 1880 und 1890.[1]

Die Anzahl der Künstler, die in dem gleichen Zeitraum auswanderten, nimmt sich dagegen relativ bescheiden aus. Es lassen sich aber anhand dieser ausgewählten Gruppe symptomatische Schlüsse auf die allgemeine Auswanderergeschichte ziehen. Künstler entwickeln eine besondere Empfindsamkeit gegenüber ihrer Umgebung und den Ereignissen, die sie begleiten. Sie können sie in ihren Werken ausdrücken, und so ergeben diese, wie ein Mosaik zusammengesetzt, ein genaues Bild der Umstände und der Zeit, in der sie leben und arbeiten. Offizielle Schätzungen haben ergeben, daß zwischen 1770 und 1870 etwa zweihundert deutsche Maler nach Amerika emigrierten. Neue Forschungen haben zur Erfassung von 1336 Namen von Künstlern, die für immer oder für einige Zeit in die USA ausgewandert sind, im Zeitraum von 1813 bis 1913 geführt;[2] nur von der Hälfte dieser Künstler ist der genaue Herkunftsort in Deutschland, Österreich oder der deutschsprachigen Schweiz bekannt.

Die frühesten reisenden Künstler haben ihre Atlantiküberquerung nicht wie nachfolgende Generationen aus wirtschaftlichen und politischen Zwängen angetreten. Sie waren neugierig auf einen neuen Kontinent und hatten einen wachen Blick für die Eigenheiten des fremden Landes. Ihr Entschluß war es auch nicht unbedingt, für immer in Amerika zu bleiben. Einige reisten als Chronisten und begleiteten häufig Expeditionen, die nach den Revolutionskriegen von der Regierung in Washington zusammengestellt wurden, um neue Landgebiete zu erforschen und nach Siedlungsmöglichkeiten für die wachsende Bevölkerung zu suchen. Ein besonderer Glücksfall ist, daß der Naturforscher Prinz Maximilian von Wied in den Jahren 1832–1834 von dem Schweizer Landschaftsmaler Karl Bodmer begleitet wurde, dem wir die authentischsten Zeugnisse über das Aussehen der Landschaft und der Menschen jener Zeit verdanken, in diesem Fall der Indianer. Der Prinz, der sich auf das Sammeln von seltsamen Tieren und völkerkundlichen Utensilien beschränkte, und sein Maler, den besonders die exotischen Kostüme der Indianerstämme der Great Plains faszinierten, drangen entlang des Mississippi und Missouri tiefer in den Westen vor als der bekannte amerikanische Indianer-Maler Catlin. Prinz Paul von Württemberg leitete 1849–1852 eine Expedition in die Rocky Mountains. Ihn begleitete der Zeichner Heinrich Möllhausen. Möllhausen veröffentlichte später, ebenso wie Bodmer, seine künstlerischen Ergebnisse in den Büchern »Tagebuch von einer Reise vom Mississippi zur Pazifik-Küste« und »Reisen in die Felsengebirge Nord-Amerikas«. Die Expeditionszeichner weckten im alten Europa die Neugier auf die exotischen Völker und fremden Landschaften des noch weitgehend unerforschten Kontinents Amerika.

II.

Über den gesamten Zeitraum eines Jahrhunderts wanderte die Mehrzahl der deutschen Künstler aus Preußen aus, mit einem Anschwellen der Auswandererbewegung nach 1848 und 1880. Freilich hatte das Preußen vor 1866 und 1871, dem Zeitpunkt der Gründung der wilhelminischen Monarchie, weder die Bedeutung noch die Ausdehnung des nachfolgenden Staates. Aber schon vor 1848 hat das kleinere Preußen die meisten Auswanderer vorzuweisen gehabt, gefolgt von der Schweiz, Bayern und Hessen. Im Revolutionsjahr 1848 flohen die meisten Künstler aus Sachsen und Bayern. Die politischen Ereignisse wurden besonders heftig an den Kunstakademien diskutiert, wo auch die Lehrer Stellung bezogen und sich zu freiheitlichen Ideen bekannten. Besonders die jungen Künstler, die aktiv an den Straßenkämpfen teilnahmen und unter Verfolgungen zu leiden hatten, die keine Aussicht besaßen, ihre Kunst in Deutschland ungestört ausüben zu können, wählten die Flucht nach Amerika. Zu den politischen Flüchtlingen, die in der neuen Heimat die Freiheit suchten, gehörten Hermann Lungkwitz und Richard Petri, die aktiv an den Straßenkämpfen in Dresden teilgenommen hatten, Georg Ernst Fischer aus Coburg, Theodor Kaufmann aus Hannover, Carl Christian Nahl aus Kassel, Johann Adam Oertel aus Nürnberg, Christian Schüssele aus dem Elsaß und Heinrich Vianden aus der Nähe von Bonn. Sie blieben in den Vereinigten Staaten der Genre-Malerei treu, die sie in Dresden gelernt hatten. Ein Bild von Fischer, einem Schüler der Dresdner Akademie, scheint die Schrecken der Revolutionszeit wiederzugeben: *Ängstlicher Moment*. Petri hat sich nur einmal an einem Historienbild versucht, *Fort Martin Scott*, hat es aber nicht vollendet. Nur Theodor Kaufmann öffnete sich aktuellen Zeitereignissen in der neuen Heimat: Er malte flüchtende Negersklaven und Indianer, die eine Eisenbahn in die Luft sprengen. Ansonsten zogen sich diese Revolutionsflüchtlinge eher in die Idylle zurück. Sie malten Landschaften, Porträts, Stilleben, das Landleben und die Faszination des Wilden Westens. Einige unter ihnen waren in den Sog der Goldsucher geraten, wie die Nahl-Familie, landeten dann aber auch in Kalifornien wieder in der Genre- und Porträt-Malerei. Andere, wie Oertel, ließen sich zunächst von der Fremdartigkeit des neuen Landes fesseln, bevorzugten dann aber nur religiöse Themen. Vor den Revolutionsflüchtlingen hatte schon Ludwig Krimmel aus Württemberg mit neugierigen Augen die alltäglichen Szenen der neuen Heimat beobachtet und im Bild festgehalten. Er schilderte die Stadt und die Gesellschaft von Philadelphia in vielfigurigen und kleinformatigen Szenen.

Die Nachwirkungen der Revolution sind in den Jahren nach 1848 bis 1860 zu spüren: Wieder führte Preußen bei der Zahl der Auswanderer in weitem Abstand, gefolgt von Bayern und Württemberg. Das Bild verschiebt sich 1860 bis 1880: Aus Sorge, ob der neue preußisch-deutsche Staat von Bestand sein würde, und aus Angst vor einem scheinbar unvermeidlichen Krieg flohen viele Familien ins Ausland. Auf Preußen folgen Sachsen und Württemberg. Waren es in diesen Jahren insgesamt 202 Künstler, die Deutschland verließen, so in den zehn Jahren danach 150, allein aus Preußen 52. Nach 1900 nimmt die Zahl der auswandernden Künstler rapide ab, aber wieder führt Preußen mit 30 Künstlern. Zwischen 1848 und 1890 steigt die Zahl der österreichischen Auswanderer stetig; die Schweiz behält ihre Quote über alle Zeiträume fast unverändert bei.

III.

Die Stadt, in der die meisten Einwanderer landeten und in der sie oft auch blieben, war New York (380). Philadelphia folgte dicht danach mit 308 eingewanderten Künstlern. Dann folgten mit größerem Abstand als Ziele deutscher emigrierter Künstler: Chicago (172), Milwaukee (95) und San Francisco (92). Die meisten Künstler ließen sich entlang der Ostküste von Boston bis Washington nieder, im Westen in der Nähe der großen Städte San Francisco und Los Angeles. Schwerpunkte gab es noch im Dreieck zwischen Cincinnati, Pittsburgh, Cleveland und Detroit und im Süden in New Orleans. Die Gruppe dieser auswanderndernden Künstler brachte in der Regel eine solide Ausbildung mit in ihre neue Heimat. Nicht allen gelang der Start in eine anerkannte künstlerische Zukunft, einige von ihnen landeten im Armenhaus, andere spielten die Rolle von Künstlerfürsten wie z. B. Albert Bierstadt. Nicht alle blieben bis zum Ende ihres Lebens auf dem neuen Kontinent, manche wurden von den Reizen des Wilden Westens verlockt und kehrten später wieder in ihre Heimat zurück. Das neue Land bot dem Künstler nicht nur andere Motive in Form von ungeahnter landschaftlicher Schönheit und exotischen Völkern, das enorme wirtschaftliche Wachstum verlangte auch von den Künstlern Beiträge, die ihren Neigungen und Ausbildungen entgegenkamen. Die aufblühende Druckindustrie suchte nach Zeichnern, Lithographen, Stechern, nach neuen Techniken der Farbwiedergabe, die Werbung nach Entwerfern für ihre Produkte, die Zeitungen nach Illustratoren. Aktuelle Ereignisse und der Bürgerkrieg brauchten Berichterstatter nicht nur mit der Schreibfeder, sondern auch mit dem Zeichenstift. Zentrum der lithographischen Techniken war New York, gefolgt von Philadelphia, Milwaukee, Baltimore und Cincinnati. Viele der auswandernden Künstler wurden Banknotenstecher, arbeiteten als Topographen beim Militär oder bei der Eisenbahn oder illustrierten medizinische Fachliteratur. Der aus Breslau 1848 ausgewanderte Louis Prang hat nach dem Bürgerkrieg in Amerika die Chromolithographie weiterentwickelt. Er soll die erste Weihnachts-Karte gedruckt haben – ist es doch eine in den englischsprechenden Ländern noch immer weitverbreitete Sitte, zu jedem Weihnachtsfest alle Verwandten und Freunde mit buntbedruckten Grußkarten zu bedenken. Er verbreitete auch berühmte Gemälde als Farb-Reproduktionen. Nicht nur der Farbdruck, auch die farbige Fotografie verlangte nach ausgefeilteren Techniken.

Der Bauboom verlangte nach Dekorationen der Architektur, nach Wandmalereien, Ornamenten und nach Skulpturenschmuck. Bei der Neuplanung von Städten suchte man Bildhauer für Denkmäler und Brunnen. Kirchen mußten mit Fresken und Glasfenstern ausgeschmückt, Altarbilder gemalt, Altäre geschnitzt, Leuchter und Kandelaber gegossen werden. Die immer kostbarer eingerichteten Schiffe, die den Atlantik kreuzten, brauchten Künstler zur Ausstattung der Innenräume. Messen und Weltausstellungen zogen nicht nur Architekten, sondern auch Maler und Bildhauer in ihren Bann. Besonders Architektur und Bildhauerei aus Deutschland gewannen zum ersten Mal bei der großen Weltausstellung in Philadel-

phia in Jahre 1876 an Beachtung. Den Gesamtplan des Ausstellungsgeländes ebenso wie die Memorial Hall, den an Renaissanceformen erinnernden deutschen Pavillon und andere Ausstellungshallen schuf der Münchner Hermann Joseph Schwarzmann, andere Kollegen wie Hugo Licht, Heinrich von Ferstel, Theophil von Hansen und Gottfried Semper erhielten Auszeichnungen. Zum ersten Mal präsentierte sich in Philadelphia amerikanische Kunst in einem breiten Spektrum: 800 Amerikaner stellten fast 3000 Kunstwerke aus. Kritiker bemerkten aber aufgrund der Fülle und Vielfalt, daß es noch keine eigenständige amerikanische Kunst gebe. Die in Philadelphia vorgestellten 170 deutschen Gemälde enttäuschten eher das interessierte Publikum. Unter den Werken fielen das »Wagenrennen« von Alexander von Wagner und »Der Anatomieprofessor« von Gabriel von Max auf (beide München). Österreich schickte fast ebensoviele Gemälde wie Deutschland und konnte mit Hans Makarts »Venedig huldigt der Katharina Cornaro« Triumphe feiern.

IV.

Künstlerische Aktivitäten in Amerika entfalteten sich in kleinen wie in riesenhaften Formaten. Deutsche Künstler führten die Laterna Magica vor, entwarfen Flaggen und Uniformen für die Armee. Sogar die Wappentiere der Republikaner und der Demokraten, der Esel und der Elefant, wurden von einem Deutschen entworfen (Thomas Nast). Die Phantasie deutscher Künstler verleitete den einen oder anderen dazu, vom gewohnten Pfad abzuweichen und in fremde Gebiete einzudringen: Einer soll sogar die Erdnußbutter und den Füllfederhalter erfunden haben. Ganze Arbeitstrupps kamen nach Milwaukee, um bei der im 19. Jahrhundert so beliebten Panorama-Malerei behilflich zu sein. Riesige Leinwände mit Ansichten von Städten, Landschaften und Ereignissen reisten in Europa wie in Amerika von Ort zu Ort, wurden dort abgerollt und mit Beleuchtung und Worten kommentiert. Die Aufzählung soll nicht bedeuten, daß nur deutsche Künstler in den jeweiligen Sparten Hervorragendes geleistet haben: Sie waren ein nicht nur in künstlerischer Hinsicht prägender Teil, der sich formierenden neuen Gesellschaft der Vereinigten Staaten von Amerika.

Die berühmtesten unter den ausgewanderten deutschen Künstlern sind der Landschaftsmaler Albert Bierstadt, der aus Solingen stammt, und der Historienmaler Emanuel Leutze aus Schwaben. Beide waren

Kinder, als die Eltern auswanderten, beide kamen zurück in ihre Heimat, um sich ausbilden zu lassen, und beide studierten an der Akademie in Düsseldorf. Bierstadt führte die amerikanische Landschaftsmalerei durch dramatischen Aufbau und theatralische Beleuchtung zu ungeahnten Dimensionen. Leutze gelang mit seinem Bild *Washington überquert den Delaware* (Kat. Nr. 46), das in Düsseldorf gemalt wurde, wohl die überzeugendste Formulierung der amerikanischen Tugenden in Form eines Ereignisses aus dem Unabhängigkeitskrieg. Die noch junge Geschichte der Vereinigten Staaten suchte nach Helden, nach Ereignissen als Fixpunkte einer Vergangenheit, mit der sich auch die Neusiedler identifizieren konnten. Wer konnte bessere Formulierungen finden als die Historienmaler, die in Düsseldorf geschult worden waren?

Am langlebigsten ist wohl der Ruhm derjenigen Künstler, die Galerien oder Schulen gründeten und als Lehrer wirkten. 73 Namen sind bekannt. Die meisten von ihnen wirkten in New York und Milwaukee, gefolgt von New Orleans, San Francisco und Detroit. Einer der bekanntesten Emigranten-Maler, Albert Bierstadt, gilt als Gründer der Rocky Mountain School, einer Landschaftsmalerei, die das Spektrum der Hudson River School, der ersten bedeutenden Landschaftsmalerei in Amerika, um wesentliche Dimensionen erweiterte. Emil Otto Grundmann gründete und leitete seit 1876 die Akademie in Boston bis zum Jahr 1890. 37 Jahre lang unterrichtete der Bremer Johann Heinrich Niemeyer an der Yale School of Fine Arts in New Haven, Connecticut. Der Basler Eugen Zimmermann, unter dem Pseudonym »Zim« bekannt, gründete in Horseheads NY eine Schule für Karikaturisten und Comic-Zeichner. Der in München geschulte Heinrich Schwabe zählte an der Newark Art League Charles Schreyvogel zu seinen Studenten und bewirkte wohl auch, daß dieser zur Weiterbildung nach München reiste. Zu den Gründern der renommierten Pennsylvania Academy of Fine Arts in Philadelphia gehörte Johannes Eckstein, ein Bildhauer aus Berlin. Der im Jahr 1848 ausgewanderte Darmstädter Paul Weber unterrichtete in Philadelphia und schickte eine große Zahl seiner Schüler, darunter Haseltine und Richards, nach Deutschland zum Studium; Otto Fuchs war zunächst Lehrer an der Cooper Union in New York, in Boston an der US Naval Academy und leitete dann 23 Jahre lang die Maryland Institute School of Art in Baltimore. 41 Jahre lang unterrichtete der Wiener Friedrich Gottwald, der 1882 in München studiert hatte, an der Cleveland School of Art. Andrew Carnegie bestimmte John J. Hammer,

einen ehemaligen Schüler der Münchner Akademie, zum Direktor seiner Kunstschule in Pittsburgh. Dort unterrichtete auch der Elsässer Georg Hetzel an der School of Design for Women. Robert Koehler aus Hamburg, der Maler von eindrucksvollen Klassenkampf-Bildern, wirkte nach seiner Ankunft aus München als Direktor der School of Fine Arts von 1893 bis zu seinem Tod im Jahr 1917 in Minneapolis; Ferdinand König aus Köln, Heinrich Vianden aus Bonn und Richard Lorenz aus Voigtstaedt bei Weimar waren in Milwaukee tätig. Der Direktor der Milwaukee School of Art, Otto von Ernst, kannte Lorenz aus der gemeinsamen Studienzeit in Weimar und holte ihn als Lehrer an seine Schule. Unter Lorenz' Studenten waren Edward Steichen und Frank Tenney Johnson. Johann Hermann Carmiencke aus Hamburg war einer der Mitbegründer der Brooklyn Academy. An der Südwestküste lehrte 22 Jahre lang Carl Ludwig Brandt aus Hamburg als Direktor an der Telfair Academy in Savannah, Georgia. Der erste Lehrer für Zeichenunterricht an der Washington University in Saint Louis war der Nürnberger Landschaftsmaler Paul Rötter, der in München und Düsseldorf gelernt hatte. In Texas, in San Antonio, wirkte der Schlesier Carl von Iwonski, der als Portraitist und Genremaler in Erscheinung trat, als Zeichenlehrer an der Deutsch-Englischen Schule. An der Westküste profilierte sich Hermann Emanuel Braeg aus der Schweiz. Er trat dem Orden der Christlichen Brüder bei und lehrte als Bruder Fidelis Cornelius am St. Mary's College in Oakland. Er widmete seine Studien dem Landschaftsmaler William Keith, einem Nachkommen des Feldmarschalls Friedrichs des Großen, Jakob Keith, der in Düsseldorf und München studiert hatte und in Kalifornien lebte und arbeitete. Oscar Kunath aus Dresden unterrichtete in San Francisco an der School of Design und malte für die wohlhabenden Familien der Stadt deren Portraits und Erinnerungen an die Goldgräberzeit. Eugen Neuhaus aus Barmen, ein Landschaftsmaler, wurde der bekannteste Kunsthistoriker der Westküste und leitete mehr als 40 Jahre das Kunsthistorische Institut der University of California in Berkeley. Hier lehrte auch Friedrich Meyer aus Hameln, der nach 1906 die California School of Arts and Crafts gründete, deren Präsident er bis zum Jahre 1944 blieb. Henry Koch, Kunstschüler in München, Dresden und Paris, amtierte 16 Jahre lang als Vizepräsident der Los Angeles School of Art and Design. Viele dieser Lehrer ebneten ihren Schülern den Weg zur Ausbildung in Deutschland. In ihnen zeigt sich am deutlichsten die gegenseitige Beeinflussung der

Kulturen: Dort im neuen Land gab es ungeahnte Dimensionen nicht nur in der Landschaft, sondern auch im freiheitlichen Gedankengut, in Deutschland die Ausbildungsmöglichkeiten durch solide Technik, gemessen am Maßstab der abendländischen Kunst.

V.

»In his student days Chase was deeply impressed by the remark of his teacher, Piloty, that the next great art development would take place in America«,[3] schrieb einer der Schüler von William Merritt Chase, einem der bedeutendsten Lehrer des ausgehenden 19. und beginnenden 20. Jahrhunderts. Karl von Piloty, Professor an der Münchner Akademie, sah voraus, daß sich die Anziehungskraft der bayerischen Metropole dem Ende zuneigte. Der große Historienmaler wollte aber die nachfolgende führende Rolle Frankreichs nicht anerkennen. Er hoffte auf eine gänzliche Erneuerung der Malerei, sowohl in der Technik wie in der Sehweise – und er hatte recht. Die abstrakte Malerei wurde zwar nicht in Amerika erfunden, dort aber zu ihrem Höhepunkt gebracht. Die jungen Amerikaner fuhren zur Weiterbildung nach Europa. Zeichnen lernten sie in Düsseldorf, Maltechnik und Realitätssinn in München, in Frankreich Komposition und malerisches Empfinden, in Italien und Spanien den Blick für das malerische Sujet. Auf ihrer Europareise, einer Fortsetzung der Grand Tour der Engländer des 18. Jahrhunderts, bevorzugten sie die Akademien von Belgien (Brüssel und Antwerpen), die Landschaft in Italien (Florenz und Rom) und vor allem die grundlegende Ausbildung an deutschen Schulen oder bei deutschen Lehrern. Nur zwei Akademien in Deutschland spielten für die jungen Amerikaner eine herausragende Rolle: Düsseldorf und München. Einige wenige zogen auch nach Wien, Berlin, Dresden, Leipzig oder Stuttgart und Karlsruhe, aber sie sind in der Minderzahl und spielen für die gegenseitige Beeinflussung eine untergeordnete Rolle. Die Mehrzahl der amerikanischen Künstler, die zur Ausbildung nach Deutschland gingen, waren Maler; die Bildhauer zogen zur weiteren Schulung eher nach Italien. Eine ganze Reihe von Amerikanern besuchte nacheinander die Akademien von Düsseldorf und München. Einige der Düsseldorfer Studenten und viele der Münchner wählten nach ihrem Studienaufenthalt in Deutschland zusätzlich Paris als Ausbildungsort. Manche verließen Paris enttäuscht aufgrund ihrer künstlerischen Erfahrungen dort, andere wieder fanden die französische Metropole zu kostspielig für ihren schmalen Geldbeutel. In Deutschland konzentrierten sie sich auf die Maltechnik, in Frankreich auf den neuen Stil. Die französische Malerei hatte über den Umweg Courbet–Leibl die bayerische Metropole erreicht und sollte dort bis zum Ende dieses Jahrhunderts die innovative künstlerische Kraft bleiben.

William Merritt Chase gehört zu den mehr als 700 amerikanischen Malern, die im Zeitraum zwischen 1813 und 1913 nach Deutschland reisten, um dort an einer Akademie zu studieren. Waren die amerikanischen Künstler des 18. und frühen 19. Jahrhunderts noch nach London und Rom zur Weiterbildung gereist, so bevorzugten sie um die Mitte bis zum Ende des Jahrhunderts Ausbildungsstätten in Deutschland. Gegen Ende des Jahrhunderts erwies sich Paris als der große Magnet für angehende Künstler. Nicht alle hatten wohlhabende Eltern, einige der Väter waren Handwerker und Farmer, aber es fand sich fast immer ein Sponsor in Form eines Industriellen oder einer Gemeinde, und der zukünftige Künstler konnte seine große Reise übers Wasser antreten. Die meisten Amerikaner reisten aus New York an (100), aus dem Staat New York waren es 40. Zwei große Städte des Ostens, in denen sich viele deutsche Emigranten niedergelassen hatten, schickten fast ebensoviele Studenten nach Deutschland: Philadelphia 50 – aus ganz Pennsylvania kamen 75 – und Cincinnati 40 – aus Ohio kamen noch mehr als 30 Studenten hinzu. Die jährlichen Ausstellungen an der Pennsylvania Academy of Fine Arts, bei denen regelmäßig auch Werke deutscher Künstler (wie z. B. Achenbach, Hasenclever, Kaulbach, Knaus, Meyer von Bremen und der Österreicher Makart und Waldmüller) gezeigt wurden, trugen dazu bei, die Attraktivität eines Studiums in Deutschland zu erhöhen. Aus Indiana kamen etwas weniger als 40 Kunstschüler, der erste im Jahr 1882, aus Chicago 36 und noch einmal 15 aus ganz Illinois. Aus San Francisco reisten 22 Studenten nach Deutschland, sonst spielte die Westküste für diese Bewegung keine bedeutende Rolle.

VI.

Die ersten amerikanischen Künstler trafen Ende der 40er Jahre des 19. Jahrhunderts in Düsseldorf ein. Insgesamt weilten 116 Amerikaner in Düsseldorf zur Weiterbildung, etwa die Hälfte davon stammte aus deutschen ausgewanderten Familien; nicht alle besuchten die Akademie. Es waren die deutschstämmigen Amerikaner wie Leutze und Bierstadt, die ihre Landsleute auf Düsseldorf aufmerksam machten.

Leutzes Ruhm und seine Fürsorge für die nachfolgenden Landsleute trugen ebenso dazu bei, daß Düsseldorf die jungen Maler an sich zog, wie die Einrichtung der »Düsseldorf Gallery« in New York. Auch wer nicht nach Deutschland fahren konnte, hatte die Möglichkeit, durch diese ständige Ausstellung mit der Kunst Düsseldorfs bekannt zu werden. Hier präsentierte z.B. Andreas Achenbach sein Bild *Sizilianische Küste*, das für den amerikanischen Markt konzipiert war: Auf dem Felsen im tosenden Meer lehnt eine amerikanische Flagge. Der Ruhm der Düsseldorfer Akademie übertraf die der anderen deutschen Akademien bei weitem. Die Schule wurde seit 1825 von dem Nazarener Wilhelm von Schadow geleitet; zu ihren herausragenden Lehrern gehörten Schadows frühere Schüler, die er von Berlin mitgebracht hatte: Karl Friedrich Lessing, Carl Ferdinand Sohn, Eduard Julius Friedrich Bendemann und Theodor Hildebrandt. In Düsseldorf fühlten sich besonders die Landschaftsmaler unter den Brüdern Andreas und Oswald Achenbach und unter Johann Wilhelm Schirmer wohl, aber auch Genre- und Historienmaler konnten sich ihrem Fach widmen. Richard Caton Woodville fand hier zu seinem Stil der humoristischen Erzählung des amerikanischen Alltags in der Art von Johann Peter Hasenclever und Ludwig Knaus. Ein wesentlicher Faktor unterschied die amerikanischen Künstler, die in Düsseldorf studierten, von denen, die später nach München fuhren: einige von ihnen waren politisch interessiert und aktiv. Das hatte sowohl mit der Zeit als auch mit dem deutschstämmigen Elternhaus zu tun, in dem die wachsenden Probleme der unruhigen deutschen Länder besprochen wurden. Bezeichnend ist, daß sich in Düsseldorf die jungen amerikanischen und deutschen Maler im »Malkasten« trafen, zu dessen Gründern auch Leutze zählte. In München blieben sie aber eher unter sich und scharten sich als »Duveneck-Boys« um ihr Vorbild Frank Duveneck. Sie gründeten 1875 den »American Artists' Club«, wo man sich zweimal in der Woche traf. Hatte sich Leutze insbesondere der Historienmalerei zugewandt, so spezialisierten sich seine beiden berühmtesten Schüler, Bierstadt und Wimar, beide als Kinder mit den Familien aus Deutschland nach Amerika ausgewandert, auf die Landschaftsmalerei und Szenen aus dem Indianerleben. George Caleb Bingham war schon ein erfolgreicher Maler von Mississippi-Flatboatmen in Amerika, als er 1856 bei Leutze weitergebildet werden wollte. Die bekanntesten amerikanischen Maler, die Düsseldorf besuchten, hatten alle mehr oder weniger mit Leutze zu tun, unter ihnen

auch Eastman Johnson und Worthington Whittredge, der zusammen mit William Stanley Haseltine und Bierstadt Leutze auf einer Reise rheinaufwärts nach Italien begleitete. Reisen ins umliegende Land, zur Nahe oder den Rhein hinauf bis nach Italien spielten für die Düsseldorfer Studenten eine große Rolle. Viele wanderten in Gruppen mit dem Rucksack, andere, wie z. B. Bierstadt, zogen es vor, allein mit dem Zeichenblock einen Sommer im Harzgebirge zu verbringen und die Skizzen dann erfahreneren Kollegen in Düsseldorf zur Kritik vorzulegen. Die Künstler übten sich im kleinen Format, an der Kleinteiligkeit und atmosphärischen Unterschiedlichkeit der deutschen Landschaft. Den Besten unter ihnen (z.B. Bierstadt) gelang später in bezug auf Format und Dramatik die Umsetzung in amerikanische Dimensionen. Bis in die Mitte der sechziger Jahre konnte die Düsseldorfer Akademie ihre führende Rolle als Ausbildungsstätte angehender Künstler sowohl in der Landschafts- wie in der Historienmalerei beibehalten. Nach 1865 waren die glorreichen Tage der Akademie vorüber. Leutze hatte die Stadt verlassen. Jahrelang hatte er auf eine Berufung gewartet. Jetzt hatte ihn die Regierung in Washington damit beauftragt, ein Fresko im Capitol auszuführen.

Zu den bedeutendsten amerikanischen Lehrern, die aus der Düsseldorfer Schule hervorgingen, gehörten: Eliphalet F. Andrews, zehn Jahre lang Lehrer an der Corcoran Art Gallery in Washington und gleichzeitig der erste Präsident der Corcoran Art School, und Douglas J. Connah, Präsident der New York School of Art. Ein anderer, von deutschen Auswanderern abstammender Amerikaner war Gari Melchers aus Detroit, ein später Schüler der Düsseldorfer Akademie, der in Weimar von 1909 bis zum Ausbruch des Ersten Weltkrieges unterrichtete.

VII.

Wesentlich mehr als in Düsseldorf, nämlich fast 500 Amerikaner, besuchten kürzer oder länger die bayerische Hauptstadt. Etwa ein Drittel davon hatte Vorfahren in Deutschland. Nicht nur die Akademie zog sie an, in der 320 eingeschrieben waren – viele von ihnen sind nur durch die Eintragung in den Aufnahmelisten der Akademie bekannt –,[4] auch die Museen und eine neue hier gebotene Maltechnik faszinierten sie: Obwohl Wilhelm Leibl, außer in seinen wenigen Jahren an der Akademie, keinen Unterricht im herkömmlichen Sinn gab, näherten sich vor allem die »Duveneck-Boys« seinem Malstil an. An der Akademie lernten sie die Portraitmalerei; in der Umgebung von München, bei Polling oder Schleißheim, näherten sie sich der Landschaft. In München ließ sich leichter Geld verdienen und eher auf Erfolg hoffen als in Düsseldorf. Die Gemäldesammlungen aus Düsseldorf waren inzwischen in München untergebracht, und auch die Möglichkeit, Ausstellungen zu beschicken (Glaspalast, Kunstverein), ergab sich in München weit häufiger als in dem eher provinziellen Städtchen am Rhein. Kopien aus der Alten Pinakothek waren bei Reisenden und Einheimischen sehr beliebt, und gleichzeitig konnten die Akademieschüler dabei lernen.

Der erste Amerikaner traf im Jahre 1836 in München ein und ließ sich an der Akademie als Hospitant einschreiben (Fr. W. Philip). Um 1860 tauchten die ersten Gruppen auf, 1872 waren 26 Amerikaner an der Akademie eingeschrieben, 1875 35 und 1878 42. Damit hatte die amerikanische Künstlerkolonie in München ihren Höhepunkt erreicht; es war das Jahr, in dem Frank Duveneck Gleichgesinnte um sich scharte. Mit 60 Schülern und Kollegen soll er zusammengearbeitet haben, 37 sind statistisch erfaßbar, es waren hauptsächlich Amerikaner. Zu seinen Schülern zählen die berühmtesten Namen der amerikanischen Kunstgeschichte des ausgehenden 19. Jahrhunderts: John White Alexander, Otto Henry Bacher, William Merritt Chase, J. Frank Currier, Joseph DeCamp, Julius Rolshoven, Joseph H. Sharp, Walter Shirlaw, John H. Twachtman, Theodore Wendel und Theodore Wores.

Die letzte Gruppe amerikanischer Studenten kam aus Indiana. Einer der bekanntesten aus der Gruppe der Indiana-Maler, William Forsyth, teilte nach der Besichtigung einer Ausstellung im Glaspalast nach Hause mit: »Wir fragten uns, wenn diese Art von Gemälden (Landschaften) in Holland oder Norwegen gemalt werden konnte, warum dann nicht in Amerika? Und vorausgesetzt, diese Arbeiten könnten in Amerika entstehen, warum dann nicht in Indiana?« Und so entstand eine ganz bestimmte Schule der amerikanischen Malerei in Indiana, die ihren Weg zwischen Tradition und Moderne fand.

Ähnlich wie in Düsseldorf blieb nur ein Teil der Studenten ständig an der Akademie. Die meisten suchten sich bald einen Lehrer ihrer Wahl. Nicht immer waren die berühmtesten Lehrer der Akademie (Piloty, Wagner) auch die gesuchtesten. Zu den beliebtesten Landschaftsmalern gehörte Ludwig Löfftz, der eine Zeitlang auch Frank Duveneck unterrichtete. Duveneck brachte nicht nur die dunkeltonige Münchner Malweise nach Amerika, er entwickelte auch in München schon die Fähigkeit, Malerfreunde um sich zu

sammeln und ihren Malstil zu beeinflussen. Er spielte in München eine ähnliche herausragende Rolle wie Leutze in Düsseldorf. Nach München kamen auch weibliche Studierende. Sie wurden zwar nicht an der Akademie aufgenommen, konnten sich aber ihre Lehrer außerhalb suchen. Einer der eifrigsten Schülerinnen von Frank Duveneck, Elizabeth Boott, die den Lehrer von München nach Venedig und Florenz entführte, gelang es sogar, ihn zu heiraten. Ein anderer Akademielehrer, den die Mehrzahl der Amerikaner akzeptierte, war der Ungar und Piloty-Schüler Julius Benczur. Zu seinen Studenten zählten vor allem die Maler aus Indiana.

Einige der Münchner Studenten ernteten im Lauf ihres Studiums an der Akademie so viele Auszeichnungen und hohes Lob, daß man ihnen eine Professorenstelle anbot, wie z. B. William Merritt Chase, der aber ablehnte. Ein anderer Münchner Student, Carl Marr, wie Gari Melchers von deutschen Auswanderern abstammend, der 1877 bis 1880 an der Akademie studiert hatte, kehrte zwei Jahre später nach München zurück und gehörte dort zu den beliebtesten Lehrern der amerikanischen Studenten im ausgehenden 19. Jahrhundert. Seit 1893 war er Professor, seit 1919 Direktor der Münchner Akademie. Mehr als 50 Namen seiner Studenten sind bekannt, darunter Irving R. Bacon aus Detroit, Robert Franz Curry aus Boston, William Keith aus Californien, Charles Reiffel aus Indianapolis, Charles Schreyvogel aus New York und Joseph H. Sharp, der dann als Lehrer in Cincinnati wirkte. Das Bild, das diese Marr-Schüler vom Wilden Westen geprägt haben, ihre Wiedergabe von Indianern und Cowboys, hat sich bis heute unverändert erhalten. Möglicherweise zieht sich von hier aus eine Linie zur realistischen amerikanischen Malerei des 20. Jahrhunderts.

VIII.

Wieder sind es – wie in Düsseldorf – vor allem die nach dem Studium in München zurückgekehrten Lehrer, die ihr Können an die nächste Generation amerikanischer Maler weitergeben: der Porträtmaler Isaac H. Caliga und der Bildhauer Frank Dengler in Boston, der viele seiner Münchner Studienkollegen als Porträtbüsten wiedergab; zwanzig Jahre lang hatte Lemuel E. Wilmarth ein Lehramt an der National Academy of Design in New York inne (1870–1890). Er war Schüler von Wilhelm von Kaulbach in München, ehe er zu Gérome nach Paris ging; John Twachtman aus Cincinnati, auch einer der »Duveneck-

Boys«, gründete 1898 in New York die Gruppe der »Ten American Painters«; Joseph DeCamp lehrte an der Pennsylvania Academy of Fine Arts in Philadelphia, wo auch Hermann F. Deigendesch an der School of Industrial Art unterrichtete. Der einflußreichste Lehrer im letzten Viertel des 19. Jahrhunderts war William Merritt Chase, der zunächst die Malklasse der Art Students League in New York übernahm, wo später auch der in München ausgebildete Walt Kuhn unterrichtete und dann seine eigene Sommer-Schule in Shinnecock, Long Island, leitete. Chase wurde hier zum Protagonisten der jüngeren in Europa ausgebildeten Künstler. Er unterrichtete unter anderen auch Charles Sheeler, Robert Henri, George Bellows und John Sloane. James Francis Brown, in München und Paris ausgebildet, leitete die Buffalo Art School.

Der Tier- und Landschaftsmaler Heinrich Keller lehrte an der Cleveland School of Arts; Frank Duveneck leitete 25 Lahre lang die Art Academy in Cincinnati; gleichzeitig unterrichteten dort der bekannteste Landschaftsmaler der Stadt, Lewis H. Meakin, der vier Jahre in München verbracht hatte, und Vincent Nowottny, auch ein Schüler von Löfftz. Alexander Müller, ein Schüler Carl von Marrs, wurde zum Direktor der School of Fine Arts in Milwaukee ernannt. James F. Gookins (in München 1870 bis 1873) aus Indiana übernahm das Amt des Vizedirektors der Indiana School of Art in Indianapolis. Er veranlaßte viele seiner Studenten zu einem Studienaufenthalt in der bayerischen Metropole. In San Francisco lehrte 1907 bis 1912 Theodore Wores, einer der »Duveneck-Boys«, Schüler von Löfftz und Wagner in München und mit den höchsten Preisen der Akademie ausgezeichnet.

Schon auf der Weltausstellung in Philadelphia 1876 waren die Gemälde von Amerikanern aufgefallen, die in München studiert hatten. Die Duveneck-Gruppe wurde vorgestellt, und es erwies sich hier, daß die Düsseldorfer Akademie ihre Vorherrschaft verloren hatte. Für sein in München geschaffenes Gemälde The Court Jester (Der Hofnarr) erhielt William Merritt Chase in Philadelphia eine Auszeichnung. Übrigens konnten die amerikanischen Künstler, die im Ausland studierten, vor allem in New York bei der National Academy of Design und in Philadelphia in der Pennsylvania Academy of Fine Arts ausstellen und auf die Aufmerksamkeit des interessierten Publikums und der amerikanischen Kritik hoffen.

Auf der epochemachenden Ausstellung der »Armory Show« in New York im Jahre 1913 erwies sich endgültig, daß keine der deutschen Ausbildungsstätten mehr eine herausragende Rolle spielte. Die ein-

hundert Jahre dauernde gegenseitige Beeinflussung hatte einen Abschluß gefunden. Noch dominierte der französische Einfluß, aber bald stellte sich heraus, daß Neuerungen in der Kunst des 20. Jahrhunderts auch aus den Vereinigten Staaten kamen und ab diesem Zeitpunkt niemand mehr von einem vorherrschenden Einfluß oder einer prägenden Einwirkung sprechen konnte. Noch wurde die Kunstausstellung in New York nach dem Vorbild der Internationalen Kunstausstellung des Sonderbundes westdeutscher Kunstfreunde und Künstler 1912 in Köln organisiert, aber das gigantische Unternehmen hatte es sich schon zum Ziel gesetzt, Forum für die fortschrittlichste Malerei Europas zu sein und gleichzeitig Maßstäbe zu setzen für die zeitgenössische amerikanische Malerei. Zum ersten Mal versuchten die Amerikaner, einen Überblick über ihre Kunstgeschichte zu geben und eine parallele Entwicklung zu der europäischen aufzuzeigen. Unter den insgesamt 1200 Kunstwerken hoben sich die der Franzosen am eindrucksvollsten ab. Nach der »Armory Show« war die amerikanische Malerei nicht mehr die gleiche wie vorher. Die Ausstellung wurde tatsächlich als internationaler Maßstab angenommen und setzte den Meilenstein zu einem Neubeginn. Die Verbindungen zwischen den beiden Ländern Deutschland und Amerika rissen natürlich nach der Armory Show nicht ab – im Gegenteil –, aber die lokale Gebundenheit von Kunstströmungen und deren Richtungen hatte ein Ende gefunden.

IX.

Das Jahr 1813 ist an den Beginn des Ausstellungs-Zeitraumes gesetzt, weil zu diesem Zeitpunkt ein deutscher Bildhauer die Statue The Genius of America schuf. Johannes Eckstein, 1793 ausgewandert und früher Hofbildhauer bei Friedrich dem Großen, war mit seinem künstlerisch begabten Sohn nach Philadelphia übergesiedelt und stellte dort seine Skulptur aus, die heute verloren ist: ein bewegendes Zeugnis des Bekenntnisses zu seiner neuen Heimat, nämlich nicht nur eine Huldigung an das Land, sondern auch eine Personifizierung der Hoffnung aller Emigranten. Skulpturen konnten leider in dieser Ausstellung nicht gezeigt werden, und so wurde die Malerei zum Forschungsgegenstand und soll beispielhaft für einhundert Jahre künstlerischer Beziehungen zwischen den beiden Ländern Deutschland und Amerika vorgeführt werden.

Elf Abteilungen, die annähernd chronologisch geordnet sind, sollen helfen, einen Überblick über die wechselseitigen künstlerischen Beziehungen der beiden Länder Deutschland und Amerika zu geben. So unauffällig sich auch die Aquarelle der Expeditionszeichner geben mögen, so stehen sie doch am Anfang eines Themenkreises, der bis heute nicht erschöpft ist: Sie haben mit dazu beigetragen, den Mythos vom Wilden Westen zu schaffen, der erst in den 70er und 80er Jahren unseres Jahrhunderts kritisch durchleuchtet wurde. Für die nach Amerika ausgewanderten Genremaler des frühen 19. Jahrhunderts spielte das Leben in der Gesellschaft und in der Stadt eine herausragende Rolle. In ihren Bildern wollten sich die Einwohner wiederfinden und an festliche, aber auch alltägliche Ereignisse in ihrem Leben erinnert werden. Den Maler wiederum interessierte das Stadtbild, der Garten, der Park, die umgebende (im Gegensatz zum Wilden Westen) »gezähmte« Landschaft, aber auch der Alltag der Handwerker und Arbeiter in ihrer neuen Heimat. Mit dem Handwerkszeug, das sie aus der alten Heimat mitbrachten, wandten sie sich den neuen Themen ihrer Wahlheimat zu. Der Eingewanderte oder im Ausland Ausgebildete behielt ein offenes Auge für alle Erscheinungen des amerikanischen Alltags. Während die hier ausgestellten eingewanderten Maler vor der Jahrhundertmitte dem beliebten Landschaftsausschnitt treu blieben, fast ängstlich vor der unermeßlichen Weite des Landes die malerischen Gegenden ihrer näheren Umgebung nach Motiven absuchten, machten die Landschaftsmaler nach der Jahrhundertmitte große und anstrengende Expeditionen in den Westen mit, um neue Motive zu finden, die den Sensationsbedürfnissen einer neuen wohlhabenden Gesellschaft entgegenkamen. Die Panoramamalerei war eines der Ergebnisse, die die Sehnsucht nach fernen Gegenden und aufregenden Ereignissen zu befriedigen suchte. Daß Bierstadts Felsenlandschaften solche Dimensionen annahmen, läßt sich sowohl aus der Nähe zur Panoramamalerei wie aus der Suche der Amerikaner nach nationalen Sehenswürdigkeiten folgern.

Die Aktivitäten der amerikanischen Künstler in Düsseldorf und München können sowohl anhand der Bildbeispiele wie aufgrund der ausführlichen Beiträge im Katalog deutlich an Konturen gewinnen. Die amerikanischen Maler waren sich bewußt, daß ihre Ausbildung in Deutschland eine solide Grundlage für ihre künstlerische Weiterentwicklung in der Heimat bedeutete. Nicht nur die Sponsoren, die ihnen die Ausbildung in Europa ermöglichten, auch die Künstlervereinigungen in Amerika, die zunehmend an Bedeutung gewannen, sahen diese Schulung als notwendigen Schritt zur Schaffung einer nationalen amerikanischen Malerei.

Zwei Besonderheiten, die bei der Vorbereitung der Ausstellung auffielen, sind zu eigenen Gruppen zusammengestellt worden. Einmal ist es die besondere Aufmerksamkeit, die die Maler exotischen Völkern schenkten, seien sie rothäutig oder schwarzhäutig. Auf der einen Seite verherrlichten die Künstler deren Leben und Taten, andererseits machten sie auf das Schicksal dieser leidenden Völker aufmerksam. Der andere ist ein maltechnischer Gesichtspunkt. Die Künstler in beiden Ländern übten an einem vorgegebenen Sujet, dem Stilleben, und veränderten es vom dekorativen Zimmerschmuck zur »reinen Malerei«.

Endpunkt unseres gewählten Zeitraums ist die »Armory Show« im Jahre 1913 in New York. Obwohl die deutschen Künstler nur eine kleine Gruppe bildeten, waren einige der wichtigsten Vertreter in New York zu sehen: der in München lebende Kandinsky mit *Improvisation*, Kirchner mit dem *Wirtshausgarten* und Slevogt mit den *Weinbergarbeitern*. Lehmbruck hatte zwei Skulpturen und mehrere Zeichnungen geschickt. Kandinskys Malerei, die in Amerika als abstrakter Expressionismus bezeichnet wird, führte zur Umsetzung von Gestaltungs- und Erlebnisimpulsen in der amerikanischen Malerei der 40er und 50er Jahre des 20. Jahrhunderts. Die herausragende Figur aber ist Marsden Hartley. Mit ihm beginnt die abstrakte Malerei in Amerika, und die Anstöße dazu erhielt er im Berlin des beginnenden 20. Jahrhunderts. Zu wenig bekannt sind die beiden einflußreichen amerikanischen Lehrer, die bis ins 20. Jahrhundert hinein an deutschen Hochschulen lehrten, Carl von Marr in München und Gari Melchers in Weimar. Sie führten einen realistischen, gegenständlichen Stil weiter, der bis heute neben der abstrakten Malerei seinen Stellenwert behalten hat. Gari Melchers *Roter Husar* (Kat. Nr. 119), Provokation und Bekenntnis zugleich, setzt den Schlußakzent. Mit ihm beendet die Ausstellung ihren ausgewählten Überblick über einhundert Jahre gemeinsamer Kunstgeschichte zwischen Deutschland und Amerika.

1 Roger Daniels, »Coming to America«, 1990. – Gesamt-Einwandererzahl im Zeitraum 1820–1920: 33½ Millionen
2 Katharina Bott, »Deutsche Künstler in Amerika – Amerikanische Künstler in Deutschland 1813–1913«, 2 Bde., Weimar 1996
3 Katherine Metcalf Roof, »The Life and Art of William Merritt Chase«, New York 1917, S. 203
4 Alle späteren Zeugnisse ihrer Anwesenheit an der Münchner Akademie, wie zum Beispiel Vorlesungslisten, gingen in den Wirren des 2. Weltkriegs verloren; Nachrichten über ihren München-Aufenthalt haben sich in anderen Quellen (z.B. Biographien) erhalten.

THOMAS W. GAEHTGENS

Alte Welt und Neue Welt

Deutsch-amerikanische Kunstbeziehungen im 19. und frühen 20. Jahrhundert

I.

In keinem anderen europäischen Land haben sich die Museumskuratoren und die Privatsammler nach dem Zweiten Weltkrieg so intensiv der zeitgenössischen Kunst der Vereinigten Staaten von Amerika zugewandt wie in Deutschland. Die Malerei des Abstrakten Expressionismus und der Pop Art sowie die Minimal Art sind in deutschen Museen hervorragend vertreten.

Dieser Umstand ist nicht nur als Tatsache oft festgestellt worden. Längst hat die Forschung über die Gründe und die Folgen dieses Kulturimports eingesetzt.[1] Die politische Verbundenheit Deutschlands mit den USA in der Epoche des Wiederaufbaus einerseits, und andererseits der Wunsch Amerikas, sich auf einen engen Verbündeten als Partner gegenüber dem Ostblock stützen zu können, bildeten die Grundlage für den Kulturtransfer. Im Rückblick auf die Nachkriegsjahre kann mit einiger Genauigkeit heute beurteilt werden, daß die amerikanische Kunst in den deutschen Museen nur einen kleinen Teil eines breiteren Einflußbereiches in Wirtschaft, Technologie und Kultur darstellte.

Die Konsequenzen dieser intensiven Beziehungen zweier Länder sind noch gar nicht ausgelotet. Sie mögen aber als Hinweis am Anfang unserer Betrachtung stehen, weil jeder Besucher dieser Ausstellung heute ein fest umrissenes Amerikabild in sich trägt. Es beruht auf der engen Zusammenarbeit zweier Staaten seit zwei Generationen. Die technologischen Möglichkeiten in der Epoche der Massengesellschaft haben einen Strom von Touristen zwischen den Ländern in Bewegung gesetzt, deren Eindrücke, durch die modernen Medien unterstützt, zu einer sehr unterschiedlichen, aber deutlich vorhandenen, scheinbar festgefügten Kenntnis des jeweiligen anderen geführt hat.

Was für uns so fest umrissen scheint, blieb für die Menschen im 19. Jahrhundert unscharf. Der Besuch der Neuen Welt war für Europäer eine Entdeckungsreise, während vice versa für Amerikaner der Aufbruch nach Europa die Suche nach den eigenen Wurzeln in der Alten Welt bedeutete. Die bildende Kunst vermag in diesem komplexen Gefüge von Beziehungen ein anschauliches Beispiel dafür zu sein, wie sich Migrationen und Kulturtransfer auswirkten. Die Schwierigkeit, den Kulturaustausch überzeugend darzustellen, ergibt sich bereits aus diesem Unterschied der Motive. Wenn im 19. Jahrhundert Künstler in großer Zahl ihr Land verließen, dann hofften sie zu neuen Ufern aufzubrechen; sie suchten ihr Heil in Amerika als dem gelobten Land der Freiheit und der unbegrenzten Möglichkeiten.[2] Welche Arbeits- und Lebensbedingungen sie dort antrafen und wie sich die neue Umgebung auf ihre Arbeit auswirkte, ist ein weites, noch längst nicht abgeerntetes Forschungsfeld, zu dem diese Ausstellung einen Beitrag und Anregungen leisten kann.

Im Gegenzug kam eine große Anzahl amerikanischer Künstler nach Deutschland, um in den etablierten Kunstinstitutionen zu studieren oder in den attraktiven Kulturzentren der deutschen Länder Anregungen zu erhalten. Sie wollten wohl meist nicht bleiben, sondern strebten eine Ausbildung an, die ihnen in ihrem Heimatland nicht, bzw. noch nicht geboten werden konnte. Düsseldorf in der ersten Hälfte des 19. Jahrhunderts, München in der zweiten waren die Kunstzentren, in denen sich amerikanische Künstlerkolonien über längere Zeit bildeten. Über die Lebens- und Arbeitsbedingungen der amerikanischen Künstler und ihr Verhältnis zu ihren deutschen Kollegen steht eine zusammenfassende Studie noch aus. Dennoch kann aus einzelnen Untersuchungen, auch in diesem Band, ein Einblick in das Künstlerleben in Düsseldorf und München gewonnen werden.

Von besonderem Interesse ist natürlich die Frage nach der jeweiligen Auswirkung des Lebensumbruchs, den sowohl die Amerikaner in Deutschland wie die Deutschen in Amerika erlebten. Inwiefern wird er in ihren Werken sichtbar? Auf welche Weise gehen Herkunft und neue Erfahrungen in ihre Bildwelt ein?

Bei der Beurteilung dieser Fragen ist ein Gesichtspunkt entscheidend gewesen, der beide Gruppen betraf, die Immigranten einerseits, wie auch die in Europa studierenden Amerikaner andererseits: Die Vorstellung von dem Bestehen einer amerikanischen Kunst entfaltete sich erst langsam. Der Kunstproduktion im eigenen Lande wurde mißtraut. Den europäischen Kunstwerken galt die Gunst der wenigen Sammler und Kunstverständigen. Die Überzeugung, daß Amerika nicht nur eine von Europa abhängige, provinzielle Kunstentwicklung, sondern eine eigene künstlerische Tradition aufzuweisen hat, konnte erst parallel zu dem im Laufe des 19. Jahrhunderts wachsenden Selbstverständnis der Nation entstehen. Die Geschichte der deutschen Künstler in Amerika und der amerikanischen Künstler in Europa weist dieses Thema als ein Leitmotiv auf. Charakteristisch für diesen Umstand ist die Beobachtung, daß die amerikanischen Künstler bei ihrem Aufenthalt in Europa, geradezu in der Fremde, sich ihrer eigenen Wurzeln und ihrer eigenen nationalen Identität bewußt wurden. Der Klarheit wegen könnte man etwas überpointiert formulieren, die amerikanische Kunst ist, jedenfalls im 19. Jahrhundert, weitgehend in Europa entstanden. Das Bewußtsein des Eigenen klärte sich in der fremden Umgebung.

Die deutschen Auswanderer und die amerikanischen Studenten in Europa sind eigentlich vor diesem Hintergrund ganz unterschiedliche soziale Gruppen. Gleichwohl ist ihre Gegenüberstellung insofern aufschlußreich, als beide einen wesentlichen Kulturtransfer vollbringen, der allerdings im 19. und frühen 20. Jahrhundert fast nur in eine Richtung, von Europa nach Amerika verläuft, und erst nach dem Zweiten Weltkrieg die Richtung änderte.

II.

Betrachten wir zunächst die deutschen Einwanderer. Es handelte sich um eine sehr wenig homogene Gruppe. Daher ist Differenzierung notwendig, die die Literatur nicht immer aufweist. So scheint es sinnvoll, solche Künstler, die deutschstämmig waren oder in ganz jungen Jahren nach Amerika auswanderten, von denen zu unterscheiden, die bereits in Deutschland eine volle künstlerische Ausbildung und vielleicht gar mehrere Jahre beruflicher Praxis genossen haben. Eine genaue sozialgeschichtliche Studie, die in diesem Sinne unterscheidet, gibt es nicht. Auch in den großen Wellen der allgemeinen Auswanderung nach Amerika, in den 1840er Jahren und im letzten Drittel des

19. Jahrhunderts, haben nur ganz wenige bekannte, bereits in Deutschland renommierte Künstler Europa den Rücken gekehrt. Für bedeutende Meister der Malerei bestanden keine wirtschaftlichen und offenbar auch keine ausreichenden geistigen Zwänge oder gar Verfolgungen, die Künstler zum Verlassen ihres Vaterlandes gezwungen hätten. Wenn sie sich aus politischen Gründen zu fliehen gezwungen sahen, waren, etwa nach der Revolution von 1848, Nachbarländer zur vorübergehenden Aufnahme bereit.

Es handelte sich bei den Einwanderern wohl eher um solche Künstler, die der großen Konkurrenz in Europa wegen in Amerika einen weniger ausgeschöpften Markt erwarteten. Für die meisten müssen die Anfänge schwer gewesen sein, da nur in größeren Städten ein bescheidenes Interesse für Kunst vorhanden war, das allerdings im Laufe des 19. Jahrhunderts entscheidend anwuchs.

Die Emigranten des 18. und frühen 19. Jahrhunderts aus Deutschland, Portrait- und Genremaler, entwickelten zunächst nur in bezug auf die Themen eine amerikanische Identität, künstlerisch blieben sie ihren Herkunftsländern verbunden. Diese Tatsache gilt sowohl für deutsche als auch für englische und französische Einwanderer. Portraitmaler, wie Justus Kühn (tätig 1708–12), aber auch Johannes Eckstein (ca. 1736–1817) und Jeremiah Theus (ca. 1719–1774), vermochten in den Vereinigten Staaten ihre Klientel zu finden, meist nicht ohne einen Nebenberuf auszuüben. In den deutschen Ländern, insbesondere in den Residenzstädten, hätten sie sich jedoch einer malerisch hochstehenden Konkurrenz stellen müssen. Ob sie ihr gewachsen gewesen wären, ist schwer zu sagen. In jedem Fall ist ein Qualitätsurteil über ihre Kunst, das die gleichzeitige Malerei in Europa zum Maßstab erhebt, unangemessen. Denn die seit Jahrhunderten für den Kunstbetrieb so entscheidende Forderung der *emulatio* kann ja nur in einer Umgebung gültig sein, in der künstlerische Auseinandersetzung möglich ist. Ein Kennzeichen der Malerei der Emigranten war jedoch vielmehr, daß sie auf Grund des fehlenden beruflichen Umfeldes und der geistigen Isolierung an dem Gelernten festhielten und nur in geringem Maße sich weiter zu entwickeln vermochten. Die oft mangelnde Präzision der Wiedergabe der Perspektive und die versatzstückhafte Verwendung von Accessoires sind auf diesen Umstand zurückzuführen. Einer der bedeutendsten und einflußreichsten deutschen Maler, der im Jahre 1810 nach Amerika auswanderte, war Johann Ludwig Krimmel (1787 bis 1821). Man kann mit guten Gründen sagen, daß

Krimmel auch in Europa seinen Weg hätte gehen können. In Amerika wußte er seine Bildsujets an die dortige Umwelt anzupassen. Trotz der mit großer Detailfreude geschilderten amerikanischen Straßen- und Interieurszenen blieb die Maltechnik und die realistische künstlerische Auffassung seiner süddeutschen Herkunft verbunden. Nachdem Krimmel in den Jahren 1817–18 zu einem Besuch nach Europa gekommen war, malte er im Jahre 1820 nach seiner Rückkunft das Gruppenbildnis der Familie seines Bruders, wobei er auch sein eigenes Bildnis miteinbezog.[3] Dieses Gemälde ist ein für den Übergang von Romantik zum Biedermeier so typisches Meisterwerk, daß es auch in jedem deutschen Museum hängen könnte. Sein Entstehungsort in Amerika kann aus dem Bild nicht abgelesen werden.

Die zeichnenden Entdecker wie Bodmer, Möllhausen oder Graf Egloffstein in die Betrachtung der deutschen Einwanderer einzubeziehen, wie es häufig geschieht, scheint mir nicht sehr konsequent. Sie waren Besucher des Landes, die die wissenschaftliche Dokumentation der Expeditionen übernahmen, die sie häufig erst nach ihrer Rückkehr in ihre Heimatländer auswerteten. Zweifellos regten ihre Illustrationen jedoch zu einem neuen Themenbereich an, der im Laufe des 19. Jahrhunderts auch deutschstämmige Maler, wie Charles F. Wimar (1828–62), immer intensiver beschäftigen sollte: die malerische Wiedergabe der Eroberung des Westens.

Daß die große Anzahl der im Laufe des 19. Jahrhunderts nach Amerika emigrierten deutschen Künstler, die noch in ihrem Heimatland ihre Ausbildung erfahren hatten, in der amerikanischen Kultur ihre Spuren hinterlassen haben, steht außer Frage. Ihren Einfluß im einzelnen zu beschreiben, muß weiterer Forschung vorbehalten bleiben. Nicht nur in Philadelphia, New York und Boston, sondern auch in Chicago und Milwaukee finden sich ihre Werke. Heinrich Vianden (1814–1899), der vor seiner Auswanderung an der Akademie in München studiert hatte, war als Landschafter und als Lehrer in Milwaukee erfolgreich. Ihm folgten eine Reihe von deutschen und Schweizer Malern bis nach der Jahrhundertwende nach. Dem durch die USA Reisenden begegnen deutsche Namen nicht nur in den großen amerikanischen Museen, sondern auch in den kleineren Orten der Ostküste und des mittleren Westens der Vereinigten Staaten.

Deutsche Kunst in Amerika wurde jedoch nicht nur durch die Künstler, sondern auch durch die Werke vermittelt, die in Verkaufsgalerien zu sehen waren, um dann in Privatsammlungen und in Museen zu gelangen. Die berühmte Düsseldorf-Gallery stand dabei im Jahre 1849 am Anfang eines im Laufe des 19. Jahrhunderts wachsenden Kunstimports, der natürlich auch von den amerikanischen Künstlern rezipiert wurde.[4] Um die Jahrhundertmitte hatte die Kunst der Düsseldorfer Malerschule nicht nur auf Grund besonders marktstrategischer Inszenierung einen besonderen Erfolg. Ihr Ansehen in Amerika beruhte wohl nicht zuletzt auf dem Umstand, daß ihre künstlerische Ausrichtung den potentiellen Käufern in Amerika besonders entsprach. Die Betonung der seit Schadow geforderten Detailgenauigkeit und die anekdotisch-romantische Genremalerei kamen in Sujet und Malstil den an der Realität orientierten Käufern in New York und anderen amerikanischen Großstädten entgegen. Es ist kennzeichnend, daß im wesentlichen Landschaften und Genrebilder verbreitet werden konnten. Karl Friedrich Lessings *Hussitenpredigt*, 1836, wurde bewundert, für politisch orientierte Historienmalerei, die in einem anderen Kontext geschaffen wurde, bestand hingegen kein Markt.[5]

Es ist wohl kaum möglich, die Orientierung an der deutschen Kunst bei deutschstämmigen und amerikanischen Künstlern, die in Deutschland studierten, zu trennen. Entscheidend blieb, daß die Maler nach Düsseldorf oder München zogen und dort eine Ausbildung genossen. Die Gründe, sich nach Deutschland und nicht nach Paris zu orientieren, waren sehr unterschiedlich. Der Umstand, daß die Maler teilweise noch in Deutschland geboren, vielleicht sogar aufgewachsen waren und die Sprache beherrschten, trug sicher zu ihrer Wahl bei. Auch kann die Verbundenheit mit der ursprünglichen Heimat der Eltern eine Rolle bei der Auswahl des Studienortes gespielt haben. Letztlich sind jedoch die Künstler, die in Düsseldorf oder München lebten und lernten, insgesamt als eine Gruppe zu sehen. Auch Maler wie Bingham oder Whittredge, deren Eltern nicht aus Deutschland stammten, wurden nicht anders von den Erlebnissen in Deutschland geprägt als ihre deutschstämmigen oder deutschsprachigen Kollegen. Man studierte nicht nur in Deutschland, weil die Familie aus diesem Lande stammte. Die Herkunft konnte ein zusätzliches Element der Entscheidung sein. Überzeugender ist es, nach der Attraktivität der Studienorte zu fragen.

Der internationale Ruhm der Düsseldorfer Akademie als Ausbildungsstätte blieb auch in Amerika nicht ohne Nachwirkung. Die Düsseldorf-Gallery von John

G. Boker am New Yorker Broadway vermochte die Leistung der rheinischen Akademie zu vergegenwärtigen. Aber für amerikanische Studenten mag nicht nur die künstlerische, sondern auch eine didaktisch-moralische Perspektive ausschlaggebend gewesen sein, sich nach Düsseldorf zu orientieren. Die Vorstellung, dort sei eine kameradschaftliche Künstlergemeinschaft anzutreffen, die sich einer ungekünstelten, moralisch aufrichtigen Kunst widme, wird die Auswahl mitbestimmt haben. Diese Umstände leiteten noch Henry Tuckerman in seinem Ratgeber für Künstler im Jahre 1867 zu der Empfehlung: »Für Anfänger in der Kunst ist wahrscheinlich Düsseldorf eine der besten Schulen, die es gibt.«[6]

Zu diesem Ruf hatte ein amerikanischer Künstler beigetragen, der eine große Zahl von Landsleuten in seinem Atelier um sich scharte: Emanuel Leutze (1816–68) war einer der berühmtesten deutschstämmigen Maler des 19. Jahrhunderts und einer der anerkanntesten sowohl in Düsseldorf als auch in den USA. In Württemberg geboren, gelangte er noch als Kind in die Vereinigten Staaten, wo er in Philadelphia seinen ersten Malunterricht erhielt. Er betrat somit nicht amerikanischen Boden als ausgebildeter deutscher Künstler. Als er im Jahre 1841 nach Düsseldorf reiste, um sich dort weiter ausbilden zu lassen, brach er als Amerikaner in das Land seiner Väter auf. Doch in seinen fast zwanzig Jahren in Düsseldorf fühlte er sich als Amerikaner und bezeugte seine patriotische Einstellung, indem er sich mit seinen Landsleuten umgab. In den 1840er und 1850er Jahren strömten viele amerikanische Malereistudenten nach Düsseldorf, unter ihnen Bingham, Woodville, Haseltine, Hunt, Johnson und Whittredge. In seinem Atelier in Düsseldorf entstand das berühmte Gemälde, das als eine Ikone des amerikanischen Selbstbewußtseins gelten kann: *Washington überquert den Delaware*, 1851 (Kat. Nr. 46).

Leutze wurde von der deutschen Malerei der Düsseldorfer Schule geprägt. Seine Kunst läßt sich aber nicht in die Geschichte der deutschen Kunst integrieren, zu sehr liegen ihre Wurzeln in einem Streben, sich mit der Neuen Welt zu identifizieren und diese gewollte Identität nach außen zu dokumentieren. Es ist bereits verschiedentlich ausgeführt worden, daß der Maler für sein Werk entscheidende Anregungen in Düsseldorf erfuhr. Nicht zuletzt mischte sich amerikanischer Patriotismus mit der liberal-revolutionären Gesinnung, die in Künstlerkreisen im Vormärz in der rheinischen Metropole verbreitet war. Geradezu kurios erscheint der Umstand, daß er für

sein Gemälde bevorzugt Amerikaner als Modelle benutzte, da sie nach seiner Meinung den Patriotismus, den das Werk zur Geltung bringen sollte, überzeugender zum Ausdruck bringen könnten.

Nur wenige der bekannten amerikanischen Maler nahmen an dem offiziellen Unterricht der Akademie teil. Sie studierten alle in den Ateliers der deutschen Professoren oder bei Leutze. Die Amerikaner in Düsseldorf bildeten keineswegs eine homogene Gruppe. Während der bedeutende Landschafter Albert Bierstadt (1830–1902) die von ihm gestalteten Werke im Sinne Ruisdaels, aber auch in Erinnerung an seine amerikanische Heimat heroisierte, fehlt dieser dramatische Zug in der Malerei seines Kollegen Worthington Whittredge (1820–1910). Künstlerisch setzten sie sich durchaus auf sehr unterschiedliche Weise mit der Düsseldorfer frührealistischen Richtung auseinander. Entscheidend ist aber die Tatsache, daß sie eine Gemeinschaft, eine amerikanische Künstlerkolonie bildeten. Fern von Amerika prägten sie einen künstlerischen Patriotismus aus. Sie eigneten sich Maltechniken an, ließen sich von Bildthemen und Darstellungsmodi anregen, behielten aber die Anwendung dieser Erfahrungen zu einem Beitrag für eine amerikanische Nationalgeschichte der Kunst vor Augen. Dieser Ehrgeiz bestimmte wohl vor allem Leutze, dessen patriotische Gesinnung sich auf seine Landsleute übertrug. Aus diesem Grunde war der Auftrag an ihn, das monumentale Gemälde *Westward Ho!* (siehe Abb. 3, S. 96) für das Treppenhaus des Capitols in Washington zu schaffen, nur folgerichtig.

In der Übermittlung der Düsseldorfer Anregungen in die Umgebung ihrer Heimat bestand die Wirkung des Studienaufenthaltes der amerikanischen Maler. Richard Caton Woodville (1825–55) übertrug Motive der Hasencleverschen Genremalerei in sein Werk *Kriegsnachrichten aus Mexiko*, 1848[7] (siehe Abb. 5, S. 80).

Den Amerikanern in Düsseldorf fehlten in ihrem Lande die Kunstinstitutionen, an denen sie eine gründliche und für ihre Zeit moderne Ausbildung hätten erfahren können. Sie fanden diese in Deutschland und nahmen sie mit dem Bestreben wahr, sie mit ihren Themen und ihren Vorstellungen anzuwenden. Charles Wimar malte in Düsseldorf sogar Indianerszenen, die das deutsche Publikum faszinierten.[8] Die Amerikaner waren keineswegs bereit, ihre Herkunft zu verdrängen und sich in die Tradition europäischer Malkultur voll einzuordnen. Das Studium in Deutschland diente der Vergewisserung ihrer eigenen Identität. Insofern kann die amerikanische Malerei auch nicht als ein Exportartikel europäischer Kultur angesehen werden. Vielmehr kamen die Amerikaner bereits mit einem Kunst- und Nationalbewußtsein nach Europa, das sie in den herausragenden Kunstzentren zu vervollkommnen suchten.

III.

In der zweiten Hälfte des 19. Jahrhunderts war es Frank Duveneck (1848–1919), der in München die Rolle von Leutze in Düsseldorf übernahm. Die bayerische Hauptstadt hatte mit ihrer Akademie nach der Mitte des Jahrhunderts die künstlerische Führung übernommen und bot die anerkannteste Ausbildung. Duveneck studierte seit 1870 bei dem Genremaler Wilhelm von Diez, nicht etwa bei dem Historienmaler Piloty oder dem Portraitisten Lenbach. Diezens Realismus und seine virtuose skizzenhafte Technik beeinflußten Duveneck, der nach einem Aufenthalt in den USA in den Jahren 1874/75 bis 1879 in München lebte. Um ihn scharte sich eine große Anzahl von Amerikanern, die sogenannten Duveneck Boys. Nachdem in den frühen 1870er Jahren nur eine kleine Anzahl, unter ihnen William Merritt Chase (1849–1916), John Twachtman (1835–1902) und Joseph Frank Currier (1843–1909), München als Studienort gewählt hatten, war ihre Zahl in der zweiten Hälfte des Jahrzehnts auf über 100 gewachsen. Viele von ihnen zogen mit Duveneck in ein Klostergebäude in Polling, südlich von München, wo ihnen Atelierräume zur Verfügung standen. Portraits, Genregemälde und Landschaften waren ihre bevorzugten Sujets, die auch in den Vereinigten Staaten ihre Sammler fanden. Mit Leibl kam Duveneck wohl nur selten in Berührung. Er bewunderte jedoch seine Kunst, wenn auch der spätere feinmalerische Realismus von Leibl der skizzenhaften, bravourösen Technik von Duveneck nicht entsprach.

Einige Maler, etwa Twachtman und andere, zogen nach kurzer Zeit das Studium in Paris vor und schlossen sich den Impressionisten an. Für die Geschichte der amerikanischen Malerei behielt jedoch die sogenannte Munich School mit ihren erdverbundenen Farben eine langanhaltende Wirkung bis zur Ash Can School von Robert Henri (1865–1929). Duveneck und seine Schüler bedeuteten eine Konstante der malerischen Entwicklung, die den Form- und Farbexperimenten der Franzosen entgegenstand. Trotz der engen Verbundenheit der amerikanischen Impressionisten Twachtman, Childe Hassam (1859–1935) u. a. mit Monet in Giverny blieben die Amerikaner, wie auch die deutschen Impressionisten, gegenstandsgebundener als die Franzosen. Es äußert sich vielleicht in dieser ähnlichen Kunstauffassung eine Folge einer kontinuierlichen Beziehung der Ausbildung in Düsseldorf und München. Allerdings ist damit sicherlich nur ein Element angesprochen, das durch sozial- und geistesgeschichtliche Begründungen unterschiedlicher Lebensauffassungen in den beiden Ländern seine Vertiefung erfahren müßte.

Die Ausbildung amerikanischer Maler in München um Frank Duveneck muß jedoch in der Geschichte der amerikanischen Malerei noch unter einem anderen Gesichtspunkt betrachtet werden. Denn zwischen der Düsseldorfer und der Münchener Epoche hatte sich die Kunstauffassung grundsätzlich gewandelt. Galt es in der Romantik eine auf den Gegenstand bezogene Landschafts- oder Genremalerei zu entwickeln oder patriotische Sujets auf wirkungsvolle Weise zu gestalten, so war dieser Standpunkt in der zweiten Hälfte, wenn nicht ganz zurückgedrängt, so doch nicht mehr ausschließlich vorherrschend. Auch war der Realismus in seiner ersten Phase überwunden. Es galt nicht mehr in Ablehnung der traditionellen akademischen Ausbildung, einen Gegenstand in seiner sinnlichen oder atmosphärischen Umgebung zu erfassen. Vielmehr bestand die Neuerung in der Erkenntnis, daß Malerei nicht allein eine Technik der Reproduktion sei. Die Malweise selbst, der künstlerische, individuelle Stil, wurden als die eigentlichen Ausdrucksträger erkannt. Leibl galt in diesem Sinne als das große Vorbild. Die scheinbar wirklichkeitsgetreue Darstellung fand bei vielen Zeitgenossen Bewunderung, traf aber nicht den Kern der Bedeutung Leibls als Maler. Die neue Bewertung des Malprozesses, die Leibl vollzog, löste die Kunst aus ihrem traditionellen institutionellen Rahmen. Leibls Vorstellung von einer reinen Malerei, die im Grunde seine Modernität begründete, beruht auf einer in der zweiten Hälfte des 19. Jahrhunderts aufkommenden Vorstellung von handwerklicher Ehrlichkeit. Er zog von München aufs Land und distanzierte sich von der Kunstauffassung der Malerfürsten Lenbach und Makart, deren Kunst er als oberflächlich und vor allem unehrlich ablehnte.

An diesem in die Moderne weisenden Entwicklungsschritt, in dem die Abbildfunktion als zentrales Thema von Kunst überwunden wurde, nahmen die Amerikaner Anteil. Duvenecks Lehre bestand daher in einer Befreiung von akademischen Normen. Die Maler lernten nicht mehr in der ehrwürdigen Anstalt, sondern in freien Gruppen. Sie absolvierten auch nicht mehr ein seit Generationen sanktioniertes und festgelegtes Programm, sondern suchten mit Hilfe des Lehrers in der Gemeinschaft den eigenen individuellen Ausdruck. Dieser Schritt von einer Auffassung von Kunst als Reproduktion einer wie immer imaginierten Vorstellung von Wirklichkeit zu einem neuen Bewußtsein von Kunst als Kunst kennzeichnete die amerikanische Künstlerkolonie in München um Duveneck und Currier. Die Kunst von Leibl bedeutete auf diesem Weg eine entscheidende Anregung. Auch wenn die Amerikaner nur am Rande mit ihm in Berührung gekommen zu sein scheinen, war doch sein Werk für sie richtungsweisend. Für die weitere Entwicklung der amerikanischen Malerei bedeutete die in München geprägte Kunstauffassung eine Neuerung, die Folgen haben sollte.

Einige Maler zogen von München nach Paris weiter. Sie lebten und arbeiteten im Umkeis von Monet in Giverny. Der von ihnen praktizierte Impressionismus unterscheidet sich jedoch von dem Monets. So sehr sie die Malweise des Franzosen studierten und in gewisser Weise nachahmten, blieben ihre Gemälde doch abbildhaft. Sie lösten die Farbe nicht vom Sujet, gingen also nicht den konsequenten Weg in die Moderne, wie ihn Monet und Leibl wiesen. Zwischen den Amerikanern, die sich nach Paris, und denen, die sich nach München orientierten, läßt sich somit ein charakteristischer Gegensatz der Bildauffassung beobachten. Während die einen den neuen experimentellen Techniken der Franzosen folgten, ohne ihre Konsequenz in ihren eigenen Werken ganz umzusetzen, und daher stärker der Tradition des Realismus verbunden blieben, erscheinen die Amerikaner in München als weniger bahnbrechend und modern in ihrem Malstil. Gleichwohl vertraten sie eine Kunst, die, aus der Romantik herausgewachsen, die Künstlerindividualität stärker in den Vordergrund rückte. Sie förderten ferner eine reine Malerei, die dem Gegenstand nicht mehr dasselbe Gewicht verlieh und auf diese Art der Moderne eine neue Richtung wies. Mit Robert Henri und der Ash Can School sollten die Münchener Lehren eine neue Ausprägung erfahren. »All things change according to the state we are in. Nothing is fixed«, heißt es in Robert Henris *The Art Spirit*.[9] Und in einem Brief an die Studenten der Art Students League aus dem Jahre 1915 schrieb er: »Every material he employs has become significant of his emotion [...] Every element in the picture will be constructive, constructive of an idea, expressive of an emotion.«[10] Die individuelle emotionale Anteilnahme des Künstlers ist nach Henri für das Gelingen eines Werkes entscheidend.

IV.

In den ersten Jahrzehnten des 20. Jahrhunderts war Paris das Kunstzentrum der Moderne par excellence geworden. Nicht nur amerikanische Studenten, sondern auch die europäischen, insbesondere die deutschen Maler und Bildhauer suchten in den Künstlerkolonien am Montparnasse oder am Montmartre an den aufsehenerregenden Entdeckungen Anteil zu nehmen. Der Salon d'Automne entwickelte sich zu einem Forum der Avantgarde. Die Künstler zogen nach Paris, um die verschiedenen Richtungen, Impressionismus, Symbolismus, Fauvismus, Kubismus und Orphismus, kennenzulernen und ihre eigene Position in dieser Vielfalt zu finden. Nach Deutschland verschlug es nur wenige, denn weder München noch Berlin hatten eine so leuchtend nach außen strahlende Kunstszene aufzuweisen, die die Amerikaner in größerer Zahl angezogen hätte.

Auch ein Maler wie Lyonel Feininger (1871–1956), der viele Jahre in Deutschland verbrachte, erhielt seine entscheidende künstlerische Prägung in Auseinandersetzung mit dem Kubismus und der Kunst Delaunays. Zwar hatte er in den 1890er Jahren in Hamburg und Berlin studiert, wandte sich aber erst durch das Erlebnis der Kunst van Goghs und Cézannes in Paris in den Jahren 1906–08 endgültig der Malerei zu. Der orphische Kubismus von Robert Delaunay sollte ihn endlich zu dem ihm ganz eigenen Malstil führen. Feininger schloß sich in Deutschland der Künstlergemeinschaft des *Blauen Reiter* an, die mit den modernen Kunstströmungen in Paris eng verbunden war.

Feininger gehörte zu den wenigen amerikanischen Künstlern, die anscheinend völlig in der europäischen Kultur aufgingen. Seit 1919 unterrichtete er am Bauhaus, wurde aber im Jahre 1933 durch die Nationalsozialisten gezwungen, in sein Heimatland zurückzukehren. Seine Kunst galt den Machthabern des Dritten Reiches als entartet und mußte daher aus den Museen entfernt werden.

Ganz anders und doch vergleichbar verlief der künstlerische Weg von Marsden Hartley (1877–1943). Wie Feininger lebte er in Frankreich und Deutschland, bevor er sich, seiner eigenen Herkunft in Europa sicherer geworden, wieder in sein Heimatland zurückzog.

Ein etwas genauerer Blick auf seine Entwicklung macht deutlich, wie sich in seinem Werk die Entdeckungen der europäischen Moderne mit seiner amerikanischen künstlerischen Überzeugung verbanden. Marsden Hartley zählt in Amerika zu den Klassikern der frühen Moderne.[11] Mit Hilfe von Alfred Stieglitz, in dessen New Yorker Galerie er seit 1909 ausstellte, begab sich Hartley mit Unterbrechungen von 1912 bis 1915 nach Europa und lebte in Paris, München und Berlin. Die in Europa entstandenen abstrakten Gemälde gehören zu den bedeutendsten Werken der frühen amerikanischen Avantgarde.

Die Bildtitel seiner frühen spätimpressionistischen Landschaften, *Cosmos* oder *Hall of the Mountain King*, verweisen darauf, daß es ihm nicht allein um einen impressionistischen Natureindruck ging. Die kräftige Farbgebung in divisionistischer Technik, der Verzicht auf deutliche perspektivische Lesbarkeit zugunsten schimmernder Farbflächen belegen seine Beschäftigung mit spiritistisch-mystischem Gedankengut. Seine schwärmerische Verehrung von Ralph Waldo Emerson prägte auch seine Kunstauffassung. Noch sehr viel später in seinem Leben nannte er die *Essays* von Emerson »*the greatest book*« seines Lebens. Emersons Aufforderung, die innere Eingebung höher einzuschätzen als den Verstand, entsprach auch Hartleys Überzeugung und hat ihn von vornherein von jeder in seinen Augen die Natur bloß reproduzierenden Kunst ferngehalten. Daß in der Natur Gottes Schöpfung zu suchen sei, hatte die amerikanische Landschaftsmalerei immer wieder zum Ausdruck zu bringen versucht. Die von Edmund Burke, einem von Emerson häufig zitierten Autor, in seiner Schrift *A Philosophical Enquiry into the Origin of our Ideas of the Sublime and Beautiful*, 1756, formulierten Ansichten über das Erhabene bildeten den ideengeschichtlichen Hintergrund der idealen Landschaftskunst des amerikanischen 19. Jahrhunderts. Die Auffassung, daß die Natur nicht nur Schöpfung sei, sondern in ihr auch göttliche Kräfte wirken, die es zu erfahren gelte, konnte Hartley auch bei Henry David Thoreau, dem engen Vertrauten von Emerson, nachlesen. Die Naturmystik, die Thoreau in einsamem Rückzug auf das Land in Wäldern zu erleben suchte, enthält noch ausgeprägter die Aufforderung zur meditativen Versenkung in die Natur als einen Weg zu innerer Erfahrung. Hartley fesselte Walt Whitmans Forderung, der Künstler habe seine Persönlichkeit zu erkennen und ihr Ausdruck zu verleihen. Weniger der von ihm ebenfalls vermittelte Nationalstolz als die stete Suche nach dem eigenen Ich beschäftigten den jungen Maler.

In seinen ersten Gemälden, die er auf französischem Boden schuf, folgte er den Anregungen von Matisse, Cézanne und Picasso. Erscheinen sie noch wie eine konsequente Fortsetzung seiner künstlerischen Bestrebungen in New York, so sollte sich Hartley im Sommer 1912 völlig neu orientieren. In Kandinskys Buch *Über das Geistige in der Kunst* und im Almanach *Der Blaue Reiter* erkannte er eine scheinbar vorbehaltlose Übereinstimmung von Anschauungen, die er in Amerika entwickelt und nur kurzfristig durch die Begegnung mit der französischen modernen Malerei aufgegeben hatte.[12] Er fand somit unerwartet in Europa einen Kunstbereich der Avantgarde, bei dem er Bestätigung dafür finden konnte, daß Kunst einem inneren seelischen Erlebnis entsprechen müsse.

Am 3. Januar 1913 verließ Hartley Paris zu einem dreiwöchigen Aufenthalt in Deutschland und schrieb an Stieglitz: »*The new German tendency is a force to be reckoned with – to my own taste far more earnest and effective than the French intellectual movements.*« Die Deutschlandreise brachte ihn endgültig zu dem Entschluß, Paris zu verlassen. Es wird jedoch aus den Briefen deutlich – und dies scheint nun besonders charakteristisch –, daß Hartley sich, geradezu in diesem Moment, seiner eigenen Herkunft als Amerikaner bewußt wurde. Die Ablehnung der französischen, von ihm als intellektuell bezeichneten Richtung und die Übereinstimmung mit Bestrebungen in Deutschland lassen ihn erst seine eigene Position erkennen.[13] Im Mai 1913 ließ sich Hartley in Berlin nieder und blieb dort, mit einer Unterbrechung, bis zum Dezember 1915, als ihn die Kriegswirren zur Abreise zwangen.

Aus diesem Einzelschicksal kann keineswegs eine allgemeingültige Aussage über die deutsch-amerikanischen Kunstbeziehungen abgeleitet werden. Dennoch ist es möglich, in diesem konkreten Fall zu versuchen, die Wirkung europäischer Kunst und gleichzeitig ihre differenzierte Beurteilung durch den amerikanischen Maler abzuschätzen. Folgende Gesichtspunkte scheinen dabei besonders hervorhebenswert zu sein.

Betrachten wir zunächst den Nutzen, den Hartley aus seiner Begegnung mit der europäischen Avantgarde ziehen konnte. Er bestand darin, daß er mit der modernen, abstrakten Kunst in Berührung kam. Die Konfrontation löste in ihm eine Kreativität aus, die jedoch nur in einem begrenzten Sinne als von der europäischen Malerei abhängig bezeichnet werden kann. Denn im Grunde wurden ihm allein die bildnerischen Mittel geboten, die er aber in seinem eigenen Sinne anwandte. Die neo-romantische, naturmystische Suche nach dem Ausdruck der eigenen Identität und den persönlichen Gefühlen fand in Paris keine Entsprechung. Auch das *Geistige in der Kunst* von Kandinsky vermittelte letztlich eine andere Erfahrung und beruhte auf einer anderen Tradition. Nur scheinbar fanden sich Übereinstimmungen.

Sind durch Hartleys Europa-Aufenthalt auch Erkenntnisse über die europäische Kunstszene vor dem Ersten Weltkrieg zu gewinnen? Insofern schon, als deutlich wurde, welch unterschiedliche atmosphärische Ausstrahlung die Kunstzentren Paris, München und Berlin besaßen. Das intellektuelle, von ihm als »oversophisticated« angesehene Pariser Kunstklima behagte ihm auf die Dauer nicht. Hartleys besonderes Zugehörigkeitsgefühl zur deutschen Kunst entspricht dabei möglicherweise einer gemeinsamen romantischen Wurzel, über die Robert Rosenblum in seinem Buch *Modern Painting and the Northern Romantic Tradition* gehandelt hat.[14] Hartleys europäisches Œuvre bietet in diesem Zusammenhang ein anschauliches Beispiel für die Erkenntnis des Eigenen und die Adaption des Fremden, die häufig die fruchtbaren Kunstbeziehungen zweier Länder oder ganzer Kontinente auszeichnet.

Die Ausstellung *Viceversa* bietet einen Überblick über die Kunstbeziehungen zwischen Amerika und Deutschland vom 19. bis ins frühe 20. Jahrhundert. Das 20. Jahrhundert in seinem weiteren Verlauf bis in unsere Zeit hinein ist dagegen bereits oft Gegenstand von Untersuchungen und Präsentationen gewesen. Bis zum Zweiten Weltkrieg blieb Europa für die amerikanischen Künstler der Kontinent, auf dem sie Anregungen für ihre Kunst suchten. Allerdings setzte bereits vor dem Umbruch des Dritten Reiches eine neue Welle der Künstleremigration von Europa nach Amerika ein, für die herausragende Maler wie George Grosz (1893–1959) und Hans Hofmann (1880–1960), der als Lehrer von großem Einfluß für die Malerei des Abstrakten Expressionismus sein sollte, stellvertretend genannt seien.

Die durch die Nationalsozialisten bewirkte Verfolgung und Flucht deutscher und französischer Künstler nach Amerika trug entscheidend dazu bei, daß New York während des Krieges und nach 1945 sich zum internationalen Kunstzentrum entwickelte. Bis heute suchen seit mehreren Jahrzehnten deutsche Künstler Anregungen in der New Yorker Kunstszene.

Gegenüber dem 19. Jahrhundert haben sich die Verhältnisse umgekehrt, und die europäische Kunst der Nachkriegszeit ist ohne die Auseinandersetzung mit den Entdeckungen jenseits des Atlantik nicht denkbar.

1 Die Vorherrschaft der amerikanischen Kunst nach dem Zweiten Weltkrieg ist Gegenstand des anregenden, wenn auch nicht unumstrittenen Buches von Serge Guilbaut, »How New York Stole the Idea of Modern Art«, Chicago–London 1983. – Zur Einführung empfehlenswert Dieter Honisch, Jens Christian Jensen, Lucius Grisebach (Hrsg.), »Amerikanische Kunst von 1945 bis heute. Kunst in europäischen Sammlungen«, Köln 1976.

2 Die Schwierigkeit genauer Schätzungen ausgewanderter Künstler liegt vor allem im unklaren Künstlerbegriff, der oft Zeitungsillustratoren, Designer und sogar Amateure mit einschließt. Zu dem Thema grundlegend Annelies Harding, »America Through the Eyes of German Immigrant Painters«, Boston 1975; ferner Helmut Börsch-Supan, »Die Anziehungskraft Amerikas auf die deutschen Maler 1800–1860«, in: Thomas W. Gaehtgens (Hrsg.), »Bilder aus der Neuen Welt. Amerikanische Malerei des 18. und 19. Jahrhunderts, Meisterwerke aus der Sammlung Thyssen-Bornemisza und Museen der Vereinigten Staaten«, München 1988, S. 63–69. – Katharina Bott, »Amerikanische Künstler in Deutschland, Deutsche Künstler in Amerika 1813–1913«, Weimar 1996. – Peter C. Merrill, »German Immigrant Artists in America: A Biographical Dictionary«, New York [im Druck].

3 Abgebildet in: Annelies Harding (Hrsg.), »America Through the Eyes of German Immigrant Painters«, Kat. Boston, 1975, S. 13. – Zu Krimmel vgl. auch Elizabeth Johns, »American Genre Painting. The Politics of Everyday Life«, New Haven – London 1991, S. 4f.

4 Vgl. die Beiträge von Dawn Leach und William H. Gerdts in diesem Katalog.

5 Barbara Gaehtgens, »Amerikanische Künstler und die Düsseldorfer Malerschule«, in: »Bilder aus der Neuen Welt«, op. cit., S. 72. – Dies., »Fictions of Nationhood, Leutze's Pursuit of an American History Painting in Düsseldorf«, in: »American Icons. Transatlantic Perspectives on Eighteenth- and Nineteenth-Century American Art« (hrsg. von Thomas W. Gaehtgens und Heinz Ickstadt), Santa Monica 1992. – Vgl. ferner »The Hudson and the Rhine. Die amerikanische Malerkolonie in Düsseldorf im 19. Jahrhundert«, Kat. Düsseldorf – Bielefeld 1976.

6 Henry Tuckerman, »Book of Artists«, New York 1867. – Vgl. auch Barbara Gaehtgens, in: »Bilder aus der Neuen Welt«, op. cit., S. 71ff.

7 Barbara Gaehtgens, in: »Bilder aus der Neuen Welt«, op. cit., S. 71.

8 Joseph D. Ketner II, »The Indian Painter in Düsseldorf. Carl Wimar: Chronicler of the Missouri River Frontier«, New York 1991, S. 40.

9 Robert Heni, »The Art Spirit«, Philadelphia–New York, 1960, S. 40.

10 Ebenda, S. 20, 21.

11 Den besten Überblick über Leben und Werk bietet Barbara Haskell, »Marsden Hartley«, Whitney Museum of American Art, New York – London 1980; dort findet sich auch weitere Literatur sowie ein Verzeichnis der Schriften Hartleys. – Ferner Robert N. Burlingame, »Marsden Hartley: A Study of his Life and Crea-

tive Achievement«, Diss. Brown University, Providence 1953. – Thomas W. Gaehtgens, »Paris–München–Berlin. Marsden Hartley und die europäische Avantgarde«, in: »Kunst um 1800 und die Folgen. Werner Hofmann zu Ehren« (hrsg. von Chr. Beutler, P.-K. Schuster und M. Warnke), München 1988, S. 367–382. – Townsend Ludington, »Marsden Hartley. The Biography of an American Artist«, Boston–Toronto–London 1992. – Wichtig als Quellenedition ist: Marsden Hartley, »On Art« (hrsg. von Gail R. Scott), New York 1982.

12 Vgl. hierzu Gail Levin, »Wassily Kandinsky and the American Avant-Garde«, Diss. Rutgers University, New Brunswick 1976. – Dies., »Marsden Hartley and the European Avant-Garde«, in: Arts Magazine, 54, 1979, S. 166–171.

13 »I could never be French. I could never become German – I shall always remain the American – the essence which is in me is American mysticism… – and it is the same element that I am returning to now with a tremendous increase of power through experience.« Brief von Hartley an Stieglitz, Februar 1913, Yale University, Beinicke Library. – Vgl. auch B. Haskell, op. cit., S. 29–30.

14 R. Rosenblum, »Modern Painting and the Northern Romantic Tradition. Friedrich to Rothko«, New York 1975.

PETER C. MERRILL

Aus Deutschland eingewanderte Künstler in Amerika: ein Überblick

Die im neunzehnten Jahrhundert auf ihren höchsten Stand angeschwollene deutsche Einwanderungswelle bescherte Amerika einen beachtlichen Zustrom von gut ausgebildeten professionellen Künstlern aus dem deutschsprachigen mitteleuropäischen Raum. Nach heutiger Schätzung waren es wohl über eintausenddreihundert solcher Künstler mit einer nach Art und Ausmaß recht unterschiedlichen fachlichen Ausbildung, die zwischen 1813 und 1913 in die Vereinigten Staaten einwanderten. Auf der höchsten Stufe standen die akademisch ausgebildeten Künstler, Absolventen der Akademien von Düsseldorf, München, Berlin, Karlsruhe, Weimar, Dresden, Wien und anderen europäischen Kunstzentren, gefolgt von den Künstlern, die ihren Beruf als Autodidakten erlernt hatten und von denen sich viele nach ihrer Ankunft in Amerika weiterzubilden suchten oder sogar zu weiteren Studien nach Europa zurückkehrten. Daneben gab es eine Menge von fachlich geschulten Lithographen und Stechern, die in der Regel ihren Beruf als Lehrlinge in einer deutschen Firma von Grund auf gelernt hatten. Der Einfluß dieser praxisnahen Handwerker auf die Entwicklung der amerikanischen Kunst im letzten Jahrhundert wird nur allzu leicht unterschätzt, wie man ja auch die Bedeutung der vielen autodidaktisch ausgebildeten eingewanderten Künstler gern unterbewertet.

In dem folgenden Überblick stelle ich eine Auswahl von deutschen Künstlern vor, die während des letzten Jahrhunderts nach Amerika einwanderten.[1] Dabei habe ich Maler in den Brennpunkt des Interesses gerückt, die ihre Fertigkeiten und Fähigkeiten aus Europa mitbrachten, während die vielen Künstler, die als Kinder mit ihren Eltern nach Amerika kamen und ihre Fachkenntnisse erst als Erwachsene in den USA erwarben, nicht berücksichtigt wurden. Auch habe ich die vielen amerikanischen Künstler nicht einbezogen, die als Kinder von deutschen Einwandererfamilien in den Vereinigten Staaten geboren wurden, selbst wenn viele von ihnen in den USA zunächst von deutschen eingewanderten Lehrern unterrichtet wurden

und sich später an Kunstakademien in Europa weiterbildeten.

Bei der Gliederung dieses Überblicks möchte ich die Aufmerksamkeit auf bestimmte regionale Kunstzentren in Amerika richten, in denen sich eine spezifisch deutsch-amerikanische Tradition entwickelte. Gleichzeitig hielt ich es für sinnvoll, die Künstler nach typologischen, statt nach regionalen Kriterien zu klassifizieren. So bilden die topographisch und ethnographisch interessierten Künstler, die zu den frühesten Erforschern des Grenzlands im Westen gehörten, zum Beispiel eine deutlich unterschiedene Kategorie innerhalb der Gruppe der deutschen Immigranten-Künstler in Amerika.

Die Städte im Nordosten

Während des größten Teils des neunzehnten Jahrhunderts befanden sich die führenden Kunstzentren der Vereinigten Staaten in einigen wenigen Städten im Nordosten – hauptsächlich in New York, Philadelphia und Boston. New York nahm natürlich eine Sonderstellung ein. Es bot nicht nur in Institutionen wie der Art Students League und der Cooper Union einen Unterricht auf hohem Niveau, sondern besaß auch Kunstmuseen, Kunsthändler, eine lokale Tradition städtischer Bildhauerkunst und ein umfangreiches Verlagswesen mit einem unersättlichen Bedarf an talentierten Holzstechern, Lithographen, Illustratoren und Werbegrafikern. Die Adreßverzeichnisse aus dem New York des neunzehnten Jahrhunderts führen eine Unzahl eingewanderter Künstler auf; freilich wissen wir von den meisten nur wenig, da sich ihre Daten im Dunkel der Geschichte verloren haben.

Zu den früh nach New York eingewanderten deutschen Künstlern gehörte Louis Lang (1814–1893), ein Portrait-, Miniaturen- und Genremaler, der in Paris studiert hatte, bevor er 1838 in die USA auswanderte. Zunächst arbeitete er in Philadelphia, ließ sich dann aber 1852 in New York nieder. Es gab übrigens noch einen anderen deutschen eingewanderten

Künstler desselben Namens, einen 1824 geborenen Louis Lang. Der Landschaftsmaler Jacques Alexander (1863–1940), ein Junggeselle, der zusammen mit seinem Bruder im Hotel Astor in New York lebte, war Präsident der internationalen Gehörlosen-Gesellschaft und Mitglied des Vereins gehörloser Künstler. Charles Autenrieth (ca. 1832 geboren) beteiligte sich an der Produktion von Henry Hoffs *Views of New York* (Ansichten von New York, 1850), einer Serie von zwanzig kleinen Lithographien. William Heinrich Funk (1866–1915) arbeitete als Illustrator beim *New York Herald*, gleichzeitig aber auch als freischaffender Portraitmaler. Der berühmteste New Yorker Illustrator des letzten Jahrhunderts war jedoch Thomas Nast (1840–1902), der sich vor allem durch seine politischen Karikaturen, insbesondere seine Witzzeichnungen hervortat, in denen er die politische Korruption von William Marcy Tweed und des Tweed-Kreises entlarvte. Es war übrigens Nast, der den Elefanten und den Esel als Symbole für die republikanische beziehungsweise die demokratische Partei erfand. Der Stecher und Landschaftsmaler Johann Hermann Carmiencke (1810–1867) hatte weite Reisen durch ganz Europa unternommen, bevor er 1851 in die Vereinigten Staaten kam. Er wählte als ständigen Wohnsitz Brooklyn, wo seine Gemälde großen Anklang fanden, und wurde schließlich Mitbegründer der Brooklyn Academy of Arts.

Die bedeutendste lithographische Anstalt im New York des neunzehnten Jahrhunderts war die Firma Currier and Ives, die für ihre volkstümlichen Farblithographien mit Darstellungen aus dem amerikanischen Leben der viktorianischen Ära Berühmtheit genoß. Otto Knirsch und Louis Maurer gehörten zu den in Deutschland geborenen lithographischen Künstlern, die von Currier und Ives beschäftigt wurden. Louis Prang, vielleicht der bekannteste aus Deutschland eingewanderte Lithograph des letzten Jahrhunderts, hatte in New York gearbeitet, bevor er seine berühmte lithographische Anstalt in Boston gründete.

Philadelphia zählte bereits in der Zeit der Kolonisierung zu den wichtigsten intellektuellen und kulturellen Brennpunkten des Landes. Mit seinen Institutionen wie etwa der Pennsylvania Academy of the Fine Arts stellte die Stadt auch ein bedeutendes Kunstzentrum dar. Francis Martin Drexel (1792–1863), ein österreichischer Portraitmaler, wurde nach seiner Ankunft in den USA im Jahr 1817 in Philadelphia ansässig. Später gab er allerdings seine Künstlerlaufbahn auf und gründete ein bekanntes Bankhaus. Ein weiterer namhafter Künstler in Philadelphia, der Elsässer Christian Schüssele (1826–1879), war bekannt für seine Landschaften, historischen Szenen und Portraits. Schüssele hatte in Paris studiert und lehrte viele Jahre als Professor an der Philadelphia Academy of Fine Arts. In Düsseldorf studiert hatte der Landschafter Hermann Herzog (1831–1932), bevor er 1869 in die USA kam. Er unternahm weite Reisen durch die Vereinigten Staaten und Mexiko, schlug aber schließlich seinen Wohnsitz in Philadelphia auf. In seinem Spätwerk sind die Landschaften mit Palmen bemerkenswert, die er während eines Aufenthalts bei seinem Sohn in Gainesville, Florida, malte. Der ebenfalls in Philadelphia lebende Künstler Carl Heinrich Schmolze (1823–1862) gehörte zu den sogenannten Achtundvierzigern – jenen politisch Verfolgten, die Deutschland verlassen mußten, nachdem sie an der erfolglos verlaufenen Revolution von 1848 teilgenommen hatten. Wir werden später noch etliche andere Künstler aus diesem Kreis kennenlernen.

Obwohl Boston stets einen wichtigen Platz unter den Kunstzentren an der Ostküste eingenommen hatte, lockte es weniger deutsche Künstler-Immigranten an als andere im Osten der USA gelegene Städte. Doch zu jenen, die sich in der Stadt niederließen, gehörte der Achtundvierziger Theodor Kaufmann (1814–1887), Kat. Nr. 67, ein ehemaliger Schüler Wilhelm von Kaulbachs. Kaufmann war sowohl Maler wie Illustrator und erwarb sich einen besonderen Ruf durch seine Historiengemälde, die insbesondere Szenen aus dem Bürgerkrieg darstellten. Der Österreicher Ignaz Marcel Gaugengigl (1855–1932) fand ebenfalls in Boston eine neue Heimat. Er wurde als »amerikanischer Meissonnier« gepriesen und spezialisierte sich auf historische Genreszenen und Portraits für die Bostoner Gesellschaft. William A. J. Claus, ein gebürtiger Mainzer, gilt heute hauptsächlich als Portraitmaler, wenngleich er auch die Altarbilder für die Kirche St. Francis de Sales in Boston schuf. Der Bostoner Lithograph Louis Prang (1824–1909) hat bereits Erwähnung gefunden.

Der Mittlere Westen

Die erste größere Stadt, die im Territorium des Nordwestens entstand, war das von Pittsburgh aus über den Ohio-Fluß leicht zu erreichende Cincinnati. Weil im frühen neunzehnten Jahrhundert viele Siedler in Ohio deutschen Ursprungs waren, ist es nicht weiter verwunderlich, daß der deutsche Einfluß das sich entwickelnde Kunstleben und die Kunstszene in Städten wie Cincinnati und Cleveland stark prägte.

In der Frühzeit Ohios gab es dort eine bemerkenswerte Gruppe von Künstlern, nämlich die 1831 aus Deutschland nach Cincinnati eingewanderte Familie Frankenstein. Das bedeutendste Mitglied dieser berühmten Familie, die später ihren Wohnsitz nach Springfield, Ohio, verlegte, war Godfrey Nicholas Frankenstein (1820–1873). Obwohl er sich seinen Lebensunterhalt in der Hauptsache durch Portraitaufträge verdiente, betätigte er sich auch als Landschaftsmaler. Seine Bilder zeigten die ländliche Umgebung von Ohio, die Weiße Bergwelt von New Hampshire und die Niagara-Fälle. So schuf er zusammen mit seinen Brüdern George und Gustavus ein gewaltiges panoramisches Gemälde der Niagara-Fälle, das – zwischen zwei Spindeln gespannt – während eines Vortrags abgespult wurde. Ein anderer Bruder, John Peter Frankenstein, war ein exzentrischer Portraitmaler, der auch Portraitbüsten modellierte, während die Schwester Marie als Malerin und Bildhauerin dilettierte.

Chicago begann sich erst nach dem Black-Hawk-Krieg von 1832 zu entwickeln, und bedeutende deutsche Immigranten-Künstler traten dort erst nach dem Bürgerkrieg in Erscheinung. Einer der ersten war Christian F. Schwerdt, um 1869 als Portraitmaler in Chicago tätig und Mitbegründer des Chicago Art Clubs. Peter Baumgras (1824–1903) war Portrait- und Stillebenmaler, der an verschiedenen Orten der Vereinigten Staaten und Kanadas gearbeitet und unterrichtet hatte, bevor er 1877 nach Illinois gelangte. Er lehrte ein Jahr lang als Professor für Kunsterziehung an der Universität von Illinois und ließ sich dann in Chicago nieder. Carl Mauch (1854–1913), Maler und Illustrator, gehörte zu der Künstlergruppe aus Chicago, die mit der Sommerakademie in Saugatuck, Michigan, in Verbindung stand. Chicagos namhaftester Lithograph war Louis Kurz (1833–1921), Abb. 1, ein 1848 in die USA ausgewanderter Österreicher. Er ist uns wohl am lebhaftesten wegen seiner Chromolithographien von Schlachten aus dem Bürgerkrieg in Erinnerung, die er in Zusammenarbeit mit Alexander Allison schuf.

Die Stadt Milwaukee liegt am Michigan-See, etwa 50 km nördlich von Chicago entfernt. Als Sammelbecken eines Stroms von deutschen Einwanderern hatte und hat dieser Hauptsitz des Deutschtums in den USA nicht seinesgleichen. Im späten neunzehnten Jahrhundert betrug Milwaukees deutscher Bevölkerungsanteil etwa ein Drittel der städtischen Einwoh-

Abb. 1 Links im Bild der Lithograph Louis Kurz (1833–1921), rechts im Bild sein Sohn Louis O. Kurz jr., ebenfalls Lithograph. (Foto mit freundlicher Erlaubnis der Chicago Historical Society)

Abb. 2 Henry Vianden (1814–1899) war der erste akademisch geschulte deutsche Künstler in Milwaukee. Er wurde für seine Gemälde der Waldlandschaften von Wisconsin berühmt. (Foto mit freundlicher Erlaubnis der Milwaukee County Historical Society)

nerschaft. Wenngleich die Deutschen vor 1850 keinen nennenswerten Einfluß auf das lokale Kunstleben ausübten, sollte sich das rasch ändern: Zu Ausgang des Jahrhunderts erwies sich ihr Einfluß bereits als allumfassend. Bei der Gründung der Society of Milwaukee Artists im Jahr 1900 waren dreizehn der vierzehn Gründungsmitglieder entweder deutschsprachige Immigranten oder entstammten einer deutschen Familie von Einwanderern.

Der erste bedeutende, in Deutschland geborene Künstler Milwaukees war Henry Vianden (1814–1899), Abb. 2; Kat. Nr. 26, ein ehemaliger Student der Münchner Akademie und viele Jahre hindurch einer der wenigen akademisch ausgebildeten Kunsterzieher der Stadt. Der 1849 nach Milwaukee eingewanderte Maler ist für seine klar konturierten Gemälde der Waldlandschaften von Wisconsin berühmt. Vianden war Lehrer von Robert Koehler (1850–1917), Abb. 3; Kat. Nr. 84, 96, 97, 109, der später 22 Jahre lang die School of Fine Arts in Minneapolis leitete. Ein weiterer früher Neuankömmling war der Amateur-Aquarellist Franz Hölzlhuber (1826–1888), der 1856 auf der Basis eines Zweijah-

resvertrags als musikalischer Leiter an ein deutsches Theater nach Milwaukee gekommen war. Nach Ablauf seines Vertrages unternahm er eine ausgedehnte Reise in den Mittelwesten und Süden und hielt das Gesehene in einer Serie bemerkenswerter Aquarelle fest. Schließlich kehrte er in seine Heimat Österreich zurück.

Die Kunstszene Milwaukees erfuhr eine radikale Veränderung, als während der 1880er Jahre mehr als ein Dutzend akademisch ausgebildeter deutschsprachiger Künstler in die Stadt geholt wurden, die als Panoramamaler arbeiten sollten. Die Herstellung von großen panoramischen Gemälden wurde bis zum Ende des Jahrhunderts zu einem lokalen Industriezweig. Als erster dieser Panoramamaler gelangte August Lohr, ein 1842 in der Nähe von Salzburg geborener Österreicher, nach Milwaukee. Lohr hatte in München Erfahrungen mit dem Malen von Panoramen gesammelt und war weitgehend für die Auswahl der Künstler verantwortlich, die sich in Milwaukee als Panoramamaler betätigen sollten. Als einen der ersten verpflichtete Lohr den gebürtigen Schweizer Franz Biberstein (1850–1930), der 1886 eintraf und bis zum Ende seiner Tage in Milwaukee blieb. Als die Beliebtheit der Panoramen am Ende des Jahrhunderts abnahm, vermochte es Biberstein, seinen Lebensunterhalt mit Portraitaufträgen und der Landschaftsmalerei zu bestreiten. Um 1910 verbrachte er zwei Sommer in den kanadischen Rocky Mountains mit dem Malen von Gebirgsszenen. Andere Panoramamaler, die sich für immer in der Gegend von Milwaukee niederließen, waren Bernhard Schneider (1843–1907), Friedrich Wilhelm Heine (1845–1921), George Peter (1859–1950) und Richard Lorenz (1858–1915). Als herausragende Persönlichkeit in der Reihe dieser Künstler muß Lorenz gelten, der als Pferdemaler begann und sich zu einem Schilderer von Genreszenen des amerikanischen Westens entwickelte. Lorenz sollte in Milwaukee der bedeutendste Kunstpädagoge nach Vianden werden.

Wie Milwaukee wurden auch St. Louis und das umliegende Gebiet zu einem wichtigen Ziel und Sammelbecken deutscher Einwanderer vor dem Bürgerkrieg. Die bedeutendste Künstlerpersönlichkeit unter den Immigranten war Charles Wimar (1828–1862), der sich vor allem durch seine Indianerbilder einen Namen machte (Kat. Nr. 15, 58, 59). August H. Becker (1840–1903), Wimars Halbbruder, war ebenfalls in St. Louis als Maler tätig.

Auch Indiana hatte einige eingewanderte Maler aufzuweisen. Als einer der ersten ließ sich Carl P.

Pfetsch (1817–1899) dort nieder, ein Portrait- und Genremaler, der kurz nach 1848 in die Vereinigten Staaten kam. Vor seinem Umzug nach Indiana hatte Pfetsch in New York und Cincinnati gearbeitet. Er lebte von 1856 bis 1870 in New Albany, Indiana, und verlegte später seinen Wohnsitz nach Indianapolis. William J. Riess (1856–1919), ein gebürtiger Berliner, war ab 1884 in Indianapolis tätig und spezialisierte sich auf Gemälde von Indianern und Szenen aus dem Wilden Westen. Gustav August Miller (geb. 1851) lebte und arbeitete in der Zeit um 1880–1900 als Landschaftsmaler und Dekorateur in Evansville, Indiana. Der Landschafter William T. Eyden (1859–1919) kam 1866 nach Amerika und ließ sich in Richmond, Indiana, nieder.

Der Süden und Osten

Relativ wenige deutsche Immigranten entschieden sich im letzten Jahrhundert für eine Ansiedlung in den alten Südstaaten, obwohl es doch zur Zeit der Kolonisierung einen beträchtlichen Zustrom deutscher Einwanderer nach Georgia, Maryland, Virginia, Nord- und Südkarolina gegeben hatte. Im neunzehnten Jahrhundert waren die bedeutendsten Sammelbecken deutscher Immigranten-Kultur im Süden New Orleans, aber auch Charleston SC, Houston, Dallas und San Antonio in Texas. Aus der großen Anzahl von Künstlern, die im letzten Jahrhundert in New Orleans einwanderten, ist vor allem Franz Joseph Fleischbein (1804–1866) zu erwähnen, ein gebürtiger Bayer, der in München und Paris studiert hatte, bevor er um 1833 in die Vereinigten Staaten emigrierte. Er ist vor allem für seine Portraits und kleinen Gemälde mit mythologischen und historischen Themen bekannt.

Auch Baltimore war einer der Orte, in denen sich vor dem Bürgerkrieg die deutschen Immigranten gern versammelten. Als interessantester dort eingewanderter Künstler ist wohl Henry Bebie (1799–1888), Abb. 4, zu nennen, der sich vor allem mit Konversationsstücken einen Namen gemacht hat, warmen, sinnenfreudigen Gemälden, die kleine Gruppen von Frauen in eleganten Interieurs darstellen. Der in Baltimore tätige Karikaturist und Kunsthandwerker John Volck (1828–1912), Abb. 5, war einer der wenigen Achtundvierziger, die während des Bürgerkrieges auf der Seite der Konföderierten standen. Washington D.C., etwa 25 km südlich von Baltimore gelegen, fungierte ganz allgemein als Anziehungspunkt für Künstler, weil dort von Staats wegen Auftragsarbeiten ver-

Abb. 4 Henry Bebie (1799–1888) war ein gebürtiger Schweizer, der vor allem als Maler von Portraits und Konversationsstücken hervortrat. Er ist hier in einem undatierten Selbstbildnis dargestellt. (Foto mit freundlicher Erlaubnis der Maryland Historical Society, Baltimore)

Abb. 5 Adalbert John Volck (1828–1912), Karikaturist und Kunsthandwerker, wurde in Baltimore ansässig. Er war einer der wenigen politischen Flüchtlinge der Revolution von 1848, die während des Bürgerkrieges auf der Seite der Konföderierten standen. (Foto mit freundlicher Erlaubnis der Maryland Historical Society, Baltimore)

geben wurden. Der überaus produktive Emanuel Leutze (1816–1868), Kat. Nr. 46, 48–55, den sein patriotisches Gemälde *Washington überquert den Delaware* (*Washington Crossing the Delaware*, Kat. Nr. 46) berühmt gemacht hatte, verbrachte dort seine letzten Lebensjahre. Obwohl die Namensliste der deutschen Künstler in Louisville nicht an die von Baltimore oder New Orleans heranreicht, verdienen

Abb. 6 Herman Lungkwitz (1813–1890) kam nach der Revolution von 1848 nach Texas und malte Landschaften im romantischen Stil. (Foto mit freundlicher Erlaubnis von James Patrick McGuire, San Antonio)

zwei Künstler Erwähnung. Carl Christian Brenner (1838–1888) war Panoramamaler und Landschafter, während Nicola Marschall der Entwurf von Fahne und Uniformen der Konföderierten zugeschrieben wird. Unter den verschiedenen aus Deutschland nach Texas eingewanderten Künstlern sind besonders hervorzuheben Herman Lungkwitz (1813–1890), Abb. 6, und Richard Petri (1823–1858), beide politische Flüchtlinge der Revolution von 1848, die sich in San Antonio niederließen. Lungkwitz war in erster Linie ein der romantischen Tradition verpflichteter Landschaftsmaler, während sich Petri mit seinen Portraits einen guten Ruf erwarb.

Kalifornien

Kalifornien war dünn besiedelt, bis das Goldfieber von 1849 eine Woge von Siedlern und Goldgräbern in die Region von San Francisco-Sacramento schwemmte. Unter dieser Flut von Siedlerpionieren befanden sich Charles Christian Nahl (1818–1878) und sein Halbbruder Arthur Nahl (1833–1889), die beide versuchten, nach Gold zu schürfen. Charles sollte später für seine Darstellungen des Lebens auf den Goldfeldern und in den Goldgräber-Camps berühmt werden. Schließlich eröffneten Charles und Arthur Nahl in Sacramento ein gemeinsames Atelier, in dem sie Portraits und Illustrationen für die Lokalpresse anfertigten. Arthur Nahl entwarf nebenbei auch das kalifornische Staatssiegel. William Hahn (1829–1887), der in den 1870er Jahren ein Atelier in San Francisco besaß, hat sich ebenfalls mit seinen Gemälden des kalifornischen Grenzlandes einen Namen gemacht. Ein weiterer Künstlerpionier in Kalifornien war Charles Nahls Schüler Henry Raschen (1854–1937). Bei der großen Feuersbrunst von 1906 in San Francisco wurden viele seiner Werke zerstört und er zog daraufhin nach Alameda in Kalifornien. Charles John Dickmann (1863–1943), vor allem für seine Küstenlandschaften bekannt, lebte 14 Jahre in Monterey in Kalifornien, bevor er seinen Wohnsitz nach San Francisco verlegte. William Ritschel (1864–1949), der sich im Bergland von Carmel niederließ, malte ähnliche Ansichten von der kalifornischen Küste wie Dickmann. Der Bayer Meyer Straus (1831–1905), Kat. Nr. 60, ging 1873 nach Kalifornien und richtete sich um 1877 sein eigenes Atelier in San Francisco ein. Als begeisterter Landschaftsmaler unternahm Straus häufige Zeichenexkursionen nach Monterey, Yosemite und anderen landschaftlich beeindruckenden Schauplätzen in Kalifornien und Oregon.

Das Haupt der deutschen eingewanderten Maler im Los Angeles des frühen zwanzigsten Jahrhunderts war Max Wieczorek (1863–1955), der farbige Glasfenster für Tiffany entworfen hatte, bevor er sich 1908 in Los Angeles niederließ. Seine durchaus der realistischen Tradition verpflichteten Bilder besitzen manchmal eine düster-schwermütige Ausstrahlung, die an das Schaffen des norwegischen Expressionisten Edvard Munch erinnert. Franz Arthur Bischoff (1864–1929) hatte in Wien studiert, bevor er 1885 in die USA einwanderte. Er erwarb sich zunächst Ansehen als Keramiker und Porzellanmaler, wurde aber später für seine Gemälde berühmt, vorzüglich Landschaften. Kalifornien besuchte er im Jahre 1900 zum ersten Mal und wurde sechs Jahre später in Los Angeles ansässig.

Entdecker des Grenzlandes im Westen

Als die Entdeckung des Grenzlandes im Fernen Westen während des frühen neunzehnten Jahrhunderts voll einsetzte, sollte den Künstlern dabei eine wichtige Rolle zufallen, brachten sie doch von ihren Reisen Informationen über diese legendären Regionen mit. Einige Künstler lieferten diese Informationen in offizieller Funktion als Mitglieder topographischer Landvermessungs-Expeditionen oder als Soldaten an entlegenen Außenposten an der Grenze. Andere dagegen waren Wissenschaftler, Weltreisende oder Siedlerpioniere. Zu den Künstlern in topographischer Funktion gehörten Carl Schuchard (1827–1883), Frederick W. Egloffstein (1824–1898), Charles Koppel (um ca. 1853 tätig) und Anton Schönborn (gest. 1871), die alle an Landvermessungs-Expeditionen teilnahmen. Unter den Künstlern, die als Soldaten im Westen stationiert waren, befanden sich Gustavus Sohon (1825–1908), Joseph Heger (geb. 1835), Hermann Stieffel (1826–1886) und Charles Frederick Moellmann (1844–1902). William Heine (1827–1885) bereiste als eingefleischter Globetrotter auch Südamerika und Japan, während Heinrich Balduin Möllhausen (1825–1905), Abb. 7, sich als begabter Schriftsteller, Illustrator und Reisender erwies. Doch der berühmteste Künstler und Erforscher des Westens war Karl Bodmer (1809–1893), Kat. Nr. 1–6, dessen Zeichnungen der Indianerstämme am Oberlauf des Mississippi glücklicherweise auf uns gekommen sind und in ihrer Genauigkeit ein unschätzbares historisches Quellenmaterial darstellen. Peter Rindisbacher (Kat. Nr. 7), der schließlich in St. Louis ansässig wurde, malte als erster Künstler die Indianer und die ungezähmte Natur und Tierwelt von Minnesota.

Das Bild des Westens aus der Sicht der Künstler

In dem Maße wie das Reisen in den Fernen Westen nach dem Ende des Bürgerkriegs leichter wurde, begann eine wachsende Zahl ernstzunehmender Künstler Landschaften und Genreszenen in diesem Gebiet zu malen. Einige dieser Maler, insbesondere Richard Lorenz, Carl Wimar und Hermann Lungkwitz, haben bereits Erwähnung gefunden. Doch der hervorragendste Maler des amerikanischen Westens unter den Immigranten war natürlich Albert Bierstadt (1830–1902), Kat. Nr. 32, 36, 41, 42, 56. Häufige

Reisen führten den in seiner Zeit ungemein populären Bierstadt in die Weiten des Fernen Westens; von dort brachte er dann stets zahlreiche Entwürfe in sein nördlich von New York gelegenes Atelier zurück. Andere Landschafter, die sich dem Westen verschrieben hatten, waren Frederick William Billing (1835–1914), John Fery (1859–1934), Abb. 8, und Frederick Ferdinand Schaefer. Billing lebte 1855 in Brooklyn, siedelte jedoch 1870 nach Salt Lake City

Abb. 7 Heinrich Balduin Möllhausen (1825–1905) war Forscher, Schriftsteller und Illustrator

über und ließ sich schließlich 1880 in Santa Cruz, Kalifornien, nieder. Fery war ein äußerst fruchtbarer Maler, der sich auf die Produktion von rasch auf die Leinwand geworfenen großdimensionierten Ölgemälden mit Ansichten des Glacier National Parks im Nordwesten von Montana und der Region um den Jackson-See in Wyoming spezialisierte. Der in Österreich geborene Fery kam 1886 in die USA und lebte bis etwa 1888 im nördlichen Teil des Staates New York. Zu verschiedenen Zeiten war er auch in New Jersey, Wyoming, Minnesota, Utah und Wisconsin tätig. Mehrere Jahre hindurch lebte er in Salt Lake

City und Milwaukee und verbrachte die letzten fünf Jahre seines Lebens im Staat Washington. Frederick Ferdinand Schaefer, ein Alkoholiker, dessen Werke von uneinheitlicher Qualität waren, zog als wandernder Maler durch Montana, Idaho, Wyoming, Oregon, Washington und British Columbia und malte bevorzugt Western-Szenen mit Indianern. Schaefer war vermutlich Autodidakt und ließ sich 1884 nach mehreren Jahren des Aufenthalts in den USA einbürgern. Nach 1878 arbeitete er in North Carolina, besaß ein Atelier in San Francisco und wurde in den Adreßverzeichnissen der Stadt Oakland von 1905 bis zu seinem Tod geführt.

Rückblick und Ausblick

Mit Ausnahme jenes Teils der amerikanischen Bevölkerung, dessen Vorfahren von den britischen Inseln einwanderten, bilden Menschen deutscher Abstammung den größten ethnischen Block in den USA. Heute ist das nur noch schwer vorstellbar, da Kenntnis und Gebrauch der deutschen Sprache weithin verdrängt wurden und nur ein paar deutsche kulturelle Einrichtungen wie etwa Gesangs- und Turnvereine überlebt haben. Ab und zu jedoch kann man noch das eine oder andere Relikt entdecken, das den Reichtum und die Komplexität des deutsch-amerikanischen Lebens vor einem Jahrhundert erahnen läßt: eine deutsche Inschrift auf einem farbigen Kirchenfenster, eine restaurierte Turnhalle aus dem neunzehnten Jahrhundert oder ein altes, in einer Bücherei oder einem Antiquariat gefundenes Buch. Und man gerät ins Sinnen darüber, wie sehr sich das amerikanische Leben im Jahr 1890 doch von dem heutigen unterschied – damals, als in Amerika Hunderte von deutschen Zeitungen und Zeitschriften erschienen und Hunderte von Kirchen ihren Gottesdienst in deutscher Sprache abhielten. Aus heutiger Perspektive ist schwer nachvollziehbar, daß die Deutschen und die Iren in New York zur Zeit des Bürgerkrieges die beiden größten Immigranten-Gruppen darstellten. Die deutschen Künstler, die im letzten Jahrhundert nach Amerika kamen, waren oft, wenn auch nicht immer, Teil des spezifisch deutsch-amerikanischen kulturellen Umfeldes, das an einigen Orten wie etwa Milwaukee feste Form annahm. Doch selbst wenn sie nicht daran teilhatten, brachten die deutschen eingewanderten Künstler ihre Ausbildung im Gepäck mit und viele von ihnen übten einen größeren Einfluß auf die Kunst in Amerika aus als die amerikanische Kunst auf sie.

Natürlich riß die Einwanderung aus Deutschland 1913 nicht einfach ab. Und obwohl nach dem Ersten Weltkrieg neue Einwanderungsgesetze den Immigrantenstrom nach Amerika einschränkten, waren die Quoten für Deutsche liberal, so daß viele die Gelegenheit nutzten, das wirtschaftliche Chaos der Weimarer Republik zugunsten des relativ gesicherten Wohlstands in Amerika hinter sich zu lassen. Die Machtergreifung Hitlers und der Ausbruch des Zweiten Weltkriegs brachten eine Flut von Künstlern und Intellektuellen ins Land, politische Flüchtlinge, die an die Auswanderung der Achtundvierziger im vorigen Jahrhundert gemahnten. Und natürlich kommen auch heute noch Einwanderer aus Deutschland nach Amerika, wenngleich in geringerer Zahl. Welchen Einfluß werden sie auf die Zukunft der amerikanischen Kunst haben? Dieses Kapitel im immerwährenden Buch der Geschichte muß noch geschrieben werden.

1 Weitere Informationen über diese Künstler einschließlich bibliographischer Hinweise sind in meinem Buch *German Immigrant Artists in America: A Bibliographical Dictionnary* (Aus Deutschland eingewanderte Künstler in Amerika: ein bibliographisches Nachschlagewerk, Metuchen, New Jersey: The Scarecrow Press, in Druck) zu finden.

ANNE ROSSETER NORCROSS

Amerikanische »Malerschulen« in Deutschland: Der Einfluß von Emanuel Leutze und Frank Duveneck

Um die Mitte bis zum Ende des 19. Jahrhunderts zog es zahlreiche junge amerikanische Maler nach Düsseldorf und München. Viele gingen dorthin, um an den deutschen Akademien zu studieren, doch andere verlegten ihre Ausbildung auch in die Ateliers amerikanischer Maler, die dort bestimmte deutsche Kunststile und -ideale bei gleichzeitiger Wahrung amerikanischer Themenkreise übernommen hatten. So zog zum Beispiel der in Deutschland geborene und von Carl Friedrich Lessings zeitgenössischen Historienbildern beeinflußte Emanuel Leutze in den späten 1840er und 1850er Jahren Studenten nach Düsseldorf, wo er einen Stil der Historienmalerei entwickelte, der beim amerikanischen Publikum großen Anklang fand. Um 1860 blieb Düsseldorfs Ruf als beste deutsche Ausbildungsstätte Deutschlands nicht mehr unangefochten, und München begann ihr den Rang abzulaufen. Die amerikanischen Studenten ließen sich von diesem neuen Kunstzentrum und dem virtuosen Malstil Frank Duvenecks fesseln, der dort von 1870 bis 1873 und von 1875 bis 1879 lebte. Duvenecks dynamische Malweise ging über den realistischen Stil des Leibl-Kreises hinaus. Heute wird es ihm als sein Verdienst angerechnet, der amerikanischen Kunst den Weg in die Moderne gebahnt zu haben, ein Wandel, der mit der Ausstellung der Gruppe »The Eight« (Die Acht) sichtbar wurde.[1]

Als Leutze und Duveneck europäischen Boden betraten, übernahmen sie rasch die akademischen Stilideale, wie sie in Düsseldorf beziehungsweise München gelehrt wurden, um sich dann jedoch der Akademie zu entziehen und einen eigenen Weg einzuschlagen. Jeder der beiden konzipierte einen Malstil, der sich von dem seiner Zeitgenossen unterschied, aber dennoch von diesen abhängig war. Obwohl sie sich die zeitgenössische Kunst zum Vorbild nahmen, führten Duveneck und Leutze in ihren Werken Elemente ein, die auf den amerikanischen Kunstmarkt abzielten, wo sie sich großer Beliebtheit erfreuten. Leutzes Gemälde zur amerikanischen Geschichte und Duvenecks dynamische Pinselschrift, Ergebnisse ihrer Tätigkeit und Schulung in Deutschland, begründeten ihren Ruhm in den Vereinigten Staaten.

Viele Gemälde Leutzes wurden in zahlreichen Kunstakademien und Clubs in ganz Amerika ausgestellt. In New York zeigte und verkaufte die American Art Union von 1844 bis 1852[2] eine Reihe von Leutzes Gemälden, und zwischen 1849 und 1862 führte die Düsseldorf Gallery einem »faszinierten und nachdenklich gewordenen amerikanischen Publikum«[3] Werke der Düsseldorfer Schule vor. Duvenecks Bilder fanden ebenfalls in den Vereinigten Staaten Ausstellungen und Käufer, und etliche Portraits aus seinen Münchner Jahren wurden bei der Cincinnati Industrial Exposition 1874 und 1875 (Industrieausstellung von Cincinnati) und im Boston Art Club 1875 und 1876 präsentiert, wo sie mit ihren skizzenhaft-locker und breit aufgetragenen Pinselzügen und ihrer dunklen Tonigkeit Aufsehen erregten.

Das begeisterte Lob, das die Gemälde von Leutze und Duveneck auf sich vereinigten, als sie in den Vereinigten Staaten gezeigt wurden, veranlaßte einige unternehmungslustige amerikanische Künstler, die beiden Männer im Ausland aufzusuchen und sich ihnen anzuschließen. Der Ruhm dieser amerikanischen Schützlinge und das hohe Ansehen ihrer Gemälde lassen folgern, daß Leutze und Duveneck eine wichtige Rolle für die Entwicklung der amerikanischen Kunst spielten. Um ihren Einfluß zu bestimmen, ist es sicherlich sinnvoll, zunächst jene Faktoren zu untersuchen, die auf die Kunst Leutzes und Duvenecks in Deutschland einwirkten, um dann den Einfluß zu erforschen, den die beiden Künstler auf andere amerikanische Maler ausübten.

In den 1840er und 1850er Jahren war Düsseldorf das führende Kunstzentrum Deutschlands und ein Mekka für europäische und amerikanische Kunststudenten. Der gute Ruf der Akademie beruhte auf den Verdiensten des Akademiedirektors Wilhelm von Schadow und seiner Studenten. Einer dieser Studenten war Karl Friedrich Lessing. Unter dem Einfluß des Düsseldorfer Theaters besaßen die an der Akademie geschaffenen Gemälde einen höchst posenhaften, an Theaterinszenierungen oder an gestellte »Lebende Bilder« erinnernden Zug. Die Figuren wurden in kunstvoll ausgearbeiteten Kostümen dargestellt, die Farben waren stark und die Malweise peinlich genau und höchst detailliert ausgeführt. Die Pose Washingtons in Leutzes *Washington überquert den Delaware* (*Washington Crossing the Delaware*, Kat. Nr. 46) ist charakteristisch für die theatralische Düsseldorfer Manier, obwohl die Komposition als Leutzes »am stärksten unterspieltes Drama«[4] beschrieben worden ist.

Dieses monumentale Gemälde war anläßlich seiner Ausstellung in New York 1851 mit großem Beifall aufgenommen worden; die Kritiker begrüßten es als das wichtigste je geschaffene amerikanische Historienbild, es gilt als das berühmteste Historienbild der Vereinigten Staaten zur Jahrhundertmitte.[5] Dieses Gemälde wird heute als das Meisterwerk der Düsseldorfer Schule schlechthin angesehen und ist den Amerikanern als Exponent dieser Kunstrichtung am vertrautesten.

Emanuel Leutze kam 1841 nach Düsseldorf und schrieb sich Ende des Jahres an der Akademie als Historienmaler ein.[6] Das erste Thema, das er an diesem Institut in Angriff nahm, war eine Station im Leben des Christoph Columbus: *Columbus vor dem Konzil von Salamanca* (*Columbus before the High Council of Salamanca*). Das 1842 gemalte Werk fand Schadows höchstes Lob. Es verband die akademische Technik der Historienmalerei mit dem wesentlichen Inhalt von Lessings konfrontierenden Hus-Szenen.[7]

Wie Barbara Gaehtgens meint, »nahmen [Leutzes Columbus-Bilder] Lessings Bildmotive auf … [und] paßten sie den Bedürfnissen des amerikanischen Publikums an. Er interpretierte Lessings [Hussiten-]Prediger neu … [und schuf so] ein nationales Rollenvorbild, das der amerikanischen historischen Auffassung besser entsprach: weniger eine Personifizierung der Geschichte als vielmehr einen individuellen Menschen, der emotionale Reaktionen auf ein historisches Ereignis von großer nationaler Bedeutung hervorzurufen vermochte.«[8] Sie behauptet, daß Leutze durch seine Kombination der Bildinhalte Lessings mit dem Stil der Akademie sowohl in Europa als auch in den Vereinigten Staaten künstlerische Anerkennung errang.

1843 verließ Leutze die Akademie und wurde bald zu einem der bekanntesten freien Künstler Düsseldorfs.[9] Er beteiligte sich aktiv am kulturellen Leben der Stadt und gründete zusammen mit anderen pro-

minenten Düsseldorfer Künstlern 1848 den Verein »Malkasten«, der zum Mittelpunkt des gesellschaftlichen Lebens der Künstlergemeinschaft wurde. Die jungen amerikanischen Künstler, die nach Düsseldorf kamen, suchten bei Leutze Unterstützung in allen Fragen des Lebens und betrachteten ihn als ihren Ratgeber, Reiseleiter, Dolmetscher und Wohltäter.[10]

Leutze gründete niemals offiziell eine Schule in Düsseldorf, obwohl er junge Maler unter seiner Anleitung in seinem Atelier arbeiten ließ. Da er seine pädagogische Philosophie auf ein Konzept vollständiger künstlerischer Freiheit gründete, schlossen sich ihm viele Künstler an, die von dem Ansehen zu profitieren suchten, das er sich als Historienmaler in Düsseldorf erworben hatte. Es war kein Lehrer-Schüler-Verhältnis, das die meisten Amerikaner an Leutze band, Leutze wirkte vielmehr als geistiger Führer, Vermittler und Anreger und besaß durch seinen Erfolg Vorbildfunktion. Zu den Künstlern, die sich in Düsseldorf um ihn scharten, gehörten Worthington Whittredge, J. W. Ehninger, George Hall, Eastman Johnson, Albert Bierstadt, Charles Wimar, William Haseltine und George Caleb Bingham.[11]

Nach den Worten von Worthington Whittredge, der 1849 in Düsseldorf eintraf, war Leutze »der Magnet, der mich hierher gezogen hat«,[12] und Leutze war es auch, der ihn in das kulturelle Leben der Stadt einführte. Gestützt auf Leutzes Ansehen innerhalb der Künstlerschaft, trat Whittredge mit einigen der führenden Landschaftsmaler der Stadt in engen Kontakt, zu denen auch Andreas Achenbach und Lessing zählten. Whittredge war Achenbach im »Malkasten« begegnet und hatte von ihm viel über Malerei gelernt, obwohl er niemals bei dem berühmten Landschafter studierte.[13] *Kampf vor der Burg* (*Fight below the Battlements*) aus dem Jahr 1849 (Kat. Nr. 45) demonstriert mit seinen mittelalterlichen in einer düsteren Landschaft miteinander kämpfenden Rittern in ihren Rüstungen, daß Whittredge den dunkeltonigen und romantisch geprägten Düsseldorfer Stil übernommen hatte.

Leutzes Einfluß auf Whittredge bestand nicht in der Vermittlung stilistischer Einflüsse, auch gab er ihm keinen Unterricht im eigentlichen Sinn. Wie bei den meisten Amerikanern in Düsseldorf spielte er für Whittredge die Rolle eines Mentors und Gönners, der ihm bei der Erfüllung von materiellen und sozialen Anliegen behilflich war und sich für einen jungen aufstrebenden Künstler als nützlicher Freund erwies. Doch das Ansehen, das Leutze sich in Düsseldorf erworben hatte, zog manchmal auch ausgereifte Künstler an, die nur nach Düsseldorf kamen, um aus seiner Berühmtheit Nutzen zu ziehen. Zu diesen Künstlern gehörte George Caleb Bingham.

Bingham, der 1856 in Düsseldorf eintraf, war »Leutzes Anwesenheit sowohl in beruflicher wie auch in praktischer Hinsicht förderlich«, wie Groseclose meint.[14] Leutze verhalf ihm in Düsseldorf zu einer Wohnung und einem Atelier, wo Bingham seinen Stil zu verfeinern begann, während er an zwei für das Capitol in Jefferson City MO bestimmten Gemälden mit nationaler Thematik arbeitete.[15] Als er nach Missouri zurückkehrte, schuf Bingham eines seiner wenigen Historiengemälde, *Washington überquert den Delaware* (*Washington Crossing the Delaware*, Kat. Nr. 47), das er 1856 begonnen hatte, aber erst 1871 vollendete. Anders als all die vorhergehenden Darstellungen von Washingtons Angriff auf die Hessen[16] schildert Binghams ebenso wie Leutzes Gemälde die tatsächliche Überquerung des Flusses. Kompositionell stützt sich Bingham mit einer starken pyramidenförmigen Gruppierung im Zentrum der Leinwand und einem sorgfältig geometrisch strukturierten Bildgefüge auf den Stil seiner reifen Schaffensphase. Doch der von Bingham geschilderte Augenblick der Handlung ist zweifellos unmittelbar von Leutze übernommen.

Leutze übte gelegentlich auch einen starken Einfluß als Lehrer aus. Carl Wimar wurde durch Leutzes Art der Gestaltung von Historienbildern beeinflußt, die den Stil der europäischen Geschichtsmalerei mit typisch amerikanischen Themen verband. Er nahm sich das von Leutze gesetzte Beispiel zum Vorbild und ging von demselben Ansatz aus, indem er ein durch und durch amerikanisches Motiv – die Grenze zum Wilden Westen – mit dem in Europa tonangebenden Stil des Historiengemäldes verband. In Düsseldorf war Wimar der einzige Studierende, der das amerikanische Grenzland schilderte; seine Gemälde standen beim deutschen Publikum hoch in Gunst und hinterließen bei der Künstlerschaft der Stadt einen bleibenden Eindruck.[17]

Wimar kam 1852 nach Düsseldorf, im selben Jahr, als Leutzes *Washington überquert den Delaware* im Berliner Salon eine Goldmedaille zuerkannt wurde.[18] Der junge Mann war von dem Bild »hingerissen« und erklärte: »Es übertrifft alles, was ich je zuvor gesehen habe.«[19] Wimars erster Lehrer in Düsseldorf war der Historienmaler Joseph Fay; in Wirklichkeit aber wurde er von Leutze angeleitet, der die Forschritte seines »Studenten« überprüfte, indem er dessen Atelier regelmäßig aufsuchte. Wimar erklärte seine Beziehung zu Leutze wie folgt: »Obwohl er keine Studenten in

seinem Atelier hat und … keine annimmt … stehe ich doch, ohne ein Schüler Leutzes zu sein, praktisch unter seiner Führung, er sieht alles, was ich mache und macht sich stets ein Vergnügen daraus, mich zu unterrichten.«[20]

Leutzes stilistischer Einfluß auf seinen »Schüler« erweist sich deutlich in Wimars *Die Entführung von Daniel Boones Tochter* (*The Abduction of Daniel Boone's Daughter*, Kat. Nr. 58). Wie in Leutzes *Washington überquert den Delaware* ziehen dominante Diagonalen den Blick des Betrachters in die Komposition hinein und zu der stehenden Figur im Zentrum. Washington ebenso wie den aufrecht stehenden Häuptling umringen von den verschiedensten Empfindungen geprägte Gestalten, die mit der stoischen Haltung der im Profil gezeigten Anführer kontrastieren. Doch während Washington mit resoluter Entschlossenheit nach vorn blickt, der Freiheit entgegen, scheint der meditative Blick des Indianerhäuptlings das drohende Schicksal seines Volkes und dessen Kultur vorherzusehen. So gibt Wimar in seinem Bild eine politische Erklärung zur amerikanischen Indianerpolitik ab, ganz wie Leutze Bildvorwürfe gefunden und illustriert hatte, die sich auf die zeitgenössische Geschichte bezogen.

1859 verließ Leutze Düsseldorf und reiste in die Vereinigten Staaten, weil er hoffte, einen staatlichen Auftrag zur Ausschmückung des Sitzungssaals des Capitols zu erhalten.[21] Düsseldorf hatte in den frühen 1850er Jahren auf seinem kulturellen Höhepunkt gestanden, doch zu Ende des Jahrzehnts hatte sich das Interesse des europäischen und amerikanischen Kunstmarkts für Bilder der Düsseldorfer Schule abgeschwächt, die American Art Union existierte nicht mehr und die Düsseldorf Gallery stand kurz vor ihrer im Jahr 1862 erfolgenden Schließung. In dieser Zeit hatte sich München zu einer führenden Kulturmetropole entwickelt und sollte als das neue Mekka für amerikanische Kunststudenten den Platz von Düsseldorf einnehmen. Gewaltige Museen wie die Alte Pinakothek, die zur Aufnahme der königlichen Sammlungen bestimmt war, sowie die Neue Pinakothek, die die zeitgenössische Kunst beherbergen sollte, befanden sich im Bau und sollten in enger Verbindung zum Lehrplan der Münchner Akademie stehen.[22] Leutze, der Bayern schon vorher einmal besucht hatte, erklärte München zur »besten Malerschule der Welt«.[23]

Frank Duveneck reiste 1869, ein Jahr nach Leutzes Tod, zur Vollendung seiner künstlerischen Ausbildung nach Deutschland. 1870 schrieb er sich an der

Münchner Akademie ein, und schon innerhalb von drei Monaten war er in die Malklasse von Professor Wilhelm von Diez aufgestiegen, wo er zum ersten Mal nach dem lebenden Modell malte.[24] Diez' leichte Pinselführung und locker gemalte Kompositionen wurden von dem jungen Maler rasch übernommen. Diez legte in seinem Unterricht in der Akademie großen Wert auf die Maltechnik an sich, was bei den amerikanischen Studenten großen Anklang fand.[25] Mit seiner Betonung des rein malerischen Vorgangs (der peinture), seiner alla-prima-Technik, bei der die Farben skizzenhaft-locker und rasch aufgetragen wurden, und mit dem Studium der Alten Meister entsprach Diez' Lehre der malerischen Auffassung Wilhelm Leibls und seines Kreises.

Leibl übte einen tiefen Einfluß auf die jungen Künstler in München aus. Obwohl Duveneck nie offiziell bei Leibl studierte, wurde der Malstil der deutschen Realisten über Diez, der mit dem Leibl-Kreis verbunden war, an Duveneck weitergegeben.[26] Inwieweit Duveneck selbst mit Leibl in Verbindung kam, ist ungewiß, wenngleich er in einem Brief an seine Eltern erklärte: »Vor kurzem hatte ich mich aufgrund von gewichtigen Empfehlungen dazu entschlossen, nach England zu fahren und Portraits zu malen. Professor Diez und Leibl haben mir aber geraten, hierzubleiben und für die Ausstellung in Wien zu arbeiten.«[27] Jahre später kehrte Duveneck mit einem Freund aus Cincinnati nach München zurück und erklärte, nachdem er eine Sammlung von Leibls Werken gesehen hatte: »Dieser Mann [Leibl] hatte mehr Einfluß auf mich als irgendein anderer Künstler in München, obwohl ich nie bei ihm studiert habe.«[28]

Duveneck entwickelte während seiner ersten Münchner Periode (1870–1873) eine malerische Handschrift, die zum Inbegriff der Münchner Schule der 1870er Jahre werden sollte. Sein bravouröser Stil wurde von einer breitpinseligen Maltechnik, energischen Pinselführung und dunklen Tonigkeit und einer gleichzeitigen Abkehr von der Detailarbeit gekennzeichnet. Seine Modelle charakterisierte Duveneck mit einigen wenigen breiten Zügen des voll beladenen Pinsels und des Palettmessers.

Heute wird die Meinung vertreten, Duvenecks besondere Begabung habe in der Figurenmalerei gelegen, als deren berühmtestes Beispiel fraglos *Pfeifender Junge* (*Whistling Boy*, Kat. Nr. 76) gelten muß. 1872 in der Meisterklasse von Professor Diez gemalt, verkörpert der *Pfeifende Junge* beispielhaft Duvenecks virtuos-draufgängerische Malweise. In Helldunkelmalerei konzipiert, tritt die Gestalt mit einer

Würde aus dem Hintergrund, die Duvenecks Komposition weit heraushebt aus den von seinen Malerkollegen Frank Currier (Kat. Nr. 77), William Merritt Chase (Kat. Nr. 78) und dem deutschen Studenten Ernst Zimmermann gleichzeitig gefertigten Portraits eines Bauernjungen.[29]

Duvenecks kraftvolles Bild *Der alte Professor* (*The Old Professor*, 1871, Kat. Nr. 89) demonstriert den zupackenden Elan seines Farbauftrags; wie Michael Quick bemerkt, erscheint im Vergleich mit diesem Gemälde der *Pfeifende Junge* geradezu »ausgewogen und elegant«.[30] Das Werk verblüfft durch die Frontalansicht der Komposition und die starken Hell-Dunkel-Kontraste und ist wohl das realistischste von Duvenecks frühen Gemälden.[31] Auf den dunklen Hintergrund hat der Maler pastose Pinselstriche gesetzt, die sich locker zu einem Gesicht zusammenfügen, das aus der Dunkelheit auftaucht.

Der Titel *Der alte Professor* ist eigentlich irreführend, denn der Dargestellte war in Wirklichkeit ein Apotheker namens Clemens von Sicherer, der häufig für die Münchner Künstler, darunter auch Leibl und Trübner, Modell saß. Trübner besuchte zusammen mit Duveneck die Malklasse von Professor Diez, und die beiden Studienkollegen malten Clemens von Sicherer sehr wahrscheinlich gleichzeitig. Duveneck scheint nicht weniger von Trübners »dachziegelartig geschichteten« Pinselstrichen wie Trübner von Duvenecks dickem Impasto beeinflußt gewesen zu sein.[32]

Duveneck schloß seine erste Münchner Periode 1873 ab. In der kurzen Zeit seines Aufenthalts in München hatte er Ehrungen, Preise und Anerkennungen für seinen außergewöhnlichen Malstil eingeheimst. Hier hatte der junge Maler begonnen, sich zum virtuosen Könner in einer Kunst heranzubilden, die sich aus den Quellen des dynamischen Stil Leibls und der durch Diez vermittelten Schulung speiste. Es war Diez' künstlerische Auffassung, die zum Experimentieren durch gegenseitiges Lernen ermutigte, die später aus Duveneck einen so tüchtigen Pädagogen machen sollte.[33]

1875 kehrte Duveneck nach zweijährigem Aufenthalt in den Vereinigten Staaten wieder nach München zurück. Seine zweite Münchner Periode (1875–1879) brachte dem jungen Maler durch den Zustrom von amerikanischen Künstlern nach Deutschland neue Einflüsse. Während seiner ersten Münchner Phase wurde Duveneck hauptsächlich von zeitgenössischen deutschen Stiltendenzen beeinflußt, doch als sich während seiner zweiten Phase eine amerikanische Kolonie in München entwickelte, waren die auf Duveneck wirkenden wichtigsten Einflüsse auf die Inspiration durch seine amerikanischen Mitstreiter zurückzuführen.[34]

Die jungen amerikanischen Künstler hatten die Münchner Schule durch Ausstellungen von Werken im Münchner Stil in den Vereinigten Staaten kennengelernt, München wurde als mögliche Ausbildungsstätte deutlich in den Blickpunkt gerückt.[35] Duveneck zeigte 1875 einige Bilder in der Galerie Doll and Richards und im Boston Art Club. Der in Boston ausgestellte *Pfeifende Junge* erregte die Aufmerksamkeit von William Morris Hunt,[36] einer einflußreichen Persönlichkeit im Bostoner Kulturleben, der gleichzeitig als Kunsterzieher tätig war. Hunts begeisterter Einsatz für Duvenecks Malerei trug dazu bei, Duvenecks Ruhm in der Heimat zu begründen.[37]

Als sich Duveneck 1875 erneut in München niederließ, hatte sich Frank Currier gerade mit einer Gruppe amerikanischer Künstler nach Polling und anderen ländlichen Orten zurückgezogen, um dort zu arbeiten. Currier war 1871 nach München gekommen und nahm wie Duveneck eine führende Stellung unter den amerikanischen Studenten ein, obwohl er niemals in aller Form Unterricht erteilte.[38] Duveneck ließ sich durch Curriers Landschaften inspirieren und wandte sich seinerseits der Landschaftsmalerei zu, wobei er mit den Regeln der Akademie brach. In der 1881 in Italien gemalten *Landschaft bei Polling* (*Polling Landscape*; Kat. Nr. 102) tritt uns Duvenecks reifer Landschaftsstil entgegen.[39] Das subtile Gleichgewicht zwischen malerischer Dichte, leerem Raum und schwingenden Linien, die die Komposition verbinden, offenbart sein meisterliches Können auf diesem Gebiet.

1877 bezogen Duveneck und Currier das verlassene Klostergebäude des Augustinerchorherrenstifts zum Heiligen Kreuz in dem unweit Münchens in einem schmalen Tal südlich des Ammersees und des Starnberger Sees gelegenen Polling.[40] Junge Künstler, zumeist Amerikaner, ließen sich in Polling nieder und verwandelten während der Sommermonate, in denen die Akademie geschlossen blieb, die Klosterzellen in Ateliers und Wohnräume. Currier richtete freie Malklassen ein, die sich auf die Landschaftsmalerei konzentrierten. Die während dieser Monate geschaffenen Werke erhielten in München Lob und Anerkennung. Karl Theodor von Piloty, der Direktor der Akademie, meinte: »In Polling gibt es mehr Talent als in der ganzen Akademie zusammen. Die Zeit wird kommen, da die europäischen Studenten nach Amerika gehen werden, um Malerei zu studieren.«[41]

Im Herbst jenes Jahres kehrte Duveneck in sein Atelier in München zurück, und die jüngeren Künstler besuchten wieder den Unterricht in der Münchner Akademie, die inzwischen »verschlafen und apathisch« geworden war, weil sie ihre liberaler gesinnten Lehrer verloren hatte, die nun Privatunterricht erteilten.[42] Ganz wie im Fall der Düsseldorfer Akademie, neben der sich ja auch unabhängige Ateliers entwickelt hatten, die den Studierenden größere kreative Freiheit boten, zogen viele akademisch ausgebildete Künstler in München, die nicht mehr mit der Akademie verbunden waren, Studenten an sich, die über den konventionellen Unterricht dieses Instituts verärgert waren. Eine Gruppe junger Amerikaner wandte sich an Duveneck mit der Bitte, er möge offiziell eine Malklasse einrichten. Duveneck erklärte sich dazu bereit, worauf sich die meisten der amerikanischen Studenten bei ihm einschrieben, von denen uns heute etliche unter dem Namen »The Duveneck Boys« bekannt sind.[43] Innerhalb weniger Monate war Duvenecks Ruf als Lehrer so fest etabliert, daß er eine zweite Klasse für deutsche Studenten aufmachen mußte.[44]

Duvenecks Lehre beruhte auf seinen Erfahrungen, die er bei Professor Diez an der Münchner Akademie gesammelt hatte. Er legte den höchsten Wert auf Form und Technik, die er als die wesentlichen Elemente der Malerei bezeichnete. Duveneck räumte seinen Studenten größtmögliche Unabhängigkeit ein und ermöglichte es ihnen auf diese Weise, ihr ganz persönliches Talent zu entwickeln, ganz so wie Leutze dies auch bei seinen Anhängern in Düsseldorf getan hatte.[45]

Der bedeutendste Beitrag, den Duveneck zur amerikanischen Kunst geleistet hat, liegt wahrscheinlich in seiner pädagogischen Begabung, unter deren Einfluß zahlreiche amerikanische Künstler hervorragende Lehrer wurden. Durch Duvenecks fortschrittlichen Unterrichtsstil entwickelten seine amerikanischen Studenten Aufgeschlossenheit und Toleranz Experimenten gegenüber. Als sie in die Vereinigten Staaten zurückkehrten, verbreiteten sie diese Einstellung, die »zur Bereicherung und Förderung der Künste beitrug … und so die Entwicklung der modernen Kunst im zwanzigsten Jahrhundert ermöglichte«.[46]

Ende des 19. Jahrhunderts war der Münchner Stil der 1870er Jahre nicht mehr populär, und viele der betreffenden Werke wurden in Depots verbannt. Erst im frühen 20. Jahrhundert und mit dem Aufstieg der »Ash Can School« (Mülltonnen-Schule) erntete der Münchner Stil wieder Anerkennung. Die Werke von

Robert Henri und George Luks ähneln stilistisch Duvenecks Münchner Mal- und Anschauungsweise, zeigen sie doch einen kraftvoll-großzügigen und lockeren Farbauftrag und eine realistische dunkle Tonmalerei. Henri verkündete, nachdem er 1926 die Duveneck-Sammlung im Cincinnati Art Museum besichtigt hatte: »Duveneck ist ein großer Meister; kein Kunststudent … könnte durch die Galerie gehen, ohne dazu inspiriert zu werden, für sich selbst eine Technik von entsprechender Würde zu entwickeln. Er ist ein höchst sensibler Maler, ein großer Zeichner, und jeder Pinselstrich manifestiert seine bewußte Wahrnehmung des Lebens und sein intensives Naturgefühl.«[47]

Emanuel Leutze und Frank Duveneck beeinflußten zu ihren Lebzeiten und darüber hinaus die amerikanische Kunst stark. Sie begründeten Stilarten, die in den Vereinigten Staaten Lob und Anerkennung fanden und zogen amerikanische Studenten nach Deutschland, mit denen zusammen sie lernten und studierten. Nach heutiger Lehrmeinung hat Leutze in Düsseldorf einen historisierenden Malstil geschaffen, der sich eindeutig an den amerikanischen Betrachter richtete; er hat amerikanische Themen in einer Malweise dargestellt, die der tonangebenden europäischen Historienmalerei verpflichtet war, was ihn zum Vorläufer der amerikanischen Geschichtsmaler machte.[48] Duvenecks in München entwickelte virtuos-draufgängerische Pinselführung und liberale Unterrichtsphilosophie wird heute von manchen Kunstwissenschaftlern als der bedeutendste auf die amerikanische Malerei wirkende künstlerische Einfluß auf ihrem Weg in die Moderne eingeschätzt.[49]

1 Robert Neuhaus, »Unsuspected Genius: The Art and Life of Frank Duveneck«, San Francisco 1987, S. 133, und »Triumph of Realism: An Exhibition of European and American Realist Paintings 1850–1910«, Brooklyn 1967, S. 11–12.
2 Mary Bartlett Cowdrey, »American Academy of Fine Arts and American Art-Union Exhibitions Records: 1816–1852«, New York, 1953, 2: 230–232.
3 Barbara Groseclose, »Emanuel Leutze: Freedom is the Only King. 1816–1868«, Washington 1975, S. 51.
4 Ebenda, S. 34.
5 Ebenda, S. 40.
6 Ebenda, S. 16.
7 Ebenda, S. 16–19.
8 Barbara Gaehtgens, »Fictions of Nationhood: Leutze's Pursuit of an American History Painting in Düsseldorf«, in: »American Icons: Transatlantic Perspectives on Eighteenth- and Nineteenth-Century Art«, Santa Monica 1992, S. 159–160.
9 Groseclose, »Emanuel Leutze«, op. cit., S. 20.
10 Ebenda, S. 52.
11 Ebenda, S. 51. Außer G. Hall sind alle genannten Künstler in der Ausstellung vertreten.
12 Worthington Whittredge, original manuscript (Originalhandschrift), Washington, D.C., Archives of American Art, S. 17–18, zitiert in: Anthony R. Janson, »Worthington Whittredge«, Cambridge 1989, S. 36.
13 Ebenda, S. 37.
14 Groseclose, »Emanuel Leutze«, op. cit., S. 147.
15 C. B. Rollins, »Letters of George Caleb Bingham to James S. Rollins«, in: Missouri Historical Review 32 (1937–38), S. 364–65, aus einem auf den 18. Juli 1858 datierten Brief; zitiert nach Groseclose, »Emanuel Leutze«, S. 147.
16 John Trumbull: Capture of the Hessians at Trenton, ca. 1780–90, Yale University Art Gallery, und Thomas Sully: Passage of the Delaware 1819, Museum of Fine Arts, Boston.
17 Joseph D. Ketner II, »The Indian Painter in Düsseldorf«, in: »Carl Wimar: Chronicler of the Missouri River Frontier«, Fort Worth 1991, S. 40.
18 Groseclose, »Emanuel Leutze«, S. 83.
19 Ketner, »The Indian Painter in Düsseldorf«, op. cit., S. 40.
20 Ebenda, S. 59.
21 Groseclose, »Emanuel Leutze«, op. cit., S. 57.
22 Die Alte Pinakothek wurde zwischen 1848 und 1864 und die Neue Pinakothek zwischen 1846 und 1853 erbaut.
23 Groseclose, »Emanuel Leutze«, op. cit., S. 23.
24 Neuhaus, »Unsuspected Genius«, op. cit., S. 15.
25 Michael Quick, »Munich and American Realism«, in: »Munich and American Realism in the 19th Century«, Sacramento 1978, S. 25.
26 Bill R. Booth, »A Survey of Portraits and Figure Paintings by Frank Duveneck, 1848–1919«, Ph. D. Dissertation, University of Georgia, 1970; Ann Arbor, Michigan: University Microfilms 1971, S. 20–21.
27 Zitiert in Michael Quick, »An American Painter Abroad: Frank Duveneck's European Years«, Cincinnati 1988, S. 23. Von Michael Quick aus dem Deutschen übersetzter Brief, den Frank Duveneck an seine Eltern schrieb, heute im Nachlaß von Frank B. Duveneck.
28 Josephine W. Duveneck, »Frank Duveneck: Painter-Teacher«, San Francisco 1970, S. 38.
29 Neuhaus, »Unsuspected Genius«, op. cit., S. 21.
30 Quick, »An American Painter Abroad«, op. cit., S. 21.
31 Booth, »A Survey of Portraits and Figure Paintings by Frank Duveneck«, op. cit., S. 33.
32 Neuhaus, »Unsuspected Genius«, op. cit., S. 59.
33 Quick, »An American Painter Abroad«, op. cit., S. 19.
34 Quick, »An American Painter Abroad«, op. cit., S. 36. – Aus einer kleinen Gruppe von etwa sechs oder sieben amerikanischen Malern in München während der frühen 1870er Jahre, zu der William Merritt Chase, John Twachtman, Walter Shirlaw, Frank Currier und Frank Duveneck gehörten, war die Gruppe bis 1878 auf über hundert angewachsen.
35 Elizabeth Wylie, »Explorations in Realism: 1870–1880, Frank Duveneck and His Circle from Bavaria to Venice«, Framingham 1989, S. 8.
36 Hunt hatte 1845 an der Düsseldorfer Akademie Bildhauerei studiert, bevor er nach Paris zog, wo er sich der Malerei zuwandte. In Boston war Hunt maßgeblich an der Bildung vieler Kunstsammlungen Bostoner Mäzene beteiligt.
37 Neuhaus, »Unsuspected Genius«, op. cit., ix.

38 Richard V. West, »Munich & American Realism in the 19th Century«, Sacramento 1978, S. 41.

39 Quick, »An American Painter Abroad«, op. cit., S. 52.

40 Nelson C. White, »The Life and Art of J. Frank Currier«, Cambridge 1836, S. 22.

41 Norbert Heermann, »Paintings by Frank Duveneck: 1848–1919«, New York 1938, S. 8.

42 Duveneck, »Frank Duveneck: Painter-Teacher«, op. cit., S. 73.

43 Zu den ursprünglichen »Duveneck Boys«, wie sie in München und später in Florenz und Venedig genannt wurden, gehörten John W. Alexander, John O. Anderson, Charles Abel Corwin, Charles Stuart Forbes, Charles H. Freeman, Oliver Dennett Grover, George E. Hopkins, Louis Ritter, Julius Rolshoven, Henry Rosenberg, Otto Bacher, Theodore Wendel, Walter McEwen, John Twachtman, Theodore Wores, Charles E. Mills und ein britischer Künstler namens James Yates Carrington. Zur Sommerakademie in Polling zählten Ross Turner, Albert G. Rinehart, Miller, ein norwegischer Maler namens Grünwald, Frederick W. Freer und Joseph DeCamp.

44 Duveneck, »Frank Duveneck: Painter-Teacher«, op. cit., S. 74.

45 Zeitungsausschnitt im Christian Science Monitor vom 9. Januar 1919, zitiert in: Booth, »A Survey of Portraits and Figure Paintings by Frank Duveneck«, op. cit., S. 121.

46 Wylie, »Explorations in Realism«, op. cit., S. 16.

47 Mary L. Alexander im Cincinnati Enquirer vom 21. Mai 1936, zitiert in: Neuhaus, »Unsuspected Genius«, op. cit., S. 133.

48 Gaehtgens, »Fictions of Nationhood«, op. cit., S. 167.

49 Neuhaus, »Unsuspected Genius«, op. cit., S. 133.

WILLIAM H. GERDTS

Die »Düsseldorf Gallery«

»Die Düsseldorfer Gemäldesammlung bildete eine Ära der amerikanischen Kunst.«[1]

Die 1849 in New York gegründete »Düsseldorf Gallery« reflektierte das Zusammentreffen einer Vielzahl von künstlerischen Entwicklungen in der amerikanischen Kunstwelt der 1840er Jahre, die sich ihrerseits zu Ende des Jahrzehnts mit den europäischen politischen Ereignissen überschnitten: Diese Wechselbeziehungen machen die Bedeutung der Galerie aus. Die politischen Ereignisse in Gestalt der zumeist fehlgeschlagenen liberalen Revolutionen von 1848 können als bekannt vorausgesetzt werden, wir wissen auch, daß die Künstlergruppen in Düsseldorf als Zentren liberaler und sogar sozialistischer Bestrebungen in höherem Maß als die Künstlerschaft andernorts Anteil an den revolutionären Initiativen hatten. Doch ihre Auswirkungen, die zu einer deutschen Massenauswanderung in die Vereinigten Staaten führten, sind bislang nur unzureichend analysiert worden. Das gilt vor allem im Hinblick auf die nunmehr in Amerika auftretenden deutschen Kunstschaffenden, unter denen sich viele Maler befanden, und den Einfluß, den sie auf die Entwicklung der amerikanischen Kunst ausübten, während sie gleichzeitig die einheimischen Traditionen in sich aufnahmen.[2] Dabei konnte es naturgemäß nicht ausbleiben, daß diese deutschen Künstler, von denen etliche aus dem Rheinland kamen, den moralischen und ästhetischen Prinzipien, die sich in den Bildern der Galerie verkörperten, zu verstärkter Wirkung verhalfen. Der große deutsche Einwanderungsstrom in die Vereinigten Staaten steigerte nicht nur erheblich den Umfang, sondern auch die politischen, sozialen und kulturellen Bestrebungen dieses ethnischen Blocks in vielen Gemeinwesen des Landes, so auch in New York City, denn zwischen 1820 und 1855 stieg die Zahl der deutschen Einwanderer von ca. 8000 auf ca. 650 000.[3] Bis zum Jahr 1848 hatte sich das deutsche kulturelle Substrat in New York mittels Verlagshäusern, Zeitungen und Schulen, durch sein Theater, seine Politik und Arbeitervereine Ausdruck verschafft und pflegte einen größeren Ethnozentrismus, als er unter den Einwanderern aus englischsprachigen Nationen herrschte.[4]

So mochten einige Besucher deutschen Ursprungs durchaus vertraut gewesen sein mit den historischen und literarischen Quellen einiger Gemälde der Galerie – wie etwa Carl Clasens *Rudolf von Habsburg beugt das Knie vor einem Priester mit dem Sakrament* nach Friedrich Schillers Gedicht *Der Graf von Habsburg* oder Johann Hasenclevers *Jobsiade*-Trilogie nach dem 1784 erschienenen grotesk-komischen deutschen Heldengedicht des Bochumer Arztes und Dichters Carl Arnold Kortum. Doch läßt sich andererseits die wahre Anziehungskraft der Düsseldorf Gallery auf die ansässige deutsche Bevölkerung einschließlich der 1848–1849 ins Land gekommenen Neuankömmlinge schwer abschätzen, zumal anscheinend anläßlich der Auflösung der Gemäldesammlung im Jahr 1862 wenige Ankäufe von aus Deutschland gebürtigen oder deutschstämmigen Sammlern getätigt wurden.[5]

Die Galerie trat während einer entscheidenden Phase in der Geschichte der amerikanischen Kunst im allgemeinen und in New York City im besonderen auf den Plan. Ende der 1840er Jahre hatte die wirtschaftliche Vitalität New Yorks über seine früheren Rivalen Philadelphia und Boston triumphiert, und Hand in Hand mit dieser finanziellen Überlegenheit ging die führende Position der Stadt in kulturellen und künstlerischen Angelegenheiten einher. Die 1826 eingeführten alljährlichen Ausstellungen der National Academy of Design übertrafen an Qualität, Vielfalt und vor allem an Kunstverständnis bei weitem die der Pennsylvania Academy of the Fine Arts in Philadelphia oder des Bostoner Athenaeums. Zwar konnte man große vereinzelte Sammlerpersönlichkeiten und Kunstmäzene des frühen neunzehnten Jahrhunderts auch außerhalb New Yorks finden, etwa Charles Graff in Philadelphia, Robert Gilmor in Baltimore oder Samuel Wadsworth in Hartford, doch als dann ab 1839 zahlreiche Kunstvereine gegründet wurden, führten diese ganze Scharen von Angehörigen der Mittelklasse an die Kunst heran. Durch eine alljährliche Verlosung von Gemälden und Skulpturen gelang es diesen Vereinen, ein großes Publikum für die Kunst im allgemeinen und einzelne Kunstwerke im besonderen zu begeistern. Und auch hier konnten die eher lokal ausgerichteten Gruppierungen in Philadelphia, Cincinnati, Newark, New Jersey und Boston nicht hoffen, mit der American Art Union in New York City zu konkurrieren, dem ersten in Amerika gegründeten Kunstverein überhaupt, der in seinem Spitzenjahr 1849 – genau im Jahr der Eröffnung der Düsseldorf Gallery – fast 19 000 eingetragene Mitglieder zählte.

Die Düsseldorf Gallery erschien also zu einer Zeit auf der Bildfläche, als das künstlerische Wahrnehmungsvermögen der Amerikaner und insbesondere der Einwohner von New York geschärft war; daneben trug sie bis zu einem gewissen Grad der zunehmenden Forderung nach einer permanenten öffentlichen Kunstgalerie in der Stadt Rechnung. Die National Academy pflegte alljährlich eine große Schau zu organisieren und stellte gelegentlich ihre Räumlichkeiten anderen Ausstellungen mietweise zur Verfügung. Dagegen unterhielt die American Art Union (also der Kunstverein) eine Free Gallery (Freie Galerie), die gewöhnlich jeweils im April ihre Pforten öffnete. Sie enthielt neben anderen Werken auch Bilder, die der Vorstand zur allfälligen Verteilung am Jahresende an die Mitglieder angekauft hatte. 1844 war daneben noch die New York Gallery of the Fine Arts auf der Grundlage der Kollektion gegründet worden, die Luman Reed zusammengetragen hatte, ein führender Sammler New Yorks, der 1836 vorzeitig verstorben war; doch besaß diese Galerie keine permanente Bleibe, bis sie schließlich 1858 der New York Historical Society einverleibt wurde. Diese Sammlung zeigte man nur in sporadischen Abständen – tatsächlich fand ihre erste öffentliche Präsentation in den Räumen der National Academy statt.

Die Eröffnung der Düsseldorf Gallery fiel auch mit den Anfängen des kommerziellen Kunsthandels in New York zusammen. Damit ging ein wachsendes Interesse der Amerikaner für zeitgenössische europäische Kunst einher, während es nur geringe Vorliebe für Sammlungen von (vermutlich häufig gefälschten) Alten Meistern gab, die man in regelmäßigen Abständen in verschiedenen amerikanischen Akademien zur Schau gestellt hatte. Während des 18. Jahrhunderts gelangten Drucke und Gemälde gewöhnlich als Importe aus England in die amerikanischen Kolonien, doch es dauerte bis zum Anfang des neunzehnten Jahrhunderts, bis die ersten selbständigen Kunsthändler – zu den bekanntesten zählten Michael Paff und Pierre Flandin – in New York hervortraten. Ansonsten verkauften die Künstler üblicherweise direkt an Interessenten, die sie im Atelier besuchten, oder anläßlich der jährlichen Ausstellungen der Akademien und Fördervereine und Kunstfonds, sobald sich diese in den größeren Städten etabliert hatten. Daneben begannen einzelne Kunstwerke in Schaufenstern und in Geschäften aufzutauchen, die in irgendeiner Form – und sei es auch nur entfernt – mit der bildenden Kunst zu tun hatten: etwa in Buchläden, Rahmen- und Farbenhandlungen. Andererseits hatten sich einige der frühesten kommerziellen Galerien gerade aus dieser Art von Niederlassungen entwickelt: so etwa die Firma Williams and Stevens (später Williams, Stevens and Williams) in New York, die sich in den frühen 1840er Jahren auf Spiegel spezialisiert hatte, aber im folgenden Jahrzehnt zur selbständigen Kunstgalerie aufstieg.

Williams, Stevens & Williams, mit Firmensitz am Broadway 353, empfahlen sich 1851 per Inserat im *Bulletin of the American Art Union* als »Importeure und Händler von erstklassigen europäischen Stichen, Ölgemälden, Zeichnungen, Skulpturen und anderen Werken der Kunst«.[6] Das Interesse an einer zweifellos zeitgenössischen europäischen Kunst war wohl kaum zufällig. 1846, drei Jahre vor der Etablierung der Düsseldorf Gallery, hatte die 1827 gegründete namhafte und erfolgreiche Pariser Firma Goupil, Vibert & Co. eine Zweigstelle am Broadway Nr. 289 in New York eröffnet, nachdem sie bereits 1840 mit einer Niederlassung in London ihre Fühler nach England ausgestreckt hatte.[7] Michael Knoedler, der die Firma Goupil 1857 aufkaufte und dessen M. Knoedler-Gallery heute noch existiert, war zusammen mit William Schaus zur geschäftlichen Abwicklung nach New York geschickt worden. Schaus seinerseits gründete im Mai 1848 die International Art Union, einen weiteren Lotterie-Verbund, dessen Schwerpunkt auf der Distribution von europäischen Kunstwerken lag. 1853 richtete er sich ebenfalls eine Kunsthandlung ein.

Auf diese Weise konnten amerikanische Kunstbeflissene ihrem Interesse an zeitgenössischer europäischer Kunst auch im eigenen Lande frönen, was bislang meist nur den Wohlhabenden möglich gewesen war, die auf ihren Europareisen Gelegenheit hatten, Ausstellungen zu besuchen. Gleichzeitig entwickelte sich im Amerika der ausgehenden 1840er Jahre eine Ästhetik, die sich entweder auf das Konzept einer immer ehrfürchtiger beobachteten »Naturtreue« oder auf akademische Konventionen stützte. Das zeigte sich besonders augenfällig in einer Gattung, die den amerikanischen Künstlern bereits Lob und Anerkennung eingetragen hatte: in der Bildniskunst. Dort nämlich löste der Individualismus der nüchtern und scharf konturierten Gesichter eines Charles Loring Elliot den romantischen Idealismus von Thomas Sully und Henry Inman ab, und dort verdrängte die naturalistische, sogar wissenschaftliche Genauigkeit von Asher B. Durand die dramatische Expressivität eines Thomas Cole. Bei diesem ästhetischen Wandel spielte es ebenfalls eine entscheidende Rolle, daß die Amerikaner nunmehr die zeitgenössische europäische Malweise besser kannten und ihr vermehrt ausgesetzt waren. Nicht von ungefähr folgte auf John Ruskins 1846 erstmals veröffentlichtes Buch *Modern Painters* schon im nächsten Jahr eine amerikanische Ausgabe, während die Künstler, die von den amerikanischen Kritikern gerühmt wurden, wenn ihre Werke bei Goupil erschienen – Paul Delaroche, Ary Scheffer, Horace Vernet und der junge Jean Léon Gérome –, alle akademische Maler waren.

Diese Maler waren auch Spezialisten in der Historien- und Figurenmalerei, Gattungen, in denen die Amerikaner als unzulänglich galten, so sehr auch das Historiengemälde als die anspruchsvollste und inspirierendste Kunstform geschätzt wurde. Um diesem Umstand zu begegnen, hatten die amerikanischen Künstler begonnen, sich in Europa nach einer akademischen Ausbildung in der Figuren- und Historienmalerei umzusehen. In den 1840er Jahren entschieden sich diese Amerikaner bei der Wahl unter den europäischen Akademien mit Vorliebe für Düsseldorf, allen voran Emanuel Leutze, der dank seiner in Düsseldorf gesammelten Erfahrungen zum weitaus berühmtesten aller amerikanischen Historienspezialisten seiner Zeit werden sollte. Von 1844 an wurde Meisterwerk auf Meisterwerk aus der Hand Leutzes in die Vereinigten Staaten geschickt und dort besonders in New York und Philadelphia ausgestellt, viele dieser Bilder als Leihgaben amerikanischer Sammler, die sie in Auftrag gegeben hatten. Andere amerikanische Maler wie etwa Richard Caton Woodville aus Baltimore gingen nach Düsseldorf, um sich dort in der Genremalerei ausbilden zu lassen, ein weiteres Feld der figurativen Malerei, das zu den herausragenden Leistungen der Düsseldorfer Schule gehörte und für das die Künstlerschaft der Stadt sehr gerühmt wurde. Auch die Werke Woodvilles kehrten nach Amerika zurück und versetzten die Kritiker in Begeisterung.

So hatte sich der Ruf der Düsseldorfer Akademie und der mit ihr verbundenen ästhetischen Tendenzen

und Verfahren in den späten 1840er Jahren in der amerikanischen Kunstwelt verbreitet. Und wenn auch nur wenige Werke der in Düsseldorf wirkenden deutschen Künstler vor der Gründung der Düsseldorf Gallery Besitzer in den USA gefunden hatten oder dort ausgestellt wurden, so bezeugten doch die vielen Europareisenden das amerikanische Interesse an ihrer Arbeit. Zu den bedeutendsten zählte William Cullen Bryant, der Düsseldorf 1845 besuchte. Nach seiner Begegnung mit Leutze schrieb er: »In Düsseldorf, wo so viele Maler leben und arbeiten, erwarteten wir irgendeine Sammlung oder zumindest einige der besten Beispiele der Werke der modernen deutschen Malerschule zu finden. Dem war aber nicht so – in Düsseldorf werden zwar hervorragende Bilder gemalt, aber sie werden sogleich an andere Orte fortgebracht.« Dessenungeachtet fuhr Bryant fort, einige der führenden und einflußreichsten Künstler dort aufzusuchen: »Wir besuchten Schröter (sic) in seinem Atelier – ein Mann mit Humor in jedem seiner Gesichtszüge, der uns nichts zu zeigen hatte als eine gerade für die Staffelei vorbereitete Skizze der Szene in Goethes Faust, wo Mephistopheles in Auerbachs Keller den Tisch anbohrt und ein Strom von Champagner herausfließt. Köhler, ein hervorragender Künstler, erlaubte uns, ein in einem recht fortgeschrittenen Zustand befindliches geistvolles Gemälde auf seiner Staffelei zu betrachten, das das Frohlocken der hebräischen Jungfrauen beim Sieg Davids über Goliath darstellt. Bei Lessing – einem Maler von hervorragendem Ansehen, den wir nicht zu Hause antrafen – sahen wir eine Skizze mit der Darstellung der Verbrennung des Jan Hus, an der er gerade arbeitet; doch es war nur eine Skizze, ein Gemälde im embryonalen Zustand.«[8]

Am 18. April 1849 richtete John Godfrey Boker am Broadway Nr. 548 in einem großen Saal über den Kirchenräumen der Church of the Divine Unity (Abb. 1) die Düsseldorf Gallery ein. Das Gebäude war ein umfunktionierter neugotischer Kirchenbau, den eine Kongregation der Unitarier 1845 errichtet hatte. Die Sammlung, die täglich außer sonntags von 10 Uhr bis 22 Uhr ihre Pforten geöffnet hatte, fand sowohl beim breiten Publikum als auch bei der Kritik sofort viel Beachtung. Es hieß, daß die Galerie nur bis zum Juni geöffnet bleiben würde, zu welchem Zeitpunkt sie möglicherweise wirklich geschlossen wurde.[9] Doch ihre Wiedereröffnung Anfang Juli brachte der Galerie eine der ausführlichsten Kritiken ein, die sie während des ersten Jahres ihres Bestehens überhaupt erhielt.[10] Und ob nun einem ursprünglichen Plan folgend oder wegen ihrer wachsenden Popularität: die Düsseldorfer Bilder blieben dreizehn Jahre lang in New York ausgestellt. Boker, der die Gemäldesammlung 1848 aus Düsseldorf nach New York geholt hatte, war ein Auswanderer aus Remscheid, der seit 1825 in New York lebte.[11] Von Beruf Weinhändler, wurde ihm 1821 und erneut 1829 das Amt eines amerikanischen Konsuls in Remscheid, ebenso 1829 in Düsseldorf und 1836 in Basel verliehen. Boker hat allem Anschein nach nicht die gesamte Kollektion selbst zusammengetragen, sondern als Grundlage der Düsseldorf Gallery die deutsche Gemäldesammlung Kraus erworben.[12] Es ist darauf hingewiesen worden, daß nach dem Fehlschlagen der Revolution von 1848 der Grund für dieses Unternehmen in Bokers Sorge um das Schicksal der Gemälde lag, waren doch einige dieser Bilder von Künstlern mit liberaler und anti-preußischer Einstellung geschaffen worden.[13] Tatsächlich bekräftigte ein Journalist, als Christian Köhlers allegorisches Gemälde der *Germania* im Sommer 1850 in der Galerie vorgestellt wurde, daß das Bild, »das vom Kampf der deutschen Bevölkerung im Jahr 1848 inspiriert wurde, einen sichereren Aufbewahrungsort auf dieser Seite des großen Wassers findet als in dem Land, in dem es geschaffen wurde«.[14] Zudem war die Mehrzahl der Gemälde, die in der Galerie vorgeführt werden sollten, von Mitgliedern des »Malkastens« gemalt worden, jenes 1848 gegründeten liberal-demokratischen Vereins Düsseldorfer Künstler, in dem sich gewisse anti-preußische Tendenzen manifestierten, während kein Gemälde von Wilhelm von Schadow, dem Direktor der Düsseldorfer Akademie, jemals dort zu sehen war.

Die Galerie umfaßte anfangs fünfundsechzig Gemälde, davon waren etwa ein Drittel Landschaften, einige wenige Genrebilder und kaum zwanzig Historienbilder, während nur etwa fünf Gemälde religiöse Themen darstellten. Der Rest bestand aus Tier- und Stillebenmotiven. Als die Galerie 1849 zum ersten Mal ihre Pforten öffnete, wurden bestimmte Bilder von der Öffentlichkeit besonders beifällig aufgenommen. Dazu gehörten die beiden Gemälde Bosers *Die Düsseldorfer Künstler* – eine Atelier-Szene und eine Versammlung in der Landschaft – aus dem Jahr 1844 (*Die Düsseldorfer Künstler* und *Mittag im Walde* oder *Vogeljagd der Düsseldorfer Künstler am Grafenberg* [ein etwa 3 km vor den Toren Düsseldorfs gelegener Ausflugsort]) (Kat. Nr. 34) mit aus dem Leben gegriffenen Portraits und dem von Karl F. Lessing[15] gemalten landschaftlichen Hintergrund, Adolf Schroedters *Falstaff versammelt seine Rekruten*, Carl Wilhelm Hübners *Der Tod der Wilddiebe*, Jakob

Beckers *Heimkehrende Schnitter* und ganz besonders Eduard Steinbrücks *Anbetung der Könige*. Seltsamerweise scheint das eine Gemälde, dessen Bildvorwurf für ein amerikanisches Publikum von unmittelbarer Bedeutung sein mußte, nämlich Hermann Plüddemanns *Einzug des Columbus in Barcelona nach seiner Entdeckung Amerikas*, keine Beachtung bei der Kritik gefunden zu haben, auch forderte es nicht den Vergleich mit der Folge der historischen Bilder über wichtige Stationen im Leben des Columbus von Emanuel Leutze heraus, der seit 1849 der berühmteste amerikanische Historienmaler war.[16] Leutze, der zunächst Wohnsitz und Atelier in Düsseldorf aufgeschlagen hatte, muß selbst teilweise von Plüddemanns Serie von Columbus-Bildern angeregt worden sein. Leutzes eigene Version von Plüddemanns Gemälde in der Düsseldorf Gallery, *Columbus wird von Ferdinand bei der Rückkehr von seiner ersten Reise empfangen*, 1847 gemalt und heute verschollen, war von ihrem Besitzer, James T. Furness, 1848 in der Pennsyl-

47

vania Academy of the Fine Arts in Philadelphia ausgestellt worden. Als Furness das Bild noch einmal,
nämlich im Jahr 1853 im Bostoner Athenaeum, zeigte, wurde im Titel Barcelona als Schauplatz angegeben.

Die Sammlung erfuhr ständige Erweiterungen, allein zwischen Juni und Juli 1849 kamen siebzehn Bilder hinzu.[17] Doch die am meisten bewunderten und
einflußreichsten Gemälde waren zwei, die sich im folgenden Jahr dazugesellten: Karl Friedrich Lessings
Hus vor dem Scheiterhaufen (Abb. 2) und Christian
Köhlers *Germania*. Lessings Meisterwerk hatte Boker
noch vor dessen Vollendung dem Künstler abgekauft.
Berichte von Bokers Ankauf dieser Werke zusammen
mit Wilhelm Camphausens *Die Flucht Charles II. aus*

Worcester erschienen bereits im Mai 1850 in den Zeitungen.[18] Den Köhler und den Camphausen konnte
man ab dem Sommer besichtigen,[19] im September
kam dann die Nachricht von der Vollendung des Les-
singschen Meisterwerks, das im nächsten Monat in
New York anlangen sollte, jedoch eine Zeitlang vom
amerikanischen Zoll zurückgehalten wurde, der sich
mit Boker über den Unterschied zwischen einem »object of taste« (Kunstgegenstand) und »object of mer-
chandise« (Handelsware) nicht einigen konnte.[20]
Nach seiner schließlichen Freigabe wurde das Bild am
3. Dezember im privaten Rahmen einem kleinen
Publikum in der Galerie gezeigt und am nächsten Tag
zur Besichtigung für die Öffentlichkeit freigegeben.[21]

Die größte Besonderheit der Galerie waren ihre
Öffnungszeiten; im Gegensatz zu anderen Kunstgalerien war sie regelmäßig am Abend geöffnet – das Ergebnis von Bokers Begegnung mit dem prominenten
Geschäftsmann William H. Osborne, der Bokers Einladung zu einer Besichtigung aufgrund seiner geschäftlichen Verpflichtungen abgelehnt hatte. Boker
verstand den Wink, ließ Gaslicht installieren und hielt
die Pforten der Ausstellung mit großem Erfolg bis
weit in den Abend hinein geöffnet.[22] Tatsächlich
meinte ein Kunstkritiker: »…die beste Zeit zur Betrachtung der Gemälde ist der Vormittag; die beste
Zeit, mit vielen Menschen über sie zu sprechen, ist
der Abend.«[23] Fast alljährlich wurden Kataloge zu
der Sammlung publiziert, die genau angaben, wann
welche Gemälde entfernt und möglicherweise verkauft und wann andere hinzugefügt wurden. Es ist
in der Hauptsache diesen Katalogen zu verdanken,
daß die Kunstwissenschaftler heute die wechselnden
Präsentationen der Galerie mit all den Veränderungen ihrer künstlerischen Schwerpunkte und Themen-
bereiche ebenso genau verfolgen können wie die
Ausweitung ihres Bestandes über ihr ursprünglich
einziges Anliegen hinaus – die Maler von Düsseldorf
zu zeigen.

Der erste Katalog erschien 1849, wenn auch darauf
hingewiesen wurde, daß einige der genannten Bilder
noch nicht in New York angekommen wären und
auch die aufgezählten neunundzwanzig Zeichnungen
von Künstlern wie etwa Johann Wilhelm Schirmer,
Andreas Achenbach, Rudolf Jordan und Johann
Preyer noch nicht besichtigt werden könnten. Zusätzlich zu den Zeichnungen führte dieser Katalog 122
Gemälde auf, aber selbst zu Beginn der Galerie
stammten nicht alle ihre Werke aus der Hand von
Düsseldorfer Malern: zweiundzwanzig davon waren
Werke Alter Meister, alle aus der flämischen und

holländischen Schule, einige stammten aus der Hand von Künstlern wie Anthon van Dyck, David Teniers und Rembrandt – oder wurden ihnen zumindest zugeschrieben. Die deutschen Gemälde scheinen besonders im Hinblick darauf ausgewählt worden zu sein, die Vielfalt der Themen zu präsentieren, denen sich die Düsseldorfer Maler verschrieben hatten. Dabei wurde Steinbrücks *Anbetung der Könige* und den drei literarisch inspirierten Genrebildern von Johann Hasenclever nach dem deutschen »Jobsiade«-Gedicht (Abb. 3) besonders viel Aufmerksamkeit gewidmet. Verschiedene Gemälde, darunter auch das zweite Bild aus der »Jobsiade«-Folge, wurden in Form von Stahlstichen oder Lithographien reproduziert, und Kopien dieser Drucke konnten vom Publikum erworben werden. Eine »Miss Baumann«, wahrscheinlich die polnisch-dänische Malerin Elisabeth Maria Anna Jerichau-Baumann, die in Düsseldorf bei Wilhelm von Schadow und Carl Ferdinand Sohn studierte, war mit *Schiffbrüchige; eine Szene in der Normandie* und einem *Lautenspieler* vertreten, den beinahe einzigen von einer Frau geschaffenen Werken, die je in der Galerie ausgestellt wurden.[24] Emanuel Leutze nahm mit zwei großen Gemälden zur englischen Geschichte der Tudors und der Stuarts teil, *Henry VIII und Anna Boleyna* (sic) (verschollen) und *Der Puritaner und seine Tochter*, auch bekannt als *Der Bilderstürmer* (Abb. 4); hiervon sind ebenfalls zwei Repliken bekannt; eine davon und das Original befinden sich in Privatsammlungen.[25]

Die Titel der im folgenden Jahr veröffentlichten Kataloge wurden abgeändert, um die Tatsache zu unterstreichen, daß es sich hier um eine »Privatsammlung« handelte. Die Alten Meister waren verschwunden, doch scheinen später im Jahr 1849 einige Zeichnungen und mehrere Gemälde hinzugefügt worden zu sein – insbesondere ein Düsseldorfer Bild mit den ausgeprägtesten klassenkämpferischen Zügen, nämlich Hübners *Die schlesischen Weber* (Abb. 5). Fünfzehn noch nicht einmal gefirnißte »Neuzugänge« wurden ebenfalls aufgeführt, darunter die zwei gefeiertsten Bilder, die jemals in der Galerie gezeigt werden sollten, Köhlers *Germania* und Lessings »großes historisches Gemälde« *Hus vor dem Scheiterhaufen* oder *Das Martyrium des Jan Hus*. Das letztere, das in der amerikanischen Presse starke Beachtung fand, wurde nicht nur wegen seines Appells an das allgemeine Mitgefühl, sondern auch wegen der Schlichtheit seines malerischen Vortrags, wegen seines eindrucksvollen Realismus und seiner starken individuellen Charakterisierungen bewundert.[26] Das Bild wurde in dem

Katalog als »Lessings größtes Werk und fraglos eine der großartigsten Hervorbringungen der modernen Kunst« bezeichnet, das vom Künstler seinem langjährigen Freund Boker bereits zur Zeit seiner Entstehung versprochen gewesen sei. Zusätzlich hierzu sollten in Kürze weitere sieben Gemälde eintreffen,

darunter Ferdinand Theodor Hildebrandts *König Lear und Cordelia*, religiöse Werke von Carl und Andreas Müller, eine Genreszene von Boser, Beckers *Flying Country People* (sic), eine revolutionäre Szene aus dem Jahr 1848, und Sujets aus der englischen Geschichte von Carl Clasen und Camphausen.

Mehrere dieser Bilder, insbesondere der *König Lear*, finden sich im Katalog von 1855 verzeichnet. Andererseits war jedoch die Sammlung in diesem Jahr auf 109 Gemälde zusammengeschmolzen, und Zeichnungen fanden überhaupt keine Erwähnung. Zugleich war der Katalog erheblich umgestaltet worden: Das *Martyrium des Jan Hus* führte nunmehr als Nr. 1 die Liste der Gemälde an, und die Beschreibung des Bildes und die betreffenden Rezensionen füllten über die Hälfte der Publikation. Des weiteren fand weder die Art Union Erwähnung, noch gab es einen direkten oder indirekten Hinweis auf Boker. Indessen wurde auch Hasenclevers *Jobsiade*-Trilogie in diesem Katalog besondere Aufmerksamkeit gewidmet: Die Titelseite und die Kapitel 14 und 15 des deutschen Gedichts aus dem 18. Jahrhundert wurden in Übersetzung abgedruckt und boten so eine Erklärung der Bildthematik. Eine fast identische Neuauflage des Katalogs von 1855 erschien 1857. Doch ein weiterer und ganz anderer Katalog (ohne diese Zusätze) wies die Bilder als Exponate der Cosmopolitan Art Association aus, die die Sammlung erworben hatte. Vermutlich war der erste Katalog vor dem Juni 1857 erschienen, also vor dem Zeitpunkt, an dem Boker die Sammlung an die Association verkauft hatte, die nunmehr – nach dem neuen Katalog zu schließen – die Reihenfolge der Bilder revidiert und ihre Anzahl um zwei vermehrt hatte. Des weiteren wurde darin angekündigt, daß die Subskribenten der Association Lorenz Clasens *Italienische Szene* (wahrscheinlich in Form einer graphischen Reproduktion) als Jahresgabe erhalten sollten. Auch Hiram Powers Skulptur *Griechischer Sklave* (*Greek Slave*), der Hauptgewinn der am Jahresende stattfindenden Lotterie der Genossenschaft, wurde in dem Katalog angeführt.

Doch schon der Katalog von 1858 sprach von der Galerie wieder als von einer »Privatsammlung«; er war der bislang umfangreichste, ein Buch mit 91 Seiten, auf denen 133 Gemälde aufgeführt und kommentiert wurden. Der 1859er Katalog dagegen besaß nur ein Drittel dieses Umfangs und reduzierte die Anzahl der aufgelisteten Bilder auf 112. Im Jahr 1860 erschienen gleich mehrere Kataloge. Der früheste, undatierte, führt eine Reihe von amerikanischen Gemälden auf, die der Galerie zeitweise entnommen worden

waren. Sein Erscheinungsdatum läßt sich im übrigen an einer Gruppe von amerikanischen Skulpturen festmachen – Paul Akers *Der tote Perlentaucher* (*Dead Pearl Diver*), William Barbees *Fischermädchen* (*Fisher Girl*) sowie *Evangeline* und *Büste Hawthornes* (*Bust of Hawthorne*) von Louisa Lander – von denen wir wissen, daß sie genau zu Beginn jenes Jahres in der Galerie zu sehen waren.[27] So begann die »Düsseldorf Collection« zum festen Mittelpunkt wechselnder Kunstausstellungen zu werden. Noch Anfang 1860 war sie am Broadway Nr. 548 zu finden, wurde jedoch später im Jahr in Henry Derbys neues Institute of Fine Arts am Broadway Nr. 625 verlegt. In einem zweiten vom Institut herausgebrachten Katalog des Jahres 1860 wurden die Skulpturen von Aker, Barbee und Lander ersetzt durch drei andere Marmorfiguren aus der Hand amerikanischer Künstler, eine von Launt Thompson und zwei von Thomas Crawford. Doch spiegelte dieser Katalog auch die Zusammenstellung von 101 verbleibenden Gemälden der Düsseldorfer Schule mit einer Sammlung italienischer Alter Meister wider, die James Jackson Jarves zusammengetragen hatte. Der Katalog des Instituts für das Jahr 1861 zeigte noch die Jarves-Sammlung, enthielt aber auch Gemälde der Amerikaner William Sonntag, Albert van Beest und John Rollin Tilton, ein Bild des britischen Künstlers Richard Ansdell und drei Skulpturen von Pietro Romanelli. Und der 1862 erschienene Katalog schloß noch viele amerikanische Gemälde mehr ein, dazu eine Anzahl Alter Meister und sechs Skulpturen, darunter zwei von Chauncey B. Ives; auch das *Fischermädchen* von Barbee war wieder zurückgekehrt. Von ominöser Bedeutung für das Schicksal der Galerie schien sich das Fehlen ihres berühmtesten Bildes, *Das Martyrium des Jan Hus,* zu erweisen. Denn am 18. Dezember 1862 wurde die Sammlung der Düsseldorf Gallery von dem Auktionshaus Henry H. Leeds & Co., Nassau Street Nr. 23, in New York City versteigert, wenn auch die verbliebenen deutschen Bilder mit denen anderer Nationalitäten, darunter auch vielen amerikanischen Werken, vermischt wurden, wie etwa dem *Fischermädchen* von Barbee und der *Ariadne* von Ives.[28]

Die Kataloge haben sich als eminent nützliches Hilfsmittel für die Forschung erwiesen, nicht nur weil sie die wechselnden Bestände der Galerie getreulich für die Nachwelt überliefern und den sich wandelnden Charakter und die Geschicke der Sammlung als Ganzes festhalten, sondern auch, weil sie uns darüber unterrichten, wie die amerikanische Kunstkritik die ästhetischen Tendenzen und Richtlinien der Düsseldorfer Schule rezipierte und auf sie reagierte. Dabei gilt es freilich zu bedenken, daß die ausgewählten Exzerpte, die ab 1850 in die Kataloge aufgenommen wurden, naturgemäß selektiver Natur waren. Schon 1849 wurden bestimmte Einzelwerke durch positive Kommentare aus der Feder von Kritikern gewürdigt, wobei man gar Steinbrücks *Anbetung der Könige* als »über Correggios berühmter ›Heiliger Nacht‹ in der Dresdner Kunstgalerie stehend« erachtete. Preyer und Lehnen wurden besonders für ihre Stilleben gerühmt und Schroedters *Falstaff versammelt seine Rekruten* als das Meisterstück des Künstlers gepriesen. Doch im Jahr darauf entnahm man die im Katalog abgedruckten Kommentare über die Galerie wie auch die Lobesworte über individuelle Kunstwerke schon aus den Rezensionen der New Yorker Zeitungen und Zeitschriften. Selbst die Beschränkungen der Düsseldorfer Schule kamen zur Sprache, besonders die allzu »starke Ausarbeitung« der Werke, was allerdings von dem Kunstkritiker des *Courier & Enquirer* eher als Tugend denn als Fehler angesehen wurde.[29] Und die allgemeine Reaktion, daß die Düsseldorfer Bilder ein notwendiges Vorbild für die amerikanischen Maler böten, faßte die *Literary World* wie folgt zusammen: »Wir glauben, daß unsere Künstler die Notwendigkeit eines ernsthaften Studiums einsehen und unsere Ausstellungen davon profitieren werden. Wir können es mit der Zeit ebenso gut und vielleicht besser, aber erst, wenn wir aufgehört haben, bloß mit der Kunst zu spielen.«[30] Die betreffenden Auszüge aus Kunstkritiken wurden daneben auch ausgewählt, um an spirituelle Gefühle zu appellieren, entstammten doch einige von ihnen religiösen Journalen wie dem unitarischen *Christian Enquire*.

Diese Kritiker verbreiteten sich über die Vorzüge von Bildern wie Steinbrücks *Anbetung der Könige* und *Die Elfen* (Abb. 6), Hasenclevers *Jobsiade*-Trilogie, Schroedters *Falstaff versammelt seine Rekruten*, Preyers *Früchte-Stilleben* und Hildebrandts *Othello und Desdemona*, Beckers *Heimkehrende Schnitter*, Landschaften von Andreas Achenbach und Hans Gude und etliche Historiengemälde von Camphausen, etwa seine *Schlacht von Ascalon im Jahr 1099* und *Ein von Puritanern besetztes Schloß zur Zeit Karls I*. Doch es waren vor allem die neuen Akquisitionen, die den größten Beifall der Kritiker ernteten: Köhlers *Germania* und Lessings *Hus vor dem Scheiterhaufen*. Obwohl die bildliche Allegorie in Amerika rasch an Anziehungskraft verlor (was in der Germania-Diskussion eingeräumt wurde),[31] pries man Köhler »trotz und nicht wegen seines Bildgegen-

stands«, wobei der Kritiker des *Courier & Enquirer* gar schloß: »Wir müssen zugeben, daß die ›Germania‹ das beste Beispiel des höheren Kunststils in dieser bewundernswerten Sammlung ist, ja, vielleicht das glänzendste im ganzen Land…«[32]

Es war Lessings Hus-Bild, das die längsten Kommentare hervorrief, die ausführlich das Leben von Jan Hus, die Geschichte Lessings und des Gemäldes

erzählten, ergänzt durch eine ausführliche Bildbeschreibung, Zitate aus Athenasius Raczynskis *Histoire de l'Art Moderne en Allemagne* und der Anerkennung seitens der Art Union, daß das Eintreffen des Bildes »ein Ereignis von höchstem Interesse für die Kunstwelt darstellen und deutlicher als jedes andere vor ihm den Fortschritt unserer Landsleute hinsichtlich Geschmacksbildung und Kenntnis dieses Themas kennzeichnen wird«.[33] Die meisten Kritiker lobten nicht nur Lessings Maltechnik, sondern auch die differenzierte Darstellung der Empfindungen und Leidenschaften der Gestalten und seine Wiedergabe des Märtyrer-Themas. Dabei räumte der Kritiker der New York Tribune ein, daß der Künstler zwar einer Paul Delaroche und anderen zeitgenössischen französischen Historienmaler verwandten Schule angehörte, befand aber, daß Lessing das Thema »von einer bloßen Illustration der Geschichte oder Poesie zur Würde eines individuellen Kunstwerks«[34] erhoben habe. Dem Bild wurde »eine unmittelbar stimulierende und förderliche Wirkung auf die amerikanischen Künstler« zugeschrieben, während es »gleichzeitig eine permanente Quelle des Vergnügens für alle Kunstliebhaber in unserer Mitte«[35] sei. 1853 bewegte das Thema von Verfolgung und Märtyrertum immer

Abb. 6 Eduard Steinbrück, Marie unter den Elfen, 1841, Öl auf Leinwand, Kunstmuseum Düsseldorf

noch die Betrachter außerordentlich, die glaubten, »unsere Welt ist nun mit einem größeren und reineren Licht gesegnet, das im Begriff steht, die Nacht des Fanatismus und der Dunkelheit zu zerstreuen, die vor so kurzer Zeit einen so großen Teil der christlichen Welt umfaßte«; dieser Autor war offensichtlich blind für die Implikationen, die dem Bild als unterschwellige Botschaft zugrunde lagen und die auf das Fehlschlagen der liberalen Revolution in Düsseldorf verwiesen.[36] Stillschweigend in einigen Rezensionen mit inbegriffen war auch der Antikatholizismus, der in weiten Teilen Amerikas in jener Zeit vorherrschte und der durch die kürzlich erfolgte irische Einwanderungswelle entflammt worden war. Diese Haltung ließ die Schreiber nicht nur Hus und seine Anhänger als Proto-Protestanten sehen, sondern veranlaßte sie sogar dazu, in Lessing »das Haupt des protestantischen Flügels der Düsseldorfer Akademie«[37] zu erkennen. Der Kolumnist des *Albion* befand: »Das hier auf der Leinwand behandelte Ereignis ist historisch und von profundem Interesse für Protestanten«, während der Kritiker der *Literary World* die Gestalt des Hus »im reinsten Geist des Protestantismus, voll ruhigen Vertrauens, mit dem klaren Blick der Gläubigkeit«[38] begriff. Ab 1855 wurde Lessings Gemälde als erster Eintrag im Katalog hervorgehoben und fast die Hälfte des gesamten Textes ihm gewidmet, einschließlich neun mehr oder weniger beifälliger Kommentare der New Yorker Kritiker – so nannte etwa der Rezensent des *New York Independent* das Bild »das größte Kunstwerk, das je in den Vereinigten Staaten ausgestellt wurde«.[39] In dem Katalog von 1857, der nach dem Erwerb der Düsseldorf-Sammlung durch die Cosmopolitan Art Association erschien, wurden solcherlei Lobeshymnen der Kritik getilgt, doch tauchten sie in noch kunstvollerer Formulierung im Katalog von 1858 wieder auf, während die späteren Publikationen im allgemeinen nur eine ziemlich ausführliche Beschreibung des Bildes enthielten. Dennoch rief Lessings Meisterwerk weiterhin ungewöhnliche Bewunderung hervor, wie sie etwa in einem Artikel im *Philadelphia Inquirer* noch 1859 zum Ausdruck kommt.[40]

Die Kritik reagierte also zunächst auf die Düsseldorf-Sammlung insgesamt zumeist wohlwollend. Die *Literary World* erklärte: »Obwohl die Düsseldorf (Gallery) vielleicht nicht die höchste Schule deutscher Kunst vertritt, ist sie als Sammlung so komplett, wie man sie sich nur wünschen kann, wenn man auf eine Darstellung des deutschen Charakters abzielte ... die Sammlung ist in allen Belangen durch und durch und

unmißverständlich deutsch – nach unserem Dafürhalten wie eine Sammlung von Volksliedern.«[41] Doch die amerikanische Presse erkannte auch, daß die Gemälde ins Land gebracht worden waren, um sie vor den Wirren der revolutionären Auseinandersetzungen in Europa in Sicherheit zu bringen, und einige Kommentatoren spielten sogar diesen so unversehens erlangten Zuwachs an ausländischen Kunstschätzen einigermaßen ironisch herunter. So schrieb etwa der *Christian Enquirer:* »Eine der unangenehmen Auswirkungen der revolutionären Lage auf dem europäischen Kontinent besteht darin, daß man viele kostbare Dinge zum sicheren Gewahrsam in unser Land wirft. Eine der besten Gemäldegalerien, die man je in Amerika gesehen hat, wurde hierher gesandt, als Napoleon ganz Europa in ein Schlachtfeld verwandelte; und nun haben wir wieder die Ehre, eine weitere kostbare Gemäldesammlung zu schützen, die bei sich zu Hause für allzu wertvoll gehalten wird, als daß man sie den Wechselfällen der deutschen Kämpfe um die Einheit aussetzen dürfte ... Na sowas ! Diese Barbaren im Wilden Westen werden die Hüter der europäischen Kunst!«[42]

Obwohl die amerikanische Art Union in der neuen Institution eine bedrohliche Rivalin sehen mußte, fiel ihre Begrüßung anfänglich freundlich aus. Im Mai 1849 befand sie, daß die Bilder »das unermüdliche und genaue Studium der Form, das die deutschen Malerschulen kennzeichnet, voll unter Beweis stellen ... Ergebnisse wie diese offenbaren die Vorteile dieser strengen Disziplin, nein, ihre unabdingbare Wichtigkeit, wenn man die wahren Ziele und Zwecke der Kunst erreichen will. Die Wahl der Ausführung, die Kühnheit des Kontur, die Entschiedenheit und Genauigkeit des Pinselstrichs ... geben dem auf der Leinwand ausgedrückten Gedanken eine Vollständigkeit und Einheitlichkeit, die ein nur halb ausgebildeter Künstler, so genial er auch sein mag, niemals in seinen unsicheren und zaghaften Versuchen erreichen kann.«[43] Im folgenden Monat widmete die Art Union – die vielleicht erkannt hatte, daß hier ihren eigenen Unternehmungen eine Konkurrenz erwachsen war – den Düsseldorfer Gemälden einen sehr langen Artikel. Während er weiterhin die technischen Vorzüge der Schule hoch bewertete, schloß der Autor, daß mit Ausnahme einiger weniger Arbeiten aus der Hand Beckers und Steinbrücks, die er besonders bewunderte, »sich in keinem dieser Bilder eine besonders kraftvolle oder originelle bildkünstlerische Idee zeigt – nichts, was sie als geniale Werke abstempeln würde ...«. Bemängelt wurden ihre »tabakfarbene«

Kolorierung und ihr übertriebener Detailrealismus, wenngleich anerkannt wurde, daß die Sammlung im Hinblick auf die Grundübel der amerikanischen Maler – hastige und unvollkommene Konzeption und skizzenhafte, unvollständige Ausführung – Verbesserungen zu bieten habe.[44] Doch insgesamt blieb die Art Union positiv eingestellt, und im April 1850 veröffentlichte sie in ihrem *Bulletin* einen Brief von John W. Ehninger, einem führenden amerikanischen Maler, der in Düsseldorf studiert hatte und der wiederholte, daß die in der Düsseldorf Gallery ausgestellten Bilder große maltechnische Qualitäten aufwiesen, insbesondere was die sorgfältige und genaue Zeichnung betreffe, an der es der amerikanischen Kunst am häufigsten mangelte.[45]

Ursprünglich war die Düsseldorf Gallery eng verbunden mit dem Kunstverein für die Rheinlande und Westphalen, zu dessen Ausschußmitgliedern Boker gehörte und als dessen Honorary Secretary (ehrenamtlicher Sekretär) er in den Vereinigten Staaten fungierte. Im ersten Katalog der Galerie setzte er sich persönlich für die Werbung von Mitgliedern ein und verhieß allen Subskribenten einen Stich nach Raffaels *Disputa*, gestochen von dem Düsseldorfer Graphiker Keller.[46] Doch Bokers Galerie war noch nicht lange etabliert, als er schon auf kurze Zeit nach Deutschland zurückkehrte, um die führenden Düsseldorfer Künstler dazu zu bewegen, sich an der Gründung einer alternativen »German-American-Union«, also eines deutsch-amerikanischen Vereins, zu beteiligen.[47] In dem Katalog der Galerie für das Jahr 1850 wurde bekannt gemacht, daß man die Satzung dieses Kunstvereins von der des Kunstvereins für die Rheinlande und Westphalen übernommen habe, der auch die Satzung der amerikanischen Art Union glich. Dabei wurden Aktien zu fünf Taler das Stück angeboten (der Gegenwert von ca. $3,75); die daraus erzielten Mittel sollten dem Ankauf von Kunstwerken dienen. Der jährliche Beitrag berechtigte zu einer Aktie (man konnte natürlich mehr erwerben). Jeder erhielt einen Schein über die von ihm genommene Aktie. Nach den Nummern dieser Scheine wurden dann die für diese Lotterie bestimmten Kunstwerke verlost. Darüber hinaus hatte jedes Mitglied Anrecht auf Lithographien oder Stahlstiche als Jahresgaben. In diesem besonderen Fall jedoch würden die vom Verein zu erwerbenden Kunstwerke »die vorzüglichsten Werke der Düsseldorfer wie auch aller deutschen und ausländischen Künstler einschließen, die ihre Werke zu den jährlichen Ausstellungen in Düsseldorf einsenden können«.[48] Wir haben keinen Beleg dafür, ob es Boker gelang, seinen deutsch-amerikanischen Kunstverein zu gründen, doch der Kunstverein für die Rheinlande und Westphalen (häufig einfach Düsseldorfer Kunstverein genannt) scheint zumindest anfänglich in diesem Lande erfolgreich gewesen zu sein, haben doch nicht weniger als zwölf amerikanische Subskribenten bei der Verlosung in Düsseldorf im Jahr 1849 die als Preis ausgesetzten Gemälde gewonnen.[49]

Bokers *Düsseldorf Gallery* scheint so erfolgreich gewesen zu sein, daß sie nun ihrerseits eine Rivalin auf den Plan rief: die 1853 in New York eröffnete Rheinisch-Belgische Galerie, die das Schaffen lebender deutscher und belgischer Künstler förderte. 1852 ging eine Auswahl von Werken aus der Düsseldorf Gallery nach Boston, wo sie im Frühling im Bostoner Athenaeum eine Ausstellung bildeten. Diese Ausstellung wurde zwar während der Sommerpause geschlossen, öffnete ihre Pforten aber wieder im September bis zum Jahresende, wobei die Präsentation eine Erweiterung erfuhr durch das *Martyrium des Jan Hus* und eine zweite Gruppe von Bildern aus der New Yorker Galerie sowie durch etliche Gemälde, die direkt aus Deutschland angekommen waren.[50] Neben dem *Hus* scheinen die Bostoner Journalisten besonders von einigen Bildern Steinbrücks mit religiösen und Feen-Themen angetan gewesen zu sein; ansonsten hat sich wohl die Düsseldorfer Ästhetik als weniger kompatibel mit der modernen Bostoner denn mit der modernen New Yorker Kunst erwiesen. Auch scheinen sich weniger Bostoner Sammler zu den Werken der Düsseldorfer Künstler hingezogen gefühlt zu haben, als dies bei einigen New Yorker Kunstmäzenen der Fall gewesen war.

Doch im Lauf der Zeit sank die Düsseldorf Gallery in New York zu kaum mehr als einem festen Inventar der Kunstwelt ab, trotz Bokers Anstrengungen, ihre Ausstellungen zu beleben und durch eine Vergrößerung der Bestände immer neue Besucher anzuziehen und die alten zur Wiederkehr zu bewegen. Im Jahr 1850 vermerkte George Templeton Strong noch in seinem Tagebuch den Einfluß der Düsseldorfer Maler bei der jährlichen Ausstellung der National Academy of Design, doch sechs Jahre später schrieb er:

»Ging heute abend mit Ellie in die Düsseldorf Gallery, die ich mindestens drei Jahre lang nicht mehr besichtigt habe. Ich fürchte, ich werde in künstlerischen Belangen kritisch. Selbst wenn Boker mich kniefällig bitten würde, bezweifle ich, daß er mich überreden könnte, mehr als etwa ein Dutzend seiner Bilder zu übernehmen, wenn ich mich dazu verpflichten müßte, sie an meine Wände zu hängen und täglich anzusehen. Meine Wahl fiele dann (wenn auch nicht ohne Bedenken) auf Steinbrücks *Anbetung der Könige*; aber seine lieblichen kleinen Elfen würden mich gewiß nach etwa einem Monat übersättigen und anekeln. Camphausens *Szene auf einem von Cromwellschen Soldaten erstürmten Schloßhofe* wäre, glaube ich, das nächste. Dann noch zwei Seestücke von Achenbach und Gudes große norwegische Schlucht und Sturzbach im Gebirge. Und nach diesem Fortschreiten meiner Auswahl müßte ich innehalten und nachdenken.«[51]

Die Galerie wurde 1853 immer noch als das künstlerische Kleinod der Stadt betrachtet. Doch schon 1854 hieß es – während sie noch für würdig befunden wurde, »als Schmuckstück der stolzesten Stadt Europas« zu glänzen –, daß ihre Werke vergleichsweise wenig geschätzt würden und das Publikum eher geneigt wäre, sein Geld für »wertlose Möbel, langweilige Opern, drittklassige Theaterstücke und als Neger geschminkte Varietékünstler auszugeben«.[52] Worthington Whittredge erinnerte sich, daß die Werke in der Galerie beträchtlich in Verruf gerieten, teilweise aufgrund der Kritik an vielen beim Publikum in höchster Gunst stehenden Bildern, die hervorragend in der Zeichnung seien, doch denen es »an Farbigkeit und reizvoller Ausführung mangelte«.[53] Tatsächlich lag die Galerie um die Mitte der 1850er Jahre oft verlassen da. 1855 erhob sich der Ruf nach einer Erweiterung der Galerie durch die Einbeziehung von Werken amerikanischer Künstler.[54] Der amerikanische Maler Elihu Vedder erinnerte sich, daß er 1856 als Jugendlicher »häufig die alte Düsseldorf Gallery am Broadway besuchte und dann bemerkte, wie besonders förderlich sie einer Kombination aus Flirt und Studium war. Die Galerie wurde Treffpunkt für Liebende genannt, weil das gleichgültige Publikum den Saal verwaisen ließ, oder doch beinahe, und weil die Bilder auf den Projektionsleinwänden Nischen schufen, deren Abgeschiedenheit sich die Verliebten rasch zunutze machten.«[55]

Ein Grund für die wachsende Gleichgültigkeit gegenüber den Gemälden der Düsseldorfer Maler mag die niederschmetternde Kritik gewesen sein, die im Januar 1856 in der neuen, von Ruskin inspirierten Kunstzeitschrift *The Crayon* in Form eines langen Artikels veröffentlicht wurde. Die Düsseldorfer Schule wurde gebrandmarkt als »bloßer Ausdruck von Materialismus oder einer unbeseelten Natur … ein Resultat jenes Geistes, der sich an die äußerlichen und greifbaren Dinge hält, die *faßbaren* Elemente des Denkens oder der Natur, der aber alle Verbundenheit mit den höheren Elementen ablehnt, die dem einen wie der anderen Leben und Idealität verleihen«. Dem Artikel zufolge würdigten diese Eigenschaften Hildebrandts *Othello und Desdemona* ebenso herab wie Schroedters *Falstaff*, und sogar Lessings *Martyrium des Jan Hus* wurde wegen der Materialität des Gegenständlichen, seinem Mangel an spiritueller Erhabenheit getadelt, wenngleich »an technischem Können und *Aktualitäsbezogenheit* kein modernes Werk über ihm steht«. Hasenclevers Humor wurde als »Kneipenwitz« verunglimpft, »den zu genießen ein Mann die Würde ernsthaften Menschentums abstreifen« müsse. Und über die Nacktheit von Carl Ferdinand Sohns *Diana und ihre Nymphen* hieß es, sie habe »kein wie auch immer geartetes ideales Ziel und fällt daher zurück in die Kategorie von Werken, deren erklärter Reiz in ihrer Nacktheit liegt oder, anders gewendet, in ihrem Mangel an Anstand und Schicklichkeit«. Zu den am wenigsten getadelten Gemälden gehörten diejenigen, die sich mit fest umrissenen Themen aus der Lebenswirklichkeit befaßten: Hübners *Die schlesischen Weber* und *Das Jagdrecht*, wie auch Beckers *Heimkehrende Schnitter*. Die beiden ersteren fanden Anerkennung als ein empörtes Aufwallen angesichts begangenen Unrechts, so »daß wir uns kaum bei einer Kritik der künstlerischen Gestaltung aufhalten wollen«, während Beckers Werk als »bezauberndes Bild, getränkt mit dem nationalen Empfinden des Künstlers« beurteilt wurde, »eine liebliche Szene aus dem Alltagsleben des Volkes, immer noch lediglich materialistisch-erdverbunden, aber so sehr im Einklang mit dem Empfinden, daß sie uns befriedigt, so wie sie ist«.[56]

1857, also im Jahr darauf, verkaufte Boker seine Galerie für $ 180 000 an die Cosmopolitan Art Association, die im Juni 1854 in Sandusky, Ohio, von Chauncey L. Derby, dem Aktuar und wegweisenden Leiter der Organisation, gegründet worden war. Im Juni 1857 berichtete die Association in ihrem *Journal* zunächst, die Sammlung würde nach Europa verlegt werden, doch im September verkündete sie, daß sie selbst die Kollektion erworben habe und erklärte: »Der Kauf muß als Wohltat für die Nation betrachtet werden, weil so nicht nur diese Werke im Lande bleiben, sondern weil Maßnahmen ergriffen werden, die fortan allen Klassen in allen Teilen der Union und Kanadas ihre Besichtigung ermöglichen.«[57] Die Association war eine Neuauflage des Kunstverein-Verlosungs-Systems, der es bald gelang, eine zweite Niederlassung in New York aufzumachen. Boker mag sich zeitweilig in einem finanziellen Engpaß befunden haben, vielleicht aufgrund der Panik von 1857, wenngleich er im folgenden Jahr als bedeutender Wein- und Spirituosenhändler in New York tätig war und sein Besitztum nahe Tarrytown bei seinem Tod drei Jahre später – im Jahr 1860 – zu einem Preis von $ 91 000 verkauft werden konnte.[58] Die Sammlung der Düsseldorf Gallery wurde fortan zu einem Bestandteil eines größeren Unternehmens, wenngleich sie als der Kern galt, um den herum sich die Aktivitäten der Association konzentrierten. Dazu schreibt das *Journal* der Association: »Dieses Arrangement sichert den Bestand der Galerie in New York – während ihr Jahr für Jahr frische Bilder aus der Düsseldorfer Akademie zugeführt werden –, und gleichzeitig bietet es den amerikanischen Talenten das Privileg, mit den Bildern der Düsseldorfer Schule um die allgemeine Gunst zu wetteifern.«[59] Doch gleichzeitig mit der Bekanntgabe ihres Erwerbs der Bilder aus der Düsseldorf Gallery erklärte die Association: »Viele davon, zusammen mit der weltberühmten, für sechstausend Dollar zurückgekauften Statue der Griechischen Sklavin und einigen Hundert anderer Kunstwerke aus dem Bereich der Malerei und Skulptur, sind als Preise für die Subskribenten im nächsten Januar vorgesehen.« Und an anderer Stelle vermerkte die Association: »Die Preise, die den Subskribenten und Mitgliedern der Association zufließen sollen, werden eine große Anzahl dieser Bilder umfassen … Agenten in Europa werden beständig Einkäufe von Kunstwerken tätigen, um die jeweiligen Entnahmen zugunsten der Subskribenten zu ersetzen …« Noch später argumentierte man: »Die Sammlung wird durch ständige zusätzliche Ankäufe in Europa weitere Aufmerksamkeit auf sich ziehen … Dieser Wechsel wird der Galerie stets frisches Interesse verleihen, während die künftig notwendig gewordenen Käufe dazu dienen werden, viele neue Meisterwerke und Perlen der Düsseldorfer Künstler in Amerika einzuführen.«[60] Doch trotz der Ankündigung der Association, ihre Preisvergabe würde am 28. Januar 1858 stattfinden und eine Reihe von bedeutenden Gemälden aus der Galerie beinhalten, etwa Hübners *Streit der Verliebten*, Leutzes *Heinrich VIII und Anna Boleyn*, Hasenclevers *Bacchanten im Keller*, Leuws *Erster Frost* und Grashofs *Der Cid und seine Söhne*, verblieben all diese Bilder in Wirklichkeit in den folgenden Jahren in der Galerie; das einzige Werk aus dieser Sammlung, das in diesem Winter vielleicht wirklich verlost wurde, war Lessings *Morgendliche Landschaft*. Es gab noch ein paar andere Bilder Düsseldorfer Künstler, die als

Preise zur Januar-Verlosung gehörten, darunter Hildebrandts Genrebild *Was er sagt* und zwei Landschaften, Gudes *Richenbach – Wasserfall* und Pulians *Unten im Tal*, doch sie waren nicht Bestandteil der Sammlung der Galerie. Ansonsten verteilte die Association *Kopien* bedeutender Werke, etwa Hildebrandts *Othello und Desdemona*, Steinbrücks *Die Elfen* und Sohns *Diana und ihre Nymphen* sowie Lessings *Das Verhör des Jan Hus*, ein Pendant zu dem *Martyrium*.

Weitere Angaben über die Entnahmen von Bildern aus der Düsseldorf-Sammlung gab es anscheinend nicht, und tatsächlich brüstete sich die Association 1859, die Galerie habe amerikanische Käufer ermutigt, Gemälde aus anderen Quellen von Künstlern wie Lessing, Hildebrandt, Achenbach, Carl Müller, Camphausen, Hasenclever, Preyer, Gude, Leu, Becker, Clasen, Schroedter und Hübner zu erwerben, wobei sie den letzteren als »amerikanischen Favoriten« bezeichnete und einen genauen Bericht über die Erwerbung von Hübners *Abschied der Auswanderer von ihrer Heimat* durch den Kunsthändler William Schaus lieferte.[61] Auf die fortdauernde Popularität der Düsseldorfer Bilder deutet die Ankündigung der Association im Jahr 1860, als nächste Jahresgabe für Subskribenten sei ein Nachstich von Schroedters *Falstaff versammelt seine Rekruten* vorgesehen, der im folgenden Januar zur Verfügung stehen würde.[62]

Schon bevor die Cosmopolitan Art Association im Sommer 1861 ihre Tätigkeit eingestellt hatte, war die Sammlung der Düsseldorfer Bilder in das pompöse Institute for Fine Arts verlegt worden, ein überkuppeltes Bauwerk am Broadway Nr. 625, das am 20. November 1860 von Henry W. Derby für das Publikum eröffnet wurde. Der als Eigentümer der Düsseldorf Collection firmierende Derby[63] war vermutlich verwandt mit Chauncey L. Derby, da beide 1862 diese Adresse als ihre Geschäftsadresse angaben; Chauncey erschien zum ersten Mal 1858 in den Adreßbüchern von New York unter seiner Geschäftsadresse Broadway Nr. 548, wo sich ihm Henry 1860 anschloß.[64] Dies ermöglichte es den beiden Unternehmen am Broadway 548 und 625, zeitlich befristete Ausstellungen abzuhalten. Tatsächlich präsentierte der ehemalige Sitz der Düsseldorf Gallery klassische und religiöse Werke des amerikanischen Malers William Page,[65] während die Jarves-Sammlung Anfang 1861 am Institute of Fine Arts zusammen mit Leutzes *Besitzergreifung Marylands durch die Engländer unter Leonard Calvert* zu sehen war. Doch durch den Ausbruch des amerikanischen Bürgerkriegs erlitt der Kunstmarkt einen so heftigen Einbruch, daß Derby beschloß, sich seiner restlichen Düsseldorfer Gemälde zu entledigen. Sie wurden am 19. Dezember versteigert.[66] In der 1863 erschienenen Schrift *Gems from the Düsseldorf Gallery* stehen als eine Art Nachruf die Worte:

»Es ist zutiefst bedauerlich, daß die schöne Galerie, zu der all dies einmal gehörte und die sich so viele Jahre hindurch in unserer Mitte befand, nun aufgrund dieser traurigen und unruhigen Zeiten aufgelöst wurde, ihre Bilder verkauft werden mußten und so weit und breit verstreut wurden, wobei viele der besten ihren Weg zurück nach Europa fanden.«[67] Die Publikation *Gems from the Düsseldorf Gallery*, die Photographien von zweiundfünfzig Gemälden der Düsseldorf Gallery enthält, ist und bleibt unsere vollständigste bildliche Dokumentation einer der bedeutendsten Kunstinstitutionen, die New York in der Mitte des letzten Jahrhunderts besaß, und der Plan für ihre Veröffentlichung wurde von der Presse als Bewahrung des Vermächtnisses eines verlorenen Kunstschatzes begrüßt.[68]

Eines der Gemälde, die ihren Weg zurück nach Europa gefunden hatten, war Lessings *Hus vor dem Scheiterhaufen*. Dieses Meisterwerk Lessings war bis einschließlich 1861 in der Galerie ausgestellt, wurde jedoch nicht in die Versteigerung aufgenommen und 1863 von der Nationalgalerie in Berlin erworben. Bei der Versteigerung gehörte der namhafte Kunstsammler John Wolfe, der eine große Vorliebe für die Bilder der Düsseldorfer Schule hatte, zu den eifrigsten Bietern; so kaufte er etwa Bosers und Lessings *Vogeljagd der Düsseldorfer Künstler am Grafenberg* für $ 475. Doch Wolfes Geschäfte beruhten auf seinen Verbindungen zu den Südstaaten, und durch den Bürgerkrieg, der den Geldfluß nach dem Norden unterbrach, sah sich der Mäzen gezwungen, seine Sammlung im Dezember 1863 versteigern zu lassen. Ironie des Schicksals: die Wolfe-Auktion wurde am Ort der alten Düsseldorf Gallery am Broadway Nr. 548 abgehalten.[69] Weitere eifrige Käufer waren Alvin Adams von der Adams Express Company in Boston, der neben anderen Werken Hildebrandts *Othello und Desdemona* erwarb, und G. B. Butler, ein Agent für die Firma von Alexander Turney Stewart, der Sohns berühmtes *Diana und ihre Nymphen* (*Die von Actaeon überraschte Diana*) und Hildebrandts *König Lear und Cordelia* ersteigerte. Tatsächlich wurde die Sammlung Stewart zur bedeutendsten Versammlung von Gemälden aus der Düsseldorf Gallery. Dazu gehörten Schroedters *Falstaff und seine Rekruten*, Camphausens *Puritaner geben Gefangenen Geleitschutz* und *Szene auf einem von Cromwellschen Soldaten erstürmten Schloßhofe*, Hübners *Die schlesischen Weber* und *Das junge Ehepaar* sowie Achenbachs *Nach Scheveningen zurückkehrende Fischerboote*, wenn auch diese Bilder schon vor ihrem Verkauf der Galerie entnommen worden waren.[70] Dessenungeachtet blieben anscheinend einige Gemälde aus der ursprünglichen Düsseldorf Gallery unverkauft und waren selbst 1866 noch am Broadway Nr. 625 zu besichtigen. Dies ist aber augenscheinlich die letzte Information, die wir über diese einst so berühmte Einrichtung der New Yorker Kunstszene besitzen.

Alle Geschäfte und Rivalitäten einmal beiseite geschoben, rückte die Düsseldorf Gallery die ästhetischen Fragen in den Vordergrund, deretwegen die amerikanischen Künstler sich überhaupt gedrängt gefühlt hatten, ihre Ausbildung in Deutschland zu suchen. Die Düsseldorfer Schule wurde »mehr wegen ihrer großen Kenntnisse und Fähigkeiten in vielen technischen Elementen der Kunst und wegen ihrer ausgesprochenen Tendenz zur Naturbeobachtung als wegen ihrer Genialität oder schöpferischen Kraft« gerühmt. Die besonderen Eigenschaften der künstlerischen Leistungen der Düsseldorfer Schule hießen: »Vollkommene Naturtreue in Form, Farbe und Ausdruck, sorgfältige Detailarbeit, schöne Ausarbeitung und Perfektion bei der Wiedergabe der *Sprache* jeglichen Motivs. All dies setzt ein höchst konzentriertes Studium voraus, denn sind erst die Freiheiten und Extravaganzen des Genies abgelegt, bleibt nichts als die Kraft der Wahrheit übrig. Doch obwohl ihre Richtlinien so streng sind, haftet der Schule nichts Formelles, nichts Kaltes oder Trockenes an.«[71]

Bis zu welchem Grad die Düsseldorf Gallery dafür verantwortlich war, daß – neben den Preisen und Jahresgaben für die Subskribenten der Düsseldorf Art Union – Bilder dieser Schule von amerikanischen Gönnern gefördert und gesammelt wurden, ist schwer zu sagen; immerhin hat George Templeton Strong zum Beispiel, 1849 ein großer Bewunderer der Galerie, derlei Käufe in seinem Tagebuch festgehalten. Nachdem er, wie er schreibt, mehrere Portraits aus der Hand amerikanischer Künstler gekauft hat, kommen noch weitere hinzu: »Ich drohe ein Kunstmäzen zu werden ... die Bilder von (Georg) Saal und (August) Weber aus Düsseldorf, über die ich mit (John Whetton) Ehninger verhandle[72] und viertens, der große Camphausen, der irgendwann im Laufe des kommenden Frühlings oder Sommers kommen soll.« Strong hatte zuvor den Einfluß der Bilder in der Düsseldorf Gallery auf die amerikanischen Gemälde festgestellt, die 1850 in der jährlichen Ausstellung der National Academy of Design in New York gezeigt wurden.[73] Und ein Chronist wies 1850 nachdrücklich darauf hin, daß Frederick Church, Regis Gignoux und William Hubbard sich in diesem Sommer alle auf das Malen von Seestücken an der Küste von Maine verlegt hatten, was er dem Einfluß von Achenbachs kraftvollen sizilianischen Meereslandschaften zuschrieb, deren eine, nämlich *Sturm an der Küste Siziliens* (Abb. 7), in der Düsseldorf Gallery hing.[74]

Doch es dauerte nicht lange, bis die Kritiker die Werke der Düsseldorfer Schule in zunehmendem Maße als steril und leer zu empfinden begannen, während sie gleichzeitig die sorgfältig ausgearbeiteten Details und das Beiwerk in ihren Gemälden bewunderten und die klare Denkweise, Disziplin und Beharrlichkeit der Künstler den amerikanischen Malern zur Nachahmung empfahlen. Obwohl die Meisterschaft der Düsseldorfer Schule bei der technischen Ausführung niemals in Frage gestellt und häufig als nachahmenswertes Beispiel angeführt wurde, zeigte sich die Hinwendung zu ihrer Methodologie als letztlich ungeeignet, die amerikanischen Maler zur Nacheiferung anzuregen und die Wertschätzung der amerikanischen Kritiker zu gewinnen. Und die sozialkritischen und politischen Botschaften, die so vielen dieser Bilder innewohnten und die für ihr deutsches Publikum solch brisante Bedeutung besaßen, waren den Amerikanern entweder unzugänglich oder gleichgültig.[75] Tatsächlich wurden in der ausführlichsten und detailliertesten Zeitungsrezension, die die Galerie im ersten Jahr ihres Bestehens erhielt, die Gemälde Hübners mit ihrer tiefempfundenen und (melo)dramatischen Anprangerung von Klassenunterschieden und Unterdrückung betont ignoriert zugunsten von religiösen, literarischen und phantasiereichen Themen, lebensvollen Landschaften und der humoristischen Genremalerei.[76]

Und doch bot die Düsseldorf Gallery für einige Menschen wie den jungen Henry James eine einzigartige und ungemein lohnende Erfahrung im New York der Jahrhundertmitte. James erinnert sich an seine ersten künstlerischen Weihen:

»An die riesige Leinwand des Martyriums des Jan Hus erinnere ich mich in der Tat als einer Offenbarung von malerischer Pracht und einem Zauber, die ein für allemal meinem jugendlichen Gefühl in diesen Dingen als Maßstab dienen sollten. Unbeschreiblich, unübertrefflich waren diese Stunden der Initiation, die der Broadway der fünfziger Jahre letzten Endes so

vollendet zu bieten hatte. Wollte man Bilder, hier waren sie, wie ich mich zu erinnern scheine, so groß wie eine Hauswand, und mit einer Farbenpracht und einem Oberflächenglanz, die ich später niemals wieder übertroffen sehen sollte …. Die Düsseldorfer Malerschule beherrschte den Markt, und ich denke an ihre Ausstellung als feststehende Einrichtung, die sich von Jahr zu Jahr fortsetzte – New York, das nun in seinen Urteilen einen ganz anderen Ton anschlägt, muß ein tapferer Schirmherr dieser Schule gewesen sein, ich glaube, daß sogar ein gelegentlicher Skandal nicht gescheut, sondern kühn heraufbeschworen wurde, wenngleich die Geschichte uns nicht überliefert hat, zu welchen spezifisch bildlichen oder nackten Angriffen gegen das bürgerliche Vorurteil der gemütvolle deutsche Genius jener Periode fähig gewesen sein mag (möglicherweise im Zusammenhang mit der großzügig zur Schau gestellten Nacktheit in Sohns *Diana und ihre Nymphen*). Jedenfalls verstärkten neue Anschaffungen, glänzende Neuerwerbungen, deren Frische und Farbenpracht in unserem reichen Licht besonders erstrahlten, von Zeit zu Zeit die Schau, die ich klug genug war, immer wieder und ernsthaft zu besichtigen und an die ich mich mit einer gewissen Verschwommenheit als in einer trübsinnigen Kirche untergebracht erinnere, wo gotische Vorsprünge und ein Kirchendach von gemäßigtem Stil die Bedeutung des Ganzen unterstrichen.«[77]

Abb. 7   Andreas Achenbach, Sturm an der Sizilianischen Küste, 1847 (Clearing up – Coast of Sicily), Öl auf Leinwand, 83×116 cm, Walters Art Gallery, Baltimore MD (Anm. d. Hrsg.: mit einer am Felsen angebrachten amerikanischen Flagge)

1 Aus: »Historical Sketch of the Düsseldorf School of Art« in: »Gems from the Düsseldorf Gallery«, New York 1863, ohne Paginierung.

2 Eine kurze Notiz über deutsche Künstler, die aufgrund der politischen Schwierigkeiten nach Amerika eingewandert waren, findet sich in dem Artikel »European Artists in the United States« im Bulletin of the American Art-Union, 3, Juni 1850, S. 45; als einziger Neuankömmling aus Düsseldorf wurde Herminia Borchard Dassel genannt.

3 J. Brooks Joyner, »The Düsseldorf Gallery: Its Relationship to American Art in the Mid-Nineteenth Century«, unveröffentlichter Essay, 1970, University of Maryland, College Park, Maryland.– Die bedeutendste in Englisch abgefaßte Studie über die Düsseldorf Gallery ist bislang R(aymond) L. Stehle, »The Düsseldorf Gallery of New York«, in: The New-York Historical Society Quarterly 58, Oktober 1974, S. 304–317, der ich hier sehr verpflichtet bin. Stehle, dessen bahnbrechende (unveröffentlichte) Arbeit über Emanuel Leutze ein grundlegendes kunstwissenschaftliches Dokument bildet, war mein Freund und sehr verehrter Kollege. Ebenfalls von Stehle: »Die ›Düsseldorf Gallery‹ in New York«, in: Kunstmuseum Düsseldorf, »The Hudson and the Rhine«, Düsseldorf 1976, S. 26–28.

4 Robert Ernst, »Immigrant Life in New York City, 1825–1863«, New York 1949, passim.

5 Das meiste mit den deutsch-amerikanischen Beziehungen im neunzehnten Jahrhundert befaßte Schrifttum ignoriert die Düsseldorf Gallery, sogar wenn es speziell die »Achtundvierziger« thematisiert. Siehe zum Beispiel Carl Wittke, »Refugees of Revolution. The German Forty-Eighters in America«, Philadelphia 1952. Wittke bezieht sich S. 321–324 auf eine Reihe von deutschen eingewanderten Künstlern.

6 »Bulletin-Advertisements«, in: Bulletin of the American Art-Union 4, Dezember 1851, ohne Paginierung.

7 Louis Marie Fink, »French Art in the United States, 1850–1870, Three Dealers and Collectors«, in: Gazette des Beaux Arts 92, 1978, S. 87–100.

8 William Cullen Bryant, »Letters of a Traveller; Or, Notes of Things seen in Europe and America«, London / New York S. 235.

9 »The Düsseldorf Gallery«, in: Christian Enquirer 3, 28. April 1849, S. 2.

10 »The Düsseldorf Gallery«, in: New York Morning Courier & Enquirer, 13. Juli 1849, S. 2. Auszüge aus dieser Rezension wurden ab 1850 in einer Reihe von Katalogen der Galerie in Fülle übernommen.

11 Grundlegende Informationen über Boker vgl. Stehle, op. cit., S. 306–307.

12 »Hundert Jahre Künstlerverein Malkasten Düsseldorf, 1848–1948«, Düsseldorf 1948, S. 126. (Anm. D. Hrsg.: Vergl. Dawn M. Leach, »Die Düsseldorf Gallery« im vorliegenden Band)

13 Siehe Edward Strahan (Pseudonym für Earl Shinn), »The Art Treasures of America«, 3 Bände, Philadelphia 1879, Bd. 1, S. 53, mit einer Erörterung der Sammlung John Wolfe, sowie Kathleen Luhrs, »Düsseldorf Artists«, in: The New-York Historical Society Quarterly 18, Oktober 1974, S. 315–317.

14 »The Düsseldorf Gallery«, in: Bulletin of the American Art-Union 3, August 1850, S. 81.

15 Zu diesem Gemälde siehe Luhrs, op. cit.

16 Das erste Bild von Leutzes Serie, Columbus vor dem Konzil von Salamanca, wurde 1841 gemalt; es blieb in Deutschland, ist heute verschollen, doch wurde es damals in Düsseldorf beifällig aufgenommen. Später im selben Jahr vollendete Leutze Columbus kehrt in Ketten nach Cadiz zurück, das sich heute im National Museum of American Art, Washington, D.C., befindet. Dies war sein erstes in Düsseldorf gemaltes und in Amerika ausgestelltes Bild. Es wurde 1843 in der National Academy of Design gezeigt und dann von der Apollo Association, die im folgenden Jahr zur American Art-Union umgewandelt wurde, gekauft und in ihren Räumen ausgestellt.

17 »Fine Art Gossip«, in: Bulletin of the American Art-Union 2, Juli 1849, S. 24. Zu den neu hinzugekommenen Werken gehörte Emanuel Leutzes Heinrich VIII. und Anna Boleyn (Verbleib unbekannt).

18 »Chronicle of Facts and Opinions«, in: Bulletin of the American Art-Union 3, Mai 1850, S. 31.– siehe auch Hinweis auf Bokers neue Sammlung in op. cit. 2, Juni 1850, S. 44.

19 »The Düsseldorf Gallery«, in: Bulletin of the American Art-Union 3, August 1850, S. 81; der betreffende Berichterstatter zog den Camphausen vor, weil er fand, daß in der Germania die fehlende »Verallgemeinerung« des Beiwerks – mit anderen Worten die sorgfältige Darstellung der Staffagen, Stoffe und Juwelen – ablenkte von dem Thema der Befreiung Deutschlands und der Ausrottung der politischen Zwietracht.

20 »Lessing, the Artist«, in: Bulletin of the American Art-Union 3, September 1850, S. 104. – »Lessing's Martyrdom of Huss«, op. cit., Oktober 1850, S. 117. – »Lessing's Martyrdom of Huss«, op cit., November 1850, S. 137.

21 »Lessing's Martyrdom of Huss«, in: Bulletin of the American Art-Union 3, Dezember 1850, S. 157.– New York Daily Tribune, 6. Dezember 1850, S. 7. – Am 4. Dezember veröffentlicht die Tribune auf S. 5 einen Brief Bokers, den dieser zwei Tage zuvor geschrieben hatte und in dem er die bevorstehende Ankunft des Meisterwerks bekanntgab.

22 John I. H. Baur (Hsg.), »The Autobiography of Worthington Whittredge 1820–1910«, in: Brooklyn Museum Journal 1, 1942, S. 23.

23 »The Düsseldorf Gallery«, in: New York Morning Courier & Enquirer, op. cit., S. 2. – George Templeton Strong, der die Galerie mehrfach im August 1849 besuchte, vermerkte am 21. August: »Verbrachte den gestrigen Abend teilweise in einem Gesellschaftsraum mit Charley und mit einem Blick auf diese wunderschönen Düsseldorfer Bilder …« Allan Nevins and Milton Halsey, »The Diary of George Templeton Strong. Young Man in New York«, 4 Bände, New York 1952, Bd. 1, S. 362.

24 1862 wurden The Coquette, The Pets und möglicherweise The Prodigies, Werke der Amerikanerin Lilly Martin Spencer, in der Galerie ausgestellt. Zu dieser Zeit war die Düsseldorf Gallery schon im Besitz der Cosmopolitan Art Association, die sie zuvor erworben hatte, und Mrs. Spencers Malkunst wurde von dieser Institution begünstigt. Sold Out von der belgischen Malerin Henriette Ronner und Beauty Asleep von der französischen Künstlerin Aimée Pagés-Brune wurden bei der Auktion der Düsseldorfer Gemälde im Dezember 1862 verkauft, doch gibt es keinen Hinweis darauf, daß sie in der Galerie hingen.

25 Vgl. »Catalogue of Paintings and Original Drawings by Artists of the Düsseldorf Academy of Fine Arts«, New York 1849.

26 »Monthly Record of Current Events«, in: Harpers's New Monthly Magazine, 2. Januar 1851, S. 276–277. – Siehe auch: »Figaro Corbyn's Chronicle of Amusements« 1, 14. Dezember 1850, S. 219.

27 Siehe zum Beispiel William B. Miller, »A New Review of the Career of Paul Akers, 1825–1861«, in: Colby Library Quarterly 7, März 1966, S. 248. – Akers Perlentaucher (Pearl Diver) befand

sich im November 1859 in Portland, Maine, auf einer Ausstellung, doch war er im Januar in der Düsseldorf Gallery. Siehe »Fine Arts. The Pearl-Fisher«, in: Home Journal 28, Januar 1860, S. 2. mit freundlicher Genehmigung von Merl M. Moore jr.

28 »Catalogue of the Celebrated Collection of Pictures Known as the ›Düsseldorf Gallery‹«, New York 1862. – Siehe auch: Thomas S. Cummings, »Historic Annals of the National Academy of Design«, Philadelphia 1865, S. 312. Cummings vermerkte, daß der Lessing zuvor entnommen worden war und einige andere Bilder bei einem privaten Verkauf losgeschlagen wurden.

29 »The Düsseldorf Gallery«, in: New York Morning Courier & Enquirer, op. cit., S. 2.

30 »Catalogue of a Private Collection of Paintings and Original Drawings by Artists of the Düsseldorf Academy of Fine Arts«, New York 1850, S. 3–10.

31 Man vergleiche zum Beispiel Rembrandt Peale, »Original Thoughts on Allegorical Painting«, in: Philadelphia National Gazette, 28. Oktober 1840, S. 4 und »Allegory in Art«, in: Crayon 3, April 1856, S. 114.

32 »Catalogue of a Private Collection of Paintings ...«, 1850, op. cit., S. 32–33. Andererseits fand ein Rezensent in bezug auf die Germania: »In der allegorischen Komposition liegt etwas Kaltes und Uninteressantes, was auch die höchste technische Virtuosität nicht überwinden kann.« Siehe: American Art-Union Bulletin 3, August 1850, S. 81.

33 »Catalogue of a Private Collection of Paintings ...«, 1850, op. cit., S. 34–41. – Das Zitat stammt aus »Art and Artists in Europe. Lessing the Artist.«, in: Bulletin of the American Art-Union 3, September 1850, S. 101.

34 »Lessing's Martyrdom of Huss«, in: New York Daily Tribune, 6. Dezember 1850, S. 7.

35 »Fine Arts. Another Picture Gallery in New York«, in: Albion 8, 21. April 1849, S. 189. – Siehe auch die langatmige, sehr positive Analyse des Bildes in »The Chronicle. Art and Artists in America. Lessing's Martyrdom of Huss«, in: Bulletin of the American Art-Union 4, April 1851, S. 9–11; sowie auch die negativere rein formale Einschätzung von Lessings Hus-Gemälde in M(ary) A(nn) Dwight, »Introductory to a Course upon the Arts of Design«, Philadelphia, S. 34–35, sowie die Erwiderung auf Dwight in »Recent Publications«, in: Bulletin of the American Art-Union 4, Juli 1851, S. 65, und den ausführlichen Kommentar zur Ausstellung des Werkes in Boston im Herbst 1852 in: To-Day: A Boston Literary Journal 2, 2. Oktober 1852, S. 217–219.

36 »Editor's Table«, in: Knickerbocker 42, August 1853, S. 205.

37 »Catalogue of a Private Collection of Paintings ...«, 1850, op. cit., S. 9.

38 »Fine Arts. Lessing's Martyrdom of Huss«, in: Albion 9, 7. Dezember 1850, S. 585. – »Lessing's Martyrdom of Huss«, in: Literary World 7, 14. Dezember 1850, S. 484–485.

39 Zitiert nach dem New York Independent, in: »Catalogue of Paintings, by Artists of the Düsseldorf Academy of Fine Arts«, New York 1855, S. 18; es ist mir nicht gelungen, die Quelle dieses Zitats im Independent zu finden.

40 Der Artikel wird zitiert in: »The Martyrdom of John Huss«, in: Cosmopolitan Art Journal 3, Dezember 1859, S. 235–236.

41 »The Three Galleries«, in: Literary World 5, 24. November, 1849, S. 445–446.

42 »The Düsseldorf Gallery«, in: Christian Enquirer, op. cit., S. 2.

43 »Paintings by the Düsseldorf Artists«, in: Bulletin of the American Art-Union 2, Mai 1849, S. 16.

44 »Gallery of the Düsseldorf Artists«, in: Bulletin of the American Art-Union 2, Juni 1849, S. 8–17.

45 J(ohn) W. E(hninger), »The School of Art at Düsseldorf«, in: Bulletin of the American Art-Union 3, April 1850, S. 6.

46 »Catalogue of Paintings …«, 1849, op. cit., S. 3–6.

47 »Chronicle of Facts and Opinions«, in: American Art-Union Bulletin 3, Mai 1850, S. 31.

48 »Catalogue of a Private Collection of Paintings …, 1850, op. cit., S. 11–12.

49 Literary World 5, 22. September 1849, S. 243; die Gewinner sollten die Gemälde in der Düsseldorf Gallery ausgehändigt bekommen. – Die Beteiligung amerikanischer Kunstfreunde an dem Düsseldorfer Kunstverein wurde in dem Artikel über »Art Unions« (Kunstvereine) bestätigt, der am 8. November im New York Morning Courier & Enquirer auf S. 2 erschien: »Diese Institution hat durch ihre hiesige Vertretung eine ansehnliche Anzahl von amerikanischen Subskribenten erhalten, und einige von ihnen haben bei der letzten Verlosung Preise gewonnen, die bald aus Europa eintreffen werden.« Im Jahr 1850 erhielten alle amerikanischen Subskribenten des Düsseldorfer Kunstvereins als Jahresgabe einen Nachstich von Jakob Beckers Vom Gewitter überraschte Schnitter; siehe: »Catalogue of a Private Collection of Paintings …«, 1851, op. cit., S. 45.

50 »The Düsseldorf Gallery«, in: Dwight's Journal of Music 1, 10. April 1852, S. 3. – To-Day: A Boston Literary Journal 1, 22. Mai 1852, S. 327. – ebenda 2, 4. September 1852, S. 149–150. – Daß Boker die Bostoner Ausstellung als Schau in zwei Teilen angesetzt hatte, besagt der Artikel »Fine Arts« im Boston Daily Transcript vom 2. Juni 1852, S. 2, der als Erwiderung auf die Kritik geschrieben wurde, daß viele der im Katalog aufgeführten Werke bei der ersten Präsentation nicht zu sehen waren.

51 Allan Nevins and Milton Halsey, op. cit., 2, S. 13.

52 »Editor's Table«, op. cit., S. 205. – ferner »The Düsseldorf and Bryan Galleries«, in: New York Evening Post, 17. Mai 1854, S. 1.

53 Baur, »Whittredge«, op. cit., S. 24.

54 »The Fine Arts«, in: New York Leader, 17. Juni 1855, S. 2.

55 Elihu Vedder, »The Digression of V.«, Boston 1910, S. 105–106.

56 (William J. Stillman ?), »The Collection of Pictures by the Artists of Düsseldorf«, in: Crayon 3, Januar 1856, S. 21–23.

57 »The Düsseldorf Gallery – A National Loss«, in: Cosmopolitan Art Journal 1, Juni 1857, S. 135 . – »The Düsseldorf Gallery«, in: Cosmopolitan Art Journal 1, September 1857, S. 161. – Siehe auch auf S. 165 und 166 der letztgenannten Ausgabe weitere Hinweise auf die Galerie. In der erstgenannten Ausgabe hatte der New York Evangelist die Association zu ihrem Erwerb beglückwünscht.

58 Stehle, »The Düsseldorf Gallery in New York«, op. cit., S. 306. – In dem Nachruf auf Boker in der New York Evening Post vom 3. März 1860 wurde dieser als »wohlhabender und namhafter Kaufmann« beschrieben, dessen sterbliche Überreste nach Deutschland überführt würden. – Siehe auch Doris Preis Rubinow, »A Study of the Cosmopolitan Art Association 1854–1861«, Typoskript, 1962.

59 »The Cosmopolitan Art Association«, in: Cosmopolitan Art Journal 2, Dezember 1857, »Supplement«, S. 55.

60 »Art Journal Advertiser«, in: Cosmopolitan Art Journal 1, September 1857, ohne Paginierung. – »The Düsseldorf Gallery«, in: Cosmopolitan Art Journal 1, September 1857, S. 161. – »The Düsseldorf Gallery«, in: Cosmopolitan Art Journal 2, Dezember 1857, S. 43–44.

61 »Foreign Works in Our Midst«, in: Cosmopolitan Art Journal 3, September 1859, S. 182. – Schaus hatte Anfang 1861 ein weiteres Werk Hübners erworben: *Des Pastors Segen*, siehe: »Art Gossip«, in: Cosmopolitan Art Journal 5, März 1861, S. 37.

62 »The New Engraving«, in: Cosmopolitan Art Journal 4, Juni 1860, S. 85.

63 Siehe: »Opening of the Institute of Fine Arts«, in: New York Times, 20. November 1860, S. 4. – »Private View at the Institute of Fine Arts«, in: New York Daily Tribune, 20. November 1860, S. 5.

64 »New Fine Art Gallery in New York«, in: Architects' and Mechanics' Journal 2, 7. April 1860, S. 2. – »Domestic Art Gossip«, in: Crayon, 8, Februar 1861, S. 44. – Ich bin Jonathan Harding zu Dank verpflichtet, der die Derbys in den Adreßbüchern von New York zuerst aufgespürt hat. Die Derbys hatten aber getrennte Privatadressen: Chauncey lebte 1858 in Yonkers, dann bis 1862 an der 275 West 22nd Street, worauf er in die Nineth Avenue Nr. 24 übersiedelte. Henry wohnte Anfang 1860 an der 132 East 17th Street. Bis zu ihrem Abriß Mitte 1866 wurden die ursprünglichen Räumlichkeiten der Düsseldorf Gallery in der Church of the Divine Unity dann für Auktionen genutzt, vor allem die der John Hunter Sammlung, die vom 18. bis zum 19. Januar 1866 versteigert wurde. Siehe: »Art Notes«, in: Round Table 4, 11. August 1866, S. 22–23.

65 Siehe: »Art Gossip«, in: Cosmopolitan Art Journal 4, Dezember 1860, S. 182. – »Art Gossip«, in: Cosmopolitan Art Journal 5, März 1861, S. 35–36.

66 Henry W. Derby führte das Institut jedoch als Kunstgalerie weiter. Dabei änderte er nach ein paar Jahren ihren Namen zu Derby Gallery oder Derby Athenaeum und wanderte mit ihr den Broadway hinauf, zuerst in das Haus Nummer Nr. 845, dann Nummer 680, wo in der Nacht des 13. Januar 1869 ein Feuer einen Großteil seiner Galerie zerstörte. Siehe: Brief von Robert Weir jr. an John Ferguson Weir vom 15. Januar 1869; John Ferguson Weir Papers, Yale University, mit freundlicher Genehmigung von Dr. Betsy Fahlman. Es wurde berichtet, daß er sich dem Wiederaufbau seiner Galerie widmete. Derby soll seinen kommerziellen Bilderhandel bis in die 1870er Jahre hinein weiterbetrieben haben, doch erscheint er nach 1868–69, als er in der 116 West 4th Street wohnte, nicht mehr in den New Yorker Adreßbüchern. Chauncey L. Derby taucht nach 1866 in den Adreßbüchern nicht mehr auf.

67 »Gems from the Düsseldorf Gallery«, *op. cit.*, ohne Paginierung. Diese Anmerkung begleitete die Reproduktion von G. Pulians *Gebirgszene*. Ironischerweise wurde diesem Bericht zufolge das Buch begonnen, bevor der Verkauf der Galerie ins Auge gefaßt wurde.

68 Siehe: »Fine Arts«, in: New York Times, 19. Dezember 1852, S. 4. Wie auf dem Titelblatt angegeben, wurden die »Gems« (Kleinodien) »von A. A. Turner und unter der Leitung von B. Frodsham von den originalen Bildern abphotographiert und (zum ersten Mal) veröffentlicht«. Fotograf war der in North Carolina geborene Austin Augustus Turner, der in Bath, Maine, aufgewachsen war und in Boston ansässig wurde, wo er das fotolithographische Verfahren erlernte. Dann zog er 1860 nach New York, wo ihm viele Jahre hindurch eine erfolgreiche Laufbahn beschieden war. Zusammen mit William Young zeichnete er auch für die Veröffentlichung von »Lights and Shadows of New York Picture Galleries« im Jahre 1864 verantwortlich, zog aber im selben Jahr nach New Orleans, wo er 1866 starb.

69 Die Übereinstimmung zwischen der Versteigerung der Düsseldorf Gallery am 19. Dezember 1862 und der Auktion von John

Wolfe vom 22.–23. Dezember 1863 ist komplexer Natur. Wolfe verkaufte in Wirklichkeit nur neunzehn deutsche Bilder. Einige davon waren nicht von Düsseldorfer Künstlern gemalt; einige, wie Andreas Achenbachs *Ansicht der Küste von Sizilien, abziehender Sturm*, waren vor der Versteigerung von der Galerie gekauft worden, und einige hatten sich nie in der Galerie befunden, darunter drei bedeutende Werke von Johann Hasenclever und die ursprüngliche Studie für Carl Sohns *Diana und ihre Nymphen*.

70 Edward Strahan, »The Art Treasures of America«, *op. cit.*, Bd. 1, S. 48–49. – Sicherlich aufgrund der Popularität der Düsseldorf Gallery wurde eine große Auswahl von Gemälden der Düsseldorfer Künstler in der New Yorker Glaspalastausstellung von 1853 gezeigt, und im selben Jahr wurde eine Reihe von Werken bedeutender Düsseldorfer Meister in die Rhenish-Belgian Gallery of Paintings (Rheinisch-belgische Gemäldegalerie) aufgenommen, deren Präsentation in der National Academy of Design stattfand. Die Schule wurde später in den Ausstellungen der kurzlebigen International Art Institution thematisiert, eine 1859 in New York etablierte deutsche Gründung; sie scheiterte zwei Jahre später wegen der hohen Zölle auf ausländische Kunstwerke. Freilich verpuffte nach dem Bürgerkrieg die Wertschätzung, die man in den Vereinigten Staaten bislang den ästhetischen Tendenzen der Düsseldorfer Schule entgegengebracht hatte, ziemlich rasch, und neuere Strömungen, die mit Paris und München identifiziert wurden, liefen ihnen den Rang ab. Die große Ausnahme stellten hier vor allem zahlreiche Privatsammlungen Düsseldorfer Gemälde dar, die sich in Cincinnati befanden, so etwa die Sammlung von Joseph Longworth, der eine beträchtliche Gruppe von Bildern aus der Hand Lessings erwarb, einschließlich Repliken von *Hus vor dem Konzil von Konstanz*, und *Das Martyrium des Jan Hus*, das er 1869 kaufte. Siehe: »Fine Arts«, in: New York Evening Mail 9. März 1869, S. 1. – »Private Picture Collections in Cincinnati«, in: Galaxy 10, Oktober 1870, S. 511–520.

71 »Historical Sketch of the Düsseldorf School of Art« in der Einführung zu »Gems from the Düsseldorf Gallery«, New York 1863, ohne Paginierung.

72 Ehninger war einer der führenden in Düsseldorf ausgebildeten Amerikaner und eng mit Strong befreundet; Ehninger hatte die Landschaften von Saal und Weber nach New York mitgebracht, wo Strong sie in seinem Atelier sah. Siehe Nevins and Halsey, *op. cit.*, 2, S. 10, 34.

73 Nevins and Halsey, *op. cit.* 2, S. 13. – Es ist schwierig, genau festzustellen, in welchen Gemälden Strong den Einfluß der Düsseldorfer Sammlung entdeckte, doch nahm die in Düsseldorf ausgebildete Herminia Dassel mit einer ansehnlichen Gruppe von Figurenbildern an der jährlichen Ausstellung der Akademie im Jahre 1850 teil, und eine Reihe von Bildern der Düsseldorfer Meister George Saal, August Weber und Julius Hübner waren ebenfalls in der Schau vertreten, Leihgaben von John Whetton Ehninger, Strongs gutem Freund, der vor kurzem von seinem Studium in Düsseldorf zurückgekehrt war. Strong kann sich auch gezielt auf die Gemälde des gebürtigen Deutschen Christian Mayr bezogen haben, deren eines mit dem Titel *Spiel der Elfen* von einem Kritiker »ein schamloses Plagiat eines Bildes in der Düsseldorf-Sammlung« genannt wurde. Siehe »National Academy of Design. XXVth Annual Exhibition. Fifth Article«, in: New York Daily Tribune, 22. Juni 1850, S. 1. – Obwohl ein Seestück von Andreas Achenbach bei der sechsundzwanzigsten Jahresausstellung im folgenden Jahr gezeigt wurde, stellte die Aufnahme solcher Werke ausländischer Künstler in den Jahren 1850 und 1851 eine bedeu-

tende Ausnahme gegenüber den Richtlinien dar, denen die Akademie-Ausstellungen unterworfen waren, und dies ist ein weiterer Beweis für das künstlerische Ansehen der Düsseldorfer Schule.

74 »Chronicle of Facts and Opinions. American Art and Artists«, in: Bulletin of the American Art-Union 3, August 1850. Der Rezensent bezog sich hier nicht auf den Achenbach in der Düsseldorf Gallery, sondern auf eine ähnlich geartete Sturmszene an der Küste Siziliens, *Ein Sturm auf der Höhe der Zyklopischen Felsen*, das Charles M. Parker im Jahr zuvor den Ausstellungen der Art-Union als Leihgabe zur Verfügung gestellt hatte. Zuvor hatte Parker dieses Werk Anfang 1849 in den Galerien der Philadelphia Art-Union zur Schau gestellt. Siehe: »Philadelphia Art-Union«, in: International Art-Union Journal 1, März 1849, S. 15. – Es scheint, als habe John Wolfe irgendwann nach 1858 Achenbachs sizilianische Sturmszene in der Düsseldorf Gallery erworben: sie war jedenfalls bei den Listen der zu versteigernden Bilder bei der endgültigen Auktion der Galerie im Jahre 1862.

75 Auch Brucia Witthoft stellt fest, daß die amerikanischen Genremaler in Düsseldorf dazu neigten, »recht heitere Anekdoten aus dem Alltagsleben« wiederzugeben, die ihre »Gleichgültigkeit gegenüber der europäischen Politik« reflektierten, während sie ihr Schaffen nach dem »Kunstmarkt in Amerika orientierten, der optimistische und sentimentale Darstellungen bevorzugte«. Brucia Witthoft, »American Artists in Düsseldorf«, in: Danford Museum, »American Artists in Düsseldorf: 1840–1865,« Framingham, 1982, S. 10.

76 »The Düsseldorf Gallery«, in: New York Morning Courier & Enquirer, *op. cit.*, S. 2.

77 Henry James, »A Small Boy and Others«, New York 1913, S. 59–60.

DAWN M. LEACH

Die »Düsseldorf Gallery«

»Aktivitäten in Deutschland«

Die »Düsseldorf Gallery«, wie sie von den New Yorkern bald genannt werden sollte, wurde am 18. April 1849 eröffnet.[1] Ein Auszug aus dem ›Statut des Kunstvereins für die Rheinlande und Westphalen‹ führt die Einträge des ersten Katalogs an, wohl ein Zeichen dafür, daß John Boker als Vertreter des Kunstvereins in New York fungierte. Aus dem Mitgliederverzeichnis der folgenden zwei Jahre geht hervor, daß er es verstand, zahlreiche amerikanische Mitglieder anzuwerben.[2] Die im Katalog von 1850 abgedruckten Presse-Rezensionen sind glänzend, doch der kleine Seitenhieb, der in der Wendung: ›In einer entlegenen Stadt in Deutschland …‹ aufscheint, verweist bereits auf den Ton, der in der Einführung des Katalogs von 1857 mit dem Titel: »Historischer Abriß der Düsseldorfer Malerschule« angeschlagen werden sollte. Weil diese Einleitung die Richtlinien der Schule offenbart und wohl auch das Klima des Wohlwollens, in dem sich die »Düsseldorf Gallery« sonnte – das sich später freilich wandeln sollte –, schließe ich hier ein längeres Zitat ein:

»Es ist eigentlich recht seltsam, daß Düsseldorf, die Hauptstadt des unmaßgeblichen Herzogtums Berg in der preußischen Rheinprovinz – eine Stadt von geringer Bedeutung, durch keine historischen Bezüge ausgezeichnet, auf den eintönigen Niederungen des Rheins gelegen, weit unterhalb der Region, wo sich dessen Großartigkeit und Zauber entfalten, die sich keiner Paläste, Kirchen, Theater oder Ruinen, jener großen Reichtümer der europäischen Städte, rühmen kann – es ist einigermaßen seltsam, daß Düsseldorf nichtsdestoweniger zum Sitz einer Malerschule wurde, vielleicht der hervorragendsten auf dem Kontinent, die dazu beigetragen hat, den wichtigsten Bewegungen in der Geschichte der modernen Kunst Stabilität und Kraft zu verleihen. Wahr ist freilich, daß eine berühmte Gemäldesammlung einst die Wände des kurfürstlichen Palastes schmückte, doch dieser Palast wurde 1794 von den Franzosen zerstört, und die Bilder wurden nach München gebracht. Düsseldorf scheint einige kongeniale Einflüsse eingefangen

zu haben, die dem gewöhnlichen Blick verborgen bleiben und die für die offensichtlichen Mängel des Ortes entschädigen. Vielleicht fühlten sich die Künstler, die sich an einem so unromantischen Ort zusammengefunden haben, gerade durch die natürliche Kargheit der Umgebung zu einem noch stärkeren Streben nach der idealen Schönheit gedrängt.«[3]

Die Sammlung der »Düsseldorf Gallery« gilt als identisch mit der Gemälde-Kollektion John Bokers (eigentlich Johann Gottfried Böker, der laut dem ehemaligen Leiter des Remscheider Archivs, Dr. Walter Lorenz, 1795 in Vieringhausen geboren wurde[4] – die Inschrift auf seinem Grabstein besagt 1794[5] – und der 1860 in New York starb). Es ist oft berichtet worden, Boker habe die Gemäldesammlung Kraus erworben, was auch Dr. Jacob Heinrich Schmidt in der Festschrift zum hundertjährigen Bestehen des Künstlerbundes im Jahre 1948 behauptet,[6] und habe einen deutsch-amerikanischen Kunstverein gegründet. Doch sind keinerlei Belege über einen solchen Verkauf auf uns gekommen. Die früheste uns vorliegende Erwähnung der Sammlung ist in der Niederschrift eines Düsseldorfer Ratsprotokolls vom 12. Juni 1849 enthalten.[7] Darin heißt es, Böcker (sic) habe zu Neujork (sic) eine öffentliche Gemäldeausstellung gegen Eintrittsgeld veranstaltet und dazu seine eigenen wie auch die Gemälde des Vergolders Kraus und einiger hiesiger Maler verwendet. Böcker mache nun aufmerksam, daß diese Gemälde zur Anerkennung der Kunstleistungen der hiesigen Akademie wesentlich beitrügen und daß er eine beträchtliche Anzahl neuer Aktionäre für den hiesigen Kunstverein gewonnen habe. 1929 schreibt Kurt Karl Eberlein in der Festschrift anläßlich des hundertjährigen Bestehens des Kunstvereins für die Rheinlande und Westphalen, daß Boker 10% der amerikanischen Mitgliedsbeiträge erbeten hätte, um etliche gute Bilder in Düsseldorf zu kaufen und sie in New York zu verkaufen. Was die Eigentumsrechte an den Bildern in der »Düsseldorf Gallery« betrifft, so hält sich die Formulierung Eberleins so eng an die des Protokolls und drückt sich so ambivalent um Angaben über die Eigentümerschaft der Kraus-Sammlung herum, daß angesichts der fehlenden Dokumentation ihrer vormaligen Existenz und des Mangels an Verkaufsbelegen zumindest Anlaß zu Spekulationen über die Besitzverhältnisse gegeben sein dürfte.[8]

In Anbetracht der gleichzeitigen Ereignisse in Deutschland läßt sich die Eröffnung der »Düsseldorf Gallery« vielleicht auch als ein Versuch John Bokers verstehen, die Düsseldorfer Künstler zu fördern und ihnen zu helfen, kannte er doch zahlreiche Maler persönlich – vermutlich war er ihnen entweder im Salon Wilhelm von Schadows begegnet oder er hatte sie in ihren Ateliers besucht.[9] Bokers Position als amerikanischer Konsul für die königliche Rheinprovinz (seit 1822) und später als Generalkonsul (ab 1829) sowie seine Geschäftsinteressen in Amerika (New York) und Deutschland (Remscheid, später Elberfeld, nach einigen Jahren Basel und schließlich Düsseldorf)[10] versetzten ihn natürlich in eine gute Ausgangsposition zur Durchführung dieser Unternehmungen. Adolf Schroedter, der mit zwei Gemälden in der »Düsseldorf Gallery« vertreten war, hatte 1848 erwogen, Deutschland im Falle eines allumfassenden Krieges zu verlassen.[11] In einem Brief an seinen Malerfreund Wilhelm Nerenz (1804–1871) vom 14. Juni 1848 schreibt er zum ersten Mal von seinen Gedanken in dieser Richtung. In diesem Brief berichtet er auch, Konsul Boker getroffen zu haben, den Nerenz offensichtlich ebenfalls kannte, wobei er meinte, er lege den Meinungen dieses strengen, ernsten Mannes großes Gewicht bei, da er (Boker) nicht zu leichtfertig-optimistischen Ideen und Versprechungen neige.[12]

Die Eröffnung der »Düsseldorf Gallery« fiel mit Ereignissen ganz anderer Art in Düsseldorf zusammen. Die wachsenden Spannungen zwischen liberalen Demokraten und Regierungstruppen erreichten am 9. Mai 1849 ihren Höhepunkt. Den Straßenkämpfen in Düsseldorf fielen vierzehn Menschenleben zum Opfer, darunter auch ein junger Maler.[13] Daraufhin wurde über die Stadt, wie schon im Jahre 1848, als nur ein Toter zu beklagen war, erneut der Belagerungszustand verhängt. Viele der Anführer wurden verhaftet und unter Anklage gestellt, während andere rechtzeitig fliehen konnten – einige nach Amerika.[14] Aus einem Brief des Malers Karl Friedrich Lessing (1808–1880) vom 26. Juni 1848, der mit vier Gemälden in der »Düsseldorf Gallery« vertreten war, geht hervor, daß der Künstler die Nationalversammlung in der Frankfurter Paulskirche aufgesucht hatte – wahrscheinlich, um die Forderungen der Düsseldorfer Künstler nach einer Deutschen Nationalgalerie zu unterstützen[15] – und daß er zuversichtlich erwartete, es würde trotz der »Pariser Propaganda« und der Aktivitäten der extremen Linken etwas Gutes entstehen, denn er, Lessing, sei von den hervorragenden Charaktereigenschaften der Volksvertreter beeindruckt.[16] Angesichts dieses Optimismus kann der Eindruck von Friedrich Wilhelms IV. Ablehnung der von der Nationalversammlung vorgeschlagenen neuen Reichsverfassung (die im April bekanntgegeben wurde) nicht überraschen.

Nirgends in Deutschland war das Engagement der Künstler so stark wie in Düsseldorf, nirgends ertönte der Ruf nach Freiheit und Einheit lauter. Im März 1848 wurde die Düsseldorfer Bürgerwehr gegründet, die ursprünglich 1000 Mann umfaßte (am Ende des Jahres waren es 2500); unter ihren sechsundsechzig gewählten Offizieren befanden sich elf Maler. Von diesen elf waren vier mit Gemälden in der »Düsseldorf Gallery« vertreten. Es waren die Maler Carl W. Hübner (1814–1879) mit sieben Gemälden, Johann P. Hasenclever (1810–1853) mit sieben, Karl F. Lessing (1808–1880) mit vier Bildern und Lorenz Clasen (1812–1899) mit einem Werk. Jeder dieser vier Männer legte auf seine eigene Weise beispielhaft die Problematik der Lage dar.

Insbesondere Hübners »Tendenzgemälde« *Die schlesischen Weber*, 1844, Düsseldorf, Kunstmuseum (siehe Abb. 5, S. 49), verweist auf das soziale Unrecht und das finanzielle Elend, denen sich die Arbeiterklasse ausgesetzt sah (in Düsseldorf herrschte von 1846 bis 1847 eine Arbeitslosigkeit von 50%), eine Situation, die sich im Zuge des Umbruchs von einem feudalen zu einem kapitalistischen System ergeben hatte. Nach der Formulierung des Armenarztes Dr. Bücheler waren es die Auswirkungen von Spekulation und Profitgier, verbunden mit einer mangelnden Interessenvertretung und einem fehlenden Rechtsschutz für die Handwerker und Arbeiter, die für deren verzweifelte Lage verantwortlich waren.[17] Für den Maler von Staffeleibildern, der auf Leinwand arbeitete und weltliche Bildgegenstände behandelte, sollte sich mit Hilfe der Kunstvereine, die ihm eine Basis der materiellen Existenz schufen, die finanzielle Situation ein wenig zum Besseren wenden.[18] Doch war diese Entwicklung zum größten Teil erst noch im Kommen. So ist etwa die Gründung der Gesellschaft »Verein Düsseldorfer Künstler zu gegenseitiger Unterstützung und Hilfe« im Mai 1844 (mit Carl Hübner im Vorstand) als Hinweis auf die Notlage der Künstler in dieser Periode zu sehen. Theodor Hildebrandt

(1804–1874), der fünf Gemälde in der »Düsseldorf Gallery« hatte, schreibt am 29. Januar 1846 an den Historienmaler Julius Hübner (einen ehemaligen Studenten der Düsseldorfer Akademie, Professor der Dresdner Akademie und späteren – 1871–1882 – Direktor der Dresdner Galerie), daß er glücklich sei, eine Anzahl von Portraitaufträgen zu haben, da jedermann über den Mangel an Einkommen seufze.[19] Aus

Abb. 1 Johann Peter Hasenclever, Arbeiter vor dem Magistrat, 1849/50, Öl auf Leinwand, 155×225 cm, Kunstmuseum im Ehrenhof, Düsseldorf

den Briefen Wilhelm von Schadows (des ehemaligen Lehrers von Julius Hübner und von 1826 bis 1859 Direktors der Düsseldorfer Akademie) vom 4. Juni und 25. August 1848 über Julius Hübner geht hervor, daß die Situation der Künstler sich verschlimmert hatte: »Selbst die Besseren und die Besten haben nichts, absolut nichts zu tun.«[20] Schadow erwähnt auch die Bemühungen des Kunstvereins und des Künstler-Unterstützungsvereins, die sehr schwierige finanzielle Lage der Düsseldorfer Künstler lindern zu helfen. Als Hinweis auf diese Verhältnisse kann man wohl die Annonce vom 5. November 1848 in der *Düsseldorfer Zeitung* auslegen, daß in der Wohnung des Malers Herrn Köhler Möbel gegen Barzahlung abgeholt werden könnten (wahrscheinlich Christian Köhler, von dem drei Gemälde in der »Düsseldorf Gallery« hingen).

Carl Hübners Gemälde wanderte in viele Städte und wurde gegen eine geringe Gebühr öffentlich zur Schau gestellt, was zu jener Zeit nicht ungewöhnlich war.[21] Die sozialkritische Tendenz und die sozialisti-

schen Sympathien des Bildes lagen unmißverständlich zutage, und seine Präsentation in den verschiedenen Kunstvereinen war für viele liberal gesinnte Bürger ein Grund, sich bei derlei Anlässen zu versammeln. Vielen Kritikern war jedoch eine solche »Tendenzmalerei« ein Dorn im Auge und ihre Beurteilung fiel entsprechend negativ aus. Die ungeheure Wirkung des Gemäldes auf die Betrachter ist in vielen Pressekommentaren festgehalten worden. So wurde etwa berichtet, daß ein nach dem Gemälde bei einer Wohltätigkeitsveranstaltung in Düsseldorf gestelltes lebendes Bild eine große Spendenflut auslöste. Als das Gemälde 1844 in der Großen Kunstausstellung der Berliner Akademie der Schönen Künste gezeigt wurde, waren viele Besucher so erschüttert, daß sie bedeutende Aufträge an Leinwand bei den schlesischen Webern tätigten. Das Bild war eines von vielen, die nach Amerika geschickt werden sollten,[22] und muß in New York angekommen sein, als der Katalog für das Jahr 1849 schon gedruckt war; dieser war der erste von drei Katalogen, die 1850 auf den Markt kamen.[23]

Hasenclevers Gemälde *Arbeiter vor dem Magistrat* (1849/50, Kunstmuseum Düsseldorf, Abb. 1) ist, wenngleich es sich nicht unter seinen Bildern in der »Düsseldorf Gallery« befand, ein weiteres bedeutendes Beispiel für die Aktivitäten der Düsseldorfer Maler. Dieses Gemälde liefert eine glaubhafte, wenn nicht sogar topographisch genaue Wiedergabe eines Ereignisses, das am 9. Oktober 1848 wirklich stattgefunden hat. Etwa sechshundert arbeitslose Arbeiter waren mit Aufbauarbeiten auf der Golzheimer Insel beschäftigt, die von der Stadt Düsseldorf finanziert wurden. Anfang Oktober waren die Mittel erschöpft und sie wurden entlassen – ein Winter der Arbeitslosigkeit lag vor ihnen. Dies wurde bei der zweiten Sitzung des »Volksklubs« (Verein mit sozialistischen Tendenzen) am 8. Oktober diskutiert und führte zu einer großen, vom Volksklub organisierten Demonstration. Am Tag darauf zog eine Delegation von Arbeitern vor das Düsseldorfer Rathaus und drang in den Sitzungssaal ein, um dem Gemeinderat eine Bittschrift zu überreichen. Doch da diese Initiative ohne Erfolg blieb, der Bitte um Weiterbeschäftigung nicht entsprochen wurde, diente sie lediglich dazu, das gespannte Verhältnis zu verschärfen. Offensichtlich ließ sich dieses Ereignis und seine Darstellung durch Hasenclever als eine Schilderung des erwachenden politischen Bewußtseins der Arbeiter auslegen. Als solche wurde das Bild nicht nur bei seiner Wanderung durch Deutschland empfunden, sondern auch in London, wo Karl Marx und Friedrich Engels es gesehen haben sollen; ja, es wird sogar berichtet, Engels sei maßgeblich daran beteiligt gewesen, daß das Bild auch in Manchester gezeigt wurde.[24] Schließlich konnte man es in New York besichtigen, wo es bis 1976 blieb. Die Tatsache, daß Hasenclever größere Berühmtheit durch seine Gemälde mit literarischen Themen und das humorvoll-realistische Genrebild genießt – vor allen Dingen die zahlreichen Fassungen der Jobsiade –, sollte unsere Wertschätzung für die schneidende Satire, die vollendete Portraitkunst und die Stilleben, die sich in seinem Schaffen finden, keinesfalls schmälern.

Hingegen kann Lessings historisches Gemälde *Das Martyrium des Jan Hus* (1850, Nationalgalerie Berlin, im 2. Weltkrieg zerstört) mit seinem Thema der religiösen Verfolgung durchaus als eine Anspielung auf die zwischen der protestantischen preußischen Monarchie und dem katholischen Rheinland bestehenden Probleme gesehen werden. Die Lage spitzte sich mit dem »Kölner Kirchenstreit« im Jahr 1836 zu, der darin gipfelte, daß der Erzbischof von Köln, Clemens August Freiherr von Droste-Vischering, der mit Nachdruck die Rechte der katholischen Kirche gegenüber dem preußischen Staat vertrat, zu einer temporären Festungshaft verurteilt wurde, weil er sich dem Befehl der Regierung widersetzte, daß in gemischten Ehen die Kinder in der Konfession ihres Vaters erzogen werden sollten. Das widersprach der katholischen Praxis, die bei sogenannten Mischehen von dem betreffenden Paar das Versprechen verlangte, die Kinder im katholischen Glauben zu erziehen. Erst dann wurde der kirchliche Segen erteilt. In Düsseldorf führte die redegewaltige Polemik des Gemeindepfarrers Dr. Anton Joseph Binterim zu seiner Überwachung und schließlich ebenfalls zu seiner Inhaftierung in einer Festung. Doch wird andererseits auch häufig und wahrscheinlich glaubwürdig berichtet, daß sich die Rheinländer untereinander allen Konfessionen gegenüber sehr tolerant verhielten. Der Beifall, mit dem Lessings vorhergehendes Hussiten-Gemälde aufgenommen wurde, mag Konsul John Boker veranlaßt haben, sich das jetzige Gemälde vertraglich zu sichern. Darüber hinaus war es für einen Sammler nichts Ungewöhnliches, die Replik eines Gemäldes zu bestellen, das beim breiten Publikum Anklang gefunden hatte. Unüblich war jedoch die Bedingung, daß das Gemälde nirgendwo als in Düsseldorf und auch dort nur für kurze Zeit gezeigt werden dürfe. Eine Anzeige in der *Düsseldorfer Zeitung* (am 28., 29. Juni und 3. Juli 1850) kündigt an, das große

Gemälde würde vom 27. Juni bis 6. Juli (in Wirklichkeit war der vierte Juli der letzte Besichtigungstag) in den Räumen der Galerie (im alten Galeriegebäude) gezeigt; die Eintrittsgebühr würde zugunsten des Künstler-Unterstützungsvereins erhoben. Wie in den Katalogen der »Düsseldorf Gallery« zu lesen ist, hatte ein Berichterstatter der *Augsburger Gazette* das Bild sogar gepriesen, es hätte als »eines der wenigen seit den Tagen Michelangelos und Tizians so viel Aufmerksamkeit auf sich gezogen«. Das Gemälde würde »bald eintreffen«, hieß es in den vorausgehenden Katalogen, auch habe Boker Glück gehabt, das Gemälde zu erhalten, da Lessing in der kurzen Zeit seiner Ausstellung größere Summen für das Bild geboten wurden, während die Menschen von fern und nah herbeiströmten und vor der Akademie Schlange standen, um das Werk zu sehen.

Das vierte Mitglied der demokratischen Bürgerwehr Düsseldorfs, Lorenz Clasen, hatte in der »Düsseldorf Gallery« ein konventionelleres Bild hängen, *Italienische Landschaft*, das eher dem Zeitgeschmack huldigte, statt dazu beizutragen, diesen Verfechter der liberalen demokratischen Ideen zu repräsentieren, der zum erfolgreichen Redakteur der satirischen *Düsseldorfer Monatshefte* wurde. Diese Publikation, hervorgegangen aus dem Gemeinschaftssinn der Düsseldorfer Künstlerschaft, erschien mit satirischen Beiträgen früherer Studienkollegen aus der Düsseldorfer Akademie, die Holzschnitte und Lithographien über soziale, politische und kulturelle Tagesereignisse lieferten. Während der kurzen Zeitspanne seiner Existenz war das Blatt einflußreich. Doch Lorenz Clasen betätigte sich auch als Kunstkritiker für die *Düsseldorfer Zeitung* und später für das Cottasche *Kunstblatt* des *Morgenblatts für gebildete Stände*. Seine Kritiken der Düsseldorfer Künstler und einiger ihrer Werke zeichneten sich durch äußerste Sachlichkeit und Kenntnisreichtum aus und trugen wesentlich dazu bei, die Düsseldorfer Kunst über die Stadt hinaus bekannt zu machen.[25]

Der in Deutschland geborene amerikanische Staatsbürger Emanuel Leutze (1816–1868), der mit zwei Historienbildern in der »Düsseldorf Gallery« vertreten war, nimmt in diesem Zusammenhang wohl eine Sonderstellung ein: Seine Aktivitäten in Düsseldorf sind freilich bezeichnend für das in jener Periode durch die politischen Ereignisse geschärfte Bewußtsein und die Beteiligung der Künstler an den freiheitlichen Entwicklungen. Wie es bei vielen der ausländischen Künstler der Fall war, die eine Ausbildung an der Düsseldorfer Akademie suchten, hatte ihn deren

Ruf einer fortschrittlichen Malerschule in die Akademiestadt am Rhein gezogen. Er fand dort eine Gemeinschaft von Malern vor, deren Gewohnheit gemeinschaftlichen Arbeitens so weit ging, daß sie gegenseitig an ihren Gemälden mitwirkten. So wissen wir zum Beispiel aus den Lebenserinnerungen von Worthington Whittredge,[26] daß Leutze für die Effekte, die er sich im Bereich des Hintergrunds für den weiten Himmel in seinem berühmten Gemälde *Washington überquert den Delaware* (*Washington Crossing the Delaware*, Kat. Nr. 46) wünschte, die Hilfe von Andreas Achenbach (1815–1910) und Worthington Whittredge (1820–1910) in Anspruch nahm, um diesen gesamten Bereich in Naß-in-naß-Technik zu vollenden. In vielen Einträgen der Kataloge der »Düsseldorf Gallery« ist zu lesen, daß neben dem Schöpfer des Bildes ein anderer Maler der Akademie bestimmte Partien des jeweiligen Gemäldes schuf (so wird etwa mehr als einmal Lessing als Maler des landschaftlichen Hintergrundes genannt). Anläßlich seiner Präsentation in der großen Berliner Kunstausstellung bekam Leutze für das erwähnte Gemälde 1852 vom preußischen König die große goldene Medaille für Kunst verliehen.[27] Leutze nahm auch begeistert an den berühmten Künstlerfesten und Banketten teil, die die Düsseldorfer Künstler so prächtig gestalteten.[28] Eine dieser Veranstaltungen war besonders bedeutsam für die nachfolgenden Geschehnisse: es war das Einheitsfest, das am 6. August 1848 vom demokratischen Verein unter starker Anteilnahme der Künstlerschaft veranstaltet wurde (Abb. 2). Die Düsseldorfer Künstler hatten sich vorgenommen, das Ereignis nicht nur mit Gepränge zu versehen, sondern auch mit einer riesigen provisorischen Statue als Sinnbild der *Germania* von der Hand des Malers Christian Köhler – dessen allegorisches Gemälde mit dem Thema der erwachenden Germania in New York beifällig aufgenommen wurde, wenngleich man einräumte, daß allegorische Gemälde allgemein an Beliebtheit eingebüßt hätten. Der unter den Künstlern bestehende Gemeinschaftssinn wurde auf die Volksgemeinschaft im allgemeinen übertragen und die Statue genoß in der Stadt geradezu sprichwörtlichen Ruhm (wenn auch ein Benefizkonzert der Künstler-Liedertafel und eine Subskriptionsliste für Porzellan-Repliken der Statue mit dem Zweck, eine permanente Fassung zu verwirklichen, nicht den gewünschten Erfolg hatten).[29]

Von diesem Ereignis ging die Anregung für die Gründung der Künstlervereinigung »Malkasten« aus, zu dessen wichtigsten Gründungsmitgliedern Leutze

zählte.[30] Er nahm mit Sicherheit eine führende Stellung als bewunderte Leitfigur nicht nur unter den amerikanischen, sondern auch unter vielen Düsseldorfer Malern ein, deren Werke ebenfalls in Amerika zu sehen waren.[31] So war es zum Beispiel Leutze, der das Interesse des Malers Wilhelm Camphausen auf Themen aus der englischen Geschichte lenkte (vier dieser Gemälde befanden sich in der »Düsseldorf Gallery«). Und er war Mitglied des Künstlervereins »Crignac«, der bis 1847 existierte und als Vorläufer des »Malkastens« gilt.

Schon 1847 zitierte Henry Tuckerman, der für die Zeitschrift *Artist-Life* die Artikelserie *Sketches of American Painters* (*Skizzen über amerikanische Maler*) schrieb, Leutze mit der folgenden Aussage: »Für Anfänger in der Kunst ist Düsseldorf wahrscheinlich eine der besten Schulen, die es gibt, und eine solche, die eine ungewöhnliche Zahl von ausgezeichneten Künstlern hervorgebracht hat.«[32] Offensichtlich trug die »Düsseldorf Gallery« wesentlich dazu bei, die Amerikaner mit der Düsseldorfer Malerschule bekannt zu machen.[33]

Die freundschaftlichen Verbindungen unter den Malern in Düsseldorf entwickelten sich in engster Verbindung mit der Akademie als ihrem Dreh- und Angelpunkt.[34] Die Meisterateliers der fortgeschrittenen Studierenden taten das ihre, den Zusammenhalt über die Studienzeit hinaus auszudehnen, weil sie dazu beitrugen, Absolventen mit hervorragenden Fähigkeiten auch weiterhin an die Akademie zu binden. Daneben lebte eine ganze Reihe von ihnen in engen Wohn- und Arbeitsgemeinschaften. Lessing zum Beispiel lebte und arbeitete in den dreißiger Jahren mit Adolf Schroedter in einer »Werkstattgemeinschaft«. In dem Akademiegebäude war aber nicht nur die Schule untergebracht, sondern auch der Kunstverein (erst ab 1850 gab es in Düsseldorf eine unabhängige Galerie: die permanente Kunst-Ausstellung der Düsseldorfer Künstler von Eduard Schulte); auch Eduard Steinbrück (1802–1882) und Karl F. Lessing hatte man dort ihre Ateliers eingeräumt. Sie waren übrigens niemals als Professoren an der Akademie tätig, hatten jedoch viele Studenten sehr stark beeinflußt, unter ihnen auch Emanuel Leutze.

Unter dem Begriff der »Düsseldorfer Schule« ist daher nicht nur der sichtbare Ausdruck der schulmäßigen Lehre einiger Akademie-Professoren zu verstehen – obwohl im Falle der Gallery-Gemälde (mit Ausnahme von Simon Meister) alle zwischen 1849 und 1857 in der »Düsseldorf Gallery« vertretenen Künstler tatsächlich an der Düsseldorfer Akademie

studiert hatten –, sondern er umfaßt vielmehr eine gemeinschaftliche Gestimmtheit aller Künstlerpersönlichkeiten, die sich in der Stadt zusammenfanden, sowie die liberale Haltung der Professoren der Akademie gegenüber anderen »Malerschulen«.[35] Wenn man
bedenkt, daß Düsseldorf zur damaligen Zeit eine
Stadt mit etwa 30 000 Einwohnern war,[36] daß sich
1838 laut Raczynski 360–400 Studenten in der Akademie eingeschrieben hatten (Weidenhaupt, *op. cit.*,
S. 400, berichtet, daß im Jahre 1836 die Akademie
258 Studenten aufwies) und daß namhafte ehemalige
Studierende wie etwa Karl Friedrich Lessing und
Andreas Achenbach Ateliers in der Akademie besaßen, kann man sich vorstellen, wie rasch die künstlerisch Interessierten sich zusammenfanden und eine
Einheit bildeten. Dieses enge Zusammenleben brachte jedoch auch einen ernsthaften Wettstreit zwischen

Künstlern unterschiedlicher Ausrichtung hervor. Das
traf besonders auf jene zu, deren Schaffen die hohen
spirituellen Ideale der Nazarener nicht erfüllte, denen
sich der Direktor der Düsseldorfer Akademie, Wilhelm von Schadow, verschrieben hatte. Doch in dem
Maße wie sein Einfluß auf die Künstlerschaft Schritt
für Schritt abnahm, sich eine Reihe von unabhängigen freischaffenden Malern in Düsseldorf niederließ
und eine jüngere Generation von Studenten, die weniger zu den religiös und literarisch inspirierten historischen Stoffen neigten, die Akademie bezog, sollte die
Landschafts- und Genremalerei stärker hervortreten.
Die offensichtlich bessere Verkäuflichkeit solcher
Themen und die Tatsache, daß sie Schadows Streben
nach genauer Wirklichkeitsbeobachtung und Treue
zum gegenständlichen Detail entgegenkamen, könnte
ihn dazu veranlaßt haben, diese Entwicklung still-

schweigend nicht nur zu dulden, sondern sogar zu fördern. Dessenungeachtet sollte Schadow in einem am 17. Dezember 1840 an Julius Hübner gerichteten Brief Lessings Hus-Gemälde negativ bewerten und sich in einem Brief vom 4. Juli 1841 über das Absinken der Düsseldorfer Kunst ins Genrehafte beklagen, was er zu einem großen Teil Lessings schlechtem Einfluß zuschrieb.[37] Johann Wilhelm Schirmer (1807–1863), der mit zwei Landschaften in der »Düsseldorf Gallery« vertreten war, schrieb dem Maler und Dichter Robert Reinick in Rom im selben Jahr (Brief vom 22. März 1841, Düsseldorf) und beklagte sich über den Mangel an Freiheit, etwas Neues in die Welt zu setzen, während Lessing 1842 (4. Dezember, Düsseldorf, über Hübner) auf die alles beherrschende Partei anspielt und darauf, daß sein Bild *Johannes Hus im Dominikanerkloster zu Konstanz* als Beleidigung angesehen wurde.[38] Adolf Schroedter, von dem zwei Gemälde in der »Düsseldorf Gallery« hingen, schrieb später (1848) an Robert Reinick, er selbst sei froh, nicht mehr in Düsseldorf zu sein, »weil dort noch immer aus demselben ehrwürdigen Topf die Anschauungsweisen und auch die Farben geholt werden«.[39] In den Unruhen von 1848 wurde die Idee geboren, eine konkurrierende »Rheinisch-Westphälische (Academie)« zu gründen, die bei etlichen in der »Düsseldorf Gallery« vertretenen Künstlern Unterstützung fand, etwa bei L. Clasen, Hasenclever, Hübner, Leutze und Schroedter. In der *Düsseldorfer Zeitung* vom 2. August und 5. September wurden die Generalversammlungen angekündigt, in denen die Statuten niedergelegt werden sollten. Es ist klar, daß dieses Unterfangen von der preußischen Regierung kaum gebilligt werden konnte. Das »süßliche Genre« und die »blassen Farben« der »alten historischen Richtung« galten um 1850 als vollständig überwunden und die »in Lessings und Leutzes Malerei gezeigten Tugenden gehörten der künstlerischen Zukunft an« (*Düsseldorfer Zeitung* vom 21. September 1850 – der Artikel wurde wahrscheinlich von L. Clasen verfaßt).

Es ist sicherlich lehrreich, einen Blick in Raczynskis wichtiges Werk über die Geschichte der neuen deutschen Kunst zu werfen (3 Bände, 1836–41 in französischer Sprache erschienen und ins Deutsche übersetzt von Friedrich Heinrich von der Hagen), nicht nur weil dieses Werk in seiner Zeit einzigartig und einflußreich war (es wird in den Kritiken zitiert, die als Wiederabdruck in den Katalogen der »Düsseldorf Gallery« erschienen), sondern auch, weil Raczynskis Sammlung eine außergewöhnlich schöne Kollektion

zeitgenössischer Malerei darstellt – wenngleich weniger umfangreich als die von Konsul Wagener und Ludwig II. – und er die Sache der Düsseldorfer Malerschule verficht. So vergleicht er zum Beispiel Lessings Gemälde *Die Verurteilung des Jan Hus* mit Raffaels *Schule von Athen*. Es ist auch typisch für diese Periode, daß er Lessing mehr als Historien- denn als Landschaftsmaler ansieht (wenngleich Raczynski seine Meisterschaft als Landschafter erwähnt), aus dem einfachen Grund, weil die Historienmalerei als die vornehmere Art gilt, nach dem Ideal zu streben, und an der Spitze der künstlerischen Rangordnung steht. Während er die Düsseldorfer Schule stark hervorhebt, weist er nichtsdestoweniger darauf hin, daß die Entwicklung vom idealen und monumentalen Stil der Nazarener wegführt, wie ihn Cornelius beispielhaft verkörpert, hin zu einem abschätzig »materialistisch«[40] genannten Stil, so daß die Genremalerei wie sie in Düsseldorf praktiziert wurde, als abgewandeltes »historisches Genre«, einen Platz innerhalb seiner Hierarchie fand. Interessant ist auch die Feststellung, daß Raczynski alle revolutionären Tendenzen ablehnte, was Boker offensichtlich nicht tat, und daß seine Vorliebe für die frühere romantische Periode ihn veranlaßte, Repliken besonders charakteristischer Werke in Auftrag zu geben, wie dies auch Boker zu tun pflegte – mit dem wichtigen Unterschied, daß Boker offensichtlich Exponenten der neuen auf das Genre abzielenden Richtung und insbesondere der Landschaftsmalerei unterstützte. Ob die Tatsache, daß in der »Düsseldorf Gallery« keine Maler aus dem ansonsten wohlwollend rezipierten Schadow-Kreis vertreten sind, Bokers und Schadows unterschiedliche Auffassungen in künstlerischen und politischen Dingen reflektiert – Schadow war »Ostländer« und Monarchist, Boker Rheinländer und Demokrat – ist natürlich pure Spekulation.

In einer Rezension von 1830 im *Kunstblatt* (19. Oktober, S. 330) der Zeitung *Morgenblatt für gebildete Stände* wurden die Nachteile der Akademie, der es an einer Galerie Alter Meister mangelte, als Tugenden angeführt, »weil die Maler von der Natur ausgehen müssen«, und man folgerte: »Als charakteristische Note aller Düsseldorfer Gemälde zeigt sich infolgedessen, daß die Maler sie aus tiefster Seele und aus Lust und Liebe geschaffen haben und nicht als Erinnerungen an gesehene Kunst.« Bei der Beurteilung individueller Werke der Düsseldorfer Maler, die in der Großen Berliner Kunstausstellung desselben Jahres gezeigt wurden, rief Lessings *Das trauernde Königspaar* mit seinem kühleren Kolorit den Kommentar hervor, daß es »mehr dem Bereich der poetischen als der bildenden Kunst« anzugehören scheine. Dagegen hieß es über Carl Ferdinand Sohn, er habe in seinem *Hylas und die Nymphen*, 1830, eine poetische Idee und ideale Reinheit der Form gezeigt (was sinnliche, jedoch keine zügellose Nacktheit bedeutete), verbunden mit einem starken und glänzenden Kolorit. Sohn war übrigens in der »Düsseldorf Gallery« mit dem Gemälde *Diana und ihre Nymphen* aus dem Jahr 1834 vertreten (siehe Abbildung in *Gems of the Düsseldorf Gallery*, New York, 1863).[41] Daneben wird auch angemerkt, daß die Düsseldorfer Künstler vor allen anderen ähnlichen Veranstaltungen der Großen Kunstausstellung in Berlin den Vorzug gäben, um ihre Werke einer breiteren Öffentlichkeit vorzustellen. Wie aus der Korrespondenz zwischen Düsseldorf und dem Ministerium in Berlin hervorgeht, konnte diese Absicht durch die ihnen speziell eingeräumten Transportbedingungen und durch den enormen Erfolg, den ihre ersten Einsendungen ernteten, erfolgreich verwirklicht werden.[42]

Im selben Jahr veröffentlichte E. Forster einen wichtigen Artikel über den Unterschied zwischen der Genre- und der Historienmalerei.[43] Wenn wir einmal seine kunstgeschichtlichen Ausführungen beiseite lassen, so ist vor allem festzuhalten, daß er von dem Argument ausgeht, die Schilderung des allgemeingültigen statt des spezifischen Ereignisses habe stets als Genremalerei gegolten. Er meint, die kritischen Argumente, die Stoff und Zeit des Genrebildes zugunsten des Historischen hintansetzen, ließen außer acht, daß zum Beispiel die Schlachtenmaler das Historische vor lauter Sorge um ihre Gruppierungen und Uniformen aus den Augen verlören, während andererseits das nach einem lebenden Modell geschaffene Genrebild den Regeln des Genres kaum zum Nachteil gereiche. Wohl aber seien die unkünstlerischen Motive wie etwa das Niesen, Gähnen, das Pferdebeschlagen und ähnliches allein wegen ihrer lebensechten Wiedergabe offensichtlich nicht zu billigen.

Nicht ohne einen gewissen Bezug zur künstlerischen Rangordnung der Malerei ist auch die laufende Debatte über die positiven und negativen Auswirkungen der Kunstvereine auf das Schaffen des Malers, wie sie in den Ausgaben des Kunstblatts von 1832 zum Ausdruck kommt. Offensichtlich fanden Genre- und Landschaftsgemälde beim privaten Käufer größeren Anklang, und man fürchtete daher, daß die repräsentative Öffentlichkeitskunst darunter leiden würde, wie auch die hohe Qualität im Wettlauf um Lotteriekunden und Gönner leiden könnte.

Der Einfluß von Karl Schnaase auf die Entwicklung der modernen Kunstwissenschaft dürfte bekannt sein, doch sein beträchtliches Einwirken auf die künstlerischen Kreise in Düsseldorf in seiner Rolle als Sekretär des Kunstvereins zwischen 1829 und 1848 ist es vielleicht weniger. Bei einem Vortrag anläßlich der vierten Kunstausstellung in Düsseldorf (1833) verteidigte er die Gepflogenheit, Gemälde zu wiederholen, der er großen pädagogischen Nutzen zuschrieb, zumal ein guter und erfindungsreicher Künstler naturgemäß nicht dazu neigen würde, sich selbst lediglich zu wiederholen. Selbst eine Gemeinschaftsarbeit an einem Gemälde, argumentierte er, könne nicht an sich als unannehmbar eingestuft werden.[44]

Besonders diese Neigung, gemeinschaftlich an einem Gemälde zu arbeiten, wird von dem Kritiker des Buches von Friedrich von Uechtritz, »Blicke in das Düsseldorfer Künstlerleben«, als tiefer Drang nach Teilhabe und Mitarbeit gewertet, als Zeichen also des unter den Künstlern waltenden Gemeinschaftsgeistes.[45] Von besonderem Interesse sind hier natürlich die »Komponiervereine« wie etwa der Verein »Crignac«.[46]

1844 konzentrieren sich die Rezensionen der Großen Kunstausstellung in Berlin nicht mehr auf die in einem Gemälde ausgedrückten Empfindungen, sondern auf seine Verkörperung der Wirklichkeit. Aufbauend auf den von E. Forster 1830 aufgeworfenen Fragen sucht der Kritiker der Großen Berliner Kunstausstellung von 1844 deutlich zu machen, daß man weder mittels eines idealistischen noch eines realistischen Ansatzes allein die Grenze zwischen den nicht klar definierten Territorien des Genre- und des Historienbildes ziehen könne. Für den Kritiker heben die Themen des Allgemein-Menschlichen und ihre poetische Gestaltung die Genremalerei weit über das Volkstümliche hinaus. Hinsichtlich ihrer Annäherung an die Wirklichkeit wird unterschieden zwischen den Düsseldorfer Malern, die vom Realen ausgehend zum Idealen gelangen, und den Dresdener Malern, die mit einer Idee beginnen und sich von dort ausgehend zum Realen hin orientieren.

Besonders die »Tendenzgemälde« mit ihrer zeitgenössischen Thematik werden in der Besprechung der Großen Berliner Kunstausstellung von 1848 wegen ihres Mangels an Verallgemeinerung kritisch beurteilt – beispielhaft festgemacht wird diese Einschätzung an Carl W. Hübners zweitem Gemälde dieses Typs. Die Naturtreue in den Details, so heißt es über *Die Auspfändung*, und auch die sorgfältig nach der Natur ausgeführte Figurenkomposition seien verdienstvoll, ebenso das Kolorit, was jedoch für das Individuelle und den Augenblick des Umschwungs in der geschilderten Situation nicht zuträfe.

In den von T. L. S. verfaßten »Berliner Briefen« im *Morgenblatt für gebildete Stände, Kunstblatt* (1848) wird der geniale Humorist Adolf Schroedter (1805–1875) – er hat zwei Gemälde in der »Düsseldorf Gallery« – als erster Genremaler aus der Düsseldorfer Schule hervorgehoben, dicht gefolgt von Rudolf Jordan (1810–1887), der mit einem Gemälde in der »Düsseldorf Gallery« vertreten ist. Sie werden hauptsächlich wegen ihrer unsentimentalen Bildthemen herausgestellt, die das Leben der Nordseeschiffer behandeln.

Der Realismus von Carl W. Hübners »Tendenzgemälden« gilt als der extremste, auch wird bemerkt, daß diese Malweise Gefahr liefe, Zielen zu dienen, die der Kunst fernstehen, wie das ja auch bei der konventionellen Anwendung des Symbolischen geschehe. Was Theodor F. Hildebrandt (1804–1874) betrifft – mit fünf Gemälden in der Gallery vertreten, von denen zwei das Thema Othello und Desdemona behandeln –, so ist die Identität des in Berlin gezeigten Bildes *Othello und Desdemona* mit dem in der »Düsseldorf Gallery« nicht gesichert. Interessanter erscheint uns hier der Kommentar, demzufolge das Gemälde als symptomatisch für die Stärken und Schwächen der Düsseldorfer Schule gelten könne. Kritisiert wird die theatralisch-posenhafte Gestik Othellos, während das psychologisch erfaßte Portrait Desdemonas als meisterhaft gelobt wird. Ebenso positiv wird Lessings Landschaft beurteilt, und zwar wegen ihres Realismus und der Kraft ihrer Farbgebung und Tonwerte. Und während normalerweise die romantische Stimmung als veraltet galt, hält sie der Kritiker dessenungeachtet für meisterhaft.

Zu den Malerinnen, deren Werke bei der Großen Berliner Kunstausstellung präsentiert wurden, gehörte Elisa Jerichau-Baumann (1819–1881) – bei ihr handelt es sich wahrscheinlich um die in der »Düsseldorf Gallery« mit zwei Gemälden vertretene Miss Baumann. Der Kritiker erinnert sich daran, ihr Schaffen bei der letzten Ausstellung rezensiert zu haben; seinerzeit hatten ihn die männliche Kühnheit und Kraft ihrer Hand verblüfft. Mit dem Gemälde in der jetzigen Ausstellung, fährt der Autor fort, sehen wir ihre Bestrebungen zu voller Meisterschaft gereift. Dem Kritiker zufolge sind diese meisterlichen Eigenschaften die Einheitlichkeit, Energie, Delikatesse und Lebendigkeit ihres Gemäldes *Campagnola mit ihrem Kinde*.

Abschließend sei ein Abschnitt aus Dr. Koeners Verteidigung der Malerei der »Düsseldorf Gallery« zitiert, die in den Kreisen der Kunstvereine von New York an Beliebtheit eingebüßt hatte. Er faßt die Bedeutung zusammen, die die Düsseldorfer Schule in den Augen eines Großteils ihres damaligen Publikums für die moderne Kunst besaß:

»Denn die moderne Kunst, wie sie von einem Lessing, einem Kaulbach etc. betrieben wird, hat die Fähigkeit, die notwendigen großen Ideen und Unruhen der Zeit und den in ihnen waltenden Geist auszudrücken. Sie vermag dies trotz all des Widerstandes von seiten der zerfallenden Kirchen, verrotteten Monarchien und falscher theoretischer Schulsysteme (…) *Um den Zeitgeist in seiner vollen, konkreten, sinnlichen Existenz (…) wiederzugeben*, muß der Künstler wichtige Ereignisse aus den höheren Ebenen der Gegenwart herausgreifen, muß sie mit all der technischen Perfektion, die ihm unsere heutigen Mittel an die Hand geben, erfassen, nicht obwohl, sondern weil es auf diese Weise möglich ist, die Wahrheit der Natur zu reflektieren.«[47]

1 New York Daily Tribune, 18. April 1849. – Vgl. Raymond I. Stehle, »Die ›Düsseldorf Gallery‹ in New York« in dem Ausstellungskatalog *The Hudson and the Rhine*, Kunstmuseum Düsseldorf, 1976, S. 26–28, dem ein Artikel in englischer Sprache mit demselben Titel für die New York Historical Society Quarterly 57, Oktober 1974, S. 304–17, vorausging.

2 Vgl. »Corrrespondenz-Blätter« dieser Jahre im Archiv des Künstlers-Vereins Malkasten, Düsseldorf.

3 Vgl. »Catalogue of Paintings by the Artists of the Düsseldorf Academy of Fine Arts«, New York, 1857, S. 3f.

4 Vgl. »›Remscheider in aller Welt‹ (1): Johann Gottfried Boker, ein Bergischer in New York«, in: Die Heimat spricht zu Dir. Monatsbeilage des Remscheider Generalanzeigers, Nr. 6/43 Bd., Juni 1976.

5 Vgl. F. Frechen, »Verzeichnis der im Jahre 1938 noch vorfindlichen Grabzeichen, bearb. von Herbert M. Schleicher«, in Heft 5: Der Golzheimer Friedhof zu Düsseldorf, Köln, Westdeutsche Gesellschaft für Familienkunde e.V., Nr. 55, 1990, S. 110.

6 Siehe S. 126 von Jacob Heinrich Schmidt, »Kunstakademie, Malkasten und Künstlerschaft«, S. 125–140, in: »Hundert Jahre Künstlerverein Malkasten 1848–1948«, Düsseldorf, 1948.

7 Stadtarchiv Düsseldorf, Ratsprotokolle Bd. 21, Sitzung vom 12.6.1849, Punkt 8. Mein Auszug lautet wie folgt: »Es wurde vorgetragen, daß Böcker zu Neujork eine öffentliche Gemälde-Ausstellung gegen Eintrittspreis veranstaltet und dazu seine eigenen, so wie die Gemälde des Vergolders Kraus und welche von hiesigen Malern verwendet habe. Derselbe mache nun aufmerksam, daß diese Gemälde zur Anerkennung der Kunstleistungen der hiesigen Academie wesentlich beitrügen, daß er dort schon eine beträchtliche Anzahl neuer Actionäre des hiesigen Kunstvereins gewonnen habe und daß der Aufwand und der Verkauf der Kunstproben hiesiger Künstler durch die ausgesuchten drei Gemälde noch mehr angeregt und bestärkt werden würden.«

8 Der fragliche Satz lautet: »Der Generalkonsul Böcker hatte seine Düsseldorfer Bildersammlung, vermehrt durch die Sammlung Kraus und durch einzelne Meisterbilder, nach New York gebracht, wo er 1849 die Ausstellung Düsseldorfer Kunst eröffnete und den ›amerikanisch-deutschen Kunstverein‹ als Kartellverein gründete.« In: Dr. Kurt Karl Eberlein, »Geschichte des Kunstvereins für die Rheinlande und Westfalen 1829–1929«, Düsseldorf 1929, S. 18.

9 Der Text von Irene Markowitz in: »Armer Maler – Malerfürst« im Ausstellungskatalog 1980 des Stadtmuseums Düsseldorf liefert eine Fülle von Informationen über die Künstler und die Gesellschaft in Düsseldorf zwischen 1819 und 1918.

10 Nach Stehle, op. cit., blieb Boker bis 1836 Generalkonsul in Basel. Das früheste Düsseldorfer Adreßbuch stammt aus dem Jahr 1844; ihm zufolge wohnte Johann Boker, nordamerikanischer Konsul, in der Benrather Straße Nr. 869.

11 Da er sein Heimatland nicht Hals über Kopf verlassen wollte, besuchte er zuerst London. Dort veranlaßten ihn glaubwürdige Informationen, seine Absicht zu ändern und nach Deutschland zurückzukehren.

12 Heinrich-Heine-Institut, Archiv-Nr. 195003/16–17.

13 Der dreiundzwanzigjährige Ludwik Milewski, der ursprünglich aus Kalisch in Polen stammte. – Siehe S. 437 in Hugo Weidenhaupt, »Von der französischen zur preußischen Zeit (1806–1856)«, in: »Düsseldorfs Geschichte von den Ursprüngen bis ins 20. Jahrhundert«, Bd. 2: »Von der Residenzstadt zur Beamtenstadt«.

14 Unter ihnen befand sich der Kommandant der Bürgerwehr, Lorenz Cantador, der als Oberstleutnant das 27. Pennsylvania Regiment im amerikanischen Bürgerkrieg kommandieren und im Juli 1863 an der Schlacht von Gettysburg teilnehmen sollte. Auch Hugo Wesendonk gehörte zu ihnen, der 1860 in Philadelphia die Germania-Lebensversicherung gründete. Er war ein ehemaliger Düsseldorfer Abgeordneter bei der Nationalversammlung in Frankfurt am Main und wurde vom Gericht in Düsseldorf in Abwesenheit zum Tode verurteilt.

15 »Die Gründung der Nationalgalerie hängt eng mit den Vorstellungen der deutschen Romantik zusammen, aus denen die 1848 von Düsseldorfer Künstlern vor dem Frankfurter Parlament erhobene Forderung nach einer Deutschen Nationalgalerie entsprang«, Nationalgalerie Berlin, »Bestandskatalog 19. Jahrhundert«, Berlin 1977, S. 3.

16 Heinrich-Heine-Institut, Archiv-Nr. 632832.

17 Vgl. Weidenhaupt, op. cit.

18 Der »Kunstverein für die Rheinlande und Westphalen« wurde 1829 mit der Unterstützung des Direktors der Akademie, Friedrich Wilhelm von Schadow (1788–1862) gegründet. Vor Schadow war Peter von Cornelius (1783–1867) Direktor der Akademie gewesen, der Vertreter der monumentalen Freskomalerei der Nazarener, so daß Schadows Förderung des Staffeleibildes und Hinwendung zur naturgetreuen Malerei neue Absatzmärkte für die Künstler der Düsseldorfer Malerschule erschloß.

19 Heinrich-Heine-Institut, Archiv-Nr. 483469/11.

20 Heinrich-Heine-Institut, Archiv-Nr. 483460/35 und 483460/36.

21 Zu weiteren Wanderausstellungen einzelner Gemälde vergleiche Christian Torner, »Bilder auf Tournee in Köln und Düsseldorf«, in: Weltkunst 5, März 1995.

22 Hübner soll für sein Genrebild Die Genesung 1851 in Philadelphia mit dem ersten Preis gewürdigt worden sein. Zwischen 1875 und 1878 war er zuerst in Philadelphia und dann in Cincinnati.

23 »Catalog of Paintings and Original Drawings by Artists of the Düsseldorf Academy of Fine Arts«, New York 1849 (16 Seiten), 1850 (16 Seiten), 1850 (45 Seiten), 1851 (91 Seiten). – »Catalogue of Paintings by Artists of the Düsseldorf Academy of Fine Arts«, New York 1857 (50 Seiten) [The New York Historical Society, N620 Box D]. – »Descriptive catalogue of the Paintings now on Exhibition at the Institute of Fine Arts, 625 Broadway, comprising the celebrated pictures of the well-known Düsseldorf Gallery, with several interesting additions and the Unique Jarves Collection of Old Masters«, New York 1860 (53 Seiten), 1861 (30 Seiten). – »Gems from the ›Düsseldorf Gallery‹«, Fotos der Originalbilder wurden von A. A. Turner gemacht und reproduziert (zum ersten Mal) unter der Leitung von B. Frodsham, New York, 1863 (nicht paginiert).

24 Vgl. Torner, op. cit.

25 Hinsichtlich einer guten Zusammenfassung seiner Karriere siehe Rudolph Wiegmann, »Die Königliche Kunst-Akademie zu Düsseldorf: Ihre Geschichte, Einrichtung und Wirksamkeit und die Düsseldorfer Künstler«, Düsseldorf, 1856.

26 Vgl. »Ein Amerikaner in Düsseldorf, 1849–1854« (S. 31f) aus den Memoiren von W. Whittredge, 1849–54, übersetzt von Heinz Peters und veröffentlicht in dem Ausstellungskatalog »The Hudson and the Rhine«, Kunstmuseum Düsseldorf, 1976. (Englisch: »The Autobiography of Worthington Whittredge, 1820–1910«, Hrsg. J. I. Baur, Brooklyn Museum Journal II, 1942, S. 7–68.)

27 Akademie der Künste, Berlin: Archiv-Register Abt. 3 Nr. 4 »Verteilung der goldenen Medaille für Kunst 1844–1897«, Microaufnahme 279.

28 Zu mehr Informationen über die Künstlerfeste siehe Heinrich Theissing, »Romantika und Realistika: Zum Phänomen des Künstlerfestes im 19. Jahrhundert«, in: »Zweihundert Jahre Kunstakademie Düsseldorf«, Düsseldorf 1973.

29 Vgl. Düsseldorfer Zeitung vom 24. Oktober und 1. September 1848.

30 Achtundzwanzig Künstler, die die Statuten des »Malkastens« unterschrieben hatten, waren in der »Düsseldorf Gallery« mit ihren Werken vertreten. Bezüglich des Zusammenhangs zwischen der Gründung des »Malkastens« und der allgemeinen Lage in der Stadt vgl. Weidenhaupt, op. cit., insbesondere S. 433, und Joachim Grossmann, »Die Düsseldorfer Malerschule im Vormärz und in der Revolution 1848/49«, Essen 1985, S. 160–162.

31 Vgl. Whittredge, op. cit., und Kurt Karl Eberlein, »Geschichte des Kunstvereins für die Rheinlande und Westfalen, 1829–1929«, Düsseldorf 1929 (insbesondere S. 20, wo er sich auf »Leutzes Truppe« bezieht, als er von ihren Aktivitäten gegen das Korrespondenzblatt spricht, das offizielle Presseorgan des Kunstvereins, herausgegeben von dem Akademieprofessor Rudolf Wiegmann, Architekt und Sekretär der Akademie).

32 Zitiert aus dem Ausstellungskatalog »The Düsseldorf Academy and the Americans«, 1973, Donelson F. Hoopes (Aufsatz mit demselben Titel), S. 19–35 (S. 23).

33 Vgl. Whittredge, op. cit.

34 Zufolge der Festschrift zum hundertjährigen Bestehen des Vereins (op. cit., S. 16) kann man diese Tatsache auch in einem Negativbeispiel bestätigt finden, nämlich in dem kurzlebigen Versuch einer Reihe der in der »Düsseldorf Gallery« vertretenen Künstler (Hasenclever, Hübner, L. Clasen, Leutze, Schroedter), 1848 in Gestalt der »Rheinisch-Westfälischen Academie« eine Konkurrenz-Akademie zu etablieren.

35 Vgl. Whittredge, op. cit.

36 In der Festschrift zum hundertjährigen Bestehen des »Malka-

stens« beläuft sich die Schätzung auf 40 000, doch die jüngsten Forschungsergebnisse von Weidenhaupt und anderen (*op. cit.*) geben etwa 30 000 an.

37 Heinrich-Heine-Institut, Archiv: Nr. 48 3460/17 und 48 3460/18.

38 Heinrich-Heine-Institut, Archiv: Nr. 37 2488 und 48 3462/4.

39 Heinrich-Heine-Institut, Archiv: Nr. 37 2489.

40 Vgl. zum Beispiel Wilhelm von Schadow, »Zwei Parteien in der Kunstwelt: Idealisten und Materialisten«, Manuskript-Abschrift in Jahreshefte der Kunstakademie 3, 1990–1991, S. 57–85.

41 Ursprünglich bei der vom Kunstverein veranstalteten Verlosung von Geh. Oberrath Schmid gewonnen und 1862 von dem Eigentümer der »Düsseldorf Gallery«, Mr. Derby, an Mr. Buttler versteigert; nach Friedrich Boetticher, »Malerwerke des Neunzehnten Jahrhunderts«, 2 Bände, Leipzig 1891–1901.

42 Akademie der Künste, Berlin: Archiv-Register in Spec., X. Abt. Nr.1; »Kunstausstellungen 1825–74«, Mikroaufnahme 206.

43 Morgenblatt für gebildete Stände, Kunstblatt, Januar 1830: »Untersuchungen über den Unterschied zwischen Genre und Historie in der bildenden Kunst.«

44 Morgenblatt für gebildete Stände, Kunstblatt, 30. Januar, 4. Februar und 6. Februar 1834: »Vortrag in der General-Versammlung des Kunstvereins für die Rheinlande und Westphalen vom 17. August 1833, gehalten von K. Schnaase, als Sekretär des Vereins«, S. 33–34; S. 37–39; S. 41–43.

45 Friedrich von Uechtritz, »Blicke in das Düsseldorfer Kunst- und Künstlerleben«, Düsseldorf 1839–1840. Der erste Band wurde im Morgenblatt für gebildete Stände, Kunstblatt von 1839 rezensiert.

46 Zu den Namen der Künstler und Zeit ihres Beitritts siehe *op. cit.* unter Anm. 9, S. 61 f.

47 »Catalog of Paintings and Original Drawings by Artists of the Düsseldorf Academy of Fine Arts«, New York 1851 (91 Seiten), S. 71.

MARTINA SITT

Stilprinzip oder »trademark« als Klassenziel?
Als die Amerikaner noch in Düsseldorf in die Schule gingen …

Der Zeigestock des Lehrers deutet auf einer Tafel auf den Buchstaben »H«, den eine teils dümmlich, teils gelangweilt dreinblickende, meist barfüßige Kinderschar brav nachplappert (Abb. 1). Selbst der kleine Junge, der durch das Loch in der Decke in das große Klassenzimmer herabschaut, hat den Mund weit zum »H« geöffnet. Nur die »Außenseiter« am linken und rechten Bildrand entziehen sich dieser phantasielosen Übung: der eine, indem er unübersehbar die Zunge herausstreckt, ein anderer, indem er sehnsuchtsvoll zum Fenster hinausblickt, ein dritter, indem er angestrengt in einem Buch liest, und ein vierter, indem er aus der rückwärtigen Bücherwand mit großem Getöse ein dickes Buch herauszuziehen versucht. Auf dem obersten Regalbrett kann man, gerahmt von zwei heruntergebrannten Kerzen, einen Eselskopf erkennen.[1] Der Schulmeister namens Jobs versagte bald in Ohnewitz.

»H« wie Hasenclever, Johann Peter (1810–1853), hieß der Maler dieser und mindestens zwanzig weiterer Schulszenen. Seine Darstellungen der Kortumschen »Jobsiade« entstanden zwischen 1837 und 1845 und erfreuten sich großer Beliebtheit.[2] Er, der selbst 1836 in seinem berühmten Atelierbild gegen die Schulmeisterei in der Akademie protestierte, hatte als ironisch-kritischer Sonderling Düsseldorf von 1838 bis 1842 den Rücken zugewandt. Doch 1848 regte er gemeinsam mit E. Leutze, C. Hübner, R. Wiegmann und A. Schroedter vergeblich die Gründung einer neuen Rheinisch-Westfälischen Akademie an.[3] Hasenclever hatte letztlich weniger Schüler als Bewunderer hervorgebracht. Seine Art der Genremalerei hingegen machte Schule.[4]

Eine Auseinandersetzung mit diesem für die Geschichtsschreibung über die Düsseldorfer Akademie im 19. Jahrhundert so wesentlichen Begriff der »Schule« ist bislang nur in Ansätzen erfolgt.[5] Die Vielschichtigkeit seiner Verwendung und die dadurch erfolgten Mißverständnisse, die zu immer neuen Diskussionen über das Ausmaß seiner »Schnittmenge« mit Begriffen wie Einfluß, Affinität und schließlich

»Stil« führen, sind nicht hinreichend geklärt. Nicht nur die Zeitgenossen taten sich teilweise schwer mit einer genaueren Beschreibung dessen, was die Schule denn nun kennzeichnete. 1880 beschloß Karl Woermann in seiner »Geschichte der Düsseldorfer Kunstakademie« mit Blick auf den Schulbegriff, nicht von den Lehrern, sondern von den Schülern und deren Rezeption auszugehen.[6] Hier soll dementsprechend ein besonderes Augenmerk auf diejenigen Künstler gelegt werden, die, von ferne angereist, nach wenigen Jahren des Studiums in Düsseldorf in ihre Heimat zurückkehrten. Dort wurden sie einerseits bereitwillig unter dem Etikett »Düsseldorfer Malerschule« geführt und gehandelt, andererseits jedoch von den Landsleuten mit patriotischer Gesinnung skeptisch aufgenommen: Themen habe man in Hülle und Fülle auch vor der eigenen Tür und Vorbilder in einer »neuen Welt« nicht nötig. Eine Argumentation, die

Abb. 1 Johann Peter Hasenclever, Jobs als Schulmeister, 1845, Öl auf Leinwand, 80×106 cm, Kunstmuseum im Ehrenhof, Düsseldorf

73

die amerikanische Kunsthistorikerin Barbara Novak 1980 nachdrücklich aufgreift.[7]

Es stellt sich somit die Frage, wie einer vorschnellen Vereinnahmung Einhalt geboten werden kann. Diese stellt sich mir als Redakteurin des mehrbändigen Lexikons der Düsseldorfer Malerschule, für dessen ca. 1200 Künstler jeweils individuell eine Entscheidung über Distanz oder Nähe zur »Schule« gefällt werden muß. Dabei scheint nur ein höchst differenzierter Umgang mit dem Schulbegriff einerseits und dem Einzelwerk andererseits Abhilfe schaffen zu können. Nimmt man die Rezeption zum Ausgangspunkt, so stellt sich des weiteren die Frage, welche Gründe z. B. die amerikanischen Künstler bewegten, sich aus der Neuen Welt in die Kleinstadt der Rheinprovinz zu wenden, sozusagen unter der »Gefahr«, der »Düsseldorfer Schule« zugerechnet zu werden.

Die »Blütezeit« der Amerikaner in Düsseldorf ist zwischen 1839 und 1859 anzusiedeln, von der Ankunft eines Portraitmalers aus Philadelphia, Georg Schwartze (1814–1874), bis zur Rückkehr des anerkannten Emanuel Leutze (1816–1868) nach Amerika. Übereinstimmende Äußerungen zeugen von der besonderen Rolle der Akademie für die ungefähr 100 amerikanischen Kunststudenten.

Gemessen an der Kleinheit Düsseldorfs herrschte dort eine recht internationale Atmosphäre, zeitweise durch intensive Diskussionen – politischer und ästhetischer Natur – bestimmt, und trotz enger Konkurrenz durch die zahlreichen malenden »Brotabjäger«[8] eine relativ kollegiale Stimmung unter den verschiedenen »Landsmannschaften«, die immerhin aus 13 Nationen stammten.[9] Man konnte einigermaßen preisgünstig leben und war institutionell gut ausgestattet. Die Systematik der Klasseneinteilung, wie sie Wilhelm von Schadow nach seinem Amtsantritt 1826 entwickelt hatte, kam dem Bedürfnis der ausländischen Studenten entgegen, in kurzer Zeit sozusagen das Resümee des europäischen Bildungsgutes als abrufbare Elemente einer Bildgestaltung erlernen zu können: antike Dichtung, Kunstgeschichte, Bühnenkunst, Alte Meister in der Kopiensammlung, Anatomie- und Bewegungsstudien und Gestik nach Gipsvorbildern wie es in den Elementarklassen gelehrt wurde.[10]

Ein eindeutiger Vorteil Düsseldorfs, den die Amerikaner sehr schnell erkannten, war die außerordentliche Konzentration von Verteilungsorganisationen. Damit ist einerseits der erstaunlich zügige Austausch besonders verkaufsträchtiger Ideen durch die Nähe der spezialisierten Ateliers und die Insellage der Akademie gemeint, andererseits die Präsenz zahlreicher graphischer Stecher, die nicht nur für die literarisch ausgerichteten, aber häufig illustrativ ausgestatteten Zeitschriften, Kunstblätter, Alben, Monatshefte und Jahrbücher arbeiteten, welche als nationale Vervielfältigungsforen agierten. Darüber hinaus war das gut organisierte Zusammenspiel in der Distribution der Kunstwerke durch den 1829 u.a. von Schadow ins Leben gerufenen Kunstverein für die Rheinlande und Westphalen[11] von Bedeutung, der gemeinsam mit den Künstlervereinen zugleich das (rheinisch) nationale Element förderte: »Kauft Düsseldorfisch« war die unausgesprochene Devise.[12] Für die Amerikaner war ein garantierter Exportmarkt über die American Art Union und die Düsseldorf Gallery ein nicht zu unterschätzender Standortvorteil. Vertrieb die Art Union bis zu ihrer Schließung 1852 nicht nur tausende Nachstiche berühmter Werke, sondern organisierte auch ihren Verkauf,[13] so ermöglichte die sogenannte Düsseldorf Gallery zwischen 1849–1860 von New York aus eine Einführung in den Markt in Übersee.[14] »Düsseldorf« stand bald als Markenzeichen hinter einer Vielzahl künstlerischer Produkte.[15] Schon bei Eröffnung der Düsseldorf Gallery 1849 lobte die amerikanische Presse die »strenge Disziplin« der Ausbildung, der man in Düsseldorf unterworfen werde. »Die sichere Behandlung des Konturs, die Festigkeit und Exaktheit des Pinselstrichs geben den auf der Leinwand dargestellten Gedanken eine Vollendung und Einheitlichkeit, die ein ungenügend ausgebildeter Künstler, so genial er auch sei, mit unsicheren und tastenden Experimenten niemals erreichen könne.«[16] Neben dem maltechnischen Aspekt sind es einige ausgewählte formal-kompositorische Momente: die Gestaltung des Raums, des Lichts, die meist eindeutig lesbare Gestik der Figuren, ihre Integration und Reihung im Raum und der Grad der Verschränkung von Vorder-, Mittel- und Hintergrund, um nur die auffälligsten Identifikationsmerkmale zu nennen.

Was die Amerikaner, aber ebenso die angereisten Skandinavier oder Russen brauchten, um in ihrem zunächst physisch und vollends in Hinblick auf die Verbreitung von Kunstwerken noch uneroberten Ländern mit den unterschiedlichsten Themen ins Geschäft zu kommen, war eine solide Ausbildung. Zur Bildung fuhr man, falls noch erforderlich, nach Paris und Italien, wie die ausführlichen Schilderungen von Thomas Cole[17] oder die Biographie von George Caleb Bingham erkennen läßt, von dem im folgenden noch die Rede sein wird.

Daraus drängt sich ein Schluß auf: Es gab für die zumeist in ihrem Land schon erfolgreichen amerikanischen Künstler eine Reihe organisatorischer bzw. pragmatischer Gründe, sich in Düsseldorf den letzten Schliff zu holen. Denn thematisch stand ihnen dann sozusagen ohnehin noch ein »jungfräuliches Land« (virgin continent) zur Verfügung, das, wie Henry Tuckerman in seinem »Book of the Artists« von 1867 meint, attraktiver ist als Europa je sein könnte:

»It is only requisite to possess the technical skill to be versed in the alphabet of painting, and then, under the inspiration of the genuine love of nature ›to hold communion with her visible forms‹ in order to achieve signal triumphs in landscape, from the varied materials lavishly displayed in our mountains, rivers, lakes, and forests – each possesses characteristic traits of beauty, and all cast in a grander mould, and wearing fresher aspects than any other civilized land.«[18] Zahlreiche zeitgenössische Interpreten betonen die Notwendigkeit über ein »fair assessment of the role of the European prototypes« zu verfügen. Die künstlerischen Pioniere in der Neuen Welt sind sich wohl darüber im klaren, inwiefern »European travel and study … (enhance) … the creative possibilities made available to them«.[19]

Die Lektion war gelernt, wenn das Wissen um den Inhalt einer »Requisitenkiste«, die zu erfolgverheißender Produktion befähigte, erworben und transportabel geworden war. Dann war der Einstieg in den Markt geschafft. In einer Art Schnellkurs hatte man erhalten, was man dazu brauchte: »a thorough training in the principles of art matched with continued studies of nature. (…) … made popular by the Düsseldorf Gallery in New York. (This)… was a logical jumping off point for Americans seeking greater virtuosity in the technique of painting. Once gained, the influence of The Düsseldorf Academy was over.«[20]

Diese »kühle« Charakteristik der »Geschäftsbedingungen« provoziert nun unweigerlich das Gefühl, es müsse noch einen anderen Grund für die Euphorie der Amerikaner für die Düsseldorfer Malerschule geben. Es stellt sich somit die Frage, wie denn die Schule zu jener Zeit gesehen wurde. Was macht also den spezifischen Charakter dieser von den fernen Preußen im traditionell lebenslustigeren Rheinland institutionalisierten Lehranstalt aus?

Anton Fahne, der sich in seiner »Schrift voll flüchtiger Gedanken«, gedruckt 1837, bemühte, die Erzeugnisse der »Düsseldorfer Malerschule in den Jahren 1834–1836«, d.h. in der Ära Schadows, der von 1826 bis immerhin 1854 amtierender Direktor war, als kritischer Rezensent zu begleiten und der Vielzahl der Erscheinungen einen Namen zu verleihen, hat sicherlich durch die resümierende Art seiner Aufbereitung recht früh viel dazu beigetragen, das Bild einer mehr oder minder einheitlichen Bewegung hervorzurufen.[21] Schadow verfügte über eine Reihe von Schülern, wobei die namhafteren in seinem Gefolge aus Berlin gekommen waren, durch ihn führende Positionen an der Akademie errangen, sich dann aber sowohl inhaltlich als auch stilistisch in völlig verschiedene Richtungen entwickelten. Dazu zählen E. Bendemann, Th. Hildebrandt, K. F. Lessing und A. Schroedter. Die heute unbekannteren seiner »Schüler« wie G. Eybe, C. Andreae, M. Berendt, F. Ittenbach und A. Müller blieben zwar seinen Sujets mit stark nazarenischem Einschlag treu, konnten sich aber *trotz* der von ihm augurierten Marktmechanismen nicht auf lange Zeit durchsetzen. Diese beiden höchst unterschiedlichen Gruppen machten aber die Schule aus, die auch der Dichter Karl Immermann umreißt, der sehr wohl den Unterschied zu einer »Schule im akademischen Sinne« anspricht: diese hier »beruht völlig auf der Person Schadows«.[22]

Diese Form der Zuspitzung auf die Ausstrahlungskraft einer einzelnen Leitfigur ist ein Konstrukt, das Athanasius Graf Raczynski 1836 bei seiner Darstellung der »Geschichte der neueren Kunst« nicht mit seinen eigenen Ansichten einer »Kunstgeschichte nach Schulen«[23] in Einklang bringen kann. So hält er fest, »daß Maler, welche in demselben Lande, zu derselben Zeit leben und Schüler ein und desselben Meisters sind, nicht eher eine Schule bilden, als bis gewisse charakteristische Merkmale eine gewisse Übereinstimmung unter ihnen zu erkennen geben, und zugleich sie von solchen Künstlervereinen unterscheiden, welche an anderen Orten und zu anderen Zeiten sich gebildet haben«.[24] Indem er die Orientierung nicht an einem Stil, sondern an einer Norm ausrichtet sowie die reine Topographie als Ordnungskriterium angibt,[25] programmiert er in einer Zeit, in der der rege Zusammenhang des Schadow-Kreises (!) schon in Auflösung begriffen ist, damit erst recht jenes Mißverständnis des Schulbegriffs, das sich dann in der Folge als durchaus gewinnträchtig erweist.

Während Heinrich Püttmann 1839 ohne nähere Definition mit dem Schulbegriff operierte, stellte Friedrich von Uechtritz 1840 fest, »daß ein Künstlerkreis noch etwas anderes als die Individuen der

Künstler sey, die ihn bilden«, wobei ihm die »je eigentümliche persönliche Stellung« der einzelnen Mitglieder einige Beschwerden im Umgang mit jeglicher Art des Schulbegriffs bereiteten.[26]

Auch Wolfgang Müller von Königswinter vermochte 1854 nur in Andeutungen die Vermischung der Schadow-»Schülerschaft« mit dem Schulgedanken zu entwirren, wenn er auf der ersten Seite seiner Schrift: »Düsseldorfer Künstler aus den letzten 25 Jahren« berichtete, wie sich die Schüler um Schadow, aus Berlin kommend, in Düsseldorf »einrichteten«. Sie bildeten den Kristallisationspunkt, um den sich »in späteren Zeiten die Düsseldorfer Schule anlegte«. Er betonte die »innere Abgeschlossenheit« der Gemeinschaft, die sich örtlich eng auf die Akademie beschränkte: »...keiner dachte daran, selbst dann, wenn er in technischer Beziehung nichts mehr zu lernen hatte, sein eigener Herr und Meister zu werden. (...) Die reife Frucht löste sich sonst vom Baume ab, hier blieb alles an den Ästen hängen.«[27] Er machte jedoch stets einen deutlichen Unterschied zwischen individueller Schülerschaft und der Schule als Organisationsform und fuhr fort: »So viel ist indes gewiß, daß man erst gegenwärtig von einer Düsseldorfer Schule von Bedeutung sprechen kann, wo sich die Parteien gesondert haben.«[28] Auch jetzt ist noch nicht klar, ob es sich mehr um ein Diffusionsprinzip formaler, d.h auch gattungsmäßiger Gemeinsamkeiten handelt oder ein Agglomerat stilistischer Kennzeichen.

Analysiert man systematisch die Texte der Zeitgenossen, die eher gequält klingen, wenn sie das »Wesen der Schule« zu charakterisieren versuchen, so zeigen sich zwei Konzepte. Zu unterscheiden ist hier zwischen einer an dem Werkstattgedanken orientierten Schule, die an eine Person – hier Schadow – gebunden ist, und einer vornehmlich topographisch eingegrenzten und durch formale Elemente gekennzeichneten »Schule« als einer Art »Markenzeichen«. Diese Diskrepanz tat sich bereits in den Augen der Zeitgenossen auf.

Genaueres zum Schulbegriff findet man auch heute in den Standardlexika überraschenderweise nur selten. Zwar sprechen Kunsthistoriker ständig von namhaften Schulen in der Geschichte der Kunst, doch ist die Verwendung der Terminologie höchst undifferenziert. Erschreckend selten fragen sich die Autoren, die die jeweiligen »Schulen« wissenschaftlich behandeln, ob es jene Schulen überhaupt (in den Augen der Zeitgenossen) gab.[29] Ikonographisch Vergleichbares wird induktiv zur »Schule« addiert unter der Voraussetzung, daß sich durch meist gemeinsame Ausbildung jeweils besondere vergleichbare Ausgangspunkte entwickelt hätten. Zu beachten seien dabei stilistische Aspekte und der Grad der Abweichung von einem Grundmodell.[30]

Um einer Beschreibung dieser »Schule« näher zu kommen, ist Friedrich Achleitners Vortrag von 1993 aufschlußreich, der unter dem Titel »Gibt es eine ›Grazer Schule‹?« bereits eingangs alles Vereinigende in Frage stellte. Zum Begriff der »Schule« schreibt er: »Solche Namensgebungen entstehen oft zufällig, nebenbei, aus Verlegenheit oder aus dem Notstand, eine Abgrenzung vornehmen zu müssen. Für das Phänomen selbst sind sie meist irritierend, wenn nicht tödlich.«[31] Letzteres im Sinne einer Einebnung gerade jener divergierenden Tendenzen, die den Reichtum eines Kunstlebens charakterisieren. Aus der Negation eines unifikatorischen Schulbegriffs entwickelt Achleitner Kategorien, die auch für die Betrachtung der Düsseldorfer Verhältnisse um die Mitte des 19. Jahrhunderts von Interesse sind. Die Schlüsselwörter sind dabei: Realisierungsdruck oder Realisierungswille von Prototypen, ein Konzept, das sich konventioneller Typologien bedient und dabei zeigt, wie man »uralten Mitteln neue Wirkungen abringen kann«, ein besonderes Verhältnis von typologischen Festlegungen zu spielerischer Überformung, eine besondere Verschränkung von typologischen und topologischen Merkmalen bei einem Gefühl einer exterritorialen Lage, Ansätze einer biographischen Zugehörigkeit auf Grund gleicher Ausbildung und eine gewisse »Gruppendynamik« durch teils langjährige und intensive Zusammenarbeit. All dies sind sehr funktionale Merkmale, die – überblickt man den Großteil der Düsseldorfer Produktion – auf die Mitglieder der »Schule« nach Schadow verstärkt zutreffen. Für sie wie auch die Amerikaner gilt zunächst, daß sie offensichtlich als gemeinsames Ziel anstrebten: schnell identifizierbare Mitglieder in einem im wesentlichen ungeheuer gut funktionierenden Distributionsnetz zu werden und zu bleiben.

Seitens derjenigen, die sie nur ungern mit der Düsseldorfer Malerschule in Verbindung bringen möchten, wird jedoch vornehmlich gegen den »Einfluß« der Schule auf die Werke argumentiert. Der »Einfluß«-Begriff orientiert sich jedoch an einer ideell ausgerichteten Schulkonzeption. Eine kritische Beschäftigung mit dem Einflußbegriff scheint sich erst allmählich zu entwickeln, da man zunehmend feststellt, daß das Ableiten von ....y aus x...[32] nur partiell neue Erkenntnisse eröffnet. Schwierigkeiten bereitet der

Begriff ohnehin, da er zu einer Gratwanderung zwischen Priorität und Rezeption, Originalität und Autorität führt.[33] Genau diese ist hier aber nicht angebracht. Bei der Interpretation der Werke der Düsseldorfer Malerschule wird vielmehr die Entwicklung eines erweiterten motivgeschichtlichen Ansatzes,[34] der über die Ikonographie und die Analyse formaler Gestaltungsweisen hinausgegehen müßte, erforderlich.

Um herauszufinden, was denn nun das spezifisch »Düsseldorfische« sei, dessen Einfluß die Amerikaner ausgesetzt gewesen sind, bedient man sich im allgemeinen der Methode des vergleichenden Sehens.[35] So stellt es nahezu kein Problem dar – was sich in der Planungsphase dieser Ausstellung erneut zeigte –, eine Reihe ikonographisch oder auch nur formal-gestisch vergleichbarer »Kennzeichen« auszumachen und ein Stilleben von Georg Hetzel (1826–1899) von 1850 (entstanden in Düsseldorf) neben eines von Johann Wilhelm Preyer (1803–1889) zu stellen; Worthington Whittredges Zeichnung aus dem Harz von 1852 (Addison Gall., Mass.) mit Lessings *Harzlandschaft* (Kunstmuseum Düsseldorf) zu konfrontieren oder Richard Caton Woodvilles *Old '76 and Young '48* von 1849 (Abb. 2) neben Peter Hiddemanns (1829–1892) *Dilettantenquartett* von 1865 zu präsentieren. Doch gewonnen ist mit diesen zahlreichen ikonographisch ausgerichteten Reihenuntersuchungen noch nicht viel.[36] Interessant ist allenfalls, daß bei letzterem vor allem die Vergleichbarkeit der Komposition und der maltechnischen »Aufbereitung« ins Auge sticht.

Angesichts unserer speziellen Fragestellung nach dem Verhältnis amerikanischer Künstler zur Düsseldorfer Malerschule scheint hier vielmehr ein Hinweis auf Panofsky angebracht, der nach der Ambivalenz ikonographischer Kennzeichen in Anbetracht der Situation eines Menschen fragt, der nach mehrjähriger Abwesenheit in seine Heimat zurückkehrt, wobei diese ihm altbekannt, aber doch neu erscheint.[37] In diesem speziellen Zusammenhang ist der topographische Aspekt besonders wichtig, weshalb hier eine ältere Schrift zu Rate gezogen wird, die die Methode des Vergleichs mit Blick auf diese Besonderheit reflektiert, denn einige grundlegende Überlegungen aus Fritz Graebners »Methode der Ethnologie« von 1911[38] sind weiterführend: »Wo Form und Eigenschaften einer Erscheinung nicht genügen, um ihren Sinn festzustellen, da tritt … der Vergleich als hauptsächliches methodisches Hilfsmittel ein.«[39] Durch Analogien vergleiche man letztlich die Erscheinungsweisen des

einen Gebietes mit denen eines anderen. Er warnt jedoch: »Die Ähnlichkeit der verglichenen Erscheinungen genügt nicht für eine zuverlässige Deutung, denn gleichen Äußerungen braucht nicht der gleiche Sinn zugrundezuliegen.«[40] Daher rät er zunächst die speziellen »Kriterien der Kulturbeziehungen« zwischen dem zu Vergleichenden zu untersuchen, immanente Entwicklungsreihen zu erkunden und erst abschließend durch die Aufzeichnung möglicher »Kausalitäten« in Kombination zu bringen. Was sich unter diesen Vorzeichen im Vergleich zeigt, ist m.E. nicht mehr überzeugend mit dem Begriff »Einfluß« zu fassen: angebrachter scheint mir hier der Begriff des Zitats. Bei den Zitaten oder Motivübernahmen,[41] die für die amerikanischen Künstler von Interesse waren, handelt es sich um klar re-identifizierbare Merkmale.

Ein Zitat läßt seinen Urheber erkennen, denn es bleibt auch im neuen Kontext herkunftsbezogen. Es verlangt regelrecht die Rückbesinnung auf seinen Herkunftsort. Es wird zwar durch die Verwendung gebrochen, doch es bleibt, um die gewünschte Wirkung der Re-Identifikation zu erzielen, bis zu einem gewissen Grade unverschliffen. Damit besteht zugleich die Gefahr, daß es den interpretatorischen Rahmen, in dem es verstanden werden soll, auf die Erstellung eines Bezuges von seinem Herkunftsort zu dem neuen Kontext reduziert. Dabei richtet sich seine Zeichenhaftigkeit auf denjenigen potentiellen Bildbe-

Abb. 2 Richard Caton Woodville, Alte 76er und junge 48er, 1849 (Old '76 and Young '48), Öl auf Leinwand, 53×67 cm, Walters Art Gallery, Baltimore MD

Abb. 3 George Caleb Bingham, Die fröhlichen Prahmschiffer, 1846 (The Jolly Flatboatmen), Öl auf Leinwand, 97×123 cm, National Gallery of Art, Washington DC

trachter, der möglichst aus anderen Kontexten heraus bereits mit dieser Form der Gestaltung etwas verbindet. So ist diese Form des Zitierens eigentlich ein Deklarieren von Positionen.[42]

Dies, wie auch das spezifische Verhältnis der amerikanischen Künstler zu Düsseldorf kann am Beispiel von G. C. Binghams Werken eingängig verdeutlicht werden. Bingham ist nicht nur von seiner Herkunft, sondern auch von seiner Themenwahl her interessant, da er sich auch vor seiner Düsseldorfer Zeit bereits mit Genrethemen und nicht nur, wie bei den vielen amerikanischen Studenten üblich, mit Landschaftsmotiven auseinandergesetzt hatte. Somit ist seine Art, mit der Düsseldorfer Erfahrung umzugehen, besonders aufschlußreich.

Als Bingham, immerhin fünfundvierzigjährig, am 1. November 1856 nach Düsseldorf kam, konnte er seine »Election-Series« bereits als sein erfolgreichstes Werk bezeichnen. Auch hatte er soeben Aufträge der Missouri State Legislature für große Portraits von Washington und Jefferson erhalten.[43] Bingham entschied sich dennoch bewußt für eine abschließende Schulung in Düsseldorf: Da sind zunächst die »superior facilities which it affords to artists«, die es ihm erlauben »to prosecute his studies in the most advantageous manner«, wobei die wichtigen beruflichen Kontakte es ihm ermöglichen »to improve and instruct him in his favorite profession«.[44] Hatte er zunächst befürchtet, eine starre Schule vorzufinden,

so war er schnell von der Atmosphäre in den durchaus auch auf Absatz hin produzierenden Arbeitsgemeinschaften beeindruckt. Natürlich sicherten darüber hinaus gemeinsame Studien in der freien Natur die Ernsthaftigkeit der künstlerischen Auseinandersetzung mit den wichtigen Themen und Bildlösungen vor allem des Künstlers, »who sincerely worships truth and nature«.[45] Seine bisherigen Kompositionen, gekennzeichnet von einer Masse, um nicht zu sagen Überfülle an Figuren und einer auffälligen Lichtführung, lassen erkennen, daß der »Ton« der Düsseldorfer Genremalerei bei Bingham auf offene Ohren traf, da er selbst bereits Tendenzen in diese Richtung aufwies.[46]

Was er von Düsseldorf mitnahm, läßt sich bei einem Vergleich der Fassungen des Themas »Jolly Flatboatmen in Port« erkennen. Die Düsseldorfer Version, entstanden zwischen Juni und Oktober 1857, geht thematisch zurück auf eine Bildlösung in kleinerem Format von 1846[47] (Abb. 3). In einem Brief vom 3.6.1857 berichtet Bingham hierzu: »I have on hand a larger picture of ›life on the Mississippi‹ which will not require a great while to complete and which promises to be far ahead of any work of that class which I have yet undertaken.«[48] (Abb. 4)

In der ersten Fassung von 1846 fällt der streng bildparallele Aufbau der Szene ins Auge. Auch der tanzende Bootsmann verstärkt in Körper- und Armhaltung, sogar bis in die Handhaltung hinein, ein strenges Abschließen des Bildraumes zum Hintergrund hin. Der Versuch, eine Tiefendimension hineinzubringen – etwa durch den Fluß und dessen Rahmung seitlich vom Ufer – mißlingt. Die Tiefe wirkt verstellt, die Raumschichtung weniger raffiniert als langweilig und die Gestik kaum überzeugend: Die rechte sitzende Figur trägt das Geschehen weder in Gesichtsausdruck noch in der Haltung. Vielmehr scheint sie vollkommen desinteressiert.[49] Dagegen wirkt die Version von 1857 »realitätsnäher«. Die »Geschichte« – daß Bootsleute tanzen, solange sie mit ihrem Gefährt in einem Hafen anliegen – wird zwingender. Auch die Gestik wirkt überzeugend: Das Zuhören oder Nachsinnen der Figur, die der Sitzenden aus der ersten Version entspricht, ist glaubwürdig und nachvollziehbar wiedergegeben. Um den Bildraum zu gliedern und gleichzeitig zu dramatisieren, arbeitet Bingham mit eindeutigen Schattenzonen und mit einer Beleuchtung, die klar von links einfällt. Auch hat er die farblich tonige Bindung der Figuren verstärkt. Vielfältiger wurden auch die Handlungsweisen in ihrer formalen Gestaltung. Darüber hinaus enthält selbst die »klassische« Rückenfigur nicht nur formale Informationen als »Repoussoir«, sondern durch ihr zerissenes Wams auch eine narrative Funktion. All dies sind ohne Ansehen des gewählten Themas Merkmale, die es zügig ermöglichen, das Werk mit der Düsseldorfer Malerschule in Zusammenhang zu bringen. Wieder zurück in Amerika, brachte Bingham dann 1877 in verkleinerter Version beide Bildlösungen zusammen. Dieser Versuch, die amerikanische Sichtweise mit dem Düsseldorfer »finish« zu verschleifen, weicht die Schlüssigkeit der Lösung auf, d.h. auch die Möglichkeit der Re-Identifikation, der Zurückführung des »Gestaltungs«-Zitats auf seinen Ursprung hin.[50] Die Zitate sind so eingearbeitet, daß hier keiner vom »Einfluß« der Düsseldorfer Malerschule sprechen würde.[51] In den Augen der amerikanischen Kunstgeschichte ist bereits die 1857er Fassung schwer mit Binghams »Stil« in Einklang zu bringen. »Partly as a result of his trip to Düsseldorf in the late 1850s, Bingham modified his style to the more polished finish and dramatic manner of the German school, and his subjects thereafter tended increasingly toward theatricality, contrivance, and obvoius sentiment. While there is a clear technical finesse in many of his later portraits, his later history- and genre pictures labor under exaggerated gestures, detailing and narrative message.«[52] Binghams technische Perfektion bewertete man positiv, doch habe er nun seine klaren Strukturen wie »circle, sphere and symmetry« mit einem sentimentalen und theatralischen Guß überzogen.[53] Angesichts von Bingham hieß es daher keineswegs zu unrecht: »Those characteristics that Bingham and Düsseldorf painters had in common – the emphasis on carefully constructed composition and accurate drawing – undoubtly brought the Missouri artist into surroundings in which he might easily have felt a sense of belonging.«[54]

Aus Sicht seiner amerikanischen Landsleute stand auch Richard Caton Woodville (1825–1855) nach einer Studienzeit in Baltimore, 1836–1845, und Düsseldorf, 1845–1851, vor dem Problem, zwischen »amerikanischem Stil« oder Akkumulation bzw. Amalgam europäischer Vorbilder eingestuft zu werden. Er bemühte sich daher, über ein »unmistakable Woodville genre stamp« zu verfügen, der aber auch unverwechselbar »Düsseldorfisch« war. Nach seinem ersten Erfolg 1845 mit der *Scene in a Bar Room* (Verbleib unbekannt) auf der 20th Annual Exhibition of the National Academy of Design, erworben von dem New Yorker Mäzen Alexander Cozzens, herrschte in seinen Gemälden noch ein »rather harsh modeling«

vor: »The dryness of manner are indicative for the deficiencies in Woodville's technique before he studied in Europe.«[55] Nachdem eigentlich eine Bildungsreise nach Italien geplant war, veranlaßte ihn seine Familie, diesen erfolgversprechenden Weg der Teilnahme an den Jahresausstellungen weiterzugehen, eine Perspektive, die seinerzeit von New York aus gesehen nur Düsseldorf sozusagen als Post-Graduate-Studies und zur Vermittlung des letzten Schliffs anbot. Und tatsächlich hatte Woodville seine größten Erfolge in Übersee ab 1846 durch regelmäßige Beiträge aus Düsseldorf zu den Veranstaltungen der American Art Union. Nach dem Erfolg seiner *Card players* von 1846, durchsetzt mit formalen Zitaten aus Düsseldorf, »he could look forward with some assurance to a ready market for future productions in a similar style«.[56] Sucht man zu dem Thema »Kartenspieler« eine Motivkette im Sinne einer »formal sequence«[57] herzustellen, so reicht sie von Hasenclevers Version von 1840 über Woodvilles zu derjenigen von Ludwig Knaus (1829–1910), datiert 1851, und endet etwa bei jener von Eastman Johnson aus dem Jahre 1853. Aufschlußreich kann dabei jedoch nicht die Feststellung sein, daß alle diese Maler das beliebte Sujet der Kartenspieler visualisiert haben. Wesentlich ist, in welcher Form, Raumaufteilung, Lichtführung, Addition von Requisiten der Betrachteransprache (z.B. eine zum Betrachter geöffnete Schublade, eine einladende Geste), der möglichen Nebenschauplätze, der Fensterlaibung und Wandgestaltung dies geschieht,

Abb. 4 George Caleb Bingham, Die fröhlichen Prahmschiffer im Hafen, 1857 (The Jolly Flatboatmen in Port), Öl auf Leinwand, 120×177 cm, Saint Louis Art Museum, St. Louis MO

denn dies sind Zitate. Nicht die Geschichte ist dieselbe, sondern ihre Aufbereitung und Rahmung. Sein bekanntestes Bild, *War News from Mexico*, 1848 (heute Dearborn MI, Manoogian Collection, Abb. 5), bereits 1849 von einem Mitglied des Management Committees der Art Union erworben und ausgestellt, verkörperte mit Hilfe wohl gewählter Zitate »the essence of the Düsseldorf approach«.[58]

»Vice versa« gilt dies auch für Knaus, jenen deutschen Maler, der sich vor allem in Amerika überaus gut verkaufte. Er beschrieb seine Besonderheit abgesehen von dem an ihm geschätzten Markenzeichen »Düsseldorfer Malerschule«: »... daß mein eigentliches Feld die scharfe Charakteristik ist, und daß die eigentümliche Auffassung meiner Genrebilder, ob politisch oder satirisch, oder humoristisch, eben ganz mein Eigentum ist«.[59] Was seine für »Düsseldorfer« typische technische Perfektion angeht, so dürfte Vincent van Goghs Bemerkung über Knaus und den Genremaler Benjamin Vautier zutreffen: »...nach einigen charaktervollen Bildern wird ihnen gerade die Technik einen Streich spielen; je länger, um so korrekter wird er arbeiten und je länger, um so trockener.«[60]

Doch es sind eben nicht nur die Malweise und seine Technik, die das »Düsseldorfische« an ihm ausmachen, sondern auch die Art, die bekannten Formen mit neuem Inhalt zu füllen. Bernd Küsters analysierte 1995 die Besonderheiten von Knaus im Vergleich zu Wilhelm Leibl. Seine Erkenntnisse treffen auch auf Bingham und viele andere zu: So geht es um die spezi-

ell »düsseldorfische« Art, wie der Maler mit dem Betrachter umgeht, inwiefern er dessen Augen zur Bewegung im Bildraum veranlaßt oder diese erzwingt, wie die bekannte Gestik genutzt und Figuren eingesetzt werden, die sich bei Knaus erst »in der gezeigten Handlung erfüllen«.[61] Bei Knaus wie bei den anderen hier besprochenen Malern geht es gerade um jenes »finish«, quasi jene letzte »Politur«, die es ermöglicht, die verschiedenen Formulierungen alle unter einem »Markenzeichen« zu subsumieren.

Greift man noch einmal jene eingangs beschriebene Schulszene in Ohnewitz auf, so mag also die erfahrene »Lehre« zumindest für die »Außenseiter« keineswegs folgenlos, sondern von Erfolg gekrönt gewesen sein. So vermochte der eine während des Nachplapperns einzelner Buchstaben bereits selbst angestrengt in einem Buch nachzulesen: Inhalte und »Verarbeitungsmodi« waren Woodville in Düsseldorf geläufig geworden.

Der andere hatte stets sehnsuchtsvoll zum Fenster hinausgeschaut und in seinen Werken versucht, Düsseldorfer Erfahrungen gemeinsam mit seinem Anspruch auf eine spezifisch »amerikanische« Kunst zu amalgamieren. Für Landschaftsmaler wie Whittredge entsprachen zudem Ansichten wie jene von C.F. Lessing und die durch den »Landschaftlichen Komponierverein« propagierten, Natur könne in jeder Landschaft erfahren werden, exakt der in Amerika ohnehin vorherrschenden Auffassung, die William C. Bryant 1853 in seinem Brief an die Evening Post beschreibt: »For my part, I can hardly understand what an American landscape painter, after satisfying a natural curiosity to see the works of the great masters of his art, should do in Italy. He can study nature to quite as much advantage at home... a fresh and new nature...«[62] In einem Land, das allmählich »domestiziert« werden mußte, war es wesentlich, sich die Natur aneignen zu können und Vorhandenes mit ausschnitthaft Mitgebrachtem adäquat zu amalgamieren, wie Novak auch angesichts von Whittredge betont: »Yet in the final analysis, what emerged was precisely what Whittredge was looking for ›something distinctive to the art of our country‹.«[63] In seiner Autobiographie reflektierte Whittredge noch einmal retrospektiv den Schulbegriff: »Schools of art are not born like mushrooms in a night. They are the result of the slow accumulation of work done by many men without any organization as teachers, but who, in the aggregate, stamp the work of their period with a national or local character different from all other schools.«[64]

Der dritte hatte auch etwas gelernt. So brachte eine vergleichende Betrachtung von Binghams Werken – exemplarisch für die meisten der amerikanischen »Studenten« Düsseldorfs – die tiefgreifenden Unterschiede zwischen seinem »Stil« und der Schulung ans Licht, die bloß zu einem Amalgam oder »finish« führten, das ihm zunächst zu einem durchaus brauchbaren Etikett, durchsetzt mit Zitaten, eben jenem »Markenzeichen« verhalf. Stilistische Kongruenz und Diskrepanz wurden erkennbar. Die u.a. bei Achleitner ausgeführten Begriffe, die die »Schule« als Markenzeichen beschreiben, treffen auf Bingham zu: Nach kurzer biographischer Verbundenheit mit Düsseldorf bei zugleich exterritorialer Anbindung an Übersee läßt sich in seinem Werk eine Verschränkung von typologischen und topologischen Merkmalen feststellen. Bingham bediente sich konsequent höchst konventioneller (Düsseldorfer) Typologien und erreichte durch beinahe spielerische Überformung eine Umwandlung von direkten Zitaten in eigene Äußerungen – bis hin zu »amerikanischen Prototypen«. Indem man die Besonderheit seiner kulturellen Herkunft in Betracht zieht und die Phasen seines Schaffens an einem Einzelwerk bzw. Thema ausführlich untersucht, ermöglicht dies eine genauere Kenntnis dessen, was ihn veranlaßte, in Düsseldorf noch einmal »zur Schule zu gehen« und dennoch nicht in deren »Einfluß« zu geraten, sondern die erkannten Vorzüge der örtlichen »Markenprodukte« in Zukunft zitieren zu können. Später selbst als Lehrender und Kunstschriftsteller tätig, versuchte er dieses erworbene Wissen weiterzugeben, gründete dabei aber ebensowenig eine Schule im Sinne des alten Werkstattgedankens, sondern arbeitete mit Zitaten, mit Buchwissen, das man aus dem Regal holen kann.

1 Das Titelblatt des dritten Bandes seiner »Geschichte der neueren Kunst«, erschienen 1841, ließ Athanasius Graf Raczynski von Adolph Menzel gestalten, der 1840 in seine Gestaltung auch einen Esel mit hochaufgestellten Ohren als bissige Kritik an den Kritikern einfügte. – S. F. Büttner, »Athanasius Graf Raczynski als Apologet der Kunst seiner Zeit«, in: »Die Sammlung Graf Raczynski«, Ausst. Kat., hg. v. M. P. Michalowski/Ch. Heilmann, München/Posnan 1992, S. 45–60, hier S. 58/59.

2 Carl Arnold Kortum, »Jobsiade oder Leben, Meinung und Taten des Hieronymus Jobs, dem Kandidaten. Ein grotesk komisches Heldengedicht in drei Teilen«, Münster/Hamm 1784. – Ausführlich hierzu: Einem Revierbürger zum 250. Geburtstag, C. A. Kortum, Bottrop/Essen 1995.

3 S. hierzu B. Groseclose, »The Hudson and The Rhine, Exhibition Review«, in: American Art Review II, Nr. 4 Juli/August 1976, S. 114–126.

4 Hierzu besonders umfassend H. Bestvater-Hasenclever, »J. P. Hasenclever, Ein wahrer Zeitgenosse des Biedermeier«, Recklinghausen 1979, S. 22–27.

5 I. Markowitz, »Rheinische Malerei im 19. Jahrhundert«, in: Eduard Trier/Willy Weyres (Hg.), »Kunst des 19. Jahrhunderts im Rheinland«, 5 Bde., Bd. 3, Düsseldorf 1979, S. 43–144, hier bes. S. 74–79. – Ferner E. Mai, »Die Düsseldorfer Malerschule und die Malerei des 19. Jahrhunderts«, in:. »Düsseldorfer Malerschule«, Ausst. Kat. Düsseldorf 1979, S. 20f. Ders., in: »Die Kunstakademie Karlsruhe und die deutsche Künstlerausbildung im 19. Jahrhundert«, Kunst in der Residenz, Karlsruhe 1990, S. 38–53, bes. S. 40–45.

6 K. Woermann, »Zur Geschichte der Düsseldorfer Kunstakademie«, Düsseldorf 1880, S. 20: »Die Geschichte der Kunstakademie ist aber nicht nur die Geschichte ihrer Lehrer, sie ist fast in höherem Grade eine Geschichte ihrer Schüler. Um diese zu übersehen, ist freilich ein viel längerer Zeitraum erforderlich als ein Jahrzehnt.«

7 B. Novak, »Nature and Culture: American landscape and painting, 1825–1872«, New York 1980, S. 235ff.: »America and Europe: Influence and Affinity«.– Zuvor bereits 1972: »Influences and Affinities: The Interplay Between America and Europe in Landscape Paintings before 1860«, in: »The Shape of Art and Architecture in 19th century America«, New York 1972.

8 Anton Fahne, »Die Düsseldorfer Malerschule in den Jahren 1834–1836«, Düsseldorf 1837, S. 102.

9 Berichte liegen vor u. a. von Worthington Whittredge und John Whetton Ehninger, letzterer in: The Crayon 5, 5. Mai 1858, S. 146. – S. auch John W. Coubrey, »American Art 1700–1960«, in: »Sources and documents«, hg. Horst W. Janson, Bd. I, New Jersey 1965, sowie B. Groseclose 1976, wie Anm. 3, S. 115.

10 Kaum ein Amerikaner absolvierte mehr als die Elementarklassen an der Akademie, die Klasse des Aktzeichnens und die Anatomiestunde, sozusagen gemäß der Überzeugung: »Tradition kann systematisch und buchstäblich übermittelt werden, wie in der mittelalterlichen Schule« (E. R. Curtius, »Europäische Literatur und lateinisches Mittelalter«, München 1967, S. 396). Dann schrieben sie sich als Privatschüler bei einzelnen erfolgreichen Malern ein oder verkehrten privat, d. h. im Rahmen der »Malkasten«-Treffen mit ihnen. Dabei scheint das Sprachproblem nicht ausschlaggebend gewesen zu sein.

11 Von den rund dreißig Mitte der 1830er Jahre in Deutschland existierenden Kunstvereinen mit insgesamt 25 000 Mitgliedern zählte Düsseldorf 1843 immerhin 2459, 1860 noch 1913 wie Joachim Grossmann, »Künstler, Hof und Bürgertum«, Berlin 1994, S. 91–110, hier S. 100, betont. – Ders., »Verloste Kunst, Deutsche Kunstvereine im 19. Jahrhundert«, in: »Archiv für Kulturgeschichte«, Bd. 76, Heft 2, 1994, S. 351–364. – S. auch Raczynski, Bd. III, S. 388. – S. hierzu auch H. Gagel über »Die Bedeutung der Kunstvereine im Vormärz«, in: Die Düsseldorfer Malerschule und die politische Situation des Vormärzes», Ausst. Kat. Düsseldorf 1979, S. 68–85, hier S. 72f.

12 S. A. Rosenberg, »Die Geschichte der modernen Kunst, II, Deutsche Kunst 1795–1848«, Leipzig 1889, S. 363. Rosenberg beginnt im übrigen das 2. Kapitel »Die Düsseldorfer Akademie« mit einer gefüllten Initiale, wobei im bauchigen »D« zwei dozierende Männer zu sehen sind, von denen einer immerhin ein Weinglas in der Hand hält. Man kaufte tatsächlich gezielt, wie es J. J. Scotti in »Die Kunstschule zu Düsseldorf, Leistungen in den Jahren 1837 und 1838«, Düsseldorf 1838, minutiös auflistet, obzwar

die Preußen meist bevorzugt würden und mit höheren Preisen zum Zuge kämen.

13 S. auch Wend von Kalnein, Ausst. Kat. Düsseldorf 1979, wie Anm. 5, S. 202.

14 S. hierzu bes. den Aufsatz von Dawn Leach in diesem Katalog, S. 62–72, sowie R. Stehle, »The Düsseldorf Gallery«, in: The New York Historical Society Quarterly, Nr. 58, Oktober 1974, S. 304–317. – Ders. auch in: »The Hudson and the Rhine«, Ausst. Kat. Düsseldorf 1976, S. 26–28. – S. ferner die Abb. aus The Cosmopolitan Art Journal Dec. 1857, opp. p. 40; Robert Thew, *The Düsseldorf Gallery New York, Engraving*, wiederabgeb. in: Ann Farmer Merservey, »The Role of Art in American Life: Critics' View on Native Art and Literature, 1830–1865«, in: The American Art Journal, May 1978, Nr. 10, S. 73–89, hier S. 82.

15 Noch heute kommen eine Reihe von Museumsbesuchern zur Beratungsstunde des Kunstmuseums Düsseldorf und weisen Rückseiten von Leinwänden zumeist völlig unbedeutender Künstler vor, auf denen in schwarzen, geschwungenen Lettern «Düsseldorf» aufgedruckt ist und die damit den Eindruck eines Qualitätsmerkmals hervorrufen.

16 Bulletin of the American Art Union, II, Juni 1849, S. 8–17, hier zitiert nach Ausst. Kat Düsseldorf 1976, wie Anm. 14, S. 22.

17 S. hierzu »American Artists Abroad, The european experience in the 19th century«, Ausst. Kat. Nassau County Museum of fine Art, Roslyn, New York 1985 mit einer Einführung von Holly Pino Savinetti, S. 6–18.

18 Zitiert nach B. Novak, »On Divers Themes from Nature«, in: »The Natural Paradise, Painting in America 1800–1950«, Ausst. Kat. MOMA, hrsg. v. Robert Rosenblum, New York 1976, S. 62.

19 S. Ausst. Kat. Nassau, New York 1985, wie Anm. 17, hier: Einführung von H. P. Savinetti, S. 6.

20 S. Ausst. Kat. Nassau 1985, wie Anm. 17, S. 14–15.

21 Fahne 1837, wie Anm. 8, bezeichnete dabei die Düsseldorfer Schule als »eine veredelte Niederländische«, S. 26. Auch dies ist ein Hinweis auf eine bereits in den dreißiger Jahren bestehende Diskrepanz. So war die Landschaftsmalerei im Gefolge J. W. Schirmers, der bereits früh lehrte und erst 1839 offiziell als Professor eingesetzt wurde, mit den Zielen Schadows nach dessen Italienreise auch nur mehr schwer in Einklang zu bringen.

22 K. Immermann. zitiert nach E. Mai, in: Ausst. Kat. Düsseldorf 1979, wie Anm. 5, S. 22. – Diese Konzentration auf Schadow motivierte auch den passionierten Käufer der Schule, den Berliner Konsul Wagener, der sein Engagement in den vierziger Jahren, als der Ruhm der »Schadow-Schule« in der Hauptstadt bereits nachließ, unverzüglich reduzierte. S. hierzu auch Claude Keisch, »Die Sammlung Wagener«, Berlin 1976.

23 Etwa dreißig Jahre später würde Jacob Burckhardt fordern, eine Kunstgeschichte nach Schulen durch die »nach Gattungen« zu ersetzen bzw. zu erweitern. Raczynski orientiert sich wie Büttner, Anm. 1, S. 48, gezeigt hat, wesentlich an Luigi Lanzis »Storia pittorica dell'Italia…« von 1789.

24 Athanasius Graf Raczynski, wie Anm. 1, Bd. III, S. 11; auch ähnlich Bd. I S. 149: »…noch keine Schule bilden, wenn sie nicht auch gemeinsame Grundzüge bewahren, welche sie von anderern Schulen unterscheiden und ihren Zusammenhang untereinander kundgeben«.

25 S. Büttner, wie Anm. 1, S. 49 und 52.

26 Hugo Püttmann, »Die Düsseldorfer Malerschule und ihre Leistungen seit der Errichtung des Kunstvereins im Jahre 1829«, Leipzig 1839 sowie Friedrich von Uechtritz, »Blicke in das Düsseldorfer Kunst- und Künstlerleben«, 2 Bde., Düsseldorf 1839–1840, hier Bd. II, 1840, S. 29, ferner S. 71ff.

27 Wolfgang Müller von Königswinter, »Düsseldorfer Künstler«, Leipzig 1854, S. 3.

28 Wolfgang Müller von Königswinter, wie Anm. 27, S. 3.

29 Wissenschaftsgeschichtlich hat sich Irmeline Veit-Brause mit dem Problem auseinandergesetzt: »Paradigms, Schools, Traditions, Conceptualizing shifts and changes in the history of historiography«, in: Storia dell storiografia, Nr. 17/1990, S. 50–65.

30 Zu den Schulen und den jeweiligen Begründungssprachformen s. auch Walter Scheidig, »Die Geschichte der Weimarer Malerschule 1860–1900«, Weimar 1971. – Über die relativ klar begrenzten Schulungsmechanismen im Gegensatz zu manchem rigiden Eingriff durch den Meister, wie er in den Malerkolonien vorkommen konnte, s. Inge Eichler, »Aufbruch in die Landschaft«, Kronberg o. J. (1995), S. 9, wo durch die Korrektur im Werke Philipp Franks alles letztendlich »verburgert« wurde (Anton Burger war lange Jahre Oberhaupt der Kronberger Kolonie).

31 Friedrich Achleitner, »Gibt es eine ›Grazer Schule‹«, in: Kunsthistoriker, Zeitschrift des österr. Kunsthistoriker Verbandes, Sonderheft: Tagungsband 1/1993, Jg. 10, S. 94–100, S. 94.

32 Norman Bryson, »Tradition and Desire«, Cambridge 1981, hier bes. S. 37, 43. Für die Auseinandersetzung mit dem Thema »Einfluß« s. in der Literaturwissenschaft auch Harold Bloom, »The anxiety of influence, A theory of poetry«, Oxford 1973.

33 Für eine grundlegende Diskussion des Themenkomplexes danke ich Prof. Evert Vedung, Stockholm.

34 Ich greife hierbei Ideen auf, die in dem Aufsatz von Heinz Ladendorf, »Die Motivkunde und die Malerei des 19. Jahrhunderts«, in: »Festschrift für Eduard Trauscholdt« (1963), Hamburg 1965, S. 173–188, angedeutet werden, ohne dabei jedoch sein Verständnis von »Wirklichkeit« und »Gehalt« eines Kunstwerkes zu teilen. Interessant schien der Aspekt, einzelne Motive nicht als Zitate, und damit als Fragmente von etwas Vorhergehendem, sondern als Einheiten in einer neuen in sich geschlossenen Kultur erforschen zu wollen (s. hierzu bes. S. 181).

35 Da ich die Vor- und Nachteile dieser Vorgehensweise bereits in Bozen 1993 ausführlich erörtert habe, (s. hierzu Stefan Gronert/Martina Sitt, »(Dis-)Kontinuitäten? – Transformation und Wandel einiger Motive zwischen alter und neuer Kunst«, AR/GE Bozen, 5/1995), soll nicht die Liste der Beispiele beliebig verlängert werden – s. hierzu etwa »Georg Hetzel – The scalp level tradition«, Ausst. Kat., hsg. v. Paul Chew, Westmoreland Museum of Art 1994, Abb. 34, S. 149.

36 Ein Vergleich von Binghams *Order No. 11* mit Hübners Gemälde *Die schlesischen Weber* wäre hingegen höchst spannend, der leider auch von Groseclose noch nicht hinreichend durchgeführt wurde.– Nancy Rash, »The Paintings and Politics of G. C. Bingham«, New Haven 1991, hier S. 184–207, zitiert interessanterweise an Bildvorlagen alles außer den Düsseldorfer (!) Hübner herbei, einschließlich Masaccios *Vertreibung aus dem Paradies*.

37 Erwin Panofsky, »Der greise Philosoph am Scheidewege«, in: Münchner Jb. d. bild. K., H. 1, Jg. 9, NF, 1932, S. 285–290.

38 Fritz Graebner, »Methode der Ethnologie«, Heidelberg 1911, S. 3: »Die alle Geschichtswissenschaft verbindende, methodische Grundtatsache im Gegensatz zu den sogenannten exakten Wissenschaften ist, daß sie jede Erscheinung in ihrer wirklichen kausalen Bedingtheit erfassen will. Daraus ergibt sich die charakteristische Wertung der Einzeltatsache gegenüber der Richtung auf das Typische in den Naturwissenschaften überhaupt.«

39 Graebner 1911, wie Anm. 38, S. 57.

40 Graebner 1911, wie Anm. 38, S. 63.

41 S. hierzu Donat de Chapeaurouge, »Wandel und Konstanz in der Bedeutung entlehnter Motive«, Wiesbaden 1974, S. 38f.

42 Ausführlicher über die Problematik des Zitats: Martina Sitt/Attila Horányi, »Kunsthistorische Suite über das Thema des Zitats in der Kunst«, in: »Diskurse der Bilder«, Ausst.Kat. Kunsthistorisches Museum Wien 1993, S. 9–22.

43 Zum Washington-Portrait heißt es: »well advanced« (Brief 3.6.1857), zu Jefferson: »war gut vorangeschritten u. sollte binnen einen Monat vollendet sein« (Brief 8.3.1858, zitiert nach E. Maurice Bloch, »G. C. B., Evolution of an Artist«, Berkely 1967, S. 199). Beide Werke wurden 1911 beim Brand des State Capitol zerstört, s. Bloch 1967, S. 202. – Zu G. C. Bingham, s. Ausst. Kat. St. Louis Art Museum 1990, mit Beiträgen von M. E. Shapiro, P. C. Nagel, B. Groseclose u.a.

44 Brief Binghams vom 1. April 1850 zitiert nach Bloch 1967, wie Anm. 43, S. 196.

45 Bingham, Brief vom 4. November 1856, zitiert nach Bloch 1967, wie Anm. 43, S. 196. Bei dieser Gegenüberstellung von »freiem Naturstudium und auftragsgebundener Produktion« denke ich an jene auch in den Schülerlisten der Akademie aufgeführten zahlreichen Kooperationen, die einer beschleunigten Fertigstellung der Werke dienten, da ja auch das nächste Schiff nach New York wieder auf Ware wartete. Dies läßt sich u.a. aus einem Vergleich mit den bei Boker ausgestellten Werken erschließen.

46 So bestätigt auch B. Groseclose dies indirekt, da die »Strategy of inequality«, »that shaped the meeting as a confrontation of unequals, has proved lasting« und somit die »europäischen« Amerikaner selbst im 19. Jahrhundert noch vielfach den Europäern näher waren als dem noch immer nicht vollständig eroberten »eigenen« Land; in: »Imagery of Native Americans – Images of National Genesis: Constructions of the Encounter in the Art of the United States«, in: The American Art Journal 1/1969, S. 563–569; hier Zitat von S. 564.

47 Version 1857, 120×177 cm, heute St. Louis Art Museum; Version 1846, 97×123 cm, heute Washington, National Gallery of Art, s. Abb. in: »G. C. Bingham«, Ausst. Kat. St. Louis, wie Anm. 43, Plate 37. – Daß es sich dabei auch um ein unter den »Düsseldorfer« Amerikanern beliebtes Sujet handelt, beweist auch jene Version von Charles Wimar (1828–1862) 1854 entstanden, abgebildet in: »Charles Wimar«, Ausst. Kat. Amon Carter Museum, Fort Worth 1991, Abb. 3, Text S. 59 (Kat. Nr. 15).

48 Zitiert nach Bloch, wie Anm. 43, S. 202 FN 57.

49 Der Bildaufbau erscheint sogar noch weniger stringent als bei *Raftsmen playing cards*, 1847, in: Ausst.Kat. St. Louis, wie Anm. 47, Tafel 40.

50 Leider sind mir bislang nur Schwarzweißabbildungen der 1877er Version zugänglich, so daß zu dem wichtigen Punkt der Farbigkeit keine Aussagen getroffen wurden.

51 Rash, 1991, wie Anm. 36, S. 196, zur Frage der Übernahme: »Yet, as important as these precedents were, Bingham cast his net more widely as he drew together all his past experiences to create what in many ways was his most complex composition. He reworked elements of his own earlier works.«

52 John Wilmerding, »Bingham's Geometries and the Shape of America«, in: Ausst. Kat. St. Louis, wie Anm. 47, S. 175–181. Zuvor habe Bingham überzeugt: »Stylistically … consistent clarity, structure and solidity«, S. 175.

53 Wilmerding 1991, wie Anm. 52, S. 176 spricht von »pyramidal geometries« in Binghams Frühwerk, wogegen nun zunächst eine Art Verschnörkelung zu beobachten sei: »rococo style in his work…lively, even fussy, sentimental and theatrical«, S. 177.

54 Bloch 1967, wie Anm. 43, S. 198.

55 »R. C. Woodville, an Early American Genre Painter«, Ausst. Kat. Washington 1967; Essay Francis S. Grubar, o. S.

56 S. auch Literary World Nov. 30, 1850: »Woodville's painting known by thousands«, die Radierung von Charles Burt wurde an 16 310 Mitgliedern verteilt.

57 Vgl. George Kubler, »The Shape of Time«, Yale, New Haven 1962.

58 Zwei Radierungen von Alfred Jones nach Woodvilles Arbeit für die Art Union, wurden im April 1851 verteilt, insgesamt 14 000 Exemplare. S. hierzu: »The Düsseldorf Academy and the Americans«, Atlanta 1972, S. 44.

59 L. K. an Suermondt, 19.6.1875, zitiert nach: Bernd Küsters, »Der Maler Ludwig Knaus«, in: Willingshäuser Hefte 5, 1995, S. 26.

60 Vincent van Gogh an Theo v. G., 6.7.1885 Brief Nr. 416 zit. nach Küsters 1995, wie Anm. 59, S. 5–32.

61 »Seine (Leibls, Anm. d. Autors) Gemälde fixieren den Blick des Betrachters; Knaus dagegen läßt die Augen wandern. Die Leiblschen Figuren ruhen gefestigt in sich selbst, bei Knaus erfüllen sie sich erst in der gezeigten Handlung. (…) Für Knaus erwächst erst aus den Facetten des Figürlichen der Erzählzusammenhang und damit die Quintessenz eines Bildes. Das Individuum ist hier Mittel zu dramaturgischem Zweck, den das Thema bestimmt und der vielfach in einer Art Pointe gipfelt. Sein Realismus übersetzt etwas Erdachtes in die Form eines Mehrfigurenbildes, bei dem kein Element und kein Vorgang ganz nebensächlich bleiben.(…) Knaus nutzt die Sprache der Gesten und Gesichter, um daraus ein ihm wahres Bild des Lebens zu entwickeln…« Küsters 1995, wie Anm. 59, S. 5.

62 Zitiert nach Ausst. Kat. Nassau 1985, wie Anm. 17, S. 7.

63 B. Novak, »Nature and Culture«, New York 1980, S. 273: »That ›something‹ raised nature above art or ego, and subsumed self in spirit. Where the French had stressed means, the Americans stressed end; where the Germans injected feelings, the Americans distilled it to a more impersonal essence.«

64 »The Autobiography of Worthington Whittredge«, hrsg. v. John I. Baur, Brooklyn Museum Journal I/1942, S. 56.

ANNETTE BLAUGRUND

»Eine Art von brüderlicher Gemeinschaft«

Die »Düsseldorf–Connection« in den Ateliers an der Tenth Street

*Unter den Künstlern in Düsseldorf besteht eine
höchst lobenswerte Kameradschaft,
die allerorten Nachahmung finden sollte.*[1]

Unter den zahlreichen Artikeln, die in den amerikanischen Zeitungen des 19. Jahrhunderts über die Düsseldorfer Akademie geschrieben wurden, versagte es sich kaum einer, auf die »brüderliche Gemeinschaft« hinzuweisen, die dort in den 1840er und 1850er Jahren gepflegt wurde.[2] Der an der Düsseldorfer Akademie herrschende Gemeinschaftsgeist und die Kameraderie unter den Mitgliedern des »Malkastens«, einer freien, neben der Akademie bestehenden Künstlervereinigung, fanden ihre Fortsetzung in dem New Yorker Ateliergebäude an der Tenth Street (1857; 1956 abgerissen). So empfand John Ferguson Weir (1841–1926) beim Einzug in sein Atelier im Jahr 1862 die dortigen Künstler als »sehr warmherzig und

gesellig …«[3] Auch andere bemerkten »das starke Gefühl guter Kameradschaft, das dort die Atmosphäre durchdrang«.[4]

Das Ateliergebäude an der Tenth Street (Abb. 1) war doppelt berühmt: zum einen wegen seiner innovativen Architektur und zum anderen wegen der illustren Namensliste seiner Mieter – hier sind vor allem zu nennen Frederick E. Church (1826–1900), Albert Bierstadt (1830–1902), Sanford R. Gifford (1823–1880), Winslow Homer (1836–1910), John La Farge (1835–1910) und William Merritt Chase (1849–1916) –, Maler, die in diesen Räumen Gemälde von spezifisch amerikanischem Gepräge und Ethos schufen. Viele der Künstler, die in den 1860er Jahren in dem Ateliergebäude arbeiteten, hatten in Düsseldorf studiert – so etwa Emanuel Leutze (1816–1868), Albert Bierstadt, Worthington Whittredge (1820–1910), William Stanley Haseltine (1835–1900), William Holbrook Beard (1824–1900), John Beaufain Irving (1826–1877) und Enoch Wood Perry (1831–1915). Einige – beispielsweise George Henry Hall (1825–1913), Thomas Waterman Wood (1823–1903) und Alexander Lawrie jr. (1828–1917) – zogen erst zu einem weit späteren Zeitpunkt in das Atelierhaus.[5]

Als erste Adresse für Künstler in New York Mitte des 19. Jahrhunderts bot ihnen das dreistöckige Gebäude mit seinen zahlreichen Ateliers eine Wirkungsstätte, die speziell auf ihre Bedürfnisse zugeschnitten war und jedem Aspekt ihrer Arbeit Rechnung trug.[6] 1857 hatte der reiche Geschäftsmann James Boorman Johnston (1822–1887) den ersten an der Ecole des Beaux-Arts in Paris ausgebildeten amerikanischen Architekten, Richard Morris Hunt (1827–1895), mit der Planung dieses kommerziellen Ateliergebäudes beauftragt. Hunts genialer Entwurf sah drei Stockwerke mit Ateliers rings um eine zentrale Galerie vor, die als gemeinschaftlicher Ausstellungs- und Verkaufsraum dienen sollte. Damit stellte das Gebäude zu einem Zeitpunkt, als New York sich zum kulturellen Nabel der Nation entwickelte, den so dringend benötigten Raum für bildende Künstler zur Verfügung.

Als das Haus Nr. 15 an der Tenth Street (1866 umbenannt in 51 West Tenth Street) im Jahr 1857 errichtet wurde, besaß dieses mehrstöckige und zur kommerziell-künstlerischen Nutzung bestimmte Gebäude weder in Europa noch in Amerika ein Vorbild. Als eventueller ideologischer Vorläufer könnte allenfalls das Franziskanerkloster S. Isidoro in der Nähe von Rom gelten, in dem eine Gruppe von deutschen und österreichischen Künstlern, die sogenannten Nazarener, ab 1810 in einer Art künstlerischer Bruderschaft lebten und arbeiteten. Vielleicht ließen sich auch die um bestimmte ortsgebundene Akademien liegenden Häuser dazurechnen – man denke nur an Düsseldorf oder München –, in denen ein international gemischtes Malervölkchen Wohnateliers bezog. In Düsseldorf »arbeiteten die Maler alle unter einem Dach zusammen und das trug nicht unbeträchtlich zu dem familiär-ungezwungenen Geist bei, der unter ihnen herrschte«, berichtete das Londoner *Art Journal.* »Sie trafen sich jeden Tag in dem großen Gebäude der Akademie ...«[7] Doch keines dieser Bauwerke war ausdrücklich zu dem Zweck gebaut worden, Künstlerateliers zu beherbergen.

Der Gedanke, Künstler in einem einzigen Gebäude gemeinsam unterzubringen, tauchte in den europäischen Idealstadt-Entwürfen immer wieder sporadisch auf, insbesondere in der französischen utopistischen Architektur des 19. Jahrhunderts. Durch sein Studium an der École des Beaux-Arts in Paris kannte Hunt wahrscheinlich die Pläne Maurice La Chatres (1814–1890), eines französischen Sozialisten, der eine modellhafte Kommune auf seinem eigenen Grund und Boden errichtete. Vielleicht waren ihm auch die Entwürfe des französischen Architekten Hector Horeau (1801–1872) nicht unbekannt, der sich schon 1826 Gedanken über spezielle Künstlersiedlungen gemacht hatte.[8] Doch wurde bis zum Jahre 1871 kein derartiges Gebäude in Frankreich verwirklicht. In England zeigten sich in den späten 1860er Jahren parallele architektonische Bestrebungen, und in den Vereinigten Staaten waren im 19. Jahrhundert utopistische Vereinigungen, die in der ländlichen Kommune den Weg zu einer Lebensreform suchten, keine Seltenheit. Ihre jeweilige Philosophie wirkte als Inspiration für die architektonischen Entwürfe, die ein eng aufeinander bezogenes Gemeinschaftsleben der Menschen zum Ziel hatten, ähnlich dem Zusammenspiel von künstlerischer Arbeit und Leben, wie es sich unter den Bewohnern der Ateliers in der Tenth Street entwickelte.

Im November 1859, fast zwei Jahre nach der Fertigstellung von Hunts Bauwerk, zog Emanuel Leutze, das Haupt der in Düsseldorf (jedoch außerhalb der Akademie) freischaffenden Künstler und einer der Hauptinitiatoren des »Malkastens«, in das Ateliergebäude an der Tenth Street.[9] Seine Wahl fiel wahrscheinlich deshalb auf das Gebäude, weil er vor nicht allzu langer Zeit die Bekanntschaft von Richard Morris Hunt gemacht hatte. Auch waren ihm einige Mitbewohner des Hauses nicht fremd, etwa Sanford R. Gifford, der im Juni 1856 Leutze in Düsseldorf besucht hatte, und Thomas Buchanan Read, der Leutze auf seinen zwischen 1850 und 1852 unternommenen Reisen kennengelernt hatte. Gifford und Read lebten seit 1858 beziehungsweise 1859 in dem Atelierhaus.[10] Hunt muß Leutze zumindest ab August 1852 ebenfalls in Düsseldorf getroffen und wahrscheinlich die wechselseitige Beeinflussung der Künstler in Leutzes Kreis beobachtet haben. Wenngleich – wie bereits gesagt – zu vermuten steht, daß Hunt die französische utopistische Architektur kannte, war es in Düsseldorf, wo er selbst erlebte, wie sehr eine enge Lebensgemeinschaft die Entwicklung künstlerischer Beziehungen begünstigte. Fortan bezog er diese Erkenntnis in seinen Entwurf für das Atelierhaus ein.[11]

In den 1850er und 1860er Jahren beeinflußten ausländische Kunstschulen wie die Düsseldorfer Akademie und die englischen Präraffeliten nicht nur die Qualität und den Stil, sondern auch den Charakter der amerikanischen Kunst.[12] Während sich diese beiden Schulen in vieler Hinsicht voneinander unterschieden, galt beiden Wahrheit als Sinn und Gehalt der Malerei; dabei waren sie einer idealisierten Auffassung des Christentums verbunden, eine Grundposition, in die sie die Natur als integralen Bestandteil einbezogen. Beide befürworteten peinliche Detailtreue und sorgfältige Maltechnik und, was noch entscheidender war, beide förderten den Korpsgeist unter den Künstlern. Was die amerikanischen Künstler nach Düsseldorf zog, war der dort herrschende Gemeinschaftsgeist, verbunden mit einem hohen akademischen Niveau.[13]

Das Interesse an der Düsseldorfer Akademie und dem »Malkasten« blieb über Jahre hinweg sowohl in den Vereinigten Staaten wie auch in Deutschland lebendig,[14] wobei die fortdauernde Aufmerksamkeit in den Vereinigten Staaten teilweise auf Leutzes Mitwirken zurückzuführen ist. Er richtete sich in Düsseldorf ein unabhängiges Atelier außerhalb der Akademie ein, wo er amerikanische Künstler, die zu Besuch in die Stadt kamen, in jeder Hinsicht förderte. Gleichzeitig war er Mitglied und Präsident des Vereins Düsseldorfer Künstler zur gegenseitigen Unterstützung und Hilfe, Gründungsmitglied des »Malkastens« im Jahre 1848 und der Allgemeinen Deutschen Kunstgenossenschaft 1856.[15] Der »Malkasten« war eine so-

Abb. 2   Emanuel Leutze, Worthington Whittredge in seinem Atelier an der Tenth Street, 1865 (Worthington Whittredge in His Tenth Street Studio), Öl auf Leinwand, 38×31 cm, Reynolda House, Museum of American Art, Winston-Salem NC

ziale und politische Organisation, dessen Mitglieder den lebendigen Beweis für die Künstlerbruderschaft antraten, mit der Düsseldorf lange Zeit identifiziert worden ist.

Eine ähnliche Art von Bruderschaft manifestierte sich in den Ateliers an der Tenth Street. Dort entwickelten sich Freundschaften und Lehrer-Schüler-Beziehungen, man plante und unternahm gemeinsame Reisen, bildete Ateliergemeinschaften, organisierte gemeinsame Verkaufsausstellungen und schrieb sich in dieselben Kunstvereine ein. Die meisten der hier erwähnten Künstler waren Mitglieder der National Academy of Design und der Century Association, um nur einige zu nennen. *The Crayon*, eine frühe Kunstzeitschrift, überlieferte getreulich die verschiedenen Beziehungen und Aktivitäten. So wurde gebührend

vermerkt: »Leutze, Haseltine und Whittredge haben sich Ateliers im Tenth-Street-Gebäude genommen.«[16] Ein paar Ateliers müssen gerade zu dem Zeitpunkt frei geworden sein, als Leutze und seine Freunde Lust hatten, dort einzuziehen, denn das Haus war seit seiner Eröffnung im Jahr 1858 voll besetzt – es wurde sogar eine Warteliste geführt. Freilich mögen Leutzes Beziehungen und sein künstlerisches Gewicht ihm wohl eine Vorzugsbehandlung eingetragen haben. Immerhin fährt der Artikel fort: »Bierstadt, Irving und andere sehen sich anderwärts nach Studios um, denn das Ateliergebäude ist so voll wie ein Broadway-Omnibus an einem Regentag.«

Leutze lebte nicht ununterbrochen in dem Haus, da er 1862 das große Fresko *Westwärts geht der Weg des Imperiums* (*Westward the Course of Empire takes its way*, Abb. S. 96) für das Capitol in Washington schuf. Den New Yorker Adreßverzeichnissen zufolge war er von 1858 bis 1861 und dann wieder von 1864 bis 1866 Mieter in der Tenth Street. Dessen ungeachtet zog »das Beispiel unerschöpflicher Energie und unermüdlicher Tätigkeit … das freundliche, selbstlose Interesse, das er den Bestrebungen anderer entgegenbrachte …« sicherlich seine Düsseldorfer Kollegen zu ihm in das Ateliergebäude.[17] Nachdem er, Haseltine und Whittredge (Abb. 2) sich in dem Haus Räumlichkeiten gemietet hatten, fand dort ab Februar 1860 Bierstadt Quartier, 1861 Beard, 1866 Irving und 1867 Perry.

Nicht nur die Tatsache, daß er dort von Freunden umgeben war, mag Leutze selbst in das Ateliergebäude gelockt haben, sondern auch der funktionale Zuschnitt des Bauwerks mit seinen untereinander verbundenen Ateliers, die eine enge Arbeitsgemeinschaft, freundschaftlichen Umgang und Geselligkeit unter den Hausbewohnern förderten. Neben großen, hellen, gut geheizten Ateliers verfügte das Haus über eine einzigartige und sich über zwei Stockwerke erstreckende gemeinsame Galerie mit einem Oberlicht für die Besichtigung bei Tag und Gasbeleuchtung für den Abend. Das tägliche gesellige Leben dokumentierte John Ferguson Weir: »Diesen Nachmittag ging ich in Giffords Zimmer, fand es aber leer. Er malte gerade in (Richard) Hubbards Zimmer … Hubbard kam hierher, setzte sich in meinen Lehnsessel und verwickelte mich in ein anregendes Gespräch über Kunst und mit der Kunst verbundene Themen, die uns bis weit in die Dämmerung fesselten.«[18] Gifford und (Jervis) McEntee (1828–1891) gaben kongeniale kleine Abendessen für aus Schriftstellern und Malern gemischte Gesellschaften. Bierstadt veranstaltete manchmal üppigere Gelage »mit von Delmonico gelieferten Speisen«. Einmal hatte Leutze »vom Markt in Fulton Wildgeflügel und andere Dinge bestellt, die er für einen bestimmten Dekorationsauftrag benötigte. Nach einigen Stunden rascher Pinselarbeit hatten die Tiere ihren Zweck erfüllt, und er ließ die Vögel rupfen und für die Tafel zubereiten. Es war sozusagen ein Familienessen, das heißt, die Gäste setzten sich aus den Bewohnern der Ateliers zusammen.«[19]

Namhafte zeitgenössische Schriftsteller, Schauspieler, Architekten und Mäzene gingen als Besucher in dem Haus ein und aus und machten es zu einem lebendigen kulturellen Zentrum. Edmund Clarence Stedman (1833–1908), Richard Henry Stoddard (1825–1903), Thomas Bailey Aldrich (1836–1907), Bayard Taylor (1825–1878) und George Henry Boker (1823–1890), Journalisten, die mit der New Yorker *World*, dem *Evening Mirror* und verschiedenen Zeitschriften in Verbindung standen, speisten mit den Künstlern und setzten sich in ihren Artikeln für sie ein. Auch angehende amerikanische Architekten wie etwa George B. Post (1837–1913), William R. Ware (1832–1915), Henry Van Brunt (1832–1903) und Frank Furness (1839–1912) lebten hier und arbeiteten in Hunts Atelier – einem großen Raum, ausstaffiert mit »architektonischen und dekorativen Detailabgüssen«. Van Brunt lieferte eine treffende Schilderung der Situation: »Hier lebten wir inmitten einer kongenialen und miteinander sympathisierenden Bruderschaft von Malern und Bildhauern aus den benachbarten Ateliers als glückliche Bohemiens, frei, zu kommen und zu gehen wie es uns beliebte.«[20] Viele Künstler arbeiteten nicht nur in dem Gebäude, sondern wohnten auch dort, insbesondere die Junggesellen, für die die Hausmeisterin, Mrs. Winter, Mahlzeiten zubereitete. Im Zusammenhang mit den bereits arrivierten Künstlern, deren Schaffen Unmengen von Besuchern ins Haus zog, und ihren berühmten Gästen wurde das Atelierhaus häufig in den Zeitungen erwähnt.

Zusätzlich zu den modernen Atelierräumen war die gesellige Gemeinschaft ein Vorzug, an den sich viele Studenten während ihres Studiums und ihrer Reisen im Ausland gewöhnt hatten. Sanford R. Gifford, der in Düsseldorf nur vier Tage verbrachte (vom 4. bis 11. Juni 1856), war sogleich von dem Geist, den er dort vorfand, eingenommen und beschrieb am 20. Juni in einem Brief an seinen Vater den »Malkasten« wie folgt: »Es scheint eine echte Brüderlichkeit unter ihnen zu herrschen. Sie sind im Umgang miteinander sehr natürlich und frei.«[21] Am 27. Juli traf er sich mit

Whittredge, Haseltine und Bierstadt, die alle in Düsseldorf studiert hatten, und gemeinsam unternahm man eine Studienreise durch die Schweiz. Als Gifford später ein Atelier in Rom gemietet hatte, nahm er erneut Verbindung mit dieser Gruppe auf, und am 6. Oktober reiste er mit Haseltine, Whittredge, William Beard und Thomas Buchanan Read durch die Campagna, um die alten römischen Städte der Castelli Romani in den Albaner Bergen zu besichtigen. Whittredge erinnerte sich, daß sie nachts ein einziges riesiges Bett teilten.[22] So setzten diese Männer, die den Düsseldorfer Gemeinschaftsgeist erlebt hatten, diesen mit ihren Freundschaften über Deutschland hinaus fort und trugen ihn schließlich über den Atlantik in das New Yorker Atelierhaus.

In zeitgenössischen Zeitschriften finden wir Berichte über Reisen der Künstler von der Tenth Street in die Catskill Mountains und zu anderen beliebten Zielen der Hudson River School. Tatsächlich blieb das Ateliergebäude in den Sommermonaten verwaist, denn die Künstler tauschten zumeist die New Yorker Hitze gegen das kühlere Klima in den Bergen ein, wo sie zusammen zeichneten.[23] 1868 reiste ein Teil der in Düsseldorf Ausgebildeten nach Italien; man nahm zusammen Quartier, zeichnete dieselben Sujets, besuchte ins Ausland abgewanderte frühere Atelierbewohner und knüpfte so allgemein an die in den 1850er Jahren begründeten vertrauten Beziehungen wieder an.[24]

Die für die Ausstellung und den Verkauf von Gemälden gedachte Galerie und die Empfänge der Künstler (Abb. 3), die dort und in den Ateliers stattfanden, waren ein weiteres charakteristisches Merkmal des Gemeinschaftsgeistes, der unter den Mietern herrschte. Leutze, dem während seiner Düsseldorfer Jahre sowohl in den Vereinigten Staaten wie auch in Europa viele Absatzmöglichkeiten für seine Werke offenstanden, dürfte höchstwahrscheinlich das hier zusätzlich gebotene Ausstellungsforum geschätzt haben. Wenn die Künstler ihre gemeinschaftlichen Präsentationen veranstalteten, dann geschah dies in einem kongenialen Umfeld, in dem auch Musik und Erfrischungen geboten wurden. Das sprach die Besucher ungemein an, die sich zu diesen Veranstaltungen vor allem auch deshalb hingezogen fühlten, weil sie anläßlich ein und desselben Besuchs viele verschiedene Künstler in ihren Ateliers treffen und ihre Werke in Augenschein nehmen konnten. Ein aus Künstlern des Hauses bestehendes Komitee organisierte das Ganze; ebenso traf es die Vorbereitungen für die Künstlerempfänge, die im Dodworth Building stattfanden, ei-

Abb. 3 Anonym,
Künstlerempfänge
(Artists' Receptions)
Frank Leslie's
Illustrated
Newspaper,
29. Januar 1869,
The Museum of the
City of New York,
New York

Abb. 4 W. Merritt
Chase,
Das innere Studio,
Tenth Street, 1882
(The Inner Studio,
Tenth Street),
Öl auf Leinwand,
82 × 112 cm,
Art Collections,
Huntington Library,
San Marino CA

ner Tanzschule, wo etliche andere Künstler ihr Atelier
hatten. Die Artists' Reception Association wählte
im Dezember 1859 zwei Künstler aus dem Ateliergebäude, George Hall und Aaron Draper Shattuck
(1832–1928), zu Leitern des Exekutiv-Komitees,
während Gifford, Leutze, Bierstadt und andere
Tenth-Street-Insassen zu Mitgliedern des Komitees ernannt wurden (was die Gesamtzahl auf 60 erhöhte).[25]

Bei einem Dodworth-Empfang am 4. Januar 1860
war Gifford mit *Am See (Lake Scene)* und Bierstadt
mit *Passagen in den Rocky Mountains (Rocky Mountain Passages)* vertreten,[26] während am 19. Januar
Leutzes *Washington in der Schlacht von Princeton*
(*Washington at the Battle of Princeton*), Szenen aus
den Rocky Mountains von Bierstadt, eine Szene aus
der Campagna von Haseltine, das Bildnis Oliver
Wendell Holmes von Buchanan Read und andere die
Hauptattraktionen im Ausstellungssaal des Atelierge-

bäudes bildeten.[27] Leutze, der sich offensichtlich an vielen dieser Vernissagen beteiligte, präsentierte bei der nächsten Schau eine Karnevalsszene, die Bierstadt mit einer großen Rocky-Mountains-Schilderung übertrumpfte.[28] Zusammenarbeit zur Erreichung eines gemeinsamen Ziels war Teil des aus Düsseldorf importierten Geistes und wurde durch kollektive wirtschaftliche Anliegen verstärkt. Doch gab es auch Männer wie Bierstadt und Church, die miteinander rivalisierten und für die individueller Ruhm und finanzieller Gewinn mehr galten als die Zusammenarbeit. Das fand Ausdruck in ihren Einzelausstellungen großformatiger Gemälde in der Galerie des Atelierhauses, Ausstellungen, die ihnen weit größere individuelle Beachtung eintrugen als das Gruppenforum.

Obwohl die Vernissagen bis in die frühen achtziger Jahre andauerten, wurden die Besucher dieser Darbietungen schließlich müde, weil sie ein und dieselben Gemälde sowohl bei den Empfängen im Dodworth Building wie im Ateliergebäude vorfanden und danach auch noch bei den jährlichen Ausstellungen der National Academy of Design.[29] Die Empfänge waren mit der Zeit zu gesellschaftlichen Anlässen geworden, zu denen die Menschen nicht nur kamen, um zu sehen, sondern auch, um gesehen zu werden. Schließlich schliefen diese Veranstaltungen langsam ein, zumal inzwischen Kunstgalerien und Auktionshäuser förmlich aus dem Boden geschossen waren, die den Künstlern außerhalb ihrer Studios Stätten zur Verfügung stellten, an denen sie ihre Werke zeigen und verkaufen konnten. Während dieser Periode rückten Maler mit unterschiedlichem künstlerischem Feingefühl, von denen viele ihre Ausbildung in München und Paris erhalten hatten, an den Platz der Düsseldorfer Gruppe.

William Merritt Chase studierte in München und eignete sich nicht nur einen europäischen Stil, sondern auch eine kosmopolitische Haltung an. Als er 1878 aus München zurückkehrte, eroberte er das Ateliergebäude im Sturm. Innerhalb eines Jahres ergriff er Besitz von der Ausstellungsgalerie, die Albert Bierstadt vor seinem Verlassen des Hauses 1879 als privates Atelier genutzt hatte. Der Wechsel der Galerie von Bierstadt zu Chase signalisierte eine Wachablösung, die sich nicht nur in einem unterschiedlichen künstlerischen Stil äußerte, sondern auch durch die üppige Ausstaffierung des Ateliers und einer damit einhergehenden Veränderung in dessen Funktion sichtbar wurde. Chase verwandelte sein großes Atelier (Abb. 4) in einen wahren Ausstellungsraum, dessen prunkvolle Einrichtung den Lebensstil von Maler-

fürsten wie Lenbach und Makart nachahmte (Abb. 5). Er benutzte den Raum zum Malen und für den Unterricht, für Vereinstreffen und seine eigenen privaten Samstags-Empfänge. Sein künstlerisches Bekenntnis zu einem Ästhetizismus des l'art-pour-l'art, der Kunst um der Kunst willen, offenbarte sich in den vielen Gemälden, die er von seinem Atelier schuf – Räume, die der Erweiterung seiner Person wie auch als Instrument der Verkaufsförderung dienten. Die Zusammenarbeit mit anderen Künstlern betrachtete Chase als ein Geben und Nehmen. Letztendlich jedoch wich der Geist der Gemeinschaftsarbeit, der während der 1860er Jahre so freudig begrüßt worden war, dem Willen zum eigenen Vorankommen.

Obwohl enge künstlerische Beziehungen zwischen Malern innerhalb und außerhalb des Atelierhauses bestanden, war es der Zuschnitt des Gebäudes, der den lebhaften Verkehr und das fröhliche Leben nach Art der in Düsseldorf erlebten Verbindung förderte. Doch eine Bruderschaft nach dem Vorbild der Düsseldorfer Schule war nur einer von mehreren Faktoren, die diesen Bestrebungen und dem Streben der Zeit zugrunde lagen. Von dem Ideal gemeinsamer Arbeit waren die Präraffaelitische Bruderschaft, die utopischen Gesellschaften und viktorianische soziale, politische und kulturelle Herrenclubs gleichermaßen durchdrungen. Im Zusammenschluß geistesverwandter Menschen mit übereinstimmenden Interessen

Abb. 5 Anonym, Das Atelier Hans Makarts, um 1875, Fotografie, Galerie Moderner Meister, Wien

äußerte sich das Ethos der Zeit. Für die Vereinigten Staaten, ein Land, das aktiv daran arbeitete, sein kulturelles Image zu verbessern und seinen wirtschaftlichen Status in der Welt zu fördern, bedeutete ein altruistischer Gemeinschaftsgeist ein Mittel, allgemeine Ziele zu erreichen, etwa eine nationale Kunstschule, die Entwicklung eines amerikanischen Mäzenatentums und die allgemeine Anhebung kultureller Standards. Mit dem Erreichen dieser Zielsetzungen weitete sich der Kunstmarkt aus, und die ökonomischen Einsätze, die auf dem Spiel standen, wurden so hoch, daß die »brüderliche Gemeinschaft« zerfiel.

Mein herzlicher Dank gilt William H. Gerdts, der mir und Kathleen Luhrs für ihre Kommentare zu diesem Text seine Privatbibliothek zugänglich machte.

1 »Foreign Correspondence, Items etc.«, in: The Crayon 5 (August 1857), S. 250.

2 »Dusseldorf News«, in: Bulletin of the American Art Union (3. August 1850), S. 83.

3 Brief an Mary French, von Weir am 7. Dezember im Ateliergebäude geschrieben. Weir Papers, Archives of American Art, roll 531, frame 191–192.

4 Lillian Aldrich: »Crowding Memories«, Houghton Mifflin Company, Boston 1920, S. 55.

5 Ihre Mietdauer erstreckte sich über die folgenden Jahre: George Henry Hall 1874–1883, Thomas Waterman Wood 1874–1903 und Alexander Lawrie jr. 1895.

6 Zu mehr Informationen über die Ateliers an der Tenth Street siehe meine Dissertation: »The Tenth Street Studio Building« (Ph. D. Diss., Columbia University, New York, 1987); sowie »The Tenth Street Building: A Roster«, in: American Art Journal 14 (Frühjahr 1982); »Next to Nature« (in Zusammenarbeit mit Barbara Novak), Harper and Row, New York 1980 und »The Old Boy Network in Rome: Tenth Street Studio Artists Abroad«, Hrsg. Irma Jaffe; »The American Presence in Italy, 1860–1920«, Fordham University Press, New York 1992.

7 »The Dusseldorf School of Painting«, in: Art Journal, London 1855, S. 13.

8 Paul Chemetov and Bernard Marrey, »Architectures, Paris 1848–1914«, Paris 1980, S. 50–51. – »Hector Horeau, 1801 bis 1872«, Supplement zu Cahiers de la recherche architecturale, Paris 1979, siehe Chronologie, Biographie und S. 72.

9 Emanuel Gottlieb Leutze (1816–1868) wurde in Schwäbisch-Gmünd bei Stuttgart geboren und wanderte 1825 als Neunjähriger mit seinen Eltern nach Philadelphia aus. In den Vereinigten Staaten arbeitete er schon früh als wandernder Künstler. 1841 ging er nach Düsseldorf und schrieb sich dort an der Kunstakademie ein, setzte jedoch seine Ausbildung im Atelier von Carl Friedrich Lessing (1808–1880) fort, da er den zwangloser gestalteten Unterricht im freien Atelier der dogmatischeren Struktur der eigentlichen Akademie vorzog. Seine Rolle als Anführer, Lehrer, Berater und Übersetzer für amerikanische Künstler, die zum Studium oder als Besucher nach Düsseldorf kamen, bewog ihn dazu, fast drei Jahrzehnte dort zu bleiben, bis ihn finanzielle Angelegenhei-

ten und die Enttäuschung über die deutsche Politik zurück in die Vereinigten Staaten führten.

10 Read, der Dante Gabriel Rossetti und andere Mitglieder der Präraffaelitischen Bruderschaft kurz vor seiner Ankunft in Düsseldorf besucht hatte, war ein weiteres Verbindungsglied zu dieser Künstlervereinigung. Verschiedene Mieter des Atelierhauses standen in direktem Kontakt zu der englischen Gruppe.

11 Der Bruder von Richard Morris Hunt, der Maler William Morris Hunt (1824–1879) war 1845 zum Studium der Bildhauerei nach Düsseldorf gegangen. Er blieb jedoch nur neun Monate lang dort, weil ihn die strenge Unterrichtsroutine an der Akademie enttäuschte. Im August 1852 legten die Brüder Hunt auf ihrem Weg nach Berlin einen Zwischenaufenthalt in Düsseldorf ein, speisten mit Leutze zu Abend und erneuerten so ihre einstige Bekanntschaft.

12 Die Düsseldorf Gallery in New York (1849–1862) und die steigende Wertschätzung von Genre-Sujets trug wesentlich dazu bei, noch mehr Aufmerksamkeit auf deutsche künstlerische Ideen zu lenken und ihren Einfluß zu verbreiten. Die amerikanische Art Union ermutigte die jungen Künstler zu einem Studium in Europa. Davon erhoffte man sich die Heranbildung einer Führungsgruppe von amerikanischen Malern, deren Schaffen es in bezug auf Qualität mit dem der europäischen Künstler aufnehmen konnte. In Düsseldorf war die Harmonie der Künstlergemeinschaft in direkter Linie sowohl von Peter von Cornelius (1783–1867), dem Direktor der Akademie von 1819 bis 1829, und seinem Nachfolger Wilhelm von Schadow, übernommen worden, der ihre Leitung von 1826–1859 innehatte. Die beiden Direktoren hatten zu der in Rom lebenden Künstlergruppe der Nazarener gehört und führten deren Ideal einer brüderlichen Werk- und Lebensgemeinschaft von Künstlern in Düsseldorf ein. In England suchte die Präraffaelitische Bruderschaft ähnliche Vorstellungen auf der Basis der mittelalterlichen Gilden durchzusetzen. Der englische Maler, Aquarellist, Kunstschriftsteller und Sozialreformer John Ruskin war ihr Vorkämpfer. Ruskins Forderung nach sorgfältiger Beobachtung der Natur wurde nicht nur durch seine eigenen Schriften vermittelt, sondern auch in der Zeitschrift The Crayon propagiert. Künstler wie Charles Herbert Moore (1840–1930) und William James Stillman (1828–1901), der auch der Herausgeber von The Crayon war, gehörten zu einer kleinen Gruppe amerikanischer Künstler, die die Association for the Advancement of Truth in Art gründeten, eine Organisation, die das Ruskinsche Dogma unterstützte. Atelierinsassen und Nachbarn wie diese regten zweifellos die Diskussion an und trugen zur Verbreitung des präraffaelitischen Gedankenguts innerhalb und außerhalb des Hauses bei. – Vgl. Linda S. Ferber und William H. Gerdts: »The New Path«, Brooklyn Museum and Schocken Books, New York 1985.

13 In Wirklichkeit gab es eine politische und künstlerische Spaltung in einen konservativen und einen demokratischen Flügel. Im künstlerischen Bereich vertrat Schadow die streng konservativ-akademische Richtung, während freischaffende Künstler wie Leutze, Karl Friedrich Lessing (1808–1880) und Andreas Achenbach (1815–1910) zu der Partei der Fortschrittlichen gehörten. Die Fortschrittlichen setzten sich für neue Ideen und freiere, wirklichkeitsbezogene Malstile ein und ermutigten angehende Künstler, sich ihnen anzuschließen oder in ihrer Nähe zu leben und in einer Ateliergemeinschaft Seite an Seite mit ihnen zu arbeiten. Auf diese Weise beeinflußte Achenbach Worthington Whittredge und William S. Haseltine.

14 Siehe z. B. Anneliese Harding und Brucia Witthoft: »American Artists in Dusseldorf; 1840–1865«, Danforth Museum, Fra-

mingham, Mass. 1982. – Barbara Groseclose, »Emanuel Leutze, 1816–1868; Freedom is the Only King«, Washington D. C., Smithsonian Institution Press 1975. – Eine fehlgeschlagene Ausstellung führte zu dem Buch »Grand Illusions« von Mark Thistlewaite und William H. Gerdts, Fort Worth T. X., Amon Carter Museum 1988.

15 Anders als die meisten Künstler war Leutze politisch engagiert und aktiv daran beteiligt, Veränderungen in Deutschland herbeizuführen. Barbara Groseclose hat in ihrem Ausstellungskatalog »Emanuel Leutze, 1816–1868; Freedom is the Only King«, S. 31–32, die Situation innerhalb der Düsseldorfer Künstlerschaft prägnant zusammengefaßt: »Die Künstler, insbesondere diejenigen, die sich erst vor kurzem von der Akademie gelöst hatten, liebäugelten mit allen möglichen liberalen Ideen: so wurden Republikanismus, Demokratie, konstitutionelle Monarchie, Sozialismus oder eine Mischung aus allen zusammen abwechselnd bereitwillig aufgenommen oder zurückgewiesen. Als einziges gemeinsames Anliegen lag ihnen die Vereinigung der deutschen Kleinstaaten zugrunde. Es war Emanuel Leutze, der zum ersten Mal auf den Gedanken kam, Nutzen aus der Begeisterung zu ziehen, um die unabhängige, nicht-akademische Partei zusammenzuschmieden. Seine Initiative zur Gründung eines Kunstvereins, seine zentrale Position innerhalb der Düsseldorfer Gemeinschaft, die sich ganz natürlich ergab, und sein tüchtiger, tatkräftiger Charakter wurden beflügelt von seinem Anliegen, Deutschland möge einen demokratischen Weg hin zur Einheit der Nation einschlagen. Grundlage seiner Idee war die Überzeugung, daß das Ziel der Einheit nur von einem organisierten Volk erreicht werden könne – und als einen ersten Schritt in Richtung auf dieses Ziel beschloß er, aus der neuen Künstlervereinigung nicht nur einen gesellschaftlichen Club zu machen, sondern ein Musterbeispiel demokratischer Ideen ... Als augenfälliges Beispiel liberaler Gesinnung und unabhängiger Stärke ... wurde für den Verein der Name *Malkasten* gewählt: ›So friedlich wie die Farben im Malkasten wollen auch wir verbunden sein und nebeneinander arbeiten.‹«

16 »Sketchings. Domestic Art Gossip«, in: The Crayon 6 (November 1859), S. 349.

17 Kölnische Zeitung, 6. und 7. Oktober 1863, zwei Auszüge, zitiert in: Raymond L. Stehle, »The Life and Works of Emanuel Leutze«, Washington 1972; erg. Ausgabe 1976, S. 112. Das Buch ist erhältlich in der Frick Art Reference Library, der New York Public Library und anderen.

18 Eintrag unter dem Datum 30. März 1864, John Ferguson Weir Papers, Box 5, Sterling Memorial Library, Manuscripts and Archives, Yale University. – Richard William Hubbard (1816–1888) gehörte zahlreichen Künstlervereinigungen an.

19 Tagebuch Jervis McEntee, Donnerstag, 30. Dezember 1875, Archives of American Art. – »The Recollections of John Ferguson Weir«, Hrsg. Theodore Sizer, New York and New Haven, New York Historical Society and the Associates in Fine Arts at Yale University, 1957, S. 48.

20 William A. Coles, »Richard Morris Hunt and His Library as Revealed in the Studio Sketchbooks of Henry Van Brunt«, in: Art Quarterly 30, 1967, S. 2270.

21 Briefe von Sanford R. Gifford an seinen Vater vom Mai 1855 bis Februar 1856, roll D. 6, Archives of American Art. Er setzte auch hinzu, daß es eine ständige Kunstausstellung der Mitglieder und einen Fonds für die Kranken und Bedürftigen gebe.

22 »The Autobiography of Worthington Whittredge«, Hrsg. John Baur, New York, Brooklyn Museum 1942, S. 28. – Siehe auch Ila Weiss, »Poetic Landscape. The Art and Experience of Sanford R. Gifford«, Newark, University of Delaware Press 1987, S. 76.

23 The Crayon 7, Oktober 1860, S. 298.

24 Bierstadt und Gifford besuchten zusammen mit Church, McEntee und J. F. Weir die Künstler T. B. Read und Thomas Hotchkiss (ca. 1833–1871).

25 The Crayon 7, Januar 1860, S. 25, über eine Versammlung am 8. Dezember 1859.

26 »Domestic Art Gossip«, in: The Crayon 7 (Februar 1860), S. 56–57.

27 Ich habe lediglich diejenigen Künstler erwähnt, die Verbindung zur Düsseldorfer Schule hatten. »Domestic Art Gossip«, in: The Crayon 7 (Februar 1860), S. 268.

28 Ebenda, S. 83.

29 E. T. L. »Studio Life in New York«, in: Art Journal (1877), S. 268.

KLAUS LUBBERS

Bilder vom Indianer in der nordamerikanischen Literatur und Kunst des 19. Jahrhunderts

1. Kunstgeschichte als Kulturgeschichte

Um zu verstehen, welche Rolle der Indianer in der nordamerikanischen Literatur und Kunst gespielt hat, sind zweierlei Voraussetzungen nötig: Zum einen muß man wissen, daß der Indianer eine euroamerikanische Erfindung ist; zum anderen, daß die literarische und künstlerische Darstellung des Indianers fast ausnahmslos im Kontext eines ideologischen Systems erfolgte, nämlich des vom Ende des 18. bis zum Ende des 19. Jahrhunderts sich ausbildenden nationalen Identitätsmodells. Während die Stereotypisierung des Indianers in Literatur und Kunst inzwischen als in großen Zügen erforscht gelten kann,[1] blieb der Einfluß nationaler Identitätsstiftung auf das kulturelle Schaffen der Vereinigten Staaten weithin unerkannt. Ja, die Konturen und Dimensionen des Identitätsmodells selbst beginnen sich der kultur-, literatur- und kunsthistorischen Forschung erst in jüngster Zeit zu erschließen. Nur wenig überspitzt ließe sich formulieren, daß im erwähnten Zeitraum Literatur und Kunst die Konstruktion US-amerikanischer nationaler Identität nicht nur reflektierten, sondern sich maßgebend am Entwurf des Modells beteiligten, daß mithin Literatur und Kunst »nicht mehr als kulturelle Selbstvergewisserung der schon vorgängig existierenden Nation [erscheinen], sondern als Vorgänge, in denen die Identität der Gesellschaft behauptet, beschrieben und geschaffen wird«.[2] Nun endlich wendet sich die amerikanische Kunstgeschichtsschreibung, lange traditionellen Methoden verpflichtet und amerikanisches Schaffen an vermeintlich größeren europäischen Vorbildern messend, diesem erregenden Sachverhalt zu. Dabei fällt ihr auf, daß gerade im Bildkonzept der Landschaft Fragen nach der nationalen Identität immer wieder gestellt worden sind. Auch dem problematischen Ort des Indianers ließ sich in der Landschaftsmalerei am besten beikommen, indem man aufzeigte, daß der Altamerikaner in dem Maße zum Weichen verurteilt war, wie sich die Szene mit Elementen euroamerikanischer Zivilisation füllte.[3]

Hinsichtlich der vergleichenden Untersuchung der Darstellung des Indianers in Literatur und Kunst sei vorab bemerkt, daß die sprachliche Einbildungskraft der bildlichen meist vorauslief, ja, daß oft genug das Wort das Bild inspirierte. Das gilt nicht nur in jenen offenkundigen Fällen frührepublikanischer Malerei, die literarische Schlüsselszenen nachbildete – wie es etwa Thomas Coles *The Last of the Mohicans* (1827) oder John Quidors *The Return of Rip Van Winkle* (ca. 1849) taten –, sondern es trifft, wie noch aufzuzeigen ist, in weit umfassenderem Sinne zu.

2. Der Indianer als euroamerikanische Erfindung

Den Indianer hat es außer in der Vorstellung von Nichtindianern nie gegeben. Er ist eine Erfindung des weißen Mannes (nicht der weißen Frau). An seinem Bild arbeiteten Europäer bereits vor Columbus; vom 16. bis zum 18. Jahrhundert erhielt es seine entscheidenden Konturen, europäische wie amerikanische; im 19. wurde es durch den Grenzlandroman und die Grenzlandmalerei, beides Hervorbringungen des amerikanischen Ostens, detailliert ausgestaltet; im 20. erhielt es seine (vorläufige) endgültige Prägung durch die noch mächtigeren Medien des Films und des Fernsehens.[4] Die anstehende Dekonstruktion dieses vorurteilsdurchsetzten Bildes ist bereits eingeleitet, unter maßgeblicher Beteiligung indigener Literatur und Kunst.

Auszugehen ist von zwei gegensätzlichen europäischen Indianerbildern. Das erste Bild verdankt sich der diffamierenden Art, wie über die Ureinwohner der Neuen Welt spekuliert wurde. Diese Mutmaßungen griffen alte, bis in die Antike zurückreichende Ansichten auf, stützten sich jedoch hauptsächlich auf Berichte der ersten »Entdecker« und der ihnen folgenden Siedler und Missionare sowie auf bildliche Darstellungen. Da letztere ihrerseits meist auf schriftlichen Berichten fußten, standen sie der »Wirklichkeit« des Dargestellten noch ferner als die oft bereits aus zweiter Hand überlieferten Berichte selbst. Aber gerade diese vergröbernden Bilder, allen voran die Kupferstiche des Frankfurter Verlegers Theodor De Bry,[5] regten die spekulative Phantasie wie sonst nichts an.

Ein Beispiel für die Verunglimpfung des Indianers ist die Figur des Caliban in Shakespeares später Komödie *Der Sturm* (1611). Caliban ist ein mißgestaltetes, unheimliches Geschöpf. Sein durch Umstellung der Buchstaben von spanisch *canibal* gebildeter Name war für das zeitgenössische Theaterpublikum unschwer zu entschlüsseln. Damit stellte sich die Verbindung zu transatlantischen Wilden ein, denn das Wort *Kannibalen* für Leute, die Menschenfleisch essen, war karibischen Ursprungs. Und daß Sycorax, Calibans Mutter, eine Hexe gewesen war, machte die Sache nicht besser, war damit doch die Vorstellungsverbindung von Indianern und schwarzer Magie aufgerufen.

Tendierte das ältere europäische Indianerstereotyp zur Verleumdung, ja zur Satanisierung, so neigte das spätere, vorwiegend französische klischeehafte Bild zur Adelung. Der Edle Wilde trat im 18. Jahrhundert auf, als man zur Idee vom Naturmenschen griff, um Auswüchse der Zivilisation zu kritisieren. Zugrunde lag dem philosophischen Primitivismus ein Geschichtsbild, das der verderbten zeitgenössischen Gesellschaft die Idee eines einfachen Urzustands gegenüberstellte. Rousseau wird im Zusammenhang mit der Erfindung des *beau sauvage* gern genannt, aber er war nur einer unter anderen, die den Edlen Wilden als Denk- und Demonstrationsfigur verwendeten. Später wurde die Romantisierung des Indianers in einflußreichen Romanzen wie *Atala ou les amours de deux sauvages dans le désert* (1801) des Vicomte de Chateaubriand und *The Last of the Mohicans* (1826) von James Fenimore Cooper vorangetrieben.

Hinsichtlich des nordamerikanischen Indianerbildes vor 1800 ist ebenfalls auf zwei Tendenzen hinzuweisen. Die eine, folgenreichere, wurzelt im Glaubensgebäude der neuengländischen Puritaner. Diese theologisch auf Reinheit Bedachten hatten den Atlantik überquert, um ein neues Kanaan zu gründen. Was immer jedoch sie an paradiesischer Fülle erblickten – sie sahen das Gelobte Land von Wildnis umwuchert, und in ihr lauerte der Teufel. Sie glaubten, daß wie alle nicht in Christus Wiedergeborenen die Indianer sich in den Fängen des Satans befänden, und waren überzeugt, daß der Teufel die Indianer als Instrumente benutze, um die Engländer wieder aus dem Land zu vertreiben und dadurch die Ausbreitung des Evangeliums zu verhindern. Dieses Gegenbild vom Un-

edlen Wilden, vom *ignoble savage*, setzte sich in nachkolonialer Zeit vollends durch. Es wurde in Grenzlandromanen wie in der darstellenden Kunst und später im Film-*western* propagiert.[6]

Die andere nordamerikanische Tendenz nahm ihren Ausgang von einer möglicherweise apokryphen Episode, die sich in Buch 3, Kapitel 2 von *The General Historie of Virginia* (1622) des englischen Abenteurers John Smiths findet. Eine junge Häuptlingstochter, so Smith, habe ihm das Leben gerettet, als ihr Vater seinen Tod befahl. Damit war der Phantasie eine *belle sauvage* geschenkt, ja mehr noch, eine indianische Prinzessin. Damit nicht genug. Die Häuptlingstochter ließ sich taufen, nahm den Namen Rebecca an, heiratete einen britischen Siedler, ging mit ihm 1616 nach London, wurde am Hof vorgestellt und starb als junge Mutter eines Sohnes im März 1617 in Gravesend, als sie die Heimreise antreten wollte. Sie hieß Pocahontas, ihr Ehemann John Rolfe.

In der US-amerikanischen Mythographie stehen die Wandlungen der Pocahontas lediglich den Metamorphosen des multifunktionalen Columbus nach. Die Prinzessin inspirierte zahllose Gedichte, Erzählungen, Romane, Dramen, Portraits und Skulpturen, vor allem im 19. Jahrhundert. Die Gründe liegen auf der Hand. Pocahontas ließ sich als Beispiel der akkulturierten Indianerin anführen. Wichtiger noch: Ihre Verbindung mit einem Engländer belegte symbolhaft die Möglichkeit einer (wie immer ungleichen) Synthese zweier Völkergruppen, der euro- und der altamerikanischen. Bis heute berufen sich in Virginia und anderswo Leute darauf, von Pocahontas abzustammen. Nichts belegt die Vielgestaltigkeit der Prinzessin trefflicher als ein Vergleich zweier Portraits. Das erste, 1616 von dem aus Köln gebürtigen Simon van de Passe geschaffen, verbindet Darstellungskonventionen der Tudorzeit mit dem Versuch, anthropologisch exakt zu arbeiten. Die hohen Backenknochen weisen in letztere, die Eleganz der Aristokratin mit dem Federfächer in erstere Richtung. Im Rand – »Mataoka alias Rebecca filia potentissimi principis Powhatani imperatoris Virginae« – erscheint der eigentliche Name der Dargestellten. Das zweite Portrait, 1832 von Robert Matthew Sully gemalt, präsentiert Pocahontas romantisch als rassige Verführerin.

Zusammenfassend läßt sich hinsichtlich des euroamerikanischen Indianerbildes vom 16. bis zum 18. Jahrhundert dreierlei feststellen: Zum einen sind die produzierten Bilder allesamt Stereotypen, die mit der »Wirklichkeit« wenig oder nichts gemein haben. Sie entsprangen und entsprachen dem Normensystem der Kulturen, welcher die Künstler entstammten, sind mithin ethnozentrisch eingefärbt. Zum anderen tendieren diese Bilder mit der Zeit zur Vergröberung und rücken damit noch weiter von der »Wirklichkeit« ab, die einzufangen sie nie eigentlich vorgaben. Die Edlen werden zu Über-, die Unedlen zu Untermenschen. Drittens greifen Wort und Bild, Literatur und Kunst ineinander. Die bildliche Darstellung erweist sich von Anfang an als das insgesamt populärere, somit wirksamere Medium. Es ließ sich auch besser propagandistisch nutzen.

3. Das nationale Identitätsmodell

Konzepte nationaler Identitätsstiftung lassen sich am reinsten in politischer Rede erwarten. Im Falle der USA trifft das freilich weniger auf die Antrittsreden der Präsidenten anläßlich ihrer Amtseinführung zu, in denen bei aller Euphorie, die mit Neuanfängen einherzugehen pflegt, Pragmatik waltet, als vielmehr auf die Reden zum Unabhängigkeitstag. Diese bildeten von Anfang an den Mittel- und Höhepunkt eines im Laufe der Zeit immer stärker elaborierten Rituals, mit dem der 4. Juli von seiner ersten Wiederkehr im Jahre 1777 bis ins 20. Jahrhundert begangen wurde.

Wie aus keiner anderen Text- oder Bildsorte läßt sich aus dem Studium der *Fourth of July orations* ein für das Verständnis der Kultur der Vereinigten Staaten grundlegendes Identifikationsmodell gewinnen, das sich in aller Kürze wie folgt beschreiben läßt.[7] *Strukturell* kennzeichnet dieses Modell die Ausbildung von zwei Imaginations-Achsen, zunächst einer zeitlichen und darauf einer quer zu dieser verlaufenden räumlichen. Entlang der zeitlichen Achse wurde mit verschiedenen Techniken vergangenheits- und zukunftsbildend gearbeitet. Zunächst überwog die Schaffung und Absicherung einer postkolonialen Vergangenheit. Dabei ließ sich in der Gegenwart Unbequemes – wie etwa die territorial immer lästiger werdende Präsenz der Indianer – in die Vergangenheit relegieren und damit moralisch zu den Akten legen. Diese Arznei beförderte, wann immer verabreicht, die Entschlackung des vor allem während seiner Wachstumsphase sensiblen Identitätsorganismus per Ausscheidung. In dem Maße nun, wie die Kreation einer *usable past* durch Umdeutung der kolonialen Vergangenheit in eine pränationale und durch Schaffung neuer nationaler Ikonen fortschritt, konnte man sich der Zukunftsbildung zuwenden. Wenn man die nationale Entwicklung kausal aus der pränationalen Vergangenheit erklärte, so konnte man die eigentliche

Problemzone, die in ihrem raschen Wandel stets untergeordnet, ja, oft genug verwirrend und bisweilen regelrecht beängstigend erscheinende Gegenwart, stabilisieren, indem man eine transzendental bedingte Zweckbestimmtheit der nationalen Entwicklung schlankweg postulierte.

Quer zu der zeitlichen Imaginations-Achse entstand ab etwa 1800 eine räumliche, welche die konkrete transkontinentale Expansion vorwegnahm, begleitete und ideologisch rechtfertigte. Ihr entlang wurde alsbald kühner imaginiert als entlang der zeitlichen Achse. Unter anderem ließ sich auf der Raum-Achse auch die tatsächliche Appropriierung immer größerer Territorien im Westen antizipieren. Ich bezweifle, daß die teleologische Abrundung des US-amerikanischen Identifikationsmodells derart glatt gelungen wäre, hätte sich die in der puritanischen Bündnistheologie fundierte Zukunftsorientiertheit nicht ins Räumliche umbiegen und damit augenfällig bzw. handgreiflich, d. h. manifest machen lassen. Schon lange bevor die wegen der unausweichlichen Expropriierung der Indianer moralisch bedenkliche Ausdehnung des Siedlungsbereichs abgeschlossen war, wich der puritanische Zukunftstopos *par excellence*, Jesajas Verheißung 51,3, der Herr werde Sions Öde zu einem Paradies und seine Wüste zu des Herren Garten machen, der säkularen Botschaft des *Manifest Destiny*. Man kann auch sagen, daß die ältere Botschaft von der jüngeren absorbiert wurde. Die ältere Botschaft sprach von der Zukunft, die jüngere vom Westen. Die zeitliche Orientierung verräumlichte sich. Die finale Erklärung diente zugleich der Rechtfertigung der Expansion.

Inhaltlich ist das nationale Identifikationsmodell stark selektiv und exklusiv, monoethnisch bis hin zum offenen Rassismus, nur widerwillig assimilativ gegenüber den nach dem Bürgerkrieg wachsenden Einwandererwellen aus weniger genehmen Teilen Europas und aus Asien. Als ein von Anfang an im Prinzip fertiges Modell lud (und lädt) es zur *Amplifikation* ein, ließ (und läßt) jedoch kaum *Modifikation* zu. So mußte es spätestens gegen Ende des 19. Jahrhunderts bei den massenhaft eingewanderten Neuamerikanern Befremden auslösen. Gleichwohl wurde es demonstrativ weiter durchgehalten; und sein Skelett klappert bis heute im öden Wind politischer Rhetorik. Daß es inzwischen im aufziehenden Sturm immer kräftiger erhobener Ansprüche ethnischer Gruppen, die ihre Rechte einfordern, nicht mehr greift, liegt daran, daß sich die Identitätskonstrukteure vorwiegend aus der kulturell geschlossenen Gruppe des inzwischen weitgehend entmachteten männlichen weißen Bildungsbürgertums der Altsiedelräume an der Ostküste rekrutieren.

In diesem Raum-Zeit-Schema nahm der Indianer tendenziell immer die kleinstmögliche Rolle ein. Wo es irgend anging, wurde er – im räumlichen und im psychologischen Sinn – verdrängt. Ließ sich seine Existenz nicht ganz verschweigen, neigte man dazu, ihn entsprechend der puritanischen Ideologie zu barbarisieren. Ohne Übertreibung läßt sich sagen, daß dies die Art und Weise war, wie die Identitätskonstrukteure – Redner, Literaten, Künstler, und zwar fast ausnahmslos euroamerikanische Männer – mit dieser im Wortsinn sperrigsten Minderheit verfuhren. Als Geschenk erwies sich die durch die Präsenz der Indianer doppelt brauchbare *Manifest Destiny*-Ideologie, der Gedanke der schicksalshaften Expansion der Euroamerikaner gen Westen. Im Übergang zur Untersuchung des Ortes des Indianers in der Kunst ist als These festzuhalten, daß das Identifikationsmodell grundsätzlich auch dort mitgedacht wurde, wo der Indianer allein erscheint, und daß umgekehrt der Indianer dort mitgedacht wurde, wo er im dargestellten Identifikationsmodell fehlt. Den ersten Fall veranschaulichen Thomas Coles *Falls of Kaaterskill* (1826; Abb. 1) und Carl Wimars *The Captive Charger* (1854; Abb. 2); den zweiten belegt Emanuel Leutzes *Westward the Course of Empire Takes Its Way* (1861; Abb. 3).

4. Die Verbildlichung des Identifikationsmodells

Befragte man Kunsthistoriker nach den vornehmlichen identitätsstiftenden Subgenera der darstellenden Kunst der Vereinigten Staaten, so würde man wahrscheinlich auf die offiziösen Wandmalereien und Skulpturen in und an den Regierungsgebäuden Washingtons und an den *state capitols* verwiesen, ferner wohl auf die bemerkenswerte Transformation, welche die Allegorie Amerikas in der frührepublikanischen Periode durchlief, bis sie, durch Entindianisierung und Antikisierung dem entstehenden Selbstbild der Euroamerikaner angepaßt, den Hafen New Yorks ebenso zieren konnte wie zahllose panoramische Visionen der US-amerikanischen Vergangenheit, Gegenwart und Zukunft, von denen uns noch zwei beschäftigen werden. Indessen ist das durch die darstellende Kunst geschaffene nationale Identifikationsangebot weit umfassender; und als seinen gewissermaßen geheimen Mittelpunkt entdeckt die amerikanische Kunstgeschichte dieser Tage die in den zweiten und

Abb. 1 Thomas Cole, Wasserfälle von Kaaterskill, 1826 (Falls of Kaaterskill), Öl auf Leinwand, 102×91 cm, Warner Collection, Tuscaloosa AL

dritten Quartalen des 19. Jahrhunderts entstandene Landschaftsmalerei. Daher sei die Verbildlichung des Identifikationsmodells an einem Beispiel dieses Genres erläutert, bevor drei Hauptmotive der Stereotypisierung des Indianers skizziert werden sollen: das des Edlen Wilden als des Letzten seines Stammes; das des aggressiven und deshalb zu vernichtenden Unedlen

Abb. 2 Carl Wimar, Das gefangene Kavalierspferd, 1854 (The Captive Charger), Öl auf Leinwand, 76×104 cm, St. Louis Art Museum, St. Louis MO

Abb. 3 Emanuel Leutze, Westwärts geht der Weg des Imperiums, 1861–62 (Westward the Course of the Empire Takes Its Way), Wandgemälde, 600×900 cm, Capitol, House Wing, West Stairway, Washington DC

Wilden; und das des marginalisierten Wilden, ob edel oder unedel, in imperialen Panoramen.

So augenfällig, zugleich so reich entfaltet wie in wenigen anderen Landschaftsgemälden, tritt das Motiv der Verräumlichung der amerikanischen Geschichte in Asher B. Durands neuerdings stark beachtetem Werk *Progress* (1853; Abb. 4) hervor. Der Erzählfaden beginnt im linken Vordergrund. Mit einer Gruppe von Indianern blicken wir aus einer mit allen Anzeichen natürlichen Verfalls ausgestatteten düsteren Wildnis hinab in ein helles, weites Tal, dessen fremde Welt sich dem Verständnis der Betrachter zu verschließen scheint. Dem von einer Kate und einem Kanal flankierten Fahrweg westwärts folgend sehen wir bergab einen Viehtreiber, einen Händler, einen pflügenden Bauern, ein verstecktes Dorf mit einem Viadukt und einem ihn passierenden Eisenbahnzug und schließlich auf einer Halbinsel eine Stadt mit anheimelnd rauchenden Schloten an einem seeartig sich verbreiternden Fluß mit Segelschiffen und einem

Dampfer. Die den linken Vordergrund durchschneidende, Hell von Dunkel sondernde Diagonale trennt die Komposition in die ungleichen Hälften des Vergehenden bzw. Gewesenen und des fortschreitend sich Entwickelnden. Das kleinere Vordergrunddreieck stellt die amerikanische Vergangenheit dar. Als Repoussoir steigert es mithin nicht nur wie üblich die Tiefenillusion, sondern schafft gleichzeitig die Grundlage für die Verzeitlichung des eigentlichen Bildvorgangs, in den es somit thematisch integriert ist. Das größere Fünfeck, stufenweisen Fortschritt veranschaulichend, sucht die heterogenen Motive ländlichen, häuslichen, religiösen, kommerziellen, industriellen und städtischen Lebens zu vereinen. Die Maschine ist – um die beiden Schlüsselsymbole des erwähnten bahnbrechenden kulturhistorischen Werkes der 1850er Jahre aufzugreifen – bereits in den Garten eingedrungen, aber sie hat ihn noch nicht zerstört. Gleich anderen Landschaftsmalern seiner Generation verstand Durand es noch, durch Betonung arkadischer Elemente Natur und Technik einigermaßen glaubhaft miteinander zu versöhnen. Die Harmonisierung des in der lebensweltlichen Wirklichkeit bereits Disparaten war Vorbedingung für das Gelingen einer imaginativen Konstruktion, deren Funktion die Vergewisserung kollektiver Identität mit Hilfe des Raum-Zeit-Schemas sein sollte.

Die Reaktionen auf Durands *Progress* verdeutlichen, daß Betrachter sich dem Reiz der Komposition nur schwer zu verschließen vermochten. An prominentem Platz auf der Jahresausstellung 1853 der *National Academy of Design* der New Yorker Öffentlichkeit erstmals vorgestellt, löste *Progress* Begeisterung aus. Der Kunstrezensent des *Knickerbocker Magazine* empfand das Bild als »purely AMERICAN. It tells an American story out of American facts, portrayed with true American feeling, by a devoted and earnest student of Nature.«[8] Die neuere Kritik hat an *Progress* den Ausgleich der im Spannungsfeld von Natur und Kultur auftretenden polaren Gegensätze und die nationale Dimension hervorgehoben. Es handle sich um ein »symbolisches Panorama Amerikas«, schrieb Thomas W. Gaethgens. »Die Zivilisation dringt ... vor, erobert die noch unerschlossene Natur. Die Indianer blicken aus der Wildnis heraus auf die fremde Kultur, die sie bald verdrängen, ja lebensgefährlich bedrohen wird. Das großformatige Landschaftsbild übernimmt hier die Rolle eines Geschichtsepos ...«[9] Der erste Kunsthistoriker, der sich explizit dem Motiv der Verräumlichung der Zeit in der amerikanischen Landschaftsmalerei zuwandte, merkte zu Durands Komposition an: »Within this fantasy of domain and empire gained from looking out and down over broad expanses is the subtext of metaphorical forecast of the future. The future is given a spatial location in which vast territories are brought under visual and symbolic control.«[10] Damit ist auf das wesentliche Element meiner Argumentation hingewiesen.

Gleich Cooper in seiner großangelegten Schilderung des Schauplatzes auf den ersten beiden Seiten seines frühesten Lederstrumpfromans, *The Pioneers* (1823), entfaltete Durand seine Einbildungskraft entlang einer Zeitachse. Wie Cooper ging es ihm eigentlich weniger um die Gegenwart als vielmehr – das Versprechen des Bildtitels einlösend (*Progress* ließe sich übrigens auch anstelle von *The Pioneers* als Romantitel denken) – um die Gestaltung eines Prozesses, um die Andeutung, ja die Verheißung einer gloriosen Zukunft und um die Entschlackung dieser Zukunft von Elementen einer Vergangenheit, die nicht mehr

zu ihr paßten. Erst das Schwinden der einen Gruppe ermöglichte ja den Fortschritt der anderen. Das geschaffene Modell ist ein ethnisch exklusives. Das alles empfanden sicherlich auch die Betrachter von 1853, wenn sie es auch nicht präzis auszudrücken vermochten.

Eine Zeitlang habe ich *Progress* entsprechend dem formalen Bildaufbau als schlicht zweigeteilt angesehen, wird doch die Komposition durch die Diagonale in eine romantisch-verfallende altamerikanische Berg- und Waldlandschaft und in ein neuamerikanisches Flußtalpanorama zivilisatorischen Fortschritts getrennt. Die Idee einer zweizeitlichen Gliederung der amerikanischen Landschaft beherrschte manches frührepublikanische Gedicht – von Joel Barlows panoramisch schweifendem, staatsbildendem Epos *The Vision of Columbus* (1787)[11] bis hin zu lokal verankerter Kleinlyrik vom Typus *The Indian Hunter* (1825) des jungen Henry Wadsworth Longfellow. Dessen pathetische Verse antizipieren Durands Thematik bis in motivische Details hinein. Nachdem er den ganzen Tag vergeblich dem leichtfüßigen Rotwild nachgestellt hat, so Longfellow, betrachtet der Jäger, den Bogen entspannt, mit bitteren Gefühlen von der Höhe hinabblickend, eine Ernteszene im Tal und lauscht dem gleichmäßigen Klang der Axt des Holzfällers, bevor er, nun ein Fremder dort, wo einst die Heimat seiner Väter war, sich im Bergsee ertränkt. Der Herbstabend segnet Hirten und Schnitter im Tal; dem Einsamen auf der Höhe signalisiert er das Ende des eigenen Lebens und das des Stammes. Inzwischen finde ich, daß Durand sich mit der bei Longfellow vorgegebenen simplen Zweistufigkeit des Zeitkonzepts nicht begnügte, zog er doch in der größeren Hälfte von *Progress* weniger die Summe des Erreichten, als daß er in ihr die bewegte postindianische Geschichte Amerikas als eine bruchlose Abfolge, als raumzeitliches Kontinuum vorstellte. Der abgebildete Fortschritt ist eine Entwicklung, in welcher ein Element auf das andere folgt, ohne daß jedoch das Neue das Alte verdrängte. Anders als in der lebensweltlichen Wirklichkeit besteht jede Etappe des historischen Prozesses visuell weiter, schwindet also nicht. Diesem Bildeffekt – einem Trug – mag sich die scheinbare Harmonie der Komposition letztlich verdanken. Der einzige Bruch findet sich zwischen indianischer und postindianischer Welt.

Popularisiert findet sich das Fortschrittsmotiv übrigens im Farbdruck *Across the Continents:* »*Westward the Course of Empire Takes Its Way*« (1868) der gebürtigen Engländerin Fanny Palmer, die für den bekannten New Yorker Kunstverlag Currier & Ives arbeitete. Die als Botin doppelten Fortschritts die Prärie durchquerende Eisenbahn mit der Aufschrift THROUGH LINE NEW YORK SAN FRANCISCO EXPRESS teilt die gestaltete Fläche in eine wachsende kleinere zivilisierte und eine schrumpfende größere natürliche Hälfte. Das Stahlroß, von den Siedlern begrüßt, bläst den beiden berittenen Indianern den Rauch ins Gesicht. Sie befinden sich, entsprechend der englischen Redewendung, »on the wrong side of the tracks«. Wie Durand, nur direkter, erzählt Palmer von der stufenweisen Appropriierung des Raumes durch Euroamerikaner. Indem Palmer die Indianer in die Ebene versetzte, nutzte sie das Repoussoir im linken Vordergrund als Schauplatz der Pioniersaga. Im Vergleich mit Durands *Progress* verdeutlicht Palmers Farbdruck wesentliche Unterschiede hinsichtlich der Behandlung des Raum-Zeit-Modells. Die bei Durand dominante Zeitdimension bleibt bei Palmer unentwickelt: Die Aufeinanderfolge von Zeiträumen wird durch plumpe Parallelisierung unterlaufen, der in hochkultureller Malerei für Symbolgebung prinzipiell verfügbare Horizont bleibt leer, mithin semantisch ungenutzt; Zeit wird nicht verräumlicht; alles Geschehen wird im Vordergrundbereich des Hier und Jetzt konzentriert, und die Stufung des technischen Fortschritts durch Kanal, Brücke und Eisenbahn wird abgelöst durch das Trivialsymbol des allesbeherrschenden Dampfrosses.

5. Edle und Unedle Wilde

Der Edle Wilde, von französischen Philosophen erdacht und von britischen Poeten, darunter von Thomas Campbell in seinem in den USA populären Langgedicht *Gertrude of Wyoming* (1809) mit statuarischen Zügen versehen, ging in die Literatur und (mit Verzögerung) in die Kunst der jungen Republik in jenem Dezennium ein, das man mit Fug und Recht das romantische nennen könnte. Man begegnete ihm in Washington Irvings Essay *Philip of Pokanoket* (1820), in William Cullen Bryants Gedicht *An Indian at the Burial Place of His Fathers* (1823), in Coopers Grenzerromanze *The Last of the Mohicans* (1826) oder in John Augustus Stones Trauerspiel *Metamora* (1829). Daß Irving und Stone einem historischen Indianer ein Denkmal setzten, hatte seine Gründe. Metacom, genannt King Philip, Häuptling der Wampanoags, hatte als erster den neuenglländischen Puritanern organisierten indianischen Widerstand entgegengesetzt. Nachdem ihn ein Abtrünniger seines Stammes 1676 auf der Flucht ermordet hatte, sollen die Separatisten seinen aufgespießten Schädel zur Abschreckung bis 1700 in Plymouth ausgestellt haben. Als im frühen 19. Jahrhundert das Interesse an der Erfindung einer vornationalen Vergangenheit erwachte, kam dieser einst in puritanischen Geschichtspredigten Verteufelte der jungrepublikanischen Einbildungskraft zupaß: Metacom ließ sich umdeuten in eine Art indianischen Wilhelm Tell, den heldischsten jener frühen Stammeshäuptlinge.

»… who made the most generous struggle of which human nature is capable; fighting to the last gasp in the cause of their country, without a hope of victory or a thought of renown. Worthy of an age of poetry, and fit subjects for local story and romantic fiction, they have left scarcely any authentic traces on the page of history but stalk, like gigantic shadows in the dim twilight of tradition.«[12]

An King Philip ließ sich stellvertretend für alle inzwischen aus dem Osten vertriebenen Ureinwohner Abbitte leisten, was Stone in seinem Melodrama, das Pathos von Irvings Essay glatt überbietend, für das New Yorker Theaterpublikum tat. Der Edle Wilde war nun bühnenreif.[13]

Gelangte der historische Metacom, einst diffamiert, da sperrig, erst postum in den Adelsstand, konnte man gegenüber erfundenen Wilden, etwa dem nach einem Abschiedsbesuch am Vätergrab freiwillig westwärts Weichenden, konzilianter sein. Der ideale *noble savage* der frührepublikanischen Literatur ist der den Weißen den Weg bereitende und sich dann im passenden Augenblick in die ewigen Jagdgründe absetzende Letzte der Seinen. In diesem Punkt verhält sich auch der in *The Pioneers* fast freiwillig dahingehende Chingachgook vorbildlich im Sinne euroamerikanischer Nationalideologie. Da also die Edlen Wilden entweder bereits verblichen oder wenigstens am Ende des eigenen Lebenspfades (oder noch besser dem ihres Volkes) angekommen sind, ließen sie sich innerhalb des Identifikationsmodells stets der Vergangenheit zuordnen. Bei ihrer Beerdigung in Literatur und Kunst erwies sich die im 18. Jahrhundert aufkommende zyklische Theorie der Geschichte als ausgesprochen hilfreich.[14] Der indianische Kulturzyklus lief eben, wie Bryants Gedichte *A Walk at Sunset* (1821) und *The Prairies* (1832) eindrucksvoll dartun, dem der Euroamerikaner zeitlich voraus; diese kommen erst, als jene zu gehen sich bereits anschicken. Nichts anderes verkündete ja Longfellows *Song of Hiawatha*, und ebendiese für das euroamerikanische Gewissen tröstliche Botschaft machte das Versepos zum Bestseller des Jahres 1855. Schied ein Edler Wilder ausnahmsweise einmal im Groll, so mochte er seinen Verdrängern ein ebensolches Los prophezeien wie Bryants am Vätergrab Monologisierender:

»But I behold a fearful sign,
To which the white men's eyes are blind;
Their race may vanish hence, like mine,
And leave no trace behind
Save ruins o'er the region spread,
And the white stones above the dead.«[15]

Derlei vernahm die Leserschaft wohl weniger gern, dachte man sich doch die euroamerikanische Zukunft eher linear statt zyklisch.

Dieses literarische Bild des Edlen Wilden wurde von der bildenden Kunst weitgehend reproduziert. Einer der ersten aus der noblen Schar gemalter oder in Stein gehauener Vereinsamter wirkt noch wie eine Dreingabe zu einem herbstlich gestimmten Landschaftsgemälde: Zentral, doch wie nachträglich in die heroische Kulisse von *Falls of Kaaterskill* (1826; Abb. 3) eingefügt, so als ergänze die winzige Figur lediglich die alles beherrschende Stimmung des Altweibersommers, erscheint Coles posierender Indianer von den ihn umgebenden Vergänglichkeitssymbolen affiziert. Mit Coles *The Last of the Mohicans* (1827) gingen dann die Motive des Edlen Wilden und des Unter-

gangs seiner Rasse eine bleibende Verbindung ein: Fortab adelte den Wilden nichts so sehr wie sein Verschwinden. So schieden sie denn dutzendweise dahin – allein, wie der die erhobenen Hände in den Sonnenuntergang Streckende in Durands doppelt betiteltem Gemälde *Indian Vespers, Last of the Mohicans* (1847) und der auf seinem Pony verzweifelt Vornübergefallene mit abwärts zeigender Lanze in James Earl Frasers Skulptur *The End of the Trail* (1894) oder auch gruppenweise, wie der niedergeschlagen in die am Horizont über dem Meer aufziehenden dräuenden Wolken blickende, von seiner Familie umgebene Stammesälteste in Tompkins H. Mattesons *The Last of the Race* (1847).[16] Daß Fraser für sein Werk, das er für eine in San Francisco anläßlich der Eröffnung des Panamakanals veranstaltete internationale Ausstellung ins Monumentale vergrößerte, 1915 prompt die Goldmedaille für Plastik erhielt, bezeugt, daß ihm mit der Verabschiedung des nun endgültig heimatlos gewordenen Indianers die publikumswirk-

same Verbeugung als Künstler vor der modernen Ära geglückt war. Nachdem der Halbkontinent von einem Meer zum anderen überrannt und besiedelt war, blieb für die Ureinwohner nun wahrlich kein Platz mehr. Nicht umsonst ließ bereits Matteson seinen Häuptling auf den Pazifik blicken.

Mit *The Last of the Buffalo* (1889; Abb. 5) schließlich gelang dem in Solingen geborenen, in New Bedford, Massachusetts, aufgewachsenen Albert Bierstadt die raffinierteste Einkleidung des Motivs vom

Abb. 5 Albert Bierstadt,
Der letzte Büffel,
1889 (The Last of the Buffalo),
Öl auf Leinwand,
181×302 cm,
Corcoran Gallery of Art,
Washington DC

für eine kulturhistorische Interpretation des Bildes ist zweierlei bedeutsamer. Einmal erstreckt sich vom Hinter- zum Vordergrund die Zeitachse des bereits an Durands *Progress* explizierten nationalen Identifikationsmodells, womit das ablaufende tragische Geschehen der Vergangenheit zugewiesen wird. Zum anderen macht sich die Komposition die Tatsache zunutze, daß bereits im frührepublikanischen Schrifttum Indianer und Büffel rhetorisch austauschbar wurden, indem ein Name den anderen aufrief und ihn umstandslos ersetzen konnte; das erklärt auch Bierstadts metonymische Berufung auf Coopers Romantitel, und man erkennt die nur leicht verdeckte, ebenso eingängige wie hohle Argumentation, daß sich hier die indigene Welt Altamerikas ohne Eingreifen der Euroamerikaner erbarmungslos selbst zur Strecke bringt.

Überließ höflicherweise der Edle Wilde den nachrückenden Weißen rechtzeitig das Feld, so stemmte sich der Unedle Wilde der wenn schon nicht göttlichen, so doch schicksalhaften Mission der Euroamerikaner entgegen. Die anhaltende Beliebtheit des Romans *The Last of the Mohicans* liegt ja auch darin begründet, daß Cooper seinen noblen Mohikanern, Chingachgook *père* und Uncas *fils*, einen üblen Irokesen gegenüberstellte: Nicht nur führt Magua die ihm anvertrauten Töchter des Kommandanten von Fort Henry absichtlich in die Irre, sondern er begehrt auch noch eine der beiden, Cora, die Tochter einer Mulattin, leidenschaftlich. Es entsprach Coopers Rassismus, daß beide, Cora wie Magua, das Ende des Romans nicht erleben.

Während der Edle Wilde über sein Los meditierte und sich dann davonstahl, lauerte der Unedle Wilde, stets auf Raub und Mord bedacht, im Hinterhalt. Hält George Caleb Bingham in *The Concealed Enemy* (1845) und *The Emigration of Daniel Boone* (1852) die beiden Parteien der versteckt spähenden Erzschurken und der (durch die Aura der Flucht der Heiligen Familie nach Ägypten sakralisierten) Siedlerfamilie noch getrennt, so treffen sie in zahllosen späteren Darstellungen aufeinander. Vorläufer des Motivs des bösen roten Aggressors war John Vanderlyns in Paris entstandenes Gemälde *The Death of Jane McCrea* (1804), das einer propandistisch ausgeschlachteten Episode aus dem Revolutionskrieg bleibenden Ausdruck verlieh. Populär wie kein anderes, beherrschte das Motiv die Thematik des Westens von der Mitte bis zum Ende des 19. Jahrhunderts – bei Alfred Jacob Miller, William Tylee Ranney, Charles Deas, Arthur Fitzwilliam Tait und Carl Wimar, später

Letzten Edlen Wilden. Nächst dem Indianer selbst war die Büffeljagd schon immer das populärste aller mit dem Westen Nordamerikas verbundenen bildkünstlerischen Motive gewesen. Ab den 1830er Jahren gab es kaum einen auf *frontier*-Themen spezialisierten Künstler, der sich nicht an ihm versucht hätte, und bereits der erste und bedeutendste dieser Spezialisten, der Dokumentarmaler George Catlin, hatte die schon damals absehbare Ausrottung der Wildrinder beklagt. Wenn nun Bierstadt, wie er einem Journalisten erzählte, mit seinem 1863 »vor Ort« (in Kansas) skizzierten, später in Öl gemalten Bild auf das grausame Abschlachten des inzwischen fast ausgestorbenen Bisons hatte aufmerksam machen wollen, so schuf er nach Ansicht der Kunstkritik doch gleichzeitig ein umfassenderes, ja archetypisches Werk. Im halbdunklen Vordergrund erblicken wir tote und verwundete Tiere neben Schädeln und Knochen früherer Opfer, auf der beleuchteten Hauptbühne den auf einen angreifenden Büffel einstoßenden Indianer, im düsteren Hintergrund seine Gefährten, die sich an die Verfolgung der Herde machen. Mag auch *The Last of the Buffalo* christliche Symbolik und den Einfluß deutscher religiöser Landschaftsmalerei aufweisen:[17]

Abb. 7   Thomas Crawford, Der Fortschritt der Zivilisation, 1863 (The Progress of Civilization), Marmor, Höhe 365 cm, Breite 2.438 cm, Giebelfeld des Capitols, Ostfront, Washington DC

bei Charles Schreyvogel, Frederic Remington und Charles Marion Russell.[18]

Als einzige Beispiele des Motivs, das im nächsten Abschnitt in größerem thematischen Rahmen wiederbegegnen wird, seien hier Carl Wimars *The Captive Charger* (1854; Abb. 2) und *The Attack on an Emigrant Train* (1856; Kat. Nr. 59) angeführt. Im Jahre 1828 in Siegburg geboren, wanderte Karl Ferdinand Wimar (der Nachname scheint dem Englischen phonetisch angepaßt) mit fünfzehn nach St. Louis aus, lernte bei dem aus dem französischen Tarbes gebürtigen Landschaftsmaler Leon Pomarede, begleitete diesen auf einer Reise den Mississippi hinauf, d. h. ins Indianergebiet, und ging 1852 auf fünf Jahre nach Düsseldorf, wo er unter Emanuel Leutze studierte und, dunkelhäutig und schwarzhaarig wie er war, bei den Kommilitonen als Indianer durchging. Am Rhein entstanden die beiden genannten Gemälde. *Das gefangene Kavalleriepferd*, nach Fertigstellung vom Künstler flugs für $ 300 veräußert, verleiht dem Motiv der beutelüsternen Indianer gerade durch das Fehlen des Schimmelbesitzers Dramatik: Was mögen die roten Teufel wohl mit dem Reiter angestellt haben? Dem Wunsch nach schnellem Geld verdankte sich auch *Der Angriff auf einen Auswandererzug*, von dem zwei Fassungen entstanden. Den Vorfall entnahm Wimar dem Reisebuch *Impressions de voyages et aventures dans le Mexique, la haute Californie et les régions de l'or* eines Gabriel Ferry. »Although the wagon train has been halted by the fierce assault«, kommentiert eine Kunsthistorikerin, »the battle is no more than a temporary setback to westward travel.«[19] Mithin scheint die Theatralik auch dieses kritischen Augenblicks in der übergreifenden Thematik des *Manifest Destiny*-Denkens aufgehoben.

6. Edle und Unedle Wilde in offiziöser Skulptur und imperialem Panorama

Die Stereotypisierung des Indianers gipfelte in der im Regierungsauftrag geschaffenen öffentlichen sowie in der durch neue Drucktechniken ermöglichten seriellen Kunst. Adressat war in beiden Fällen ein Massenpublikum: Allenthalben sollten Besucher der Bundeshauptstadt auf Skulpturen und Wandgemälde als Angebote kollektiver Identität stoßen, und die Leute auf dem platten Land konnten sich Drucke mit patriotischen Motiven an die Wand hängen. Stets ging es um die Feier des nun absehbaren Sieges über die westliche Wildnis und deren schwindende Bewohner. Solche ideologischen Synopsen entstanden entweder in symbolischer Verdichtung wie in Horatio Greenoughs in Florenz gearbeiteter, 1839 begonnener, 1851 vollendeter, 1853 am Osteingang des Washingtoner Capitols aufgestellter, 1959 wieder entfernter Plastik *The Rescue Group* (Abb. 6) oder als panoramische Visionen wie Thomas Crawfords 1853 bis 1856 in Rom geschaffene Giebelfeldskulptur *The Progress of Civilization* (1863; Abb. 7) für die Säulenhalle des Senatsgebäudes oder John Gasts Gemälde *Westward-Ho/Manifest Destiny* (1872), später als Farbsteindruck mit dem Titel *American Progress* tausendfach unter die Leute gebracht, oder auch Emanuel Leutzes bereits erwähntes Fresko *Westward the Course of*

Empire Takes Its Way (1862; Abb. 3) für das südwestliche Treppenhaus des Capitols. Wie nun gelangt in diesen Werken das nationale Identifikationsmodell einschließlich des Konfliktes von Euro- und Altamerikanern zur Anschauung?

Allein Greenough beschränkte sich auf einen Punkt in Raum und Zeit, indem er das Drama weißer Expansion aufs Episodische verknappte, auf den Augenblick des Zusammenstoßes. Blut indessen fließt bei ihm ebensowenig wie in den anderen Gestaltungen, denn souverän hält der heroisch ragende Pionier den Wilden von der Ausführung des geplanten Verbrechens ab. Mit ikonographischer Raffinesse verlagerte Greenough den Konflikt vom Physischen ins Moralische: »The pioneer … is characterized by a calmness and composure that was meant to express Christian compassion for his enemy, and, implicitly also, his moral superiority«, merkte eine Kunsthistorikerin an. »The Indian … is the weaker version of the Trojan priest of Apollo who, for crimes against the Greek god, was overwhelmed by two giant snakes.«[20] Die Überlegenheit des Einhaltgebietenden rührt aus seinem höheren Status; seine Geste disqualifiziert den ertappten feigen Angreifer zugleich kulturell.

Erinnert der Titel von Greenoughs Plastik noch an die Fährnisse des *frontier*-Alltags, so proklamieren die Titel der drei anderen Werke euroamerikanische Lieblingsvorstellungen. Fortschritt litt, zumal wenn von einer transzendentalen Agentur gebilligt und dadurch legitimiert, keinerlei Widerstand; das ist die auch in Greenoughs Plastik implizite Botschaft. Entsprechend fehlt bei Crawford, Gast und Leutze das Motiv der interethnischen Auseinandersetzung völlig. Crawford und Gast bedienten sich der Versatzstücke nationaler Symbolik, und schon nimmt das Dargestellte den Charakter eines natürlichen Ablaufs an. Beide Kompositionen beherrscht die (nicht lange zuvor noch durch die indianische Prinzessin verkörperte) Allegorie Amerikas. Crawfords Ensemble sucht den Anschein zu erzeugen, alles geschehe gewaltlos. Vergangenheit, Gegenwart und Zukunft, Ost und West offenbaren sich im grellen Licht des Gleichzeitigen. Die Mitte wird gebildet von der auf einem Felsen stehenden überdimensionalen Amerika, flankiert von der aufgehenden Sonne und dem stolzen Nationalvogel. Ihre Rechte umfaßt Lorbeer- und Eichenzweige, Symbole militärischer und kultureller Errungenschaften; ihre Linke weist, den Segen des Allerhöchsten erheischend, zum axtschwingenden Pionier. Diesem folgt eine indianische Familie: der vom Anblick des Zivilisationsfortschritts niedergeschlagene Indianer, sein von der Jagd zurückkehrender Sohn sowie Frau und Kleinkind. Auf alle drei wartet das gähnende Grab. Zur Rechten Amerikas zeigen sich der stets aktionsbereite Soldat im Gewand eines Rebellen aus dem Revolutionskrieg, der auf Exportgütern sitzende Kaufmann, durch die auf dem Globus ruhende Hand seinen hegemonialen Handelsanspruch ankündigend, zwei fortschrittswillige Jungpatrioten, der Schulmeister mit einem Zögling, der Handwerker und, das indianische Grab mehr als austarierend, Hoffnungsanker und Weizengarbe. Die Diachronie des Dargestellten ergibt sich vom Betrachter aus von rechts nach links; in dieser Richtung bildet die Gruppe ein aufgeschlagenes Buch der unvollendeten Nationalgeschichte. Crawfords Indianer, nicht brutal, sondern nobel, beugen sich fremdem Anspruch. Der indigene *pater familias* kann sich stoisch ins Unausweichliche fügen, weil der in der lebensweltlichen Arena tobende Kampf auf Leben und Tod auf der gehobenen Ebene nationaler Allegorie wegen der transzendentalen Privilegierung der euroamerikanischen Mission entbehrlich geworden ist. Er und die Seinen, so sollen wir glauben, finden ein natürliches Ende. Problemlos ließ sich daher Greenoughs Edler Wilder, übrigens ein Nachfahr des meditierenden Indianers in Benjamin Wests *The Death of General Wolfe* (1770), als *The Dying Chief Contemplating the Progress of Civilization* aus der Gruppe ablösen und gesondert aufstellen. Auch als isolierte Figur regte er ja den Betrachter an, das Ganze mitzudenken.

Gasts kartographische Darstellung, für den New Yorker Publizisten George A. Crofutt gemalt, der damit seine Reisebücher ausstattete und vermarktete, läßt, mit allen erdenklichen Details der *westward movements* angefüllt, der Phantasie keinerlei Spielraum mehr. Vom Südwesten (etwa der Gegend von San Antonio) nordostwärts blickend, überschauen wir die Vereinigten Staaten vom Pazifik bis zum Vater der Flüsse mit St. Louis als dem Tor zum Westen. Den fortschrittsflüchtigen Büffeln, Bären, Wildpferden und Indianern folgen die Siedler auf dem Fuße und diesen die drei transkontinentalen Eisenbahnlinien *Great Northern*, *Central Pazific* und *Santa Fé*. Über allem schwebt die charmante Nationalallegorie, zugleich Freiheitsgöttin und Personifikation des Fortschritts, den imperialen Stern im Haar, mit dem Gesetzbuch[21] in der einen, dem Telegraphendraht in der anderen Hand. »The Indians«, schrieb Crofutt in seinem ausführlichen Werbetext, »turn their despairing faces towards, as they flee from the presence of, the wondrous vision. The ›Star‹ is *too much for them*.«[22]

7. Die dichterische und die bildkünstlerische Einbildungskraft

Leutzes Fresko, ein Jahrzehnt vor Gasts panoramischem Gemälde entstanden, bedient sich desselben Standorts wie Gasts Gemälde. Schwenkt der das epische Geschehen betrachtende Blick nordwest- statt nordostwärts, so eröffnet sich ihm die Vision des Gelobten Landes. Die das goldene, noch leere Kalifornien vom bereits überwundenen Raum trennende Bilddiagonale senkt sich von den Schneegipfeln der *Rocky Mountains* über einen Felsturm, auf dem zwei westwärts schauende Pioniere das Sternenbanner zu hissen sich anschicken. Die von der ikonographisch geheiligten Pionierfamilie eingenommene Erhebung im Vordergrund fällt zum Paß ab, zur kontinentalen Wasserscheide, welche der Troß soeben erreicht. Die Beerdigungsszene und das Pferdeskelett diesseits des Einschnitts deuten die Beschwernisse des heroischen Zuges an. Das endgültige Ziel, die Bucht von San Francisco, wird in der Predella dargestellt.

Wo in diesem Epos namenloser Weißer[23] bleiben die Ureinwohner? Wir müssen schon genau hinsehen, um sie in den themastützenden Rahmenvignetten[24] zu entdecken. Dort thront über allem der Adler, in den Fängen die den Titel des Gemäldes enthaltende Schriftrolle haltend, umgeben von einem Bären, einer Raubkatze und zwei Indianern, die dem Gewirr der Ranken zu entkommen trachten. Was Gast noch als Teil des Fortschrittsdramas duldete, erscheint hier ins Periphere der imperialen Motivik des symbolischen Rahmens abgedrängt. Die Altamerikaner sind überholt worden und auf der Strecke geblieben, gibt Leutze uns zu verstehen. Nicht für sie gilt der Blick ins pazifische Kanaan.

Sinnfälliger als andere amerikanische Kunstwerke des 19. Jahrhunderts belegt Leutzes Fresko die bildprägende Kraft des dichterischen Wortes. Amerika als entdeckte Neue Welt weckte von Anfang an die poetische Einbildungskraft, galt es doch, den neuen Raum mit europäischen Visionen zu erfüllen und dadurch zu appropriieren. In der Aneignung Nordamerikas durch Briten ist der Einfluß der sprachlichen Imagination gar nicht zu überschätzen, und die für die entscheidende Phase der transkontinentalen Expansion beherrschende Metapher ist eben jener Satz, den nicht nur Leutze als Titel wählte. Geschrieben wurde er vom Philosophen George Berkeley, dem Sohn einer englischen Familie, die sich in Irland (und damit bereits auf kolonialem Boden) niedergelassen hatte. Ihn, den Europamüden, beseelte das Projekt eines christli-

chen Kollegs zur Missionierung der heidnischen Indianer, das er in seinem Traktat *Proposal for the Better Supplying of Churches in Our Foreign Plantations and For Converting the Savage Americans to Christianity by a College in the Summer Islands* (1725) skizzierte. Drei Jahre später segelte Berkeley samt Entourage nach Neuengland. Während er dort vergeblich auf die in Aussicht gestellten Mittel wartete, entstand John Smiberts Gemälde *Dean George Berkeley and His Party (The Bermuda Group*; 1729). 1731 kehrte er nach Irland zurück und verbrachte den Rest seiner Tage als Bischof von Cloyne, einer entlegenen Diözese in der Grafschaft Cork. Die Vereinigten Staaten setzten dem gescheiterten Visionär dort ein bleibendes Denkmal, wohin er die expansionistischen Amerikaner durch einen Satz getrieben hatte – in Berkeley in Kalifornien. Das um 1725 entstandene Gedicht nun – *Verses on the Prospect of Planting Arts and Learning in America* – greift antike Vorstellungen von der Ablösung eines Reiches durch das andere auf und reklamiert vorwegnehmend die Neue Welt als den Raum, in welchem die Weltgeschichte ihren Höhepunkt erfahren soll. Die letzte der sechs Strophen lautet:

Westward the course of empire takes its way;
The Four first Acts already past,
A fifth shall close the Drama with the Day;
Time's noblest offspring is the last.[25]

1 Siehe vor allem Robert F. Berkhofer, Jr., »The White Man's Indian: Images of the American Indian from Columbus to the Present«, New York 1979 [1978¹]. – Ellwood Parry, »The Image of the Indian and the Black Man in American Art, 1590–1900«, New York 1974. – Klaus Lubbers, »Burn for the Shade: Stereotypes of the Native American in United States Literature and the Visual Arts, 1776–1894«, Amsterdam 1994.
2 Bernhard Giesen, in: »Nationale und kulturelle Identität: Studien zur Entwicklung des kollektiven Bewußtseins in der Neuzeit«, hg. Bernhard Giesen, Frankfurt 1991, S. 12.
3 Ansätze der Erforschung amerikanischer Kunst unter dem Aspekt kollektiver bzw. nationaler Identität finden sich u. a. in Albert Boime, »The Magisterial Gaze: Manifest Destiny and American Landscape Painting c. 1830–1865«, Washington 1991. – »American Icons: Transatlantic Perspectives on Eighteenth- and Nineteenth-Century American Art«, eds. Thomas W. Gaethgens and Heinz Ickstadt, Santa Monica 1992. – Angela Miller, »The Empire of the Eye: Landscape Representation and American Cultural Politics, 1825–1875«, Ithaca, 1993-9. – Erwähnt werden sollte auch, daß die von Leo Marx in seinem einflußreichen Werk »The Machine in the Garden: Technology and the Pastoral Ideal in America«, New York 1964, beschriebene Gesellschaftstheorie, ebenfalls am Landschaftskonzept entwickelt, von der Kunstge-

schichte aufgegriffen worden ist. Siehe »The Railroad in American Art: Representations of Technological Change«, eds. Susan Danly and Leo Marx, Cambridge, MA 1988.

4 Aufschlußreiches Material zum europäischen Bild des Indianers enthält Hugh Honour, »The New Golden Land: European Images of America from the Discoveries to the Present Time«, New York 1975.

5 Siehe »America de Bry 1590–1634: Amerika oder die Neue Welt: Die ›Entdeckung‹ eines Kontinents«, Hrsg. Gereon Sievernich, Berlin 1990.

6 Zur Karriere des Unedlen Wilden im Roman siehe Louise K. Barnett, »The Ignoble Savage: American Literary Racism, 1790–1890«, Westport 1975.

7 Siehe meine ausführliche Darstellung »Modelle nationaler Identität in amerikanischer Literatur und Kunst, 1776–1893«, in: »Nationales Bewußtsein und kollektive Identität«, Hrsg. Helmut Berding, Frankfurt 1994, S. 82–111.

8 Zitiert in »The Railroad in American Art«, S. 54.

9 »Bilder aus der Neuen Welt«, Hrsg. Thomas W. Gaethgens, München 1988, S. 18.

10 Boime, S. 75f. – Wichtige Bildanalysen finden sich bei Miller, S. 154–165, und Kenneth W. Maddox, »Progress: The Advance of Civilization and the Vanishing American«, in: »The Railroad in American Art«, S. 51–69.

11 Zu diesen epischen Entwürfen eines euroamerikanischen Imperiums siehe den Abschnitt »Rising Glory Poems«, in: Lubbers, »Born for the Shade«, S. 204–210.

12 Washington Irving, »History, Tales and Sketches«, ed. James W. Tuttleton, New York 1983, S. 1014.

13 Siehe Klaus Lubbers, »Der ›King Philip‹-Stoff und John Augustus Stones Metamora (1829): Bemerkungen zur Rolle des India-

ners in der amerikanischen Mythographie des frühen 19. Jahrhunderts«, in: »Amerikanisierung des Dramas und Dramatisierung Amerikas«, Hrsg. Manfred Siebald und Horst Immel, Frankfurt 1985, S. 39–54.

14 Siehe dazu Stow Persons, »The Cyclical Theory of History in Eighteenth Century America«, in: »American Quarterly«, VI (1954), S. 147–163.

15 »The Poetical Works of William Cullen Bryant«, Household Edition, New York 1922, S. 60.

16 Variiert in John Mix Stanleys »Last of Their Race«, 1857.

17 Siehe dazu den materialreichen Aufsatz von Rena N. Coen, »The Last of the Buffalo«, in: American Art Journal (November 1973), S. 83–94, vor allem 84f.

18 Zum Motiv siehe Lubbers, »Born for the Shade«, S. 179–183 und 317–319.

19 Julie Schimmel, in: »The West as America: Reinterpreting Images of the Frontier, 1820–1920«, ed. William H. Truettner, Washington 1991, S. 167.

20 Coen, S. 140.

21 Auch als Schulbuch oder als Bibel gedeutet.

22 Zitiert in: »The Indian and the White Man«, ed. Wilcomb E. Washburn, Garden City 1964, S. 128.

23 Zur nachträglichen Einfügung der Figur des Schwarzen siehe Patricia Hills in: »The West as America«, S. 119.

24 Zur Beschreibung der Rahmenvignetten siehe Patricia Hills, a.a.O., und Ursula Frohne in: »Bilder aus der Neuen Welt«, Tafel 39.

25 Zitiert nach Klaus Lubbers, »›Westward the course of empire‹: Emerging Identity Patterns in Two Eighteenth-Century Poems«, in: »Literatur im Kontext – Literature in Context«, eds. Joachim Schwend et al., Frankfurt 1992, S. 329–343, hier 331.

BARBARA DAYER GALLATI

William Merritt Chase und das Vermächtnis von München: Die Amerikanisierung eines »intensiven, unschönen Realismus«

William Merritt Chase (1849–1916) war zu seiner Zeit der hervorstechendste amerikanische Exponent der Münchner Schule.[1] Und doch war er nur einer von über vierhundert Amerikanern, die in der zweiten Hälfte des 19. Jahrhunderts zum Kunststudium in die bayerische Hauptstadt pilgerten. Daß man den Maler mit der Münchner Schule identifizierte, lag natürlich an seiner dort geschaffenen Malerei, doch nicht zuletzt auch an der Publizität, die ihm als Hauptverfechter des Münchner Stils sogar noch vor seiner Rückkehr nach Amerika 1878 und seiner darauf folgenden Berühmtheit in New Yorker Kunstkreisen zuteil wurde.

Schon etliche Jahrzehnte bevor Chase nach Bayern kam, hatten sich viele Amerikaner die Münchner Akademie zur Ausbildungsstätte erkoren.[2] Zu den bedeutendsten gehörten der aus Massachusetts gebürtige David Neal (1837–1915), der sich – wahrscheinlich auf den Rat des deutschen Malers Carl Nahl (1818–1878) hin – dort 1861 einschrieb. Während seiner ausgedehnten Studienzeit an der Akademie erhielt Neal Unterricht bei Alexander von Wagner (1838–1919) und Karl Theodor von Piloty (1826–1886), was ihn zu einem Meister des Historien- und sorgfältig ausgearbeiteten Genrebildes machte. *Nach der Jagd* (*After the Chase*; Kat. Nr. 1) belegt seinen Erfolg in der Münchner Manier, wie sie insbesondere von Piloty gelehrt wurde. 1872 erschien eine Reproduktion des Gemäldes in der amerikanischen Zeitschrift *The Aldine* zusammen mit einem Bericht über die neuesten Aufträge, die der Künstler von Sir Benjamin Phillips aus London erhalten hatte, wobei der Autor freilich anmerkte, daß das amerikanische Publikum vielleicht keine Gelegenheit haben würde, die Werke zu sehen. In der Tat dürften Neals europäische Aufträge (und seine 1863 stattfindende Hochzeit mit der Tochter Max-Emanuel Ainmillers) wohl hinreichend begründen, warum er als Expatriierter in München lebte und demzufolge höchst selten in Amerika zu finden war.[3]

Während Neal auf Nahls Rat hin nach München gegangen sein soll, war für die meisten Amerikaner der Entschluß, dort zu studieren, häufig von der Familientradition bestimmt. Das traf für Carl von Marr (1858–1936) ebenso zu wie für Julius Rolshoven (1858–1930), Toby Rosenthal (1848–1917) und Frank Duveneck (1848–1919), alles Amerikaner der ersten Generation mit deutscher Abstammung. Unter diesen Künstlern war es Marr, mit dem die Ära, während der junge Amerikaner nach München zum Studium strömten, ihren Höhepunkt und gleichzeitig ihren Abschluß fand. Nachdem er seine 1877 begonnene Ausbildung an der Münchner Akademie vollendet hatte, erhielt er dort 1893 eine Professur und wurde 1919 zu ihrem Direktor ernannt. Andere Studierende, zum Beispiel John White Alexander (1856–1915), John H. Twachtman (1853–1902) und Louis Ritter (1854–1892), zählten zu den »Duveneck Boys«, jungen Männern, die ihre Münchner Schulung durch ein freies Studium bei Duveneck festigten. Diese Künstler lösten sich bald von dem dunklen, dramatischen Realismus ihrer frühen Arbeiten, wie er zum Münchner Schulgut gehörte, und wandten sich französisch inspirierten Stilarten zu. Anhand eines Einzelbeispiels wird ein weiterer Typus amerikanischer Erfahrungen in München ersichtlich: William Michael Harnett (1849–1892), dem es nicht gelang, zur Akademie zugelassen zu werden, blieb dennoch mehrere Jahre in der Stadt, denn er fand die Situation in München, jedenfalls was die Aufnahme bei Gönnern und Kritikern betraf, für seine Kunst günstiger als zu Hause.[4]

Die bedeutendste Persönlichkeit unter all den Amerikanern, die unmittelbar vor Chase nach München gingen, war Duveneck, der im Januar 1870 die Akademie bezog.[5] Duveneck, der in Cincinnati, Ohio, einer großen Kolonie deutscher Einwanderer, aufgewachsen war, ließ sich zweifellos nicht zuletzt durch seine Familie und seine kulturellen Wurzeln zu dem Entschluß bestimmen, in Deutschland zu studieren.

Schon in seinen künstlerischen Anfängen hatte er bei Johann Schmitt (1825–1898) und dem in München ausgebildeten Wilhelm Lamprecht gelernt und gearbeitet. Bis 1873, als er zeitweilig (vermutlich aus finanziellen Gründen) nach Amerika zurückkehrte, war Duveneck der unbestrittene Anführer der amerikanischen Studierenden in München. In seiner Abwesenheit errang sich Chase einen Platz als einer der begabtesten Schüler der Akademie. Als Chase 1872 die Münchner Königliche Akademie bezog, hatte er bereits an der New Yorker National Academy of Design studiert (fortan NAD genannt) und in St. Louis, Missouri, auf regionaler Ebene ein paar kleinere Erfolge geerntet. Doch als er 1878 München verließ, war er zu einem echten Künstler herangereift. Sein bemerkenswerter Wandel vom prosaischen »Handwerker«-Maler zum vollendeten Künstler während seines sechsjährigen Aufenthalts in Europa (den er zum größten Teil in München verbrachte), bereitete ihn gut für die Rolle vor, die er als führender Reformator der amerikanischen Malerei spielen sollte. Seine Erfahrungen in München schliffen nicht nur seine maltechnischen Fähigkeiten, sondern führten ihn auch zu realistischen Bildthemen. Darüber hinaus öffnete ihm München die Augen für den Wert der Alten Meister und trug zur Erweiterung seiner künstlerisch-professionellen Einstellung bei. Der Blick auf die Münchner Jahre des jungen Chase erweist sich als besonders lehrreich, stellt er doch die verschiedenen künstlerischen Verfahren und Richtungen vor Augen, die hier in den frühen 1870er Jahren aufeinandertrafen. Die Akademie, Dreh- und Angelpunkt seiner Existenz, bot eine Ausbildung, die in ihrem Ansatz weit davon entfernt war, starr und unerschütterlich zu sein. Hinzu kamen als mächtige Einflüsse noch weitere Faktoren – nämlich Wilhelm Leibl (1844–1900) und seine Anhänger, ein aktiver Kunstmarkt und die großartigen öffentlichen Münchner Kunstsammlungen.

Anders als die Mehrzahl seiner Vorgänger, die geradewegs nach München kamen, weil sie schon vorher in der hier gelehrten Richtung Unterricht erhalten hatten oder weil ihnen Sprache und Volk relativ vertraut waren, hatte Chase, wie es scheint, keine entschiedene Studienrichtung im Sinn, als er von New York abreiste. Nachdem er mehrere Wochen hindurch London erforscht hatte, ging er nach Frankreich, wo er sich an den Sehenswürdigkeiten und der energiegeladenen Atmosphäre von Paris erfreute. Chase hätte ohne weiteres in Paris bleiben können, das eine verwirrende Palette von Unterrichtsmöglich-

keiten bot. Wenn er auch wahrscheinlich nicht hinreichend gerüstet war, sich den strengen Zulassungsprüfungen der École des Beaux-Arts zu stellen, standen ihm doch andere Malschulen zur Weiterbildung offen – die Académie Suisse, die Académie Julian und eine Fülle von unabhängigen Ateliers. Doch der ehrgeizige Chase war bestrebt, sich nicht von den glitzernden Attraktionen von Paris ablenken lassen, und fühlte sich auch dem Konsortium von Geschäftsleuten aus St. Louis stark verpflichtet, das ihm die Mittel für sein Studium in Europa vorgestreckt hatte; so suchte er sich bewußt ein Umfeld, das einer ernsthaften Arbeit förderlich sein würde. Zudem nahm die Münchner Akademie jeden qualifizierten Studenten für eine Höchstdauer von sieben Jahren zu sehr vernünftigen Studiengebühren auf. Fortgeschrittenen Studenten wurde gelegentlich unentgeltlich ein Atelier zur Verfügung gestellt, um sie in ihrer künstlerischen Entwicklung zu fördern. Der häufig pragmatisch denkende Chase erklärte später: »Ich ging nach München statt nach Paris, weil ich in München tüchtig arbeiten konnte, statt mich in dem französischen Karussell zu verzetteln.«[6]

Chase schlug den Weg nach München nicht aufs Geratewohl ein: er war gut informiert. Lemuel Wilmarth (1835–1918), sein wichtigster Lehrer an der NAD, hatte in München und als einer der ersten Amerikaner auch in Paris bei Jean-Léon Gérôme studiert. Obwohl uns keine Belege für die Meinungen vorliegen, die Wilmarth über die Vor- und Nachteile der beiden Städte in bezug auf das Studium geäußert haben mochte, muß Chase doch durch seinen Lehrer eine allgemeine Kenntnis vom Charakter der beiden Ausbildungsstätten erhalten haben. Eine weitere Informationsquelle war John Mulvaney (1844–1906), der gerade frisch aus München gekommen war, als Chase ihn 1871 in St. Louis traf. Mulvaneys Erfahrungsbericht beruhigte den im ländlichen amerikanischen Westen geborenen und aufgewachsenen Chase: München würde ihm ein sicheres, geordnetes Umfeld mit bestimmten Herausforderungen bieten, die er aber mit Gewißheit bewältigen konnte. Hier ist auch hervorzuheben, daß zu der Zeit, als Chase nach Europa ging, der gesamten deutschen Kultur in amerikanischen Zeitungen und Zeitschriften viel Aufmerksamkeit gewidmet wurde – eine Folge der kürzlich stattgefundenen deutschen Einigung und Gründung des Wilhelminischen deutschen Kaiserreichs 1871 sowie der Beendigung des Krieges mit Frankreich. Das mag in der Wagschale seiner Entscheidung für München ebenfalls schwer gewogen haben.[7]

München bot Chase sofort die stimulierende und förderliche Atmosphäre, die er brauchte. Rasch wurde er in die brüderliche Kameradschaft der in der Akademie bereits immatrikulierten Amerikaner eingebunden und teilte sich bald ein Wohnatelier am Promenadeplatz mit dem schon weiter fortgeschrittenen Walter Shirlaw (1838–1909), der sein Studium in Paris wegen des Deutsch-Französischen Krieges aufgegeben hatte. In den Münchner Jahren schloß Chase enge Freundschaft mit dem amerikanischen Star der Akademie, Frank Duveneck.

Chase bestand offensichtlich ohne größere Schwierigkeiten die praktische Aufnahmeprüfung, der sich alle Bewerber um einen Studienplatz stellen mußten, und wurde wie alle neu Immatrikulierten der vorbereitenden elementaren Antikenklasse zugeteilt. Leider hat er uns keinen detaillierten Bericht über sein Leben hinterlassen, und obwohl man weiß, daß er offiziell bei Alexander von Wagner studierte, bestätigen seine überlieferten verstreuten Bemerkungen, daß Karl Theodor von Piloty als beherrschende Figur im Mittelpunkt seiner formalen Ausbildung stand. Ein Historienmaler und bewundernder Anhänger des französischen Akademiemalers Paul Delaroche, war Piloty 1856 als Professor an die Münchner Akademie berufen worden. Unter seinem Einfluß wurde der Lehrplan Schritt für Schritt revidiert. Dort, wo die spätklassizistische Manier unter dem Vorrang der Linie und einer gedämpften Farbigkeit, wie sie Peter von Cornelius propagiert hatte, mehrere Jahrzehnte hindurch tonangebend gewesen war, wurde dieser trockene, didaktische Stil allmählich durch eine Malschule verdrängt, die eine reichere Farbgebung, dramatische Lichteffekte und vor allem mannigfaltige Maltechniken in den Mittelpunkt stellte. Die Berichte, die Chase in regelmäßigen Abständen an Samuel A. Coale jr., einen seiner Förderer sandte, bezeugen seinen Ehrgeiz, bei Piloty zu studieren, und legen die Vermutung nahe, Coale habe einen gewissen Anteil daran gehabt, Chase den Weg nach München zu weisen. So schrieb Chase: »Ich arbeite hart in der Akademie und verliere keinen Moment Zeit … Sie haben recht, ich könnte nirgendwo besseren Unterricht finden als hier. Ich werde versuchen, Schüler von Piloty zu werden. Ich halte ihn für den größten heute lebenden Maler.«[8] Die von Chase an Coale gerichteten Briefe belegen auch seine Vertrautheit mit dem Münchner Kunstmarkt, denn in ihnen beschreibt er seine Suche nach Zeichnungen von Piloty, Wilhelm von Kaulbach und Ludwig Knaus für seinen Wohltäter, dem er auch scharfsichtig das Werk des »auf-

Abb. 1 William Merritt Chase, Portrait Eduard Grützner, ca. 1875, Öl auf Leinwand, 87×74 cm, Privatbesitz

steigenden und tüchtigen« Künstlers Eduard Grützner empfiehlt. Verbindungen wie diese fanden ihren Niederschlag in seinem künstlerischen Schaffen, etwa in dem Portrait des Münchner Kunsthändlers Otto Fleischmann (ca. 1875, Bowdoin College Museum of Art, Brunswick, Maine) und dem Bildnis Grützners (Abb. 1).

Chase gelang es 1874, einen Platz in Pilotys Meisterklasse zu erhalten; es war dasselbe Jahr, in dem Piloty zum Direktor der Akademie ernannt wurde. Ironischerweise läßt sich in seinem Werk wenig von Pilotys stilistischem Einfluß erkennen, wie das Münchner Schaffen des jungen Malers erweist – mit Ausnahme von zwei großen Studien, die Christoph Columbus vor dem spanischen Konzil darstellen (Kat. Nr. 92). Wenngleich Chase für sich nicht die Laufbahn eines Historienmalers ins Auge faßte, wie sie Piloty befürwortete, zog er dennoch Nutzen aus dieser Verbindung, konnte er sich doch sogar rühmen, den Auftrag erhalten zu haben, Portraits der fünf Kinder Pilotys zu malen; auch durfte er auf Empfehlungsbriefe des Meisters rechnen. Ungeachtet der Tatsache, daß Chase praktisch den Stil und die historischen Stoffe seines Lehrers ablehnte, war er sich doch voll und ganz der Vorteile bewußt, die es mit sich brachte, der hochgeschätzte Schüler des international berühmten Direktors der Akademie zu sein. Es verwundert daher nicht, daß Chase sich noch lange

nach seiner Rückkehr nach Amerika als Schüler Pilotys bezeichnete und so sein Publikum ständig an seine Beglaubigung durch die hoch im Kurs stehende Akademie erinnerte.

Trotz seiner eigenen relativ konservativen Malweise und seines strengen Charakters war Piloty ein liberaler Pädagoge, der alternative ästhetische Ausrichtungen im Rahmen des akademischen Lehrplans tolerierte und förderte. 1870 berief er seinen ehemaligen Schüler Wilhelm von Diez (1839–1907) nach München, und als Chase dort zu studieren begann, war Diez einer der beliebtesten Lehrer der Akademie, den vor allem Duveneck bewunderte. Seine Unterrichtsstunden, die auf dem Studium der holländischen Kunst des 17. Jahrhunderts aufbauten, wurden besonders wegen ihrer offenen Atmosphäre und technischen Experimentierfreudigkeit bekannt. Obwohl man nicht weiß, ob Chase offiziell bei Diez studiert hat, machte sich dessen Einfluß bei allen Studierenden der Akademie bemerkbar. Das von Chase geschaffene Portrait seines Mitschülers Hugo von Habermann (Abb. 2) verweist auf Diezens Methode: Es zeigt nicht nur den von Chase geschickt nachgeahmten groben, unmittelbaren Pinselstrich, den dunklen Grund und die extremen Lichteffekte, die so typisch für die

Portraitstudien der Diez-Schüler sind, sondern es hebt auch im Vergleich zu dem zweiten weicheren, verfeinerten Portrait von Habermann, das Chase im selben Jahr geschaffen hatte, die von dem jungen Künstler erlangte stilistische Flexibilität hervor. Derlei Portraitstudien – die üblichen Klassenarbeiten der Münchner Akademie – heben den Realismus und die virtuosen Techniken hervor, Grundlage der größeren, sorgfältiger ausgearbeiteten Portraits und Figurenbilder, wie sie von Chase und seinen Zeitgenossen für Verkaufs- und Ausstellungszwecke geschaffen wurden.

Seinen ersten Erfolg auf dem Kunstmarkt errang Chase mit dem Gemälde *Die Matrone* (*The Dowager*) aus dem Jahr 1874. Er sandte es seinem Gönner, W. R. Hodges, der es zur alljährlichen Ausstellung im Jahre 1875 der NAD einreichte, wo es von dem bedeutenden Maler Eastman Johnson gekauft wurde. Die Quellen seiner freimütigen und entidealisierten Darstellung einer verhärmten alten Frau lassen sich zurückverfolgen zu den altmeisterlichen Gemälden, die er in den Münchner Museen aus erster Hand studieren konnte, doch gefiltert durch den Realismus des freischaffenden Malers Wilhelm Leibl. Leibl war bei der Münchner Internationalen Kunstausstellung 1869 mit dem Portrait der Frau Gedon hervorgetreten, das Courbet, der dort ebenfalls sein Schaffen zeigte, als das beste der Ausstellung bezeichnete. Courbet befreundete sich mit Leibl, der ihn seinerseits sehr bewunderte, und lud ihn nach Paris ein, wo Leibl einen Teil des Jahres 1870 verbrachte und das Schaffen der französischen Realisten einer genauen Prüfung unterzog. Bei seiner Rückkehr nach München nach Ausbruch des Kriegs zwischen Deutschland und Frankreich 1870 setzte Leibl die realistische Malweise fort, indem er sich Courbet, Edouard Manet und Théodule Ribot zum Vorbild nahm. Als zentrale Figur einer freien und lockeren Vereinigung von Künstlern, die als Leibl-Kreis bekannt wurden, schätzte Leibl eine frische *alla prima*-Technik, die er mit einer vermehrten Abkehr von erzählenden Inhalten verband. Seine Vorliebe für den rein malerischen Akt (die *peinture*) an sich fiel zusammen mit dem wachsenden Nachdruck, der innerhalb der Akademie auf maltechnische Verfahren gelegt wurde. Für Chase (dessen angespannte finanzielle Lage ihn nicht davon abhielt, während seiner Münchner Jahre zwei Werke Leibls zu erwerben) bestätigte Leibls Kunst den Wert technischer Virtuosität und, was noch mehr ist, sie erklärte den bereits stark ausgeprägten Antagonismus, den Chase gegenüber der traditionellen Historien- und Genremalerei hegte, für gültig.

Die Matrone machte das amerikanische Publikum auf Chase aufmerksam, das in ihm ein Musterbeispiel des über München vermittelten ausländischen Einflusses sah, und kündigte seine noch vollendeteren Kunstleistungen in dieser Richtung an – *Frauenportrait* (*Portrait of a Woman*; Abb. 3) und *Aufbruch zum Ausritt* (*Ready for the Ride*). Als das letztere Gemälde in der Society of American Artists (fortan SAA genannt) 1878 ausgestellt wurde, wurden die ihm zugrundeliegenden Quellen wohlwollend auf Rembrandt und München zurückgeführt.[9] Vermehrt wurde das Ansehen des Künstlers, der als einer der vielversprechendsten Maler Amerikas galt, durch die Tatsache, daß sich *Ready for the Ride* im Besitz des mächtigen Kunsthändlers Samuel P. Avery befand.[10]

Zur selben Zeit, als *Aufbruch zum Ausritt* in der SAA-Ausstellung hing, konfrontierte Chase das New Yorker Publikum mit einem ganz anderen Aspekt seiner Kunst, der sich drastisch von dem genannten

Bild unterschied. Er verkörperte sich in den Gemälden *Der Hofnarr* (›*Keying Up*‹ – *The Court Jester*; Abb. 4) und *Unerwartetes Eindringen* oder *Der türkische Page* (*The Unexpected Intrusion* oder *The Turkish Page*, Abb. 5), die beide in der NAD-Ausstellung zu sehen waren. Die brillante Farbgebung und das Exotische dieser Leinwände boten einen verblüffenden Gegensatz zu der strengen, altmeisterlichdunklen Tonmalerei, die seine Exponate in der SAA-Ausstellung kennzeichnete. *Der Hofnarr* hatte 1876 bei der Centennial Exposition in Philadelphia begeisterte Aufnahme bei der Kritik gefunden, und die New Yorker Presse war 1878 von dem Gemälde nicht weniger entzückt.[11] Während die in der SAA ausgestellten Werke den Einfluß Leibls und Diezens bezeugten, folgten die farbenfreudigeren, anekdotischen Bilder in der NAD Pilotys Vorliebe für die spanischen Meister des Barock wie etwa Ribera. Chase scheint planvoll vorgegangen zu sein, als er diese so deutlich

Abb. 5 William Merritt Chase, Unerwartetes Eindringen oder Der türkische Page, 1876 (The Unexpected Intrusion or The Turkish Page), Öl auf Leinwand, 123×97 cm, Cincinnati Art Museum, Cincinnati OH

Abb. 6 Frank Duveneck, Der türkische Page, 1876 (The Turkish Page), Öl auf Leinwand, 106×146 cm, Joseph E. Temple Fund, Museum of American Art of the Pennsylvania Academy of the Fine Arts, Philadelphia PA

unterschiedlichen Beispiele seines Münchner Schaffens an die rivalisierenden Organisationen schickte; während seine Exponate in beiden Ausstellungen von seiner Ausbildung im Ausland kündeten, hatte er wohlweislich vorausgesehen, daß die eher konservative Jury der Akademie Gemälde vorziehen würde, die ein größeres narratives Potential besaßen.

Chase war keineswegs der einzige Bannerträger der Münchner Schule im Amerika der späten 1870er Jahre, sondern teilte sich das Rampenlicht mit Walter Shirlaw und Frank Duveneck. Shirlaw war 1877 nach Amerika zurückgekehrt und wurde bald zum Ersten Präsidenten der abtrünnigen SAA gewählt. Duveneck hatte bereits mit fünf Portraits, die er auf Einladung des Boston Art Clubs 1875 dort gezeigt hatte, großen Erfolg geerntet. Die große persönliche und künstlerische Geistesverwandtschaft, die diese drei Männer schon in München verbunden hatte (wo sie als »Vater, Sohn und Heiliger Geist« bekannt waren), trug dazu bei, daß das amerikanische Publikum einen Eindruck von der »Münchner Schule« gewann, was dazu führte, daß sie ungefähr zur gleichen Zeit große Aufmerksamkeit seitens der Kritik erhielten. Die relativ leichte Zugänglichkeit ihres Schaffens erlaubte es dem amerikanischen Kunst-Establishment, allgemeine Schlüsse über die Auswirkungen der Münchner Ausbildung zu ziehen. Die den »Munich Men« gemeinsamen künstlerischen Werte rückten manchmal vehement in den Brennpunkt des Interesses; so wurden etwa *Unerwartetes Eindringen* oder *Der türkische Page* von Chase und Duvenecks *Der türkische Page* (Abb. 6) in New York 1878 gleichzeitig in der NAD beziehungsweise der SAA ausgestellt.

Wie Chases und Duvenecks Gemälde desselben mageren, einen Papagei fütternden Jungen bezeugen, hatten die beiden Männer ihre enge freundschaftliche Arbeitsgemeinschaft wieder aufgenommen, als Duveneck 1875 nach München zurückkehrte. Zusammen mit Twachtman, einem weiteren amerikanischen Studienkollegen der Münchner Akademie, nahmen Duveneck und Chase Urlaub vom Studium und zogen von 1877 bis 1878 zu einem fast einjährigen Aufenthalt nach Venedig. Mit ihrem venezianischen Aufenthalt war letztendlich der Höhepunkt der amerikanischen Aktivitäten in München überschritten. Duvenecks unabhängige Lehrtätigkeit (zum größten Teil in Polling und Florenz) mit einer immer zahlreicher werdenden Anhängerschaft führte schließlich zu einer Abnahme der amerikanischen Einschreibungen an der Akademie. Chase hingegen war eifrig darauf bedacht, Kapital aus dem Bekanntheitsgrad zu schlagen, den er in seinem Heimatland bereits erreicht hatte. Seine großen Ambitionen bezeugt ein aus Italien im April 1878 an Samuel Avery gerichteter Brief: »Nun, der Erfolg, den meine Sachen in New York hatten … hat mir das Gefühl gegeben, daß ich vielleicht etwas in New York machen könnte. Schon seit einiger Zeit wünsche ich mir, nach Hause zurückzukehren und einige unserer wunderschönen Frauen, Kinder und gutaussehenden Männer zu malen ... Sobald ich es mir leisten kann, beabsichtige ich, mir ein Atelier in London und Paris und eines in New York oder Boston einzurichten und meine Zeit je nach der Arbeit, die ich unter der Hand haben mag, jeweils an einem dieser Orte zu verbringen.«[12] Am Schluß des Briefes berichtet er, daß er gerade damit beschäftigt sei, ein bedeutendes Gemälde für einen reichen Münchner Kunden zu vollenden, und daß er so bald wie möglich nach München zurückkehren würde, um seine Sachen zu packen. In der Tat suchte Chase seinen beruflichen Erfolg außerhalb Münchens und ließ sich 1878 in New York nieder. Bei dem Gemälde, das er in seinem Brief Avery gegenüber erwähnt, handelt es sich höchstwahrscheinlich um *Der maurische Krieger* (*The Moorish Warrior*; Kat. Nr. 94), das als das letzte bedeutende Gemälde seiner Münchner Periode gilt, obgleich es in Venedig gemalt wurde.

Der erste größere Chase gewidmete Artikel erschien 1881. Seine Verfasserin, die angesehene Kritikerin Mariana van Rensselaer, erinnerte an den Eindruck, den Shirlaw, Duveneck und Chase in den New Yorker Ausstellungen während der späten 1870er Jahre gemacht hatten. Sie merkte jedoch an, daß Shirlaw und Duveneck seit damals nicht mehr viel ausgestellt hätten und daß nur Chase »fleißig und sich stetig entwickelnd weitergearbeitet« habe.[13] In ihrem Überblick über Chases frühe Triumphe – *Aufbruch zum Ausritt* und *Der Lehrling* (*The Apprentice*; Kat. Nr. 78) stellte sie den »intensiven, wenn auch unschönen Realismus« des letzteren gegen die »süßliche Konventionalität der Portraitstudien, an die sich unser Publikum zumeist gewöhnt hatte«.[14] Trotz dieses und anderer wohlwollender Kommentare muß eingeräumt werden, daß die von Chase und seinen amerikanischen Kollegen gemalten Münchner Gemälde nicht ständig mit Beifall überschüttet wurden. Was sich zunächst in den 1870er Jahren als mit triftigen Gründen unterlegtes, aber immer noch wohlgesinntes Grollen der Unzufriedenheit geäußert hatte, wurde in der New Yorker Presse der 1880er Jahre schärfer formuliert. Der Romanschriftsteller und Kunstkritiker Henry James hatte 1875 die Werke von Chase und Duveneck wegen ihrer Energie und Intelligenz gelobt, doch gleichzeitig seine Bewunderung modifiziert: »Wir wiederholen, ihre große Qualität, liegt in ihrer ausgeprägten Natürlichkeit, ihrem ungemischten, unverstellten Wirklichkeitssinn. Sie sind brutal, hart, undelikat ... doch sie besitzen den Stoff zu einer ausgezeichneten Grundlage.«[15] Seit den frühen 1880er

Jahren jedoch tadelten die Kritiker Chase häufig wegen seiner Überbetonung der Maltechnik. In den Klagen eines Rezensenten über zwei seiner Portraits (eines davon war das *Portrait Dora Wheeler*, das bereits bei der Münchner Internationalen Kunstausstellung von 1883 eine Goldmedaille erhalten hatte) verkörpert sich diese im Zunehmen begriffene Einstellung. So beschreibt der Kritiker die Werke als »sehr gewandt und virtuos in der Ausführung, mit großer technischer Sicherheit gemalt«, schließt jedoch: »In keinem von beiden sind angemessener Ernst, erhabene Zielsetzungen und würdevolle Intentionen zu finden.«[16]

Was man schlichtweg als Mobilisierung von Abwehrkräften gegen den Münchner Stil in den 1880er Jahren interpretieren könnte, hatte seinen Grund in weit komplexeren Problemen, die sich aus den kunstpolitisch stark polarisierten Parteien innerhalb der New Yorker Kunstszene ergaben. 1884 erhoben sich einige Künstler und Kritiker mit einem Aufschrei und behaupteten, daß Chase und seine Freunde im SAA-Ausstellungs-Komitee bei der Auswahl der für die alljährliche Ausstellung akzeptierten Werke Günstlingswirtschaft betrieben hätten. Diese Mißhelligkeiten waren bezeichnend für das Übergangsstadium der amerikanischen Kunst mit einer sich verändernden Machtstruktur. Herbeigeführt durch die von ihrer europäischen Ausbildung zurückkehrenden »New Men«, überschnitt sich dieser Übergang mit der ästhetischen Strömung der Hudson-River-Schule. Hier prallten lang verehrte amerikanische künstlerische Werte mit neuen aus Europa vermittelten ästhetischen Idealen zusammen, und einige Kritiker sahen sich zu dem Aufruf an die Künstler veranlaßt, diese sollten wieder dahin zurückkehren, die Wirklichkeit des amerikanischen Lebens unverfälscht mit ihren eigenen Mitteln auszudrücken, und zwar in einem Stil, der sich nicht als von einer fremden Schule abhängig zu erkennen gab.

Chase reagierte auf diese kritischen Stimmen, indem er sich amerikanischen Motiven zuwandte, und führte 1886 die verstädterte amerikanische Landschaft – den Stadtpark – in seinen Themenkreis ein. Obgleich seine Parkgemälde (die zumeist zwischen 1886 und 1891 entstanden) nicht allgemein günstig aufgenommen wurden, entdeckten einige Kritiker in ihnen eine »kühne Originalität« und beglückwünschten ihn zu seiner Malerei »ohne Rücksichtnahme auf die Konventionen irgendeiner Schule«.[17]

Gewiß, Chase modifizierte seine Kunst nach den Wünschen des Markts und der Kritiker, doch seine

Neuerungen waren nicht gleichbedeutend mit einer allumfassenden Negierung des in München Gelernten. Er wandte sich Motiven amerikanischer Prägung zu, die er weiterhin in einen realistischen, auf seinen Münchner Erfahrungen beruhenden Kontext einbettete. Wie er später erklärte, hätten ihn seine Münchner Studien dazu bewogen, »die Darstellung von (ihm) bekannten Menschen und Dingen zu bevorzugen«.[18] Auf diesen Bereich verlegte er sich nun auch und malte zum größten Teil Portraits seiner Familie, enger Freunde und Studenten, Innenansichten seiner Ateliers und Landschaften, in die er dem Alltagsleben entnommene Szenen hineinkomponierte. Der stilistische Eklektizismus, für den er bekannt war, hat auch seinen Ursprung in jenem Aspekt der Münchner Ausbildung, der zu breitgefächerten maltechnischen Experimenten ermutigte. Während viele von Chases Gemälden nach 1886 seine Übernahme einer impressionistischen Ästhetik offenbaren, belegen andere Bilder, daß er die künstlerischen Einflüsse von zum Beispiel James A. McNeil Whistler, Manet und Alfred Stevens in einer Synthese zusammenfaßte. Letztendlich blieb Chase dem Stil treu, den man als die klassische Münchner Manier bezeichnen könnte, besonders wenn man sein Festhalten am Realismus und seinen stets beibehaltenen direkten und spontanen Farbauftrag bedenkt, die beide im Mittelpunkt seiner

eigenen Lehrmethoden standen. In den Jahrzehnten seiner größten künstlerischen Leistungen bilden Werke wie etwa *Mrs. Chase und Cosy* und *Stilleben mit Fischen* (Abb. 7) einen deutlichen Refrain seines eigenen Münchner Schaffens.

Obwohl er nur einmal auf einen kurzen Besuch im Jahr 1903 nach München zurückkehrte, blieben die Erinnerungen, die Chase an die Akademie und die Münchner Kunstszene hatte, stets in ihm lebendig. Sein eigenes Kunstschaffen, seine Unterrichtsmethoden, seine Vorlesungen in der Öffentlichkeit und im Klassenzimmer und seine veröffentlichten Interviews legten beständig Zeugnis ab für den bleibenden Wert, den er seiner Münchner Ausbildung zumaß. Daß auch München Chase nicht vergaß, wird durch die ihm 1908 erwiesene Ehrung bestätigt, als der bayerische Prinzregent ihn zum Ritter vom Sankt-Michael-Orden erhob.

1 Zu Chase siehe vor allem: Katherine Metcalf Roof, »The Life and Art of William Merritt Chase«, 1917 (Nachdruck New York 1975). – Ronald G. Pisano, »A Leading Spirit in American Art: William Merritt Chase, 1849–1916«, Seattle 1983. – Keith L. Bryant, jr., »William Merritt Chase, A Genteel Bohemian«, Columbia und London 1991. – Barbara Dayer Gallati, »William Merritt Chase«, New York 1995.

2 Ein umfassender Überblick über die Aktivitäten amerikanischer Künstler in München liegt nicht in Form einer Veröffentlichung vor. Die gründlichste Behandlung erfährt dieses Thema in dem Ausstellungskatalog »Munich & American Realism in the 19th Century« mit Essays von Michael Quick und Eberhard Ruhmer; Hsg. Richard V. West, E.B. Crocker Art Gallery, Sacramento, California, 1978. Quick schätzt, daß 1870 und 1885 ungefähr 275 Amerikaner in München studierten. Die neueste Statistik findet sich in: Katharina Bott, »Amerikanische Künstler in Deutschland, Deutsche Künstler in Amerika, 1813–1913«, Weimar 1996.

3 »After the Chase«, in: The Aldine 5, Nr. 11 (November 1872), S. 227.

4 Siehe William H. Gerdts, »The Artist's Public Face: Lifetime Exhibitions and Critical Reception«, in: »William M. Harnett«, Hsg. Doreen Bolger, Marc Simpson und John Wilmerding, Ausstellungskatalog Amon Carter Museum and The Metropolitan Museum of Art, New York 1992.

5 Siehe Michael Quick, »An American Painter Abroad: Frank Duveneck's European Years«, Ausstellungskatalog, Cincinnati Art Museum, 1988.

6 Roof, op. cit., S. 30.

7 Wenngleich das politische und soziale Klima im Europa der frühen 1870er Jahre das Handeln der Künstler beeinflußte, sind die betreffenden Fragenkomplexe doch allzu komplex, als daß sie an dieser Stelle erörtert werden könnten.

8 Chase an Coale, 27. März, 1873, in voller Länge zitiert in: Thomas B. Brumbaugh, »William Merritt Chase«, in: Bulletin of the Missouri Historical Society 15, Januar 1959, S. 121.

9 »Fine Artists. Pictures in Brooklyn and New York«, in: Brooklyn Daily Eagle, 11. März 1878, S. 2.

Abb. 7 William Merritt Chase, Stilleben mit Fischen, 1912 (Still Life, Fish), Öl auf Leinwand, 82×101 cm, Brooklyn Museum, Brooklyn NY

10 Samuel P. Avery (1822–1904) war über die zeitgenössische europäische Kunst gut unterrichtet. München stand bei seinen häufigen Reisen auf dem Kontinent gewöhnlich auf dem Programm. – Siehe Madeleine Fidell Beaufort et. al., »The Diaries 1871–1882 of Samuel P. Avery, Art Dealer«, New York 1979.

11 »Fine Arts. The National Academy Exhibition«, in: Brooklyn Daily Eagle, 7. April 1878, S. 2.

12 Chase an Avery, 2. April 1878, Avery, Autograph Papers (Avery, handschriftlicher Nachlaß), Thomas J. Watson Library. The Metropolitan Museum of Art, New York.

13 Mariana G. van Rensselaer, »William Merritt Chase. First Article«, in: American Art Review, 1881, S. 93.

14 van Rensselaer, op. cit., S. 95.

15 Henry James, »On Some Pictures Lately Exhibited«, ursprünglich im Juli 1875 in Galaxy veröffentlicht; Neuabdruck in: John L. Sweeney, Hsg., »The Painter's Eye: Notes and Essays on the Pictorial Arts by Henry James«, Cambridge 1956, S. 98–99.

16 »Mr. William Merritt Chase's Art«, in: Art Interchange 12, 19. Juni 1884, S. 148.

17 »The Slaughter of Mr. Chase's Pictures«, in: Art Amateur 24, April 1891, S. 115. (Der Titel – »Das Abschlachten von Mr. Chases Bildern« – bezieht sich auf die schlechten Ergebnisse anläßlich einer Versteigerung von Gemälden des Künstlers.)

18 Walter Pach, »The Import of Art (An Interview with William Merritt Chase)«, in: Outlook 95, Juni 1910, S. 443.

WILLIAM H. GERDTS

Der vergessene Künstler: J. Frank Currier

Das Jahrzehnt der 1870er Jahre markiert die vom Münchner Einfluß geprägte Periode der amerikanischen Kunst.[1] Ihren Auftakt bildete der Eintritt Frank Duvenecks im Jahre 1870 in die Königlich-Bayerische Akademie. Unser Augenmerk soll hier einer Gruppe von Malern gelten, die in den frühen 1870er Jahren nach München kamen und während ihres Studiums an der Akademie von der unakademischen Malweise fasziniert waren, die Wilhelm Leibl um 1869 entwickelt hatte und die ihrerseits Anregungen bezog aus Leibls Kontakt mit der Kunst des französischen Realisten Gustave Courbet und seiner Auseinandersetzung mit den holländischen Alten Meistern, insbesondere Frans Hals.[2] Was Leibl praktizierte und was er seinem aus deutschen und amerikanischen Malern bestehenden Kreis nahebrachte, war eine bestimmte Vorstellung vom Malerischen als Akt des *Farbauftrags*, der sie Respekt zollten, ja, von der sie geradezu fasziniert waren, und die Abkehr von dem traditionellen Konzept der vollendet ausgearbeiteten, »geschönten« und geglätteten Bildoberfläche. Die mit dem Leibl-Kreis verbundenen Maler – Duveneck und J. Frank Currier, sowie ihre Freunde William Merritt Chase und Walter Shirlaw – übernahmen das dramatische Helldunkel, den temperamentvollen und spontanen malerischen Duktus und das durch den sichtbaren Pinselstrich unfertige Aussehen der Werke Leibls und seiner Anhänger. Tatsächlich aber behielt Leibl dieses Malverfahren nur für kurze Zeit bei. 1873 war er von München weggezogen, und am Ende des Jahrzehnts hatte er sich bereits eine viel straffere Zeichnung und traditionsgebundenere Methode angeeignet. In den achtziger Jahren sollten selbst Duveneck und Chase den radikalen ästhetischen Kanon aufgeben, dem sie sich zuvor verschrieben hatten. Doch dies geschah zu einer Zeit, als sie München bereits verlassen hatten – Chase kehrte 1878 in die Vereinigten Staaten zurück und schlug eine erfolgreiche Laufbahn als Künstler und Lehrer ein, während Duveneck seine amerikanischen Anhänger und Studenten, die »Duveneck Boys«, mit denen er in München arbeite-te, 1879 auf eine Reise nach Italien mitnahm. Als ihre Werke bei den ersten Veranstaltungen der Society of American Artists gezeigt wurden, einer 1877 in New York neugegründeten Ausstellungsgesellschaft, die hauptsächlich die Kunst der jüngeren Amerikaner herausstellte, die in Paris und München arbeiteten oder erst kürzlich von dort zurückgekehrt waren, tadelte man die Schaffensweise Duvenecks und insbesondere die von Chase als Verkörperungen des typischen »Modernismus« der Münchner Schule. Ungeachtet der Tatsache, daß nur zehn der einundsiebzig Teilnehmer an der ersten Präsentation der Society im Jahr 1878 in München studiert hatten, stellte eine Reihe von Kritikern das Vorherrschen des Münchner Einflusses in den frühen Ausstellungen dieser Gruppe fest. Einer der Künstler, auf den sich diese Wahrnehmung konzentrierte und der damit die gesammelte Aufmerksamkeit auf sich zog, war J. Frank Currier.[3]

Currier wurde 1843 in Boston geboren; 1857 zog die Familie nach Roxbury, einen Vorort von Boston, der von nun an ihre Heimat blieb. Obwohl Currier bei Samuel Gerry, einem der Tradition verpflichteten Bostoner Maler von Gebirgsszenen und anderen Landschaften, Malerei studierte, bezog er seine Inspiration hauptsächlich von den Figurenmalern der französischen Schule von Barbizon wie etwa Jean François Millet. Der Öffentlichkeit präsentierte er sich zum erstenmal Anfang 1868, als ein »kleines, aber schön ausgearbeitetes Bild« von ihm in der Williams & Everett Gallery in Boston zu sehen war.[4]

Im Frühling 1869 schiffte sich Currier nach Antwerpen ein, wo er an der Königlichen Akademie studierte. Curriers meisterliche Beherrschung der akademischen Techniken offenbart sich in seinen in der Akademie gefertigten Zeichnungen nach Abgüssen, während die kraftvolle Maltechnik, die er bereits entwickelt hatte, in einer Reihe von Gemälden erscheint, die er in und um Antwerpen malte. Im April 1870 reiste Currier von Antwerpen aus nach Frankreich, doch als im August der Deutsch-Französische Krieg ausbrach, wandte sich der junge Maler nach München, wo es eine große Kolonie amerikanischer Studenten gab. München sollte für die nächsten etwa dreißig Jahre Curriers Heimat werden. Er bezog die Kunstakademie, wo er in den ersten zwei Jahren zunächst bei dem Leiter der Kupferstecherschule Johann Leonhard Raab zeichnen lernte und dann bei Alexander von Wagner Malerei studierte. 1872 begann er dann selbständig zu arbeiten. Einer seiner Studienkollegen in Raabs Zeichenklasse war Walter Shirlaw, den Raab wegen seiner ausgezeichneten Leistungen bevorzugt zu haben scheint; dennoch gewann Currier in Raabs Klasse eine Medaille und wurde ebenfalls zu einem Lieblingsschüler des Professors.[5] Wann Currier zum ersten Mal die akademische Ausbildung, die ihm seine deutschen Lehrer vermittelten, abzulehnen begann und sich Leibls Kreis und dessen kühner Malweise anschloß, ist ungewiß, doch könnte möglicherweise ein erst kürzlich identifiziertes *Portrait J. Frank Currier* (Abb. 1) von Leibls Hand ihre Verbindung bestätigen.[6] Ebenso wie Duveneck gelangte Currier früh unter Leibls Einfluß – und er jedenfalls blieb von ihm geprägt, bis er seine künstlerische Laufbahn aufgab.

Der Leibl-Tradition folgend, wie sie dessen Gemälde *Junge mit Halskrause* von 1869 (Städtische Galerie Nürnberg) verkörpert, und unter dem Einfluß von Leibls treuestem amerikanischen Anhänger, Frank Duveneck, scheint der früheste Corpus von Curriers Werken aus Brustbildern und halbfigurigen Portraits junger Männer und Frauen zu bestehen, die er grob und kraftvoll in Öl malte. Dabei handelt es sich um Menschen bei der Arbeit oder von der Straße oder auch um Modelle, die als solche posieren. Diese Darstellungen sind stark der Tradition verpflichtet, in der Duvenecks vielleicht berühmtestes Bild dieser Art steht, sein *Pfeifender Junge* (*Whistling Boy*) von 1872 (Kat. Nr. 76), ein Thema, das in verschiedenen Variationen mehrfach nicht nur von Duveneck selbst, sondern auch von Chase wiederholt wurde.[7]

Duvenecks *Pfeifender Junge* scheint als Inspiration für die Ölbilder gedient zu haben, deretwegen Currier heute am bekanntesten ist: *Pfeifender Junge* (*Whistling Boy*, Kat. Nr. 77), *Ein Münchner Junge* (*A Munich Boy*, Kat. Nr. 79), *Bauernmädchen* (*The Peasant Girl*) und *Kopf eines Knaben* (*Head of a Boy*, Abb. 3), das unter all diesen figuralen Darstellungen dem Stil von Frans Hals am nächsten kommt und vielleicht durch Leibls *Junge mit Halskrause* angeregt wurde.[8] Ob Currier hauptsächlich unmittelbar von Leibl inspiriert wurde oder ob er über den Einfluß Duvenecks zu einer technischen Meisterschaft gelang-

Abb. 1 Wilhelm Leibl, Portrait J. Frank Currier (?), ca. 1870, Öl auf Leinwand, 54×45 cm, Bayerische Staatsgemäldesammlungen, München

Abb. 2 Frank Duveneck, Portrait Currier, ca. 1877, Öl auf Leinwand, 62×53 cm, Art Institute of Chicago, Chicago IL

einander beständig gegenseitig portraitierten – gleichermaßen als bildkünstlerische Übungen wie Portraits und Zeugnisse der Freundschaft. In einem Brief nach Hause beschrieb Alexander die Figuren Curriers: »Sie sehen aus, als wären sie mit einem Stock gemalt. An einigen Stellen ist die Farbe über einen halben Zentimeter dick aufgetragen und so grobschlächtig, daß man kaum sagen kann, ob sie auf den Kopf gestellt sind oder nicht, wenn man nicht mindestens 2 Meter zurücktritt. Aber was für Köpfe! Die Künstler halten ihn für den stärksten Mann, den wir haben.«[9]

Die erste bedeutende New Yorker Jahresaustellung, an der sich Currier beteiligte, war – was nicht unlogisch erscheint – die *First Exhibition of the Society of American Artists*, die im März 1878 in der Kurtz Gallery stattfand. Er zeigte dort drei Werke: zwei Landschaften und das Gemälde *Böhmischer Bettler (Bohemian Beggar)*, das einem Kolumnisten zufolge eine weibliche Gestalt zeigte.[10] Die Landschaften waren mit Preisen von je $ 50 und $ 100 ausgeschildert, ein Gutteil weniger als die $ 200, die er für den *Böhmischen Bettler* verlangte. Es war diese Figur, die vor allem das Augenmerk der überwiegend negativen Kritik auf sich zog. Ein Kunstkritiker befand, daß Stärke weder von der Brutalität noch von der Effekthascherei abhinge, die er in der »hastig hingepfuschten Ausführung … auf deren Grundlage Mr. Currier seine gymnastischen Verrenkungen veranstaltet« zu entdecken meinte. Ein anderer, beunruhigt durch das »Ungesunde solch unechter Breite« sah Curriers Werk als »Irrwege eines Rasenden«.[11]

Der Kritiker der New York Times faßte die Haupteinwände gegen Curriers Kunst am gründlichsten zusammen: »Die Ähnlichkeit mit dem Portrait von Frans Hals im Metropolitan Museum of Art, das sich des Titels ›*Hille Bobbe, Hexe von Haarlem*‹ erfreut, fällt jedermann auf, der dieses Gemälde des alten Meisters aus Flandern gesehen hat. Dieses Portrait wird sich für viele Maler als harter und schwer verdaulicher Brocken erweisen, doch steckt unzweifelhaft Arbeit in der Studie. Sie ist in gedämpften Farbtönen, mit breiten Strichen und Pinselhieben gemalt.«[12] Ein anderer Kritiker nannte das Bild sogar ein »elendes holländisches Plagiat«, ein »schlaues Pasticcio« und eine »echte Schwester der Hille Bobbe«.[13]

Curriers Beitrag zu der zweiten Jahresaustellung der Society im Jahre 1879 bestand aus zwei Figurenbildern, seinem *Die Stirn runzelnden Jungen (Scowling Boy)* und einem Portrait, wobei sich das erst-

te, ist schwer feststellbar; zweifellos standen er und Duveneck in enger Verbindung, denn Duveneck malte ein *Portrait Currier* (ca. 1876/77, Abb. 2) in seinem dramatischsten, an Leibl orientierten Stil.

Das ehrgeizigste und in mancher Hinsicht konventioneller »vollendete« oder »ausgearbeitete« Bild ist *Der Geschirrverkäufer (The Pottery Vendor)*, in dem die kunstvoll dekorierten Tongefäße ihr Gegengewicht finden in dem mit langen Federn bestickten Hut des kräftigen, recht altertümlich wirkenden und ausdruckslos dreinblickenden Jungen, der diese Waren feilbietet. Weitere Figurenstudien Curriers geben alte Männer wieder, andere stellen unbekannte Modelle dar, die wir nicht identifizieren können, so etwa sein *Portrait eines Mannes mit Kragen (Portrait of a Man with Collar*, Kat. Nr. 82). Wieder andere sind befreundete Künstler, Kollegen wie Charles Mills, Frederick W. Freer (Montgomery Museum of Fine Arts, Montgomery, Alabama), Charles H. Freeman (Indianapolis Museum of Art) und Ross Turner (ehemals Victor D. Spark, New York City), alles Münchner Studienkollegen und Mitglieder der Gruppe der »Duveneck Boys«. Turner seinerseits revanchierte sich mit einem Portrait Curriers (Privatsammlung), desgleichen John White Alexander (verschollen). Currier folgte damit der Tradition vieler Münchner Künstler, der deutschen wie der amerikanischen, die

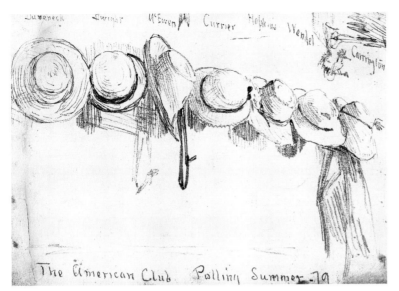

genannte bereits im Besitz seines Münchner Studienkollegen William Merritt Chase befand, der schließlich mit mindestens elf Gemälden und Zeichnungen zu Curriers größten Sammlern und Gönnern gehören sollte.[14] Der *Die Stirn runzelnde Junge* ist zwar verschollen, wir kennen ihn jedoch durch seine Reproduktion im *Daily Graphic*[15] und später unter dem Titel *In ernster Stimmung* (*In Serious Mood*) aus dem 1912 stattgefundenen Auktionsverkauf von Chases Gemälden.[16] Das Portrait läßt sich wahrscheinlich identifizieren als *Der Zimmermann von Polling* (*The Carpenter of Polling*), ein Hinweis auf das bayerische Dorf, in dem Currier und seine Familie während dieser Jahre lebten.[17] Bei der dritten Jahresschau der Society im Jahr 1880 fehlten Curriers Werke ganz, obwohl er zusammen mit Duveneck, Mary Cassatt und anderen zu den »bedeutenderen Teilnehmern gehörte«, deren Abwesenheit bemerkt wurde.[18] Und als Currier 1881 und 1882 wieder Werke zu den Veranstaltungen der Society einreichte, tat er dies als Spezialist für Landschaften. Denn seit 1881 scheint Currier die Figurenmalerei so gut wie aufgegeben und sich voll und ganz der Landschaft – zunächst in Form des Aquarells – verschrieben zu haben. Man hat gesagt, daß Currier ein Thema und ein Malmedium nach dem anderen aufgriff und ausschöpfte und diese dann, wenn er ihr Potential erschöpft zu haben meinte, fallenließ. Das behauptete jedenfalls William Forsyth, einer der jungen Maler aus Indiana, der ihn in den frühen 1880er Jahren gut kannte. Forsyth bemerkte: »Er malte Köpfe bis zu einer beinahe übermäßigen Vortrefflichkeit … und hörte dann plötzlich ganz auf, sie zu malen … Genauso verfuhr

er mit Landschaften in Öl, gefolgt von Stilleben, dann mit erstklassigen Aquarellen, darauf mit Kohlezeichnungen von wunderbarer Schönheit, schließlich folgten Pastelle und Stiche und sogar Photographien …«[19]

Curriers Hinwendung zur Landschaft ergab sich wohl ganz zwangsläufig um 1877, als er und seine Familie in die ländliche Künstlerkolonie in Polling zogen, einen etwa 60 km südlich von München in der Nähe von Weilheim gelegenen Ort, wo sie mehrere Jahre hindurch blieben.[20] Polling hatte schon lange deutsche wie amerikanische Maler angelockt: Duveneck hatte dort bereits 1872 gelebt. Doch es war erst nach seiner Rückkehr nach München im Jahr 1875, daß Amerikaner in großer Zahl nach Polling strömten und sich ganz zwanglos zu einem »amerikanischen Club« in Polling formierten, innerhalb dessen Currier eine zentrale Gestalt war (Abb. 4). Einige Amerikaner, die ebenfalls Mitglieder des 1875 gebildeten American Artists' Club (amerikanischer Künstlerklubs) in München waren, mieteten Räumlichkeiten in Bauernhäusern, im Gasthof des Ortes oder dem ehemaligen Kloster des Augustinerchorherrenstiftes Zum Heiligen Kreuz, das 1803 säkularisiert worden war. Eine ganze Reihe von Künstlern, darunter auch Currier, hatten ihr Atelier in einem Flügel des Klosters.[21] Obwohl das Gästebuch des Gasthofes auf uns gekommen ist, findet sich darin der Name Curriers nicht verzeichnet, scheint er doch ganz unabhängig zusammen mit seiner Familie in einem Teil des alten Klostergebäudes nicht nur als Sommergast, sondern das ganze Jahr über gewohnt zu haben.[22] Duveneck und seine Kollegen verbrachten viel Zeit mit Currier,

Abb. 4   John White Alexander, *Der amerikanische Club in Polling*, 1879 (The American Club Polling), Zeichnung, verschollen, Fotografie mit freundlicher Erlaubnis des Norbert Heerman Archivs

der vielleicht ebensoviel Einfluß auf die jüngeren Künstler dort hatte wie Duveneck und der in der Tat Duveneck selbst in die landschaftliche Thematik eingeführt haben mag.

Currier wandte sein Interesse zum ersten Mal im Sommer 1878 Landschafts-Aquarellen zu und schuf zunächst verschwommene Impressionen von den wechselnden Effekten am Himmel und auf der Erde –

Abb. 5   J. Frank Currier, Polling bei Weilheim, Bayern, 1878, Aquarell, Privatsammlung Nelson H. White, Waterford CT

jedoch machte er nur Versuche mit Tonwerten ohne Formen, die dann im Herbst in starken und originären Skizzen Ausdruck fanden.[23] Eine Gruppe dieser Aquarelle stellte Currier zum ersten Mal im Februar 1879 bei der zwölften Jahresausstellung der American Water Color Society in New York vor und verlangte für die meisten von ihnen einen Preis von je $ 50. Kein einziges Bild Curriers, keine Gruppe von Gemälden irgendeines anderen amerikanischen Künstlers, die in jener Periode gezeigt wurden, haben jemals eine so hitzige Debatte heraufbeschworen oder wurden mit so viel bestürzter Verblüffung aufgenommen wie Curriers neun Aquarelle in jener Schau. Der große Kunstkritiker William Crary Brownell berichtete von der Aufregung, die diese Werke hervorriefen: »Sie wurden zum Gegenstand endloser Diskussionen, und man kann beinahe von ihnen sagen, daß sie die ›Kunstkreise‹ in zwei gegnerische Lager spalteten.«[24]

Curriers Polling bei Weilheim, Bayern (Abb. 5), 1878 datiert, zeigt seine spezielle auf nassem Papier ausgeführte Aquarelliertechnik, die so weit geht, daß die Formen von Bäumen und Felsen nur undeutlich durch die Flecken und fließenden, dünn aufgetragenen Lavierungen zu erkennen sind, die die Papieroberfläche beleben. Tatsächlich hieß es damals in der Presse, daß die Aquarelle spät eingereicht worden wären und das Auswahlkomitee »im Zweifel darüber gewesen sei, ob man einen künstlerischen Schatz erhalten habe oder Opfer eines gewaltigen Schabernacks geworden sei«.[25] Der Kritiker der New Yorker Sun meinte: »Hätten wir nicht Mr. Curriers Beiträge zu der letztjährigen Ausstellung der Society of American Artists gesehen, würde es uns schwerfallen zu glauben, daß seine Einsendungen zur Aquarell-Ausstellung nicht als sehr tiefgründiger und subtiler Witz gedacht waren … Sie bestehen fast ausnahmslos aus willkürlichen und kapriziösen, grob über das Papier gespritzten Farbflecken, ohne jeden unmittelbaren oder erkennbaren Bezug zu irgendeiner Umrißlinie der Zeichnung oder Anordnung von Formen.« Doch in einer späteren Rezension bekräftigte derselbe Verfasser die Kontroverse, die Curriers Bilder entzündet hatten und die so polarisierend wirkte, daß eine Gruppe von Betrachtern diese Werke als erhaben ansahen und ihnen bescheinigten, sie vergrößerten enorm das Ausdruckspotential des Mediums, während ihre Gegner befanden, daß sie ein Beispiel periodischen Irreseins des Hängekomitees der Society abgäben.[26] Der Kritiker der New-York Daily Tribune warf sich unerschütterlich zum Verteidiger von Künstlern wie Currier auf, weil sie »versuchen, das, was sie sehen, auf eine Art auszudrücken, die ihnen am natürlichsten und spontansten entgegenkommt«.[27]

Die sehr scharfsichtige Kritikerin Mariana van Rensselaer hatte offensichtlich eine ambivalente Meinung von den Werken: »Mr. Frank Currier ist mit Sicherheit ein eingefleischter Impressionist. Aus der Nähe betrachtet ist seine Palette ebenso verschmiert wie seine Zeichnungen. Und die Entfernung, die für das Auge des Betrachters unterscheidbare Formen aus den üblichen kühn und breitpinselig hingeworfenen Arbeiten herauskristallisiert, hat keinen Einfluß auf die seinen. Man muß in einigen Fällen nicht nur den ganzen Raum bis zur anderen Seite durchmessen, sondern sogar auf die andere Seite der Treppe gehen, um die gewünschte Wirkung wahrzunehmen. Manchmal ist diese sehr interessant und schön, und stets ist man erfreut, endlich eine Bedeutung gefunden zu haben, so wie man sich über die Lösung eines chinesischen Puzzles freut.«[28] Und ihr berühmter Kollege

Brownell schrieb: »Einerseits wurde zugegeben, daß sie wunderbare Beispiele dafür boten, wie ein Impressionist, in nobler Geringschätzung jeglichen Details und lediglich versessen auf die Darstellung des geistigen Gehalts der Natur anstelle ihrer botanischen Formen wahre Naturtreue erreichen kann. Auf der anderen Seite führte man ins Feld, daß in ihnen nichts zu erkennen sei, daß sie eine bloße Kleckserei darstellten und daß die einzige Landschaft, die ihnen im entferntesten gleichen könnte, die vorübereilenden Eindrücke wären, die ein Reisender aus dem Fenster eines Expreßzuges zu erhaschen vermöchte. Aus unserer Sicht haben die positiven Stimmen die Sache ganz klar erfaßt. Mr. Curriers ›Impressionen‹ waren meisterhaft in maltechnischer Hinsicht und sehr real aus der richtigen Entfernung. Ihr verhängnisvoller Fehler lag in ihrer furchtbaren Häßlichkeit. Das ist die Schwierigkeit im gesamten Schaffen von Mr. Currier; es ist die Schwierigkeit, die er mit seinem Genius hat. Maler wie er, die sich die kraftvolle und lebhafte Malweise von Frans Hals zum Vorbild nehmen, vergessen, daß Kraft und Lebhaftigkeit weder die einzigen Elemente eines Bildes sind noch als solche ausreichen ...«[29]

Wir haben gesehen, daß etliche Kritiker von Curriers Aquarellen seine Kunst als »impressionistisch« bezeichneten. Tatsächlich setzten die Amerikaner die impressionistische Bewegung mit dem Schaffen der Münchner Maler in den siebziger Jahren gleich, insbesondere mit dem Curriers, noch bevor sie die Werke der französischen Impressionisten Anfang 1883 kennenlernten. Curriers Name war der erste, der von dem Rezensenten des Blattes *The Aldine* genannt wurde, als dieser über die Aquarellausstellung von 1879 berichtete: »Die Impressionisten wurden bei dieser Ausstellung durch Mr. J. Frank Currier vertreten, der in München studiert ...«[30] Im selben Jahr wurde der Begriff auch für seine Figurenbilder übernommen, bezog sich doch der Kritiker der *New York Times* auf die »trotzig-kühnen Impressionisten wie Whistler und Currier«.[31] Als der französische Impressionismus schließlich 1886 in New York massenhaft in Erscheinung trat, rief man sich Curriers Kunst erneut spöttisch ins Gedächtnis. So erklärte etwa ein Kritiker: »Wir haben *avant-coureurs* (Vorreiter) dieser Schule gehabt. Mr. Frank Currier, dessen Landschaften durch ihre Präsenz in unseren Kunstausstellungen zum Glück nicht mehr mittelbar ein oder zwei Selbstmorde verursachen ... war ihr begeistertster Schüler... Mit anderen Worten, das Schaffen Curriers und der sogenannten Münchner war, als sie

1878 zurückkehrten, ein Versprechen auf das, was nun voll ausgereift in der gegenwärtigen Ausstellung zu sehen ist.«[32]

Currier nahm an der jährlichen Aquarellausstellung im folgenden Jahr nicht teil, eine Abwesenheit, die sehr wohl registriert wurde. Der Kritiker der *New-York Daily Tribune* kommentierte: »Obwohl Mr. Currier nichts zu der gegenwärtigen Schau eingereicht hat, ist der Einfluß seiner letztjährigen Zeichnungen – die so viele Diskussionen hervorriefen, wie sich unsere Leser erinnern werden, und die wiederum mit ihrer seltsamen Mischung aus Spott, Schmähungen und begeisterter Bewunderung für Erregung sorgten – verantwortlich für eine ganze Abteilung von Zeichnungen der diesjährigen Ausstellung. Dieser Einfluß zeigt sich manchmal in extravagant fleckig-verwischten Arbeiten und in vielem, das eingesandt wurde, aber zurückgewiesen werden mußte, doch insgesamt gesehen war es ein guter und gesunder Einfluß ...«[33]

1879 malte Currier keine Aquarelle, sondern wandte sich großen Landschaften in Öl zu; vielleicht läßt sich seine zeitweilige Abkehr von der Arbeit mit Wasserfarben auch darauf zurückführen, daß er Polling verließ und in das städtische Milieu Münchens zurückkehrte. Doch bald, schon ab 1880, sollte er wieder Landschaften in der Umgebung Münchens malen, vor allem auch im Vorort Schleißheim, wo er seit 1882 lebte, und im nahegelegenen Dachauer Moos, wenngleich er seinen Wohnsitz in München beibehielt, wo seine Kinder die Schule besuchten. Im Sommer 1880 soll er etwa 200 Aquarelle geschaffen haben, von denen er einige bei der *Vierzehnten Jahresausstellung der American Water Color Society* Anfang 1881 präsentierte.[34] Wieder zeigte Currier neun Exponate, von denen viele nur den Titel *Landscape* (*Landschaft*) trugen. Sie waren wahrscheinlich recht groß dimensioniert, da eine dieser Landschaften im Katalog reproduziert wurde und Abmessungen von 19×26 inch (ca. 48×66 cm) aufwies. Für die meisten hatte der Künstler einen Preis von $150 festgesetzt, der dreifache Betrag dessen, was er vor zwei Jahren verlangt hatte, und für eine dieser Landschaften verlangte er gar $300.

Die Kritiker wußten nun, was von Currier zu erwarten war und nahmen seine Werke im allgemeinen wohlwollend auf. Samuel Benjamin schrieb: »Die Impressionisten sind durch Künstler wie Currier und (Dennis Miller) Bunker vertreten. Der erstere bietet einige glänzende Farbeffekte, hauptsächlich Sonnenuntergänge. Natürlich sind sie nur Farbflecken, die aussehen, als seien sie aufs Geratewohl über das Papier verschüttet worden. Doch wenn man weit genug entfernt von ihnen steht, sieht man, wie sich diese Farbtupfer nach einer bestimmten Methode zusammenfügen, die wirklich stark den Natureindruck suggeriert.«[35] Und es bestand auch echtes Interesse an Curriers Methode. Die *New York Times* beschrieb Curriers Vorgehensweise, indem sie aus dem Bericht eines Journalisten des *Springfield Republican* zitierte: »Es sind ins Nasse hineingemalte Farben, da das Papier ziemlich stark mit Wasser benetzt wird. Mr. Currier hat die Gewohnheit, seine Blätter zur Zeit des Sonnenuntergangs in die Felder mitzunehmen – in der Stunde des Mysteriums, die den Impressionen am gewogensten ist – und sie auf dem Boden zu verstreuen; von einem zum anderen eilend malt er dann mit größter Schnelligkeit, um die flüchtigen Stimmungen der Szenen einzufangen. Manchmal ›macht‹ er acht oder zehn hintereinander, und wenn er in die Stadt zurückkehrt, schwenkt er in jeder Hand ein nasses Bild.«[36]

Doch 1881 fiel einer Reihe von Kritikern auf, daß dieser Currier, der noch zwei Jahre zuvor als einziger seine radikale Ästhetik des Aquarellierens eingeführt hatte, nun eine Gefolgschaft besaß, nämlich sowohl in München ausgebildete Malerkollegen, die unter seinem Einfluß standen, als auch traditioneller gesinnte Künstler, die seine Methode übernommen hatten. Earl Shinn (unter seinem Pseudonym Edward Strahan) vermerkte: »Diese rätselhaften Bilder von Currier bilden den kühnen Grundton der ganzen Ausstellung, in positiver wie in negativer Hinsicht.«[37] Und der Kritiker der *Tribune* (wahrscheinlich Clarence Cook) gab folgenden Kommentar ab: »Es ist seltsam zu beobachten, mit welcher Geschwindigkeit die neue Schule an Boden gewonnen hat; die Männer, die auf die harte, präzise Art malen und noch vor so kurzer Zeit, nämlich vor fünf Jahren, in Gunst standen, sind nun in der Minderzahl, und ihre Arbeiten wirken, als gehörten sie einer vergangenen Generation an«, und befand: »... es ist nur zwei Jahre her, wie wir uns erinnern, daß Mr. Curriers Feuerwerke unsere gesamte Bevölkerung blendeten und verwirrten ... Hier sind über achthundert Zeichnungen, und die besten von ihnen verraten deutlich den Einfluß von Fortuny, Whistler und den der französischen Impressionisten, wobei München die Tür aufgehalten hat, während der Rest hineingeschlüpft ist und die jungen Künstler zu betören begann.«[38]

Es war Winslow Homer, aufgrund seiner pastoralen Szenen, die seit 1874 in der Water Color Society gezeigt wurden, bereits als einer von Amerikas großen Aquarellisten anerkannt, der die größten Abweichungen in seiner Methodik zeigte. Ebenso wie Currier hatte er 1880 überraschend durch Abwesenheit geglänzt, aber als er im folgenden Jahr mit Vehemenz wiederkehrte, waren seine früheren idyllischen Szenen wie etwa *Frühling (Spring)* abgelöst worden durch Werke wie *Segelboot und Feuerwerk zum Vierten Juli (Sailboat and Fourth of July Fireworks)*, in denen der Einfluß von Curriers Aquarellen unstrittig zutage lag. Auch den Kritikern entging dieser Wandel nicht. Mariana van Rensselaer bemerkte: »Tatsächlich ist der unverhüllte Impressionismus nunmehr kennzeichnend für viele unserer Männer. Mr. Winslow Homer führte dieses Jahr vielleicht den Reigen an, und seine Rivalen waren Mr. (Robert) Blum und Mr. Currier, die beide ebenfalls Impressionisten sind, wenngleich in sehr unterschiedlichen Ausprägungen.« Der Kritiker der *Sun* stellte die Künstler zum Zweck des Vergleichs paarweise einander gegenüber und befand: »Die Werke, die er (Homer) zu dieser Ausstellung beitrug, sind beinahe ebenso exzentrisch wie die von Mr. Currier...«[39] In einer anderen Rezension war van Rensselaer sogar von Curriers weiten Moorflächen, den grauen, sturmzerrissenen Wolkenhimmeln und den feurigen Sonnenuntergängen noch weit tiefer beeindruckt als von den Baum- und Laubstudien, die er zwei Jahre zuvor geschaffen hatte. Doch während sie im allgemeinen eine Fürsprecherin Homers war, verglich auch sie in diesem Fall Homer mit Currier und schlußfolgerte, daß »Curriers Arbeiten wunderbar« und Homers Arbeiten »allesamt abstoßend« seien.[40] Und in Formulierungen, die bereits für Curriers Arbeiten benutzt worden waren, meinte der *Art Amateur*: »Mr. Winslow Homer in New York stand bereit, von Mr. Currier in München die Fackel des Impressionismus zu übernehmen, hatte er doch einen großen Teil der letztjährigen Saison damit verbracht, eine Gruppe reiner Impressionen zu schaffen, viele davon bei mangelhaften Lichtverhältnissen nach Sonnenuntergang und weithin nach Vermutungen gestaltet, doch unschätzbar im Hinblick auf Aufrichtigkeit und Unmittelbarkeit.«[41]

Erneut übersprang Currier die alljährliche Ausstellung der Water Colour Society von 1882, doch tauchte er 1883 wieder – und diesmal zum letzten Mal – mit acht Landschaften auf. Sie alle trugen lediglich Gattungsnamen, mit Ausnahme von *Straße in Schleißheim (Street in Schleissheim)*, die er in dem Bild geschildert hatte. Zu diesem Zeitpunkt hatte sich jedoch die kritische Reaktion auf Curriers Landschaften in Öl verlagert, die er im Sommer 1879 unter freiem Himmel zu malen begonnen hatte. 1882 zeigte er drei dieser großen Landschaften bei der fünften Jahresausstellung der Society of American Artists: es waren die umstrittensten und von der Kritik am feindseligsten aufgenommenen Bilder seines gesamten Schaffens. Mit so allgemeinen Titeln wie *Stürmischer Himmel* (*Stormy Sky*), *Waldrand* (*Edge of the Woods*) und *Landschaft* (*Landscape*) versehen, erscheint es heute unmöglich, diese Bilder individuell zu identifizieren, doch ähneln sie wahrscheinlich seinen Gemälden wie *Das Dachauer Moos* (*Moors at Dachau*, Kat. Nr. 99), *Der Bach, Schleißheim* (*The Brook, Schleissheim*, Cincinnati Art Museum) und *Schleißheim* (Indiana State Museum, Kat. Nr. 100). Bei diesen Bildern machte sich Currier über die Leinwand her, die eine Breite von bis zu sechs Fuß (ca. 1,80 m) erreichen konnte, mit anscheinend rückhaltloser Hingabe, und trug die Farbe in dicken, öligen Schichten mit dem Pinsel und dem Palettmesser auf, wobei er das Kolorit zugunsten von starken tonalen Kontrasten zurücktreten ließ. Wenngleich sie zu ihrer Zeit als »impressionistisch« bezeichnet wurden, würden wir diese Werke, in denen die Natur in ihrer Vitalität und Kraft neu interpretiert wird, heute »expressionistische« Werke nennen. Currier selbst erklärte seinem Kollegen Horace Burdick gegenüber: »Wenn ich dabei bin, meine Leinwand zu füllen, liebe ich es, in Farbe förmlich zu schwelgen.«[42] In diesen großen szenischen Gemälden drückte er die Empfindungen aus, die er früher in seinem Tagebuch festgehalten hatte: »Erdbeben und Wasser sind die Bildhauer der Erde. Der Wind, die Wellen und der Himmel – der Himmel ist gleichbedeutend mit dem Wind – sind ihre *Ausdrucksformen* (expression). Die Felsen sind ihre Knochen – die Erde ist das Fleisch.«[43] William Forsyth, einer der jungen Maler aus Indiana, der in den frühen 1880er Jahren unter Curriers Einfluß gelangte, vermerkte: »Das Motiv seiner Landschaften ist der Himmel … Und seine geglückten Himmel sind einfach überwältigend – niemals der dunstige Morgenhimmel voll stiller Poesie und weich angedeuteten Abstufungen gebrochener Farben – noch die feierliche Stille des milden Zwielichts – nein, sie sind stets erfüllt von dem Brausen des Sturmwinds, von sich heranwälzenden weißen Wolkentürmen, gewitterdunkel nahe dem Horizont und dazu das Dunkel der Hügel in der Entfernung … Das ist es, was in seinen besten Bildern enthalten ist, und das ist es, was er in der Natur sucht.«[44] Während nichts mit diesen Bildern Vergleichbares zuvor aus der Hand amerikanischer Künstler hervorgegangen war, besitzen sie eini-

ge Ähnlichkeit mit Landschaften, die erst kurz zuvor von Malern des Leibl-Kreises gemalt worden waren, insbesondere was die von Karl Hagemeister und Carl Schuch (Abb. 6) in Ferch und Kähnsdorf während der Sommer 1878–81 geschaffenen Landschaften betrifft.[45]

Typisch für die amerikanische Reaktion auf Curriers Landschaften im Jahr 1882 waren die folgenden Kommentare: »Mr. Curriers Werke sind in diesem Jahr ganz Farbe und Ungestüm, ohne etwas zu bedeuten …«, und: »Mr. Curriers Überspanntheiten interessieren nicht mehr … Die Wolken, das Laubwerk und die verschiedenen Elemente seiner Landschaften sind in Form von Blöcken grob herausgehauen worden, sie existieren in Massen und lehnen es ab, sich zu irgendwelchen gegenseitigen Beziehungen zu bekennen.«[46] Einige Berichterstatter waren empört, daß man die Bilder überhaupt zugelassen hatte: »Hervorbringungen wie zum Beispiel die Landschaften von Currier hätte man unserer Meinung nach in den tiefsten Keller der Zurückgewiesenen verbannen sollen. Schlammkuchen mit dem Palettmesser zu machen ist ebenso weit von der Malkunst entfernt wie Kinderspiele von ernsthaftem Denken.«[47] Selbst diejenigen Kritiker, die dahin gelangt waren, die Freizügigkeit und Vitalität von Curriers aquarellierten Landschaften zu bewundern, sahen sich außerstande, die stürmische Meisterschaft seiner großen szenischen Ölgemälde zu akzeptieren. Eine so scharfsichtige Kritikerin wie Mariana van Rensselaer schrieb: »Mr. Currier sandte mehrere Landschaften aus München ein, eine außergewöhnlicher und unleserlicher als die andere. Obwohl mir seine Aquarelle stark, schön und höchst künstlerisch erscheinen, vermochte ich nichts an diesen Gemälden zu finden, die erzwungen und unnatürlich und ohne schöne Farbgebung waren und die sich zu keiner befriedigenden Form verbanden, ganz gleich, von welchem Blickpunkt aus man sie betrachtete … Man bedauert daher, diese Bilder nicht so bewundern zu können wie man die kühne, aber geglückte Schönheit der zwölf Aquarelle bewunderte, die er in der letzten Saison nach Hause geschickt hat.« [48]

Curriers in Öl, Wasserfarben und mit dem Kohlestift geschaffenen Landschaften entstanden alle im Freien. Seine Tochter bestätigte: »Ich kann mich nicht daran erinnern, ihn je im Atelier malen gesehen zu haben.« [49] Ebenso erklärte Forsyth: »Er braucht nie mehr als ein paar Stunden an einem Bild zu arbeiten, und er rührt es danach niemals wieder an, auch malt er nie im Atelier.« [50] Dessen ungeachtet waren die Figurenbilder aus seiner Frühzeit mit Gewißheit Atelierprodukte, und auch als er Stilleben schuf, fuhr er fort, in seinem Atelier zu arbeiten. Eines davon wurde von seinen Bostoner Vertretern Noyes & Blakeslee anläßlich der *Exhibition of Works by Living American Artists* (Ausstellung von Werken lebender amerikanischer Künstler), die im November 1880 im Museum of Fine Arts in Boston stattfand, als Leihgabe zur Verfügung gestellt. Dieses Werk wurde zusammen mit einem Bild von Chase als »hinreißendes Beispiel malerischer Technik« [51] gelobt. Dabei handelte es sich wahrscheinlich um dieselbe Arbeit, die zu einem früheren Zeitpunkt im selben Jahr im Kunstverein München gezeigt wurde. [52] Currier stellte später ein Stilleben bei der *Dritten Internationalen Kunstausstellung* 1888 im Münchner Glaspalast aus und war in der *Retrospektivausstellung* der Society of American Artists 1892 mit einem Stilleben vertreten, das den Titel *Fisch (Fish)* trug und vielleicht seinem *Fische und Austern (Fish and Oysters*, Kat. Nr. 74) verwandt war. Doch zu diesem Zeitpunkt war Curriers Karriere endgültig zu Ende. William Merritt Chase besaß ein auf 1884 datiertes Bild mit dem Titel *Stilleben: Fisch (Still Life: Fish)* von Currier, eines der letzten Ölgemälde des Künstlers mit gesicherter Zuschreibung. [53] Bei seinem *Stilleben (Still Life)*, das einen irdenen Krug und frische Austern zeigt und sich noch heute im Besitz der Familie Currier befindet, soll es sich um sein letztes Ölgemälde handeln, an dem er vor seiner Rückkehr nach Amerika in Abständen arbeitete. [54]

Ab 1882 scheint Curriers künstlerische Produktion zurückgegangen zu sein; er widmete sich nunmehr mit verstärkter Aufmerksamkeit Werken der »untergeordneten Maltechniken« – Kohlezeichnungen, Stichen im Jahr 1883, Pastellen und schließlich Fotografien, die anscheinend am Ende seines Schaffens standen. [55] Nachdem ein Schlaganfall 1888 Currier empfindlich am Schaffen gehindert hatte, scheint er seine künstlerische Tätigkeit 1893 völlig aufgegeben zu haben. 1898 kehrte er in die Vereinigten Staaten zurück, wo er bis zu seinem Tode im Jahre 1909 in Roxbury lebte.

Nachdem Duveneck München 1879 verlassen hatte, war Currier als bedeutendste Künstlerpersönlichkeit der dort lebenden Amerikaner zurückgeblieben, und viele seiner Landsleute, die in den achtziger Jahren nach München kamen, wurden nicht nur von ihm beeinflußt, sondern betrachteten ihn zunehmend als ihren Freund und Mentor. Wohl der erste Künstler, mit dem sich Currier in Schleißheim anfreundete, war Sion Wenban aus Cleveland, der sich 1880 in dem Städtchen niederließ. Schon im Oktober desselben Jahres schrieb Wenban an seinen Bruder: »Currier gehört zu unseren starken Persönlichkeiten; er ist meine Trumpfkarte und hat mich diesen Sommer hindurch unterstützt und angefeuert; wir haben den ganzen Sommer lang zusammen Aquarellskizzen gemacht, diesen Winter wird er mit mir in meinem Atelier malen.« Und zwei Monate später schrieb er: »Je länger ich in Schleißheim lebe, desto weniger möchte ich es verlassen, besonders da es Currier hierher gezogen hat.« [56] Wenban blieb schließlich in seinem deutschen Exil und spezialisierte sich auf die Stechkunst. Harper Pennington und Louis Ritter malten im Spätsommer 1880 in Schleißheim Aquarelle mit Currier; und der vielbewunderte Robert Eichelberger, der 1890 mit 29 Jahren auf tragische Weise einen allzu frühen Tod finden sollte, kam 1880 nach München und galt als »einer von Curriers Schülern« und als glühender Bewunderer seines Lehrers. [57] Andere Amerikaner, die Currier beeinflußte, waren Edward Bell, der 1881 nach München kam, Benjamin Fitz, der seine Ausbildung in der bayerischen Hauptstadt 1882 begann, und William Keith aus Kalifornien, der 1883 anlangte und trotz einer gewissen Skepsis doch mit Curriers Methoden experimentierte und etwas davon in seine Landschaftsmalerei übernahm. [58] Wir haben Belege dafür, daß Evelyn Almond Withrow, eine Portrait- und Figurenmalerin aus Kalifornien, ab 1883 vier Jahre lang bei Currier studierte; sie hielt ihn für einen der größten, wenn nicht gar den größten Allround-Künstler des Jahrhunderts und malte ein eindrucksvolles Portrait ihres Lehrers (verschollen). [59]

Curriers nachhaltige Wirkung in Schleißheim ist kürzlich besonders gut in einigen Studien über Theodore Steele, William Forsyth und J. Ottis Adams dargelegt worden, eine Gruppe von Malern aus Indiana, die 1880 in München einzutreffen begannen, wo sie an der Kunstakademie studierten. Doch es dauerte nicht lange, bis es sie nach Schleißheim zog, wo sie sich eng mit Currier befreundeten, was besonders für Steele zutraf.[60] Steele und seine Frau waren 1880 in München angekommen, zogen jedoch im folgenden Jahr nach Schleißheim, wo Steele unter Curriers Anleitung arbeitete. Steeles Kohlezeichnungen, die er gleich nach seiner Verbindung mit Currier im Sommer 1881 schuf, sind ein Echo der Kühnheit und Freizügigkeit des älteren Künstlers, und seine Ölgemälde aus dem Jahr 1882, wie etwa *Straße nach Schleißheim* (*Road to Schleissheim*; Kohlezeichnung dazu Abb. 7) reflektieren die malerische Freiheit und die dramatischen tonalen Kontraste im Schaffen seines Mentors.[61]

Über die Gründe, warum Currier so nachhaltig in Vergessenheit geraten ist, lassen sich nur Vermutungen anstellen – wenngleich jüngste und auch bevorstehende Veranstaltungen die Situation mit Sicherheit verändern werden. Gewiß hat dieses Vergessen zum Teil etwas damit zu tun, daß er im Ausland lebte, nicht unähnlich seinen Kollegen Walter Shirlaw und William Merritt Chase. Doch wurde Shirlaw Erster Präsident der sehr einflußreichen Society of American Artists in New York und Chase der mächtigste Leiter dieser Gesellschaft, während beide auch als bedeutende Lehrer in den Vereinigten Staaten tätig waren. Zudem war auch Curriers aktive schöpferische Laufbahn – nicht nur in seiner Rolle als Erneuerer, sondern auch als professioneller Maler – erstaunlich kurz, besonders als er sich dem am höchsten geachteten und einflußreichsten Medium, der Ölmalerei, verschrieb – sie umfaßte eigentlich weniger als ein Jahrzehnt. Und selbst in dieser Zeit scheint er nur einen Bruchteil der von ihm geschaffenen Werke bewahrt zu haben: 1882 vermerkte William Forsyth, daß es unter all den Landschaften in Öl, die Currier im Sommer 1881 gemalt hatte, »nur drei oder vier Bilder gab, an denen ihm etwas lag und die er behalten wollte, den Rest wird er im Laufe dieses Sommers wieder übermalen«.[62] Teilweise lag der Grund für sein relatives Schattendasein auch in Curriers finanzieller Unabhängigkeit und Wohlhabenheit, die es ihm erlaubten, vom Absatz seiner Werke keine Notiz zu nehmen und seine Teilnahme an wichtigen Ausstellungen einzuschränken. So nimmt man sogar an, daß es vieler

Überredungskünste von Kollegen bedurfte, ihn wenigstens zu den Ausstellungen zu bringen, an denen er wirklich teilnahm. Und gerade diese finanzielle Sicherheit war es auch, die es ihm erlaubte, das Malen zunächst beinahe und dann vollkommen aufzugeben, sobald er sich Ruhm erworben hatte.

Doch spielt wohl die Tatsache, daß seine Kunst seiner Zeit schlichtweg voraus war, hier die wichtigste Rolle. Seine freie Malweise und seine Abkehr von den Zielen der Realisten gingen weit über die Bestrebungen seiner Münchner Kollegen – der deutschen wie der amerikanischen – hinaus. Tatsächlich kehrten sie alle, Leibl, Duveneck und Chase eingeschlossen, gerade in jener Zeit zu traditionelleren Anschauungen und Darstellungsweisen zurück, in der sich Currier expressiveren, anti-naturalistischen Zielsetzungen verschrieb. Er tat dies zumindest in seinen Landschafts-Ölgemälden in einem Maßstab, der jegliche rationale Erklärung, dies seien nur Pleinair-Ölskizzen, die allgemein nicht als ausstellungswürdig galten, im Keim erstickte. Den Glauben an seine einzigartige modernistische künstlerische Sicht verlor Currier nicht, doch muß er sich nach der übereinstimmenden Verurteilung seiner Öllandschaften im Jahr 1882 darüber klargeworden sein, daß diese Sicht von niemandem geteilt und nur von einer Handvoll seiner Kollegen geschätzt wurde, nicht aber von den Kritikern und dem Publikum. Während die weniger feindseligen Kritiker sein Schaffen der Kunst Whistlers und Albert Ryders zur Seite stellten, sieht man in jüngerer Zeit die Söhne von Curriers moderner Kunstauffassung eher in Emil Nolde und anderen abstrakten Naturalisten.

Abb. 7 Theodore Steele, Straße nach Schleißheim, 1882 (Road to Schleissheim), Kohlezeichnung, 29×50 cm, ehemals Margaret Jameson Wildhack

1 Die Literatur über München und dessen Förderung der Künste in amerikanischen Zeitungen und Zeitschriften der 1870er Jahre ist recht zahlreich; siehe zum Beispiel »Chicagoan«, »Art Notes from Munich«, in: Art Review 1, Mai 1871, S. 12. – »A German Art City«, in: New York Leader, 25. November 1871. – Eugene Benson, »A German Art-City. Munich and Its Art«, in: Appleton's Journal of Literature, Science and Art 7, 17. Februar, 1872, S. 182–183. – »The City of the Little Monk«, in: Harper's New Monthly Magazine, 44, April 1872, S. 641–658. – »Fine Arts in Europe«, in: Evening Post (New York), 27. Oktober 1875, S. 1. – Charles Dudley Warner, »Art Life in Munich«, in: Hartford Courant, 18. Januar 1876. – »Munich«, in: Boston Daily Advertiser, 16. Mai 1877, S. 2.

2 Leibl ist in Amerika anscheinend zum ersten Mal in S(ylvester) R(osa) Koehlers Artikel »Wilhelm Leibl«, in: American Art Review 1, Teil 2, 1880, S. 477–480, diskutiert worden. – Die einzigen Gemälde Leibls in Amerika zu jener Zeit besaßen in München ausgebildete und von Leibl beeinflußte Künstler – zwei Studien befanden sich im Besitz von William Merritt Chase und ein Portrait des Malers Jean Paul Selinger (München, Neue Pinakothek) war im Besitz des Portraitierten. Siehe Charles und Gloria Vogel, »Jean Paul and Emily Selinger«, in: Historical New Hampshire 34, Sommer 1979, S. 128. – Daneben befand sich eines von Leibls Meisterwerken, Die Dorfpolitiker (Sammlung Oskar Reinhardt, Winterthur, Schweiz), in den Händen des großen amerikanischen Sammlers William Hood Stewart, der im Exil in Paris lebte.

3 Die bedeutendsten Studien über Currier sind die Magisterarbeit von Aloysius G. Weimer, »J. Frank Currier«, New York University, 1935, und Nelson C. White, »The Life and Art of J. Frank Currier«, Cambridge, Privatdruck, 1936. Da beide Autoren gleichzeitig Recherchen über Currier anstellten, tauschten sie freigiebig ihre Informationen aus. Whites Interesse an Currier rührte daher, daß er im Winter 1933/34 Curriers Bauernmädchen (Peasant Girl) bei der Versteigerung der Habe eines anderen in München ausgebildeten Künstlers, des Rindermalers Henry Bisbing, erworben hatte. Siehe Max I. Farber »$ 150 Canvas at Auction Reveals Forgotten Painter« (Eine für $ 150 ersteigerte Leinwand bringt vergessenen Maler ans Tageslicht), in: Hartford Times, 23. Juni 1951. Weimer brachte sein Material daraufhin in seine Dissertation »The Munich Period in American Art« ein, Ann Arbor, University of Michigan 1940, in der die künstlerische Präsenz der Amerikaner in München ihre bislang gründlichste Behandlung erfährt. – Das Interesse an Curriers Kunst hat kürzlich eine Neubelebung erfahren – zum einen mit einer 1994 in New York in den Babcock Galleries veranstalteten Ausstellung von Aquarellen, Zeichnungen und Pastellen unter dem Titel J. Frank Currier (1843–1909). A Solitary Vision und zum anderen durch eine umfassende Retrospektive, die die University of Indiana Art Gallery für das Jahr 1998 plant.

4 »Art Items«, in: Daily Evening Transcript (Boston), 17. Januar 1868, S. 2; mit freundlicher Genehmigung von Merl M. Moore jr.

5 »Courir (sic) aus Boston und Walter Shirlaw aus Chicago arbeiten bei Prof. Raab … Beide oben erwähnten Amerikaner haben während des Winters einige schöne Kompositionen geschaffen«. – »Chicagoan«, »Art Notes from Munich«, in: op. cit., S. 12. – F.W., »Notes on a Young ›Impressionist‹«, in: Critic 1, 30. Juli 1881, S. 208.

6 Katharina Bott glaubt auf diesem Portrait J. Frank Currier erkennen zu können. Das Gemälde wurde als Bildnis eines Malerkollegen diskutiert in Götz Czymmek und Christian Lenz »Wilhelm Leibl zum 150. Geburtstag«, München 1994, S. 264–265. –

Zu Currier innerhalb des Leibl-Kreises siehe Robert Neuhaus, »Bildnismaterial des Leibl-Kreises«, Marburg 1953, S. 49–53.

7 Forsch gemalte Einzeldarstellungen kecker Jugendlicher aus der Arbeiterklasse jedoch scheinen eine Art amerikanische Neuerung innerhalb der Münchner und der Leibl-Tradition gewesen zu sein; derlei Figuren waren nicht besonders beliebt bei Leibl und seinen deutschen Anhängern, doch siehe auch Leibls Gemälde Schlafender Savoyardenjunge (Eremitage, St. Petersburg), 1869 in Paris gemalt, und später Sitzender Bauernjunge (Berlin, Nationalgalerie). Statt dessen malten die Künstler des Leibl-Kreises häufiger rauhe Burschen mit eher anekdotischen Bezügen; so gibt es mehrere Raufende Buben (Karlsruhe, Staatliche Kunsthalle) von Hans Thoma und Wilhelm Trübner (Hannover, Niedersächsische Landesgalerie), und das fast identische Paar Junge am Schrank von Trübner (Stuttgart, Staatsgalerie) und Carl Schuch (Karlsruhe, Staatliche Kunsthalle), alle von 1872. Wie virtuos-draufgängerisch diese jugendlichen Bildnisse auch wirkten, so verstanden es Duveneck, Chase und Currier doch gleichzeitig, sie mit Selbstbewußtsein und Monumentalität zu begaben.

8 Dies war eines aus einer ganzen Anzahl von Gemälden, die Currier amerikanisch-Münchner Künstlerkollegen schenkte. In diesem Fall wurde John White Alexander bedacht, als beide auf dem Lande in Polling weilten. Das muß zwischen dem Frühling 1878 und dem Ende des Sommers 1879 stattgefunden haben, denn damals, in seiner Studentenzeit, lebte Alexander in Polling. Am 30. Juni 1878 schrieb Alexander an seinen Stiefvater, Colonel Edward Jay Allen, er plane, am folgenden Tag mit Currier zum Zeichnen zu gehen, und am 14. Juli vermerkte er, daß er Curriers Portrait in Lebensgröße in zwanzig Minuten gemalt habe! Und am 22. September schrieb Alexander: »Ich denke, ich kann versprechen, einen seiner (Curriers) Portraitköpfe mit nach Hause zu bringen.« Alexander an Allen aus Polling, John White Alexander Papers, Archives of American Art, Smithsonian Institution, Washington. – Siehe auch: William Henry Fox, »Frank Currier's Place«, in: Brooklyn Museum Quarterly, 18, Januar 1931, S. 1–4.

9 Alexander an Colonel Edward Jay Allen, 22. September 1878, Alexander Papers, Archives of American Art, Smithsonian Institution, Washington, D. C.

10 »Art in New York«, in: Daily Evening Transcript (Boston), 6. März 1878, S. 5.

11 »Landscape Paintings Considered«, in: Daily Graphic (New York), 8. März 1878, S. 54.

12 »Society of American Artists«, in: New York Times, 7. März 1878, S. 4.

13 »Fine Arts. The Lessons of a Late Exhibition«, in: The Nation 26, 11. April 1878, S. 251.

14 American Art Galleries: »The Private Collection of William Merritt Chase, N. A.«, 7./8. März, New York, Nr. 75 und 129. American Art Galleries: »The Works of the Late William Merritt Chase, N. A.«, 14./17. Mai 1917, Nr. 121, 126, 147, 223, 234, 244, 309, 322 und 344. – Chase besaß vier von Curriers Figurenbildern, darunter ein Selbstbildnis, sechs Landschaften, darunter eine Kohlezeichnung, und ein Stilleben: Fisch (Still Life: Fish). Mit Ausnahme von Nr. 234, Landschaft (heute: Landschaft bei Dachau, Indianapolis Museum of Art), konnte der Verbleib keines dieser Bilder ausfindig gemacht werden.

15 »Pictures of the Day«, in: Daily Graphic, 8. März 1879, S. 56–57.

16 American Art Galleries, 1912, op. cit., Nr. 129.

17 In »Fine Arts« im New York Herald vom 3. März 1879, S. 8, beschrieb der Berichterstatter die Bilder, die den Erwartungen ent-

sprechend in die Schau der Society eingeschlossen werden würden. Currier wurde angeführt mit »einem Kopf eines Jungen, ›Der Zimmermann von Polling‹ und Landschaften«; offensichtlich kamen die Landschaften nicht rechtzeitig an oder wurden aus anderen Gründen nicht ausgestellt. Frank Duveneck malte ebenfalls den *Zimmermann von Polling* (ehemals Alvon K. Schoepf, New York City).

18 S(amuel) G. W. Benjamin, »The Exhibitions. IV. – Society of American Artists. Third Exhibition«, in: American Art Review 1, Teil 1, 1880, S. 258.

19 William Forsyth, »Portrait Sketch by J. Frank Currier« in: Bulletin of the Art Association of Indianapolis, Indiana, The John Herron Art Institute 10, Dezember 1923, S. 48. – Der einzige Hinweis auf Curriers Fotografien, den ich gefunden habe, war die frühe Ausstellung von fünfundzwanzig Fotografien bei dem monatlichen Empfang der Art Students League in New York City im März 1879; doch gab seine Tochter gegenüber Nelson White an, er hätte erst um 1890 begonnen, sich für die Fotografie zu interessieren. – Siehe: »Art Matters«, in: New York Evening Express, 5. März 1879, S. 1. – White, op. cit., S. 34.

20 Siehe: Lisa Peters, »Polling: An American Barbizon?«, unveröffentlichtes Manuskript, 1994. – Franz Schaehle, »Polling, ein Sommerparadies der Münchner Maler«, in: Aus unserer Heimat Lech-Isar-Land 16, Nr. 19, 1939, S. 145–151.

21 Brief von Charles E. Mills an Norbert Heerman, 15. März, ohne Jahreszahl, Norbert Heerman Papers. Mills Atelier lag neben Curriers Studio.

22 Zu Curriers Aufenthalt in den Gebäuden des ehemaligen Klosters siehe Weimer, »J. Frank Currier«, op. cit., S. 18, zitiert aus Franz Xaver Bogenrieder »Die Bau- und Kunstgeschichte des Klosters Polling«, Dissertation zur Erlangung der Doktorwürde, München 1928.

23 F. W., »Notes on a Young ›Impressionist‹«, op. cit., S. 208.

24 William Crary Brownell, »The Younger Painters of America. First Paper«, in: Scribner's Monthly 20, Mai 1880, S. 13.

25 »The Water Color Exhibition«, in: Daily Graphic, 7. Februar 1879, S. 9.

26 »The Water Color Exhibition«, in: Sun, 2. Februar 1879, S. 3. – Dies., 23. Februar 1879, S. 2.

27 »The Water Color Society«, in: New York Daily Tribune, 15. Februar 1879, S. 5. – Der Kritiker des Daily Graphic, op. cit., bewunderte das Werk ebenfalls: »Vollendet ausgearbeitete Bilder sind sie gewiß nicht, aber wenn man sie akzeptiert als die Studien einer kühnen, meisterlichen Hand – die Werke eines Künstlers, der es wagt, die Natur so zu malen, wie er sie sieht und empfindet ungeachtet des Hohns ignoranter Kritiker oder eines feindseligen Publikums … sprechen wir diesen Werken weder Schönheit noch Wahrheitsgehalt ab … sie haben in der gegenwärtigen Ausstellung nicht ihresgleichen.«

28 M(ariana) G(riswold) van Rensselaer, »Recent Pictures in New York«, in: American Architect and Building News 5, 22. März 1879, S. 94.

29 Brownell, op. cit., S. 13–14.

30 »The Water Color Exhibition«, in: The Aldine 9, Nr. 8, 1879, S. 269.

31 »American Art Methods. The Society of American Artists«, in: New York Times, 10. März 1879, S. 5.

32 »A Novel Exhibition«, in: New York World, 10. April 1886, S. 6. – Im Jahr 1883 erschien ein Leserbrief in der Kolumne »Fragen unserer Leser« in Art Interchange 10 vom 29. März 1883, S. 83, mit Fragen zu den Aquarellen, die »Impressionen« darstellten:

»Welchem Kunststil gehören die Aquarelle an … die einen schwarzen Streifen, der wie Kohle aussieht und Flecken in Blau und Weiß aufweisen – die Motive sind Landschaften.« Die Antwort lautete: »Die Aquarelle, auf die Sie sich beziehen, sind wahrscheinlich die von Mr. Currier aus München, dessen sehr exzentrische Malweise vollkommen individuell ist. Wir würden keinem Studenten raten, diese Manier zu imitieren, die ihn nur in Schwierigkeiten bringen kann.«

33 »Fine Arts. The Water Color Society«, in: New York Daily Tribune, 31. Januar 1880, S. 5.

34 F. W., »Notes on a Young ›Impressionist‹«, op. cit. , S. 208. – Currier stellte im März 1881 auch bei der Brooklyn Art Association ein einzelnes Aquarell aus.

35 S(amuel) G. W. Benjamin, »The Exhibitions. V. – Fourteenth Annual Exhibition of the American Water Color Society«, in: American Art Review 2, Teil 1, 1181, S. 196.

36 »Notes on Art and Artists«, in: New York Times, 27. November 1881, S. 5.

37 Edward Strahan, »Exhibition of the American Water-Color Society«, in: Art Amateur 4, Februar 1881, S. 48.

38 »Fine Arts. The Water Color Society. Fourteenth Annual Exhibition«, in: New York Daily Tribune, 22. Januar 1881, S. 5.

39 »The American Water Color Society«, in: Sun, 23. Januar 1881, S. 3.

40 M(ariana) G(riswold) van Rensselaer, »The Water Color Exhibition, New York«, in: American Architect and Building News 9, 19. März 1881, S. 135.

41 Strahan, op. cit., S. 48. – Zu Currier und Homer siehe auch die unveröffentlichte Arbeit von Ralph Sessions, »Winslow Homer and J. Frank Currier: A Question of Influence«, Graduate School of the City University of New York, 1994.

42 Zitiert in: White, op. cit., S. 63.

43 J. Frank Currier, 1870, »Diary«(Tagebuch), Archives of American Art, Smithsonian Institution, Washington, zitiert in: White, op. cit., S. 46.

44 William Forsyth an Thomas E. Hibben, 13. Mai 1882, Forsyth-Selby Papers, mit freundlicher Genehmigung von Judith Vale Newton.

45 Siehe Karl Hagemeister, »Karl Schuch in Ferch und Kähnsdorf«, in: Kunst und Künstler 11, Dezember 1912, S. 145–155.

46 »The American Artists' Supplementary Exhibition«, in: Art Amateur 7, Juni 1882, S. 2. – »The Society of American Artists«, in: Art Journal (New York), 8, Juni 1882, S. 191.

47 »Fine Arts. The Society of American Artists«, in: Mail and Express, 1. Mai 1882, S. 3.

48 M(ariana) G(riswold) van Rensselaer, »Society of American Artists. II«, in: American Architect and Building News 11, 20. Mai 1882, S. 231.

49 White, op. cit., S. 33.

50 Forsyth an Hibben, 13. Mai 1882, op. cit.

51 Siehe »Art Notes«, in: Daily Evening Transcript (Boston), 20. November 1880, S. 10, mit freundlicher Genehmigung von Merl M. Moore jr. – Siehe auch: »Art Matters. The November Exhibition«, in: Boston Daily Advertiser, 29. Oktober 1880, S. 2.

52 F. W. schreibt in »Notes on a Young ›Impressionist‹«, op. cit., S. 208, daß Currier »mehrmals im Kunst-Verein (sic) in München ausstellte, wo es ihm im Frühling 1880 gelang, die gegnerische Kritik durch ein großes Stilleben zu besiegen, das, wenn ich mich nicht irre, jetzt einen Besitzer in Boston gefunden hat«. – Der Kunstverein förderte eine Reihe von allwöchentlichen Gemälde- und Skulpturenausstellungen, doch wurden dafür keine Kataloge

gedruckt und es liegen uns heute auch keine Teilnehmerlisten mehr vor, daher bleiben Ausstellungs-Rezensionen in den Münchner Zeitungen die einzige Quelle, die uns Informationen über die Inhalte dieser Präsentationen liefert.

53 American Art Galleries, op. cit., 1917, Nr. 147.

54 Weimer, »J. Frank Currier«, op. cit., S. 84, zitiert hier Curriers Tochter Elisabeth.

55 Im Katalog der Ausstellung in den Babcock Galleries mit dem Titel *Pastels by Frank Currier 1845–1909*, New York, 1929, hieß es: »Die hier gezeigten Pastelle von Landschaften waren der letzte Ausdruck seines Genies...« Daß es sich dabei um in der Nähe von Schleißheim gemalte Pastelle handelte, wird durch die Titel etlicher der gezeigten Werke bestätigt.

56 Otto A. Weigmann, »Sion Longley Wenban 1848–1897«, Leipzig 1913, S. 9.

57 Brief an Nelson White von William J. Baer, East Orange, New Jersey, ohne Datum, Norbert Heerman Papers, der seine Bekanntschaft mit Currier zwischen 1880 und 1884 bestätigt. Baer vermerkte, daß er am 4. August 1880 in Schleißheim eine Skizze von Currier, flankiert von Wenban und Robert Blum, gemacht habe, wo sie alle »eifrig damit beschäftigt waren, etwas hinzuschmieren, das wie Sonnenuntergänge aussehen sollte«.

58 Siehe: Alfred C. Harrison jr., »William Keith The Saint Mary's College Collection«, Moraga, 1988, S. 27–29.

59 George Wharton James, »Evelyn Almond Withrow Painter of the Spirit«, in: National Magazine 44, August 1916, S. 766–767; ihr Portrait Curriers ist auf S. 763 wiedergegeben und war 1915 in der *First Exhibition of Painting and Sculpture by California Artists* (Erste Gemälde- und Skulpturenaustellung kalifornischer Künstler) gezeigt worden, die im Golden Gate Park Memorial Museum (heute das M. H. De Young Memorial Museum) in San Francisco stattfand. Eine Zeitlang befand sich Curriers *Pfeifender Junge* (Kat. Nr. 77) im Besitz von Withrow. – Siehe White, op. cit., S. 31.

60 Siehe: Judith Vale Newton, »The Hoosier Group, Five American Painters«, Indianapolis 1985. – Martin F. Krause jr., »Realities and Impressions, Indiana Artists in Munich 1880–1890«, Indianapolis 1985. – Martin Krause, »The Passage, Return of Indiana Painters from Germany 1880–1905«, Bloomington 1990.

61 Steele bestätigte in einem im Oktober an seinen Vetter William J. Richards geschriebenen Brief, daß ihn Currier in jenem Sommer unterwiesen hatte: »Mr. Currier, unter dessen Leitung ich meine Studien in den Ferien weitergeführt habe, sagte heute zu mir: ›Diesen Sommer hast du entschieden große Fortschritte gemacht, du arbeitest jetzt in die richtige Richtung und die Arbeit des nächsten Sommers wird das offenbaren.‹ Er ist ein Mann, auf dessen Meinung ich sehr großen Wert lege, denn er ist offen und ehrlich und ein Mann mit hervorragenden Fähigkeiten in der Kunst. Er hat hier an die zwölf Jahre studiert, denn er betrachtet sich immer noch als einen Studierenden, obwohl ich bezweifle, daß er in ganz München als Landschafter seinesgleichen hat. Mir war das seltene Glück beschieden, in diesem Sommer bei der Arbeit in so enge Berührung mit ihm zu kommen und es ist wahrscheinlich, daß ich in der Zukunft noch enger mit ihm verbunden sein werde, denn wir werden dasselbe Atelier benutzen.« Steele Papers, Archives of American Art, Washington, D. C.

62 Forsyth an Hibben, 13. Mai 1882, op. cit.

THOMAS D. LIDTKE

Carl Marr: Leben und Werk

Vom späten 19. bis ins frühe 20. Jahrhundert gehörte der in Amerika geborene Carl Marr (1858–1936) zu den einflußreichsten Künstlerpersönlichkeiten in Deutschland. Während dieser Phase des Übergangs sowohl in der deutschen Kunst wie in der deutschen Innen- und Außenpolitik trat er nicht zuletzt auch durch seine überragenden planerischen und organisatorischen Fähigkeiten hervor.

Carl Marr wurde 1858 in Milwaukee, Wisconsin, als Kind deutscher Eltern geboren. Die Kultur dieser rasch expandierenden Stadt war im wesentlichen deutsch geprägt infolge des starken Zustroms deutschsprachiger Einwanderer, die dazu beitrugen, das Gebiet der Großen Seen im amerikanischen Mittelwesten zu besiedeln. Durch diese Kindheitseindrücke sollte Marr für immer mit Amerika und Deutschland gleichermaßen verbunden bleiben.

Sein aus Deutschland zugewanderter Vater Johann arbeitete als Bildhauer und Stecher in Milwaukee. Er förderte die künstlerischen Neigungen seines Sohnes und sorgte dafür, daß der Junge bei Henry Vianden (1814–1899), dem besten Künstler seiner Zeit, Unterricht erhielt.[1] Vianden hatte an der Akademie von München studiert, bevor er sich in Milwaukee niederließ. Als er das Talent seines Schülers erkannte, empfahl er ihm, zur weiteren Ausbildung nach Deutschland zu gehen.

Als Marr 1875 im Alter von siebzehn Jahren in Deutschland eintraf, hatte er bereits eine Broschüre illustriert, die für Eisenbahnfahrten in die noch unerschlossenen landschaftlich malerischen Regionen von Wisconsin warb.

Sein Studium begann er bei Ferdinand Schauss (1832–1916) in Weimar. Im folgenden Jahr siedelte er nach Berlin über und studierte bei Karl Gussow (1843–1907).[2] Im Herbst 1877 jedoch bezog Marr die Münchner Akademie, wo seine lebenslange Verbindung mit dem namhaftesten Kunstzentrum des neuen deutschen Kaiserreichs ihren Anfang nahm. Zur Zeit seiner Ankunft in München hatten sich dort etliche in München ausgebildete amerikanische Ma-

ler bereits gut etabliert, unter ihnen Frank Currier (1843–1909), William Chase (1849–1916) und Frank Duveneck (1848–1919). Duveneck und seine Anhänger, allgemein die »Duveneck Boys« genannt, waren einige der berühmtesten Amerikaner, die die Münchner Akademie besuchten, doch liegen uns keinerlei Belege vor, die für eine enge Verbindung Marrs zu irgendeinem von ihnen sprechen würden.

Marr schrieb sich in die Klassen von Otto Seitz (1846–1912) und Gabriel von Max (1840–1915) ein. Max war der erste Lehrer, der den Studenten beeinflussen sollte.[3] Seine Neigung zu mystischen und psychologisierenden Bildinhalten tritt in einigen von Marrs Werken deutlich hervor, etwa in *Mysterium des Lebens* (*Mystery of Life*, Abb. 1), das auch unter dem Titel *Ahasver* bekannt ist. Das Gemälde basiert auf der mittelalterlichen englischen Legende vom Ewigen Juden[4] und wurde von dem jungen Künstler 1878 in der von Max geleiteten Kompositionsklasse gemalt. Es folgt der Vorliebe der Akademie für die

Abb. 1 Carl Marr, Das Mysterium des Lebens (Ahasver), ca. 1878 (The Mystery of Life), Öl auf Leinwand, 170×250 cm, John & Mabel Ringling Museum of Art, Sarasota FL

Historienmalerei, ein Genre, das von ihrem Direktor, Karl Theodor von Piloty (1826–1886), als Königin der Malkunst bezeichnet und in höchstem Maße begünstigt wurde. Piloty beeinflußte die deutschen

Künstler einige Jahrzehnte lang und führte die deutsche Geschichtsmalerei zu ihrem Höhepunkt.

In seinem *Mysterium des Lebens* gibt Marr metaphorisch die Tragödie des ins Unerträgliche verlängerten Lebens wieder, die er mit der Tragödie des vorzeitigen Todes kontrastiert. Ahasver malt er weder als Mensch noch als Geist, sondern gibt ihm die Gestalt einer uralt-erdhaften Wesenheit. Im Gegensatz hierzu steht der Körper einer jungen Frau, der – vom Meer an die Küste gespült – kalt und leblos vor dem trauernden Ahasver liegt. Ihre feste Körperlichkeit ist meisterhaft und überzeugend mit einer begrenzten Skala von Tonwerten herausgearbeitet. Ihr blasser Körper hebt sich ab von der düster-unbestimmten nächtlichen Landschaft und dem dunklen Abendhimmel, der nur von den winzigen Punkten der funkelnden Sterne durchbrochen wird. Marr wurde für dieses Gemälde bei der Internationalen Kunstausstellung in Berlin 1879 eine Silbermedaille zugesprochen.

1880 kehrte der junge Maler nach Milwaukee zurück, um sich als Künstler eine Existenz zu gründen. *Mysterium des Lebens* und etliche andere Gemälde wurden dort und in der National Academy of Design in New York ausgestellt.[5] Während seines Aufenthalts in der Heimat wollte sich kein rechter Erfolg einstellen, und um sich seinen Lebensunterhalt zu verdienen, gab er Malunterricht und schuf widerstrebend Buchillustrationen.

Zahlreiche der zurückkehrenden Akademiestudenten fanden in Amerika nicht den erhofften Erfolg und wandten sich erneut Europa zu – so auch Marr. Bei seiner Rückkehr nach München im Jahr 1882 stellte er fest, daß die Akademie bei den amerikanischen Studenten immer noch hoch in Gunst stand. Damals übte der Maler Wilhelm Leibl (1844–1900) einen starken Einfluß auf die Münchner Künstler aus. Obwohl offenbar keine direkte Verbindung zwischen Marr und Leibl oder seinen Anhängern bestand, zeigen mehrere Gemälde Marrs, so etwa *Toni* (Abb. 2), in Pinselschrift und Ausführung eine starke Ähnlichkeit mit dieser Richtung.

Verschiedene Gemälde Marrs, die kurz nach seiner Rückkehr nach München vollendet wurden, idealisieren auf sentimentale Art Liebende und einander zärtlich zugewandte Menschen im Rahmen der Familie. Sein Interesse an der Schilderung familiärer Eintracht, häuslicher Harmonie und vertrauter Beziehungen pflegte sich in vielen seiner Gemälde zu wiederholen. Eines der frühesten Gemälde in diesem Genre ist *Die Liebenden* (*The Awakening of Spring or The Lovers*, Kat. Nr. 107).[6] Die beiden Liebenden, klein und offenbar bedeutungslos, sind der Mittelpunkt der Komposition. Ihre Kutsche befindet sich auf einer dominanten horizontalen Linie und wird von zwei einzeln stehenden Pappeln eingerahmt, die sich von der bewaldeten Landschaft abheben. Der aus Baumkronen gebildete Baldachin läßt gefiltertes Licht in diesen Raum dringen und taucht die Liebenden und ihre unmittelbare Umgebung in Helligkeit, während sie von dem neugierigen und vielleicht neidischen Mädchen im Vordergrund beobachtet werden – eine frühlingshafte Szene, die auf einen neuen Anfang verweist. Eine anonyme Quelle aus dem Jahre 1922 bringt die Abbildung des Gemäldes mit dem Hinweis, daß das Bild in Milwaukee in den Jahren 1880–82 entstanden sei. Der Ort sei in der Nähe des Pewaukeesees zu lokalisieren. Marrs Schwester, Mrs. Bruno E. Fink, habe Modell zur Figur im Vordergrund gestanden. Vielleicht hat Marr das Gemälde in München noch einmal überarbeitet.

Ein weiteres Gemälde dieser Art, *Das alte Lied* (*The Old Song*, Abb. 3) schildert ein Paar das heitergelassen in einem von der Nachmittagssonne durchflossenen Raum sitzt. Die Verwendung einer Lichtquelle im Hintergrund schafft eine warme und leuchtende Aura, die zu der behaglichen und entspannten Szenerie beiträgt. In *Stille Andacht* (*Silent Devotion*; Abb. 4) vermeidet Marr wiederum jede anekdotisch begründete Sentimentalität und stellt mit anmutiger Würde eine liebevolle Verbindung dar.

Während der 1880er Jahre wußte Marr zweifellos sehr wohl, daß sich auch andere amerikanische Studenten in München aufhielten, einschließlich derjenigen, die aus seiner Heimatstadt kamen, wie vor allem Robert Koehler (1850–1917), der Schöpfer des Gemäldes *Der Streik* (*The Strike*, 1886; Deutsches Historisches Museum, Berlin, Kat. Nr. 97). Zu den namhaften amerikanischen Künstlern im München jener Zeit zählten William Harnett (1848–1892), J. Frank Currier (1843–1909), Toby Rosenthal (1848–1917) und David Neal (1837–1915).

Unter all den Künstlern von Talent, unter ihnen Lovis Corinth (1858–1925) und Franz von Stuck (1863–1928), die sich damals in München aufhielten, waren es Marrs Lehrer, die den bedeutendsten Einfluß auf ihn ausübten. Zu den größten gehörte Wilhelm Lindenschmit (1829–1895), dessen zwangloser Unterrichtsstil die schöpferische Unabhängigkeit förderte, die zu Marrs magnum opus, *Die Flagellanten* (*The Flagellants*), führte.[7]

In Anbetracht des großen Interesses für die Historienmalerei an der Münchner Akademie verwundert es

nicht, daß Marr für seine ambitioniertesten und erfolgreichsten Gemälde bevorzugt historische Stoffe wählte. In den 80er und 90er Jahren wurden ihm für diese Werke zahlreiche Preise verliehen. In einem solchen Bild, *»Episode aus dem Befreiungskriege von 1813 (The Episode of 1813)«* das auch unter dem Titel *Die Kinder von Bunzlau* bekannt ist, ersetzt Marr den zur Norm erhobenen Heroismus und die idealisierte militärische Bildwelt durch einen von Sensibilität und Mitgefühl getragenen Augenblick während einer Kampfpause in den Napoleonischen Kriegen. Diese Komposition trug ihm 1883 die Große Ehrenmedaille für Geschichtsmalerei der Akademie ein. Der Preis verlieh ihm zugleich das Recht, für die Dauer eines Jahres ein Atelier in der Akademie zu benutzen, was es ihm ermöglichen sollte, ein Gemälde nach der Kompositionsstudie zu schaffen.[8] 1885 erhielt Marr für das Werk die Große Silbermedaille, die höchste Auszeichnung, die die Akademie zu vergeben hatte.[9]

Später im selben Jahr faßte er den Plan zu einem beispiellosen und kolossalen Historienbild: *Die Flagellanten* (Abb. 5) sollten Hunderte von Figuren in einer städtischen Szenerie vereinigen. Die Komplexität der Darstellung einer religiösen Episode, die sich im 13. Jahrhundert begeben hatte, und die schiere Größenordnung des ehrgeizigen Projekts veranlaßte

Abb. 4   Carl Marr,
Stille Andacht, 1896
(Silent Devotion),
Öl auf Leinwand,
119×145 cm,
Sammlung Layton
Art Collection,
Milwaukee Art
Museum.
Als Leihgabe im West
Bend Art Museum,
West Bend WI

seinen Lehrer Lindenschmit, die Idee in Frage zu stellen.[10] Er redete Marr zu, nach Italien zu reisen, um den Schauplatz des historischen Geschehens in aller Ruhe in Augenschein zu nehmen und darüber nachzudenken. Das tat Marr und kehrte 1885 neu inspiriert und hochmotiviert aus Italien zurück. Lindenschmit legte sein anfängliches Zögern ab, wurde zu einem eifrigen Unterstützer des Plans und wandte sich an den Vorstand der Akademie mit der Bitte um Zustimmung zu dem Projekt. Die Antwort des Ausschusses fiel kritisch und streng aus. Der Vorstand des Lehrkörpers und leitende Direktor der Akademie, Piloty, widersetzte sich vehement jedem Aspekt des Projekts und verlangte von Lindenschmit, Marr aufgrund eines solchen Antrags von der Akademie zu verweisen.[11] Zum einen war der gealterte Piloty erbost, weil es dem Kompositionsentwurf an den traditionellen stilistischen Elementen mangelte, die er so hochhielt.[12] Es gab jedoch noch andere Gründe, um einer Genehmigung des Ansuchens des tüchtigen Studenten und Preisträgers entgegenzutreten. Sollte Marrs Unternehmen mit der monumentalen Leinwand gelingen, könnte dies einen Wandel in der starren Struktur der Münchner Geschichtsmalerei signalisieren, über die Piloty als fast unumschränkter

Herrscher gebot, auch wäre es durchaus möglich, daß der Student das Schaffen der Professoren und Pilotys selbst in den Schatten stellte.

Der 1886 ausgebrochene Konflikt zwischen Piloty und Marr war nur der Anfang einer weit umfassenderen akademischen Spaltung, die Altes und Neues trennen sollte. Sechs Jahre später spaltete sich eine als Münchner Sezessionisten bekannte Künstlergruppe von dem institutionalisierten Kunstbetrieb ab, was zu einer Übergangsphase führte, die in der modernen Kunst in Deutschland gipfeln sollte.

Marr, der sich seinem Projekt mit Haut und Haar verschrieben hatte, verließ die Akademie, mietete sich in München ein Atelier und begann die Leinwand mit den Abmessungen von 4,2×7,9 m in Angriff zu nehmen. Die Arbeit an diesem ambitionierten Gemälde zog viel Aufmerksamkeit auf sich, sogar Prinzregent Luitpold von Bayern, der Onkel des Königs,[13] der seit dem Tod König Ludwigs II. 1886 die Regierung übernommen hatte und ein bedeutender Kunstmäzen war, interessierte sich dafür.

Das Gemälde Die *Flagellanten* schildert die Raserei einer Gruppe von büßenden Selbstgeißlern, wie sie zwischen dem 13. und 16. Jahrhundert durch Europa zogen. In einer Zeit, in der die Europäer durch Seuchen, Kriege, religiöse und politische Zwietracht erschüttert wurden, waren die Flagellanten von der Idee überzeugt, daß sie andere retten konnten, wenn sie ihr eigenes Blut vergossen. Während sie sich in ihrem Bußeifer öffentlichen Selbstgeißelungen unterwarfen, haben sie möglicherweise unwissentlich dazu beigetragen, die Pest zu verbreiten.

Obwohl Marr die Komposition während seiner Studienzeit bei Lindenschmit entwickelt hatte, reflektiert sie in der Wahl und Aufbereitung der Thematik gewisse pathologische Vorlieben im Werk seines früheren Lehrers Gabriel von Max. Im Unterschied zur traditionell dunkleren Münchner Palette benutzte Marr aber helle Farben, kühle weiße Fleischtöne und ein natürlicheres, weniger theatralisches Licht.[14] Eine außergewöhnliche Klarheit durchwaltet das Bild bis in den letzten Winkel des Tiefenraums.

Marrs phänomenales Talent für die Figurenkomposition offenbart sich in der breiten Ausdrucksskala von Emotionen und Aktivitäten der einzelnen Menschen in der Menge. Mehrere Hundert Figuren in der Prozession werden von einem fanatischen und düster blickenden Prediger angeführt, dessen Auftreten einen scharfen Kontrast zu der jungen engelgleichen Gestalt im Vordergrund bildet, die allein in einer chaotischen Welt steht und den Blick auf sich zieht. Sowohl physisch als auch emotional abgesondert, scheint sie in einer transzendentalen Sphäre zu schweben, während das Trio zu ihrer Rechten von Verwirrung und Entsetzen gepackt flieht.

1889, achtzehn Monate, nachdem er das Gemälde in Angriff genommen, und sechs Jahre, nachdem er es vorgeschlagen hatte, signierte und datierte Marr das Bild schließlich. Wie es das Schicksal wollte, entwickelte sich just in diesen Jahren in seiner Heimatstadt eine gegenläufige künstlerische Strömung. Zwischen 1884 und 1889 kam eine Gruppe von vorwiegend deutschen Künstlern nach Milwaukee, um sich an einer Unternehmung zu beteiligen, die das Können akademisch geschulter Historienmaler voraussetzte. Die Gruppe von etwa 20 Malern, mit einem ungenauen Sammelbegriff als die Wisconsin-Panoramamaler bezeichnet, schufen in Milwaukee mehrere historische Panorama-Ansichten, von denen einige Abmessungen von ca. 15×122m aufwiesen.[15] Die Schaubilder wurden in ganz Amerika vorgeführt, bis das Unternehmen 1889 abrupt zum Erliegen kam.

Nach 1889 kehrten einige der Künstler nach Europa zurück, doch die meisten blieben in Wisconsin. Die Zurückgebliebenen malten die prachtvolle Naturszenerie des noch unerschlossenen amerikanischen Westens sowie aus dem städtischen Leben des Mittelwestens gegriffene Szenen. Verschiedene dieser Maler waren an der Gründung der Kunstschulen und Kunstvereine des Landes maßgeblich beteiligt.[16]

Während das Interesse der breiten Öffentlichkeit an der Panoramamalerei und zumeist sogar an der Historienmalerei gegen Ende des Jahrhunderts stark nachgelassen hatte, wurde das Gemälde *Die Flagellanten* in ganz Deutschland und Amerika ausgestellt und in beiden Ländern wohlwollend aufgenommen. Es erhielt bei der ersten Glaspalast-Ausstellung 1889 in München ebenso eine Goldmedaille wie bei der Internationalen Kunstausstellung von 1890 in Berlin, wo Marr noch eine weitere Goldmedaille für sein Bild *Deutschland im Jahre 1806* zugesprochen wurde.[17]

Die 1890er Jahre erwiesen sich für den Künstler als Schlüsseljahre. 1891 und 1892 erhielt er bei der Internationalen Kunstausstellung in Berlin eine Goldmedaille, eine weitere für Portraitmalerei der Ausstellung der Studierenden und wurde zum Ehrenmitglied der Münchner Akademie der Schönen Künste gewählt.[18] Während dieser Zeit ging man an die Planung der Organisation für die Weltausstellung 1893 in Chicago, die sogenannte »World's Columbian Exposition«. Ihre Abteilung der Schönen Künste stellte europäische Berater-Komitees zusammen, denen es oblag, für die Ausstellung Kunstwerke von amerikanischen Künstlern auszuwählen, die in Europa lebten. Marr wurde zum Vorsitzenden des Auswahl-Komitees für amerikanische Künstler bestimmt, die in Deutschland arbeiteten, sein Freund Orin Peck war Sekretär. Zu dieser Jury zählten auch Walter Beck, J. Frank Currier und Toby Rosenthal.[19]

Die Weltausstellung von Chicago 1893 war breit gefächert und schloß viele einheimische und im Ausland lebende Künstler ein. Zu den eingeladenen Teilnehmern gehörten Thomas Eakins (1844–1916), John Singer Sargent (1856–1925), James McNeil Whistler (1834–1903), Winslow Homer (1836–1910) und George Inness (1825–1894).

Marrs Gemälde *Die Flagellanten* und *Sommernachmittag* (*Summer Afternoon*, Abb. 6) wurden in die Ausstellung aufgenommen. Während der schon etabliertere und ältere Inness mit 15 Werken vertreten war, zogen Marrs *Flagellanten* die meiste Aufmerksamkeit auf sich. Die Wahl des Themas wurde zwar kontrovers beurteilt, doch bewunderten Kritiker und Publikum einhellig das Bild wegen seiner maltechnischen Virtuosität.[20] Das Gemälde gewann in jenem Jahr eine weitere Goldmedaille und beide Werke Marrs fanden Käufer.[21]

Abb. 6 Carl Marr,
Sommernachmittag,
1892
(Summer Afternoon),
Öl auf Leinwand,
149×210 cm,
Vermächtnis Phoebe
Apperson Hearst.
University Art
Museum,
Berkeley CA

Noch während seines Aufenthalts in Amerika in jenem Jahr erhielt Marr einen Ruf als Professor an die Münchner Königliche Akademie, und nur einige Monate später erreichten ihn von der Berliner und der Wiener Kunstakademie ähnliche Angebote.

1893 nahm Marr das Angebot aus München an, erhielt den Königlichen Verdienstorden zweiter Klas-

Abb. 7 Carl Marr,
Am Chiemsee,
undatiert
(Around Chiemsee),
Öl auf Holz,
45×36 cm,
Sammlung Bonnie
Pick.
Als Leihgabe im West
Bend Art Museum,
West Bend WI

se aus der Hand des Prinzregenten Luitpold von Bayern, die große Goldene Stadtmedaille von der Gesellschaft der Kunsterzieher in Wien und den ersten Preis bei der Internationalen Ausstellung der Schönen Künste in Madrid.

Marrs Einfluß auf die deutsche Kunstszene sollte im Lauf der folgenden Jahrzehnte noch weiter anwachsen, doch blieb seine führende Rolle nicht unangefochten. Während der 1890er Jahre befand sich München in einer Phase des Übergangs und der Reformen. 1891 unternahm eine kleine Gruppe von Künstlern, unter ihnen Marr und Franz von Lenbach, einen Vermittlungsversuch bei einer Dissidentengruppe von Malern, die der Ansicht waren, sie seien ungerechterweise von der Jury aus der bedeutendsten alljährlichen Münchener Kunstausstellung ausgeschlossen worden.[22] Doch alle Vermittlungsversuche scheiterten und die Dissidenten, die Marr zumeist persönlich bekannt waren und mit denen er auch zusammenarbeitete, zogen sich von den beherrschenden Münchner traditionsreichen Institutionen zurück und organisierten ihre eigenen Ausstellungen. Sie wurden als die Münchner Sezessionisten bekannt. Eine Reihe von Künstlern aus dieser Gruppe führte symbolistische Gemälde vor, die sich stark von den historischen Werken unterschieden, die jahrzehntelang gemalt worden waren.[23]

Marrs Schaffen aus dieser Periode zeigt starke impressionistische Einflüsse sowohl in der Koloristik als auch in der Malweise, wie das Gemälde *Am Chiemsee* (*Around Chiemsee*, Abb. 7) verdeutlicht, doch kurz darauf akzeptierte auch er den symbolistischen Stil, der sich in seinem Gemälde *Wind und Wellen* (*Wind and Waves*, Abb. 8) offenbart. Wie viele andere symbolistische Werke, etwa die Gustav Klimts, zeigt sich in Marrs *Wind und Wellen* ein symbolisch auf das Wasser bezogenes Thema von traumhaft-phantastischer Einbildungskraft. Seine wollüstigen Gestalten tummeln sich als verspielte Verführerinnen in einem mit fruchtbarer Schöpferkraft begabten See.

1894 waren sowohl Marr wie auch Adolph Menzel (1815–1905) Gewinner der Ehrenmedaille bei der Belgischen Kunstausstellung in Antwerpen. Daneben erhielt Marr in dieser Periode noch weitere Preise und Ehrungen in Berlin, Dresden, Athen, Salzburg und Budapest.

1896, gerade drei Jahre nach Marrs Bestallung zum Professor an der Akademie, erlebte die Kunstwelt die Geburt einer Vielfalt von künstlerischen Stilarten, deren eine, die als »Art Nouveau oder Jugendstil« in die Kunstgeschichte eingegangen ist, durch die

Verbindung von »hoher Kunst« und »Kunsthandwerk« eine neue ästhetische Ordnung zu schaffen
suchte. Die geschwungenen Elemente dieses unver-
wechselbaren Stils wurden von den Symbolisten häufig in ihr Schaffen integriert. Einige Aspekte dieser
künstlerischen Bewegung sollten – wenn auch in be-
grenztem Umfang – Einfluß auf Marrs späteres Schaffen ausüben.

Marrs Stellung innerhalb des deutschen Kulturle-
bens erreichte 1909 einen Höhepunkt, als ihm von
Prinzregent Luitpold das Königliche Ritterkreuz verliehen wurde, ein Verdienstorden der Bayerischen
Krone, und als er mit dem Erhalt des preußischen Roten Adler-Ordens durch Kaiser Wilhelm II. in Berlin
in den Adelsstand erhoben wurde, was ihm erlaubte,
ein »von« vor seinen Namen zu setzen. 1912 wurde
er von König Victor Emanuel von Italien mit der Verleihung des Commendatore-Kreuzes des Königlichen
Ordens in den Ritterstand erhoben und 1913 erhielt
er den Orden 2. Klasse vom hl. Michael aus der Hand
Ludwigs III. von Bayern.

Während Marr diese Erfolge seinen organisatorischen Fähigkeiten – so leitete er etwa jahrelang die
Ausstellungen im Münchner Glaspalast – und seinen
Historienbildern zu verdanken hatte, war sein künstlerisches Œuvre stilistisch und thematisch breit gefächert und schloß neben impressionistischen und
symbolistischen Werken auch städtische Szenen, religiöse Themen, Interieurs, Landschaften und zahlreiche Portraits ein.

Marr war ein hervorragender Portraitmaler. Sein
Bildnis *John Marr – Vater* (Kat. Nr. 90) geht über die
bloße physische Ähnlichkeit hinaus und offenbart
sein malerisches Können, mit dem er Stimmung und
Persönlichkeit einfängt. In dieser Komposition sitzt
der Vater des Künstler an seiner Stecherbank und hält
kurz in seiner Arbeit inne. Ganz offensichtlich wurde
der Stecher in seiner tiefen Konzentration unterbro-

Abb. 8 Carl Marr,
Wind und Wellen,
undatiert
(Wind and Waves),
Öl auf Leinwand,
69×100 cm,
Sammlung Bruno
Edward und Selma
Marr Fink.
Als Leihgabe im West
Bend Art Museum,
West Bend WI

Abb. 9 Carl Marr,
Der Zyklus des
Lebens, 1908–10
(The Life Cycle,
Detail),
Öl auf Leinwand, auf
Wände aufgezogen,
300×1500 cm,
Sammlung Anton-
Wolfgang Graf von
Faber-Castell,
Stein bei Nürnberg

chen, was ein besonderes Spannungsverhältnis zwischen dem Betrachter und dem Portraitierten schafft. Marrs scharfsichtiger künstlerischer Blick und sein Verständnis für die menschliche Persönlichkeit hebt das Gemälde über das Oberflächliche und Äußerliche hinaus, um einen würdigen und erfolgreichen Mann von intensiver Empfindsamkeit und mit mannigfaltigen künstlerischen Interessen zu offenbaren.

Zu der Zeit, als die königlichen Ehrungen aus der Hand von vier europäischen Regenten auf Marr förmlich herabregneten, hatte er Deutschland bereits auf internationaler Ebene vertreten. So wurde er zum Mitglied einer Gruppe bestimmt, die die Ausstellung deutscher Gemälde für die 1904 in St. Louis stattfindende Louisiana Purchase Exposition organisierte. 1909 war er Co-Kurator der Ausstellung zeitgenössischer deutscher Kunst, die am Metropolitan Museum in New York eröffnet wurde, dann nach Boston und schließlich ins Chicago Art Institute wanderte. Bescheiden wie er war, lehnte Marr es ab, sein eigenes Schaffen in den beiden genannten Präsentationen zu zeigen. Die Ausstellung von 1909 enthielt über 200 Gemälde von 80 Malern. Die meisten dieser Künstler hatten sich einen großen Ruf erworben und stammten aus Marrs Generation. Die bedeutendsten unter ihnen waren Wilhelm Leibl, Franz von Lenbach, Max Liebermann, Adolph von Menzel, Hans Thoma und Fritz von Uhde. Auch etliche Werke einiger Sezessionisten nahm man in die Schau auf, doch andere Faktionen innerhalb der Gruppe wurden nicht berücksichtigt.[24] Das ausgestellte Schaffen ähnelte den Werken, die zuvor in der Weltausstellung von Chicago, der sogenannten Columbian Esposition, und in der Louisiana Purchase Exposition gezeigt worden waren. Der konservative Charakter der Ausstellung beruhte teilweise auf politischem Druck. In Berlin war es zu einem Streit zwischen den Konservativen, die dem akademischen Traditionalismus anhingen, und den Modernen darüber gekommen, was ausgestellt werden sollte. Kaiser Wilhelm II. intervenierte zugunsten einer traditionellen und eher konservativen Präsentation.

1910 wurde Marr bei der Internationalen Kunstausstellung von Argentinien preisgekrönt. Im selben Jahr vollendete er einen bedeutenden architekturgebundenen Auftrag für Schloß Stein bei Nürnberg. Sein ca. 3×15 m großes symbolistisches Werk mit dem Titel *Der Zyklus des Lebens* (*The Life Cycle*, Abb. 9) entstand zu Ehren des neugeborenen Sohnes und Erben des Grafen. Die monumentale Bilderzählung zeigt lebensgroße Figuren in verschiedene Le-

bensphasen symbolisierenden Szenen, wie sie der kleine Grafensproß im Laufe seines Lebens durchlaufen würde. Der Lebenszyklus fließt in lyrischen Bildern von einer Phase zur nächsten, von der Geburt zur Jugend, von der Hochzeit zur Reife des mittleren Lebensabschnittes und schließt mit der Darstellung eines alten Ehepaares, das von den goldenen Farbtönen der untergehenden Sonne beglänzt wird. Das Gemälde symbolisiert in optimistischer Gestimmtheit ein rechtschaffen-ehrenhaftes und erfülltes Leben. Die Kritiker der Zeit bedachten dieses Werk sowie etliche andere große dekorative Werke, die Marr für öffentliche Bauten in Deutschland schuf, mit großem Wohlwollen.[25]

1913, kurz nachdem Marr den *Zyklus des Lebens* vollendet hatte, begann sich eine neue ästhetische Ordnung und Formensprache herauszubilden. Es war das Jahr, in dem die International Exhibition of Modern Art – die sogenannte »Armory Show«, die im Zeughaus des 69. New Yorker Regiments stattfand – einen dramatischen Kontrast zu der Ausstellung zeitgenössischer deutscher Kunst vor Augen stellte, wie sie dem amerikanischen Publikum 1909 präsentiert worden war.

Bis zum Jahr 1915, als Marr zum Präsidenten der »Künstlergenossenschaft« gewählt wurde, hatte sich die Kluft zwischen dem ästhetischen Geschmack der neuen Avantgarde und dem der traditionsgebundeneren Künstler noch weiter aufgetan.

Während die Modernisten nicht aufhörten, die Kunstwelt zu schockieren, malten viele Maler der vorhergehenden Generation weiterhin symbolistische oder religiöse Bilder. Zu diesen Künstlern gehörte auch Marr, der während jener Periode mehrere religiöse Gemälde schuf.

Um die Zeit des Ersten Weltkrieges ging die Ausstellungstätigkeit Marrs zurück, doch widmete er sich weiterhin mit Hingebung seiner Familie, seiner Akademie und Münchens Künstlern und Kunstvereinen.[26] 1917 wurde ihm der Titel eines Königlich-Bayerischen »Geheimen Hofrats« verliehen.

Der 1918 in München ausbrechende sozialistische Aufstand zwang Marr und die anderen königlichen Beamten, 1919 für kurze Zeit aus der Stadt zu fliehen, um ihr Leben zu retten.[27] Nach Niederschlagung der Revolution kehrte der angesehene Künstler wieder nach München zurück, wo er seine Frau, mit der er erst seit wenigen Jahren verheiratet war, im Sterben liegend vorfand. Auch in dieser schweren Zeit ließ er nicht davon ab, Mittel aus deutschen und amerikanischen Quellen zu sammeln, um die Akademie während der schwierigen Nachkriegsjahre am Leben und funktionsfähig zu halten. Bei der Neuorganisierung der Akademie spielte er weiterhin eine Schlüsselrolle.

Sein künstlerischer Erfolg, seine deutschen und amerikanischen Verbindungen und seine Begabung als Vermittler und Verhandlungspartner führten dazu, daß er 1919 zum Direktor der Akademie ernannt wurde. Doch schon 1923 führte das Institut eine Altersgrenze für seine Professoren ein, was Marr und verschiedene andere seiner Kollegen dazu zwang, von ihren Posten zurückzutreten.

Der berühmte Künstler wurde 1924 in seinem Heimatland durch die Aufnahme als Ehrenmitglied in die American Association for Art and Literature geehrt und 1929 in seinem Heimatstaat durch die Verleihung der Ehrendoktorwürde für Literatur der Universität von Wisconsin in Madison gewürdigt.

Bei aller Verbundenheit mit München betrachtete sich Marr als Amerikaner und blieb seinem Heimatland stets treu verbunden. Mit Ausnahme der Kriegsjahre kehrte er jeden Sommer in seine Heimatstadt zurück.

Der amerikanische Maler, der ein hochgeachteter Bürger Münchens wurde, starb dort 1936. Das Leben des Künstlers, seine Worte und Taten, wie sie sein Archivmaterial belegt, liegen als offenes Buch vor uns und bringen Licht in das vermeintliche Rätsel seiner Loyalität und Zugehörigkeit: er war seinen Familien sowohl in Deutschland wie auch in Amerika innig verbunden, ebenso der Kunstwelt und insbesondere der Akademie und den Künstlern in München. Untrennbar und unverbrüchlich gehörte er beiden Ländern an.

1 Anna Spier, »Carl Marr«, in: »Die Kunst unserer Zeit«, Bd. VII, Nr. 1, 3 (1901).

2 Spier, op. cit., S. 7–12.

3 Spier, op. cit., S. 9.

4 Der Wiener Dichter Robert Hamerling (»Ahasverus in Rom«, Hamburg 1866) beschreibt Ahasver als Sünder, der ewig unstet über die Erde wandern muß, bis Christus zum zweiten Mal erscheint, sowie die junge Agrippina, die vorzeitig den Tod fand.

5 Vgl. The Milwaukee Sentinel, 20. November 1880, S. 8.

6 Die Liebenden (The Lovers), auch als Frühlingserwachen (The Awakening of Spring) bekannt, wurde den dokumentarischen Unterlagen zufolge nach seiner Heimkehr aus Deutschland 1880–1882 gemalt. Da es die Datierung '84 trägt, hat der Künstler vielleicht nach seiner Rückkehr nach Deutschland eine zweite Fassung geschaffen. Marr malte gelegentlich mehrere Kopien einer Komposition, wie das etliche existierende Gemälde bezeugen.

7 Gertrude Hill, »Carl Marr in Munich«, in: Sunday Inter Ocean (Chicago), 31. März 1895, S. 7.

8 »The Local Prize Taken by Carl Marr at the Munich Royal Academy«, in: The Milwaukee Sentinel, 29. März 1883, S. 5.

9 »Won by Marr«, in: The Milwaukee Sentinel, 22. April 1885, S. 3.

10 Spier, op. cit., S. 12.

11 Hill, op. cit. Das Gespräch mit Marr offenbart, daß die Direktoren ihn nach der Ausschußsitzung dazu ermutigten, das Gemälde als freischaffender Künstler zu vollenden.

12 Ostini, Fritz von, »Carl Marr«, in: Velhagen & Klassings Monatshefte 23, September 1908, S. 33.

13 Olive Dell Lange, »Noted Artist Visits Here«, in: The Sunday Sentinel and Milwaukee Telegram, 21. Juni 1925.

14 George Jacob Wolf, »Carl von Marr«, in: Die Kunst für Alle 26, 1. Dezmber 1910, S. 4.

15 Die Schlacht von Atlanta (The Battle of Atlanta), in der Stadt Atlanta im Georgia's Grant Park zur Besichtigung ausgestellt, ist das einzige heute bekannte Panoramagemälde, das zur Gänze erhalten blieb.

16 William H. Gerdts, »Art Across America«, Bd. II, New York 1990, S. 331–336.

17 C. Bruno Storp, »Carl von Marr & Drom«, München 1979, S. 12.

18 Maria Makela, »The Munich Secession: Art and Artists in Turn-of-the-Century Munich«, Princeton 1990, S. 32. – Storp, op. cit., S. 13–14.

19 Carolyn Kinder Carr and Robert Rydell, »Revisiting the White City, American Art at the 1893 World's Fair«, Smithsonian Institution, Washington, National Museum of American Art and the National Portrait Gallery, 1993.

20 Carr and Rydell, op. cit., S. 105.

21 Das Gemälde Die Flagellanten (The Flagellants) wurde der City of Milwaukee überlassen und befindet sich als Dauerleihgabe im West Bend (Wisconsin) Art Museum. Sommernachmittag (Summer Afternoon) wurde von einer prominenten Kalifornierin, Phoebe Apperson Hearst, gekauft, die später noch weitere Gemälde von Marr erwarb.

22 Makela, op. cit., S. 58.

23 Makela, op. cit., S. 60–61, 104–113.

24 Peter Paret, »The Berlin Secession: Modernism & its Enemies in Imperial Germany«, Cambridge 1980, S. 113.

25 Holmes Smith, »Some New Decorative Painting by Prof. Carl Marr«, in: The International Studio 42, November 1910, S. 35–38.

26 Ab 1916, dem Jahr seiner Heirat, bis 1936, seinem Todesjahr, blieb Marr in der Nähe der Familie seiner Frau in München-Solln.

27 Harriet N. Pettibone, »Carl von Marr's Newest Marvels Worked Amidst Reds' Terrors«, in: The Milwaukee Sentinel, 12. September 1922, S. 17.

JOHN WILSON

Brennpunkt Deutschland:
Künstler aus Cincinnati in Düsseldorf und München

Im pulsierenden Zentrum von Cincinnati steht mit ausgebreiteten Armen eine weibliche Gestalt aus Bronze – eine anmutige Allegorie des Wassers, das ihren Handflächen entströmt und in eine Brunnenschale fließt. Jeder kennt die Figur, denn der Platz, auf dem sie steht – der Fountain Square – ist die urbane Mitte dieser Stadt. Hier treffen sich die Einwohner zu sportlichen und militärischen Siegesfeiern oder widmen sich temperamentvollen Diskussionen, wenn disparate Gruppen – angenehme wie unangenehme Staatsbürger – ihr Recht auf freie Meinungsäußerung in Anspruch nehmen, das ihnen die Verfassung der Vereinigten Staaten garantiert. Während die Stadt ihr Oktoberfest veranstaltet – eine Huldigung nicht nur an Cincinnatis Vergangenheit als Brauereizentrum, sondern auch an ihre Schwesterstadt München –, die Menschen den Musikgruppen lauschen und das Ende der schwülen Hitzeperiode in Cincinnati feiern, verstärkt sich beim Blick auf diesen Brunnen der Eindruck, daß es nur wenige Orte in Nordamerika gibt, die deutsches Leben und deutsche Kultur so lebhaft ins Bewußtsein rufen.

Die Skulptur *The Genius of Water*, 1871 feierlich eingeweiht und in Cincinnati nach dem Schwager und Partner des Stifters Henry Probasco Tyler-Davidson Fountain benannt, ist das Werk von August von Kreling (1819–1876). Die näheren Umstände der Auftragserteilung behandelt Gerhard Bott an anderer Stelle in diesem Katalog (S. 150–164), doch ist die Präsenz dieses Brunnens in Cincinnati ein exemplarisches Beispiel dafür, wie stark und nahezu bedingungslos sich die Einwohner von Cincinnati im neunzehnten Jahrhundert in künstlerischen Belangen nach Deutschland orientierten. Zwar gingen Künstler der Stadt zur Ausbildung gelegentlich auch nach Italien, Frankreich oder Großbritannien, doch fühlten sich die Künstler aus Cincinnati von Deutschland, insbesondere von Düsseldorf und München, wegen der hochklassigen Kunstschulen und reichhaltigen Kunstsammlungen ganz besonders angezogen.

Diese Anziehungskraft deutscher Kunstschulen stand natürlich auch in Verbindung mit Cincinnatis deutschem Erbe und seinen großen deutschsprachigen Bezirken. Deutsche waren fast seit seiner Gründung im Jahre 1788 Teil von Cincinnati gewesen; die erste Beschreibung Cincinnatis und seiner Umgebung wurde 1792 von dem Deutschen Johan Heckewelder verfaßt. 1840 waren 30% der Bevölkerung der Stadt deutschsprachig, was die städtischen Beamten dazu bewog, ihre Verordnungen in Englisch und Deutsch herauszugeben und die übliche soziale Diskriminierung auszulösen. Die Deutschen ließen sich in verschiedenen Vierteln nieder, dessen berühmtestes »Jenseits des Rheins« hieß, weil die Immigranten den Miami-Erie-Kanal – der im Norden der Innenstadt von Osten nach Westen floß, bevor er eine Schleife nach Süden zum Ohio beschrieb – scherzhaft den »Rhein« nannten. Der Weg aus der Innenstadt in dieses Viertel führte »über den Rhein«; dieser Teil Cincinnatis ist nicht zuletzt aufgrund jahrzehntelanger Vernachlässigung noch immer reich an Gebäuden aus dem neunzehnten Jahrhundert.

Wahrscheinlich haben deutsche Künstler schon sehr frühzeitig in Cincinnati zu wirken begonnen, doch ist von ihnen nichts überliefert. Der erste von einigem Ruf und Ansehen war Frederick Eckstein, der aus einer Künstlerfamilie stammte und an der Berliner Akademie bei Johann Gottfried Schadow studiert hatte.[1] Frederick war der Sohn von Johann Eckstein, dem Schöpfer der Skulptur *The Genius of America* aus dem Jahr 1813. Er traf in Cincinnati Ende 1823 aus Philadelphia kommend ein, wo er seit 1793 gelebt und zusammen mit Charles Willson Peale maßgeblich zur Gründung der Pennsylvania Academy of Fine Arts beigetragen hatte. Er kam nach Cincinnati, um an der Schule zu unterrichten, die seiner Schwägerin gehörte, und wurde sofort zum namhaftesten Künstler der Stadt. Eckstein, der ein sehr gutes Gespür für die Wahl des richtigen Zeitpunkts hatte, formte einen Gesichtsabguß von Andrew Jackson, als dieser zusammen mit Marquis de Lafayette Cincinnati besuchte. Dieser Abguß wurde im Mai 1825 ausgestellt. Von Lafayette modellierte Eckstein ebenfalls einen Gesichtsabguß, obwohl sich der Held nur einen Tag in Cincinnati aufhielt. Es gibt keinen Beleg dafür, daß sich Lafayette während seines Aufenthalts für einen Maskenabdruck Zeit genommen hätte, doch hatte Eckstein offensichtlich Skizzen angefertigt und sich Notizen gemacht, um auf deren Grundlage eine Büste zu modellieren (Abb. 1). Der Gipsbüste wurde »schöne Ähnlichkeit« attestiert,[2] und es ist sehr wohl möglich, daß sie nicht zum Verkauf geschaffen wurde, sondern in der Absicht, die Fähigkeiten des Künstlers herauszustellen, da sich keine weiteren Abgüsse erhalten haben und das Original im Besitz der Familie verblieb, bis es 1957 vom Cincinnati Art Museum erworben wurde.

Der Tradition entsprechend in Europa ausgebildet, hatte sich Eckstein zweifellos zum Ziel gesetzt, ähnliche Ausbildungsstätten nach Cincinnati zu bringen, das bereits eifrig Anstalten machte, sich zu einem Zentrum der Gelehrsamkeit zu entwickeln. Er begann, um Sympathien und Unterstützung für die Gründung einer Kunstakademie im europäischen Stil zu werben, die nicht nur junge Künstler unterrichten, sondern auch ihre Werke und die anderer lebender und verstorbener ausländischer Künstler ausstellen und Vorlesungen über eine Vielfalt kunstbezogener Themen bieten sollte. Die Academy of Fine Arts wurde 1827 offiziell aus der Taufe gehoben, gab aber bereits im folgenden Jahr ihren Geist auf, als sich herausstellte, daß die öffentliche Meinung einer mehr praktisch ausgerichteten Akademie den Vorzug gab, dem späteren Ohio Mechanics Institute.[3]

Der Einfluß von Eckstein sollte nicht unterschätzt werden. Er war der erste Lehrer von Hiram Powers, dem bedeutendsten neo-klassizistischen Bildhauer der Vereinigten Staaten, und Shobal Clevenger, einem sehr vielversprechenden Bildhauer, der jedoch in jungen Jahren starb. Ecksteins künstlerische Bestrebungen beeinflußten die meisten der damals in Cincinnati schaffenden Künstler, und man hat ihn nicht zu Unrecht den Vater der Kunst von Cincinnati genannt.

Der erste Künstler von Bedeutung, der das Umfeld von Cincinnati verlassen und in Europa studieren sollte, war Thomas Worthington Whittredge[4] (Abb. 2; Kat. Nr. 35, 38–40, 45). In Cincinnati bereits ein anerkannter Künstler, machte er sich 1849 mit einem Kreditbrief in Höhe von $ 1000 und etlichen Aufträgen für Gemälde auf den Weg nach »drüben«. Die

Abb. 1 Frederick Eckstein, Portraitbüste des Marquis de Lafayette, 1825 (Portrait bust of Marquis de Lafayette), Gips, Höhe 57 cm, Cincinnati Art Museum, Cincinnati OH

Gemälde sollten bei ihrer Fertigstellung an die jeweiligen Auftraggeber in die Vereinigten Staaten zurückgesandt werden. Aus der Autobiographie des Künstlers geht hervor, daß er ursprünglich lediglich die Absicht hatte, in Europa herumzureisen, ohne sich einem offiziellen Studium zu widmen, doch dürfte Whittredge die Bedeutung Düsseldorfs schon vor seinem Weggang aus den Vereinigten Staaten nicht unbekannt gewesen sein.[5] In Düsseldorf arbeitete er mit Emanuel Leutze zusammen, mietete sich bei Andreas Achenbach ein und bildete sich bei ihm in freier Ateliergemeinschaft weiter, sich einem systematischen Unterricht entziehend. Später studierte er frei und ohne Bindung an die Akademie bei Karl Friedrich Lessing und Johann Schirmer. Whittredge übernahm die Düsseldorfer Manier außerordentlich rasch, und der größte Teil der Werke, die er nach Cincinnati zurückschickte, reflektierte den Einfluß des Schaffens von Lessing und später von Schirmer.[6]

nach Paris, um die Bilder zu sehen, doch mein Atelier in der alten Stadt behielt ich meist bei. Die Sommer verbrachte ich in Westfalen, im Hartz (*sic*) oder in der näheren Umgebung Düsseldorfs.«[7] Viele seiner Werke, die Whittredge zurück nach Cincinnati sandte, zeigten bei diesen Studienreisen gesehene Motive, insbesondere von den im Spätsommer 1852 unternommenen Ausflügen in den Harz oder der dramatischen Landschaft bei Kallenfels im Nahe-Tal, wobei er wegen des künstlerischen Effekts gern verschiedene Natureindrücke in ein und demselben Gemälde zu einer Komposition zusammenfügte. Seine Motive reichten von recht romantisch überhöhten Ansichten hochragender Felsen wie etwa in *Sommerliche Pastorale. Blick auf Kallenfels* (*Summer Pastorale. View of Kallenfels*, 1854, Indianapolis Museum of Art, Abb. 3), die er für E. J. Mathews aus Cincinnati gemalt hatte,[8] bis zu seiner *Ansicht von Kallenfels* (*View of Kallenfels*, Juli 1856, Cincinnati Art Museum, Kat. Nr. 40), die nicht nur den felsigen Gipfel des Steinkallenfels hervorhebt, in dessen Schatten das Dorf liegt, sondern auch die kahlen Berge jenseits der buschig bewaldeten Hügel. Dieses Bild enthält offensichtlich auch eine Art Leichenzug, der zu einem mit Mauern umgebenen Friedhof zieht.

Während seiner Düsseldorfer Zeit unternahm Whittredge zahlreiche Reisen. Er erinnerte sich später: »Ich ging häufig nach Den Haag, Dresden, Berlin und Antwerpen und auf eine gelegentliche Stippvisite

Whittredge verwendete landschaftliche Motive des Rheintals auch als szenischen Hintergrund für andere Werke wie etwa *Die Rochus-Pilger* (*The Pilgrims of Saint Roch*, Privatbesitz, Kat.-Nr. 39), ein Gemälde, das solche Bedeutung für den Künstler besaß, daß er sich ein halbes Jahrhundert später in seiner Autobiographie daran als eines seiner wichtigsten Werke erinnerte.[9] Dieses Bild zeigt den Rochusberg oberhalb von Bingen, wo die Nahe in den Rhein mündet.[10] Die Fahnen in den Händen der den Berg hinabziehenden Gestalten legen den Schluß nahe, daß es sich bei dem Bild um eine Darstellung der Pilgerprozession zur Rochuskapelle handeln könnte, die beim alljährlichen Fest zu Ehren des hl. Rochus am ersten Sonntag nach Mariä Himmelfahrt (15. August) stattfand. Das Gemälde betont die Großräumigkeit der offenen Hochebenen, was der Baumgruppe und der heiligen Stätte, an der die Pilger rasten, eine noch stärkere Atmosphäre der Erquickung und Geborgenheit verleiht. Lessing malte ähnliche Ansichten des Nahe-Tals, die auch – zweifellos durch Vermittlung von Whittredge – den Weg nach Cincinnati fanden und ebenfalls eine ins Romantische überhöhte und geheimnisvolle Stimmung atmen, wie etwa Lessings *Landschaft* (*Landscape*, 1862, Cincinnati Art Muse-

um, Abb. 4), die zwei Jahre nach Whittredges Rückkehr in die Vereinigten Staaten entstand.

Als der Einfluß der Schule von Barbizon in Düsseldorf spürbar wurde, änderte sich das Schaffen von
Whittredge dementsprechend. Anthony Janson hat
bemerkt, daß Johann Wilhelm Schirmer nach Art der
Barbizon-Künstler, aber mit einer ganz eigenen deutschen Sensibilität, zu malen begann und die Gemälde
von Whittregde sich an Schirmers Methode anlehn-
ten.[11] Zwei der von Whittredge nach Cincinnati ge-
schickten Werke bringen diesen Stil deutlich zum
Ausdruck: *Die Mühle* (*The Mill*, 1852) und *Westfälische Landschaft* (*Landscape in Westphalia*, 1853,
beide im Cincinnati Art Museum).[12] *Die Mühle* (Abb.
5) entstand als Auftragsarbeit für Reuben Springer,
einen der größten Kunstmäzene von Cincinnati, und
Westfälische Landschaft für George Ward Nichols,
der maßgeblich an der Gründung der späteren Art
Academy of Cincinnati beteiligt war. Beide Gemälde
zeigen als zentrales Motiv hochragende Eichen –
Whittredge scheint in Düsseldorf für Gemälde dieser
Art eine gewisse Berühmtheit erlangt zu haben, da
ihn Friedrich Wilhelm von Schadow, der Direktor der
Düsseldorfer Akademie, lobte: »Du, der du nichts so
gut malst wie unsere westfälischen Eichen!«[13] Janson
berichtet von den Reisen des jungen Künstlers nach
Dessau, um die berühmten alten Eichen zu sehen und
davon, welchen Wert Lessing in seinem Unterricht
darauf legte, daß sich seine Studenten ernsthaft mit
dem Studium dieser Bäume befaßten.[14]

Nachdem Whittredge in die Vereinigten Staaten
zurückgekehrt war, spiegelte sein Schaffen weiterhin
den Einfluß der Düsseldorfer Schulung. Sein *Die
Überschreitung des Flusses. Der Platte-Fluß in Colorado* von 1868, das er 1870 überarbeitete (*Crossing
the Ford. Platte River, Colorado*, The Century Association, New York), verbindet Baumportraits mit
romantisch idealisierten Figuren im Stile Lessings –
in diesem Fall amerikanische Indianer mit einem sich
in der Ferne erstreckenden gebirgigen Hintergrund.
Das Gemälde galt als »ein Balanceakt zwischen der
Ästhetik der Hudson River School und der kom-
positionellen Logik, Zeichnung und Kolorierung,
die er in seinen fünf Düsseldorfer Jahren assimiliert
hatte«.[15]

Whittredge besaß in dem schwer einzuordnenden
Benjamin McConkey einen Vorläufer in Europa,
wenn auch nicht in Deutschland. McConkey wurde
um 1821 in Maryland geboren und hielt sich 1845
in Cincinnati auf, wo er vier Gemälde beim Feuer-
wehr-Basar ausstellte.[16] Möglicherweise entstammte

er einer recht wohlhabenden Familie, da sich Whittredge erinnerte, daß McConkey »ein Vermögen zur
Verfügung stand«.[17] Im September 1848 hatte er sich
bei Thomas Cole als Schüler eingeschrieben »zu denselben Bedingungen wie Mr. Church. $ 300 per
annum«.[18] 1846 stellte McConkey in der American
Art Union sieben Gemälde aus, und im August und
September desselben Jahres reiste er mit Cole in die
Shawangunk Mountains, die Catskills und die
Adirondacks im Staate New York. Im Mai 1847 war
er wieder in Cincinnati zurück und fungierte als
eine Art Agent für Cole gegenüber der Western Art
Union.[19]

Im September 1849, als Whittredge in Europa eintraf, war McConkey vielleicht schon in Rom gewesen
und hatte sich wohl hinlänglich in Paris eingelebt, um
»einen großen Bekanntenkreis« zu haben und Whittredge in eine »Gesellschaft von schnellebigen, extra-
vaganten Leuten«[20] einzuführen. Offensichtlich hing
er aber nicht so stark an dieser Gesellschaft, um
Whittredge allein nach Düsseldorf gehen zu lassen,
wo sich beide Leutze anschlossen und ihm bei der
Vorbereitung seines Gemäldes *Washington überquert
den Delaware* (*Washington Crossing the Delaware*,
Kat. Nr. 46) halfen. Über McConkeys Ausbildung in
Europa wissen wir so gut wie nichts; 1851 soll er sich
in Florenz aufgehalten haben,[21] und seine Rückkehr
nach Cincinnati ist für das Jahr 1852 belegt, als er in
den Literary Club gewählt wurde. Er starb 1855.

Abb. 4 Karl
Friedrich Lessing,
Landschaft, 1862
(Landscape),
Öl auf Leinwand,
88×121 cm,
Cincinnati Art
Museum,
Cincinnati OH

Abb. 5 Worthington Whittredge, Die Mühle, 1852 (The Mill), Öl auf Leinwand, 87×131 cm, Cincinnati Art Museum, Cincinnati OH

Nur fünf Gemälde von McConkey sind uns bislang bekannt: ein ovales Selbstportrait (1855 von James Henry Beard vollendet) und eine Berglandschaft im Vertikalformat, die sich im Literary Club in Cincinnati befindet; ferner *Mohawk Territory* (1849) im Shelburne Museum in Vermont; eine kleine 1846 in der American Art Union ausgestellte Landschaft (heute im Cincinnati Art Museum) und eine große *Landschaftskomposition (Landscape Composition)*, die unter diesem Titel 1852 in der American Art Union im Rahmen einer Privatsammlung in Cincinnati gezeigt wurde. Das letztgenannte Bild (Abb. 6) mit den Abmessungen 105×157 cm ist eine von der rheinischen Landschaft inspirierte Szene mit einem See, Bergen, einer Burg und kleinen Figuren, eine romantische Ansicht also, wie sie sich aus einer Verbindung von Coles Stil mit einem Bild von Lessing aus der Zeit von 1830–1850 ergeben haben könnte. Bis zur Entdeckung weiterer Werke McConkeys bleibt dieser Künstler wahrscheinlich eine Fußnote der amerikanischen Kunst, die uns weitere quälende Rätsel aufgeben wird.

Deutsche Künstler waren auch weiterhin in Cincinnati aktiv tätig, doch richtete sich ihr Schaffen hauptsächlich auf das Malen von Altarbildern und Dekorationen für katholische Kirchen. Der 1838 in der Nähe von Würzburg geborene William Lamprecht war der berühmteste dieser Maler. Laut Gerdts soll er bereits 1853 im zarten Alter von fünfzehn Jahren in Cincinnati gearbeitet haben.[22]

Tatsächlich hat Lamprecht von 1859 bis 1867 sozusagen in München studiert; nach seiner Rückkehr in die USA hat er seine Tätigkeit nach Covington verlegt (einen Ort unmittelbar gegenüber von Cincinnati am anderen Ufer des Ohio), wo er für den Verein für Christliche Kunst als Hauptmaler von Altargemälden tätig war. Dieser Verein, der Kirchen quer durch den gesamten Nordosten und oberen Mittelwesten mit Altarbildern belieferte, war von Bruder Cosmos Wolf (1822–1894) gegründet worden, einem aus Schwaben gebürtigen Bildhauer, der seine Ausbildung bei Johann Petz (1818–1880) in München genossen hatte. Lamprecht, der 1901 nach München zurückkehrte, ist aber wohl vor allem als erster Lehrer des jungen Frank Duveneck bekannt geworden. Das Datum seines Todes ist unbekannt.

Es ist gewiß auch dem Einfluß der deutschen Kirchenmaler zuzuschreiben, daß sich die jungen Künstler von Cincinnati bei der Wahl ihres Ausbildungsortes so gern für Deutschland entschieden. Thomas Corwin Lindsay (1839–1907), einer der produktivsten Künstler Cincinnatis mit den uneinheitlichsten Leistungen, studierte um 1860 in Düsseldorf, und seine frühen Werke reflektieren den gleichen von Barbizon inspirierten Stil der Düsseldorfer Landschaftsmalerei, der sich ab den frühen 1850er Jahren in den Gemälden von Whittredge findet. Ab Mitte der 1890er Jahre ist ein besorgniserregender Niedergang in seinem Schaffen zu bemerken, und es kursieren viele Geschichten darüber, wie er seine Bilder für einen Drink in Zahlung gab.

Henry Mosler (1841–1920) wurde in Schlesien als Sohn eines Berliner Lithographen geboren, der 1849 nach New York und 1851 nach Cincinnati emigrierte (mit einem einjährigen Aufenthalt in Nashville, Tennessee, im Jahr 1853).[23] Mosler studierte bei James Henry Beard, einem Maler aus Cincinnati, der für seine Portraits, Genreszenen und Tierbilder bekannt war, und betätigte sich im Bürgerkrieg 1861 als zeichnender Kriegsberichterstatter für Harper's Weekly. Von einer schweren Krankheit 1863 genesen, kehrte Mosler der Zeitschrift den Rücken, um seine künstlerische Ausbildung in Düsseldorf bei dem Genremaler Albert Kindler (1833–1876) und dem Historienmaler Heinrich Mücke (1806–1891) zu vervollkommnen. Dort engagierte er sich aktiv im studentischen Leben der Akademie und schloß Freundschaft mit vielen deutschen Künstlern.

Aus dieser Phase sind die akademischen Figurenzeichnungen im Cincinnati Art Museum und das Ölgemälde *Kinder unter einem roten Schirm (Children*

Under a Red Umbrella, 1865, Terra Museum, Chicago) auf uns gekommen. Moslers Werke reflektieren deutlich das Einwirken des Düsseldorfer Schulguts in Gestalt einer naturalistisch ausgerichteten und detailorientierten Malweise, wie sie von der Akademie gelehrt und von den deutschen Kritikern gerühmt wurde. Mosler kehrte als gefeierter Künstler nach Cincinnati zurück und stürzte sich mit großem Eifer in das wieder auflebende künstlerische Leben der Stadt. Er war Mitbegründer und Vorstandsmitglied der Associated Artists of Cincinnati und beteiligte sich an deren erster Ausstellung im Jahr 1867 – ein weiterer zum Scheitern verurteilter Versuch zur Gründung einer offiziellen Kunstakademie – und muß später in irgendeiner Funktion an der neuen McMicken-Zeichenschule unter der Leitung des konservativen Thomas Satterwhite Noble (1835–1907) gewirkt haben, der bei Thomas Couture studiert hatte.[24] Barbara Gilbert hat aufgezeigt, daß seine gesamte künstlerische Laufbahn unter dem Einfluß seiner Ausbildung bei den Düsseldorfer Genremalern stand, und als er 1875 auf zwanzig Jahre nach Europa zurückkehrte, wurde sein Werk aus diesem Grunde gefeiert.[25]

Mosler ließ sich schließlich in Paris nieder, verbrachte jedoch vorher zwei Jahre in München, das sich bereits zum bedeutendsten Zentrum zeitgenössischer Kunst entwickelt hatte. Die dortige etablierte Kunst war auf die Akademie bezogen, aber neben dieser offiziellen Kunstrichtung gab es auch eine inoffizielle, nämlich den Realismus von Wilhelm Leibl, der seinerseits von den französischen Realisten beeinflußt wurde. Duveneck war zu seinem zweiten Münchner Aufenthalt zurückgekehrt und genoß aufgrund seiner früheren Studienzeit in der Stadt und durch den Erfolg seiner Ausstellungen in Boston großes Ansehen. Mosler, der anerkannte Künstler, war ursprünglich nach München gekommen, um in der Kunstszene der Stadt eine aktive Rolle zu spielen. Zum näheren Verständnis Moslers muß man wissen, daß er in München offiziell bei Lehrern studierte, die der älteren Generation vor Leibl angehörten, nämlich Karl Theodor von Piloty (1826–1886) und Alexander von Wagner (1838–1919). Insbesondere Piloty muß bei seinem Schüler eine Saite zum Klingen gebracht haben, gemahnen doch Moslers Werke stark an die historisch genaue, aber melodramatisch erzählerische Malweise und an die Genreszenen des älteren Künstlers. Sobald er sich in Paris niedergelassen hatte, bestand Moslers Schaffen fast zur Gänze aus Szenen der ritualisierten Momente im Leben der bretonischen

Bauern: Geburt und Taufe, Werbung und Hochzeit, Sterben und Tod. 1895 kehrte Mosler in die Vereinigten Staaten zurück; er ließ sich in New York nieder und starb 1920. Er war der erste amerikanische Maler, von dem die französische Regierung Werke erwarb.[26]

Der berühmteste unter den in Deutschland wirkenden Künstlern aus Cincinnati war Frank Duveneck (Kat. Nr. 76, 83, 89, 93, 101, 102). Er wurde als Sohn westfälischer Immigranten geboren, die sich in Covington niedergelassen hatten. Nach dem frühen Tod des Vaters heiratete die Mutter den gleichfalls aus Westfalen stammenden Joseph Duveneck, der den Jungen adoptierte. Deutsch war Frank Duvenecks erste Sprache und sein Leben spielte sich in den deutschsprachigen Gemeinden von Covington und Cincinnati ab.[27] Den ersten regulären Kunstunterricht erfuhr Duveneck bei Lamprecht, mit dem er als Assistent im Nordosten herumreiste und Kirchen dekorierte. Cosmos Wolf machte Duvenecks Eltern den Vorschlag, ihren Sohn in München studieren zu lassen, um seine Fähigkeiten als Altarmaler zu vervollkommnen. Die Akademie hatte einen Studiengang für religiöse Malerei eingerichtet, ein Fach, das von Johann von Schraudolph (1808–1879) gelehrt wurde, der wahrscheinlich schon Lamprechts Lehrer gewesen war.[28] Nach drei Jahren reiflicher Überlegung erteilten Duvenecks Eltern ihm die Erlaubnis, in Europa zu studieren, und Frank bezog im Januar 1870 die Münchener Akademie. Statt sich aber nun in eine der traditioneller ausgerichteten Klassen einzutragen, wie

Abb. 6 Benjamin McConkey, Landschaftskomposition, 1852 (Landscape Composition), Öl auf Leinwand, 105×157 cm, Privatsammlung, Cincinnati OH

bestehen Duvenecks früheste reife Werke aus Kopf-skizzen, die auch während seiner gesamten künstleri-schen Laufbahn Teil seines Schaffens blieben. Nach der ständigen, ja, jahrelangen Wiederkehr bestimmter Modelle in den Gemälden der Studenten der Münch-ner Schule zu schließen, wurden die Klassen offen-sichtlich angehalten, ihnen zugeteilte bestimmte Cha-raktere zu malen.[29] Die Gewohnheit, Modelle ge-meinsam zu verwenden, war im Kreis von Leibls Anhängern ebenfalls gang und gäbe, und Duveneck hat sich vielleicht in ihrem Fahrwasser von den ihm zugewiesenen Aufgaben abgewandt, um auf diese Art und Weise eigenständig zu arbeiten. *Der alte Profes-sor* (*The Old Professor*, 1871, Museum of Fine Arts, Boston, Kat. Nr. 89), ein Bildnis des Apothekers Clemens von Sicherer (der auch anderen Künstlern Modell stand) demonstriert, daß der hochtalentierte Duveneck es meisterhaft verstand, Diezens Anleitun-gen umzusetzen.

Diezens Vorliebe für die Maltechnik bedeutete, daß er weniger an der Farbe an sich interessiert war. Viel-mehr legte er auf die Modellierung, auf genaue Licht-beobachtungen und Pinselführung so großen Wert, daß die Kritiker die von ihm benutzten kühlen Ton-abstufungen als »grau« bezeichneten. Duveneck mei-sterte auch diese Technik schon frühzeitig; so zeigt sein *Kaukasischer Soldat* (*Caucasian Soldier*, 1870, Museum of Fine Arts, Boston, Abb. 7) außergewöhn-lich subtile Farben. Michael Quick hat die Ansicht vertreten, daß dieses Gemälde wegen seiner großen Ähnlichkeit mit einem Werk August Holmbergs von 1871 auf ein späteres Jahr zu datieren sein dürfte als die schwungvoll aufgetragene Jahreszahl »1870« am linken oberen Bildrand besagt. Dennoch lassen sich andere Werke Duvenecks, die reicher koloriert sind als der *Kaukasische Soldat,* auf einen so frühen Zeit-punkt wie 1871 datieren, was nahelegt, daß der von Isidor Krsnjavi 1880 berichtete kühne Bruch Duve-necks mit der von Diez beharrlich vertretenen »Grau-malerei« schon frühzeitig in Duvenecks Münchner Zeit stattfand, kurz nachdem er den Beweis angetre-ten hatte, daß er nach der Lehre von Diez zu malen verstand.

»Dietz (*sic*) war ein erbitterter Feind aller ›süßen Farben‹, die er den besten Künstlern nicht verzeihen konnte. Von allen Schülern wurde hauptsächlich eine ›feine Stimmung‹ der Bilder angestrebt, so daß end-lich die ganze Schule in die kompletteste ›Graumale-rei‹ verfiel und ängstliche Gemüter sich nur noch in Abendstimmungen wohl und vor süßen Farben sicher fühlten. Dem sehr talentvollen Amerikaner Duveneck

Abb. 7 Frank Duveneck, Kaukasischer Soldat, 1870 (Caucasian Soldier), Öl auf Leinwand, 127×105 cm, Museum of Fine Arts, Boston MA

Wolf erwartet hätte, schloß sich Duveneck der ersten Gruppe von Studenten an, die den Unterricht bei Wil-helm von Diez (1839–1907) besuchte. Diez war aus-drücklich von Piloty, seinem ehemaligen Lehrer und Professor für Maltechnik, an die Münchner Akade-mie geholt worden, um den Weg von der idealen zu einer realistisch ausgerichteten Kunst zu ebnen, wie Courbet sie praktizierte. Diez hatte eine Vorliebe für das unmittelbare Studium der Alten Meister, insbe-sondere holländischer und flämischer Gemälde, und ermutigte seine Schüler zunehmend, mit der Maltech-nik zu experimentieren. Der frisch eingetroffene Du-veneck war gleichsam ein unbeschriebenes Blatt und saugte diesen Unterricht vollkommen in sich auf.

Sowohl Piloty wie auch Diez legten auf die Kopf-zeichnung als wichtige Übung großen Wert, und so

fiel es endlich einmal ein, hiergegen entschiedene Revolution zu machen; er bestrich seine Leinwand mit purem Zinnober, setzte blankes Weiß darauf und malte aus dieser Tonart einen Kopf, der ganz verzweifelt leuchtete und natürlich alle bisherigen Studien noch grauer als zuvor erscheinen ließ. Wir liefen alle zusammen. Dietz war entzückt und trieb mit Duveneck einen wahren Kultus, hing sich den epochemachenden Kopf in's Atelier, wir aber gingen alle und – kauften Zinnober. Nun wurde auf Wirkung gearbeitet, das Grau-Malen war ein überwundener Standpunkt.«[30]

Duveneck stieg im Oktober 1871 in die Kompositionsklasse von Diez auf, in der die Studenten voll ausgearbeitete Gemälde schufen. Diezens Vorliebe galt dem Genrebild und realistischen Sujets im Gegensatz zu den idealisierten mythologischen und religiösen Themen, die der Tradition entsprachen und herkömmlicherweise erwartet wurden. Dieses Umfeld und der zuvor genossene Unterricht bei Diez waren die Quellen, aus denen Duvenecks frühe Meisterwerke erwuchsen. *Pfeifender Junge* (*The Whistling Boy*, 1872, Cincinnati Art Museum, Kat. Nr. 76) ist ein Bravourstück virtuoser Pinselführung in dunklen Tönen, die weit davon entfernt sind, grau zu erscheinen, und mit einem derben, für die realistische Auffassung typischen städtischen Bildgegenstand. Während das Gesicht des Jungen feiner modelliert ist, setzt sich der Körper aus einem Wirbel von Farbblöcken zusammen, die offensichtlich in breitem Pinselstrich auf die Leinwand geworfen wurden. Beim Gesicht macht sich eine gewisse Zaghaftigkeit der Gestaltung bemerkbar, die sich aber um 1873 verloren hat.

Diese Malweise *alla prima* war für das Schaffen Leibls, der nur vier Jahre mehr als Duveneck zählte, ebenfalls typisch. Leibls Studien in Frankreich und die Verehrung, die er dem Werk Courbets und Manets entgegenbrachte, machten ihn gewissermaßen zu einem Propheten, nachdem er nach München zurückgekehrt war. Wir wissen nicht, wie stark die Verbindung Duvenecks zu Leibl oder der Keimzelle seiner Anhänger war, die uns heute als der Leibl-Kreis bekannt ist, aber er war von dem Schaffen des deutschen Künstlers außerordentlich berührt und sagte später in seinem Leben: »[Leibl] hatte mehr Einfluß auf mich als irgendein anderer Künstler in München, obwohl ich nie bei ihm studiert habe.«[31] Duveneck verstand sich meisterhaft auf die kühne, skizzenhafte Seite in Leibls Schaffen, und viele seiner Werke weisen eine verblüffende Ähnlichkeit mit diesem auf. Das Gemälde *Mädchenkopf* (*Head of a Girl*, 1873, Cin-

Abb. 8 Frank Duveneck, Mädchenkopf, 1873 (Head of a Girl), Öl auf Leinwand, 56×46 cm, Cincinnati Art Museum, Cincinnati OH

cinnati Art Museum, Abb. 8), bei dem der Kopf des Mädchens mit derselben Energie wie die Figur des *Pfeifenden Jungen* wiedergegeben wurde, ist ebenso

Abb. 9 Wilhelm Leibl, Ein Italiener, 1869, Öl auf Leinwand, 61×50 cm, Wallraf-Richartz-Museum, Köln

143

Abb. 10 Frank Duveneck, Portrait Ludwig Löfftz, ca. 1873 (Portrait of Ludwig Löfftz), Öl auf Leinwand, 96×73 cm, Cincinnati Art Museum, Cincinnati OH

Abb. 11 Wilhelm Leibl, Portrait Johann Heinrich Pallenberg, 1871, Öl auf Leinwand, 118×96 cm, Wallraf-Richartz-Museum, Köln

virtuos-temperamentvoll auf die Leinwand geworfen wie Leibls *Ein Italiener* aus dem Jahr 1969 (Köln, Wallraf-Richartz-Museum, Abb. 9).[32]

Neben den kühnen Kopfskizzen (deren Produktion sich der gesamte Leibl-Kreis verschrieb), stellt Duvenecks *Portrait von Ludwig Löfftz* (ca. 1873, Cincinnati Art Museum, Abb. 10), der damals sein Mitschüler in der Klasse von Diez war, seine größte Huldigung an Leibl dar. Das Portrait ist gut modelliert, und stark, mit reicher, aber zurückhaltender Palette gemalt und zeigt, daß Duveneck Leibls Mal- und Anschauungsweise verstanden und verinnerlicht hatte, die in Portraits wie etwa dem von *Johann Heinrich Pallenberg* (1871, Wallraf-Richartz-Museum, Abb. 11) zum Ausdruck kommt. Quick beschreibt das Löfftz-Portrait als ein »Bravourstück von *Alla prima*-Malerei« und Heermann, der noch zu Lebzeiten Duvenecks schrieb, erzählt, daß es »in einer einzigen Sitzung gemalt wurde, die den ganzen Tag dauerte und bis zur Erschöpfung von Maler und Modell ging«.[33] Zwar entspricht dies sicherlich der Wahrheit (maltechnische Untersuchungen haben das zitierte rasche Arbeitstempo der Ausführung bewiesen), aber Duveneck ging es hier nicht vorrangig um die temperamentvollen Pinselhiebe, die man normalerweise mit Leibls *Alla prima*-Malweise verbindet, vielmehr konnte der Künstler in dieser Sitzung eines ganzen Tages die Arbeit sorgfältiger ausarbeiten und verfeinern als dies gemeinhin bei einer *Alla prima*-Ölskizze typischerer Ausprägung der Fall war.

Duveneck gehörte innerhalb der Akademie unbestreitbar zu den besseren Malern, doch hat er seinen Erfolg vielleicht ein wenig übertrieben. Seine Briefe an die Eltern in Covington sind der einzige Beweis für die Behauptung, daß er im Sommer 1872 durch das Malen marktfähiger Bilder 1200 Gulden verdient, daß Lenbach ihm einen Platz in seinem Atelier angeboten habe und daß ihm ein Ausstellungsplatz bei der Wiener Weltausstellung bewilligt worden sei.[34] Vielleicht wollte er durch Hinweise auf seine Erfolge und auf die Tatsache, wie sehr seine Zukunft von einem Verbleib in München abhing, seine Rückkehr nach Hause hinausschieben. Im April 1873 ließen die Briefe seines Vaters eine merkliche Verärgerung über die verzögerte Rückkehr des Künstlers zu seiner Berufung als religiöser Maler erkennen – und am 17. Dezember 1873 wurde Duveneck schließlich mit einem Empfang in Cincinnati daheim willkommen geheißen, den die Künstler der Stadt veranstaltet hatten.

Duveneck widmete sich im Jahr 1874 und während eines Großteils von 1875 seiner unterbrochenen

Laufbahn als religiöser Maler, arbeitete aber verhalten und ohne Unternehmungsgeist. 1875 erntete er in Boston nach zwei erfolgreichen Ausstellungen seiner Werke – im Boston Arts Club und in der Kunsthandlung Doll und Richards – großen Erfolg, der seinen Ruhm in den Vereinigten Staaten begründete; danach kehrte er im August 1875 nach München zurück.

Der Erfolg dieser beiden Ausstellungen muß ihn dazu angespornt haben, erneut sein Glück in Europa zu versuchen und nach München zurückzukehren – aber nicht mehr als Student, sondern als freier Künstler. Er nahm eigene Schüler auf, hauptsächlich Amerikaner (aus Cincinnati brachte er John Henry Twachtman und Henry Farny mit), und begann seine lebenslange Karriere als Lehrer in der Münchner Tradition, die in Cincinnati ihren bedeutendsten Einfluß Anfang des folgenden Jahrhunderts ausübte. In seiner eigenen Malweise blieb er im Fahrwasser von Leibl und Diez. Duvenecks Werk zeigt sowohl kraftvollschwungvolle Pinselführung, insbesondere in den Landschaften, den Portraitstudien und seinen seltenen Stilleben, aber auch etwas diszipliniertere und sorgfältigere Ausarbeitung, wie man sie zum Beispiel im Portrait von Löfftz findet. Der *Türkische Page* (*The Turkish Page*, 1876, Pennsylvania Academy of the Fine Arts, siehe S. 110, Abb. 6), den er Seite an Seite mit William Merritt Chase vor demselben Modell malte, demonstriert eine Vorliebe für das Überschwengliche und Exotische mit stärkerer Hinwendung zu der von Diez vermiedenen reichen Farbgebung. Die beiden späteren Studien Duvenecks zu dem Thema des »Pfeifenden Jungen«, nämlich *Schusterjunge* (*The Cobblers Apprentice*, 1877, The Taft Museum) und *Er schlägt sich durch's Leben* (*He Lives by His Wits*, 1878, Privatsammlung, Abb. 12) sind ebenfalls mit dieser bereicherten Palette gemalt, doch stellen sie vielleicht auch Versuche des Künstlers dar, sich dem an Holbein orientierten Akribiestil Leibls der späteren 1870er und 1880er Jahre gewachsen zu zeigen. Aber auch diese mit unmittelbarem Farbauftrag auf die Leinwand geworfenen Bildnisse rauchender Gassenbuben sind ein Indiz für Duvenecks impulsive Pinselführung auf Kosten einer detaillierteren Wiedergabe seines Bildgegenstands.

In auffallendem Gegensatz zu Duvenecks erster Periode in München trat in seiner zweiten Münchener Phase die Landschaft als Bildvorwurf immer stärker hervor. Es waren sicherlich seine sommerlichen Ausflüge nach Polling, die ihn hierzu inspirierten, vor allem aber auch das Werk von Frank Currier (1843–1909, Kat. Nr. 74, 77, 79, 82, 99, 100), einem

Künstler, der es in der Freiheit seiner Pinselführung mit Duveneck aufnehmen konnte.[35] Currier hatte an der Königlichen Akademie in München studiert und 1873 seinen Wohnsitz in die Nähe von Schleißheim verlegt, um Landschaften zu malen. Er wurde rasch zu einer Art Mentor der Kolonie von amerikanischen Künstlern, die sich 1877 in Polling niederließen. Duvenecks Landschaften sind Curriers freizügiger und impulsiver Pinselführung stark verpflichtet, was in seinem großdimensionierten *Der Bach, Schleißheim, Bayern* (*The Brook, Schleissheim, Bavaria*, ca. 1875, Cincinnati Art Museum) am wirkungsvollsten zum Ausdruck kommt. Doch ist Duvenecks Werk fließender in bezug auf die malerische Behandlung, wie sich etwa in seinem *Buchengehölz in Polling* (*Beechwoods at Polling*, ca. 1876, Cincinnati Art Museum) zeigt, das ein feines Gespür für die Viskosität der Ölfarbe und weniger Neigung zu tonaler Dramatik offenbart.

Abb. 13 Frank Duveneck, Selbstportrait, ca. 1877 (Self-portrait), Öl auf Leinwand, 75×60 cm, Cincinnati Art Museum, Cincinnati OH

Eine ähnliche malerische Handschrift findet sich in Duvenecks *Selbstportrait* (ca. 1877, Cincinnati Art Museum, Abb. 13), das sich aus schwingenden, farbgesättigten Pinselzügen zusammensetzt, wobei manchmal sogar die einzelnen Haarstriche sichtbar sind.

Das Werk Duvenecks während seiner beiden Schaffensphasen in Deutschland war das Produkt eines aufnahmefähigen Geistes, der eine konzentrierte Malkultur verinnerlicht hatte, die von zwei kraftvollen Persönlichkeiten angeführt wurde: Diez und Leibl. Seine Malweise veränderte sich, nachdem er seine künftige Ehefrau, Elizabeth Boott, kennengelernt hatte; seine italienische und französische Lebensphase und gar sein Leben als Witwer in Cincinnati müssen unter ganz anderen Gesichtspunkten beurteilt werden. Duveneck hatte das Unglück, sein originellstes Œuvre – sein in Deutschland produziertes Œuvre – in einem Stil zu schaffen, der in seiner Ausrichtung europäisch und dabei in seiner Wirkung vorübergehend und in seinem Einfluß begrenzt war. Es war dieses Schaffen, in dem Henry James eine »unvermischte, ungemilderte Realität« erkannte und aufgrund dessen John Singer Sargent Anfang der 1890er Jahre Duveneck »das größte Talent seiner Generation mit dem Pinsel« nannte.[36] Sargent dürfte die Tatsache, daß

Duveneck seine malerische Handschrift nach seinen Jahren in Italien zähmte und nach dem Tod seiner Frau im Jahr 1888 praktisch aus der Hauptströmung der Malerei verschwand, beklagt haben. Duveneck kehrte 1890 nach Cincinnati zurück, unternahm aber weiterhin ausgedehnte Reisen und arbeitete viel. Er konzentrierte sich auf das Unterrichten und brachte in der Zeit von 1890 bis zu seinem Tod im Jahr 1919 das Münchner Schulgut aus der Epoche um 1870 nach Cincinnati.

Die amerikanischen Studenten, die Duveneck in Deutschland um sich scharte, wurden »die Duveneck Boys« genannt (obwohl er auch Frauenklassen unterrichtete). Nur wenige erlangten Ruhm über die Grenzen von Cincinnati hinaus und keiner von ihnen arbeitete in seiner reifen Schaffensphase im Münchner Stil weiter. John Henry Twachtman, einer der außergewöhnlichsten impressionistischen Maler Amerikas, malte mindestens eine Kopfstudie als Ölskizze im Münchner Stil (Cincinnati Art Museum), aber es sind seine Landschaften, in denen sich der Einfluß von Duvenecks Freizügigkeit feststellen läßt. Twachtman unternahm weite Reisen durch ganz Europa, aber sein Stil begann erst auszureifen, als er sich 1883 eine Zeitlang in Frankreich aufhielt.

Henry Farny, der heute fast ausschließlich für seine Bilder amerikanischer Prärie-Indianer bekannt ist, fuhr mehrfach nach Europa und unternahm auch innerhalb Europas etliche Jahre hindurch ausgedehnte Reisen, bevor er sich Duveneck in München anschloß. Farny studierte 1868 bei Hermann Herzog und arbeitete in Rom und Paris sowie in Wien, wo er in der Kunstausstellung von 1873 große Zeichnungen mit Darstellungen der Verarbeitungs- und Verpackungsmethoden von Schweinefleisch in Cincinnati präsentierte.[37] Zusammen mit Duveneck studierte auch er bei Diez, kehrte 1873 nach Cincinnati zurück und schloß sich Duveneck bei dessen Rückkehr nach München im Jahr 1875 an.[38] Ein Großteil von Farnys Schaffen aus der Zeit vor 1880 hat sicherlich nur als Zuschreibungen an andere Künstler überlebt, da es keine Ähnlichkeit mit seinen Indianer-Themen besitzt. Sein bekanntestes Werk im Münchner Stil ist *Der stille Gast* (*The Silent Guest*, 1878, Cincinnati Art Museum, Abb. 14), eine sorgfältig gezeichnete, präzise mit dickem Farbauftrag gemalte und fraglos »graue« Darstellung eines alten Herrn, der mit einem Glas Bier an einem Wirtshaustisch sitzt. Das Werk gibt durch seine sorgfältige Handhabung der Farbe einen Vorgeschmack auf Farnys spätere Karriere als Illustrator.

Eine Reihe von Künstlern aus Cincinnati wie etwa Joseph DeCamp, Louis Ritter und Theodore Mandel kamen erst nach München, als sich Duvenecks Aufenthalt dort dem Ende zuneigte, und sein Einfluß auf ihre jeweilige Laufbahn ist eher aus italienischer Perspektive von Bedeutung. Sie machten nach ihrer Rückkehr aus Europa in New England Karriere.

Selbst als Duveneck nach Italien abgereist war, blieb München weiterhin ein wichtiges Ausbildungsziel für Kunststudenten aus Cincinnati. Die meisten Künstler von irgendwelcher Bedeutung, die sich in der Stadt weiterbildeten, lebten und arbeiteten zumindest ein paar Jahre in München, wenn sie sich nicht zum Studium an der Königlichen Akademie einschrieben. Diese Künstler hatten unter Duvenecks Abwesenheit zu leiden, zum einen, weil ihnen seine persönliche Energie fehlte, zum anderen, weil sie bei weniger wagemutigen Künstlern, als Diez oder Leibl es waren, studierten. Louis Henry Meakins *Alte Münchner Marktfrau* (Old Munich Market Woman, ca. 1883, Cincinnati Art Museum) ist ein typisches Beispiel für diese Situation. Kühn komponiert und eng am Detail klebend, ist dies ein zaghaft gemaltes Bild einer gebückt unter einem Schirm sitzenden arbeitenden Frau. Nur die Hände und der mit Früchten und Gemüse beladene Korb im linken unteren Bildraum sind einigermaßen lebendig dargestellt. Meakin studierte in München bei Nikolaus Gysis (1842–1901) und Löfftz (1845–1910), dessen Portrait er während seines München-Aufenthalts von 1882 bis 1886 zeichnete (Abb. 15), was auch Edward Potthast tat (der 1885 nach Cincinnati zurückkehrte). Beide malten später in einem impressionistischen Stil, der München wenig verdankt. Joseph Henry Sharp und John Hauser studierten in den 1880er Jahren in München und taten es Farny als Indianermaler nach, aber ebenso wie bei Meakin und Potthast lassen sich in ihren Werken keine Spuren Münchner Schulguts entdecken.

Der Erste Weltkrieg brachte den Strom der Kunststudenten aus Cincinnati, die in Deutschland eine Ausbildung suchten, praktisch zum Erliegen. Die Straßen von Cincinnati wurden umbenannt oder ihre Namen ins Englische übersetzt, und die Stadt wandte ihrem deutschen Erbe den Rücken, eine Situation, die bis heute anhält (es gibt in der Schwesterstadt von München nicht einmal ein deutsches Restaurant von Bedeutung). Und dennoch bezeugt schon der flüchtige Blick auf Cincinnatis kulturelles Leben den außergewöhnlich dominierenden geistigen Einfluß des deutschen Vermächtnisses, angefangen beim Maifest, dem

Abb. 14 Henry Farny, Der stille Gast, 1878 (The Silent Guest), Öl auf Leinwand, 102×76 cm, Cincinnati Art Museum, Cincinnati OH

Abb. 15 Lewis Henry Meakin, Portrait Ludwig Löfftz, ca. 1883 (Portrait of Ludwig Löfftz), Kohlezeichnung, Cincinnati Art Museum, Cincinnati OH

147

bis heute am längsten in ununterbrochener Folge abgehaltenen Sängerfest der Welt, über die deutsch geprägten Kunstwerke der Stadt bis zu dem an hervorragender Stelle plazierten Tyler-Davidson Fountain (wenngleich von Krelings Namen weit und breit nichts zu sehen ist).

Häufig zitierte Literatur:
Carter, 1978
Denny Carter, »Henry Farny«, New York 1978.
Gerdts, 1990
William H. Gerdts, »Art Across America. Two Centuries of Regional Painting. 1710–1920«, 3 Bände, New York 1990.
Gilbert, 1995
Barbara C. Gilbert, »Henry Mosler Rediscovered: A Nineteenth-Century American-Jewish Artist«, Ausstellungskatalog, Los Angeles 1995.
Heermann, 1918
Norbert Heermann, »Frank Duveneck«, Boston and New York 1918.
Janson, 1989
Anthony F. Janson, »Worthington Whittredge«, Cambridge 1989.
Quick, 1987
Michael Quick, »An American Painter Abroad; Frank Duveneck's European Years«, Ausstellungskatalog, Cincinnati, 1987.
Smalley, 1949
Donald Smalley, Einführung in Frances Trollope: »Domestic Manners of the Americans« (London, 1832), New York 1949.
Smith, 1951
Ophia D. Smith, »Frederick Eckstein, The Father of Cincinnati Art«, in: Bulletin of the Historical and Philosophical Society of Ohio, Nr. 9, Oktober 1951.
Smith, 1967
Ophia D. Smith, »A Survey of Cincinnati Artists: 1789–1830«, in: Bulletin of the Cincinnati Historical Society Nr. 25, Januar 1967.
Vitz, 1989
Robert C. Vitz, »The Queen and the Arts, Cultural Life in Nineteenth-Century Cincinnati«, Kent/Ohio/London 1989.
Whittredge, »Autobiography«
John I. H. Baur, Hrsg., »The Autobiography of Thomas Worthington Whittredge«, New York, 1969.

1 Die beste Darstellung von Frederick Eckstein findet sich noch immer bei Smith, 1951. Siehe auch Gerdts, 1990, Bd. 2, 179–81. – Frederick Franks, der 1826 eine Kunstgalerie in Cincinnati eröffnete, ist sowohl als Deutscher beschrieben worden (von Vitz, 1989, 34, sowie von Smith, 1967, 9, der ohne Bekanntgabe einer Quelle behauptet, daß er in München und Dresden studiert habe), wie auch als Schwede (von Smalley, 1949, xxxiv), aber auch als »aus Schweden gebürtiger, in Deutschland ausgebildeter Maler« (von Gerdts, 1990, Bd. 2, 180). Es gibt kaum eine gesicherte Dokumentation über Franks, und man muß wohl in Erwägung ziehen, daß es sich bei ihm um den englischen Künstler handeln könnte, der die zweiundzwanzig Aquarelle im British Museum malte und 1844 starb. Franks war zu irgendeinem Zeitpunkt der Besitzer oder Leiter des Western-Museums in Cincinnati, aber wenn es sich bei ihm tatsächlich um den 1844 verstorbenen Frederick Francs handelte, dann kann er nicht der Schwede ge-

wesen sein, der das Museum leitete, als Frederika Bremmer die Stadt 1850 besuchte (vgl. Smalley, 1949, xxxiv, und Frederika Bremmer, »The Homes of the New World: Impressions of America«, New York 1854).
Dagegen berichtet Donald Ralph MacKenzie in »Painters in Ohio, 1788–1860, with a Biographical Index« (Ph. D. Dissertation, Ohio State University, Columbus, 1960; S. 198), daß Frederick Franks ein Pseudonym für Nacht Och Dagg gewesen sei, einen Schweden, der sich dieses Pseudonyms bediente, »um aus Schweden ins politische Exil zu fliehen«. MacKenzie behauptet, dieser habe in Dresden und München studiert, bevor er in die Vereinigten Staaten kam und sich 1825 in Cincinnati niederließ. Falls MacKenzie recht hat, dann handelt es sich aber wahrscheinlich schon bei Nacht Och Dagg um ein Pseudonym, weil diese Worte entweder eine etwas abweichende Schreibweise der schwedischen Bezeichnung für »Tag und Nacht« darstellen oder ein Wortspiel sind.
2 National Republican and Political Register, 24 May 1825.
3 Die beste Darstellung über den Aufstieg und Niedergang von Ecksteins Academy of Fine Arts (Akademie der Schönen Künste) findet sich in Smith, 1951, S. 272–79.
4 Zur vollständigsten Darstellung von Whittredge, insbesondere der Phase seines Deutschlandaufenthalts, siehe Janson, 1989.
5 Whittredge, »Autobiography«, S. 21–22.
6 Janson, 1989, S. 37.
7 Whittredge, »Autobiography«, S. 26.
8 Janson, 1989, S. 41.
9 Whittredge, »Autobiography«, S. 63.
10 Ich habe Katharina Bott für die genaue Lokalisierung der Szene von Whittredge zu danken. Vielleicht besaß diese Ansicht für Whittredge eine besondere Bedeutung, weil sie an den Zusammenfluß des Little Miami-Flusses mit dem Ohio östlich von Cincinnati erinnerte. Selbst in den 1850er Jahren hatte der Little Miami River schon lange als malerischer Ort für Künstler gegolten.
11 Janson, 1989, S. 47.
12 Janson, 1989, datiert irrtümlich Westfälische Landschaft (Landscape in Westphalia, die er Landscape with Boy and Cows – Landschaft mit Jungen und Kühen – nennt) auf 1852. Es geht aber klar aus Whittredges Rechnungsbüchern hervor, daß es sich bei diesem Gemälde, das früher unter dem schlichten Titel Landschaft (Landscape) bekannt war, tatsächlich um das für George Ward Nichols geschaffene Bild handelt. Es wurde an das Museum anläßlich von dessen Eröffnung im Jahre 1886 ausgeliehen und schließlich von Nichols Tochter, der Comtesse de Chambrun, kurz vor ihrem Tod 1949 in eine Schenkung umgewandelt.
13 Whittredge, »Autobiography«, S. 30.
14 Janson, 1989, S. 47. Der von Janson zitierte Bericht über Whittredges Reise nach Dessau wird von ihm irrtümlich der S. 56 von Baurs Ausgabe der Autobiographie des Künstlers zugeordnet. Einen guten Überblick über die Bedeutung der Eiche für die deutsche Kultur bietet Simon Schama, »Landscape and Memory«, New York 1995, S. 100–120.
15 Esther T. Thyssen, Katalog-Eintrag zu Crossing the Ford. Platte River, Colorado, »American Paradise, The World of the Hudson River School«, in: Ausstellungskatalog, New York 1987, S. 186.
16 »Catalogue of Paintings and Sculpture exhibiting at the Firemen's Fair. Given by the Ladies for the Benefit of Fire Engine and Hose Co., No. 5 at Washington Hall« from 16 June 1845 (Katalog der anläßlich des Feuerwehr-Basars ausgestellten Gemälde und Skulpturen. Von den Damen zugunsten der Fire Engine and

Hose Co. No. 5 ab 16. Juni 1845 in Washington Hall veranstaltet.). McConkey stellte aus: *Der Fischer* (*The Fisherman*, Nr. 12), *Landschaft* (*Landscape*, Nr. 13), *Seelandschaft* (*Lake Scene*, Nr. 21) und *Rockland-See, New York* (*Rockland Lake, New York*, Nr. 67). Sie alle befanden sich noch im Besitz von McConkey. McConkeys Geburtsdaten sind unbekannt, aber bei der Volkszählung von 1850 wird sein Alter mit 29 Jahren angegeben.

17 Whittredge, »Autobiography«, S. 21.

18 Coles Rechnungsbuch, Albany Institute of History and Art.

19 Vitz, 1989, S. 29, behauptet, daß McConkey einen starken Einfluß auf das Schaffen von John Frankenstein und William Louis Sonntag ausgeübt habe. Doch ist nicht genügend von McConkeys Schaffen bekannt, um eine wie auch immer geartete Verbindung herzustellen.

20 McConkeys Aufenthalt in Rom läßt sich erschließen aus einem Gemälde mit dem Titel *Römische Ruinen mit Figuren* (*Roman Ruins with Figures*), das er 1848 bei der American Art Union ausstellte (Nr. 28; ca. 100×76 cm). Die Zitate über Paris stammen aus Whittredge, »Autobiography«, S. 21.

21 Gerdts, 1990, Bd. 2, S. 191.

22 Gerdts, 1990, Bd. 2, S. 185.

23 Die beste und auf den neuesten Stand gebrachte Darstellung von Mosler findet sich bei Gilbert, 1995, aus dem ich den größten Teil dieser Ausführungen entlehnt habe.

24 Gilbert, 1995, Nr. 66, führt eine Buchung in Moslers Rechnungsbüchern auf, die sich auf die McMicken School bezieht. Gerdts, 1990, II, S. 197 hat die Meinung geäußert, daß die Künstler in den frühen Jahren der Schule ihre Dienste ohne Bezahlung zur Verfügung stellten.

25 Gilbert, 1995, S. 32.

26 *Die Rückkehr* (*La Retour*), 1879, erhielt im Pariser Salon von 1879 eine ehrenvolle Erwähnung (Nr. 2196). Das Gemälde befindet sich nun im Musée Départemental Breton-Quimper.

27 Die beste Einführung in Duvenecks frühe Jahre und seine Karriere in Europa bietet Quick, 1987.

28 Quick, 1987, S. 16.

29 Quick, 1987, bringt Illustrationen von Duvenecks *Head of an Old Man in a Fur Cap* und zwei weitere Versionen dieses Themas (S. 18–19, Abb. 6, 7 und 8) sowie Duvenecks Fassung und eine andere Version von *The Caucasian Soldier* (S. 20, Abb. 9 und 10) und *Head of a Girl* (S. 21, Abb. 11 und 12).

30 Isidor Krsnjavi, »Der Kunstunterricht an der Münchener Akademie«, in: Zeitschrift für Bildende Kunst 15, 1880, S. 113–114, zitiert in: Quick, 1987, S. 22.

31 Josephine W. Duveneck, »Frank Duveneck: Painter-Teacher«, San Francisco, 1970, S. 38.

32 Zwar hält Quick, 1987, S. 25, dieses Gemälde für unfertig, doch die Ähnlichkeit mit Leibls Arbeiten, Duvenecks Signatur, das Datum und die Inschrift »Munich« legen nahe, daß das Bild – in welchem Zustand es sich auch immer befand, als Duveneck die Arbeit daran einstellte – vom Künstler für ausstellungsreif erachtet wurde.

33 Quick, S. 24, und Norbert Heermann, 1918, S. 74. – Zwar besaß Duveneck zweifellos eine rasche und spontane malerische Handschrift, doch muß man auch seinen von Heermann, S. 12, überlieferten Kommentar über die Malweise bei seiner *Frau mit Fächer* (*Woman with a Fan*) berücksichtigen, die sich heute im Metropolitan Museum of Art befindet. »Als er einmal bezüglich der Wiedergabe ihrer Augen und deren Tiefe befragt wurde, sagte Duveneck: ›Ja, in jenen Tagen hatte ich Augen wie ein Falke und doch malte ich zwei Tage an diesem einen Auge im Licht.‹«

34 Alle Briefe befinden sich im Nachlaß von Frank B. Duveneck und werden von Quick, 1987, auf S. 25–26 zitiert.

35 Kathleen A. Foster ist gerade dabei, eine Currier-Ausstellung für das Indiana University Art Museum zu organisieren, die Ende 1998 und 1999 stattfinden soll.

36 Henry James, »On Some Pictures Lately Exhibited«, in: The Galaxy, xx, Juli 1875, S. 89–97; zitiert von John W. McCoubrey, Hsg., in: »American Art 1700–1960, Sources and Documents«, Englewood Cliffs, New Jersey 1965, S. 166–167. – Sargent: Heermann, 1918, S. 1.

37 Carolyn M. Appleton and Natasha S. Bartolini, »Henry Farny 1847–1916«, Ausstellungskatalog, Austin, Texas 1983, S. 9–10.

38 Gerdts, 1990, Bd. 2, S. 200.

GERHARD BOTT

Der Tyler-Davidson-Brunnen in Cincinnati

»Die Enthüllung fand am 6. Oktober 1871 um 11 Uhr statt. Es war ein wunderschöner Tag. Die Stadt war mit vielen bayerischen Fahnen geschmückt. Um den ganzen Platz liefen Tribünen, die dicht mit Menschen besetzt waren. Die Balkone, Fenster und Dächer der Häuser waren voll von Zuschauern. 20 000 Personen wohnten der Feier bei. Der Erzbischof, der Stifter des Brunnens, die Spitzen der Behörden usw. hatten auf einer erhöhten Tribüne, einer Kanzel, Platz genommen… Die Enthüllung dauerte keine Sekunde und der Brunnen stand frei da. Wie ein Schleier war der Mantel der Umhüllung herabgefallen… Kaum war der Mantel entfernt, fing das Wasser zu rieseln an und zu sausen und wie ein Nebel kam es aus den Händen des Genius.«[1]

Ferdinand Miller II, der Sohn des Erzgießers und Inspektors der königlich-bayerischen Erzgießerei in München, berichtet so in seinen Lebenserinnerungen von der Einweihung eines monumentalen Stadtbrunnens in Cincinnati am Ohio. Den Guß der überlebensgroßen Figuren und der Reliefs sowie den Aufbau des Sockels und der ebenerdigen großen Brunnenschale aus den Granitbrüchen von Ackermann in Weißenstadt im Fichtelgebirge hatte die von seinem Vater geleitete Münchner Firma übernommen. Ferdinand Miller II war eigens zur Überwachung der Aufbauarbeiten und als Transportbegleiter »mit einem Monteur namens Preisinger« über den Ozean gekommen. Im Namen seines Vaters und für den entwerfenden Künstler bedankte er sich bei dem Stifter des Brunnens und bei der Bevölkerung Cincinnatis für den ehrenvollen Auftrag zum ersten in Nordamerika aufgestellten denkmalartigen Stadtbrunnen, der auch mitten in der Stadt als Trinkbrunnen dienen sollte.

Der Aufstellungsort des Brunnens war nicht zufällig Cincinnati. Seit etwa 1820 war diese Stadt unverhältnismäßig schnell gewachsen, und mit dem sich sammelnden Reichtum stellte sich ein enormes Selbstbewußtsein in der aufstrebenden Stadt ein. Schon seit 1819 gab es eine »Haydn Society« und seit 1815 ein Theatergebäude. 1820 wurde ein »Western Museum«

gegründet. Um diese Zeit schon nannte sich die Stadt »Queen City of the West«, und um 1840, als die Bevölkerungszahl auf 115 000 Personen gestiegen war, sprach ganz Nordamerika von Cincinnati als »Athens of the West«.[2]

Neben dem führenden Kulturleben in New York und im aufstrebenden Chicago hatten die kulturellen Aktivitäten in Cincinnati damals einen unangefochtenen und bewunderten Platz in Nordamerika. Der Anteil deutscher Emigranten und deutschstämmiger Einwohner schuf weitgehend die Voraussetzung dazu. Auf einem Sängerfest wurde 1846 in Cincinnati von drei deutschen Gesangvereinen der »Nordamerikanische Sängerbund« gegründet. Im 1859 eröffneten Opernhaus wurden Mozartopern, Flotows *Martha* und Lortzings *Zar und Zimmermann* neben Webers *Freischütz* aufgeführt. Der Deutsche oder in Deutschland ausgebildete Schwede Frederick Frank eröffnete 1830 eine Gallery of Fine Arts, und 1823 gründete der aus Berlin stammende Frederick Eckstein nach dem Vorbild der Philadelphia Academy of Fine Arts eine Kunstschule. Die Bildhauer Hiram Powers und Shobal Clevenger wurden seine Schüler. Bei einem Besuch des französischen Generals Marquis de Lafayette, der sich seit 1824 als Gast des amerikanischen Kongresses in Amerika aufhielt, modellierte im Mai 1825 Frederick Eckstein seine Gesichtsmaske genauso wie die des ihn begleitenden amerikanischen Generals und späteren Präsidenten Andrew Jackson.[3] Die Gipsbüste Lafayettes im Cincinnati Art Museum entstand nach dem Gesichtsabguß 1825.

Ein reich gewordener Bürger Cincinnatis, der 1820 in Connecticut geborene Henry Probasco, gestorben am 26. Oktober 1902 in Clifton, Ohio, hatte seit 1860 den Wunsch, an seinem Wirkungsort einen freistehenden großen Monumental- und Trinkbrunnen zu stiften. Er war seit seiner Ankunft in Cincinnati 1835 als Angestellter in der Eisenwarenhandlung Tyler Davidson tätig. 1840 heiratete er die Halbschwester seines Dienstherren und wurde dessen Partner. Die Firma Tyler Davidson and Company wurde zur führenden Fachhandlung im mittleren Westen.[4] In Clifton, nahe Cincinnati, errichtete Probasco einen Landsitz, »Oakwood«, den er sich von dem deutsch-amerikanischen Möbelentwerfer und -produzenten Gustav Herter 1858 üppig im Stil des 1848 ausgewanderten Württembergers einrichten ließ.[5] Ferdinand von Miller II berichtet von einem Besuch in der »schloßartigen Villa« Probascos: »Die Eleganz und der Reichtum an Kunstschätzen in seinem Haus waren fabelhaft: Bronzelüster und Kandelaber, alle emailliert... die schönsten Marmorfiguren, Gemälde moderner Meister wie Piloty, Wilhelm von Kaulbach und Gabriel von Max – wie in einem Museum. Und so hatte er auch den Ehrgeiz, als Kunstverständiger im Staate zu gelten.«[6]

Den letzten Ausschlag für Henry Probascos Plan, einen Stadtbrunnen zu stiften, gab der frühe Tod des Freundes und Partners Tyler Davidson im Jahr 1865. Ihm wollte er damit ein Andenken schaffen. Ferdinand Miller II nennt noch einen weiteren Grund: die Trinkwasserversorgung armer Bürger. Miller erzählt, Probasco »habe einmal auf der Straße einen Mann getroffen, den er zur Rede gestellt, weil er sich einen Rausch angetrunken habe. ›Ja, womit soll ich denn meinen Durst löschen?‹ habe ihm der Betrunkene erwidert. ›Man findet nirgends Wasser und (ich) muß zum Schnaps oder Bier greifen.‹ Das sei für ihn der Grund, warum er seiner Stadt einen Brunnen schenken wolle.«[7]

Nach dem Tod von Tyler Davidson zog sich Henry Probasco aus dem Geschäft zurück. Auf Reisen durch Europa suchte er seine Kunstsammlung in seiner Villa in Clifton zu erweitern. Er kaufte weiter Gemälde, alte Bücher und wertvolle Manuskripte. Sein Hauptaugenmerk richtete er auf die öffentlichen Brunnen in Frankreich, Italien und Deutschland. Doch überall fand er nur solche mit Figuren von verstorbenen oder mythologischen Herrschern, von griechischen Göttinnen und Göttern, von Meerjungfrauen, die ihm als anregende Vorbilder zum Andenken an seinen verstorbenen Partner und Freund nicht geeignet erschienen. Henry Probasco suchte eine neue, auch seinen Landsleuten verständliche Thematik, die er nirgendwo ausgeführt sah.

Da die Beziehungen des europareisenden Amerikaners zu München offenbar recht ausgeprägt waren, wie die Gemäldesammlung in seiner Villa beweist, kam er auf der Suche nach Brunnenvorbildern auch in die bayerische Hauptstadt und dort in die von Ferdinand Miller geleitete königlich-bayerische Erzgießerei. Mit großem öffentlichen Aufsehen war gerade die riesige Statue der Bavaria nach Entwürfen von Ludwig Schwanthaler 1843–1850, die König Ludwig I. von Bayern in Auftrag gegeben hatte, in der Gießerei gegossen worden. Sie war in ihrer Entstehungszeit etwas Singuläres.[8] Gleichzeitig bekam nach einem Wettbewerb Ludwig Schwanthaler von den Wiener Bürgern den Auftrag, für die Wiener Freyung einen Austria-Brunnen zu entwerfen.[9] Die Hauptfigur sollte von vier Standfiguren als Vertretern der Hauptflüsse der Donaumonarchie begleitet werden. Die Flüsse stehen auf kreisförmigen Podesten um einen hohen Säulenschaft, an dem vier dünne, aus Stein gehauene Eichenstämme emporwachsen, die sich in einer Astkrone mit Blütenkranz als Träger für den Sockel der Austria ausbreiten. Auch die überlebensgroßen Brunnenfiguren sind in der Münchner Erzgießerei gegossen worden. Der Brunnen wurde 1846 in Wien enthüllt.

Ohne Zweifel war damals die Erzgießerei von Ferdinand Miller die bedeutendste Gießerei in Süddeutschland, die auch in der Lage war, größte Aufträge auszuführen. Henry Probasco war gut beraten, als er 1866 ihre Räume in München betrat. Die Verbindungen der königlich-bayerischen Erzgießerei unter Ferdinand Miller zu den Vereinigten Staaten bestanden schon länger. Der amerikanische Bildhauer Thomas Crawford, der 1834 zu Thorvaldsen[10] nach Rom gegangen und wohl durch den dänischen Bildhauer in Kontakt zu Ferdinand Miller gekommen war, ließ zahlreiche Statuen für das riesige Washington-Monument in Richmond/Virginia 1855 in München gießen.[11]

Ferdinand Miller zeigte dem Amerikaner bei dessen Besuch verschiedene Entwurfzeichnungen für große Brunnenanlagen, darunter wohl auch die für den Austria-Brunnen. Sie mißfielen Probasco wegen ihrer inhaltlichen Aussagen. Im letzten Augenblick fiel Miller ein, daß August Kreling, ein Schüler des Bildhauers Ludwig Schwanthaler, einen schon älteren Entwurf für einen monumentalen Brunnen bei ihm gelassen hatte. Nach dem Lebensbericht von Ferdinand Miller II war der Brunnen zur Aufstellung in der ersten deutschen Industrie-Ausstellung im Glaspalast in München 1854 vorgesehen. »Mein Vater hatte schon die Arbeiten an mehrere Bildhauer verteilt und damit begonnen, die Architektur im Glashaus aufzubauen, als König Ludwig I. in die Gießerei kam. Er war so aufgebracht über eine solche naturalistische Auffassung, der jeder monumentale Charakter fehle, und über solche Verkommenheit in der Kunst, daß er am Schluß ausrief: ›Pfui Teufel, wie kann man solches

Zeug machen!‹. Mein Vater konnte sich nun nicht mehr entschließen, den Brunnen auszuführen, der das Mißfallen des Königs in so hohem Maße erregt hatte. Andererseits hatte er bereits Verträge abgeschlossen und mehrere tausend Gulden ausgegeben... So wanderte also der Entwurf Krelings wieder in des Vaters Mappe.«[12]

Die figuralen Teile und Reliefs am Brunnen sollten den »Segen des Wassers« zeigen, so nannte Ferdinand Miller dem Amerikaner Henry Probasco das Programm.[13] Es war daher nicht verwunderlich, daß Ludwig I., der am 20. März 1848 als bayerischer König abdanken mußte, bei einem Besuch in der Erzgießerei so negativ über den Entwurf und die ersten Arbeiten zu dem Brunnen von Kreling sprach. Der durch die Ereignisse von 1848 zutiefst getroffene Ludwig konnte sich nicht vorstellen, daß eine monumentale Brunnenanlage ohne allegorische oder mythologische Figuren und triumphierende Herrscherfiguren auskommen konnte. Als sein Sohn und Nachfolger Maximilian II. von Bayern 1864 starb, entschloß sich z. B. in München ein »Kreis- und Distrikts- resp. Localkomité«, ihm ein Denkmal zu setzen. Eine Ausschreibung für den Denkmalentwurf fand statt, an der sich auch der Schöpfer des späteren

Brunnens für Cincinnati, August Kreling, beteiligte. Er war, unter anderen, dazu aufgefordert worden. Sein Entwurf, von dem sich keine Erinnerung erhalten hat, wurde abgelehnt. Im Gutachten heißt es: »Die Formen als solche sind zu gestreckt, die Art der Bewegtheit doch mehr malerisch als plastisch bis auf den Faltenwurf...«[14]

Unter den Wettbewerbsteilnehmern war auch der Maler Eugen Napoleon Neureuther, der mehrere Varianten für ein bayerisches Königsdenkmal ablieferte. Einer seiner Vorschläge stellte die Figur des gekrönten Königs auf einen hohen geschmückten Sockel. Vier Springbrunnen, in denen das Wasser aus Schwanenhälsen sprudelte, sollten die Szenerie beleben.[15] So ähnlich sahen wohl auch Ludwigs I. Idealvorstellungen für einen Brunnen aus, und diese sah er nicht verwirklicht in der 1854 im Aufbau befindlichen Brunnenidee für die Industrie-Ausstellung.

Der Brunnenentwurf, den Ferdinand Miller dem Amerikaner Henry Probasco 1865 vorlegte, war schon über ein Jahrzehnt alt. Leider ist die Zeichnung August Krelings, die die Bestellung der Brunnenanlage nach sich zog, nicht mehr erhalten. Wie ein solcher Entwurf wohl ausgesehen haben kann, zeigt ein späterer Entwurf Krelings. Der Bildhauer hatte ein Jahr nach dem Besuch aus Cincinnati einen anderen Brunnen skizziert, der ebenso wie seine Idee zu einem Denkmal für König Maximilian II. von Bayern nicht ausgeführt wurde. Die Aquarellzeichnung in der Graphischen Sammlung der Stadt Nürnberg ist mit »AK« signiert und auf den 26. Oktober 1867 datiert (Abb. 1).[16] Gedacht war diese Brunnenanlage für den Egidienplatz in Nürnberg. Über einem hohen Sockelaufbau war als Bekrönung die weibliche Personifikation der Stadt Nürnberg vorgesehen. Sie trägt in der rechten Hand einen stilisierten mittelalterlichen Nürnberger Goldschmiedepokal, aus dem Wasser fließt. In runde Brunnenschalen auf hohen Balustersäulen sollte ebenfalls Wasser, vermutlich aus Tieren, die von nackten Personen gehalten wurden, strömen. Im unteren Bereich, der von einer Steinbalustrade umgeben war, sollten auf Rechtecksockeln – mit dazwischenliegenden Reliefs erzählerischer Szenen – vier sitzende und stehende Figurengruppen wohl berühmte Persönlichkeiten aus der Geschichte Nürnbergs darstellen. Der Entwerfer hat zur Verherrlichung der Geschichte der ehemaligen Reichsstadt ein figurenreiches Programm entworfen, wie es dem Geist und den Erwartungen seiner Zeit entsprach. August Kreling fühlte sich aus besonderen Gründen dazu berufen, diese Idee der Stadt seines Wirkens zu widmen, denn am 7. Januar des gleichen Jahres hatte er die Ehrenbürgerrechte vom Magistrat entgegengenommen.

August Friedrich Kreling wurde am 23. Mai 1818 als Sohn eines Bäckers in Osnabrück geboren. Er starb am 23. April 1876 in Nürnberg.[17] Der Vater schickte ihn wieder zu einem Bäcker in die Lehre, die der junge Kreling aber bald abbrach, um nach Hannover in die Polytechnische Schule zu gehen. Hier arbeitete er im Atelier des Bildhauers Ernst von Bandel, der 1834 nach Hannover gekommen war und zu dieser Zeit mit den Plänen eines monumentalen Denkmals für Hermann den Cherusker in Detmold beschäftigt war. Der Osnabrücker Maler Philipp Anton Schilgen und Ernst von Bandel sorgten dafür, daß August Kreling nach München geschickt wurde und nach dem Besuch der Vorklasse in der Münchner Akademie zur weiteren Ausbildung zu dem Bildhauer Ludwig Schwanthaler kam. Bandel und Schilgen waren mit dem vielbeschäftigten bayerischen Bildhauer aus der traditionsreichen Bildhauerfamilie befreundet. Nach einiger Zeit in Schwanthalers Atelier wandte sich Kreling unter Anleitung von Peter von Cornelius der Malerei zu. Ab 1844 stellte August Kreling in Münchner Kunstausstellungen aus.[18]

Damit begann für August Kreling eine erfolgreiche Zeit als Maler. Dem bayerischen König Ludwig I. widmeten 216 Künstler ein Album anläßlich der Enthüllung des Standbildes der Bavaria. Das Titelblatt war ein Aquarell von Kreling. 1850 lieferte er Entwürfe für die Deckengemälde im Logenhaus des Hoftheaters in Hannover. So war sein Ruf als Maler gefestigt, als er ein Angebot als Leiter der Kunstgewerbeschule in Nürnberg erhielt. Am 1. November 1853 trat er dort seinen Dienst an, den er in dieser Funktion bis 1874 versah. Seine Beliebtheit in Münchner Künstlerkreisen hatte ihn schon früher auch in das Haus des »Malerfürsten« und bayerischen Hofmalers Wilhelm von Kaulbach geführt. Gleich nach der Übersiedlung nach Nürnberg heiratete August Kreling die erst neunzehn Jahre alte Tochter Kaulbachs.

Auch in Nürnberg hatte Kreling als Reformierer der Kunstgewerbeschule großen Erfolg. Auf der Nürnberger Burg übernahm er Restaurierungsarbeiten, und für ihr neues Mobiliar fertigte er Zeichnungen. In der Sebaldus-Kirche erneuerte er die Kanzel, und er lieferte Entwürfe für Fenster in der zum Germanischen Nationalmuseum gehörenden Kartäuserkirche. Ihm war es zu verdanken, daß auch Wilhelm von Kaulbach für die gleiche Kirche ein Wandgemäl-

de mit der Darstellung der *Öffnung der Gruft Karls des Großen* malte, denn Kreling war mit dem Gründer des Museums, Hans von Aufseß, befreundet. Gleich nach seinem Dienstantritt in Nürnberg hat er ihn in dessen Studierstube gemalt.[19]

August Kreling leitete auch das Bildhaueratelier der Nürnberger Kunstgewerbeschule, das er neu hatte einrichten lassen. Der später berühmt gewordene Bildhauer Adolf von Hildebrand erhielt hier seit 1865 seinen ersten Unterricht: »Als ich in Nürnberg in der Kunstgewerbeschule von Direktor Kreling in den Modellierraum eingeführt wurde, bekam ich als erste Aufgabe eine Antike, einen weiblichen Kopf zu kopieren. Das war mir ein leichtes und in wenigen Tagen hatte ich die Büste fertig. Es war damals die Pariser Weltausstellung in Aussicht und die Schule sollte dort ausstellen, weshalb eine Reihe von Büsten großer Dichter etc. gemacht werden mussten...«[20]

Den ersten Auftrag für ein öffentliches Denkmal erhielt August Kreling 1861 für ein Standbild des Grafen Heinrich Posthumus von Reuß zu Gera. Es war zur Aufstellung anläßlich der 250-Jahr-Feier des vom Grafen gegründeten Geraer Gymnasiums Rutheneum bestimmt. 1945 wurde das Denkmal abgetragen. Es ist seither verschollen.[21]

Inhaltlich einen vollständig anderen Charakter als alle zuvor erwähnten Denkmäler hat August Krelings früherer Entwurf für einen Brunnen mit den Darstellungen des »Segens des Wassers«. In der Entstehungszeit der Entwurfszeichnung, die verlorengegangen ist, waren die Vorstellungen aus den revolutionären, demokratischen Vorstellungen des 48er Jahres erwachsen. König Ludwig I. reagierte solchen Ideen gegenüber naturgemäß empfindlich und mit Ablehnung. Die restaurativen Tendenzen nach dem Scheitern der Revolution ließen August Krelings Entwurf in der Schublade verschwinden. Erst ein Auftraggeber aus einer freiheitlich und demokratisch gesinnten »Neuen Welt« konnte den Wert und die Aktualität der künstlerischen Idee erkennen. Gerade in der Zeit, als der Entschluß zu einem Brunnenbau in Cincinnati gefaßt wurde, hatten die meist aus Deutschland stammenden politischen Flüchtlinge, die sogenannten »Forty-Eighters«, großen Einfluß auf das Gedankengut der amerikanischen Nordstaaten gewonnen. Die Frage der Abschaffung der Sklaverei bewegte Nord und Süd und führte schließlich zum Sezessionskrieg 1861–1865. Die Firma Tyler Davidson machte übrigens gute Geschäfte während dieses Krieges.

Der überraschende Tod des Schwagers und Teilhabers Tyler Davidson im Jahre 1865 traf Henry Pro-

basco tief. Die Idee, für dessen Andenken einen Stadtbrunnen zu stiften, wuchs zur Obsession. Probasco verkaufte seinen Anteil an der Firma, um sich ganz der neuen Aufgabe zu widmen.

Kurze Zeit nach der Einwilligung der Stadt Cincinnati in das Geschenk eines Brunnens durch Henry Probasco, die am 15. März 1867 vorlag,[22] traf der Spender den Erzgießer Ferdinand Miller in Paris, um den Kontrakt mit ihm abzuschließen. Danach müssen ein kleines Gipsmodell und das gleich große Bronzemodell entstanden sein, das im Sommer 1868 nach Cincinnati gelangt ist.[23] Die Daten zur Fertigstellung des Bronzemodells ergeben sich aus dem am 26. Mai 1868 von Ferdinand Miller beim Konsulat der Vereinigten Staaten von Amerika in München gestellten Antrag, zwei Kisten »enthaltend das Bronze Modell eines Brunnens nebst Stein Basis bestimmt für M. Probasco Esq. Cincinnati ausgeführt durch Ferd. v. Miller kgl. Erzgießerei in München« aus Deutschland aus- und in Amerika einführen zu dürfen. Als Wert wurden 300 Livres Sterling angegeben. Umgehend erhielt der »fabricant and shipper« ein »Certificate of Verification« von Henry Toomy, dem amerikanischen Konsul in München, unterschrieben.[24]

Henry Probasco verfolgte den Fortgang der Arbeiten aufmerksam, wie seine umfangreiche Korrespondenz deutlich macht. Ferdinand Miller wünschte z.B. von ihm und von Davidson Porträtfotos für Medaillons am Brunnen. Probasco lehnte ab und wählte dafür die Inschrift »To the People of Cincinnati Henry Probasco – Tyler Davidson, MDCCCLXXI«, die später am Sockel der Geniusfigur angebracht wurde.

Das kleine Gipsmodell ist ebenso wie die erste Entwurfs-Zeichnung nicht mehr vorhanden. Nur ein altes Foto (Abb. 2) aus dem Besitz der Familie Kreling in Osnabrück kündet noch von seiner Existenz. Henry Probasco muß ein ihm übersandtes ebensolches Foto besessen haben. Im Gesamtaufbau stimmte es mit dem wenig später ausgeführten Modell aus Bronze überein. Einige Figuren des Gipsmodells aber wurden entweder nicht ausgeführt oder anders plaziert. Auf dem alten Originalfoto des Gipsmodells sind mit weißer Deckfarbe die Stränge der gedachten Wasserstrahlen aufgemalt. Die Wasserstrahlen der Hauptfiguren sollten auf vier halbrunde Brunnenschalen treffen, die auf Balustern stehen und um den quadratischen Kern des Unterbaus geordnet sind. Im Mittelpunkt der Brunnenschalen sitzen Figuren, links ist ein Schwan zu erkennen. Hinter den Balustern unter den Brunnenschalen sind rechteckige Reliefs zu sehen, deren Darstellungen im Gipsmodell nur skizzenhaft wiedergegeben waren. In den abgeschrägten Ecken des Mittelblocks steigen Delphine mit ihren Schwänzen empor. Vor der im Umriß den Brunnenschalen folgenden Granitbasis sind auf quadratischen Sockeln Kinder mit jahreszeitlichen Attributen aufgestellt. Die gestenreichen Großfiguren vor der Mittelsäule aber sind die erzählenden Darsteller des Brunnenprogramms: Auf der Vorderseite, gegeben durch die frontale Ansicht der bekrönenden Geniusfigur, führt eine halbbekleidete Mutter ihren kleinen nackten Jungen zum Bad. Dem entspricht auf der Rückseite die Wohltat der jungen Tochter, die ihrem sitzenden, alten, kranken Vater in einer Schale Wasser reicht. Zu beiden Seiten bitten zwei zum Himmel blickende Männer um Wasser: Der Bauer, gestützt auf seinen Pflug, wünscht sich das kostbare Naß zum Erblühen seiner Felder. Der Mann mit dem leeren Löscheimer in seiner rechten Hand auf dem Dach seines brennenden Hauses erfleht Wasser zum Löschen. Die Figuren in heftiger Bewegung tragen ihre Geschichten dem Betrachter wie auf einer Bühne vor. So wie im kleinen Gipsmodell aufgezeigt, erscheinen die großen Figuren den Betrachtern des Brunnens in Cincinnati noch heute.

Henry Probasco wußte in stetigem Bemühen den Bürgermeister und die Stadträte zu überzeugen, wie wichtig die Errichtung eines solchen Brunnens für ganz Nordamerika sei. Am 22. Februar 1869, anläßlich einer Einladung in seinem Haus, sagte er: »We cannot measure ourselves at home, from the fact that there does not exist in the United States a single public fountain of any great importance, or claiming artistic merit.«[25] Die Frage nach einem günstigen und zentralen Standort gestaltete sich schwierig in der schnell wachsenden Stadt. Es gab an der 5. Straße zwischen Vine- und Walnutstreet einen großen, langgestreckten Marktplatz, der mit Verkaufsständen und Bretterbuden besetzt und bei Händlern und Bevölkerung gleichermaßen beliebt war. Für diesen Platz plädierte Henry Probasco während seiner Einladung: »May we not, then, dedicate the Fifth Street market space... forevermore to the people and their fountain?... Let us have running water in the heart of this great city. It will refresh the laborer in the morning as he wends his way to the day of toil... Shall not the work of German artists and German artisans, appealing to our German citizens from fatherland, stimulate them with the desire and hope that we shall continue to beautify and adorn every part of our city?«[26]

Freilich mußte der Marktplatz unter Protest der Händler gewaltsam von der Polizei für den Aufbau des Brunnens geräumt werden. Die Händler hatten vergeblich beim Obersten Gerichtshof geklagt. Während der Räumungsaktion entfalteten sie ein Spruchband mit der Inschrift: »Born in 1827 and died in 1870.« Im Frühjahr 1870 hat die Herrichtung des Platzes begonnen. 44 Bäume wurden gepflanzt und damit eine »Esplanade« um das ausgehobene Fundament angelegt. Hohe Kandelaber mit Gaslicht wurden von Christian Herter aus New York entworfen, dem Bruder des Gründers der Einrichtungsfirma Herter Brothers, die auch Probascos Villa »Oakwood« eingerichtet hatte. 16 Lampensäulen wurden rund um die Ellipse aufgestellt. Aus Sorge vor Randalierern mußte der mit einem Bauzaun ausgestattete Platz ständig von drei Wächtern bewacht werden. Allein die Herrichtung des nun »Fountain Square« genannten Platzes kostete 20000 Dollar. Der ausführende lokale Architekt hieß William Tinsley.[27]

Das kleine Bronzemodell (Abb. 3), das in Cincinnati aus München im Sommer 1868 angelangt war, variiert nur geringfügig das verlorengegangene Gips-

Abb. 3 August Kreling, Bronzemodell zu dem Tyler-Davidson-Brunnen in Cincinnati, 1868, Bronze, Höhe 115 cm, Rückseite: Figur Genius des Wassers (falsch mit der Vorderseite aufgesetzt), Cincinnati Art Museum, Cincinnati OH

modell und diente am 22. Februar 1869 als sichtbares Argument zur Bewilligung der Vertreibung der Marktstände und zur Herstellung des Aufstellungsortes. Geschickt war dieser Tag für die Präsentation gewählt worden: Es war das Geburtstagsdatum von George Washington. Das perfekte Bronzemodell mit seinen minutiösen Detailwiedergaben des Brunnens hat seine Wirkung getan. Das Modell zeugt von der überragenden technischen Gußperfektion der Münchner Erzgießerei. Die dem sie tragenden Säulenkern vorgesetzten Säulen der Mittelstütze sind gedreht; auf dem Gipsmodell wie in der Bronze-Ausführung erscheinen sie ohne diese gedrehten Profile. Die Delphine in den Ecknischen des quadratischen Brunnensockels des Gipsmodells haben ihren Standplatz verlassen, den nun im Bronzemodell Kinderfiguren mit ihren auf das Wasser bezogenen Attributen einnehmen. Die querrechteckigen Reliefs an den Sockelseiten geben im Bronzeguß im Kleinformat

Abb. 4 August Kreling, Die Schmiede, 1872, Bronzerelief mit den Kräften und Wohltaten des Wassers vom Tyler-Davidson-Brunnen in Cincinnati (Foto Cincinnati Historical Society)

deutlich die Szenen wieder, die ihre späteren großformatigen Ausführungen zeigen. Frei aufgestellt neben dem Brunnenaufbau erscheinen vier sitzende Kinderfiguren, von denen eine mit Kapuze als Personifikation des Winters deutlich wird.

August Kreling mußte mit seinen Schülern in Nürnberg die großen Modellfiguren aus Gips für den Guß in München vorbereiten. Im Jahresbericht der Schule 1869/70 findet sich der Eintrag, daß sein Schüler Locher (?) »in Lebensgröße modellierte figürliche Teile eines Brunnens« gefertigt hat.[28] Von allen großfigurigen Gußmodellen gibt es in der Cincinnati Historical Society Fotografien aus dem Nachlaß Probascos, der sie wohl als Beleg über den Fortgang der Arbeiten am Brunnen erhalten hat.[29] Auf dem alten Foto, das das

Gußmodell des Hauseigentümers zeigt, der um Wasser zum Löschen fleht, steht auf dessen linker Seite noch ein händeringender Knabe, genau so wie auf dem späteren bronzenen Modell. Der Knabe ist bei der Ausführung weggefallen. Die anderen Fotos der großen Gipsmodelle zeigen die gleichen Figuren wie auf dem Bronzemodell und der Großausführung: die halbbekleidete Mutter, die ihren nackten Jungen zum Bad führt, von der Vorderseite des Brunnens (mit der Beschriftung »Das Baden«), und die Tochter, die dem alten kranken Vater Wasser zum Trinken reicht, als Gegenstück auf der Rückseite. Der Künstler war angehalten, neben diesen Figurengruppen in Nürnberg auch die Szenen der Reliefs für den Guß in Gips zu modellieren.

Abb. 5 August Kreling, Die Schiffahrt, 1872, Bronzerelief mit den Kräften und Wohltaten des Wassers vom Tyler-Davidson-Brunnen in Cincinnati (Foto Cincinnati Historical Society)

Auch August Krelings figurenreiche Vorschläge für die Reliefs an den vier Seiten des bronzenen Brunnensockels wurden in München gegossen. Beim ausgeführten Brunnen sitzen sie in Rahmen mit beidseitig angestückten Beschlagwerknachahmungen. Hier werden im erzählerischen und malerischen Stil Krelings die Kräfte und Wohltaten des Wassers deutlich: Auf dem Relief an der Ostseite: *Der Fischfang*, sitzt eine barbusige Frau am Steuer eines Ruderkahns mit Fischern, eine zweite Frau winkt am Bug dem fast erreichten Ufer entgegen. Diesem Relief steht die Schilderung der Wasserkraft einer unterschlächtigen Mühle mit großem Mühlrad gegenüber. Auf einem Esel wird das zu mahlende Getreide herangetragen: *Die Mühle*. Die Nordseite des Brunnens schmückt das Relief mit der Darstellung der Wasserkraft in Form einer Dampfmaschine: *Die Schmiede*. Männer schmieden Eisen auf dem Amboß, vor dem Eisenräder und Zahnräder liegen. Im Hintergrund zieht eine Dampflokomotive Güterwagen. Das Relief auf der Südseite stellt das qualmende Dampfschiff in den Mittelpunkt, dem eine Menschengruppe – Auswanderer? – zujubelt: *Die Schiffahrt*. In diese Reliefdarstellungen sind Hinweise auf die vier Elemente verwoben: Vögel = Luft, Mehlsäcke = Früchte der Erde, Schmiede = Feuer, Schiffahrt = Wasser (Abb. 4, 5).

Ferdinand Millers jüngster Sohn, Ferdinand II, 1842 geboren und als Bildhauer und Erzgießer in München ausgebildet, der bei den Übergabefeierlichkeiten in Cincinnati anwesend war, erhielt den Auftrag, die Modelle für vier Knaben zu fertigen, die sich mit Wassertieren beschäftigen (Abb. 6). Diese sollten das Wasser zum Trinken spenden und am Rand der großen äußeren ebenerdigen Brunnenschale aufgestellt werden. Aus dem Schriftwechsel zwischen Cincinnati und München, zwischen Auftraggeber und Gießer, geht hervor, daß Henry Probasco den Wunsch geäußert hatte, diese Knaben am Rand des großen Beckens aufstellen zu lassen. Ihre lebendige und lockere Auffassung, die routinierte Detailbehandlung und der an Vorbildern, wie etwa den manieristischen Knabenfiguren des Fontana delle Tartarughe von 1585 in Rom, geschulte Blick für mehransichtige Körperlichkeit unterscheidet sich stilistisch grundlegend von den Figuren August Krelings. Die frontalen Ansichten der Figuren Krelings sind eher auf die malerischen Vorstellungen des Künstlers zurückzuführen.

Der ältere Bruder, Fritz, 1840 in München geboren, Goldschmied, Ziseleur und Kunstgewerbler, Schüler der Akademien in München und Berlin, wurde vom Vater angehalten, die ehemals für die Nischen

Abb. 6 Ferdinand Miller II, Knabe mit Schildkröte, 1872, Bronzefigur vom Rand des Tyler-Davidson-Brunnens in Cincinnati (Foto Cincinnati Historical Society)

Abb. 7 Fritz Miller, Kind mit Meerestieren, 1872, Bronzefigur vom Sockel des Tyler-Davidson-Brunnens in Cincinnati (Foto Cincinnati Historical Society)

Fritz Miller zeichnete 1870 auch Entwürfe für die an den äußeren Knabenfiguren angeketteten metallenen Trinkschalen in drei Varianten. Zwei davon hatten auf einer Seite Henkel. Die Zeichnungen haben sich in der Cincinnati Historical Society erhalten. Auf alten Fotos der ausgeführten Knaben sieht man die an der Plinthe angeschraubten Ketten für die Gefäße. Aus den Mäulern der Tiere floß das Trinkwasser.

Fünf Jahre dauerte es, bis der Entwurf in die Wirklichkeit umgesetzt werden konnte. Die politisch unruhigen Verhältnisse in Mitteleuropa spielten dabei eine Rolle. Der Deutsch-Französische Krieg 1870–71 verhinderte eine schnelle Fertigstellung des Projekts. Der Grundstein wurde am 12. Juli 1870 gelegt. Erst nach dem Friedensvertrag vom 10. Mai 1871 konnte daran gedacht werden, die Bronzeteile des Brunnens in München herzustellen. In der Gießerei wurden dafür nach dem deutsch-dänischen Krieg von 1864 erworbene dänische Geschütze als Rohmaterial verwendet. Bevor die Bronzeteile des Brunnens verpackt wurden, stellte die Gießerei die gesamte Komposition zur Probe auf. Ferdinand Miller II erzählt dazu eine Anekdote, die einen angeblichen Sinneswandel Ludwigs I. von Bayern schildert, der den Aufbau im Hof der Gießerei begutachtete. Als man erklärte, »daß ihn (den Brunnen) ein amerikanischer Bürger seinen Mitbürgern zum Geschenk gemacht habe, da habe der König gesagt: ›Vor einem solchen Bürger zieht ein König seinen Hut‹.«[31]

Mit einer Sondergenehmigung – die deutschen Eisenbahnen wurden zur Rückführung französischer Kriegsgefangener gebraucht – fuhren die Waggons mit den Brunnenfiguren in riesigen Kisten nach Cuxhaven an die Nordsee, wo sie am 23. August 1871 auf das Dampfschiff »Westphalia« geladen wurden. »Schon bald ergoß sich ein Strom von Auswanderern… Kinder, Greise, Juden, auf das Schiff und nach einer Stunde war es so überfüllt, daß man sich nicht rühren konnte. Als die Dampfpfeife ertönte, begann eine Militärkapelle zu spielen und unter Schluchzen und Weinen der Frauen und Kinder setzte sich das Schiff in Bewegung«, schildert Ferdinand Miller II die Abfahrt des kleinen Bootes, das ihn und den begleitenden Monteur auf dieses vor der Elbmündung ankernde Schiff »Westphalia« zur Atlantiküberfahrt brachte. »Am 6. September lagen wir vor New York… Probasco erwartete mich mit seiner Frau am Landeplatz und wich von da ab aus Höflichkeit nicht mehr von meiner Seite…«[32] Noch während des Monats September kamen die Bronzeteile in Cincinnati an.

Bei den Einweihungsfestlichkeiten war Ferdinand Miller II als einziger Abgesandter aus Deutschland

der Bronzebasis gedachten Delphine durch Knaben zu ersetzen (Abb. 7, 8). August Kreling wollte als Ersatz für die Fische Gnomen und Nymphen darstellen, Fritz Miller aber blieb bei seinen Vorstellungen näher an der Realität und schlug Knaben vor, deren Attribute sowohl auf die Vorzüge des Wassers wie auf den Wechsel der Jahreszeiten hindeuten sollten. Ein Junge, der seine Schlittschuhe bindet, trägt die schon bei August Kreling erkennbare Kapuze als Zeichen für den Winter, während der Knabe oder das Mädchen, das sich eine Korallenkette umbindet, mit einem Blumenkranz im Haar, den Sommer vorstellen kann. Der Fischerknabe mit dem Netz voller Meeresfrüchte und der an der Muschel lauschende Knabe sollen sich wohl die beiden übrigen Jahreszeiten teilen. Ferdinand Miller II freute sich besonders über die Bewunderung, die den vier Kindern in den Ecknischen zuteil wurden, »die mein Bruder Fritz modelliert hatte, und von diesen wieder gefiel der Schlittschuhläufer am besten«.[30]

anwesend. Er vertrat seine Firma und den abwesenden Entwerfer August Kreling. Die Eröffnungsreden sind bei William F. Poole wörtlich abgedruckt, die Namen der deutschen Traditionsvereine mit ihren Liedern sind genannt, und so steht dieses Fest mit allen Einzelheiten vor unsern Augen. Besonders eindrucksvoll war die Ansprache des Rabbi Dr. Max Lilienthal von der Synagoge an der Mound Street, die mit den Worten begann: »For I was born in Munich, the German modern Athens, from whence the noble Fountain comes... and many a day I have spent, as a boy and a young man, in the renowned atelier, in which the great sculptors Schwanthaler and Miller... were carving their masterpieces...« Danach brachte er ein Zitat seines Philosophie-Lehrers Prof. Dr. Manner, welches die Menge bewegte: »Europe will bring to America the arts and sciences, and America will give us, in return for them, liberty, civil and religious liberty, in the fullest sense of the word.«[33] In seiner Autobiographie, die ausführlich auf die Eröffnungsfeierlichkeiten eingeht, verschweigt Ferdinand Miller II die profunden Worte des Rabbi. August Kreling als entwerfender Künstler des Brunnens wurde in den zahlreichen Reden kaum erwähnt.

Es befinden sich zwei Signaturen am ausgeführten Brunnen. Auf dem bronzenen Sockelunterbau des quadratischen Innenblocks, unter dem an der Muschel lauschenden Knaben in der Ecknische, steht: »FERD. v. MILLER fundit München 1871«. Hier wird auf den Gießer des gesamten bronzenen Brunnenaufbaus hingewiesen. Die andere Inschrift befindet sich an der Plinthe unter dem Knaben mit den zwei Enten am Rand des großen ebenerdigen Brunnenbeckens aus Granit »FERD. MILLER jun fecit München 1871«. Die Künstlersignatur August Krelings läßt sich am gesamten Brunnenaufbau nicht finden. Der Kontakt zwischen ihm und Henry Probasco beschränkte sich auf eine Rechnungstellung und einen Dankbrief, künstlerisch relevante Anweisungen erhielt der Autor des Brunnens nicht.

Haupteffekt des ganzen Brunnens war schon am Eröffnungstag die Ausschüttung des Wassers aus den offenen Händen der bekrönenden Geniusfigur. Die Wasserversorgung des etwa 12 Meter hohen Brunnens machte der Stadtverwaltung zunächst Schwierigkeiten. 350 Fuß oberhalb der Esplanade mußte ein Wasserreservoir angelegt werden. 2000 Fuß lange kupferne Wasserleitungsrohre mußten zusätzlich in München angefertigt werden. Zwölf Stunden am Tag floß das Wasser von Juni bis September; in den übrigen Monaten waren es sechs Stunden, außer wenn es

Abb. 9 August Kreling, Genius des Wassers, 1872, Bronzefigur vom Aufbau des Tyler-Davidson-Brunnens in Cincinnati (Foto Cincinnati Historical Society)

Frost gab. Der gesamte Brunnen kostete 110000 Dollar, 30000 mehr als veranschlagt. 300 Goldfische wurden in New York zur Belebung des großen Wasserbeckens bestellt. Viel bewunderte Attraktion war das Eiswasser, das im Sommer aus den Tiermäulern unter den Knaben am Beckenrand zur Labung der Dürstenden floß.

Der *Genius des Wassers*, die 2 Meter und 70 Zentimeter große weibliche Hauptfigur des Brunnens (Abb. 9), nimmt mit den ausgebreiteten Armen einen Segensgestus auf, dem Bertel Thorvaldsen mit seiner populären und vielfach nachgeahmten Christusfigur von 1821 in der Frauenkirche in Kopenhagen vorbildliche Gestalt gegeben hat. Ebenso sei an Leonardo da Vincis Zeichnung einer männlichen Proportionsfigur im Kreis (im Anschluß an Vitruv, Accademia, Venedig) erinnert. Wie bei Thorvaldsen hat auch die weibliche Geniusfigur August Krelings nur eine flächige Vorderansicht. Wie verbindlich dieser Gestus der Darstellung des *Segens des Wassers* für Amerika

nens seines Lehrers Ludwig Schwanthaler übernommen (Abb. 10). Am Wiener Brunnen von 1844–46 steigen um einen runden Kern schlanke, gerade Äste empor, die einen Blattkranz als Untersatz für den quadratischen Sockel der allegorischen Stadtpersonifizierung tragen. August Kreling wandelte dieses Motiv nur wenig ab: Aus nachgeahmten frühgotischen Knospenkapitellen über vorgelegten Halbsäulen breiten sich bei ihm verschlungene Äste aus, die sich mit ihrem dichten Weinblattschmuck zu einer ausladenden Basis für den Sockel der Hauptfigur entfalten.

August Krelings Brunnenentwurf steht in einer langen formalen Tradition, die nur angedeutet werden kann. Henry Probasco, der Auftraggeber, hatte am Aufbau und Umriß der in Europa begutachteten Brunnen nichts auszusetzen; so übernahm er auch Krelings konservativen Aufbau ohne Verbesserungsvorschläge. Es war jene Idee des vertikalen Stadtbrunnens mit mittlerer Säule, auf der eine Statue angebracht ist. Die Mittelachse erhebt sich über einem horizontal ausladenden Bassin mit niedriger Brüstung. Vorbild war etwa Giambolognas Fontana del Nettuno in Bologna oder Ammannatis Fontana del Nettuno auf der Piazza della Signoria in Florenz. Die Augsburger Stadtbrunnen, der Merkurbrunnen auf dem Moritzplatz und der Herkulesbrunnen in der Maximilianstraße, beide nach Entwürfen von Adriaen de Vries, folgten diesem Schema. Henry Probasco mag auch den Brunnen Georg Raphael Donners am Neuen Markt in Wien gesehen haben, wo ihn vielleicht die Kinder mit den Flußfischen am Sockel inspiriert haben könnten. Solche oder ähnliche Knaben mit Wassertieren wünschte er sich am Rande des großen Beckens für seinen Brunnen in Cincinnati. Bei allen Brunnen dieser Reihe – zu der auch der Neptunbrunnen Georg Schweiggers für Nürnberg gehört, von dessen Existenz August Kreling sicher Kenntnis hatte – gibt es keine breit rauschenden Wasserfälle und architekturreichen Aufbauten wie etwa beim Vierströmebrunnen von Bernini auf der Piazza Navona oder bei der Fontana di Trevi in Rom. Der graphisch dünne Wasserstrahl aus einzelnen Quellpunkten, ebenfalls heimisch bei den Bronzegießern und Brunnenbauern des ausgehenden Mittelalters in Nürnberg, bestimmt die Brunnenfunktion. August Kreling folgte diesen Vorbildern, wenn er auch größere Wassermengen aus den ausgestreckten Händen der Geniusfigur niederfallen ließ. Ein Holzstich des Brunnens aus dem Jahr 1872 macht deutlich, daß das Motiv des herabstürzenden Wassers aus der Hauptfigur für den Künstler vorrangig war (Abb. 11).

Abb. 10 August Kreling, Mittelsäule vom Tyler-Davidson-Brunnen mit drei Figurengruppen: Segen des Wassers, 1872, Bronze, Tyler-Davidson-Brunnen, Cincinnati (Foto Cincinnati Historical Society)

wurde, zeigt ein Gipsmodell des Bildhauers Daniel Chester French, signiert und datiert 1913 mit der allegorischen weiblichen, halb bekleideten Figur *Spirit of the Waters* mit den gleichen waagrecht ausgebreiteten Armen für das Spencer Trask Memorial in Saratoga Springs, New York. Aus dieser Figur wurde später die überlebensgroße Bronzestatue *Spirit of Life*, züchtiger bekleidet und mit Attributen in den Händen versehen, einer Schale und einem Blumenzweig. Sie steht auf einem Felsstein inmitten einer runden Brunnenschale vor einer halbrunden Nische in Saratoga Springs N.Y.[34]

Ohne Bedenken hat August Kreling das Motiv der hohen Mittelstütze, auf der die Geniusfigur ihre Wasserstrahlen herabfallen läßt, als vegetabilisch lebende Form von der Mittelsäule des Wiener Austria-Brun-

Der in den Vereinigten Staaten und in Deutschland fast vergessene Bildhauer und Maler August Kreling hatte während der Arbeiten an seinem beinahe in der Schublade gebliebenen Entwurf für Cincinnati noch einen weiteren skulpturalen Auftrag zu erledigen. Weil der Stadt, die Geburtsstadt Johannes Keplers, des Entdeckers der Planetenbewegungen, wollte zu seiner Erinnerung ein Denkmal setzen.[35] Schon 1850 hatte man ein »Comité« gegründet, das dafür Geld sammelte. Nach einem Wettbewerb im Jahr 1863 erhielt August Kreling den Auftrag zur Ausführung des Denkmals. Die überlebensgroße Hauptfigur wurde 1867 bei Lenz-Herold in Nürnberg gegossen (Abb. 12). 1869 waren die Sockelfiguren und 1870 die Reliefs fertig. Am 24. Juni 1870 fand die feierliche Einweihung des Denkmals statt. Der Astronom sitzt wie ein Herrscher auf einem Thron, so wie etwa König Max Joseph von Christian Rauch aus dem Jahr 1835 in München. In der rechten Hand hält er einen Zirkel; neben ihm steht ein Himmelsglobus, auf dem seine linke Hand mit einer Schriftrolle ruht. Er schaut mit erhobenem Blick in den fernen Himmel. In den abgeschrägten Ecken des hohen Denkmalsockels aus Sandstein stehen die Bronzefiguren von Tycho Brahe, Kopernikus, Mästlin und des Uhrmachers Jobst Bürgi. Bei der Übergabe des Denkmals an die Öffentlichkeit erhielten der Bildhauer aus Nürnberg, der 1866 auch das Adelsprädikat erhalten hatte, ebenso wie der Herausgeber der Gesamtwerke Keplers, Christian Frisch, die Ehrendoktorwürde der benachbarten Universität Tübingen. »Der Himmel war seinem alten Vertrauten Kepler gewogen«, hieß es in der Lokalpresse: »die Figuren glänzen goldgelb im Sommerlicht…« Mit Beethovens Musik klang der Festakt aus: Der Stuttgarter Liederkranz intonierte den Gesang »Die Himmel rühmen des Ewigen Ehre«.

Auch ein Nürnberger Fabrikant, Theodor Cramer-Klett, Nachfolger des Gründers der Maschinenbau-Aktiengesellschaft (MAN), ließ sich von August Kreling um 1874 auf dem Grundstück der Firma in Wöhrd bei Nürnberg einen *Nymphenbrunnen* errichten. Er wurde nach einem Entwurf August Krelings von Hans Rößner modelliert und in der Firma des Auftraggebers gegossen. Von dem Brunnen hat sich die Brunnenfigur *Das Fischweibchen* erhalten, eine halbbekleidete Mädchengestalt mit hochgerecktem rechten Arm. Aus dem Fisch in der Hand sprudelte ehemals das Wasser in eine pokalförmige Brunnenschale, die auf einem 230 cm hohen Balusterschaft stand. Für die Wohnung Theodor Cramer-Kletts schuf August Kreling noch eine *Putto* genannte

Abb. 11 Anonym, The Tyler Davidson Fountain, Holzstich in: William F. Poole, The Tyler Davidson Fountain, Cincinnati 1872, Titelblatt

Abb. 12 JW, Das Kepler-Denkmal von August Kreling in Weil der Stadt, um 1870, Holzstich

Mädchenfigur, die ein Blumenbouquet in den hochgehobenen Händen hält. Beide Figuren stehen heute im Verwaltungsgebäude der MAN in Nürnberg.[36]

Nach dem Tode des Bildhauers und Malers August Kreling in Nürnberg begründete man aus seinem Nachlaß eine Stiftung, die die Mittel für den Bau eines Künstlerhauses in Nürnberg bereitstellen sollte. Eine Straße wurde in Nürnberg nach ihm benannt,

Abb. 13 August Kreling, Tyler-Davidson-Brunnen vor Hochhäusern in Cincinnati (Foto 1995, Privatbesitz)

der trotz zweimaliger Rufe nach außerhalb – 1864 an die Akademie in Wien und 1866 als Direktor an die Akademie in Berlin – dem Ort seines Wirkens in Bayern treu geblieben ist.[37]

Die spätere Geschichte des Tyler-Davidson-Brunnens in Cincinnati, wie er heute heißt, hat zuweilen skurrile Züge. 1872 brachen beide Hände der Geniusfigur ab. Die Münchner Gießerei schickte zwei neue Hände, die abgebrochenen Hände wurden einem medizinischen College als Anschauungsmaterial überwiesen. Schon 1879 war der Brunnen in einem so

schlechten Zustand, daß er gereinigt werden mußte. Den Auftrag erhielt ein herumreisender Klempner, der »so wenig für seine Reinigung und Wiederherstellung geeignet war, wie eine Putzfrau zur Restaurierung der Sixtinischen Madonna oder des Moses von Michelangelo«. Die Lokalzeitung schrieb am 6. August 1879, daß das Wasser, das vorher wie eine glückverheißende Segnung herabgeflossen war, nun wie aus Spüleimern geschüttet sprudelte. 1894 beschwerte sich sogar der Stifter des Brunnens, Henry Probasco, über die Vernachlässigung der Umgebung des Brunnens.[38]

Im Jahre 1968 war wieder eine Restaurierung fällig. Der gesamte Brunnen wurde abgetragen und in die Hände des Restaurators Eleftherios Karkadoulias gegeben, »an Athenian Greek in charge of fountain repairs«. Zur Wieder-Aufstellung suchte man einen neuen Platz im Zentrum der Stadt und fand ihn über einer Tiefgarage inmitten von hochgeschossenen Wolkenkratzern. Am 16. Oktober 1971, dem Jahrestag der ersten Enthüllung vor einhundert Jahren, wurde der neu erstandene Brunnen auf dem nun »Fountain Square Plaza« genannten Platz festlich mit Aufführungen der »Donauschwaben Dancers« der Öffentlichkeit übergeben (Abb. 13).

Noch immer erregten einige der nackten Figuren am Brunnen manche Einwohner im prüden Cincinnati. Am 14. Mai 1990 wurde der Mathematikprofessor Michael David Shapiro von der Ohio State University verhaftet, der auf den Brunnen geklettert war. »Shapiro told police he knows how Cincinnati feels about naked art and was expressing his concern by covering up the statues.« Schon am 27. November 1988 hatte Professor Dr. Herbert C. Preul von der University of Cincinnati den Vorschlag gemacht, den anstößigen Brunnen in den Ohio River zu stellen.[39]

Der heute als Wahrzeichen Cincinnatis geltende Tyler-Davidson-Brunnen war vielfach Gegenstand künstlerischer Beschäftigung. Herausragend ist das Gemälde von Joseph Henry Sharp, das wohl nach seinem zweiten Europaaufenthalt 1886–89 gemalt wurde.[40] Der in Bridgeport/Ohio geborene Künstler studierte in München unter Carl von Marr und Nikolaus Gysis und begleitete als einer der »Duveneck Boys« Frank Duveneck auf seiner Reise von München nach Italien und Spanien. In Cincinnati war er Lehrer an der Kunstschule. Auf seinem Gemälde umringen mehrere Spaziergänger den sprudelnden Brunnen auf der Esplanade mit den hochgewachsenen Bäumen. Der Brunnen erscheint bei Joseph Henry Sharp noch einmal am Rand eines Gemäldes von

1892 *Fountain Square* mit einer von einem Polizisten an der Bordsteinkante zurückgehaltenen, schaulustigen Menschenmenge.[41]

1 »Ferdinand von Miller erzählt«. Aufgezeichnet und herausgegeben von Eugen Stollreither mit einem Lebensbild von Alexander Heilmeyer, München 1932, S. 112. – William Frederick Poole, Bibliothekar an der Öffentlichen Bibliothek in Cincinnati, erhielt von dem Stifter des Brunnens, Henry Probasco, gleich nach der Enthüllung den Auftrag, über die Entstehung des Brunnens und die Enthüllungsfeierlichkeiten ein Buch zu schreiben, das in einer Auflage von 100 Stück gedruckt wurde: »The Tyler Davidson Fountain given by Mr. Henry Probasco to the city of Cincinnati by William F. Poole«, Cincinnati Robert Clarke & Co. 1872. Die Cincinnati Historical Society hat das Buch 1988 als Reprint neu aufgelegt.

2 Robert C. Vitz, »The Queen & The Arts. Cultural Life in Nineteenth-Century Cincinnati«, Kent 1989, S. 35. – 1845 pries die New York Tribune die Eigenschaften »wealth, genius, and beauty«, welche die »Western Metropolis« schmückten, und nannte Cincinnati »Paris of America«, »London of America« und »Athens of the West«.

3 1823 kam Frederick Eckstein nach Cincinnati. – Ophia D. Smith, »Frederick Eckstein, The Father of Cincinnati Art«, in: Bulletin of the Historical and Philosophical Society of Ohio, Oct. 1951, S. 266ff.

4 Mary S. March, »Henry Probasco and Ferdinand von Miller Create the Tyler Davidson Fountain«, in: Queen City Heritage, Spring 1987, S. 3, spricht von einer mysteriösen Herkunft Probascos, wie seine Enkel meinten. Sie erwähnt ihn als einen reichen Mann mit einer Einkommenssteuer im Jahr 1865 von 133000 Dollar gegenüber einem üblichen Steueraufkommen von 10000 Dollar. Quellen in der Cincinnati Historical Society Box 1, folder 6, Tyler Davidson Fountain Collection. – Robert C. Vitz, »Interlude Mr. Probasco and His Fountain«, in: »The Queen & The Arts«, a.a.O., S. 153, schildert die Firma so: »In the 1850s Tyler Davidson and Company ranked as one of the largest hardware firms in the entire West, making the two partners wealthy men…« Die Firma taucht in den Verzeichnissen von 1853, 1859, 1861, 1864 als Tyler Davidson and Caleb P. Marsh auf, ab 1865 als Tyler Davidson & Co. Marsh wurde ab 1865 Teilhaber bei der Firma Herter Brothers in New York.

5 Vier Foto-Ansichten des schloßartigen Anwesens mit einem bergfriedartigen Turm bei: William F. Poole, a.a.O., nach S. 108. – Alice Cooney Freilinghuysen, »Patronage and the Artistic Interior«, in: »Herter Brothers Furniture and Interiors for a Gilden Age«, Houston 1994, S. 89, nennt Henry Probasco einen der ersten Klienten Herters und erwähnt zahlreiche Gemälde europäischer Herkunft in seinem Haus. – Karen Zukowski and Carol Nagel, »The Artistic Expression of a Nineteenth-Century Merchant«, paper presented at the meeting of the Society of Architectural Historians, April 26, 1991, The Decorative Art Society Cincinnati, S. 12–17. – Der Bau der Villa begann 1858 im »Romanesque-Style«. Gustav Herter machte Entwürfe für die Wände und Möbel und das gesamte Holzwerk. Bei einer Auktion von Probascos Eigentum im Jahre 1899 erschienen Möbel, die »Herter Brothers« signiert und 1858 und 1868 datiert waren. »Cat. of the Important Collection… of Mr. Henry Probasco, Oakwood, Clifton, Cincinnati OH«, New York Fifth Avenue Galleries, Jan. 26 and 27,

1899 (vorgestellt beim Meeting der oben genannten Society of Architectural Historians 1991).

6 »Ferdinand von Miller erzählt«, a.a.O., S. 117f.

7 »Ferdinand von Miller erzählt«, a.a.O., S. 101

8 Frank Otten, »Ludwig Michael Schwanthaler 1802–1848. Ein Bildhauer unter König Ludwig I. von Bayern«, München 1970, S. 60ff.

9 Frank Otten, a.a.O., S. 77. Der Bildhauer arbeitete ab 1844 an den Modellen für den Brunnen.

10 Über Thorvaldsens Ruf und Einfluß in Amerika siehe: Lauretta Dimmick, »Mythic Proportion: Bertel Thorvaldsen's Influence in America«, in: »Thorvaldsen. L'Ambiente L'Influsso Il Mito Analecta Romana Instituto Danici Supplementum XVIII«, Rom 1991, S. 169. – Thomas Crawford ging von Cincinnati zuerst in eine New Yorker Werkstatt, die John Frazee und Robert Launitz betrieben. Der Deutschbalte Launitz kam durch seinen Onkel Eduard Launitz zu Thorvaldsen; er empfahl Crawford in dessen Werkstatt.

11 Die wechselvolle und schwierige Geschichte dieses Monuments und Crawfords Beziehungen zur Münchner Gießerei schildert Lauretta Dimmick, »An Altar Erected to Heroic Virtue Itself. Thomas Crawford and his Virginia Washington Monument«, in: The American Art Journal Vol. XXIII, Nr. 2, 1991, S. 4ff,. bes. S. 69, Anm. 123 und 125, S. 70, Anm. 144, 155.

12 »Ferdinand von Miller erzählt«, a.a.O., S. 102

13 »Ferdinand von Miller erzählt«, a.a.O., S. 101. – Miller berief sich darauf, daß er es war, der »seinem Freund Kreling« diese Idee vermittelt habe, berichtet sein Sohn: »Als junger Mann hatte er sich in Paris an der Tür einer Kirche eine Medaille mit dem Bild der Heiligen Jungfrau gekauft, aus deren ausgebreiteten Händen Lichtstrahlen segenspendend herniederflossen. Beim Betrachten dieser Medaille war er auf den Gedanken gekommen, daß man dieses Motiv für einen Brunnen verwerten könne, und so war, durch ihn angeregt, Krelings Skizze entstanden.«

14 Alfred Ziegler »Die Konkurrenzentwürfe zum Max-II.-Denkmal«, in: »Denkmäler im 19. Jahrhundert. Deutung und Kritik«, Hrsg. Hans Ernst Mittig und Volker Plagemann, München 1972, S. 125: »Qualitativ den letzten Platz nimmt das Modell Nr. IV des Nürnberger Akademieprofessors August von Kreling ein – Kreling, ein Mann von umfassender künstlerischer Erfahrung, war zwar als Maler und Bildhauer bekannt, sein Schaffen auf dem Gebiet der Denkmalplastik jedoch unbedeutend. Im Gutachten wird das Motiv Krelings mit dem das Königsschwert umwindenden Ölzweig gelobt: ›ein glücklicher Gedanke…welcher gleichsam es (das Schwert) in der Scheide fesselt und auf einen Ruhm hinweist, der auf idealeren Gebieten entsprossen ist‹.«

15 Alfred Ziegler, a.a.O., S. 119, Abb. 2, S. 354

16 Aquarell, 28×22 cm, signiert unten rechts: »AK 6tn Oct 67«, Museen der Stadt Nürnberg, Graphische Sammlung.

17 »August Kreling (1818–1876), Sein Leben und seine Werke, zusammengestellt von Ilsetraut Lindemann«, Osnabrück 1976. – Ilsetraut Lindemann, »August Kreling (1818–1876). Ein Beitrag zu seinem Lebensbild mit einem Anhang: Verzeichnis der noch nachweislich vorhandenen Werke Krelings«, in: Osnabrücker Mitteilungen Band 85, 1979, S. 115ff. – Wilhelm Schwemmer, »August Kreling, Kunstmaler«, in: »Industriekultur in Nürnberg, Eine deutsche Stadt im Maschinenzeitalter«, München 1980, S. 286f. – Rainer Kahsnitz »Die Gewinnung und Segnungen des Gaslichts. Zu einem neuerworbenen Glasfenster im Germanischen Nationalmuseum«, in: Anzeiger des Germanischen Nationalmuseums 1981, S. 115 (Glasfenster nach Entwurf von August Kreling). –

»Die Akademie der Bildenden Künste in Nürnberg«, Nürnberg 1983, S. 39 ff. (Tätigkeit Krelings als Direktor der Kunstgewerbeschule).

18 Ilsetraut Lindemann 1979, a.a.O., S. 118

19 »Hans Freiherr von und zu Aufseß in seiner Studierstube«, 23 × 31 cm, Öl auf Leinwand, Nürnberg nach 1853, Nürnberg, GNM, Inv. Nr. Gm 1156. – Für das GNM entwarf August Kreling einen Karton für ein Fenster mit der Darstellung der Gründung der Kartause für den König von Preußen als Stifter: »Das Germanische Nationalmuseum Nürnberg 1852–1977, Beiträge zu seiner Geschichte«, München/Berlin 1978, S. 24. – Über weitere Glasfensterentwürfe: Ilsetraut Lindemann 1979, a.a.O., S. 128 f. – Bei der Arbeit seines Schwiegervaters Wilhelm von Kaulbach am Fresko »Öffnung der Gruft Karls des Großen im Dom zu Aachen durch Kaiser Otto III.« in der Kartäuserkirche des GNM (bei Neubauarbeiten 1968 zerstört) half August Kreling 1852 mit: »Das Germanische Nationalmuseum«, a.a.O; S. 366. – Als Direktor der Kunstgewerbeschule war August Kreling von 1855 bis 1876 Mitglied des Verwaltungsrates des Germanischen Nationalmuseums: »Germanisches Nationalmuseum«, a.a.O., S. 1050; dort auch weitere Lit.

20 Ilsetraut Lindemann 1979, a.a.O., S. 136 f.

21 Ilsetraut Lindemann 1979, a.a.O., S. 131. Dem Künstler wurde die Anweisung gegeben, den Grafen in »Lebensgröße« und in spanischer Tracht darzustellen, wie ihn ein Ölgemälde auf Schloß Oberstein bei Gera zeigt. Auf Anfrage war bei der Stadtverwaltung Gera keine Auskunft über den Verbleib des Denkmals zu erhalten.

22 Abdruck der Bewilligungsakte bei William F. Poole, a.a.O., S. 14 ff.

23 Originalfoto des Gipsmodells 15 × 21 cm, Osnabrück, Kulturgeschichtliches Museum, aus Familienbesitz Kreling. Das Gipsmodell ist verloren gegangen. – Modell des Brunnens, Bronze, Cincinnati Art Museum mm Inv. Nr. 1952, 198.

24 Original im Cincinnati Art Museum. Es trägt die Aufschrift: »Consular Fee No. 157 $ 2.50« und ein amtliches Siegel. Dazu gibt es im gleichen Museum eine »Invoice Declaration«, unterschrieben von Miller vom 26. Mai 1868 sowie eine handschriftliche »Declaration« in deutscher Sprache von Miller, München 26. Mai 1868, folgenden Inhalts: »Declaration über 2 Kisten gezeichnet ›Probasco‹ enthaltend das Bronze Modell eines Brunnens nebst Stein Basis bestimmt für M. Probasco Esq. Cincinnati U. St. et. ausgeführt durch Ferd. v. Miller kgl. Erzgießer in München im Werthe von 300 L Lt (dreihundert Livres Sterling).« Den Hinweis auf die Aktenstücke verdanke ich John Wilson vom Cincinnati Art Museum, der mir auch sonst bei Recherchen großzügig weiterhalf.

25 William F. Poole, a.a.O., S. 30

26 William F. Poole, a.a.O., S. 32

27 William F. Poole, a.a.O., S. 27

28 Freundliche Auskunft von Frau Schmidt-Fölkersamb, Archivoberrätin am Staatsarchiv Nürnberg.

29 Mary S. March, a.a.O., Abb. S. 14 f. – Die alten Fotos werden in der Cincinnati Historical Society in der »Tyler Davidson Fountain Collection« aufbewahrt, in der sich zahlreiche Briefe, Protokolle und Rechnungsbelege befinden, die Mary S. March intensiv ausgewertet hat.

30 »Ferdinand von Miller erzählt«, a.a.O., S. 113

31 »Ferdinand von Miller erzählt«, a.a.O., S. 115; Ferdinand Miller II erwähnt diese Szene bei dem Bericht über seine in deutscher Sprache gehaltenen Rede in Cincinnati und sagte dazu: »Damit hatte ich das Richtige getroffen. Denn die Leute waren stolz, daß ein König eine solche Achtung vor einem amerikanischen Bürger hat. Jubelnder Beifall folgte.«

32 »Ferdinand von Miller erzählt«, a.a.O., S. 108

33 William F. Poole, a.a.O., S. 75; – In seiner geistreichen Rede berief er sich auf Heine als großen deutschen Schriftsteller, nannte Hiram Powers einen weltberühmten Künstler aus Cincinnati; den Schöpfer des Brunnens, August Kreling, vergaß er zu erwähnen.

34 »Spirit of the Waters« Spencer Trask Memorial, Saratoga Springs 1913, Gips 28,5 cm hoch, signiert »D.C. French/1913«, Chesterwood, Stockbridge: Kat. »Sketches and Bozzetti by American Sculptors 1880–1950«, Cincinnati 1987, Nr. 72, S. 78; Nr. 73, »Spirit of Life«, S. 79. – Donald Martin Reynolds, »Masters of American Sculpture«, New York/London/Paris 1993, S. 101 ff., Abb. 102.

35 Wolfgang Schütz, »So laßt denn die Hülle fallen…Vor 125 Jahren wurde das Keplerdenkmal in Weil der Stadt enthüllt«, in: Wochenblatt der Stadt Weil, Nr. 26, 26.6.1995. – Verkleinerte Modelle und Reliefmedaillons wurden als Bronzeguß und Gipsfigur verkauft. In einer Lotterie-Gewinnliste des GNM Nürnberg 1875 waren diese »Andenken« ebenfalls zu finden (Ilsetraut Lindemann, a.a.O., S. 20).

36 Elke Masa, »Freiplastiken in Nürnberg, Plastik, Denkmale und Brunnen im öffentlichen Raum der Stadt«, Neustadt/Aisch, o. J.; Kat. Nr. 303 »Fischweibchen« und Kat. 304 »Putto«, S. 282 und 283 mit Abb. – Beide Figuren seit 1967 am heutigen Standort, »Nymphenbrunnen« wohl in den 30er Jahren auf ein Grundstück der Hallerwiese versetzt. – Im Bericht der Kunstgewerbeschule in Nürnberg 1859/60 werden die zwei Figuren genannt; es heißt, sie seien in Zinkguß ausgeführt und von dem Schüler Kitschelt unter der Leitung und nach Zeichnung August Krelings modelliert, eine »Nixe zu einem Springbrunnen« und den »Frühling« darstellend. Freundliche Mitteilung von Archivoberrätin Schmidt-Fölkersamb vom Staatsarchiv Nürnberg.

37 Freundliche Mitteilung des Stadtarchivs Nürnberg aus Bestand C 71, Generalregistratur Nrn. 9977 und 9978.

38 Mary S. March, a.a.O., S. 17 f. – Henry Probasco schrieb 1894 einen Brief an die Stadtverwaltung von Cincinnati; besonders beschwerte er sich darin, daß »the once elegant oak benches« durch alte grüne Parkbänke ersetzt worden seien.

39 Nachricht aus der Tageszeitung »Cincinnati Post« in der Ausschnittsammlung der City Library Cincinnati, die ich dankenswerterweise einsehen konnte. Hier noch weitere Beiträge aus lokalen Publikationen, die sich stets auf William F. Poole beziehen und keine neuen Quellen bringen.

40 Abb. bei Mary S. March, a.a.O., S. 2

41 Abb. bei William H. Gerdts, »Art Across America« II, New York 1994, S. 201.

GERHARD BOTT

Der schöne Schein

Stilleben für den amerikanischen Markt

Im Londoner Glaspalast der Weltausstellung 1851 war ein üppiges Möbelstück im Stil des Historismus von dem Pariser Möbelhersteller Alexandre-Georges Fourdinois ausgestellt, das in einer Holzschnittabbildung als vorbildhaft im gleichen Jahr auch in New York vorgestellt wurde. In seinem dreistufigen Aufbau wirkte das Möbelstück wie ein spätbarocker Altar. So gab es im oberen Teil ein rundbogig abgeschlossenes Mittelbild mit einem Blumen- und Früchtestilleben, darunter, sozusagen in der »Predella«, war als Holzrelief eine »Jagdbeute« mit einem erlegten Reh und einer darüber ausgebreiteten erschossenen Wildente zu sehen.

Das um die Mitte des 19. Jahrhunderts reich gewordene amerikanische Bürgertum begann um diese Zeit, sich ganze Wohnungseinrichtungen für seine neuen schloßähnlichen Paläste entwerfen und von Einrichtungsfirmen ausstatten zu lassen. Zum Beispiel ließ sich 1858 der wohlhabende Eisenwarenhändler Henry Probasco von dem nach 1848 aus Württemberg eingewanderten Möbelentwerfer und -produzenten Gustav Herter seinen Landsitz »Oakwood« bei Cincinnati vollständig einrichten. (Siehe Gerhard Bott, S. 151.) Die Firma Gustav Herters hatte erstmals 1853 in New York ein Eichenbüffet im Stil der Londoner Weltausstellung ausgestellt. Auch hier gab es im Mittelpunkt des vielgliedrigen Aufbaus eine von Ernst Plassmann, einem westfälischen Künstler, geschnitzte Tiergruppe als Jagdbeute. Später, als der Bruder des Firmengründers, Christian Herter, aus Deutschland ebenfalls nach New York übergesiedelt war, wurde die Firma Herter Brothers Furniture die gefragteste amerikanische Ausstattungsagentur. Zur Abrundung ganzer Ausstattungs-Ensembles gehörten zu Ende der fünfziger Jahre auch der dem Stil der Möbel angepaßte Bilderrahmen. Für Emanuel Leutzes Gemälde *Die Bilderstürmer (The Iconoclasts)*, gemalt 1846 in Düsseldorf, und für weitere Bilder im »drawing room« der Villa Ruggles S. More in Portland, Maine, wurde von Herter Brothers z. B. ein Rahmen zusammen mit der Ornamentik der Möbel-

stücke entwickelt, der den Eindruck entstehen ließ, als ob das Gemälde als *Trompe-l'œil* mit seinem perspektivischen Einblick in eine gemalte romanische Halle auf die Wand gemalt worden sei. Auf Fotos mit den Einrichtungen der Herter Brothers, wie etwa dem Dining Room der Milton S. Latham Residence in Melo Park, California, von 1872–1873 sehen wir neben dem Kamin mit darüber angeordnetem Geweih und geschnitzter Jagdbeute ein riesiges Landschafts-Stilleben. Besonders Christian Herter, der sich in Paris jeweils über die neueste Einrichtungsmode informierte, wird wohl auch Inhalt und Stil der Bilder mitbestimmt haben, die zum integrierten Bestandteil der Wohnungseinrichtungen gehörten und deren Ankauf vermutlich auch von den Einrichtungsfirmen vermittelt wurde.

Severin Roesen war einer jener um 1815 geborenen Künstler, die nach der mißglückten Revolution von 1848 aus Deutschland nach Nordamerika ausgewandert waren. Wie viele Einwanderer suchte er zuerst in New York ein neues Betätigungsfeld. Als handwerklich ausgebildeter Porzellan- und Emailmaler war sein Spezialgebiet die Blumen- und Früchtemalerei. Severin Roesen kam aus Köln, sowohl sein Vor- wie sein Nachname sprechen für diesen Geburtsort. Über seine Ausbildungszeit wissen wir nichts. Die großen Porzellanmanufakturen etwa in Sèvres, Berlin oder Wien hatten zu jener Zeit ihre eigenen Malschulen, die ihren Eleven die akribische Abschilderung von Blumen und Früchten als Dekorationsmotive für Vasen, Tassen und Teller beibrachten. Die Dekoration von Keramiken mit Blumen hatte ihre eigene Tradition, dazu kam die Vorliebe der Zeit für diese Schmuckmanier, die auf vielerlei Gerät, auf Textilien, Möbeln, Ofenschirmen und als Wandschmuck Platz fand. In Paris stellten Blumenmaler aus Sèvres jährlich im Salon ihre Ölbilder aus. In Wien bestimmte Josef Nigg eine entscheidende Richtung der Wiener Malerei des Biedermeier. Niggs Blumenbilder waren in trockenem detailreichen Naturalimus den niederländischen Vorbildern von Jan van Huysum

(1682–1749) und der Rachel Ruysch (1664–1750) nachempfunden. Die Wiener Porzellanmanufaktur beschäftigte unter seiner Leitung mehr als 50 Blumenmaler. In Düsseldorf malte Jakob Lehnen Blumen- und Früchtestilleben in ähnlich akribischer Detailtreue.

Severin Roesen muß mit einer vergleichbar soliden Ausbildung nach New York gekommen sein. 1847 soll er in Köln Stilleben ausgestellt haben. In der American Art Union in New York konnte er von 1848 bis 1850 elf Stilleben verkaufen. 1858 tauchte er in Baltimore auf und war 1863 in Philadelphia. Es ist anzunehmen, daß er 1859 bis 1870 in Williamsport, Pennsylvania, eine Werkstatt hatte. Zuletzt wurde er 1873 in Brooklyn, New York, genannt. William H. Gerdts nimmt an, daß Roesen im Laufe seiner Arbeitszeit in den Vereinigten Staaten zwischen 300 bis 400 Stilleben angefertigt hat.[1]

Severin Roesen hat in Amerika offenbar einen großen Absatzmarkt für seine leicht verständlichen, dekorativ gemalten Stilleben gefunden. Seine Früchtestilleben mit Trauben, Pfirsichen und Melonen sind formal streng aufgebaut. Auf einer oder zwei gemalten Marmorplatten, übereinander gestaffelt, füllen Früchte und Weinblätter die ganze Bildfläche, als haber der Maler einen *horror vacui* empfunden. Severin Roesen verwendete in den Früchtestilleben häufig einmal gefundene Motivzusammenstellungen mehrmals. *Master Compositions* wurden so in Varianten wiederholt. Als Vorbilder kommen Bilder von Johann Wilhelm Preyer (1803–1889) in Frage, querformatige, detailfreudig und minutiös gemalte und auf grauweiße Marmorplatten gesetzte Früchtestilleben mit Gläsern, Bilder, die Severin Roesen in Düsseldorf gesehen haben kann. Oft, wie auf dem ausgestellten Bild aus Philadelphia (Kat. Nr. 69) steht eine gefüllte Sektflöte am Rand. Eine Sektflasche an höchster Stelle des Bildaufbaus signalisiert Reichtum und Überfluß. Das Bild will damit Spiegel der bürgerlichen Gesellschaft Amerikas sein und verfolgt als Dekorationsstück über der Kredenz im Eßzimmer gleichzeitig den praktischen Zweck, über das Auge die Sinne zu reizen und damit den Appetit des Betrachters anzuregen. Das Früchte- und Blumenstilleben aus Santa Barbara (Kat. Nr. 70) ist unkonventioneller aufgebaut. Auf der grauweißen Marmorplatte steht nach links gerückt ein Weinglas mit einem bunten Blumengesteck, Rosen dominieren, von einer Kallablüte überragt. Glas und Blumengesteck hat Severin Roesen in fast identischer Anordnung noch einmal gemalt; das Bild befindet sich in der Nancy Koenigsberg Collec-

tion in New York. Eine geringfügig abgewandelte Fassung des Stillebens besaß 1981 die Coe Kerr Gallery. Vielfach entstanden in der Werkstatt Roesens großformatige üppige Blumenbilder, die sich in ihrer frischen und bunten Farbigkeit an Blumenbildern des 18. Jahrhunderts orientieren. Um die Mitte des 19. Jahrhunderts spielte in Amerika der Blumen-Symbolismus in der Literatur eine große Rolle. So mögen auch die Rosen und andere Blumen auf den Bildern von Severin Roesen für den damaligen Betrachter eine Bedeutung gehabt haben, die uns Heutigen nicht mehr vertraut ist.

Der Bedarf an dekorativen Bildern für die nach europäischem Vorbild eingerichteten Wohnungen in den amerikanischen Großstädten hat dazu geführt, daß Firmen mittels Katalogen auch Wandbilder im ganzen Land anboten. So versandte 1876 die Firma Louis Prang & Co., Boston, gegründet von dem bekanntesten Lithographen des letzten Jahrhunderts in Amerika, dem aus Deutschland eingewanderten Louis Prang, einen »Illustrated Catalogue« mit solchen Angeboten. Unter dem Titel »Dining Room Pictures« wurden *decorative prints* – Chromolithographien – als Früchtestilleben, auch mit hohen Sektflöten, vorgestellt. Die Bilder waren *Dessert* betitelt. Vermutlich hat sich Severin Roesen einer solchen Vermittlerfirma bedient; die große Zahl der von ihm gemalten und überall in Nordamerika anzutreffenden Bilder spricht dafür. Auch Wilhelm Hunzinger aus Krefeld und Georg Hetzel aus dem Elsaß verdienten sich ebenso wie viele andere Emigranten mit Stillebenmalerei in New York und Pittsburgh ihren Lebensunterhalt in Nordamerika.

Die in München von William Michael Harnett gemalten Versionen des anspruchsvollen großen Stillebens *Nach der Jagd (After the Hunt)* gehören zu den beliebtesten Bildern dieser Gattung in den Vereinigten Staaten. Auf einem gemalten Türflügel angebrachte Gegenstände wie Jägerhut, Jagdgewehr, Jagdtasche, Jagdhorn und Hifthorn sind wie die erbeuteten Vögel lebensgroß abgebildet. Der Maler beabsichtigte ein *Trompe-l'œil*, eine Augentäuschung, die dem Betrachter ein detailgetreues, mit Licht- und Schattenwirkungen plastisch wiedergegebenes gemaltes Abbild als vom Auge erlebbare »getäuschte« Realität erscheinen soll.

Diese »Augentäuschung« hat in der Malerei eine lange Tradition, von der schon in der Antike berichtet wird. In der niederländischen Stillebenmalerei des 17. Jahrhunderts fand sie ihre höchste Vollendung. In der amerikanischen Malerei des 19. Jahrhunderts wurde sie zu einem häufig gemalten Sujet, das besonders an der Kunstakademie in Philadelphia gepflegt wurde. Hier waren es zuerst die Kinder des »Patriarchen« einer vielköpfigen Künstlerfamilie, nämlich von Charles Peale, Wissenschaftler, Museums- und Akademiegründer, die am Beginn des 19. Jahrhunderts neben »Früchtestilleben« auch augentäuschende »Steckbretter« nach niederländischem Vorbild malten. Briefe, Druckschriften, Formulare wurden übereinander gesteckt und auf einem minutiös nachgebildeten Brett detailgetreu abgemalt, so daß der Eindruck einer wirklichen Steckwand entstand.

William Michael Harnett kam als einjähriges Kleinkind mit seinen Eltern aus Clonakilty in Irland um das Jahr 1849 nach Philadelphia. 1865 mußte er sich als Stecher für Stahl-, Kupfer- und Holzdrucke sein Geld verdienen, konnte aber ab 1866 die Pennsylvania Academy of the Fine Arts besuchen. In New York fand er 1870 wieder als Stecher Arbeit und schrieb sich dort im gleichen Jahr in der Cooper Union for the Advancement of Science and Art und später in der National Aacdemy of Design als Student ein. Bald danach stellte er zum ersten Mal in New York Früchtestilleben aus. Es entwickelte sich eine Freundschaft zu John Frederick Peto, einem Stillebenmaler, den er aus Philadelphia kannte. Beide Maler hatten auf New Yorker Ausstellungen mit ihren Stilleben Erfolge. John Frederick Peto liebte ebenso wie Harnett die Darstellungen von »Steckbrettern« und Trompe-l'œil-Stilleben.

Als gut ausgebildeter, erfolgreicher, nicht mehr junger Maler entschloß sich William Michael Harnett zu einer Bildungsreise nach Europa. Er brach im Oktober 1880 nach London auf, verließ die britische Metropole aber schon nach einem Jahr und nahm für sechs Monate eine künstlerische Arbeit für Johannes Cronau in Frankfurt am Main an. Im Oktober 1881 wollte er sich an der Münchner Akademie einschreiben, wurde aber, vermutlich wegen seines Alters, abgelehnt. Er blieb dennoch in München, schloß sich dem Münchner Kunstverein an und stellte 1883 zum ersten Mal im Münchner Glaspalast aus. Harnett blieb bis 1886 in Europa. Vor seiner Rückkehr nach New York lebte er noch einige Monate in Paris. Während seines Münchner Aufenthaltes beschickte er weiter kontinuierlich Kunstausstellungen in Philadelphia, Chicago, Newark, Louisville und New York mit Stilleben, die er in Nordamerika gut verkaufte.

In München gab es für den amerikanischen Maler für die Weiterentwicklung seiner Stilleben-Malerei viele Anregungen. Einmal waren da die Bilder in der

Alten Pinakothek, die alle Mitglieder der zahlreichen amerikanischen »Künstlerkolonie« in München intensiv besuchten. Oft kopierten die jungen Maler die ausgestellten Gemälde, besonders, dem Geschmack der Zeit folgend, die niederländischen Vorbilder. Um Wilhelm Leibl hatte sich ein Kreis von Malern gebildet, die das »Rein-Malerische« suchten. Der mit Harnett gleichaltrige Frank Duveneck aus Cincinnati hatte sich mit seinen amerikanischen Freunden, den »Duveneck Boys«, diesem Kreis genähert. Carl Schuch, ein Freund Wilhelm Leibls, wandte sich in der Zeit von Harnetts Aufenthalt in München fast ausschließlich der Stillebenmalerei zu. Auch Nikolaus Gysis aus diesem Kreis, ein gebürtiger Grieche, malte damals Stilleben. Wie ein *Trompe-l'œil* faßte er ein kopfüber hängendes gerupftes Huhn auf, das in seinem erbärmlich nackten Zustand allein vor einer gemalten Bretterwand hängt. Dieses Bild ist 1881 datiert und befindet sich jetzt in der Neuen Pinakothek in München. Goya y Lucientes hat zwischen 1808 und 1812 eine »Gerupfte Pute« eindrucksvoll gemalt. Sie hing damals in der Münchner Pinakothek jedermann vor Augen. Wie eine Antwort auf dieses und das Bild von Gysis malte William Michael Harnett 1882 in München sein Huhn auf einer gemalten schlichten braunen Bretterwand und nannte es *Plucked Clean (Sauber gerupft)*, heute in der Corcoran Gallery in Washington. Gewissermaßen als Pendant dazu hielt er im Jahre 1883 eine noch nicht gerupfte, hängende Meergans vor einer ebensolchen braunen Bretterwand fest (Kat. Nr. 72). Die Meergans könnte als Studie für die Verwendung dieses Vogels auf einer Folge seiner Bilder gedient haben, die er *After the Hunt (Nach der Jagd)* nannte und deren erste Fassung im gleichen Jahr 1883 in München entstand.

Munich Still Life (Münchner Stilleben) ist ein anderes, 1882 gemaltes Bild Harnetts benannt, auf dem besondere Objekte aufgebaut sind. Der Maler liebte es, Titelblätter einer Tageszeitung als Unterlage für seine kompositionell angeordneten Gegenstände auf einer Tischplatte auszubreiten. So legte er seinem *Munich Still Life* die zusammengefalteten »...Nachrichten...ener Anzeiger« vom 2. August 1882 unter. Darauf stellte er einen Steinzeug-Bierkrug mit Zinndeckel, daneben ordnete er eine Pfeife und einen ledernen Tabaksbeutel und fügte drei Rettiche hinzu. So hat er eine typische Münchner Biermahlzeit dargestellt. Der Maler Johann Wilhelm Preyer gilt als Erfinder dieser neuen Stillebenform, des sogenannten »Bockbier-Stillebens«. Diese Brotzeit oder Vesper, die alljährlich im Frühjahr anläßlich des Bockbier-Anstichs eingenommen wurde, hat Preyer getreulich wiedergegeben. König Ludwig I. von Bayern erwarb 1840 das erste Stilleben dieser Art von ihm. Dem Amerikaner Harnett muß diese Stillebenform gefallen haben, wie er auch sonst in seiner Münchner Zeit gerne Stilleben-Requisiten aus dem antiquarischen Bestand der »Alten Welt« holte – alte Bücher, verbeulte Zinnkannen, Trompeten, Ritterhelme usw. So nannte er 1881 ein Stilleben *Reminiscences of Olden Times (Erinnerungen an vergangene Zeiten)*.

Den künstlerischen Höhepunkt in William Michael Harnetts Münchner Zeit stellen zweifellos die vier dort gemalten Fassungen des Gemäldes *After the Hunt* dar. Das erste Bild dieser Serie wurde 1883 (San Marino CA, Art Collections, Huntington Library) gemalt, im gleichen Jahr folgt die wenig abgewandelte zweite Version (Columbus OH, Columbus Museum of Art, Kat. Nr. 73). 1884 veränderte er die einmal gefundene Bildform mit anderen Requisiten zu einer neuen Fassung (Youngstown OH, Butler Institute of American Art) – und nahm danach eine 1885 gemalte Version (San Francisco CA, Fine Arts Museum of San Francisco) nach Paris mit, um sie dort 1886 einem größeren Publikumskreis zu zeigen. Im Pariser Salon ausgestellt, fand dieses Bild dennoch keinen Käufer, was Harnett so sehr enttäuschte, daß er Paris ganz plötzlich verließ.

Die Bildidee der Jagdbeute ist ein altes Thema der niederländischen Stillebenmalerei. Gerne wurden diese meist großformatigen Bilder auch als »Dekorationsmalerei« für Raumausstattungen benutzt – und der französische König Louis XV. hatte gar bei seinen fast täglichen Jagden einen eigens mit der malerischen Aufnahme der Jagdbeute beschäftigten Hofmaler, Jean Baptiste Oudry, im Gefolge. In der Münchner Pinakothek und in anderen Museen hängen viele Gemälde dieser Bildgattung, die Harnett gesehen haben muß: von Willem van Aelst, Cornelius Biltius, Jan Fyt, Jan Weenix u. a. Direkte *Trompe-l'œil*-Vorbilder aber waren die verbreiteten Bilder der Haager Brüder Anthony und Johannes Leemans, die in der zweiten Hälfte des 17. Jahrhunderts lebten, und die Vorbilder von Christoffel Pierson aus der gleichen Stadt. Sie reihen Jagdgeräte, aufgehängt an dicken Nägeln, auf gemalte Wände zur Schaffung einer vollständigen Illusion von Wirklichkeit.

Jagdgeräte und Jagdbeute waren Attribute der männlichen Welt, die auch sonst Harnett in seinen Stilleben ausführlich ausbreitete: Bierseidel, Zeitung, Helme usw. Spinnt man diesen Gedanken weiter,

dann gehörten die gefälligen Stilleben mit Früchten und Blumen des Severin Roesen eher der weiblichen und häuslichen Welt an. Jagdprivilegien, die vordem dem Adel vorbehalten waren, konnten sich im 19. Jahrhundert reich gewordene Bürger ebenso kaufen wie Adelstitel. So adaptierte auch das wohlhabende Bürgertum in Nordamerika Jagdstilleben zum Schmuck seiner Wohnungen in Form von Gemälden, Farbdrucken oder auch Möbelschnitzereien. Der um die Mitte des Jahrhunderts aus dem Elsaß eingewanderte Fotograf Adolphe Braun stellte dazu Großaufnahmen solcher Jagdbeuten her. Harnett hatte, wenn auch auf eigenwillige Art, mit der Serie *After the Hunt* den Geschmack des aufstrebenden amerikanischen Bürgertums getroffen. Um so mehr war er vom Urteil des Pariser Publikums enttäuscht, das seinen amerikanischen Realismus nicht verstand und die neuartige *Peinture* der Impressionisten bevorzugte.

Wieder in New York zurück, hatte er weiter großen Erfolg mit seinem realistischen Stil der Stillebenmalerei und den *Trompe-l'œil*-Stücken. 1889 kam er noch einmal kurz zu einem Kuraufenthalt nach Wiesbaden und starb im Jahr 1893 in New York. John Frederick Peto, John Haberle, Richard LaBarre Goodwin – mit dem Thema *Hunting Cabin Door (Tür der Jagdhütte)* – u. a. führten die beliebt gewordene *Trompe-l'œil*-Malerei in den Vereinigten Staaten weiter.

Ganz anders faßte David Dalhoff Neal aus Lowell, Massachusetts, das 1870 in München gemalte gleiche Thema *After the Hunt* auf (Kat. Nr. 71). In einem halberleuchteten Raum mit einem Durchblick auf ein Butzenscheibenfenster sitzt der Jagdherr im historischen Kostüm an einem runden, mit einer Tischdecke bedeckten Tisch und läßt sich von einer jungen Frau mit Wein bedienen. Auf dem Tisch ist stillebenartig das Jagdgerät, die Jagdtasche, das kostbare Gewehr und ein Jagdhorn neben einem Blumengesteck und einem wertvollen Fayencekrug ausgebreitet. Ein Jagdhund bewacht die auf einer Decke auf dem Fußboden liegende Jagdbeute, einen Hasen und Federwild. Ein kleiner Spitz schaut aus seinem Versteck unter einem links am Tisch stehenden Stuhl zu. Aus dem Thema »Nach der Jagd« ist eine erzählerische Szene geworden, die viele Deutungen zuläßt, zumal sich alle Lebewesen auf dem Bild in einem geheimnisvollen Halbdunkel befinden und nur das Stilleben zunächst vordergründig ins Auge fällt. Auf einer Benefiz-Ausstellung zugunsten verwundeter Soldaten aus dem Deutsch-Französischen Krieg 1872 in München erregte das Bild großes Aufsehen. Auch in Amerika fand das Bild bald nach seiner Entstehung Beachtung und wurde in der Zeitschrift *The Aldine 5*, Nr. 11 im November 1872 veröffentlicht.

David Dalhoff Neal gehört zu den ersten amerikanischen Künstlern, die zur Ausbildung statt nach Düsseldorf nach München gingen. Gleich im ersten Jahr seiner Ausbildung heiratete er die Tochter eines angesehenen Münchner Künstlers, des Leiters der Königlichen Glasmalereianstalt Max Emanuel Ainmiller, und gehörte seitdem fest in den Kreis der Münchner Künstler. So arbeitete er sieben Jahre im Atelier des »Malerfürsten« Karl von Piloty als Historienmaler. Später, in Nordamerika, wohin er mehrfach seinen Wohnsitz zurückverlegte, malte er gerne Porträts einflußreicher Amerikaner. Der ganz in der Münchner Malweise aufgegangene Amerikaner starb 1915 in München.

Die Münchner Maler um Piloty oder des Leibl-Kreises malten nur gelegentlich Stilleben. Viele versuchten sich in Atelierbildern den malerischen Qualitäten von Stilleben-Objekten zu nähern. Wilhelm Leibl selbst schuf 1867 ein Stilleben mit einem Stuhl in einer Atelierecke mit »gewollter Unordnung«. Wilhelm Trübner, mit dem Neal freundschaftlich verkehrte, malte zu Beginn der siebziger Jahre in München Jagdstilleben. Trübner rühmte sich, Carl Schuch »auch für Stilleben abgerichtet zu haben«. Auch Wilhelm von Diez, der Lehrer vieler amerikanischer Studenten in München, breitete 1870 ein erlegtes Reh auf einem Bretterboden zu einem »Jagdstilleben« aus. So war es nicht ungewöhnlich, daß David Dalhoff Neal sich ebenfalls an diesem Thema versuchte, seiner Herkunft und Gewohnheit gemäß aber aus einem »Stilleben« eine lebendige Szene machte, die er in die »Butzenscheibenromantik« einer vergangenen Epoche versetzte. Seine Malweise wurde durch das Stillebenthema in keiner Weise zu einer neuen Sicht angeregt, so wie dies bei Carl Schuch in seinen Stilleben geschehen war. Schuch stapelte z. B. in seinem Atelier auf einem Tisch ein Arrangement zu einer »Trödelbude«. In einem späteren Bild fügte der Maler seinen Diener Matteo zu einem »Matteostilleben« hinzu. Matteo ist damit beschäftigt, Zinn zu putzen. Aus einem Stilleben wurde so, wie bei Neal, eine Erzählung.

Auch Joseph Frank Currier aus Boston lebte und arbeitete von 1870 bis 1898, also fast dreißig Jahre, in München. Er gehörte zum engsten Kreis um Frank Duveneck. Das Trio William Merritt Chase, Frank Shirlaw und Frank Currier wurde von den amerikanischen Studenten in München als »Heilige Dreifaltigkeit« bespöttelt. Die Stillebenmalerei war kein Hauptgegenstand von Curriers Münchner Studien, ebensowenig stand das Thema im Mittelpunkt des Interesses der übrigen amerikanischen Studenten, die sich im American Artists' Club zusammengeschlossen hatten. Ihre Aufmerksamkeit galt zunächst dem Portrait und dann der Landschaftsmalerei. Nelson C. White, der erste Biograph Curriers, berichtet aber, daß der von ihm bewunderte Maler außergewöhnlich stark an den Techniken der Ölmalerei interessiert gewesen sei, die er in allen malerischen Sparten einzusetzen versucht hat, so auch in der Stillebenmalerei. Die Nuancierung der »Farbe« Weiß habe dabei eine besondere Rolle gespielt. »In fact, Currier's painting of white is one of the greatest charms of his work«, schrieb White und betonte dabei, daß Curriers Vorliebe deshalb der Wiedergabe von geöffneten Austern in ihren Schalen galt, bei denen »the pearly white and the purplish black of the shells contrast with the ochrish gray of the slippery mollusks themselves.«[2] In Curriers Stilleben *Fish and Oysters* (*Fisch und Austern*, Kat. Nr. 74) ist die Auseinandersetzung mit der schwierigen Darstellung der »Farbe« Weiß am Beispiel der Austern und der weiß schimmernden Fischhaut hervorragend gelungen. Der Blick auf die Metallschüssel mit dem herabgerutschten Fisch und den ausgeschütteten Austern zeigt eine gewollte Labilität, die ein zusätzliches Bewegungselement in das Bild bringt, was dessen schillernde Farbigkeit unterstreicht. Die niederländische Stillebenmalerei liebte die gleichen Effekte. Juriaen van Streek hat auf einem Prunkstilleben aus den achtziger Jahren des 17. Jahrhunderts mit Austern in einer leicht schräg stehenden Platte, die herabzugleiten droht, ebenfalls an den unregelmäßigen Austernschalen alle Facetten des Weiß ausgespielt. Dieses Bild kann Currier in München in der Pinakothek gesehen haben.

John Ottis Adams aus Indiana wurde 1880 an der Königlichen Kunstakademie München in die Zeichenklasse von Gyula Benczur, einem ungarischen Schüler von Karl von Piloty, aufgenommen. Später lernte er bei Ludwig von Löfftz. Erstmals schickte er 1886 ein Bild zu einer Ausstellung der National Academy of Design nach New York. Ein Jahr später kehrte er in die Heimat zurück. In München war er zwei Jahre Präsident des American Artists' Club. Es war hier besonders William Merritt Chase, der ihm beratend zur Seite stand. Er wies ihn auch an, in der Pinakothek Bilder niederländischer Maler zu kopieren, und Chase war es auch gewesen, dessen 1869 auf der State Fair in Indianapolis ausgestelltes *Still Life with Watermelon* (*Stilleben mit Wassermelone*)

Adams bestärkt hatte, Maler zu werden. Auch die beiden in Indianapolis ansässigen Maler Jakob Cox und Barton S. Hays, die Lehrer von William Merritt Chase, malten Stilleben. Das *Stilleben mit Wassermelone*, heute im Birmingham Museum of Art, aufgebaut nach dem Vorbild niederländischer Stillebenmaler des 17. Jahrhunderts, beeindruckte John Ottis Adams so sehr, daß er es mehrfach in verschiedenen Variationen wiederholte. Das rote Fleisch der aufgeschnittenen Wassermelone, in dem ein Messer steckt, dominiert aus dem Dunkel des Hintergrundes heraus das Bild. Auf der Leinendecke, die den Tisch bedeckt, steht als Kontrast zur Melone eine Champagnerflasche. Die Mitte beherrscht ein hohes Glas, das sich unter einer Schale mit Trauben befindet. Auch Severin Roesen benutzte öfters diese Metapher für Reichtum und Üppigkeit.

John Ottis Adams hat sich in seinem 1883 datierten und mit der Beischrift »Munich« versehenen Stilleben im Aufbau der »stillstehenden Sachen« ebenfalls ganz nach niederländischen Anregungen gerichtet (Kat. Nr. 75). Im Mittelpunkt steht auf dem die ganze Platte bedeckenden gelben Tischtuch ein Porzellanteller mit Trauben und einer Zitrone, rechts daneben ein Deckelglas und ein gefülltes Weinglas. Im Hintergrunddunkel links sind ein Weinglas, eine schlanke Zinnkanne und ein Deckelkrug zu erkennen. Fast zentrisch in der Mitte überragt eine verkorkte Weinflasche ein davor stehendes Wasserglas. Auf einer Serviette links prangt eine Traube. Nach niederländischer Manier liegt ein Messer daneben, dessen Griff über die Tischkante ragt. John Ottis Adams kam es beim Malen dieses Stillebens darauf an, die malerischen Werte, die Nuancen der Farbigkeit, das Helldunkel der Szene in meisterhafter Weise darzustellen. Er befand sich damit im Wettbewerb mit den wenigen Stillebenmalern, die gleichzeitig in München tätig waren. Besonders Carl Schuch widmete sich in diesen Jahren der Stillebenmalerei.

Es war Alfred Stieglitz, geboren 1864 in Hoboken, New Jersey, der dem 13 Jahre jüngeren Marsden Hartley aus Lewistown in Maine buchstäblich die Augen öffnete. Mit seinen Eltern war Stieglitz zur Vervollständigung seiner Ausbildung von 1881–1890 in Deutschland gewesen. Er besuchte in Karlsruhe das Gymnasium und das Polytechnikum und studierte später an der Universität in Berlin. Seine ersten Fotografien machte er 1883 in Berlin, und von da an bestimmte die Liebe zur Fotografie sein Leben. Er schrieb über Fotografie, gab den *American Amateur Photographer* heraus und eröffnete zusammen mit

dem Maler und Fotografen Edward Steichen aus Milwaukee 1905 auf der Fifth Avenue Nr. 291 eine Fotogalerie »The Little Galleries of the Photo-Secession«, die später die Hausnummer »291« als Namen trug.

Marsden Hartley, der nach Abbildungen von Giovanni Segantini, die er in der Zeitschrift *Jugend* gesehen hatte, spätimpressionistische Landschaftsbilder und symbolistische Visionen malte, ging 1909 nach New York, und sogleich richtete ihm Alfred Stieglitz in seiner Galerie eine Einzelausstellung ein. Hier, in der »291«, sah Marsden Hartley Gemälde und Zeichnungen von Matisse, Picasso und Cézanne, die großen Eindruck auf ihn machten. Auch Zeichnungen und Aquarelle von Rodin und Lithographien von Toulouse-Lautrec lernte er kennen. Als Marsden Hartley aber gerade eingetroffene Stilleben von Cézanne sah, geriet er in große Begeisterung und schrieb an Alfred Stieglitz am 14. Oktober 1911: »When the Cézanne still life came last Friday I was utterly beside myself... (Als das Stilleben von Cézanne am vergangenen Freitag eintraf, war ich völlig außer mir...)«

Im Februar 1912 bekam Marsden Hartley seine zweite Einzelausstellung in der Galerie von Alfred Stieglitz. Danach schickte ihn der Galerist mit einem Stipendium für ein Jahr nach Europa. Der 35jährige amerikanische Maler blieb sechs Jahre außerhalb seines Heimatlandes. Zuerst, vom 11. April 1912 an, faszinierte ihn das Leben auf den Boulevards und in den Cafés von Paris. Hier traf er Gertrude Stein, die ihren Salon zeitgenössischen Dichtern und Malern geöffnet hatte. Bald stieß er auch zu einer deutschen Künstlergruppe, die sich im Restaurant Thomas am Boulevard Raspail traf. Auch der amerikanische Maler Charles Demuth gehörte dazu. Hier diskutierte man über die zeitgenössische Kunst in Deutschland und knüpfte Verbindungen. Kandinskys Buch »Über das Geistige in der Kunst« und der Almanach »Der Blaue Reiter« kamen in Hartleys Hände, und voller Neugier verließ er im Januar 1913 Paris zu einem dreiwöchigen Aufenthalt in Berlin. Ende Januar besuchte er auf dem Rückweg nach Paris in München Kandinsky und Gabriele Münter. Dies wird ihn bestärkt haben, Paris endgültig zu verlassen und sich in Deutschland niederzulassen. Die erste Station war München, wo er auch den zum »Blauen Reiter«-Kreis zählenden amerikanischen Maler Albert Bloch traf und Franz Marc kennenlernte. Die Kunstszene in München aber befriedigte Marsden Hartley nicht, denn bereits am 17. Mai 1913 ließ er sich in Berlin nieder. Im folgenden Winter besuchte er die Vereinigten Staaten und kehrte am 30. April 1914 wieder nach Berlin zurück. Trotz des Ausbruchs des Ersten Weltkriegs blieb er bis zum Dezember 1915 in Berlin. Herwart Walden stellte im Juli 1913 eine Serie seiner Gemälde in der »Ersten Deutschen Herbstausstellung« aus. Der Amerikaner war begeistert vom lebendigen und modernen Künstlerleben in Berlin und Deutschland. Besonders faszinierte ihn der Prunk mit Paraden und Macht-Darstellungen in der militärisch auftrumpfenden Reichshauptstadt, was sich in seinen halbabstrakten Offiziersbildern und *War Motifs (Kriegs-Motive)* niederschlug. Zurück in Amerika, das nun auch in den Krieg eingetreten war, wollte niemand diese Bilder beachten, die Titel trugen wie *Iron Cross (Eisernes Kreuz)* und *Portrait of a German Officer (Porträt eines deutschen Offiziers)*. Im Vergleich mit anderen Künstlerkollegen aber stand Marsden Hartley schon im Jahre 1913 »auf der Höhe der Neuerungen der europäischen Avantgarde«.[3]

Das *Still Life No. 1 (Stilleben Nr. 1*, Kat. Nr. 116) hat Marsden Hartley unter dem Eindruck der neuesten Stilleben von Cézanne und besonders von Matisse 1912 in Paris gemalt. Wohl durch die Vermittlung von Alfred Stieglitz, der Vizepräsident und Initiator des Ausstellungsunternehmens war, kam das Bild 1913 (Nr. 221) zur »International Exhibition of Modern Art«, der sogenannten Armory Show, nach New York, zusammen mit *Still Life No. 2* und sechs Zeichnungen. Matisse stellte gleichzeitig das 1911 gemalte Bild *Goldfisch und Skulptur (Les Poissons,* Nr. 404) und ein zweites Stilleben *Stilleben mit griechischem Torso* (Nr. 410) neben vielen Gemälden und Zeichnungen aus. Von Cézanne waren u. a. *Blumen* (Nr. 1068) zu sehen.

Eindeutig gaben Stilleben von Matisse das Vorbild für Marsden Hartleys *Still Life No. 1* ab. Besonders das Zusammentreffen der beiden Stilleben von Matisse und Marsden Hartley auf der »Armory Show« machte dies deutlich. Für seine stillebenhaften Gegenstände wie Glas mit Goldfischen, Blumenvase auf rundem Teller und liegende weibliche Figur schuf Matisse einen begrenzten Umraum mit Vorhang und Wandbrett. Auch Marsden Hartley gab wie Matisse seinen Gegenständen einen Platz in einer tiefenräumlich gegliederten Umgebung, die von bunten Tüchern begrenzt ist. Eine Schale mit Obst – fast ein Zitat von Cézanne-Stilleben – steht auf einem kastenförmigen Möbelstück; davor steht ein blaues Wasserglas mit einem Pfirsich. Daneben liegt eine rote Tomate und rechts neben dem Möbelstück will eine folkloristisch-mexikanische Henkel-Kanne an das Ursprungsland

des Malers erinnern. André Derains Stilleben *Fenster in Vers* (Nr. 344), gemalt 1912, das ebenfalls auf der »Armory Show« zu sehen war, folgte einem ähnlichen Schema. Hier gibt der geraffte Vorhang den Blick auf eine Landschaft im Hintergrund frei. So befand sich Marsden Hartleys *Still Life No. 1* auf der New Yorker Ausstellung der internationalen Avantgarde in vergleichbarer Gesellschaft.

1913 malte der amerikanische Maler in Deutschland das Bild *Abstraction with Flowers (Abstraktion mit Blumen)*, und auch später gibt es in seinem Werk immer wieder Stilleben, wie 1916 *Still Life No. 3 (Indian Corn)* oder *Manhattan Cocktail*, ca. 1916/17. Eine ganze Serie von Stilleben entstand zwischen 1916 und 1917 mit den Bildtiteln *Movement Nr. 4, Provincetown (Bewegung Nr. 4, Provincetown), Movement, Provincetown (Bewegung, Provincetown), Atlantic Window (Fenster zum Atlantik)*, 1917, *Orange and Apple with Bananas (Apfelsine und Apfel mit Bananen)*, 1918, bis hin zu *Autumn Leaves and Peppers (Herbstblätter und Paprika)*, 1942, oder *Maine Seacoast, Still Life (Maine-Küste, Stilleben)* ca. 1940/41.

Die Jahre in Europa, besonders in Berlin, prägten die künstlerische Handschrift Marsden Hartleys. Das Stilleben, das Hartley in Paris malte, ist eines der letzten gegenständlichen Bilder, das der Künstler geschaffen hat. Sein Aufenthalt in Deutschland und die Eindrücke, die er dort empfing, führten ihn geradewegs zur bedingungslosen Annahme der modernsten zeitgenössischen Strömungen. Der Weg zur abstrakten Kunst war eingeschlagen worden. Ein Abschnitt in der Kunstgeschichte der Neuzeit war zu Ende gegangen, ein neuer hatte sich durchgesetzt. Hartleys »Zugehörigkeitsgefühl« zur deutschen Kunst, so meinte Thomas W. Gaethgens, »entspricht dabei möglicherweise einer gemeinsamen romantischen Wurzel... Hartleys europäisches Œuvre bietet in diesem Zusammenhang ein anschauliches Beispiel für die Erkenntnis des Eigenen und die Adaption des Fremden, die häufig die fruchtbaren Kunstbeziehungen zweier Länder oder ganzer Kontinente auszeichnet.«[4]

Literaturhinweis:
Milton W. Brown, »The Story of the Armory Show«, New York 1988. – Kat. Alfred Frankenstein, »The Reality of Appearance. The Trompe L'Oeil Tradition in American Painting«, New York 1970. – Thomas W. Gaethgens, »Paris–München–Berlin. Marsden Hartley und die europäische Avantgarde«, in: »Kunst um 1800 und die Folgen, Festschrift Werner Hofmann«, München 1988. – William H. Gerdts, »Painters of the Humble Truth«, Columbia and London 1981. – William H. Gerdts, »Severin Roesen

ca. 1815– ca. 1872«, in: »The Preston Morton Collection of American Art«, Santa Barbara 1981, S. 133 ff. – Kat. »William M. Harnett«, Fort Worth and New York 1992. – Kat. »Marsden Hartley (1877–1943). Paintings and Drawings«, New York 1987. – Kat. »Dictated by Life. Marsden Hartleys German Paintings and Robert Indianas Hartley Elegies«, New York 1995. – Kat. »Herter Brothers Furniture and Interiors for a Gilded Age«, Houston 1994. – Jeanne Hokin, »Pinnacles & Pyramides. The Art of Marsden Hartley«, Albuquerque 1993. – Townsend Ludington, »Marsden Hartley. The Biography of an American Artist«, Boston/Toronto/London 1992. – Patricia McDonnell, »American Artists in Expressionist Berlin: Ideological Crosscurrents in the Early Modernism of America and Germany, 1905–1915«, Brown University Diss. 1991. – Dorothy Norman, »Alfred Stieglitz«, Hong Kong 1989.

1 William H. Gerdts, »Painters of the Humble Truth«, 1981, S. 84.
2 Nelson C. White, »The Life and Art of J. Frank Currier«, Cambridge 1936, S. 65.
3 Thomas W. Gaethgens, »Paris–München–Berlin. Marsden Hartley und die europäische Avantgarde«, in: »Kunst um 1800 und die Folgen, Festschrift Werner Hofmann«, München 1988, S. 380.
4 Thomas W. Gaethgens, a.a.O., S. 381.

JOANNA DEGILIO CATRON

Gari Melchers: Die Aufnahme eines Amerikaners in Deutschland

Gari Melchers war einer der beiden ersten Amerikaner, die bei der Pariser Weltausstellung von 1889 mit einem Großen Preis ausgezeichnet wurden. Mit dieser Ehrung, die ihn zum Hauptvertreter der vorherrschenden internationalen Kunstrichtung des akademischen Naturalismus abstempelte, hatte er im Alter von nur neunundzwanzig Jahren den Höhepunkt seiner Karriere erreicht. Als dann in Frankreich die naturalistische Malerei vom Impressionismus verdrängt wurde und fast über Nacht ihren Rückzug antrat, reagierte Melchers auf diesen Umbruch mit der Übernahme einer helleren Palette und einer dekorativeren Formensprache. Doch seine Bereitschaft, in seiner Malerei vom strengen Kompositionsstil des Akademismus abzuweichen und über ihn hinauszugehen, hatte ihre Grenzen, und er gewann nie mehr seinen Status von 1889 zurück (obwohl er um sein fünfundvierzigstes Lebensjahr als *hors concours* eingestuft wurde). Dies erklärt zum großen Teil, warum Melchers heutzutage weitgehend in Vergessenheit geraten ist und sich nur noch Kunstwissenschaftler und amerikanische Kunstbegeisterte an ihn zu erinnern scheinen.

Gleichwohl fand Melchers in Deutschland, wo sich Naturalismus und Impressionismus nebeneinander und gleichzeitig entwickelten, ein kongeniales Klima für seine *juste milieu*-Malerei (Malerei der richtigen Mitte). Wenn er auch weithin für einen amerikanischen Expatriierten der Pariser Schule gehalten wurde, so hatte Gari Melchers in der Hauptsache eine deutsche Ausbildung genossen, und das, was er Frankreich verdankte, erreichte ihn manchmal indirekt auf dem Umweg über deutsche Quellen. Ab 1895 bis über die Jahrhundertwende hinaus verdoppelte sich die Zahl der Bilder, mit denen er sich an deutschen Ausstellungen beteiligte, während seine Aktivitäten in der französischen Hauptstadt abnahmen. Melchers' deutsche Gönnerschar übertraf die Zahl seiner französischen Förderer bei weitem. Er besaß in Deutschland so viel Ansehen, daß ihm ab 1901 einflußreiche Lehrverpflichtungen angeboten wurden.

Die Stellung, die Melchers schließlich an der Großherzoglichen Kunstschule von Sachsen-Weimar annahm, entsprach praktisch einem Amt, mit dem großes Einkommen ohne viel Arbeit verbunden war. Dort blieb er bis 1915, als nahezu die gesamte Akademie wegen des Krieges geschlossen wurde. Doch unter dem zunehmenden Beschuß der Kritik, die ihn altmodisch fand und unempfänglich für den sich erhebenden Ruf nach einer subjektiveren und expressiveren Kunst, kam Melchers zu dem Schluß, daß die Zeit für ihn reif sei, in die Heimat zurückzukehren.

Die sich im Laufe seiner künstlerischen Entwicklung herauskristallisierende Neigung zu Deutschland ergab sich als natürliche Konsequenz aus seiner deutsch-amerikanischen Abstammung. Sein erster Lehrer war sein aus Deutschland gebürtiger Vater, der Bildhauer Julius Theodor Melchers (1829–1908). Melchers senior wurde in Soest in Westfalen geboren, studierte in Paris an der École des Beaux-Arts bei Carpeaux und Etex und modellierte später Dekorationen für den Kristallpalast, als dieser für die Londoner Weltausstellung von 1851 ausgestattet wurde. Nachdem er 1852 nach Detroit emigriert war, machte er sich einen Namen als Bildhauer von Gebrauchskunst und Lehrer für Malerei. Julius Melchers war ein »strenger und anspruchsvoller Meister der alten Schule«, und wir gehen sicher nicht fehl in der Annahme, daß Gari Melchers einiges von seiner peinlich genauen Schaffensweise vom Vater übernommen hat.[1]

Als Gari Melchers siebzehn Jahre alt war, entschied die Familie, er solle an der Königlich-Preußischen Kunstakademie von Düsseldorf studieren. Die beschauliche Stadt Düsseldorf galt 1877 nicht mehr als das Kunstzentrum, das sie noch zur Zeit von Julius gewesen war, aber sie war auch kein Paris, dessen »Lasterhöhlen« der Mutter des jungen Melchers Sorge bereiteten.[2] München, zu jener Zeit die führende Kulturmetropole Deutschlands, schied wahrscheinlich aus ähnlichen Gründen aus. Zudem würde sich Melchers in Düsseldorf in der Nähe seines in Dortmund lebenden Großvaters väterlicherseits, Johann Melchers, und unter dem Schutz seines Großonkels, Paulus Melchers, befinden, der Erzbischof von Köln war.[3]

Ab den 1870er Jahren war der an der Düsseldorfer Akademie geltende Lehrplan streng akademisch ausgerichtet und künstlerisch überholt. Besonderen Wert legte man auf eine gut durchmodellierte Formgebung, einen klarlinigen Realismus und auf eine sorgfältige altmeisterliche Ausarbeitung, während für Neuerungen wenig Raum blieb. Melchers schrieb sich im Oktober 1877 an der Akademie ein, um sich zum Figurenmaler ausbilden zu lassen. Zunächst wurde er der elementaren Zeichenklasse zugewiesen, wo Hugo Crola und Heinrich Lauenstein unterrichteten und die Studenten Kopien nach Holbein und antiken Abgüssen anfertigten.[4] Im folgenden Frühling hatte er so gute Fortschritte gemacht, daß er zum Zeichnen nach dem lebenden Modell bei Peter Janssen zugelassen wurde und sein Antiken-Studium bei Carl Müller fortsetzte. Im Laufe des Jahres 1878 unternahm der junge Melchers eine Reise nach München, und Ostern besuchte er die Weltausstellung in Paris.[5] 1880 trat er in die Malklasse von Julius Roeting und Eduard von Gebhardt ein, deren Unterricht er selbst nach Erhalt seines Diploms im Juli 1880 noch besuchte, bis er schließlich im April 1881 aus der Akademie schied.[6]

Die Düsseldorfer Akademie wurde lange Zeit mit der anekdotischen Figurenmalerei verbunden. Die Niederlande waren für deutsche Studenten ein beliebtes Reiseziel, und in den 1870er Jahren wurde die Genre-Tradition der holländischen Kleinmeister in Deutschland hoch geschätzt. Großenteils dank Gebhardt, der eine Zeitlang in Holland gearbeitet hatte, entwickelte sich die Akademie zu einem Zentrum für religiöse und profane Historienmalerei. Die Gemälde dieses Künstlers mit biblischen Themen waren mit individualisierten statt idealisierten Menschen bevölkert, eine Gepflogenheit, die auch Melchers' Gemälde kennzeichnen sollte.

Wilhelm Leibl (1844–1900) war in den 1870er Jahren der führende Künstler Münchens und spielte für den Fortschritt der deutschen Malerei am Ende des 19. Jahrhunderts eine bedeutsame Rolle. Im Jahr 1869 war Leibl von dem Realismus des französischen Malers Gustave Courbet (1819–1877) tief beeindruckt, den er aus erster Hand bei der Internationalen Kunstausstellung im Münchner Glaspalast und später in Paris erlebte.[7] Mit seiner Hinwendung zur Feinmalerei oder zu den »hyperrealistischen« Gemälden des zeitgenössischen Bauerngenres, in denen er

formale Anliegen über die romantischen oder sentimentalen stellte, entfachte Leibl in den 1870er Jahren eine Kontroverse: Die einen erklärten seine Bilder für modern, während die anderen sie wegen ihrer frankophilen Einstellung und ihrem »Kult der Häßlichkeit« kritisierten.[8]

Höchstwahrscheinlich lernte Melchers das Schaffen Leibls in München kennen, als er die Stadt 1878 als Student besuchte. Mit Sicherheit hat er Leibls Gemälde *Die Dorfpolitiker* (1876–77, Stiftung Oskar Reinhart, Winterthur, Schweiz) bei der Pariser Weltausstellung von 1878 gesehen. Nicht alle französischen Kritiker akzeptierten die Häßlichkeit von Leibls Menschen, doch waren sie allesamt beeindruckt von der Virtuosität seiner realistischen Darstellungsweise. Die eingeschränkte Farbskala des Werkes, die geradezu fotografisch genau erfaßten Details von Physiognomien und Kleidung, die Gegenwärtigkeit und Wirklichkeitsnähe seiner Protagonisten kennzeichnen es als frühes Beispiel eines bäuerlichen Naturalismus, eine Ästhetik, die den jungen Melchers zutiefst berührte und stark ansprach. Zehn Jahre später sollte Melchers mit seinem Gemälde *Die Lotsen* ein Echo auf die *Dorfpolitiker* schaffen, einer Komposition mit Männern aus der Arbeiterklasse, die er mit Treue zum Gegenstand und mit einer durchgehend blaugrau abgestimmten Palette wiedergab.

1881 schrieb sich Melchers an der École des Beaux-Arts in Paris ein, besuchte aber gleichzeitig auch die private Académie Julian, wo er bei Gustave Boulanger und Jules Lefèbvre studierte. Vom persönlichen Stil seiner Lehrer übernahm Melchers wenig, doch die Atmosphäre künstlerischer Unabhängigkeit und Aufgeschlossenheit gegenüber zeitgenössischen Themen, wie sie in der Académie Julian gepflegt wurde, war für seine künstlerische Entwicklung zum Naturalismus entscheidend. Dank seiner fundierten deutschen Ausbildung war Melchers bereits so weit fortgeschritten, daß sein Gemälde *Der Brief* (*The Letter*; 1881, Corcoran Gallery of Art, Washington, D.C.) nur ein Jahr nach seiner Ankunft in Paris in die Ausstellung des Salons aufgenommen wurde.

Während Jules Breton die bäuerliche Thematik Millets und der Maler von Barbizon fortsetzte und dem französischen Publikumsgeschmack entsprechend volkstümlich idealisierte, war es der neue Naturalismus eines Jules Bastien-Lepage (1848–1884) und seines Kreises, von dem sich Gari Melchers in Paris angezogen fühlte.[9] Bastien-Lepage glänzte zu diesem Zeitpunkt gerade als Liebling des Pariser Salons – und was der Salon sanktionierte, war für die Museen interessant und bei den Sammlern tonangebend. Ebenso eifrig auf geschäftlichen Erfolg wie auf die Zustimmung der Kritik bedacht, faßte Melchers den Entschluß, dem Beispiel der Naturalisten zu folgen.

Als Melchers die Pariser Weltausstellung von 1878 als Student besuchte, muß er den großen Erfolg, den Bastien-Lepage dort mit seinem Gemälde *Die Heuernte* (1878, Musée d'Orsay, Paris) errang, sehr bewundert haben. Das Außergewöhnliche und Faszinierende des Bildes für die Salonbesucher war der Eindruck, daß die in Licht und Luft eingebundene zentrale Gestalt auf der Wiese wirklich lebte, ein Effekt, den der Künstler erzielt hatte, indem er das Modell *en plein air* statt in einem Atelier mit Kunstlicht posieren ließ und es auch wirklich im Freien malte.[10] Um Stofflichkeit und Körperlichkeit zu suggerieren und in Vollendung darzustellen, malte Bastien-Lepage seine Sujets genauso, wie er sie sah. Von einem Publikum, das an die idealisierte Schönheit von Bretons frischen und kräftigen Bauern gewöhnt war, wurde die physische Häßlichkeit von Bastien-Lepages Landarbeiterin ebenso getadelt wie ihre beschränkt-einfältige Ausstrahlung, eine Kritik, die sich auch oft gegen die Bauern Leibls und Melchers' richtete. Dessenungeachtet hatte sich die naturalistische Richtung in Deutschland fest etabliert. Das machte den Weg frei für Melchers' Erfolg bei der dortigen Kritik und schuf gleichzeitig einen aufnahmebereiten Markt für seine Bilder.

Max Liebermann (1847–1935) war um die Jahrhundertwende der einflußreichste Maler Deutschlands. Mitte der 1870er Jahre begann er Reisen in die Niederlande zu unternehmen, wo er die breitpinselig gemalten pleinairistischen Darstellungen zeitgenössischen bäuerlichen Lebens kennenlernte, wie sie die einheimische Malergruppe pflegte, die als Haager Schule bekannt werden sollte. Dank Liebermanns Bemühungen fand die Haager Schule Eingang in Deutschland, wo sie sich aktiv an Ausstellungen beteiligte und weithin Bewunderung erregte. Der Kontakt mit der Haager Gruppe wirkte formal und thematisch auf Liebermanns Malvorstellungen ein, doch wurde er gleichermaßen von den Entwicklungen in Frankreich beeinflußt.[11] Ausgehend von der doppelten Inspiration durch holländische und französische modernistische Quellen, kombinierte Liebermann Themen aus der Arbeitswelt mit einem impressionistischen malerischen Vokabular, eine Neuerung, die ihm den Beinamen »Apostel der Häßlichkeit« eintrug. Zwei weitere deutsche Impressionisten, die dazu beitrugen, Bilder aus dem holländischen Leben po-

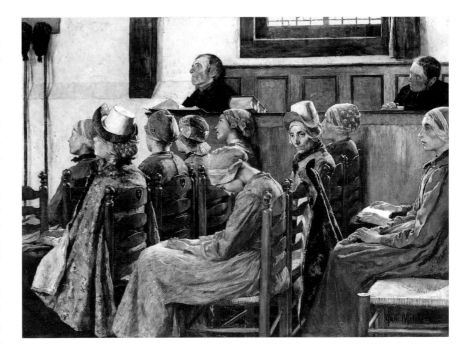

pulär zu machen, und die anregend auf Melchers wirkten, waren Fritz von Uhde (1848–1911) und Gotthardt Kuehl (1850–1915).

Ihrem Vorbild folgend, richtete sich Melchers sein erstes Atelier in Egmond-aan-Zee in Holland ein, das er mit seinem amerikanischen Malerkollegen George Hitchcock teilte. Melchers versenkte sich tief in die Motive der Gegend und hielt die Topographie ebenso fest wie die für diese Gegend eigentümliche Bauweise, die Sitten und Gebräuche. Dabei stand er stark im Bann der Haager Maler. Ursprünglich übernahm er von dieser einheimischen Schule verschiedene Aspekte, die seine deutsche Ausbildung ergänzten, einschließlich einer Vorliebe für dunkle Farbtöne und kleindimensionierte Interieurs und mit bäuerlicher Staffage belebte Landschaften. Mit raschen Schritten gelangte er zu einem reifen persönlichen Stil. Schon damals wurden seine besten Hervorbringungen regelmäßig den zeitgenössischen deutschen Arbeiten als Musterbeispiel vorgehalten.

Gari Melchers' Reputation beruhte auf der Ausdruckskraft seiner frühen holländischen Bilder, nämlich: *Die Predigt* (*The Sermon*, 1886, National Museum of American Art, Smithsonian Institution, Washington, D.C., Abb. 1), *Die Lotsen* (*The Pilots*, 1888, Charles and Emma Frye Art Museum, Seattle WA) und *Das Abendmahl* (*The Communion*, 1889, Cornell University, Ithaca NY). Alle drei wurden in der Pariser Ausstellung von 1889 als repräsentative

Abb. 1 Gari Melchers, Die Predigt, 1886 (The Sermon), Öl auf Leinwand, 157×220 cm, Washington DC, National Museum of American Art, Smithsonian Institution

eine Goldmedaille zuerkannt wurde. Das Werk besitzt ausgesprochene Ähnlichkeit mit der deutschen Genremalerei. Seine Größe ausgenommen, lassen sich seine solide Modellierung, sein kompositionelles Programm und auch sein narrativer Einschlag in ihrem Ursprung als Düsseldorfer Schulgut ausmachen.[12] Das Bild stellt eine optimistische Szene in gemeinschaftlicher Harmonie vor Augen, die an Liebermanns holländische *Nähschule im Amsterdamer Waisenhaus* (1876, Von der Heydt-Museum, Wuppertal) erinnert. Was das Streben nach unerbittlicher Naturtreue, Charakterisierung des Ausdrucks und Lokalkolorit betrifft, braucht das Gemälde den Vergleich mit Leibls *Drei Frauen in der Kirche* (1882, Kunsthalle, Hamburg, Abb. 2) keineswegs zu scheuen. Andererseits war Melchers in seinem objektiven Realismus nicht nur der künstlerische Erbe Leibls, sondern auch Bastien-Lepages, und sein schattenloses Licht, seine abrupt angeschnittenen Figuren und der etwas schräge Blickwinkel gehören ganz offensichtlich der Pariser modernen Richtung an. Was in Deutschland vielleicht am meisten Anklang fand, war die Tatsache, daß Melchers als Nicht-Franzose es verstand, die französischen Neuerungen in ihrer unaufdringlichsten Form nach Deutschland zu bringen.

In Deutschland zog Melchers weiterhin das Lob der Kritik und Ehrungen und Erfolge in Form von Medaillen, Verkäufen und Aufträgen auf sich. In den 1890er Jahren wurde das *portrait d'apparat*, eine Kombination von Portrait- und Genremalerei, die in Deutschland bereits große Beliebtheit genoß, zu seiner bevorzugten Gattung. Viele dieser Bilder strahlten auch eine starke spirituelle Aura aus, die in Deutschland geschätzt wurde, etwa *Lesende holländische Mädchen in der Kirche* (*Dutch Girls Reading in Church*, ca. 1890, Bayerische Staatsgemäldesammlungen, München). Als sie 1891 in Berlin bei der Großen Internationalen Kunstausstellung von 1891 gezeigt wurden, trugen die Gemälde Melchers eine Ehrenmedaille ein und zogen das Interesse privater Sammler auf sich, unter denen sich berühmte und einflußreiche Persönlichkeiten befanden. *Lesende holländische Mädchen in der Kirche* wurde an den Gründer der Deutschen Edisongesellschaft, Emil Rathenau, verkauft, den Vater des bedeutenden Staatsmannes Walter Rathenau. *Lesendes Mädchen* (*Girl Reading*) und *Die Stickerin* (*The Embroideress / Portrait Mrs. George Hitchcock*, ca. 1889, Privatsammlung) wurde von Rathenaus Schwiegersohn Arthur Gwinner erworben, dem Präsidenten der Deutschen Bank. *Die Familie* (*The Family*, ca. 1895) fand

Beispiele seines besten Schaffens des letzten Jahrzehnts gezeigt. Ihre Auszeichnung mit Preisen festigte Melchers' Karriere und besiegelte den Primat der naturalistischen Bewegung. Das Bild *Die Predigt*, das als erstes der Gruppe gemalt wurde, diente als Prototyp für die nachfolgenden Werke. Alle drei schildern eine Episode aus dem schlichten, frommen Leben der Holländer. Ihre Komposition beruht jeweils auf einem komplizierten Arrangement von Figuren innerhalb eines bühnenähnlichen Interieurs. Die in gleichmäßiges Licht getauchte Haupthandlung findet auf einer zentralen Bühne statt, die handelnden Personen sind nüchtern, präzise und in sachlicher Beschreibung wiedergegeben.

Als sie zum ersten Mal im Pariser Salon von 1886 ausgestellt wurde, trug *Die Predigt* aufgrund ihrer maltechnischen Meisterschaft und ihrer Affinität zum französischen Naturalismus Melchers eine ehrenvolle Erwähnung ein. Weit höher geschätzt wurde das Bild aber bei der Münchner Internationalen Kunstausstellung, wo ihm als erstem Gemälde eines Amerikaners

nach ihrem Debut in Paris keinen Käufer, wurde aber vom Nationalmuseum in Berlin gekauft, nachdem es bei der Internationalen Kunstausstellung von 1896 dort gezeigt worden war. Ebenso wurde *Der Schiffsbauer* (*The Shipbuilder*, ca. 1895) im Neuen Salon und in der Carnegie International, Pittsburgh, 1886 ausgestellt, bevor es in Dresden bei der Ersten Internationalen Ausstellung 1897 eine Bronzemedaille erhielt und für das Museum des Stadt erworben wurde.

Als Reaktion auf die Stilimpulse der 90er Jahre löste sich Melchers von der stark literarischen Bauernmalerei und übernahm modifizierte Züge aus dem Impressionismus und dem Symbolismus. *Die Geburt Christi* (*The Nativity*, ca. 1891), die im Jahr ihrer Entstehung in der alljährlichen Münchner Kunstausstellung gezeigt wurde, wies sich durch ihre impressionistische Maltechnik als fortschrittlich aus; dieser Stil begann sich insgesamt in Deutschland rasch durchzusetzen. Melchers paßte sich der deutschen gemäßigten Ausprägung des französischen Impressionismus an, indem er niemals die Integrität der Form optischen Effekten opferte. Sein freier Farbauftrag und seine Vermenschlichung des Übernatürlichen in der Manier von Uhdes *Die Straße nach Bethlehem* (1890, Neue Pinakothek, München), bewog einen Kölner Kritiker, ihn als »den letzten Vertreter der Elendsmalerei, der Fritz Uhde noch übertrifft«[13] zu proklamieren. Im Jahr darauf erhielt Melchers den Königlich-Bayerischen Orden 4. Klasse vom hl. Michael, eine Ehrung, die noch zweimal heraufgestuft wurde.

In den frühen 90er Jahren zeigte die deutsche Kunst sehr divergente Strömungen. Die Hofmalerei reflektierte allgemein das konservative Ideal des Pariser Salons. Im stilistischen Mittelfeld drängten Impressionismus und Naturalismus mit Unterstützung durch Liebermann, Uhde, Kuehl und Fritz Mackensen, der die Künstlerkolonie in Worpswede anführte, unaufhaltsam vorwärts. Die Verschmelzung von klassischer Zeichnung und romantischem Bildvorwurf in den Gemälden von Arnold Böcklin (1827–1901), Hans von Marées (1837–1887) und Max Klinger (1857–1920) stellten eine völlig neue Richtung in der deutschen Malerei dar, die sich der Nachahmung fremder Einflüsse enthielt und den Nährboden für die deutsche expressionistische Bewegung lieferte.

Es war nur natürlich, daß Melchers, der bereits nach einer gemäßigt progressiven Ästhetik arbeitete, 1892 eingeladen wurde, sich der Münchner Sezession anzuschließen, einer Ausstellungsgruppe, die innovativen Tendenzen offenstand und die französischen Impressionisten ermutigte, in Deutschland auszustellen, ungeachtet der dort herrschenden offenen Feindseligkeit.[14] Die Bilder, die Melchers zu dieser Zeit in Deutschland regelmäßig zeigte, offenbaren deutlich eine über das Inhaltliche hinausgehende gesteigerte Vorliebe zum dekorativen Muster und formalen Entwurf.

Melchers hatte sich seit 1882 an den belgischen Triennalen beteiligt.[15] Für sein dortiges starkes Engagement gab es mehrere Gründe, deren wichtigste darin bestanden, daß die Düsseldorfer Maler auf eine lange Tradition der Teilnahme am Antwerpener Salon zurückblicken konnten und der Naturalismus in diesem Land stark Fuß gefaßt hatte. Während er in dem gleichen liberalen Umfeld arbeitete, das dem Art Nouveau (Jugendstil) und dem Symbolismus Spielraum und Entfaltungsmöglichkeiten bot, begann Melchers langsam, seinen Naturalismus nach symbolistischen Richtlinien umzugestalten: Er versah alltägliche Dinge mit einer zusätzlichen hintergründigen Bedeutung und entsprach damit den neuesten künstlerischen Strömungen der Moderne. So verstand es der Künstler, in Bildern wie etwa *Die hl. Genoveva* (*Ste-Geneviève*, ca. 1895, verschollen) ein frisches Bauernmädchen durch einen hinzugefügten Heiligenschein und einen in sich versunkenen Gesichtsausdruck unschwer in eine Heilige und eine Metapher spirituellen Lebens zu verwandeln. Selbst wenn Melchers seinen symbolistischen Bildervorrat gelegentlich mittels einer altertümlichen Figurendarstellung intensivierte, wie etwa mit seiner *Hl. Gudula* (*Ste-Gudule*, ca. 1897, Privatsammlung), behielt er immer noch einen gewissen literarischen Blickwinkel bei und näherte sich niemals dem archaischen Mystizismus oder einer radikalen Darstellung an. Seine oberflächliche Übernahme des Symbolismus in einen naturalistischen Kontext machte seinen Stil einem breiteren und zumeist konservativen deutschen Publikum schmackhaft.

Melchers' Ausstellung bei der Großen Berliner Kunstausstellung von 1900 war ein großer Erfolg in kommerzieller Hinsicht und bei der Kritik. Dank seiner Bekanntheit und zweifellos durch die Empfehlung von Düsseldorfer Freunden, die als Mitglieder im Auswahlkomitee saßen, wurde Melchers ein eigener Ausstellungsraum ganz für sich allein eingeräumt. Bei der Ausstellung, die von internationalen Künstlern reich beschickt worden war, wurde Melchers die meiste Beachtung seitens der Presse zuteil, wobei die Kritiker »den Geist von Melchers' Bauernmalerei« im Schaffen von so namhaften Deutschen wie etwa Hu-

Abb. 3 Gari
Melchers,
Christus und die
Pilger in Emmaus,
ca. 1898
(Christ and the
Pilgrims at Emmaus),
verschollen,
Foto: Belmont
The Gari Melchers
Estate,
Fredericksburg VA

go Vogel, Hans Herrmann und Franz Skarbina und
auch von weniger bekannten wie Rudolf Possin und
Ludwig Noster ausmachten.[16] Von 39 Bildern verkaufte Melchers zehn, darunter auch das vieldisku-
tierte *Christus und die Pilger in Emmaus* (*Christ and
the Pilgrims at Emmaus*, ca. 1898, verschollen, Abb.
3).[17] Zusammen mit der *Hl. Gudula* wurde dieses
Gemälde von Margarethe Krupp gekauft, der Frau
des Chefs der Firma Krupp, einer der bedeutendsten
Industriefirmen der Welt. Rudolf Mosse, der Herausgeber des *Berliner Tageblatts*, erwarb *Winter* (verschollen). *Die Lotsen*, die an einen Berliner gingen,
waren inzwischen in Deutschland so bekannt gewor-

den, daß auf ihrer Grundlage in der Zeitschrift Ulk
eine satirische politische Witzzeichnung erschien mit
Karikaturen einiger der bekanntesten Minister des
Kaisers (Abb. 4).

Um 1900 erlebte Deutschland eine neue Periode
des Aufschwungs und des Wohlstands, in der die
Künste und Wissenschaften zu ungeahnter Blüte gelangten. Theater, Opernhäuser, Konzerthallen und
Universitäten schossen aus dem Boden, und ihre Vortrefflichkeit zog Maler, Musiker und Gelehrte aus der
ganzen Welt an. Berlin war die neue Kulturmetropole, und Kaiser Wilhelm II., der eine Blüte der Künste
unter seiner Ägide zu schaffen suchte, betrachtete
sich als Experten und nahm in allen Angelegenheiten
sein Mitspracherecht in Anspruch, was so weit ging,
daß er sich sogar in die Preisvergabe der Akademie
einmischte. Dabei war er konservativ und chauvini-
stisch und diktierte seinem Umfeld seinen eigenen Geschmack an prunkvoll-pompösen Gemälden auf, die
das geeinte Deutschland glorifizierten. Die moderne
Kunst (insbesondere die aus Frankreich stammende)
proklamierte er als »Kunst aus der Gosse«, die
Deutschland und seine Bevölkerung korrumpiere.
Seine Ansichten und die des Direktors der Berliner
Akademie, Anton von Werner (1843–1915), standen
in direktem Gegensatz zu der modernen Kunstströ-
mung, wie sie die Berliner Sezession vertrat, eine Vereinigung, die Liebermann 1898 zu dem Zweck ins Leben gerufen hatte, unabhängig von der Akademie
Ausstellungen zu organisieren und ausländische
Künstler zu fördern.

Die von den Sezessionisten präsentierte Kunst war
weit davon entfernt, radikal zu sein, doch trat Melchers der Sezession nie als Mitglied bei, eine Haltung,
die als rein kunstpolitisch motiviert anzusehen ist. Indem er sich auf beide ästhetischen Stühle setzte, gelang es ihm, den meisten Menschen zu gefallen und
nur bei wenigen Anstoß zu erregen.[18] 1907 demon-
strierte die Regierung ihre Unterstützung des Künstlers, indem sie Melchers den Roten-Adler-Orden von
Preußen mit dem Rang eines Offiziers verlieh.

Durch den Erfolg, den ihm die Große Berliner
Kunstausstellung im Jahr 1900 eingetragen hatte,
wurden die führenden Kunstschulen Deutschlands
auf den Künstler aufmerksam und machten ihm Angebote. Im September 1900 traf Melchers mit Beamten des Kultusministeriums in Berlin zusammen, um
seine Berufung an die dortige Akademie zu bespre-
chen. Doch kamen die Verhandlungen zu einem ab-
rupten Ende, als Melchers erfuhr, daß Anton von
Werner die Ausschreibungsbedingungen für die Posi-

Abb. 4 Sitzung des
Staatsministeriums
(A Meeting of the
Ministers) in: Ulk,
25. Mai 1900,
Foto: Belmont
The Gari Melchers
Estate,
Fredericksburg VA

tion abgeändert und einen deutschen Bewerber berufen hatte, den er »bereits im Auge gehabt hatte«.[19] Melchers wurde 1901 als Mitglied in die Königliche Akademie der Künste von Berlin gewählt, erhielt aber niemals wieder einen Ruf an die Fakultät.

Als nächstes wandten sich Beamte der Dresdner Akademie an ihn, nachdem ihm 1901 bei der Dresdner Internationalen Kunstausstellung eine Goldmedaille Erster Klasse zugesprochen worden war. Nach einer längeren Verzögerung erhielt Melchers die Nachricht, daß Gotthardt Kuehl, der Direktor der Dresdner Akademie, gedroht habe, sein Amt niederzulegen, falls Melchers an sein Institut berufen würde. In seinen persönlichen Papieren gibt Melchers eine Erklärung für diese Wendung der Dinge: »Kuehl war mein Freund, fürchtete jedoch offenbar, daß Dresden für uns beide nicht groß genug sein würde.«[20]

1904 wandte sich Alexander Lawton, der Onkel seiner amerikanischen Ehefrau, an Melchers, er möge doch seinen Einfluß geltend machen und Gemälde zu vernünftigen Preisen für die Telfair Academy of Arts and Sciences in Savannah, Georgia, beschaffen. Melchers' Geschmack als Sammler spiegelte seinen persönlichen Stil als Maler ebenso wider wie den der Künstler, deren Philosophie der seinen ähnelte, so daß er während der nächsten zwölf Jahre den Kauf von Werken der Deutschen Gebhardt, Kuehl, Hans Herrmann, Raphael Lewisohn, Albert Engstfeld, Ernst Oppler, Theodor Hagen (ein Kollege von Melchers in Weimar) und Georg Sauter in die Wege leitete. Aber auch Ausländer, die auf die deutsche Kunst Einfluß ausübten, gab es unter den Auserwählten, etwa den Belgier Henry van de Velde, der die Kunstgewerbeschule in Weimar leitete.[21]

Melchers' langwährende Beziehungen zu deutschen Künstlern und Institutionen brachten ihn in Kontakt mit dem deutschen Geschäftsmann und Kunstsammler Hugo Reisinger. Der in Wiesbaden geborene Reisinger ließ sich 1884 aufgrund seiner Geschäftslage dauernd in New York nieder, wo er zu einem führenden Importeur und Exporteur wurde. Er war ein anspruchsvoller und kenntnisreicher Sammler moderner Kunst und widmete sein Vermögen und seine ganze Kraft der Förderung des kulturellen Austausches auf dem Gebiet der bildenden Kunst, der Literatur und des Museumswesens zwischen seinem Heimatland und den Vereinigten Staaten – Aktivitäten, die der Kaiser sanktionierte und unterstützte. Reisinger hinterließ sowohl dem Metropolitan Museum als auch dem Germanic Museum der Harvard University (heute Busch-Reisinger Museum) Mittel zum Ankauf deutscher Kunst.

Reisinger kaufte Melchers' *Die Schwestern* (*The Sisters*, ca. 1895, National Gallery of Art, Washington, D.C.) anläßlich der Ausstellung des Gemäldes 1901 in Dresden. Die Freundschaft zwischen Melchers und Reisinger vertiefte sich wahrscheinlich in den Jahren zwischen 1906 und 1908, als Melchers während längerer Zeitabschnitte in New York arbeitete. Reisinger war federführend bei der Organisation einer Ausstellung zeitgenössischer deutscher Kunst, die 1909 im Metropolitan Museum stattfand, was Künstlern wie Max Klinger und Arnold Böcklin die Möglichkeit gab, zum ersten Mal überhaupt in den Vereinigten Staaten vor die Öffentlichkeit zu treten. Als die Zeit gekommen war, sich mit einer Schau zeitgenössischer amerikanischer Kunst in Berlin und München im Jahr 1910 zu revanchieren, suchte und fand Reisinger bei der Bilderbeschaffung die Unterstützung Melchers', was sowohl in der Ähnlichkeit ihres Geschmacks begründet war als auch in der Tatsache, daß Melchers ja in Deutschland lebte.[22]

Irgendwann im Herbst 1908 begann Melchers die Möglichkeit einer Berufung an die Großherzogliche Kunstschule von Sachsen-Weimar mit deren offiziellen Vertretern zu erörtern. Die Idee reizte ihn aus mehreren Gründen.[23] Weimar war eine malerische alte Stadt mit einem anregenden intellektuellen Klima. Die Tatsache, daß es nur eine Tagesreise von der Behaglichkeit seines Wohnateliers in Egmond entfernt war, sprach weiterhin zu seinen Gunsten. Anders als in Berlin, konnte sich Melchers in Weimar als der sprichwörtliche »große Fisch in einem kleinen Teich« fühlen. Der Posten würde ihm »wenige und dünn gesäte« Pflichten auferlegen und ihn in die Art von Gesellschaft einbinden, die dringend nach Bildern und Selbstportraits verlangte.[24] Darüber hinaus lag es Melchers am Herzen, seine Frau glücklich zu machen, denn durch den Umzug würde sie in die Nähe ihres Bruders wohnen, des Goethe-Forschers Leonard Mackall, der im nahen Jena lebte.[25]

Melchers und Fritz Mackensen, der Direktor der Kunstschule, wurden am 13. Oktober 1908 nach Schloß Wilhelmsthal zu einem Gespräch mit Wilhelm Ernst, dem Großherzog von Sachsen-Weimar-Eisenach, gebeten. Am 11. März 1909 verlieh der Großherzog Gari Melchers offiziell den Titel eines Professors. Melchers war nun »als deutscher Beamter voll mit Amt und Würden bekleidet, mit allen Ehren, Vergütungen und Verantwortlichkeiten, die zu dessen Amt gehören«.[26] In einem Brief an Melchers gibt Rei-

Abb. 5 Gari Melchers, Im Atelier, 1912 (In the Studio – Gari Melchers und Hugo Reisinger), Öl auf Leinwand, 138×120 cm, Metropolitan Museum of Art, New York

singer seiner Hoffnung Ausdruck, daß der Amerikaner einigen künstlerischen Einfluß auf den Großherzog haben würde, was »nicht nur für Weimar, sondern auch für ganz Deutschland von Vorteil wäre«.[27] Es ergab sich glücklicherweise, daß der Großherzog aus eigenen Stücken eifrig danach trachtete, Weimar mit den neuesten künstlerischen Errungenschaften Schritt halten zu lassen, und unter der Leitung von Harry Graf Kessler Avantgarde-Künstler wie Henry van de Velde unter günstigen Arbeitsbedingungen in sein Herzogtum rief. 1911 verlieh der Großherzog Melchers den Großherzoglichen Orden von Sachsen vom Weißen Falken.

Die Familie Melchers zog in das Haus Cranachstraße 35, gegenüber von Liszts einstigem Wohnhaus. Nach der Korrespondenz des Ehepaares zu urteilen ist es ein wahres Wunder, daß Melchers sich regelmäßig der allwöchentlichen Korrektur der Arbeiten seiner Schüler widmen konnte, denn er stand unter dem Druck eines übervollen Terminkalenders mit geradezu hektisch aufeinanderfolgenden Ausstellungen, und das Ehepaar unternahm zusätzlich noch ausgedehnte Reisen. In Weimar nahmen sie teil an einer Vielfalt von Festen, Opern und Konzerten, an den Kostümbällen der Kunstschule und an den Feierlichkeiten anläßlich der Hochzeit des Großherzogs.[28] In den Schulferien kehrte Melchers häufig nach Holland zurück und malte heitere Tauffeierlichkeiten und

Frauen aus dem Kleinbürgertum in sonnigen Gärten nach der Manier Liebermanns. Doch es schien wenig Zeit übrigzubleiben, um in Weimar viel auf dem Gebiet der Malerei zu vollbringen, zumal seine Arbeit dort auch häufig durch periodisch auftretende Venenentzündungen unterbrochen wurde, die ihn immer wieder heimsuchten. Viele der Bilder, die er nun ausstellte, waren Übernahmen aus früheren Bilderschauen, wozu auch seine Einzelausstellung am Karlsplatz in Weimar im Jahr 1910 gehörte.

Tatsächlich schuf Melchers in Deutschland sehr wenige Werke, für die uns eine gesicherte Dokumentation vorliegt. Einzigartig ist das Gemälde *Alte Frau* (ca. 1909–1915, Belmont) mit seinem dramatischen Halblicht und seiner traurigen Ausstrahlung. *Winter in Weimar* (ca. 1910, Belmont) und eine Folge von Ansichten der Wartburg (ca. 1912, Belmont) wurden in der gleichen lockeren, suggestiven Pinselschrift und in der gleichen Tonmalerei ausgeführt, die seine drei bis sechs Jahre zuvor gemalten atmosphärischen Ansichten von Manhattan kennzeichnen. Dieser breitpinselige Farbauftrag und die eingeschränkte Palette waren typisch für den tonangebenden internationalen Portraitstil, wie er sich in dem Doppelportrait *Im Atelier* (*In the Studio – Gari Melchers und Hugo Reisinger*, 1912, Metropolitan Museum of Art, N.Y., Abb. 5) offenbart.[29] Mindestens zwei weitere Portraitaufträge beschäftigten ihn in seiner Zeit in Deutschland. 1911 reiste er in regelmäßigen Abständen nach Leipzig, um das Portrait des berühmten Chirurgen *Dr. Friedrich Trendelenburg* zu malen. Im selben Jahr entstand das Gemälde *Die Hahn-Kinder* (verschollen), das die Kinder der Familie des bedeutenden Chemikers Dr. Otto Hahn vom Kaiser-Wilhelm-Institut für Chemie darstellt.

Während Melchers' deutsche Landschaften und Portraits den vibrierenden Farbauftrag und die reichen Bildoberflächen, mit denen man ihn stets in Verbindung gebracht hatte, vermissen lassen, ist doch nicht sein gesamtes Schaffen aus Deutschland auf diese Art zu charakterisieren. Ein Aspekt seines Œuvres, den er weiterführte, war der Akt, dem er sich um 1908 ernsthaft zu widmen begann. Melchers hatte seit 1890 regelmäßig Akte gezeigt, doch in Weimar begann er den klassischen, in einer modernen Sprache wiedergegebenen Akt als Hauptausstellungsstück zu behandeln. In *Arcadia* (ca. 1912, Belmont) und *Junge Frau bei der Toilette* (*Young Woman at Her Toilet*, ca. 1912, Belmont, Abb. 6) portraitierte Melchers individuelle Menschen im Gegensatz zu allgemeingültigen Idealen. Dabei führte er ihre nackten Gestalten in einem monumentalen Maßstab aus und plazierte sie in provokanter Nahsicht auf die Leinwand. Gesteigerte Farbigkeit und flächig gestaltete, üppig-dekorative Hintergründe, wie sie für den Jugendstil charakteristisch waren, herrschen vor. *Akt bei der Toilette* (*Nude Girl at Her Toilette*, 1910) war in Melchers' 1910 stattfindender Ausstellung am Karlsplatz zu sehen; der Großherzog erwarb das Gemälde bei dieser Gelegenheit für das Museum der Kunstschule.

Bei der Großen Berliner Kunstausstellung von 1912 wurde Melchers noch einmal dadurch geehrt, daß man ihm allein einen ganzen Raum für seine Werke einräumte. Laut einem Biographen geschah dies auf Befehl des Kaisers.[30] Doch als die Kaiserin Augusta Victoria zu einer privaten Besichtigung kam und sich durch eine von Melchers' nackten Frauen beleidigt fühlte, eine viktorianische Prüderie, für die sie berühmt und berüchtigt war, bat sie darum, daß das betreffende Bild entfernt würde. Als Melchers, der in Holland weilte, die kaiserliche Forderung übermittelt wurde, telegraphierte er empört zurück: »Sie können den Raum entfernen, nicht aber den Akt.« Der Raum blieb.[31] Bei dem fraglichen verletzenden Akt handelte es sich wahrscheinlich um *Junge Frau bei der Toilette*. Das Bild zeigt eine nackte sitzende Frau, die gerade dabei ist, vor einem Spiegel (der sich außerhalb des Bildes befindet) ihr Haar aufzustecken – eine Art moderne Venus. Über ihrer Schulter erblickt man eine Zofe, die sich anschickt, ihr eine Hülle überzuwerfen oder ein Kleidungsstück über den Kopf zu ziehen. Auch sie scheint auf das Bild ihrer Herrin zu blicken, das der Spiegel zurückwirft.

Hatte die prüde Haltung der Kaiserin gegenüber Melchers' Akt den Anstoß zur Schaffung des Gemäldes *Der rote Husar* (*The Red Hussar*, ca. 1912, Belmont; Kat. Nr. 119) gegeben? Das Gemälde stellt eine nackte Frau und einen Offizier in der Uniform der Roten Husaren dar – eines Kavallerieregiments der kaiserlichen Armee – der unverhohlen die Brüste der Frau liebkost. Eine umgestürzte Blumenvase dient als unmißverständliche Metapher der »Defloration«.[32] Außergewöhnlich für Melchers ist die deutliche Laszivität des Gemäldes, nicht weniger merkwürdig erscheint die Tatsache, daß das Bild keinerlei Ausstellungsgeschichte aufzuweisen hat. War es ein Beispiel erotischer Kunst, das allein seinem persönlichen Vergnügen diente? Als solches wäre es einmalig gewesen. Im Lichte der wohlbekannten Bewunderung des kaiserlichen Paares für preußische Geschichtsmalerei und in Anbetracht der Überempfindlichkeit der Kaiserin gegen unschickliche Bildmotive, noch dazu un-

Abb. 6 Gari Melchers, *Junge Frau bei der Toilette*, ca. 1912 (Young Woman at Her Toilet), Öl auf Leinwand, Belmont The Gari Melchers Estate, Fredericksburg VA

ter Einbeziehung eines Repräsentanten des Reiches, ist durchaus denkbar, daß *Der rote Husar* als Antwort auf den Tadel der Kaiserin für *Junge Frau bei der Toilette* gedacht war.[33] Falls dem so war, kann man nicht umhin, die kaiserliche Chiffre auf dem roten Hut des Husaren als einen bewußten ironischen Seitenhieb gegen Ihre Kaiserliche Hoheit zu verstehen.

Keinesfalls aber sollte *Der rote Husar* als Ausfluß antideutscher Gefühle von seiten Melchers' interpretiert werden. Als Sohn eines Veteranen der 49er Revolte gegen die Hohenzollern stand Melchers der Idee einer Autokratie vielleicht nicht gerade wohlwollend gegenüber, doch war er persönlich und beruflich eng mit Deutschland verbunden. Als der Erste Weltkrieg eskalierte, war Melchers angesichts der hohen Verluste an Menschenleben tief erschüttert und übernahm bereitwillig zusätzlichen Unterricht und Verantwortung in Klassen, die durch im Feld stehende oder gefallene Kollegen ohne Lehrer blieben. Während seiner gesamten Weimarer Amtszeit wurde er von dem Großherzog mit solcher Großmut und Hochherzigkeit behandelt, daß er zweimal der Verlängerung seines Vertrages zustimmte, nicht zuletzt, um sich gegenüber seinem Wohltäter, seinen Kollegen und seinen Studenten loyal zu erweisen, die ausdrücklich wegen seines Unterrichts die Akademie besuchten.[34] In seinem Umfeld schob sich ab 1914 das Thema des Krieges natürlich in den Vordergrund, doch waren es die Engländer und Franzosen, auf die sich so viel Bitterkeit richtete, so daß seine amerikanische Herkunft unbemerkt zu bleiben schien, jedenfalls bis zu dem Zeitpunkt, als die amerikanische Unterstützung der alliierten Streitkräfte feindselige Reaktionen der Deutschen hervorrief.

Melchers sehnte sich danach, in das anregende Ambiente New Yorks und seiner aufblühenden Kunstszene zurückzukehren. Die lauwarme bis kritische Presse, die er in Deutschland nach 1910 erhielt, verstärkte sein Bedürfnis nach künstlerischer Erneuerung nur noch weiter. Obwohl seine Beliebtheit beim deutschen Publikum nie größer war als zu jener Zeit, verletzte ihn vieles, was im Zusammenhang mit der Großen Berliner Kunstausstellung von 1912 geschrieben wurde. So lautete die hauptsächlich erhobene Kritik, daß sich seine Weimarer Pflichten störend auf sein neuestes Schaffen ausgewirkt hätten, das im übrigen überholt wäre, Tiefe des Ausdrucks vermissen ließe und »die Rührseligkeit eines Familienmagazins« besäße.[35] Es wurde zunehmend deutlich, daß die akademische Figurenmalerei in Deutschland am Ende ihres Weges angelangt war. Angesichts des sich immer mehr ausweitenden Krieges und der Tatsache, daß durch die große Zahl von Einberufungen im Herbst 1914 nur noch 50 Studenten in der Akademie übrigblieben, ordnete Melchers die Einlagerung der Möbel seines Hauses und Ateliers an und reiste im folgenden Frühling in die USA.

Die feste akademische Grundlage, die Melchers während seiner Düsseldorfer Ausbildung erhalten hatte, die deutsche Vorliebe für Holland und die frühen naturalistischen Tendenzen, die er im Schaffen seines Mentors Gebhardt wahrnahm, sollten einen formenden und dauernden Einfluß auf seinen reifen Stil ausüben. Die Grundlagen seines Erfolgs in Deutschland wurden von Neuerern wie Bastien-Lepage, Leibl und Liebermann gelegt. Ungeachtet seiner modernen Sujets und seiner modernen Perspektivik war Melchers fest in der akademischen Auffassung verwurzelt, so daß er folgerichtig eine behagliche Nische für seine Kunst im konservativ-fortschrittlichen Wilhelminischen Deutschland finden mußte. In seiner Eigenschaft als Kunstagent für die Telfair Academy und durch seine Verbindung mit Hugo Reisinger trug er zur Förderung und zum gegenseitigen Austausch von deutscher und amerikanischer Kunst bei. Der Erste Weltkrieg änderte all dies, und weil die auf der Wiedergabe der visuellen Wahrnehmung basierende Kunst mit dem Krieg dahinschwand, wurde jeder beständige Einfluß, den Melchers auf die heranwachsende Generation deutscher Maler vielleicht hätte haben können, ebenfalls hinfällig.

1 Detroit News, 4. Januar 1925, zitiert in: Kurt C. Dewhurst, Betty MacDowell und Martha MacDowell, »The Art of Julius and Gari Melchers«, in: The Magazine Antiques, April 1984, S. 864.

2 Bruce M. Donaldson, »Gari Melchers: A Memorial Exhibition of His Works«, Ausstellungskatalog, Richmond, Virginia Museum of Fine Arts 1938, S. 14.

3 George Mesman »The Student Years: Düsseldorf and Paris«, in: »Gari Melchers: A Retrospective Exhibition«, Hsg. Diane Lesko, Ausstellungskatalog Petersburg, Museum of Fine Arts 1990, S. 49.

4 Zeichnungen nach Holbein sind in einem Skizzenbuch aus der Düsseldorfer Zeit, dem »Sketchbook 31«, enthalten, das sich im Besitz der Sammlung Belmont der Gari Melchers Estate and Memorial Gallery in Fredericksburg, Virginia, befindet, Melchers' späterer Heimat und Hauptaufbewahrungsort seiner Werke.

5 Der Ausflug nach München wird durch eine Zeichnung ohne Titel dokumentiert, die sich heute in einer Privatsammlung befindet und auf der einen Seite Figuren auf einem Bauernhof und auf der anderen eine moderne Straßenszene zeigt. Die mit Bleistift und Wasserfarben ausgeführte Zeichnung ist signiert und datiert: »München, G.M. '78«. Die Reise nach Paris ist in seiner Studentenakte 1877–1881 im Archiv des Kunstmuseums Düsseldorf im Ehrenhof registriert.

6 Bezüglich des Datums, an dem Melchers sein Diplom erhielt, verlasse ich mich auf die Aussage von George Mesman in: »Gari Melchers: A Retrospective Exhibition«, op.cit., S. 50. In meiner Photokopie von Melchers' akademischer Akte findet sich keine Erwähnung über die Verleihung eines Diploms.

7 Leibl blieb in Verbindung mit Paris, indem er im Pariser Salon ausstellte und sich der Ausstellungsgruppe von Bastien-Lepage, dem Cercle des XV, anschloß.

8 Deutsche, die in den Jahren vor und nach dem Deutsch-Französischen Krieg in Paris studierten und französische Ideen mitbrachten, wurden mit einigem Mißtrauen betrachtet, denn die deutsche Abneigung gegen die Franzosen war immer noch lebendig (und vice versa), und der deutsche Nationalismus wurde stärker.

9 Zu einer umfassenden Untersuchung der Lehrsätze des Naturalismus und seiner unterschiedlichen europäischen Strömungen siehe Gabriel P. Weisberg, »Beyond Impressionism, the Naturalist Impulse«, New York 1992.

10 Das gleichmäßig verteilte Licht des Pleinairismus (Freilichtmalerei) erhöhte die Farbwerte und lieferte die genauen Umrisse der Formen, was dem Naturalismus einen modernen Wahrheitsgehalt aufprägte, der – anders als der Pleinairismus des französischen Impressionismus – bis vor kurzem nicht verstanden wurde. So wurden die naturalistischen Maler wie Melchers lange Zeit als Nachzügler abgetan, anstatt als die Erneuerer zu gelten, die man in ihnen zunächst gesehen hatte. Siehe Gabriel P. Weisberg, op. cit., S. 279.

11 Liebermann hatte in den 1870er Jahren in Paris gearbeitet, wo

er Mitglied des *Cercle des XV* wurde und sich eng mit Bastien-Lepage und P.A.J. Dagnan-Bouveret (1852–1929) befreundete.

12 *Die Predigt* mißt 62⅝ × 86½ in. = ca. 160 × 220 cm. – Da die anekdotische Malerei als überholt galt, sollte dies das letzte Mal sein, daß Melchers sie anwandte. Den Kritikern der Zeit zufolge zeigt das Gemälde eine Bäuerin, der ein in ihrer Nähe sitzender Kirchenältester einen vorwurfsvollen Blick zuwirft, weil sie während der Predigt eingeschlafen ist. Zu einer anderen interessanten Interpretation vgl. Annette Stott, »American Painters Who Worked in the Netherlands, 1180–1914«, Dissertation, Boston University 1986, S. 124–125.

13 Siehe Zeitungsausschnitt Kölnische Zeitung, 10. Mai 1891, Belmont Archiv.

14 Siehe von Bruno Siglheim, G. Kuehl, Paul Hoecker, F. von Uhde und M. Liebermann unterzeichnetes Schreiben vom 17. April 1892, Belmont Archiv.

15 Bezüglich einer genaueren Übersicht zu Melchers' Beiträgen zur belgischen Kunstszene siehe Jennifer A. Martin Bienenstock, »Gari Melchers and the Belgian Art World, 1882–1908«, in: »Gari Melchers: A Retrospective Exhibition«.

16 Siehe Zeitungsausschnitt aus Die Nation, Datum unbekannt, 1900, Belmont Archiv.

17 Die Ausstellung von *Christus und die Pilger in Emmaus* in Paris 1898 und erneut in Berlin im Jahre 1900 zeitigte einige der negativsten Kritiken, die Melchers je erhalten hatte. Die Rezensenten tadelten seine »vulgäre« Objektivität bei einem Thema, in dem ihrer Meinung nach Idealismus vorherrschen sollte. Siehe die Zeitungsausschnitte unter 1898 und 1900, Belmont Archiv.

18 Der Konservativismus von Melchers und anderer im Verein Berliner Künstler aktiver Maler bei den jährlichen Ausstellungen veranlaßte Ludwig Wütsch von der Vossischen Zeitung zu der Klage, daß »die große Berliner Kunstausstellung ... uns nicht mehr wie früher stimuliert und erregt, weil die Künstler ihren alten Stil nicht geändert haben und sich keiner der modernen Strömungen angeschlossen haben« (Zeitungsauschnitt aus dem Jahr 1900, Belmont Archiv).

19 Siehe Brief von Erich Müller an Gari Melchers, datiert 25. September 1900, Belmont Archiv.

20 Siehe Brief von Hermann Prell an Gari Melchers, datiert 30. Oktober 1901, Belmont Archiv.

21 Siehe Feay Shellmann Coleman, »Melchers and the Telfair Academy: The Evolution of a Collection«, in: »Gari Melchers: A Retrospective Exhibition«, S. 125–150.

22 Siehe Brief von Hugo Reisinger an Gari Melchers, datiert 26. November 1909, Belmont Archiv.

23 In einem von Melchers an David Jones am 31. Dezember 1910 geschriebenen Brief (Belmont Archiv) berichtet Melchers, wie »nach drei oder vier Jahren in New York mir der Gedanke kam, daß ein ruhiges Leben in Weimar angenehm und sogar meinem Seelenzustand zuträglich sein könnte, und so sagte ich ja, als er (der Großherzog) mich zum Kommen einlud, und ich habe es immer erfreulich gefunden ... Es ist freilich wahr, wir sind die meiste Zeit abwesend und in einem weiteren Jahr werden wir wahrscheinlich diese charmante kleine Hauptstadt verlassen.«

24 Brief von Melchers an Rush Hawkins, datiert 7. Dezember 1909, Archiv Annmary Brown Memorial, Brown University, Bd. XVIII, Buch 2, S. 140.

25 Mackall (1879–1937) war Herausgeber der »Notes for Bibliophiles« bei der New York Herald Tribune und auf Goethe, Literatur der Südstaaten der USA und Geschichte der Medizin spezialisiert. Goetheforschern ist er am besten bekannt durch seine vielen Bücher, die das Leben und Werk des deutschen Dichters zum Thema haben, und wegen seiner Entdeckung des englischen Liedes, das Goethe dazu inspirierte, den *Cheerful Traveler* (*Wanderlied?*) zu schreiben.

26 Charles Henry Meltzer, »Gari Melchers, A Painter of Realities«, in: Cosmopolitan, Juni 1913, S. 5. – Melchers Vertrag bis 1. April 1913 nannte als sein jährliches Einkommen 4 000 Mark, enthielt die Klausel, daß der Künstler an der jährlichen Ausstellung der Fakultät teilnehmen müsse, und sagte ihm ein geräumiges und mietfreies Atelier zu. Siehe Vertrag datiert 9. Dezember 1911, Belmont Archiv. Zusätzlich hierzu kam er in den Genuß der deutschen Jahresrente für Künstler und der Pensionskasse – vgl. seinen Mitgliedsausweis mit dem Datum 1. November 1910, Belmont Archiv.

27 Reisinger an Melchers, 26. November 1909, Belmont Archiv.

28 Siehe Korrespondenz zwischen Gari und Corinne Melchers zur Zeit der Weimarer Periode, Belmont Archiv.

29 Anscheinend entstand das Gemälde *Im Atelier*, als sich Reisinger besuchsweise bei dem Ehepaar in Weimar anläßlich der Großen Berliner Kunstausstellung von 1912 aufhielt.

30 Clara T. MacChesney, »Gari Melchers is Home, Amazed at New York's Changes,« in: New York Times, 19. Januar 1913, Belmont Archiv.

31 Siehe: »About People We Know«, in: Town and Country, 15. November 1925, S. 42, Belmont Archiv.

32 Annette Stott, »Floral Femininity; a Pictorial Definition«, in: American Art, Frühjahr 1992, S. 66.

33 Melchers bewahrte einen Ausschnitt aus dem Berliner Lokal-Anzeiger auf, in dem berichtet wurde, daß das kaiserliche Paar sich zweieinhalb Stunden lang in der Großen Berliner Kunstausstellung aufgehalten habe, wo sie sich in Edouard Detailles *Angriff der Husaren* (*Charge of the Hussars*) vertieften. Siehe Ausschnitt aus dem Berliner Lokal-Anzeiger vom 4. September 1900, Belmont Archiv. – Die Verurteilung der erotischen Opern *Salome* und *Der Rosenkavalier* von Richard Strauss durch das Kaiserpaar wurde in aller Breite veröffentlicht. Bezüglich des Rosenkavaliers mißfiel dem Kaiser und seiner Gattin die ungezügelte Geilheit des kaiserlichen Kammerherrn, womit ja ein unschickliches Benehmen in den allerhöchsten Kreisen impliziert wurde.

34 Siehe Brief von Gari Melchers an seine Frau, datiert 27. Oktober 1913, Belmont Archiv.

35 Siehe die Weser-Zeitung, Bremen, vom 3. Mai 1912 und die Düsseldorfer Zeitung vom 12. Mai 1912, Belmont Archiv.

Dennis Crockett

Die Avantgarde am Vorabend der Apokalypse

Während des ersten Jahrzehnts des zwanzigsten Jahrhunderts richteten die fortschrittlichsten bildenden Künstler in New York, Berlin und München – wie auch die in Mailand, London, Prag, Oslo und Moskau – den Blick auf Paris, das Mekka der Avantgarde. Für diese Künstler auf der Suche nach lebendigen Alternativen zu dem offiziellen Kunstestablishment in ihrer Heimat wurden der *Salon des Indépendants* und der *Salon d'Automne* zu den wichtigsten Ausstellungen. Um mit den neuesten künstlerischen Trends Schritt zu halten und den Geheimnissen der modernen Kunst auf die Spur zu kommen, reisten sie nach Paris, studierten bei Matisse oder besuchten die Ateliers berühmter Persönlichkeiten wie Picasso oder Robert Delaunay. Wer es nicht bis Paris schaffte, hatte in zunehmendem Maße die Möglichkeit, Werke der Pariser Avantgarde in Museen, Privatsammlungen und Kunstgalerien von Moskau bis Chicago zu besichtigen.[1] Im letzten Jahrzehnt des neunzehnten Jahrhunderts begannen auch amerikanische Kunstsammler ihr Augenmerk von Düsseldorf und München abzuwenden und nach Paris zu richten.[2]

Während zu jener Zeit gewisse Aspekte der amerikanischen Kultur in Deutschland wahrgenommen wurden, hätte doch niemand behaupten können, daß die deutsche Kunst in irgendeiner Weise von der amerikanischen beeinflußt worden wäre, die mit wenigen Ausnahmen im Vergleich zu den neuesten europäischen Entwicklungen recht unbestimmt und unbekannt blieb. Tatsächlich gab es keine fest etablierte amerikanische Avantgarde, die fähig gewesen wäre, die Deutschen zu beeinflussen – oder zu korrumpieren. Für die kleine Anzahl amerikanischer Künstler, die sich der deutschen Avantgarde bereitwillig öffneten, schufen die zunehmend feindseligen Beziehungen zwischen den USA und Deutschland nach 1914 ein Umfeld, das es geraten erscheinen ließ, jeglichen prodeutschen Enthusiasmus tunlichst zu verheimlichen.

Obwohl die Entwicklung der modernen Kunst in Deutschland und in den USA jeweils ausführlich diskutiert worden ist, erweist sich eine Zusammenfassung dieser ereignishaft verschränkten Abläufe als notwendig, um den dynamischen Triebkräften ihres wechselseitigen Aufeinanderwirkens auf die Spur zu kommen.

In Deutschland zeigte die sezessionistische Bewegung der 1890er Jahre, daß die effektivste Art und Weise, die Kunst zu transformieren und mit neuer Kraft zu erfüllen, nicht darin bestand, um eine Änderung der konservativen offiziellen Strukturen zu kämpfen, sondern darin, daß man sie ganz und gar umging. Indem sie regelmäßig kleinere und geschmackvoller zusammengestellte Ausstellungen als die offiziellen Salons organisierten, zogen die Berliner und die Münchner Sezession eine sich ständig vergrößernde Klientel an sich und etablierten sich erfolgreich als wichtige Alternativen. Eine neue Generation von Künstlern mit weit ehrgeizigeren Zielen als die der Sezessionisten – und angespornt durch den Einfluß der zeitgenössischen französischen Kunst und den Ideen von Friedrich Nietzsche, Rudolf Steiner, Frank Wedekind, Julius Langbehn, Walt Whitman und Jakob Boehme, von der Wandervogel-Bewegung ganz zu schweigen – suchten die Gesellschaft durch ihre Einstellung zum Leben und zur Kunst zu verändern. Die bedeutendste dieser künstlerischen Gruppierungen war die Künstlervereinigung *Die Brücke* in Dresden und die *Neue Künstlervereinigung* sowie (nach 1911) *Der blaue Reiter* in München. Während die Amerikaner vor 1920 nur geringen Kontakt mit den *Brücke*-Künstlern hatten, sie kaum oder gar nicht kannten, war *Der blaue Reiter* unter der Leitung von Franz Marc und dem gebürtigen Russen Wassily Kandinsky (der sich 1896 in München niedergelassen hatte) einer der wichtigsten Katalysatoren der internationalen Avantgarde und übte entscheidenden Einfluß auf eine Reihe von Amerikanern aus.

Die erste »Sezession« oder Abspaltung von der New Yorker National Academy of Design ereignete sich 1908, als eine *The Eight* (Die Acht) genannte Gruppe von Künstlern – die später unter dem Namen

Ash Can School (Mülltonnen-Schule) bekannt wurde – ihre Werke zum ersten Mal gemeinsam ausstellte. Obwohl alle diese Künstler mit dem französischen Impressionismus wohlvertraut waren, wandten sie den neuesten europäischen Entwicklungen den Rücken und entschieden sich für unmittelbar aus dem amerikanischen Alltagsleben geschöpfte städtische Szenen, die sie in einer kraftvollen Maltechnik ähnlich der eines Frans Hals auf die Leinwand setzten. Zur selben Zeit als diese Künstler New York schockierten, organisierte Alfred Stieglitz in seiner *Little Galleries of the Photo-Secession* (in der Kunstwelt besser bekannt als »Studio 291« nach ihrer Adresse in der Fifth Avenue Nr. 291) eine Ausstellung von 58 Zeichnungen Auguste Rodins. Es war die erste Ausstellung moderner europäischer Kunst in den USA. Und ebenfalls im Jahre 1908 gründete eine Gruppe amerikanischer Anhänger von Matisse und Picasso die *New Society of American Artists in Paris* (neue Gesellschaft amerikanischer Künstler in Paris); sie waren die Neuauflage eines zuvor gegründeten mehr konservativen Zusammenschlusses mit der Bezeichnung *Society of American Artists in Paris*. Die Künstler der letztgenannten Gruppe fanden in Stieglitz einen einzigartigen Schirmherrn, der sich der Aufgabe verschrieb, eine moderne amerikanische Kunst zu pflegen und zu fördern.

Stieglitz (1864–1946), dessen Eltern aus Hannoversch-Münden und Offenbach bei Frankfurt stammten, wurde in Hoboken, New Jersey, geboren und wuchs in Manhattan auf. Im Alter von 17 Jahren zog er mit seinen Eltern nach Europa und wurde in Karlsruhe zur Schule geschickt. Nach Abschluß seiner Schulzeit am Realgymnasium studierte Stieglitz Maschinenbau und Fotochemie an der Technischen Hochschule in Berlin und Chemie an der Berliner Universität. Während dieser Zeit wandte er sein Interesse zunehmend der Fotografie zu. 1887 erhielt er in einer von der Londoner Zeitschrift *The Amateur Photographer* gesponserten Ausstellung den ersten Preis. In der Jury saß der britische Pionier der künstlerischen Fotografie, Peter-Henry Emerson. Als Stieglitz 1890 nach New York zurückkehrte, befand er sich auf dem besten Weg, einer der hervorragenden Fotokünstler seiner Zeit zu werden (Abb.1). Um die Jahrhundertwende war sein Name bei fotografischen Gesellschaften beiderseits des Atlantiks ein Begriff. Entschlossen, das Niveau der amerikanischen Fotografie zu heben, gründete er die *Photo Secession* (eine Abspaltung von *The Camera Club*, New Yorks größtem Zusammenschluß von Fotografen), die – erstmals

in den USA – Fotografien als selbständige Kunstwerke bewertete. Seine Vierteljahres-Zeitschrift namens *Camera Work* (1903–17) diente als attraktives Schaufenster für die bedeutendsten amerikanischen und europäischen künstlerischen Fotografen und erweiterte mit der Zeit ihren Wirkungsbereich um Übersetzungen der fortschrittlichsten europäischen Literatur und Illustrationen der modernsten europäischen bildenden Kunst. Neben Rodins Werken wurde auch das Schaffen von Matisse, Cézanne und Picasso durch die Galerie 291 und auf den Seiten von *Camera Work* in den USA vorgestellt.

Die erste amerikanische Ausstellung, die Werke der deutschen Avantgarde einschließen sollte, wurde von Martin Birnbaum veranstaltet und fand im Winter 1912/13 in der *Berlin Photographic Company* statt.[3] Unter dem schlichten Titel »An Exhibition of Contemporary German Graphic Art« (Ausstellung zeitgenössischer deutscher graphischer Kunst) folgte diese Schau dem Beispiel der alljährlich von der Berliner Sezession im Herbst abgehaltenen *Schwarzweiß*-Ausstellungen von Werken auf Papier. Sie wurde dominiert von Max Klinger, Käthe Kollwitz, Max Liebermann und Heinrich Vogeler, enthielt aber auch Werke

von Lyonel Feininger (8), Wassily Kandinsky (1), Wilhelm Lehmbruck (6), Franz Marc (1), Moritz Melzer (4), Emil Nolde (3), Max Pechstein (4), Heinrich Richter-Berlin (1), Edwin Scharff (1), Arthur Segal (1) und Georg Tappert (1). Birnbaum widmete die letzten drei Seiten seines zwanzig Seiten umfassenden Katalogaufsatzes »den allerneuesten Kunstrichtungen – Kubismus, Neo- und Postimpressionismus, Futurismus, Expressionismus etc.« Obwohl Birnbaum mit den deutschen Künstlern der 1890er Jahre gut bekannt war, offenbarte er seine Unkenntnis den Absichten der Expressionisten gegenüber, als er schrieb:

»Sie merzen den ›Gedanken‹ aus ihren Werken aus und stützen sich lediglich auf Linie und Farbe... Pechsteins *Somalitanz*, um nur ein Beispiel herauszugreifen, scheint uns besonders geglückt und amüsant. Kandinsky entzieht sich offen gestanden unserem Verständnis, doch zögern wir, zu spötteln, denn ein Überblick über diese anarchistischen Werke beeindruckt schon allein durch die Freiheit, die die Kunst in unserer Zeit genießt. Künstlerisch ist Deutschland letzten Endes ein jugendliches Land, lebenssprühend und verheißungsvoll, das nicht wie Frankreich auf dem Boden einer jahrhundertelang kultivierten Tradition steht... Es ist leicht genug, Pfeile billigen Spotts auf neuartige künstlerische Werke abzuschießen, doch schlüssig zu beweisen, daß sie lächerlich oder gar grotesk sind, das ist nicht so einfach.«[4]

Diese Ausstellung – die um die Ecke von Stieglitz' Galerie untergebracht war – zog zweifellos das Interesse des Meisterfotografen und seines Kreises auf sich. Möglicherweise hatte Stieglitz, der häufig nach Deutschland reiste, bei seinem dortigen Aufenthalt im vorhergehenden Winter Kandinskys Schrift *Über das Geistige in der Kunst* erworben, denn ein knapper Auszug aus Kandinskys Text (vielleicht von Stieglitz übersetzt) war 1912 in der Juli-Ausgabe von *Camera Work* erschienen.[5]

»Wir sind überrascht«, schrieb Birnbaum in seinem Katalogaufsatz, »daß Lyonel Feininger, einer der interessantesten Männer dieser Schule, New Yorker ist.«[6] Feininger (1871–1956) wurde als Sohn eines deutschen Musikerehepaares in New York geboren und war, ebenso wie Stieglitz, als Jugendlicher mit ihnen nach Deutschland gezogen. Nach dem Besuch der Kunstgewerbeschule in Hamburg studierte er zwei Jahre lang an der Berliner Kunstakademie, verbrachte 1892/93 ein halbes Jahr in Paris und kehrte 1893 nach Berlin zurück. Dort eröffnete sich ihm eine erfolgreiche Karriere als Karikaturist für *Ulk* (die illustrierte Beilage des *Berliner Tageblatts*), die *Lustigen Blätter*, das *Narrenschiff* und verschiedene amerikanische Zeitschriften. 1906 erreichte Feininger das Angebot, in regelmäßiger Folge Comic Strips für die *Chicago Tribune* zu liefern (»The Kin-der-Kids« und »Wee Willie Winkie's World«). Zwischen 1906 und 1908 schuf er in Paris seine ersten Ölgemälde (wie die Künstler der Brücke wandte sich Feininger der Ölmalerei zu, als er das Werk van Goghs entdeckte). Seine Laufbahn als Maler – mehr denn als Illustrator – setzte kurz nach seiner Rückkehr nach Berlin ein. 1909 trat er der Berliner Sezession als Mitglied bei (was seine Teilnahme an der *Exhibition of Contemporary German Graphic Art* erklärt). Während eines Besuchs in Paris im Jahr 1911 (wo sechs seiner Gemälde in den *Salon des Indépendants* aufgenommen wurden) entdeckte er Robert Delaunays Kubismus, unter dessen Einfluß seine Kunst in den nächsten zwei Jahren eine dramatische stilistische Verwandlung erfuhr. In dieser Zeit befreundete sich Feininger auch eng mit Alfred Kubin, und durch Kubin – der Mitglied der Neuen Künstlervereinigung und seit 1904 ein Mitstreiter Kandinskys war – kam er mit der deutschen Avantgarde in Kontakt.

Obwohl Feininger in Berlin lebte, dienten ihm die Spaziergänge oder Fahrradausflüge zu den Dörfern um Weimar als Hauptquelle seiner Inspiration (Abb. 2). 1913 schrieb er an Kubin:

»Die Dörfer, wohl über Hundert, in der Umgebung sind prachtvoll! Die *Architektur* (Sie wissen ja, wie ich von der ausgehe!) ist mir gerade recht, so anregend, zum Teil so ungemein monumental! Es gibt Kirchtürme in gottverlassenen Nestern, die mir das Mystischste sind was ich von sogenannten Kulturmenschen kenne!«[7]

Einen Monat später erhielt Feininger einen Brief von Franz Marc, der ihn einlud, am Ersten Deutschen Herbstsalon teilzunehmen, der bislang am besten beschickten Ausstellung moderner Kunst, die im folgenden September in einer riesigen Halle an der Potsdamer Straße abgehalten wurde. Marc fügte hinzu, daß die Gruppe *Der blaue Reiter* durch Kubin Kenntnis von Feiningers Schaffen erhalten habe. So stellte Feininger zum ersten Mal im Herbstsalon fünf seiner neuen kubistisch inspirierten Werke aus (und verkaufte zwei). Er entschied sich dafür, während des Krieges in Deutschland auszuharren und hatte 1917 seine erste Einzelausstellung in Herwarth Waldens Galerie *Der Sturm*. Nach dem Krieg wurde er von Gropius als Meister der Form an das neu gegründete *Bauhaus* berufen, wo er bis 1932 blieb. Als »entarteter Künstler« gebrandmarkt, kehrte Feininger 1936 in die USA zurück, wo er für den Rest seines Lebens blieb.

Die Laufbahn des weniger bekannten Albert Bloch (1882–1961) ähnelt der Feiningers auffallend. Der in St. Louis, Missouri, geborene Bloch begann 1905 mit dem Zeichnen politischer Karikaturen für das Wochenblatt *The Mirror*. Mit dem Vorsatz, ein ernstzunehmender Künstler zu werden, siedelte er 1908 nach München über und begann dort ein freies Studium.[8] Im folgenden Jahr entdeckte er den Katalog der ersten Ausstellung der *Neuen Künstlervereinigung*, lernte Kandinsky und Marc jedoch erst 1911 kennen – just in der Zeit, als sich die Gruppe aufspaltete. So wurde er Gründungsmitglied des *Blauen Reiter* und zeigte bei dessen Eröffnungsausstellung sechs Gemälde (darunter auch *Harlequinade* von 1911). Er stellte auch regelmäßig bei Walden aus und nahm an der Ausstellung des Sonderbundes ebenso teil wie an der *Ersten Deutschen Herbstausstellung*. Seine ersten amerikanischen Ausstellungen fanden 1915 in Chicago und St. Louis statt. Wie Feininger blieb Bloch während des Krieges in Deutschland und kehrte 1921 in die USA zurück, wo er die ihm noch verbleibenden 40 Jahre seines Lebens verbrachte.

Kein amerikanischer Modernist unterhielt eine intensivere Verbindung zu Deutschland als Marsden Hartley. Ein Künstler mit mystischen Neigungen, traf Hartley bei den deutschen Expressionisten auf geistesverwandte Seelen und fand in Berlin eine Heimat. Doch die Zeit, die er sich dafür aussuchte, hätte nicht ungünstiger sein können. Hartley arbeitete 1909 unter dem Einfluß des amerikanischen mystischen Romantikers Albert Pinkham Ryder, als er Stieglitz kennenlernte. Sofort verlagerte sich der Schwerpunkt seines Interesses auf die Kunst Cézannes. Bald nach Hartleys zweiter Ausstellung in der Galerie 291 im Februar 1912 ermöglichte Stieglitz dem Künstler einen einjährigen Aufenthalt in Europa. Zwei Monate später traf Hartley in Paris ein, doch die Pariser Kunstwelt ließ ihn recht unbeeindruckt. Schon im Juni schrieb er an Stieglitz, daß er Robert Delaunays Atelier besucht habe, »aber bis jetzt ist es wie eine Demonstration chemischer Prozesse oder der technischen Beziehungen zwischen Farbe und Geräusch. Sie reden alle so zungenfertig, aber was schaffen sie.«[9] Nachdem er im Oktober 1912 den *Salon d'Automne* in Augenschein genommen hatte, informierte er Stieglitz: »Nichts Bemerkenswertes… Die Kubisten sagen sehr wenig, fast gar nichts… Paris ist für die Kunst ein totes Pflaster.«[10] Hartley war mehr daran interessiert, die Exponate der »Primitiven« im Musée de l'Homme und im Trocadéro zu sehen und mystische Texte von Persönlichkeiten wie Madame Blavatsky, Richard Bucke und Jacob Boehme zu lesen, als das Schaffen der Pariser Avantgarde zu erforschen.[11] Zu Hartleys wichtigsten Kontakten in Paris gehörte seine Verbindung zu Gertrude Stein, die sein Schaffen bewunderte, und zu einer kleinen Gruppe von Deutschen: dem Bildhauer Arnold Rönnebeck,[12] seinem Vetter Karl von Freyburg und dem Schweizer Dichter Siegfried Lang. Die Deutschen teilten sein Interesse am Mystizismus und machten Hartley mit Kandinskys *Über das Geistige in der Kunst* und dem Almanach *Der Blaue Reiter* bekannt.

Hartley besuchte Deutschland zum ersten Mal im Januar 1913, als er auf Rönnebecks Einladung zwei Wochen bei dessen Familie in Berlin-Halensee verbrachte. Als Rönnebeck und er sich am 21. Januar wieder auf den Rückweg nach Paris begaben, reisten sie zunächst nach München, wo sie Kandinsky, Gabriele Münter und dem Kunsthändler Hans Goltz begegneten. Wieder in Paris, begann Hartley einen Briefwechsel mit Franz Marc, der Hartley begeistert unterstützte. Im März schrieb Hartley an Marc: »Ich fühle mich bei Euch wie zuhause – und ich habe das Gefühl, daß dort eine neue Kunst entstehen wird –, eine in ihrem tiefsten Wesen mystische Kunst, während hier in Paris die Kunst ganz intellektuelle Kunst ist.«[13]

Auf seinem Rückweg nach Berlin im April verbrachte Hartley ein paar Tage bei Marc in dessen Haus in Sindelsdorf. Bei diesem Besuch lernte er auch Albert Bloch kennen. Ein paar Wochen später schrieb Hartley an Kandinsky und Münter: »Ihr werdet in mir keinen Kunstintellektuellen finden – nur einen

Abb. 3 Marsden Hartley, Die Krieger, 1913 (The Warriors), Öl auf Leinwand, 121×121 cm, Regis Collection, Minneapolis MN

Abb. 4 Lee Simonson, Marsden Hartley macht sich Deutschland zu eigen (Marsden Hartley Adopts Germany), Karikatur vom September 1913, Aquarell, Yale University, Collection of American Literature, The Beinicke Rare Book and Manuscript Library, New Haven CT

Kunstmystiker –, der emotional, spirituell danach strebt, erhabene Gefühle auszudrücken – und dabei mache ich mich selbst zum Medium des Ausdrucks.«[14] Seinen Briefen nach war Hartley von Marcs Kunst und Persönlichkeit tief beeindruckt (ganz davon zu schweigen, daß dieser etwas Englisch sprach), fand jedoch Kandinsky allzu theoretisch orientiert und empfand dessen Gemälde als »Laboratoriums-Demonstrationen (die) der Philosophie entspringen und nicht aus der Erfahrung hervorbrechen«.[15]

Hartley kam während der dritten Maiwoche in Berlin an, gerade rechtzeitig, um die Frühjahrs-Militärparade und die Vorbereitungen zur Vermählung der Kaisertochter mitzuerleben. Der Künstler, der sich in einer kleinen Wohnung in der Nassauischen Straße häuslich niedergelassen hatte, sprach in seinen Briefen nach Amerika davon, wie sehr ihn die militärische Prachtentfaltung faszinierte. (Das Jahr 1913, der 25. Jahrestag der Regierung Wilhelms II. und der 100. Jahrestag der Völkerschlacht von Leipzig, war vom Kaiser zum Feierjahr erklärt worden.) Ursprünglich waren es figurative Bilder, mit denen Hartley die prunkvollen Aufzüge schilderte (Abb. 3). In seiner unveröffentlichten Autobiographie sollte sich Hartley später erinnern:

»Ich war zum richtigen Zeitpunkt in Berlin eingetroffen… Der Morgen des Einzugs der Hohenzollernprinzessin und ihres Zukünftigen, des Herzogs, durch das Brandenburger Tor war angebrochen. Auf dem Pariser Platz standen dichtgedrängt bis zu den Treppenabsätzen und Fenstern diese riesigen Kürassiere von des Kaisers Leibgarde – ganz in Weiß – weiße hauteng Lederbeinkleider – hohe einfarbige Lackstiefel – mit diesen gleißenden, das Auge blendenden mittelalterlichen Brustschilden aus Silber und Messing – daß einem beim Hinsehen schwarz vor Augen wurde, denn die Sonne stach wie ein Speer, wenn sich die Männer bewegten – und ließ die Helme mit dem kaiserlichen Adler und den weißen herabhängenden Helmbuschen hell erglänzen – jeder war beritten – und jedes Pferd war ebenfalls weiß – sich so viel Leben und Kunst auf einmal von Angesicht zu Angesicht gegenüberzusehen – war einfach sinnverwirrend.«[16]

Jonathan Weinberg hat festgestellt, daß Hartleys »Erinnerungen an diese Zeit von einer Sexualisierung der militärischen Bildwelt gekennzeichnet sind«.[17] Hartley bemerkte in einem Brief aus dem Jahre 1913: »Deutschland ist im wesentlichen maskulin, von einer maskulinen Derbheit und Vitalität«, während andereserts Frankreich »in seinem innersten Kern ganz und gar feminin ist«. Das militärische Gepränge, so fuhr er fort, »stimuliert meine kindliche Vorliebe für das öffentliche Schauspiel – und was für wundervolle Musterexemplare an Gesundheit diese Männer doch sind – Tausende, und alle so blond und strahlend«.[18] Die Tatsache, daß Karl von Freyburg nun Leutnant in der deutschen Armee war, dürfte das Militär für Hartley nur noch attraktiver gemacht haben. Wie verblüfft Hartleys amerikanische Freunde auf seine Leidenschaft für Deutschland reagierten, verrät die Karikatur des Malers Lee Simonson vom September 1913: sie zeigt den marschierenden Hartley in Uniform, in der Hand eine Fahne mit einem nachempfundenen Bild von Kandinsky. Die Überschrift lautet: »Hartley hat sich so gut wie entschlossen, ein Bürger Deutschlands zu werden / Marsden adoptiert Deutschland zur Melodie von: ›Ich bin ein Preusser (sic). Kennt ihr meine Farben‹.« (Abb. 4)

Hartley ließ bald die figurativen Elemente seiner Gemälde prunkvoller Aufzüge fallen und wandte sich Kompositionen mit vieldeutigen, symbolisch verschlüsselten Zahlen, Formen und militärischen Emblemen zu (Abb. 5).[19]

Der Höhepunkt von Hartleys Leben als deutscher Expressionist war gekommen, als fünf seiner Gemälde in den Herbstsalon aufgenommen wurden. Doch trotz seiner guten Kontakte war es Hartley nicht möglich, sich in Deutschland seinen Lebensunterhalt als Künstler zu verdienen. Im November kehrte er nach New York zurück, wo er eine Ausstellung in der Galerie 291 veranstaltete, die sowohl bei der Kritik wie auch finanziell gute Erfolge zeitigte. Im April machte er sich erneut auf den Weg nach Berlin. In jenem Frühling und Sommer schuf Hartley eine Reihe von Gemälden, in die er Motive der amerikanischen Indianer einbezog. Das mag eine Reaktion auf verwandte Motive bei deutschen Künstlern gewesen sein (etwa bei Max Pechstein) oder vielleicht eine Strategie, Förderer auf sich aufmerksam zu machen, die mit den Erzählungen von Karl May aufgewachsen waren. Diese Serie wurde jedoch durch die Kriegserklärung am 1. August unterbrochen. Das fröhliche Gepränge der Paraden von 1913 war vorüber. Freyburg fiel im Oktober 1914 an der Front. Einige Monate später schrieb Hartley an Stieglitz: »Ich hatte jeden Grund der Welt, diesen Burschen zu lieben … Wenn es je eine wahre Verkörperung all dessen gab, was liebenswert und großartig in der deutschen Seele und dem deutschen Charakter ist, dann war es dieser Bursche, der mit 24 Jahren vollkommen für ein Leben in Freu-

de und Kraft und Schönheit ausgestattet war …«[20] Hartleys *Portrait eines deutschen Offiziers (Portrait of a German Officer)* aus dem Jahr 1914 (Abb. 6) ist eine Elegie an Freyburg. Rönnebeck erinnerte sich etwa dreißig Jahre später in einem Brief an den Symbolismus des Werkes:

»Das Dreieck symbolisierte die Freundschaft und das gegenseitige Verständnis zwischen drei Männern … Während des Winters 1914/15 wurde ich in Berlin ins Krankenhaus gebracht, verwundet und zerschmettert, doch das Eiserne Kreuz hatte man mir schon verliehen. (Freyburg hatte das Eiserne Kreuz einen Tag vor seinem Tod erhalten.) Hartley bewunderte seine schöne Form, die der große deutsche Architekt Schinkel 1813 entworfen hatte, und bat mich, es auf seinem Palettentisch zu lassen als Andenken an einen stillen Freund, der uns verlassen hatte… Karl liebte das Schachspiel, was die schwarzen und weißen Quadrate erklärt.«[21]

Freyburgs Initialen erscheinen in dem Bild (unten links) zusammen mit den Symbolen seiner Uniform.

Die einzigen anderen namhaften amerikanischen Modernisten im Vorkriegsdeutschland waren Stanton MacDonald-Wright und Morgan Russell, die sich jedoch offensichtlich nicht für die zeitgenössische deut-

Abb. 6 Marsden Hartley, Portrait eines deutschen Offiziers, 1914 (Portrait of a German Officer), Öl auf Leinwand, 174×105 cm, Metropolitan Museum of Art, New York

sche Kunst interessierten. Die beiden, die einander kennenlernten, als sie unabhängig 1911 in Paris studierten, stellten fest, daß sie ein großes Interesse an der Farbentheorie miteinander teilten. Sie begannen daraufhin, eng in einer Richtung zusammenzuarbeiten, die den orphistischen Werken von Sonia und Robert Delaunay und Frantisek Kupka bemerkenswert ähnelte. Die erste Ausstellung ihres Schaffens fand im Juni 1913 im *Neuen Kunstsalon* München statt. Ihr Stil, den sie nun »Synchronismus« nannten, war eine der ersten von amerikanischen Malern selbständig entwickelten Richtungen, die allein mit dem Mittel der Farbe sowohl Form als auch Inhalt schuf und schwingende Farbkreise und -kurven erzeugte. Ihre erste und letzte gemeinschaftliche amerikanische Ausstellung wurde ein Jahr später (im März 1914) in New York veranstaltet.

Inzwischen waren in den USA zwei weitere deutsche Immigranten aufgetreten, die Einfluß auf den amerikanischen Modernismus ausübten. Der in Prenzlau (Brandenburg) geborene Oscar Bluemner (1867–1938) entstammte einer Architektenfamilie. Er studierte in Hannover, Elberfeld und an der Technischen Hochschule Berlin und schlug eine erfolgreiche Laufbahn als Architekt ein.[22] In seiner Freizeit zeichnete er Landschaften. Bluemner emigrierte 1892 in die USA, wo er in Chicago als Architekt tätig war, nach 1900 übte er seinen Beruf in New York aus. (Später behauptete er, er habe Deutschland aufgrund einer »künstlerischen Auseinandersetzung« mit Kaiser Wilhelm II. verlassen.) In einem Interview, das er 1915 der bedeutendsten deutschen Tageszeitung in New York gab, betonte Bluemner, daß er stets an Farbe und Licht interessiert gewesen sei:

»In meiner Heimatstadt Elberfeld-Barmen machte die Pracht der Farben der dort überwiegenden Seidenindustrien ... immer einen unverlöschlichen Eindruck, der mich für das ewige Grau des Bergischmärkischen Regenhimmels entschädigte. Dazu kamen die farbenglühenden Glasfenster der alten Kirchen des Rheinlandes, des mittelalterlichen Kunstgewerbes in Hildesheim usw. – wo ich als Kind herumgezeichnet habe.«[23]

Bluemners Interesse an Farbe und Licht erhielt weiteren Auftrieb, als er 1902 in der Galerie Durand-Ruel in New York zum ersten Mal eine Ausstellung des Neo-Impressionismus sah. Von nun an richtete er sein Augenmerk zunehmend auf die Farbenlehre.[24] Nachdem er 1910 Stieglitz kennengelernt hatte, begann er Ölgemälde zu schaffen, und zwei Jahre später hing er seinen Architektenberuf an den Nagel, um sich ganz der Malerei zu widmen, und unternahm eine siebenmonatige Reise nach Europa. In Berlin sah er die Ausstellung der Sezession und, was noch wichtiger war, die Schau der italienischen Futuristen in Herwarth Waldens *Sturm*-Galerie.[25] Während dieser Reise hatte er auch seine ersten Ausstellungen in Deutschland: in der Galerie Fritz Gurlitt in Berlin (Oskar Bluemner, New York, 5. Mai – 5. Juni; 7 Aquarelle, 8 Ölgemälde – einschließlich *Alter Kanal, Rot & Blau / Rockaway Fluß* [Old Canal, Red & Blue / Rockaway River, 1911–17], Kat. Nr. 112). Obwohl diese Präsentation wenig Aufmerksamkeit bei den Kritikern erregte, wanderte sie später in das Elberfelder Städtische Museum. Im Sommer stellte Bluemner auch ein Werk im Leipziger Kunstverein aus. Durch seine neuen deutschen Kontakte ging ihm die Aufforderung zu, die Sonderbund-Ausstellung in

Köln für das *Kölner Tageblatt* zu rezensieren. Zuversichtlich und autoritär erklärte er: »Wir stehen ... in den Anfängen einer großen neuen Malerei, in der die reine Farbe die Oberherrschaft über alle anderen Mittel (hat).«[26] Im Mittelpunkt seiner Lobpreisungen standen jedoch eher van Gogh, Gauguin und Matisse als seine deutschen Zeitgenossen. Nach New York zurückgekehrt, beteiligte sich Bluemner an der *Armory Show* (Stieglitz hatte ihn gebeten, sie für die Zeitschrift *Camera Work* zu rezensieren) und widmete sich einem intensiven Studium der Farbentheorie.

Konrad Cramer (1888–1963) bildete wie Hartley ein weiteres unmittelbares Verbindungsglied zwischen dem Kreis um Stieglitz und der Gruppe *Der blaue Reiter*. Der aus Würzburg gebürtige Cramer studierte an der Karlsruher Akademie (1906–09) und ließ sich dann in München nieder, wo er sich für die Ausstellungen der Neuen Künstlervereinigung zu interessieren begann. Im Februar 1911 lernte Cramer die amerikanische Künstlerin Florence Ballin kennen, eine Kollegin und Mitstreiterin von Lee Simonson und des Kubisten Andrew Dasburg. Cramer und Ballin besuchten gemeinsam die Ateliers von Adolf Erbslöh und Franz Marc.[27] Im Juni heirateten sie in England und verlegten Ende des Sommers ihren Wohnsitz nach Woodstock im Staate New York. Kurz darauf schlossen sie sich Stieglitz an. Cramers Gemälde aus dem Jahr 1912 verraten eine gute Kenntnis von Kandinskys neuesten »abstrakten« Werken (Kat. Nr. 115). Etwa um diese Zeit gelangten Kandinskys Veröffentlichungen *Über das Geistige in der Kunst* und der Almanach *Der blaue Reiter* in Cramers Hände. Auch das einzige Bild Kandinskys in der Armory Show war ihm wohlbekannt, die *Improvisation Nr. 27* aus dem Jahr 1912, die von Strieglitz erworben wurde. Wie sehr Cramer Kandinsky verpflichtet war, trat im November 1913 noch deutlicher zutage, als er sechs Gemälde ausstellte, die alle den Titel *Improvisation* trugen.[28] In einem Katalog-Statement von 1958 erinnerte sich Cramer: »Am Anfang nahm ich bewußt Abstand davon, die ›Realität‹ zu malen, um zu erforschen, bis zu welchem Grad die Kommunikation zwischen Maler und Betrachter aufrecht erhalten werden konnte, wenn das Gemälde immer abstrakter wurde.«[29] Er ließ sich auch stark von der Ausstellung im Jahr 1914 in der Studiogalerie 291 beeinflussen. Cramer und Ballin, die in der Künstlerkolonie im fernen Woodstock lebten, verbrachten immer weniger Zeit in New York City – vielleicht wegen der Deutschfeindlichkeit in den Städten während des Krieges –

und verloren nach 1916 zunehmend den Kontakt zur Avantgarde.

Die wichtigste Einzelveranstaltung in der Geschichte der modernen Kunst in Amerika war die *International Exhibition of Modern Art* von 1913, besser bekannt unter dem Namen *Armory Show*, die im Zeughaus des 69. Infanterieregiments in New York abgehalten wurde. Obwohl nach dem Vorbild der Kölner *Sonderbund*-Ausstellung des vergangenen Jahres konzipiert, fehlte es der *Armory Show* an der Gründlichkeit und dem breitgefächerten internationalen Spektrum des Sonderbundes. Statt dessen war das Resultat vor allem eine – bestenfalls unausgeglichene – Zurschaustellung neuester französischer und amerikanischer Entwicklungen.

Die Ausstellung wurde von der erst vor kurzem gegründeten *Association of American Painters and Sculptors* (Vereinigung amerikanischer Maler und Bildhauer), einer Sezession der National Academy of Design organisiert. Leider war Stieglitz nicht mit ihrer Konzeption oder Zusammenstellung befaßt. Die deutschen Werke besorgte der Künstler Walt Kuhn, der Ende September 1912 nach Köln reiste, um die *Sonderbund*-Ausstellung zu besichtigen. Nach seinen Briefen aus Europa zu urteilen war Kuhn dort vor allem daran interessiert, Werke von Cézanne, van Gogh und Gauguin zu sehen und als Leihgaben zu erhalten. Von Köln aus reiste er nach Berlin, wo er die Kunsthändler Alfred Flechtheim und Paul Cassirer besuchte. Aus München, wo er 1903 an der Kunstakademie studiert hatte, schrieb Kuhn an seine Frau: »München als Kunststadt ist absolut tot. Sie haben mit der Zeit überhaupt nicht Schritt gehalten.«[30] Kuhn befand sich in völliger Unkenntnis über die fortschrittlichsten Entwicklungen in Deutschland, als er schrieb: »Sie scheinen alle Angst zu haben, diese Deutschen, Angst, etwas kraftvoll zu sagen.«[31] Gleichwohl schrieb Kuhn in seinen Memoiren, er habe in Deutschland »Vereinbarungen zur Sicherung der Werke vieler fortschrittlicher hiesiger Maler getroffen und (sei) dann nach Paris abgereist«.[32] An seine Frau schrieb er: »Habe in Deutschland alles bekommen, was ich wollte.«[33] Aber was genau wollte er denn? Er hatte niemals Herwarth Waldens Galerie *Der Sturm* aufgesucht (wo er Kandinskys erste Einzelausstellung gesehen hätte). Nichts scheint sich aus einem Besuch bei Cassirer ergeben zu haben (abgesehen von der Tatsache, daß dieser versprach, Werke von Cézanne und van Gogh als Leihgaben zur Verfügung zu stellen). Von Flechtheim entlieh Kuhn ein Gemälde des Matisse-Schülers Rudolf Levy und sechs

Abb. 7 Wassily Kandinsky, Garten der Liebe / Improvisation Nr. 27, 1912 (Garden of Love / Improvisation Number 27), Öl auf Leinwand, 120×140 cm, Metropolitan Museum of Art, New York

Presse als Hauptfiguren der modernen Strömung wahrgenommen.[34] Marcel Duchamps *Akt, eine Treppe hinabsteigend*, ein Werk, das die Presse unaufhörlich parodierte und bewitzelte, war die Sensation der Schau. Diejenigen Amerikaner, die sich auf diese Ausstellung als Informationsquelle zu den neuesten Entwicklungen in Europa verließen, waren im wahrsten Sinne des Wortes schlecht beraten. Übrigens konnte man dort neben fünf Werken Bluemners auch zwei Ölgemälde und sechs Zeichnungen von Hartley sehen.

Die *Armory Show* war im wesentlichen eine französisch-britische Angelegenheit. Der Kirchner und der Kandinsky wurden zusammen mit einigen Bildern britischer und irischer Künstler in einen Raum in der Nähe des Ausgangs gehängt. Beide hatten schlechtes Licht, und die Presse schenkte ihnen wenig oder gar keine Beachtung. Doch Christian Brinton, einer der kenntnisreichsten amerikanischen Kunstkritiker, gab sich über die auffallenden Mängel der Schau keinerlei Täuschung hin:

»Es ist bedauerlich, daß bei der Auswahl der verschiedenen Künstler nicht mehr Scharfblick an den Tag gelegt wurde ... wir waren nicht wenig bestürzt, Klimt, Biegas, Marc, Mestrovic, Minne und Burliuk nicht entdecken zu können, während so bedeutende Künstlergruppen wie die Dresdner Brücke, die Berliner Neue Sezession, die Münchner Neue Vereinigung und die Stockholmer Acht, von Severini und den Futuristen ganz zu schweigen, gewaltig unterrepräsentiert oder gar nicht vertreten waren.«[35]

Von den wenigen amerikanischen Kritikern, die befähigt waren, über die europäische Avantgarde mitzusprechen, bemerkte J. Nilsen Laurvik: »Die konsequentesten, wenn auch nicht die erfolgreichsten all dieser Bemühungen um die Abstraktion sind zweifellos die ›Improvisationen‹ von Kandinsky.«[36] Arthur Jerome Eddy schloß in sein Buch *Cubists and Post-Impressionists* aus dem Jahr 1914 ein Kapitel über »Die neue Kunst in München« ein, in dem er Kandinsky als »den radikalsten Künstler der gesamten modernen Bewegung« pries. Und er hielt auch mit Kritik an den Organisatoren der *Armory-Show* nicht zurück: »Offensichtlich wußte das Hängekomitee nicht, was es von Kandinsky (Improvisation Nr. 27) denken oder wie es damit verfahren sollte, so verbannte man das Bild an eine Wand, die teilweise im Schatten lag.«[37] Vier Werke von Kandinsky wurden zusammen mit Werken von Alexej Jawlensky, Gabriele Münter, Bloch und Marc abgebildet.

Doch es gab einen Kunstinteressierten, der Kandinskys im Schatten hängendes Gemälde sehr wohl

Graphiken sowie zwei Skulpturen von Wilhelm Lehmbruck. Beide Künstler lebten damals in Paris. Von der Galerie Thannhauser in München – wo die erste *Blaue-Reiter*-Ausstellung stattgefunden hatte – entlieh Kuhn Gemälde von Julius Hess, Julius Seyler, Max Slevogt, zwei von Ferdinand Hodler und sechs Zeichnungen von Max Mayrshofer. Von der Galerie Neue Kunst Hans Goltz – die zu diesem Zeitpunkt gerade eine Ausstellung von vierzig deutschen Avantgarde-Künstlern veranstaltete – ließ sich Kuhn einzelne Gemälde von Wladimir von Bechtejeff, Wilhelm Gimmi, Walter Helbig, Ernst Ludwig Kirchner und Kandinsky geben. Franz Maria Jansen, den Kuhn in Köln kennengelernt haben mochte, stellte ein Ölgemälde und zwölf Werke auf Papier zur Verfügung. Auch Julius Paul Junghanns gab ein Ölgemälde als Leihgabe für die Ausstellung.

In einer Zeit, da die expressionistischen Künstler von Galerien wie Goltz, Thannhauser und Walden und in Zeitschriften wie *Der Sturm* und *Die Aktion* weithin propagiert wurden, blieb Kuhn hinsichtlich ihrer Bedeutung mit Blindheit geschlagen. Nur die Werke Kandinskys (*Garten der Liebe / Improvisation Nr. 27*, Abb. 7) und Kirchners (*Wirtsgarten*, der erst später hinzukam) standen für die fortschrittlichsten Entwicklungen in der deutschen Kunst. In der Hauptsache zeigte die *Armory Show* schließlich das Schaffen Odilon Redons (76 Werke) und des britischen Malers Augustus John (44 Werke). Die Auswahl der Künstler und Werke wirkte einigermaßen wahllos: So wurden zum Beispiel Francis Picabia und die drei Brüder Duchamp-Villon – die alle in Paris nur Randfiguren waren – von dem amerikanischen Publikum und der

bemerkte: Es war Stieglitz, der es für ca. 500 $ kaufte. Kandinskys Ruhm in Amerika nahm 1914 rasch zu, was er jedoch nicht der *Armory Show* zu verdanken hatte.[38] In diesem Jahr erschien nämlich seine Schrift *Über das Geistige in der Kunst* in einer englischen Übersetzung[39] und wurde rasch von einer Reihe von Künstlern begierig aufgegriffen und innerlich verarbeitet, die entweder mit Stieglitz verbunden waren oder bald zu ihm in Beziehung treten sollten: zu ihnen gehörten Arthur Dove, Abraham Walkowitz und Georgia O'Keefe. Diese drei Künstler begannen bald, ihren Gemälden musikalisch inspirierte Titel zu verleihen. Stieglitz und Kandinsky schmiedeten Pläne für eine Ausstellung der Werke des Künstlers in der Studiogalerie 291, doch diese Pläne wurden durch den Kriegsausbruch in Europa im Sommer 1914 zunichte gemacht.

Der Krieg wirkte sich bald verhängnisvoll auf die deutsch-amerikanischen Beziehungen aus. Nach einem (angeblichen) deutschen U-Boot-Angriff auf die Lusitania im Mai 1915, bei dem 124 Amerikaner den Tod fanden, setzte in Amerika eine stark anti-deutsche Stimmung ein. Die einst politisch mächtigen 8,28 Millionen Deutsch-Amerikaner wurden nun zum Schweigen verurteilt und als anti-amerikanisch abgestempelt. Bücher und Filme erschienen, die vor dem Griff Deutschlands nach der Weltherrschaft warnten. Selbst amerikanische Gelehrte verbreiteten diese sensationell aufgemachten Nachrichten: »Wie zu erfahren ist, denken die Deutschen, daß sie mit der Mission betraut sind, das, was sie ›Kultur‹ nennen, mit Waffengewalt unter den Menschen zu verbreiten.«[40] Im selben Monat, in dem die Lusitania gesunken war, veröffentlichte das Bryce Committee, das eingesetzt worden war, um Berichte über von den Deutschen verübte Greuel im besetzten Belgien und Frankreich zu untersuchen, seine sensationellen und schreckenerregenden Ergebnisse in der *New York Times*.

Oscar Bluemner und sein Sohn wurden im Sommer 1915 beim Zeichnen in New Jersey irrtümlich als deutsche Spione verhaftet.[41] Nur Stieglitz konnte so wagemutig sein, im Herbst 1915 die erste amerikanische Ausstellung für Bluemner zu veranstalten. Seinerseits versuchte Bluemner nicht, seine Verbindung zur deutschen »Kultur« zu verheimlichen, im Gegenteil, er schloß sich eng an Deutschland an:

»(W)as ich selber aus meiner damaligen Jahresreise zu sämmtlichen bedeutenden Kunstorten und Galerien als den Gewinn mitbrachte … war eine feste Einsicht, daß die deutsche Kunst-Zukunft nur im vom

Auslande unbeirrten ernsten Arbeiten und Vertiefen deutschen Wesens liegt, im Fortschritt deutschen Denkens und – in dem urewigen Wesen alter deutscher Kunst selber.«[42]

Charles H. Caffin, einer der fortschrittlicheren Kunstkritiker New Yorks, kritisierte des Künstlers Mangel an Intimität, sein fehlendes persönliches Empfinden und seine »Institutionalisierung des Lebens«, was Caffin als »der amerikanischen Demokratievorstellung völlig zuwiderlaufend« empfand.[43] In einer Ausstellungs-Erklärung für die *Forum Exhibition of American Painters* ein paar Monate später (es wurde plötzlich wichtig, sich in einem Land von Immigranten das Etikett *amerikanisch* aufzukleben) in den Anderson Galleries löste sich Bluemner von seiner Fixierung auf das *deutsche Wesen, Denken und die deutsche Kunst* und rückte statt dessen den »inneren Impuls« und die »persönliche Vision« in den Mittelpunkt, wozu er bemerkte: »Wir (Amerikaner) haben ein eigenes Klima und Bewußtsein.«[44] Während der Eskalation der anti-deutschen Einstellung als Folge der amerikanischen Kriegserklärung an Deutschland am 6. April 1917 schrieb Bluemner an Alfred Stieglitz, daß er vorübergehend das Malen aufgegeben habe, bis »das Schicksal des deutschen Volkes sich geklärt hat«.[45] Dessen ungeachtet zog Bluemner weiterhin das Interesse von Gönnern auf sich und wurde auch eingeladen, sich an Ausstellungen zu beteiligen.

Was aber geschah inzwischen in Deutschland? Marsden Hartley faßte den entscheidenden Entschluß, in einem Land zu bleiben, das in wachsende Isolation zu den USA geriet. Im Herbst 1915 fanden seine ersten deutschen Einzelausstellungen im Münchner Graphik-Verlag in Berlin (Oktober 1915) und in der Schames Galerie in Frankfurt (September 1915) statt. Zwar lieferten diese Präsentationen die so dringend notwendige Werbung für ihn und steigerten so seinen Bekanntheitsgrad, zogen jedoch keine Gönner an. Eine recht ablehnende Rezension der Berliner Ausstellung – offensichtlich von einem Kriegsberichterstatter verfaßt – erschien im Dezember in der *New York Times*:

»Ein Gewirr von Dreiecken, Quadraten, Rechtecken, Flaggen aller Nationen in grell-derben, primitiven Farben zusammengeworfen, schafft ein Bilderpuzzle, das es dem Betrachter absolut unmöglich macht, dieses Bild nicht als eine Schlacht zu sehen. Ganz und gar nicht neutral, wie einige denken, hat der amerikanische Künstler über die Schlachtenbilder Eiserne Kreuze verstreut, obwohl deutsche Kenner, mit denen ich sprach, sich hartnäckig dagegen verwahrten, daß Mr. Hartleys Gemälde pro-deutsch seien. Tatsächlich meinten einige von ihnen, genau das Gegenteil sei der Fall. Ab und zu tauchte bei diesen Kritikern der leise Verdacht auf, daß hier deutsche Schlachten ins Lächerliche gezogen würden.«[46]

Hartley unternahm den Versuch, den Autor des Artikels von seiner Objektivität zu überzeugen, befand sich dabei jedoch auf einer Gratwanderung. Während er hoffte, daß patriotische deutsche Mäzene den germanischen Stil und die militaristischen Elemente der Gemälde schätzen würden, konnte er es sich wiederum nicht leisten, seine amerikanischen Gönner vor den Kopf zu stoßen. Und Hartleys Hauptsorge im Jahr 1915 war nun einmal der Erwerb eines Kundenkreises. In seinen an Stieglitz gerichteten Briefen bat er ständig um Beistand. Stieglitz tat sein Möglichstes, um dem Künstler zu helfen, doch die Kommunikation mit den Vereinigten Staaten gestaltete sich immer schwieriger. Im Dezember 1915 schiffte sich Hartley nach New York ein, seiner Meinung nach auf einen kurzen Besuch, konnte er sich doch nicht vorstellen, wie schwierig die Reise über den Ozean bald werden sollte. Im Frühling 1916 stellte er seine deutschen Gemälde in der Studiogalerie 291 aus. Nun, da er besser vertraut war mit der in New York herrschenden deutschfeindlichen Einstellung, trug der Künstler Sorge, in seinem Katalog-Statement zu betonen: »Es gibt keinen wie auch immer gearteten Symbolismus (in den Gemälden); nirgends herrscht die leiseste derartige Intention… bei ihnen habe ich lediglich das Auge befragt – in keiner Hinsicht ein Problem; meine Auffassung des rein Visuellen.«[47] Die meisten Kritiker schenkten diesen Beteuerungen keinen Glauben. Und die Sammler kauften die Bilder nicht. Freilich brach andererseits auch der Skandal nicht aus, den manch einer befürchtet hatte. In den USA festgehalten, ließ Hartley bald den Themenkreis seiner deutschen Werke fallen und konzentrierte sich auf rein formale (sprich: neutrale) Stilleben.

In seiner ersten Ausgabe nach dem Krieg schrieb *The International Studio*, eine der wichtigsten amerikanischen Informationsquellen, über die europäischen Entwicklungen: »Deutschland hat sich in die unoriginellste Nation der Weltgeschichte verwandelt… Es kann nicht behauptet werden, daß Deutschland seit den Tagen Dürers und Holbeins in irgendeinem nennenswerten Ausmaß als Urheber eines originären europäischen Kunstschaffens gelten kann.«[48] Eine Ära deutsch-amerikanischer Beziehungen war zu Ende. Doch es sollten noch etliche weitere folgen.

1 In Deutschland gab diese Situation zu Klagen Anlaß, daß die deutsche Kultur von einer kleinen Anzahl von Kunstkritikern und Museumsdirektoren untergraben würde, die mehr an Manet, Cézanne und Matisse interessiert schienen als an den deutschen zeitgenössischen Künstlern. Siehe besonders das Flugblatt »Ein Protest deutscher Künstler« (Jena, 1911).

2 Joshua C. Taylor hat die Columbian World's Exposition von 1893 in Chicago für die Verlagerung des Interesses der amerikanischen Sammler von der deutschen zur französischen Kunst verantwortlich gemacht in: »The Fine Arts in America«, Chicago / London, S. 137.

3 Im Jahr 1909 zeigte das Metropolitan Museum of Art in New York eine große Ausstellung unter dem Titel Contemporary German Art (Zeitgenössische deutsche Kunst), die (mit Unterstützung des Deutschen Reiches) von dem deutsch-amerikanischen Geschäftsmann und Sammler Hugo Reisinger finanziert und organisiert wurde. Sie enthielt Gemälde von Mitgliedern der Berliner und Münchner Sezession (Leibl, Liebermann, Uhde, Böcklin, Klinger und Stuck). Diese Ausstellung war als Gegenstück gedacht zu der skandalös unzulänglichen Auswahl deutscher Werke für die Weltausstellung von 1904 in St. Louis (Louisiana Purchase Exposition). Damals war als der einzige in gemäßigt fortschrittlicher Richtung arbeitende Künstler Adolf Hölzel zugelassen worden. Diese Schau mußte natürlich den an der zeitgenössischen französischen Kunst interessierten amerikanischen Künstlern die Überzeugung einflößen, daß Deutschland wenig zu bieten hatte.

4 Martin Birnbaum: »Exhibition of Contemporary German Graphic Art«, New York 1912–13, S. 18–19. – Diese aus etwa 370 Werken bestehende Ausstellung wanderte 1913 weiter nach Buffalo und Chicago.

5 »Extracts from ›The Spiritual in Art‹«, in: Camera Work 39, Juli 1912, S. 34.

6 Birnbaum, S. 17.

7 Brief Feiningers an Kubin vom 13. Juni 1913. Zitiert in: Ulrich Luckhardt, »Lyonel Feininger«, München 1989, S. 33.

8 Siehe Richard C. Green: »Albert Bloch, His Early Career: Munich and Der Blaue Reiter«, in: Pantheon 6, 1981, S. 70–76.

9 Brief von Hartley an Stieglitz vom 20. Juni 1912. Zitiert in: Townsend Ludington, »Marsden Hartley: The Biography of an American Artist«, Boston 1992, S. 80–81.

10 Brief von Hartley an Stieglitz vom 2. Oktober 1912. Zitiert in: Townsend Ludington, op. cit., S. 81–82.

11 Siehe Gail Levin, »Marsden Hartley and Mysticism«, in: Arts Magazine 60, November 1985, S. 18.

12 Rönnebeck wurde später Direktor des Denver Art Museums in Colorado.

13 Brief von Hartley an Marc vom 12. März 1913. Zitiert in: Patricia McDonnell: »Marsden Hartley's Letters to Franz Marc and Wassily Kandinsky 1913–1914«, in: Archives of American Art Journal 29, 1989, S. 36.

14 Brief von Hartley an Kandinsky und Münter, Mai 1913. Zitiert in: Ludington, op. cit., S. 99.

15 Brief von Hartley an Stieglitz, August 1913. Zitiert in: Patricia McDonnell, »Dictated by Life: Spirituality in the Art of Marsden Hartley and Wassily Kandinsky 1910–1915«, in: Archives of American Art Journal 29, 1989, S. 30.

16 Marsden Hartley, »Somehow a Past«, zitiert in: Roxana Barry, »The Age of Blood and Iron: Marsden Hartley in Berlin«, in: Arts Magazine 54, Oktober 1979, S. 169.

17 Jonathan Weinberg, »Speaking for Vice: Homosexuality in the Art of Charles Demuth, Marsden Hartley, and the First American Avant-Garde«, New Haven 1993, S. 143.

18 Brief von Hartley an Rockwell Kent, März 1913. Rockwell Kent Papers, Archives of American Art/Smithsonian Institution, New York.

19 Zu der Bedeutung, die diese Zahlen und Formen für Hartley besaßen, siehe: Gail Levin, »Hidden Symbolism in Marsden Hartley's Military Pictures«, in: Arts Magazine 54, Februar 1979, S. 154–58. – Roxana Barry, »The Age of Blood and Iron«, S. 166–71, und Jonathan Weinberg, »Speaking for Vice«, Kapitel 7.

20 Brief von Hartley an Stieglitz vom 15. März 1915. Zitiert in: Jonathan Weinberg, »Speaking for Vice«, S. 50.

21 Brief von Rönnebeck an Duncan Phillips aus der Zeit um 1944. Zitiert in: Levin, »Hidden Symbolism in Hartley's Military Pictures«, S. 156.– Weinberg verbindet Hartleys Kodierungssystem mit »dem von den Homosexuellen empfunden Zwang, sorgfältig verschlüsselte Maskierungen zu entwerfen, um ihre Sexualität und ihre Gefühle im alltäglichen Austausch tunlichst zu verbergen«, in: »Speaking for Vice«, S. 3.

22 Seine bedeutendsten Werke waren ein Theater in Gleiwitz und des neo-romanische Postamt in Halle an der Saale (1891).

23 »Ein ›Spaziergang‹ aufs malerische Gebiet – Bluemner, seine Ziele, sein Werk – Interessantes Interview« in: New Yorker Staats-Zeitung (Abendblatt) vom 19. November 1915, S. 8.

24 Judith Zilczer, »Oscar Bluemner: The Hirschhorn Museum and Sculpture Garden Collection«, Washington 1979, S. 7.

25 Jeffrey R. Hayes, »Oscar Bluemner«, Cambridge 1991, S. 39.

26 »Oskar Blümer (sic) über die Kölner Sonderbund-Ausstellung«, in: Kölner Tageblatt vom 20. August 1912.

27 Gail Levin, »Konrad Cramer: Link from the German to the American Avant-Garde«, in: Arts Magazine 56, Februar 1982, S. 245. – Alexander Kanoldt und Adolf Erbslöh, Mitglieder der Neuen Künstlervereinigung, hatten ebenfalls vorher an der Karlsruher Akademie studiert.

28 Die Ausstellung fand vom 13.–23. November 1913 im The MacDowell Club, New York, statt.

29 Konrad Cramer, Brooklyn Center, Long Island University. Mai 1958. Zitiert in: Levin, »Konrad Cramer«, S. 148.

30 Postkarte von Walt Kuhn an Vera Kuhn vom 18. Oktober 1912. Walt Kuhn Papers, Archives of American Art/Smithsonian Institution, New York.

31 Brief von Walt Kuhn an Vera Kuhn vom 16. Oktober 1912. Walt Kuhn Papers, Archives of American Art/Smithsonian Institution. New York.

32 Walt Kuhn, »The Story of the Armory Show«, New York 1938, S. 9–10.

33 Postkarte von Walt Kuhn an Vera Kuhn, 28. Oktober 1912. Walt Kuhn Papers, Archives of American Art/Smithsonian Institution, New York.

34 16 der 17 von den Duchamp-Brüdern ausgestellten Werke wurden verkauft. Milton W. Brown, »The Story of the Armory Show«, New York 1988, S. 135. – Sowohl Jacques Villon (9) und Francis Picabia (11) zeigten mehr Werke als Picasso mit seinen 8, von denen zwei Leihgaben von Stieglitz waren. – Die italienischen Futuristen hatten ihre Teilnahme abgelehnt, falls sie nicht als gesonderte Gruppe in Erscheinung treten könnten, d. h. falls die Hängung ihrer Werke nicht in besonderen Räumlichkeiten stattfände, und wurden demgemäß aus der Ausstellung ausgeschlossen.

35 Christian Brinton, »Evolution Not Revolution in Art«, in: The International Studio 194, 1913, S. xxxiv.

36 J. Nilsen Laurvik, »Is it Art?«, New York 1913, S. 25–26.

37 Arthur Jerome Eddy, »Cubists and Post-Impressionists«, Chicago 1914, S. 116.

38 Etwa Anfang 1914 erhielt Kandinsky von Edwin R. Campbell, dem Mitbegründer der Chevrolet Motor Company, seinen ersten amerikanischen Auftrag. Campbell wünschte sich vier große Gemälde für sein New Yorker Appartement. Diese Jahreszeiten-Bilder gelangten schließlich im Sommer 1916 nach New York. Heute befinden sich zwei von ihnen im Museum of Modern Art und zwei im Guggenheim Museum. – Vgl. Kenneth C. Lindsay, »Kandinsky in 1914 New York: Solving a Riddle«, in: Art News 3, 1956, S. 32–33 und 58–60.

39 Wassily Kandinsky, »The Art of Spiritual Harmony«, in der englischen Übersetzung von Michael T. Sadlier, Boston / London 1914.

40 Gilbert Murray, »German ›Kultur‹«, in: The Quarterly Review 223, 1915, S. 313.

41 Bluemners humorvoller Bericht über seine Festnahme wurde unter der Überschrift: »Amerikanische Spionen-Riecherei« veröffentlicht in: New Yorker Staats-Zeitung (Abendblatt), 20. September 1915, S. 8.

42 »Ein Spaziergang«, S. 8.

43 Zitiert in: Sandra Lee Underwood, Charles H. Caffin: «A Voice for Modernism 1897–1918«, Ann Arbor 1983, S. 159.

44 Oscar Bluemner »Explanatory Note«, Katalogvorwort zu The Forum Exhibition of Modern American Painters, New York, Anderson Galleries, 1916, ohne Seitenzahl. – Die erklärte Absicht der Ausstellung war, »die öffentliche Aufmerksamkeit für den Augenblick von der europäischen Kunst abzulenken und sie auf die ausgezeichnete Arbeit zu konzentrieren, die in Amerika geleistet wird«.

45 Brief von Bluemner an Stieglitz, 31. August 1917. Zitiert in: Zilczer, »Oscar Bluemner«, S. 13.

46 »American Artist Astounds Germans«, in: New York Times, 19. Dezember 1915. Zitiert in: Weinberg, »Speaking for Vice«, S. 156.

47 Weinberg, S. 156–57.

48 Raymond Wyer, »Germany and Art«, in: The International Studio 66, Dezember 1918, S. xli. – Wyer war der Direktor des Worcester Art Museums in Massachusetts.

STEFAN GRONERT

Ein amerikanischer Blauer Reiter?

Albert Bloch und die Entwicklung der modernen Malerei in Deutschland

Geschichte hängt nicht unwesentlich mit einem Prozeß des Vergessens zusammen. Allein indem wir auf eine Auswahl bestimmter Ereignisse treffen, die uns erinnerungswürdig erscheinen, sind wir in der Lage, aus der Fülle des historisch Tradierten oder (bzw. und) aus der Erinnerung eine Vision des Vergangenen zu konstruieren. Dabei stellt sich – und dies trifft natürlich auch auf die Kunstgeschichtsschreibung zu – die Frage nach den Kriterien einer solchen Auswahl zwischen dem Erinnerungswürdigen und denjenigen Vorkommnissen oder Verhältnissen, die wir dem Vergessen überantworten können. Wie kann es etwa dazu kommen, daß jener Künstler, den Wassily Kandinsky und Franz Marc, die beiden Initiatoren der legendären Künstlergruppe »Der Blaue Reiter«, als ersten Kollegen zur Teilnahme an dieser Gruppenausstellung einluden[1] und der dort zudem – neben Gabriele Münter – mit den meisten Werken vertreten war (immerhin 6 von 43 Gemälden), daß jener Künstler heute nahezu vergessen, ja unbekannt ist? Immerhin zählt die genannte Gruppenausstellung, die im Dezember des Jahres 1911 in der Münchener Galerie Thannhauser unter dem Titel »Die erste Ausstellung der Redaktion Der Blaue Reiter« eröffnet wurde, zu den Initialereignissen im Zusammenhang mit der Entstehung der modernen Kunst in Deutschland.

Bei dem besagten Künstler handelt es sich um Albert Bloch. Er wurde am 2.8.1882 in St. Louis, Missouri, geboren und übersiedelte 1908 nach München, um erst 1921 wieder endgültig in die Vereinigten Staaten zurückzukehren. Albert Bloch, dessen Bild *Harlekinade* im übrigen zu den lediglich 13 Gemälden zählte, die im Ausstellungskatalog abgebildet wurden, nahm außerdem auch an der zweiten Ausstellung der Redaktion »Der Blaue Reiter« in der Münchener Kunsthandlung Hans Goltz (1912) teil und zeigte dort acht graphische Arbeiten. Im gleichen Jahr waren Albert Blochs Arbeiten auf der nicht minder berühmten internationalen Kunstausstellung des »Sonderbundes« in Köln zu sehen. Und in der legendären Berliner Galerie »Der Sturm« wurde 1913 die erste Einzelausstellung mit Werken des amerikanischen Künstlers gezeigt. Daß Albert Bloch nun bei der »Armory Show« (1913), die bei der Entstehung und Entwicklung moderner Kunst in den Vereinigten Staaten sicherlich eine katalysatorische Wirkung besaß, nicht vertreten war, ist vor dem Hintergrund dieser Vielzahl von Ausstellungen in Europa nicht weiter erstaunlich. Zum einen hielt er sich in Europa auf und zum anderen hatte Albert Bloch mit jenen modernen künstlerischen Tendenzen, die in Amerika bis dato nur wenig oder noch unbekannt waren, in Deutschland bereits Bekanntschaft gemacht.

Wie aber konnte es, um zu unserer Ausgangsfrage zurückzukehren, geschehen, daß das Werk dieses Künstlers (zumindest in Europa) dem Vergessen anheimfiel, wenn es sich bei Albert Bloch – wie man ihn aus Anlaß einer Wanderausstellung der Amerikanischen Botschaft in Deutschland und Österreich Mitte der sechziger Jahre charakterisierte – um einen »amerikanischen Blauen Reiter« handelt? Ist Albert Blochs Ansatz in der Tat eher der europäischen als der amerikanischen Tradition zuzuordnen?[2] Oder sollte man in Albert Bloch, wie er nicht nur 1974 im Rahmen einer Einzelausstellung in Utica, New York, präsentiert wurde, doch vielmehr einen »American Expressionist«[3] sehen? – Wie auch immer man diese, letztlich von »Stil«-Begriffen und -Definitionen abhängige Frage auch beantworten wird, so beinhaltet die Untersuchung seines Verhältnisses zum »Blauen Reiter« nicht zuletzt die Frage nach der Modernität der Kunst von Albert Bloch. Anders formuliert: Welche Rolle spielt der amerikanische Künstler im Rahmen der Entwicklung des deutschen Expressionismus?[4]

I.

»Of those American artists who worked in Germany in the first decades of the twentieth century, Albert

Bloch remains one of the least known«,[5] schreibt der amerikanische Kunsthistoriker Richard C. Green einleitend bei seinen Ausführungen zu Albert Blochs in München entstandenem Frühwerk. Dieser relativen Unbekanntheit des Künstlers selbst in Fachkreisen entspricht erwartungsgemäß auch eine geringe Anzahl von Publikationen über dessen Werk.

Abgesehen von diversen kleineren Ausstellungskatalogen, aus denen – aus europäischer Sicht – die genannte Broschüre der Amerikanischen Botschaft über den »Amerikanischen Blauen Reiter« aus dem Jahre 1964/65 herausragt, konzentrieren sich die monographischen Beiträge zu Albert Bloch im wesentlichen auf einen Aufsatz von Anna Bloch, der zweiten Ehefrau des Künstlers, den genannten Aufsatz Greens und auf die Innsbrucker Dissertation von Maria Schuchter als der einzigen größeren Abhandlung.[6]

Während sich der künstlerische Nachlaß weitgehend im amerikanischen Kansas befindet, sind in Europa nur sehr wenige Gemälde oder Zeichnungen von Albert Bloch in öffentlichen Sammlungen vorhanden. Und auch auf dem europäischen Kunstmarkt spielen die Bilder, Graphiken und Zeichnungen des Amerikaners keine Rolle. Nach langer Zeit wird daher eine von Kansas City ausgehende Retrospektive, die im Sommer 1997 auch in der Städtischen Galerie im Lenbachhaus, München, gezeigt werden soll, erstmals wieder einen breiteren Überblick über das Werk von Albert Bloch ermöglichen. In diesem Zusammenhang ist auch an die Publikation bislang unveröffentlichter Quellen und Zeugnisse gedacht, die die Kenntnisse über die Person Albert Blochs erweitern sollen.[7]

Das lediglich grobe Gerüst der keineswegs spektakulären Biographie von Albert Bloch, das zur Auseinandersetzung mit der Frage seiner künstlerischen Bezüge zum »Blauen Reiter« ausreicht, ist schnell skizziert: der 1882 geborene Künstler betätigte sich von 1900 bis 1905 zunächst als Illustrator bzw. Karikaturist für die Tageszeitung »St. Louis Mirror«. Nachdem er bereits 1906 erstmals eine Europareise unternommen hatte, übersiedelte Albert Bloch 1908 mit seiner Familie nach München, wo er vermutlich 1911 Wassily Kandinsky und Franz Marc kennenlernte. Abgesehen von Kurzaufenthalten in der Heimat blieb der Amerikaner, der den Berliner Galeristen Herwarth Walden übrigens einmal um die Schreibung seines Namens in der Form »Albert-Bloch« bat,[8] immerhin bis 1921 in der bayerischen Metropole. In den USA lehrte er sodann kurzzeitig an der Academy of Fine Art in Chicago und übte seit 1923 eine Professur für Malerei und Zeichnung an der University of Kansas in Lawrence aus. Der Künstler starb ebendort am 9.12.1961.[9]

II.

Wie bei den meisten kunsthistorischen Abhandlungen sind biographische Daten selbst noch keine Antworten, sondern vielmehr Voraussetzungen bei der Klärung einer Fragestellung. Was nun vor diesem Hintergrund das künstlerische Schaffen und die damit verbundene Frage nach der Modernität der Kunst von Albert Bloch angeht, so interessiert hier zwangsläufig ausschließlich sein Früh-, genauer: sein in Europa entstandenes Werk. Dies ist allein schon deshalb zu betonen, weil das als »Frühwerk« bezeichnete, 14 Jahre während Schaffen Albert Blochs in München sich nämlich durchaus von seinem späteren, wieder in Amerika entstandenem Werk unterscheidet. Von letzterem wird in unserem Zusammenhang jedoch nicht weiter zu reden sein.

Stehen uns einerseits die Bilder seines Frühwerks (mehr oder weniger) noch in jener Gestalt vor Augen, in der sie in München entstanden sind, so sind andererseits die meisten publizierten schriftlichen Äußerungen des Künstlers zu seinem Werk erst *nach* seiner Rückkehr in die USA verfaßt worden. Dementsprechend hat sich Albert Bloch aus Anlaß einer Retrospektive des University of Kansas Museum of Art in Lawrence im Jahre 1955 gegenüber dem damaligen Direktor Edward A. Maser in einem Brief auch zur Frage seiner Beziehung zum »Blauen Reiter« geäußert. Da es sich bei diesem Brief und einem Vortrag mit dem Titel »Kandinsky, Marc, Klee. Criticism and reminiscence« aus dem Jahr 1934 um die beiden wesentlichen Quellen handelt, die bis dato zu unserem Thema publiziert sind,[10] sei im folgenden etwas ausführlicher auf deren Inhalt eingegangen.

Ebenso wie Albert Bloch in seinem in Denver gehaltenen Vortrag beim legendären Bruch der »Neuen Künstlervereinigung München« im Jahre 1911 zwischen Radikalen und Reaktionären unterscheidet, teilt er auch 20 Jahre später in einem Brief an Edward A. Maser die damalige Kunstwelt dualistisch in »Moderne« und »Traditionalisten« ein. Albert Bloch tritt dabei ganz entschieden für eine Tradierung herkömmlicher Vorstellungen und Verfahren ein: Die Kunst müsse zum einen, so fordert der als Professor inzwischen emeritierte Künstler, »fest auf dem Boden der Tradition stehen« und setze zum anderen eine avancierte handwerkliche Ausbildung voraus.

Selbst wenn man darüber hinwegsieht, daß Albert Bloch mit seiner überzogenen Betonung der handwerklichen Seite des Schaffens im Grunde ein nicht einmal vormodernes Künstlerselbstverständnis vertritt – was man mit Rücksicht auf seine mehr oder minder funktionale Tätigkeit als Karikaturist wohl verstehen könnte –, klingt es keineswegs überraschend, daß er sich als »eines der abseitigsten Mitglieder« des »Blauen Reiters« empfand. In diesem Sinne erklärt er die Einladung zur Teilnahme an den Ausstellungen der Gruppe als ein Mißverständnis seines Ansatzes: »Marc und Kandinsky machten einfach beide den Fehler, daß sie mich als ›Modernen‹ betrachteten und dachten, ich wollte ›moderne‹ Bilder malen, während ich das gar nicht beabsichtigte. Ich war im wahrsten Sinne des Wortes kein Moderner, weder in der Theorie noch in der Praxis – und darin liegt der eigentliche Unterschied – sympathisierte ich mit den Zielen der neuen Bewegung. Ich war vielmehr ein bewußter Traditionalist, wenn ich mir auch durchaus Anregungen zunutze machte, die von diesen neuen Leuten in Paris und anderen Orten ausgingen.«

Seine ablehnende Haltung gegenüber den modernen Künstlern unterstreicht Albert Bloch auch in einer Kritik an der Ausbildung junger Künstler, wo er beklagt, daß nur auf die Kenntnis des Aktuellen, aber kein eingehendes historisches Wissen und ebensowenig praktisches Können vermittelt werde. Genau dieses Problem sieht Albert Bloch auch schon bei Kandinsky, wenn er auf die zeichnerischen Fähigkeiten des Russen zu sprechen kommt. Denn einerseits »hatte Kandinsky völlig mit der Tradition gebrochen, was er nie hätte tun können, wenn er etwas davon wirklich absorbiert hätte, wenn er eine gesunde Ausbildung genossen hätte [...].« Fast folgerichtig äußert er sich über den Zeichner Kandinsky: »Ich habe immer besser gezeichnet als Kandinsky, der es niemals gelernt hatte [...].«

Abgesehen davon, daß man Albert Blochs Einschätzung über die Qualität des Zeichners Kandinsky nicht unbedingt teilen muß,[11] ist die Betonung der zeichnerischen Komponente bei gleichzeitiger Vernachlässigung der Farbe in den Ausführungen des Künstlers überaus bemerkenswert. Dies gilt um so mehr, als doch gerade der Farbe eine entscheidende Rolle im Schaffen der avanciertesten Teilnehmer an der Ausstellung »Der Blaue Reiter« zukommt. Neben dem legendären Bericht Kandinskys, in dem er das Nichterkennen des Gegenstandes in der Darstellung eines *Heuhaufens* von Claude Monet beschreibt und damit auf den Primat der Farbe verweist,[12] wäre diesbezüglich an die Malerei von Robert Delaunay, Franz Marc, August Macke und Alexej Jawlensky zu denken. In den theoretischen Ausführungen von Albert Bloch dagegen fristet die Farbe als ein malerisches Gestaltungsmittel – im wahrsten Sinne des Wortes – ein Schattendasein, so daß man sicherlich nicht zu weit geht, wenn man ausgehend von diesem Präzedenzfall sagt, daß der Amerikaner die kunsttheoretischen Reflexionen der Moderne nicht nur ignoriert, sondern sogar dezidiert abgelehnt hat.[13]

Von dieser Kritik der Kunsttheorie der Moderne, die sich fast schon zu einer generellen Ablehnung kunsttheoretischer Reflexionen steigert, zeugen ein weiteres Mal seine Äußerungen zu Kandinsky, dessen Malerei – wie Maria Schuchter anhand von bisher unpublizierten Äußerungen belegen konnte – von Albert Bloch sogar zeitweilig geschätzt wird. Die Auseinandersetzung mit dessen programmatischer Schrift »Über das Geistige in der Kunst« (1912) führt Albert Bloch allerdings zu einer distanzierten Haltung gegenüber dem, wie er noch später betont, außerordentlich inspirierenden Russen.[14]

Diese Zurückhaltung gegenüber Kandinsky und dessen kunsttheoretischen Neigungen offenbart sich nicht zuletzt auch in einem Brief an Marc, in dem Albert Bloch in Anbetracht des Ersten Weltkriegs an den Soldaten empört schreibt: »Von Kandinsky habe ich nie was gehört. [...] K. sitzt in irgendeinem kleinen Nest, und – schreibt wieder ein theoretisches Werk über Malerei! Mir unbegreiflich [...].«[15] So mußte die Allianz von Kunsttheorie und moderner Kunst dem selbsternannten Traditionalisten letztlich fremd bleiben, da er, zumindest in seiner Münchener Zeit, ganz offensichtlich kein grundsätzliches Legitimationsbedürfnis für seine Malerei erblicken konnte und deshalb im Tun selbst seinen Weg aus jener »Sackgasse« suchte, in welcher die amerikanische Malerei seiner Zeit steckte, wie er sicherlich nicht ganz zu unrecht meinte. Albert Bloch war, folgt man seiner retrospektiven Selbstbeschreibung, weniger ein Denker oder gar ein Kunsttheoretiker, als vielmehr ein mit den Augen suchender Künstler.

In diesem Lichte stellt er auch seine Begegnung mit Franz Marc dar, mit dem ihn – anders als mit Kandinsky – bis zu dessen Tod im Jahre 1916 eine freundschaftliche Beziehung verband: »Ich lernte ihn durch seine Arbeit kennen, ehe ich ihn je selbst gesehen hatte, in einer Ausstellung seiner Arbeiten in ›Die moderne Galerie‹ [sic!] in München, zu Beginn des Jahres 1911. Ich war sofort gefangengenommen, obwohl mir klar war, daß seine Begabung, nicht sein Genius, hauptsächlich dekorativ war. Hier war eine Malerei, die meinen Nöten und Wünschen entgegenkam. Hier war die neue Stimme – etwas nie Gehörtes – die authentische neu [sic!] Stimme, die doch durchweg in der geachteten traditionellen Modulation sprach.« In seinem erwähnten Vortrag spricht Albert Bloch daher im Jahre 1934 auch von der überragenden Bedeutung der Malerei Franz Marcs.[16] Indessen bleibt auch dieses vermeintliche Vorbild nicht von Albert Blochs späterem zurückhaltendem Urteil gegenüber den »Blauen Reitern« verschont, das in seinem Brief an Maser in der Bemerkung gipfelt, daß »[...] Marc und Kandinsky meiner Ansicht nach nie begriffen haben, daß unsere Auffassungen über die Aufgabe des Malers – selbst jetzt in meinem hohen Alter – immer durch Welten getrennt waren«.

III.

Nach all diesen, wohlgemerkt: retrospektiven – Distanzierungsbemühungen Albert Blochs gegenüber den Initiatoren und Teilnehmern an der Ausstellung »Der Blaue Reiter« stellt sich die Frage, warum Albert Bloch überhaupt an dieser ihm fremden Gruppenausstellung teilgenommen hat. Auch zu diesem Punkt äußert sich der Künstler in seinem mehrfach zitierten Brief an Edward A. Maser, welcher sich, gerade auch vor dem Hintergrund des Umfangs, den er diesem Thema einräumt, insgesamt wie eine einzige Rechtfertigung eben dieser Beteiligung an den Aktivitäten des »Blauen Reiters« liest. Denn vor dem Hintergrund der damaligen Situation in Amerika und der daraus resultierenden Notwendigkeit, einen eigenen neuen Weg zu finden, den er, dem eigenen Bekunden zufolge, »hilflos« suchte, »[...] begegneten mir Marc und Kandinsky und glaubten in mir einen vielversprechenden Rekruten gefunden zu haben«. Und mit Rücksicht auf die beeindruckende Malerei von Marc fügt er beinahe entschuldigend hinzu: »Nimmt es da wunder, daß ein unbekannter Neuling, noch nicht einmal 30 Jahre alt, der bisher nur gelegentlich ein oder zwei Bilder in den Ausstellungen der Berliner oder Münchener Sezession gezeigt hatte, sich geschmeichelt fühlte, als ihn diese beiden Männer aufforderten bei ihrem Blauen Reiter teilzunehmen?«

Das hier angeschlagene Motiv der eigenen Unschuld und Naivität kehrt auch in seinem Vortrag von 1934 bei der Beschreibung seines Beitrags zur Entstehung des »Blauen Reiters« wieder. Dort schildert Albert Bloch seine damalige Situation dergestalt,

daß er – vor dem Hintergrund des anfänglichen Glaubens an gewisse den Münchner Künstlern[17] angenäherte Positionen – völlig unwissend zwischen die Fronten gerät, die sich 1911 bereits innerhalb der »Neuen Künstlervereinigung München« aufgetan hatten: »The immediate result, as I learned much later, was, that quite innocently and unwittingly, I was indirectly responsible for the breaking up of the New Society of Munich.«[18]

Daß Albert Bloch mit der Einschätzung seiner eigenen Rolle beim Zerfall der »Neuen Künstlervereinigung München« die tatsächlichen Gründe verkennt, ist keine Frage: Er selbst spielte bei diesem berühmten Konflikt, aus dem heraus die Idee zum Almanach »Der Blaue Reiter« überhaupt erst erwuchs, keine Rolle.[19] Bemerkenswert jedoch ist die Tatsache, daß er sich bei der Schilderung der Entstehung des »Blauen Reiters« mehr oder weniger als Opfer seiner Unschuld und Naivität darstellt und schließlich sogar – was angesichts des erhaltenen Briefwechsels alles andere als überzeugend klingt – Sprachschwierigkeiten dafür verantwortlich macht, daß Marc »[...] meine Frage mißverstanden hatte; wahrscheinlich konnte ich mit meinem schlechten Deutsch mein Problem nicht klarmachen«.

Erscheint nun also Albert Blochs Selbstdarstellung, respektive: sein Rechenschaftsbericht, in dem er sich beinahe schon als ein Leidtragender der Popularität des »Blauen Reiters« darstellt, wenig hilfreich bei der Klärung der Frage nach den Gründen seiner Teilnahme an der legendären Gruppenausstellung, so läßt sich – sozusagen mit umgekehrter Blickrichtung – fragen, inwiefern er eigentlich in das von Kandinsky und Marc zusammengestellte Programm paßt.

Da nun die Münchener Gruppe eine ausgesprochen lockere und offene Verbindung verschiedener Künstler mit individuell unterschiedlichen Ausrichtungen darstellte, der als solcher keine strenge konzeptionelle Programmatik zugrunde lag, läßt sich diese Frage sicherlich nicht zweifelsfrei beantworten. Die Zusammenstellung des nur während zweier Ausstellungen und damit lediglich sechs Monate existierenden »Blauen Reiters« dürfte jedoch grundlegend von den persönlichen Entscheidungen der beiden Initiatoren abhängig gewesen sein. Kandinsky beschrieb die leitenden künstlerischen Prinzipien folgendermaßen: »Kein Propagieren einer bestimmten, exklusiven ›Richtung‹, sondern das Nebeneinanderstellen von verschiedenen Erscheinungen in der neuen Kunst auf internationaler Basis.«[20]

Will man bei dieser proklamierten Offenheit des künstlerischen Zusammenschlusses überhaupt von Auswahl-*Kriterien* reden, so ließ sich Albert Blochs künstlerischer Ansatz mit dem Gedanken der stilistischen Unabhängigkeit und besonders auch mit dem Ziel der internationalen Ausrichtung zweifellos problemlos vereinbaren. Auch teilt Albert Bloch, wie wir durch seine sicherlich nicht unzutreffende Kritik der amerikanischen Malerei zu Beginn des 20. Jahrhunderts wissen,[21] das für die europäische Moderne charakteristische Bedürfnis nach geistiger »Erneuerung«, das sich in der Münchener Ausstellung in ganz unterschiedlichen Formen (z. B. in philosophischen, anthroposophisch-okkultistischen, »romantischen«, aber auch religiösen bzw. theologischen Ausrichtungen) offenbarte. Doch erscheint es fraglich, ob der Amerikaner jene sich schon im Kontext der »Neuen Künstlervereinigung München« andeutende künstlerische Zielvorstellung geteilt hätte, die sich in einer Entmaterialisierung der Wirklichkeit erfüllt. Denn obgleich Albert Blochs politische Interessen durch seine vormalige Tätigkeit als Karikaturist belegt sind, scheint er als Künstler doch keine »avantgardistischen« Absichten verfolgt zu haben. Doch selbst wenn bzw. gerade weil sich Albert Bloch gegenüber den theoretischen Überlegungen der wichtigsten Vertreter des »Blauen Reiters« zunächst wohl mehr oder minder indifferent verhalten hat, ließ er sich tatsächlich unkompliziert in den Kontext der Ausstellung integrieren.

Neben den inhaltlichen Aspekten dürften zudem die persönlichen Beziehungen zu anderen beteiligten Künstlern die Einbindung des Amerikaners in den Umkreis des »Blauen Reiters« erleichtert haben. Obgleich Albert Bloch 1955 betont, daß er zu den Mitgliedern der Münchener Künstlergruppe eigentlich wenig Kontakt hatte, erwähnt er – neben Kandinsky und Marc – immerhin Paul Klee sowie Heinrich Campendonk, Alexej Jawlensky und Marianne Werefkin als Ausnahmen. Während der Kontakt zu dem letztgenannten Malerpaar, Jawlensky und Werefkin, wohl nicht sehr intensiv gewesen sein dürfte, tauschte er mit Klee Werke. Wie auch der Titel seines Vortrages von 1934 anzeigt, wo Klees Namen neben den beiden Initiatoren des »Blauen Reiters« aufgeführt wird, muß zwischen beiden Künstlern eine freundschaftliche Beziehung geherrscht haben. Bezeichnenderweise befindet sich das 1914 entstandene Aquarell *Zum Klownbild IV* noch heute in der Sammlung Felix Klee.[22] – Ausgesprochen positiv äußerte sich Albert Bloch im übrigen auch zum Werk und zur Person

August Mackes, dem er freilich nie begegnet war.[23] Der in Bonn ansässige Künstler jedoch, der an den Münchener Aktivitäten zwar teilnahm, ihnen bisweilen aber etwas reserviert gegenüberstand, schätzte umgekehrt die Arbeiten von Albert Bloch keineswegs. So äußerte sich Macke in einem Brief an Franz Marc nach dem Besuch der Ausstellung in der Galerie Thannhauser unmißverständlich zur Qualität des Amerikaners: »Der Schönberg ist mir unsympathisch, der Bloch schwach.«[24] Und interessanterweise bekundete auch Marc in einem Briefwechsel mit Kandinsky seine Unzufriedenheit mit der Arbeit von Albert Bloch.[25]

Insgesamt läßt sich eigentlich kein wirklich zwingender Grund für die Teilnahme Albert Blochs an den Ausstellungen des »Blauen Reiters« erkennen. Das, was man in diesem Fall vielleicht die nur schwer nachvollziehbare, situative »Logik des *Ereignisses*« nennen mag, scheint sich eben auch hier erheblich von der retrospektiven Konstruktion der Kunstgeschichte zu unterscheiden. Gerade auch vor dem Hintergrund von Albert Blochs eigenen Ausführungen zur Moderne mag sich trotzdem die gleichwohl kaum zu beantwortende Frage stellen, ob seine Teilnahme nicht eher als ein Beitrag zur Akzentuierung des *internationalen* Charakters des »Blauen Reiters« zu sehen ist. Neben deutschen, französischen und russischen Künstlern, die das Gros der ersten Ausstellung ausmachten, sowie einigen Schweizern (z. B. Klee, Niestlé, Gimmi), einem Tschechen (Kahler) und einem Österreicher (Schönberg) war Albert Bloch nämlich der einzige amerikanische Künstler, mithin der einzige Teilnehmer, der aus Übersee stammte. Selbst wenn seine Herkunft im Flugblatt zur Ausstellung nicht genannt wurde, eignete er sich als Amerikaner natürlich hervorragend, um die internationale Ausrichtung, die von den Dresdner »Brücke«-Künstlern bezeichnenderweise nicht vertreten wurde, zu unterstreichen. Wenn der vermeintliche »*amerikanische* Blaue Reiter« also vorwiegend deshalb zum »Blauen Reiter« wurde, weil er aus Amerika stammte, warum fiel die Wahl von Kandinsky und Marc in dieser Weise aus? – Obgleich sich nämlich um 1910 mehrere amerikanische Künstler in Europa aufhielten, waren es nicht Maler wie etwa Marsden Hartley oder Lyonel Feininger, die später sehr viel bekannter wurden, aber damals von Kandinsky und Marc nicht zur Teilnahme eingeladen wurden, sondern es war, wie im Brief an Maser besonders hervorgehoben wird, eben Albert Bloch. In Anbetracht vieler Werke anderer europäischer Kollegen lassen sich in der Tat wohl nur mit Mühe wirklich *künstlerisch* bedingte Argumente finden, die eine schlüssige Begründung seiner Beteiligung jenseits der Exotik nahelegen würden.

Daß nun Albert Bloch jedoch bei der erwähnten Hervorhebung der Einladung eben seiner Person, die sicher nicht zuletzt auch durch seine Ortsansässigkeit in München begünstigte relative Beliebigkeit der Einladung durch Kandinsky und Marc übersieht, dürfte sich aus den historischen Umständen seiner damaligen Situation erklären lassen. Denn vor dem Hintergrund der gerade in den fünfziger Jahren aufstrebenden Kunst in den Vereinigten Staaten, die sich anschickten, mit dem »abstrakten Expressionismus« auch auf dem künstlerischen Gebiet den Rang einer Weltmacht einzunehmen, wird es verständlich, daß sich Albert Bloch, der sich nach seiner Rückkehr in die USA und einer anschließenden Einzelausstellung in der Daniel Gallery, New York, seit den zwanziger Jahren völlig vom Kunstmarkt zurückgezogen hatte, vermutlich auch nach jener Form der Anerkennung sehnte, die seinen Kollegen zuteil wurde. Und obwohl er die Teilnahme an der Ausstellung des »Blauen Reiters« im Grunde nicht mit dem Hinweis auf *inhaltliche* Verwandtschaften verstanden wissen möchte, gilt ihm rückblickend die Exklusivität seiner Einladung doch als eine Bestätigung der *Qualität* seines Schaffens. In diesem Sinne konnte auch Albert Bloch, der erklärte Traditionalist, die ihm exotisch erscheinende künstlerische Ausrichtung des »Blauen Reiters«, in dessen Kreise er selbst ein Exote qua Herkunft war, heranziehen.

IV.

Wie weit aber war das Schaffen des Fremden aus Amerika wirklich von den von ihm verschmähten, da *modernen* Hervorbringungen seiner Münchener Kollegen entfernt? Diese (sicherlich entscheidende) Frage berührt nun unmittelbar die Werke von Albert Bloch selbst, von denen bei der bisherigen Auseinandersetzung mit dem historischen Kontext, den Selbstäußerungen des Künstlers und den konzeptionellen Aspekten des »Blauen Reiters« kaum die Rede war.

In diesem Zusammenhang fällt auf, daß Analysen einzelner Kunstwerke von Albert Bloch überhaupt ein Desiderat der Forschung darstellen.[26] Die allgemeinen Aussagen, welche zu seiner Malerei getroffen werden, stützen sich dementsprechend vielfach eher auf die Selbstäußerungen des Künstlers, als daß sie an den Werken selbst belegt werden. In diesem Sinne werden die möglichen Unterschiede zwischen den

Abb. 1 Albert Bloch
Die drei Pierrots,
1911,
Öl auf Leinwand,
65×50 cm,
Privatbesitz.
Als Leihgabe im
Franz Marc Museum,
Kochel

retrospektiv erläuterten künstlerischen Äußerungen und den malerischen oder zeichnerischen Hervorbringungen systematisch nivelliert, so daß im folgenden eine exemplarische Betrachtung einiger Arbeiten von Albert Blochs Münchener Zeit unumgänglich erscheint.

Im Umkreis jener Zeit, in der Albert Bloch die Bekanntschaft der beiden Initiatoren des »Blauen Reiters«, Kandinsky und Marc, gemacht haben dürfte, entstand das Ölgemälde *Die drei Pierrots* (Abb. 1), von dem im übrigen auch noch eine zweite Fassung existiert. In diesem Bild, in dessen Zentrum sich drei linear konturierte Figuren in einer tänzerischen Manier zu einer einheitlichen Bewegung, ja zu einem Wirbel verschränken, ist der amerikanische Maler den Bildern seines Freundes Franz Marc in formaler Hinsicht vielleicht am nächsten. Während sich die Malerei des Deutschen jedoch in einer Verschränkung von Natur und Lebewesen – demonstriert vor allem am Beispiel des Tieres – in einer dynamischen Farbsynthese erfüllt, bindet Albert Bloch das anschauliche Geschehen des Bildes bezeichnenderweise an die Darstellung der menschlichen Figur. Anders als bei Marc ist die Farbe hierbei der Gegenständlichkeit untergeordnet, erscheint lediglich als deren Funktion: In ganz

klassischer Manier *koloriert* sie die Figur. Mögen die Personen hier auch als ebenso deformierte wie anonyme, keineswegs als Individuen identifizierbare Gestalten begegnen, so steht die künstlerische Auseinandersetzung mit der Figur, die Frage nach dem mensch-

lichen Dasein doch zweifellos im Zentrum des Werkes von Albert Bloch.

Letzteres zeigt sich auch im Falle der ebenfalls 1911 entstandenen Tuschezeichnung *Figur zwischen Häusern* (Abb. 2), die als eine von acht Studien im Rahmen der zweiten Ausstellung der Redaktion »Der Blaue Reiter« in der Münchener Kunsthandlung Goltz gezeigt und dort auch im Ausstellungskatalog abgebildet wurde. Ähnlich wie im Gemälde *Die drei Pierrots* scheint die Figur durch die Formensprache eine grundlegende Verbindung mit ihrem Umfeld einzugehen, dort sogar als Einzel-Figur unterzugehen. Die dynamische Anlage des Gemäldes ist nun allerdings weitgehend der relativ statuarischen Form der Wohnblöcke gewichen,[27] denen sich die mit ihren verkreuzten Händen wie gepeinigt, geschunden auftretende Figur im wahrsten Sinne des Wortes nur beugen kann. Die maskierte, identitätslose und daher austauschbare Person begegnet mithin in der Rolle eines Opfers der Lebensverhältnisse, denen sie unentrinnbar ausgesetzt ist.

In der zweiten Ausstellung des »Blauen Reiters«, die den Untertitel »Schwarz-Weiß« trug, im Rahmen derer immerhin 315 Blätter gezeigt und zu der auch die Kollegen der Dresdner »Brücke« als Gäste geladen wurden, erscheinen Albert Blochs Formensprache und die bildliche Thematik dabei sicher nicht mehr ganz so fremd wie im Kontext der sechs Wochen zuvor beendeten ersten kleineren Ausstellung. Doch hat dies weniger mit der Kunst des Amerikaners zu tun, die an dieser Stelle Verwandtschaften zur ostdeutschen Variante des Expressionismus aufweist, als vielmehr mit der überaus vielgestaltigen und abwechslungsreichen Zusammenstellung dieser zweiten Ausstellung, die nicht zuletzt durch die Konzentration auf das Medium Papier der im wesentlichen an die Linie gebundenen bildlichen Darstellungsweise von Albert Bloch entgegenkam.

Daß der Amerikaner zu diesem Zeitpunkt allerdings noch keine eigentümliche bildnerische Darstellungsform gefunden hatte, belegt das Beispiel des Gemäldes *Boxkampf*, 1912/13 (Abb. 3). Während bislang mehr oder minder geschwungene Züge in den Bildern von Albert Bloch festzustellen waren, erinnert diese Darstellung, zu der im übrigen auch eine Vorzeichnung existiert,[28] nun sowohl kompositionell als auch in ihrer scharfkantigen Linienführung an die Bildsprache des Kubismus. Diesbezüglich ist zu erwähnen, daß Albert Bloch das Werk von Pablo Picasso, der ebenfalls mit fünf Bildern an der Ausstellung in der Galerie Goltz teilnahm, kannte und dessen zwischen 1908 und 1912 entstandene Arbeiten, wie er in seinem Brief an Edward A. Maser schreibt, auch »sehr bewunderte«. Die im gleichen Atemzug betonte Ablehnung einer Schülerschaft des kubistischen Malers klingt in Anbetracht seiner eigenen Bilder allein schon deshalb plausibel, da die Bildsprache des *Boxkampfes* mit der analytischen Dissoziation des Gegenstandes im Kubismus kaum etwas gemein hat. Der auf die obere Bildhälfte konzentrierte Aufbau seines Bildes folgt eher einer *kubischen* Struktur, wobei erneut die Figurenauffassung in den Vordergrund des anschaulichen Interesses tritt.

Abermals handelt es sich um anonyme Menschengestalten, deren Bei- und Zueinander sich paradigmatisch in den beiden kämpfenden Antagonisten symbolisiert. Neben ihnen befindet sich, kompositorisch ebenfalls hervorgehoben, eine vornehm gekleidete, darüber hinaus aber nicht weiter spezifizierte, überlängte Figur, die sich dem Betrachter zuwendet und quasi als dessen Reflexionsfigur dem aufgeregten Treiben apathisch beiwohnt. In diesem Sinne erscheint die letztgenannte Figur als ein Symbol des ausgelieferten Daseins im gewalttätigen Spektakel einer Gesellschaft, der jede romantische Weltsicht, das Vertrauen in die Unschuld des Menschen wie auch der Glaube an eine Erlösung abhanden gekommen ist.

Die vom Künstler hingegen mehrfach artikulierte Sehnsucht einer idealen Einheit von Mensch und Natur[29] klingt noch in der *Sommernacht* von 1913 nach (Abb. 4), in der Albert Bloch erneut die stark geschwungenen Elemente zu einer kompositionell überzeugenden Synthese von Landschafts- und Figurendarstellung verdichtet. Bemerkenswert ist in diesem Gemälde vor allem die Vereinzelung der vier gelängten, stark stilisierten Figuren, die in der unklaren Raumkonstellation allein durch die geschwungene Landschaftsanlage miteinander in Verbindung stehen, darüber hinaus aber eine grundlegende Kommunikationslosigkeit versinnbildlichen.

Von der fahlen Farblosigkeit der *Sommernacht*, die das sphärisch anmutende Geschehen auf die Ebene einer mystisch gesteigerten Irrealität hebt, unterscheidet sich ganz wesentlich das im selben Jahr entstandene Ölgemälde *Das grüne Gewand* (Abb. 5), welches durch seine ungewohnte Farbgebung hervorsticht. Das Bild, welches in Albert Blochs erster Einzelausstellung gezeigt wurde, wird dabei durch den Komplementärkontrast zwischen einer zentralen Figur im grünen Gewand und von rot gekleideten Figuren an den Seiten bestimmt. Anders als in der *Sommernacht*

Abb. 4   Albert Bloch
Sommernacht, 1913,
Öl auf Leinwand,
115× 122 cm,
Leonard Hutton
Galleries, New York

Abb. 5   Albert Bloch
Das grüne Gewand,
1913,
Öl auf Leinwand,
88×132 cm,
Leonard Hutton
Galleries, New York

greift Albert Bloch erneut auf eine eher geometrische, kubische Formensprache zurück. In Verbindung mit dem Kolorismus mag hier die Dissoziation, die kristalline Auffächerung im Bildhintergrund eventuell an die Malerei von Robert Delaunay erinnern, der ja ebenfalls an den Ausstellungen des »Blauen Reiters« teilnahm, doch hat auch dieses, letztlich doch auf die Figur fokussierte Gemälde des Amerikaners bei näherer Betrachtung kaum etwas mit dessen Orphismus gemein.[30] Es thematisiert weniger die »simultanéité rythmique« (Delaunay) als Korrelat einer simultan vorgestellten Vitalität von Welt,[31] vielmehr entwirft es ein Sinnbild einer überstilisierten, dekadenten Gesellschaft und bezieht sich somit auf ein zeitgenössisches Phänomen. In seiner symbolischen Aufladung der Dinge kann es exemplarisch einstehen »[...] für die Verlagerung der Bildinhalte von der konkret erfahrbaren Wirklichkeit auf eine gleichnishaft verdichtete *Ideen-Ebene*, ein Prozeß, der bei Bloch um das Jahr 1910 einsetzte«.[32]

Das Verfahren der *Versinnbildlichung* führt Albert Bloch dabei nahezu zwangsläufig zum Rückgriff auf ein ikonographisches Feld, in dem der Clown, der Harlekin, der Pierrot und ähnliche Gestalten[33] zu Hause sind, die allesamt als imaginäre Figuren für eine Kritik und Persiflage der Wirklichkeit einstehen. Auch das Motiv der Maske, das im Umfeld des »Blauen Reiters« mehrfach begegnet – man denke nur an zahlreiche Gemälde von Jawlensky oder den im Almanach publizierten Beitrag »Die Masken« von August Macke –, trägt dazu bei, die dargestellte Figur als einen überindividuellen Stellvertreter für das menschliche Dasein schlechthin zu begreifen.

Nicht zuletzt im Hinblick auf seine Figurenauffassung steht Albert Bloch den »Brücke«-Künstlern in der Tat näher als den wichtigsten Vertretern des »Blauen Reiters«. Von einigen Ausnahmen abgesehen (z. B. Heinrich Campendonk[34]), scheint der Amerikaner zumindest vom künstlerischen Fortschritt in München weitgehend unberührt geblieben zu sein. Die keineswegs geradlinige Entwicklung seiner Kunst vollzog sich statt dessen in einer recht eigenständigen und eigentümlichen Art. Die europäische Kunst und der deutsche Expressionismus im besonderen mögen für Albert Blochs künstlerisches Denken dabei wichtig gewesen sein, doch stellt umgekehrt seine in München entstandene Kunst diejenige eines noch Suchenden, eine im Rahmen der Entwicklung der (europäischen) Moderne folgenlose Episode dar. Mag auch sein Schicksal aus *historischer* Perspektive überaus interessant erscheinen, so konnte Albert Blochs Kunst dem Vergessen einer entwicklungslogisch konzipierten Kunstgeschichte anheimfallen, weil er dem »Blauen Reiter« nur nominell, d. h. als Teilnehmer angehörte, darüber hinaus aber keine innovativen Beiträge vermitteln konnte und auch gar nicht daran interessiert war. Über die, so gesehen, fürwahr sehr begrenzte Bedeutung der Kunst von Albert Bloch täuscht die plakative Rede vom »amerikanischen Blauen Reiter« hinweg, da sie eine Modernität suggeriert, die dem Amerikaner doch letztlich fremd blieb.

1 Vgl. »Wassily Kandinsky – Franz Marc. Briefwechsel. Mit Briefen von und an Gabriele Münter und Maria Marc«, hrsg. v. Klaus Lankheit, München/Zürich 1983, S. 74. – Ferner: Mario-Andreas von Lüttichau, »Der Blaue Reiter«, in: »Stationen der Moderne, Die bedeutenden Kunstausstellungen des 20. Jahrhunderts in Deutschland«, Ausst.-Kat., Berlinische Galerie, Berlin 1988, S. 109–121 (hier S. 111).

2 Vgl. Maria Schuchter, »Albert Bloch«, (Diss.-Mskr.) Innsbruck 1992, S. 3. – Ferner: Ernst Scheyer, »Albert Bloch. A American *Blaue Reiter*«, in: »Albert Bloch (1882–1961). An Exhibition of Watercolors, Drawings and Drypoints«, Ausst.-Kat., University of Kansas Museum of Art, Lawrence 1963, o. P.

3 »Albert Bloch. An American Expressionist. Painting, Drawings, Prints«, Ausst.-Kat., Utica/Clinton (NY) 1974. – Ferner: »Albert Bloch. Selected Paintings and Drawings«, Faltblatt zur Ausst. des Goethe Haus, New York 1963/64, und Beitrag von Donald G. Humphrey, in: »Albert Bloch. A Retrospective Exhibition of his Work from 1911 to 1956«, Ausst.-Kat., Philbrook Art Center, Tulsa, Oklahoma 1961, o. P.

4 Vgl. dazu etwa das Vorwort von James Penney in: »Albert Bloch 1882–1961, An American Expressionist. Paintings, Drawings, Prints«, Ausst.-Kat., Museum of Art, Munson-Williams-Proctor Institute Utica, New York/The Edward W. Root Art Center, Hamilton College, Clinton, New York 1974, S. 5–7 und die einführende Bemerkung: »His early work [...] established him as an important figure in the development of German Expressionism.« (S. 5).

5 Richard C. Green, »Albert Bloch. His Early Career: Munich and Der Blaue Reiter«, in: Pantheon 39 (1981), H. 1, S. 70–76 (hier: S. 70).

6 Vgl. »Albert Bloch. Ein amerikanischer Blauer Reiter«, Ausst.-Kat., Amerikanische Botschaft o. O., o. J. – »Anna Bloch, Albert Bloch's silent spirit«, in: Art & Antiques, October 1987, S. 88–91. – Schuchter (o. Anm. 2).

7 Die Informationen zur geplanten Ausstellung sowie weitere Detailkenntnisse verdanken sich der freundlichen Auskunft von Frau Dr. Annegret Hoberg (München).

8 Vgl. den Wiederabdruck eines Briefes von ca. 1916, in dem er aus nicht ganz nachvollziehbaren Gründen namentliche Verwechslung befürchtet, in: »Der Sturm. Herwarth Walden und die Europäische Avantgarde Berlin 1912–1932«, Ausst.-Kat. Nationalgalerie in der Orangerie des Schlosses Charlottenburg, Berlin 1961, S. 28.

9 Vgl. auch die von Maria Schuchter verfaßte Kurzbiographie in: »Saur Allgemeines Künstlerlexikon. Die Bildenden Künstler aller Zeiten und Völker«, Bd. 11, München/Leipzig 1995, S. 524f.

10 Der im folgenden (ohne weitere Nachweise) zitierte Brief an Maser wurde im o. a. Ausstellungskatalog der Amerikanischen Botschaft in deutscher Übersetzung abgedruckt, während der 1934 im Denver Art Museum gehaltene Vortrag auszugsweise abgedruckt ist in: »Der Blaue Reiter. Städtische Galerie im Lenbachhaus München«, Sammlungskatalog 1, München 1966 (2. Auflage), S. 40.

11 Vgl. Christoph Schreier, »Wassily Kandinsky. Perspektiven seines zeichnerischen Werks«, in: »Wallraf-Richartz-Jahrbuch« LVI [im Druck].

12 Vgl. Max Imdahl, »Farbe. Kunsttheoretische Reflexionen in Frankreich«, München 1987, S. 19ff.

13 Indirekt hat Albert Bloch dies später selbst eingestanden, als er am 10.6.1937 in einem Brief an Kandinsky schreibt: »Andere Hemmungen sind meine Zeichnung (ich zeichne zu gut) [...].« – Zit. nach Schuchter (o. Anm. 2), S. 88.

14 Vgl. ebd., S. 27.

15 Zit. nach ebd., S. 30.

16 Ebd., S. 33, wo er von dessen Werk spricht als »the greatest that German painting has produced in many generations«.

17 Vgl. ebd., S. 21f.

18 Albert Bloch, Kandinsky, Marc, Klee (o. Anm. 9), S. 40.

19 Vgl. etwa auch: Klaus Lankheit, »Der Blaue Reiter – Präzisierungen«, in: »Der Blaue Reiter«, Ausst.-Kat., Kunstmuseum Bern 1986/87, S. 223–226.

20 Zit. nach: »Der Blaue Reiter im Lenbachhaus München. Katalog der Sammlung in der Städtischen Galerie«, bearbeitet von Rosel Gollek, München 1982 (2. Aufl.), S. 11.

21 Vgl. Barbara Rose, »Amerikas Weg zur modernen Kunst. Von der Mülltonnenschule zur Minimal Art«, Köln 1969.

22 Vgl. »Paul Klee und seine Malerfreunde. Die Sammlung Felix Klee«, Ausst.-Kat. Wilhelm-Lehmbruck-Museum, Duisburg 1971, S. 128f.

23 Vgl. Janice McCullagh, »Disappearances; Appearances: The first exhibition of the ›Blaue Reiter‹«, in: Arts magazine 62 (September 1987), S. 46–53, hier: S. 51.

24 Zit. nach: »Der Blaue Reiter. Dokumente einer geistigen Bewegung«, hrsg. v. Andreas Hüneke, Leipzig 1991, S. 179.

25 Vgl. Kandinsky – Marc, Briefwechsel (o. Anm. 1), S. 99f., 139.

26 Auch Maria Schuchters verdienstvoller Arbeit (o. Anm. 2) fehlt die werkanalytische Perspektive. Insofern es ihr, was zweifellos auch wichtig ist, um eine geistes- und stilgeschichtliche Erörterung des kunsthistorischen Ortes von Albert Bloch geht, werden Untersuchungen von einzelnen Werken weitgehend ausgeblendet, so daß die konkreten Inhalte im Hintergrund bleiben.

27 Nur am Rande sei erwähnt, daß uns das Thema »Stadt« in der Kunst Albert Blochs allein während seines Aufenthalts in Europa begegnet: vgl. ebd., S. 72.

28 Vgl. Gollek (o. Anm. 19), S. 308.

29 Vgl. Schuchter (o. Anm. 2), S. 49–58 u. passim.

30 Eine andere Auffassung vertritt Schuchter (vgl. ebd., S. 36, 37–40), deren stilistisch begründete Argumentation allerdings einem Mißverständnis der Malerei Delaunays unterliegt.

31 Vgl. Imdahl (o. Anm. 12), S. 134ff.

32 Schuchter (o. Anm. 2), S. 46.

33 Vgl. zu diesem Themenkomplex allgemein: Thomas Kellein, »Pierrot. Melancholie und Maske«, München/New York 1995, S. 67ff. (bes. S. 81f.). – Bzgl. Bloch: vgl. Green (o. Anm. 5), S. 72.

34 Eine zeitweilige Nähe läßt sich am ehesten noch im Blick auf die Kunst von Heinrich Campendonk feststellen, neben dessen Springendem Pferd bezeichnenderweise auch Albert Blochs Die drei Pierrots Nr. 2 in der ersten Ausstellung der Redaktion »Der Blaue Reiter« hing. Gewisse Verwandtschaften zwischen beiden Künstlern ließen sich auch auf der Ebene der Sinnbildlichkeit und dem damit zusammenhängenden Rückgriff auf das Motiv der Maske erkennen. – Vgl. dazu z. B. Campendonks aquarellierte Tuschpinselzeichnung Gaukler (Maskerade), 1912, Wilhelm-Hack-Museum, Ludwigshafen. – Vgl. die Erwähnung von Campendonk und Marc Chagall bei Green (o. Anm. 5). S. 75.

KATALOG

Forscher erkunden die Neue Welt

Die ersten zuverlässigen Berichte über das Aussehen von Land und Leuten im fernen Kontinent Amerika, die Deutschland in der ersten Hälfte des 19. Jahrhunderts erreichten, stammten von Forschungsreisenden. Im Jahre 1828 erschien in Weimar der Reisebericht des Herzogs Bernhard von Sachsen-Weimar-Eisenach, der sich vor allem um die öffentlichen Einrichtungen, wie Krankenanstalten und Gefängnisse, und die technischen Errungenschaften des neuen Kontinentes kümmerte.

Andere Interessen verfolgte Prinz Maximilian von Wied-Neuwied aus Neuwied am Rhein, ein Naturforscher, der in Göttingen studiert hatte und der mit wissenschaftlicher Akribie die Fauna und Flora, Geographie und Völkerkunde des neuen Landes untersuchte. Neben seinem vertrauten Diener nahm er, nach sorgfältigen Erkundigungen, auf seine zweijährige Reise einen jungen Künstler mit, der alles das mit dem Zeichenstift und teilweise mit Wasserfarben festhalten sollte, was dem Prinzen auf seiner beschwerlichen und langen Reise den Missouri River hinauf an Bemerkenswertem begegnete. Dieser Künstler war Karl Bodmer aus Zürich in der Schweiz. Im frühen 19. Jahrhundert zeichneten sich vor allem Schweizer Künstler durch Reiselust und Forschungsdrang aus. Während der Prinz in seinem Tagebuch die Stationen der Reise notierte, saß Bodmer mit Begeisterung zeichnend und malend vor den fremden und exotischen Objekten. Er zeichnete Pflanzen und Tiere, Landschaften und vor allem Indianer, deren malerische Erscheinung ihn immer wieder von neuem faszinierte. Der Prinz ließ Bodmer in der Wahl seiner Objekte jede Freiheit. Teilweise reisten die beiden auch auf getrennten Wegen.

Eigentlicher Ausgangspunkt der abenteuerlichen Reise war St. Louis; von dort ging es westwärts immer weiter auf dem Missouri River bis zu den Großen Wasserfällen bei Fort McKenzie im heutigen Montana. Reiseweg war immer der Fluß, den sie in der Hauptsache mit dem Dampfboot der American Fur Company gegen die Strömung bewältigen mußten. Die Reise war langwierig und beschwerlich. Im Fluß schwammen abgestorbene Baumstämme, unsichtbare Sandbänke drohten das Schiff zum Kentern zu bringen. Manchmal mußten die Reisenden aussteigen, um das Schiff zu erleichtern, und konnten erst nach einem mühsamen Fußmarsch wieder an Bord gehen. Öde Landstriche mußten durchquert werden, ehe wieder eine Anlegestelle, von einem befestigten Fort oder von der Pelzhandelsgesellschaft eingerichtet, Abwechslung und Rast versprach. Die Reisenden durchquerten das Gebiet vieler verschiedener Indianerstämme, der Omaha, Ponca, Sioux, Hidatsa, Cree, Assiniboin, Atsina und schließlich der Blackfeet. Bodmer ließ sich alles zeigen, was die Indianer im Alltag, auf der Jagd und bei Festen benutzten. Er zeichnete ihre Unterkünfte ebenso wie ihre Heiligtümer, ihre Kleidung wie ihre Spiele und Tänze. Ein besonderes Ziel der Reise waren die Mandan Indianer, ein Stamm in den Great Plains, der auf einer bemerkenswert hohen Kulturstufe stand. Allerdings waren die Mandan in Gefahr, durch eingeschleppte Krankheiten ausgelöscht zu werden; das war auch unseren beiden Reisenden bewußt und trat dann 1837 tatsächlich ein. Die Zeugnisse Maximilian von Wieds und Karl Bodmers in Schrift und Bild gehören zu den letzten authentischen, die diesem Stamm ein Denkmal für die Nachwelt setzten.

Kurz vor Prinz Maximilian war der Amerikaner George Catlin den gleichen Flußweg auf dem Missouri gefahren mit der gleichen Absicht, vor allem das Leben, Aussehen und Gebräuche der Mandan in Bildern und in einem Buch festzuhalten. Catlin hatte keine künstlerische Ausbildung genossen wie Bodmer und war nicht so weit in unerforschtes Gebiet vorgedrungen wie die beiden Europäer. Er erreichte bei Fort Union nur die Mündung des Yellowstone in den Missouri. Catlin konnte seinen Bericht über die Indianer Nordamerikas erst 1841 veröffentlichen, wenige Jahre nachdem der Prinz und sein Maler ihre Reise publiziert hatten. Nicht nur die exotischen Völker, auch das urweltlich anmutende Aussehen der riesigen Büffelherden zogen die Aufmerksamkeit Maximilian von Wieds und Bodmers auf sich. Die Tiere waren ebenso von der Auslöschung bedroht wie die Indianer, diesmal durch den Verlust ihrer Weidegründe infolge der vorrückenden Zivilisation sowie durch die ungezügelte Jagdleidenschaft der Weißen.

Zurück in der Heimat sorgte der Prinz dafür, daß sein Bericht gedruckt und mit den Zeichnungen als Lithographien erscheinen konnte. So können wir genau die Reiseroute verfolgen und das Aussehen des breiten Flußtales, der fremden Tierwelt, der seltsamen Uferformationen und das Leben und die Feste der Indianer nachempfinden. Der Prinz brachte neben ausgestopften Tieren auch eine umfangreiche Sammlung von völkerkundlichen Gegenständen der Indianer Nordamerikas mit, die heute Bestandteil des Linden-Museums in Stuttgart und des Museums für Völkerkunde in Berlin sind. Maximilian von Wied ließ zwischen 1839 und

1843 regelmäßig in Einzelblättern seine Reiseberichte in deutscher, englischer und französischer Sprache erscheinen. 81 Graphiken nach Bodmer-Zeichnungen begleiteten die Veröffentlichung. Bis heute gilt das Werk als der umfangreichste und umfassendste Überblick über das amerikanische Grenzland, das von einem einzelnen Künstler erstellt worden ist. Die Familie des Prinzen verkaufte im Jahr 1959 400 Bodmer-Zeichnungen an einen New Yorker Kunsthändler. 1962 konnte die Northern Natural Gas Company diese Zeichnungen erwerben und überließ sie als Dauer-Leihgabe dem Joslyn Art Museum in Omaha NE.

Um den Künstler Bodmer wurde es still. Er zog sich in die Nähe von Paris, nach Barbizon zurück und widmete sich dort der Darstellung von Tieren. Er konnte noch einem anderen Schweizer Künstler aus der nachfolgenden Generation den guten Rat geben: ehe dieser nach Amerika fahre, sollte er sich gut vorbereiten auf das Zeichnen von Tieren und Pflanzen. Rudolf Friedrich Kurz hat dann in Amerika sogar eine Indianerin geheiratet, so mächtig war in ihm der Wunsch, sich dem fremden Volk zu nähern. Aber die junge Frau, die er auch im Bild festgehalten hat, bekam Heimweh nach ihrem Stamm und verließ den Europäer schon nach einem Monat. Kurz brachte, wie Bodmer, eine Menge Zeichnungen mit in seine Heimat und verfolgte damit einen ähnlichen Plan wie sein Landsmann, nämlich diese Zeichnungen veröffentlicht zu sehen. Jahrelang saß er über den Vorbereitungen dazu, aber sei es, daß sein etwas fahriger Zeichen-Stil den Zeitgenossen nicht behagte, sei es, daß das Interesse an den fremden Völkern in jenen Jahren nachgelassen hatte oder aber daß ihm bei der Auswahl der Objekte ein sachkundiger Ratgeber fehlte, es kam nie zu einer Veröffentlichung zu Lebzeiten des Malers.

Alle diese Reisenden kamen mit der Neugier des Europäers nach Amerika, beobachteten als Fremde ihre ungewohnte Umgebung und wollten ihre Beobachtungen zu Hause wiedergeben. Damals galt alles, was an Nachrichten aus Amerika die Europäer erreichte, als Sensation. Aufgrund von Maximilian von Wieds Veröffentlichung war das deutsche Publikum über das Leben in der relativ unerforschten Gegend jenseits des Mississippi besser unterrichtet als die Amerikaner selbst. Späteren amerikanischen Expeditionen schloß sich der Weltenbummler Heinrich Balduin von Möllhausen an, der als der »deutsche Cooper« bezeichnet worden ist. Er hatte eine Zeitlang bei den Omaha Indianern gelebt und sich sowohl künstlerisch wie schriftstellerisch betätigt. Eine Ausnahme bilden die fast naiv anmutenden Zeichnungen des jungen Schweizers Peter Rindisbacher, der zu Beginn des Jahrhunderts, 1821, mit seinen Eltern nach Kanada ausgewandert war und der das Aussehen und die Gebräuche der Indianer entlang der kanadischen Grenze in seinen Bildern festhielt. Möglicherweise hatte Rindisbacher keine Ausbildung als Künstler, es zog ihn aber immer wieder in die Ansiedlungen der fremden Völker, und er hatte das Glück, daß diese Zeichnungen in Zeitschriften veröffentlicht wurden. Damit konnte er das kärgliche Einkommen seiner Familie aufbessern. Er hielt nicht nur das Aussehen der Indianer, sondern auch historische Ereignisse im Bild fest: so das Kentern eines Schiffes im Packeis oder die Ankunft einer Abordnung von Indianern. Er schilderte die Büffeljagd sowohl mit Schneeschuhen im Winter wie mit Pfeil und Bogen auf Pferden im Sommer. Seine Zeichnungen wurden von den Amerikanern wie Reportagen aus einem fernen Land gelesen. Er beobachtete zwar mit den Augen des Fremden die Gewohnheiten und Bräuche in der neuen Heimat und sah deshalb mehr als die Einheimischen, hielt sie aber nicht für Europäer, sondern für seine neuen Landsleute fest.

Noch mehr in den Dienst der neuen Heimat stellten sich diejenigen Expeditionszeichner, die in militärischem Auftrag oder als Landvermesser für die Regierung unterwegs waren, wie Friedrich W. von Egloffstein, der die Überquerung der Rocky Mountains für die Eisenbahn vorbereitete, oder Anton Schönborn, der zwischen 1859 und 1871 topographische Ansichten von militärischen Forts im Westen lieferte. Das künstlerische Empfinden trat jetzt zugunsten der sachlichen Schilderung von Bergformationen, Flußverläufen, militärischen Fort-Anlagen in den Hintergrund. Prinz Maximilian von Wied und Karl Bodmer waren noch von dem enzyklopädisch geprägten Forscherdrang des frühen 19. Jahrhunderts durchdrungen, und deshalb sprechen aus ihren Werken neben ihrem wissenschaftlichen Wert noch die Neugier, die Frische und das Unmittelbare ihrer Beobachtungen.

Karl Bodmer

(Riesbach, Schweiz 1809–1893
Barbizon, Frankreich)

Im Jahre 1839 erschien in französischer Sprache die Schilderung einer Reise, die Prinz Maximilian zu Wied-Neuwied 1832–1834 zusammen mit dem Schweizer Zeichner und Illustrator Karl Bodmer in das Innere Nordamerikas vorgenommen hatte. Der Reiz dieser Veröffentlichung mit 81 Graphiken bestand nicht nur darin, daß hier zum ersten Mal Gegenden und exotische Völker abgebildet wurden, die bisher nur wenige Forscher kennengelernt hatten, sondern in der wissenschaftlichen Akribie, mit der sowohl die Beschreibung des Prinzen als auch die Zeichnungen des Malers durchgeführt worden waren. Der Prinz hatte den Maler vor seiner Reise sorgfältig ausgewählt. Die beiden Forscher interessierten sich für alles: die unberührte Landschaft, die Pflanzen- und Tierwelt, die Indianerstämme und deren Leben, die Siedlungen an den Ufern und das Leben auf dem großen Fluß Missouri. Alle aquarellierten Zeichnungen haben sich im Joslyn Art Museum in Omaha NE erhalten, die schönsten von ihnen sind ständig ausgestellt. Die ersten authentischen Zeugnisse und zugleich die letzten einer aussterbenden Rasse hat der Schweizer Zeichner in Form und Farbe zum ersten Mal – fast gleichzeitig mit seinem großen Vorbild George Catlin – im Bild festgehalten. Allerdings war Catlin kein ausgebildeter Maler und ist nicht so weit nach Westen vorgedrungen wie die Wied-Expedition, die mit dem Schiff Nebraska und Montana erreichte. Bodmers Zeichnungen sind sowohl in der Farbe wie in der Form ein ästhetischer Genuß. Sie verraten nicht nur die Liebe zum Detail und zur Realität, sondern geben auch etwas wieder von der Erregung des Forschers, der zum ersten Mal indianische Gebräuche beobachtet oder majestätische Landschaften vorfindet, die in Europa nicht ihresgleichen haben. Die interessantesten Zeichnungen konnte Bodmer während eines längeren Aufenthaltes in einem Dorf der Mandan Indianer am Missouri anfertigen.

Lit.: Maximilian Prinz zu Wied, »Reise in das Innere Nord-Amerika in den Jahren 1832 bis 1834«, Koblenz 1839–1841. – Kat. Carl Bodmer Paints the Indian Frontier, Washington DC 1954–1955. – Kat. Catlin-Bodmer-Miller, Omaha NE 1963. – Davis Thomas/Karen Ronnefeldt, »People of the First Man: Life Among the Plains Indians and Their Final Days of Glory – The Firsthand Account of Prince Maximilian's Expedition Up the Missouri River, 1833–34«, New York 1976. – Axel Schulze-Thulin, »Indianer der Prärien und Plains: Reisen und Sammlungen des Herzogs Paul Wilhelm von Württemberg (1822–24) und des Prinzen Maximilian zu Wied (1832–34) im Linden-Museum«, Stuttgart 1976. – Hans Läng »Indianer waren meine Freunde«, Bern 1976, mit Werkverzeichnis. – Kat. The Art of Exploration: The Maximilian-Bodmer Expedition, 1832–1834, Omaha NE 1980. – Kat. Karl Bodmer's America, Omaha NE 1984. – Russell Freedman, »An Indian Winter«, New York 1992.

1

Landschaft mit Buffaloherde am Oberen Missouri (Landscape with Buffalo, Upper Missouri), 1833

Aquarell, 24×32 cm
Omaha NE, Joslyn Art Museum,
Geschenk der Enron Art Foundation

»An der Mündung des White-(weißen) Flusses begegneten wir einer ungeheuren Herde, die über den Missouri setzte, und aus Unvorsichtigkeit geriet unser Boot mitten unter sie, so daß wir froh waren, glücklich davon zu kommen. Es war in der Brunftzeit und wir hörten bereits ihr Brüllen in der Entfernung von einigen englischen Meilen. Als wir sie erblickten, waren wir in der Tat erschreckt über die Menge, die auf der einen Seite des Flusses herab und auf der anderen Seite wieder hinaufeilte. An einigen Stellen war der Fluß ganz schwarz von Köpfen und Hörnern der schwimmenden Büffel, die sich selbst im Schwimmen bekämpften.

Da ich es für unvorsichtig hielt, zwischen diesen schwimmenden Tieren hindurchzufahren, so gingen wir ans Land und warteten einige Stunden vergebens, daß die Büffel ein Ende nehmen sollten; endlich schien ihre Zahl sich zu vermindern, wir fuhren wieder ab und kamen glücklich durch sie hindurch. Das etwa fünfzehn Fuß hohe Ufer der Prärie war von der großen Menge der hier durchschwimmenden Büffel so herabgetreten worden, daß sich eine Art von Landungsplatz gebildet hatte, wo einer nach dem anderen hinaufstieg; mehrere waren indes in dem Gedränge zu weit abwärts getrieben worden und standen nun, da sie diesen Punkt gegen die schnelle Strömung nicht wieder erreichen konnten, an dem hohen Ufer dicht zusammengedrängt. Als wir bei diesen vorüberfuhren und uns außer Gefahr glaubten, schoß ich einen von ihnen durch den Kopf; er stürzte, riß aber im Fallen mehrere hundert mit sich in das Wasser hinab, die in einem Augenblick unser Kanoe schwimmend umgaben, so daß wir in große Gefahr gerieten. Sie griffen uns zwar nicht an und kannten in der Verwirrung wahrscheinlich nicht einmal den Feind, der sich unter ihnen befand, allein unser Boot war in Gefahr, von ihnen zerdrückt zu werden, da sie sich wütend aneinander drängten und stießen; ich stand daher auf und suchte sie durch Bewegungen der Arme und durch Geschrei von unserem Kanoe fern zu halten, bis wir glücklich außerhalb ihres Bereichs gekommen waren.«

George Catlin, »Die Indianer Nordamerikas« (1841), Berlin 1924, S. 173–174

»The buffalo trails are always objects of interest and inquiry to the sight-seer on the Plains. These trails made by the herds in their migrating movements are so regular in their construction and course as to well excite curiosity. They vary but little from eight to ten inches in width, and are usually from two to four inches in depth; their course is almost as unvarying as that of the needle, running north and south. Of the thousands of buffalo trails which I have seen, I recollect none of which the general direction was not north and south. This may seem somewhat surprising at first thought, but it admits of a simple and satisfactory explanation.

The general direction of all streams, large and small, on the Plains, is from the west to east, seeking as they do an entrance to the Mississippi. The habits of the buffalo incline him to graze and migrate from one stream to another, moving northward and crossing each in succession as he follows the young grass in the spring, and moving southward seeking the milder climate and open grazing in the fall and winter.«

George A. Custer, »My Life on the Plains«, 1874

Karl Bodmer (1809–1893)
Biographie Seite 210

2

Ufer des Missouri (Banks of the Missouri)
1833

Aquarell, 20×30 cm
Omaha NE, Joslyn Art Museum, Geschenk
der Enron Art Foundation

»Der Missouri unterscheidet sich in seinem Aussehen und Charakter vielleicht von allen Flüssen der Welt; man fühlt sich beängstigt, sobald man aus dem Mississippi in sein schlammiges Wasser kommt. Von der Mündung des Yellow-Stone bis zu seiner Vereinigung mit dem Mississippi durchströmt der Missouri mit seinem rauschenden trüben Wasser eine Strecke von mehr als 400 deutschen Meilen, und auf dieser ganzen Entfernung ist kaum ein Ruheplatz für ein Boot. Durch das fortwährende Herabstürzen der unterwaschenen Alluvialufer ist das Wasser stets trübe und undurchsichtig und hat zu allen Jahreszeiten das Ansehen von Schokolade oder Kaffee mit Milch und Zucker.«

George Catlin, »Die Indianer Nordamerikas«
(1841), Berlin 1924, S. 13–14

»The banks are almost always nearly perpendicular, and are seldom more than two or three feet above the surface of the water at its present high stage, so that the work of devastation is constantly going on. The river is at once deep, swift, and generally narrow – hardly so wide in the average as the Hudson below Albany, though carrying the water of thirty Hudsons. …Its muddiness is beyond all description; its color and consistency are those of thick milk porridge; you could not discern an egg in a glass of it. A fly floating in a teacup of this dubious fluid an eighth of an inch below the surface would be quite invisible.«

Horace Greeley, »An Overland Journey, from
New York to San Francisco«, 1860

»Mississippi steamboating was born about 1812; at the end of thirty years, it had grown to mighty proportions; and in less than thirty more, it was dead! A strangely short life for so majestic a creature. Of course it is not absolutely dead; neither is a crippled octogenarian who could once jump twenty-two feet on level ground; but as contrasted with what it was in its prime vigor, Mississippi steamboating may be called dead.

It killed the old-fashioned keel-boating, by reducing the freight-trip to New Orleans to less than a week. The railroads have killed the steamboat passenger traffic by doing in two or three days what the steamboats consumed a week in doing; and the towing-fleets have killed the through-freight traffic by dragging six or seven steamer-loads of stuff down the river at a time, at an expense so trivial that steamboat competition was out of the question.

Freight and passenger way-traffic remains to the steamers. This is in the hands – along the two thousand miles of river between St. Paul and New Orleans – of two or three close corporations well fortified with capital; and by able and thoroughly business-like management and system, these make a sufficiency of money out of what is left of the once prodigious steamboating industry. I suppose that St. Louis and New Orleans have not suffered materially by the change, but alas for the wood-yard man!«

Mark Twain, »Life on the Mississippi«, 1883,
Neudruck 1984, S. 179

Karl Bodmer (1809–1893)
Biographie Seite 210

3
Assiniboin (Sioux)Lager (Sioux Camp),
1833
Aquarell, 19×27 cm
Omaha NE, Joslyn Art Museum, Geschenk
der Enron Art Foundation

»Ihren Namen haben die Assiniboins von der sonderbaren Art das Fleisch zu kochen erhalten. Wenn sie sonst ein Tier erlegt hatten, so gruben sie ein Loch von der Größe eines gewöhnlichen Topfes in die Erde, legten ein Stück von der rohen Rückenhaut des Tieres darüber, preßten es mit der Hand hinein, daß es eng an die Seiten anschloß, füllten es mit Wasser und legten das Fleisch hinein, während in einem nahebei befindlichen Feuer große Steine glühend gemacht und dann in das Wasser hineingehalten wurden, bis das Fleisch gekocht war. Wegen dieses eigentümlichen Gebrauchs haben die Odschibbewäs ihnen den Namen »Assiniboins« oder »Steinkocher« gegeben. Jetzt ist dieser Gebrauch längst abgeschafft und kommt nur noch bei Festlichkeiten vor; denn lange zuvor, ehe die Pelzhändler ihnen Töpfe lieferten, hatten die Mandaner sie in der Anfertigung von guten und brauchbaren irdenen Töpfen unterrichtet.«

George Catlin, »Die Indianer Nordamerikas«
(1841), Berlin 1924, S. 36

»Teepees or Tipi (French pron.?) belonging to Indians of the plains are sometimes forty feet in diam[e]t[e]r. The poles of tamarak are of large size to the protruding end of the tallest of which is suspended a horses tail as indicating the residence of a principal warrior or a chief, the exterior being decorated with diagrams of his principal actions. I know not why, but there is a *home* feeling about the interior of a teepee. As I have lounged on a buffalo robe by the light of a smouldering fire, it reminds me of my childish positions on the parlour rug in front of a hickory fire, during the winter evenings. The teepee is rendered very comfortable in the winter by piling straw around the exterior and strewing it within, & laying buffalo robes & furs upon it. Without, the snow accumulates above the straw leaving only the upper portion of the tent visible. Closing the entrance & building a fire it becomes a snug refuge from the inclement winters. Tepees last four or five years, but owing to the rotting of the lower portion of the skins decrease in size.«

Frank Blackwell Mayer, »With Pen and Pencil
on the Frontier in 1851«, 1932

Karl Bodmer (1809–1893)
Biographie Seite 210

4

Mandan Heiligtum (Mandan Shrine), 1833
Aquarell, 26×20 cm
Omaha NE, Joslyn Art Museum, Geschenk
der Enron Art Foundation

»Das Wort »Medizin«, das »Geheimnis« bedeutet, spielt eine große Rolle bei den Indianern. Die Pelzhändler in diesem Lande sind fast sämtlich Franzosen und nennen natürlich einen Arzt »Medezin«. Das Indianerland ist aber voll von Ärzten, und da sie sämtlich Zauberer und in viele Geheimnisse eingeweiht sind, oder dies wenigstens behaupten, so ist das Wort »Medizin« auf alle geheimnisvolle oder unerklärliche Dinge angewendet worden. Die Engländer und Amerikaner, die diese Gegenden ebenfalls besuchen und dort Handel treiben, haben das Wort mit einer kleinen Veränderung, aber in derselben Bedeutung, angenommen; sie nennen jene Personen »Medizinmänner«, was etwas mehr umfaßt, als Doktor oder Arzt. Die Ärzte aber sind alle Medizinmänner, da man glaubt, daß sie sämtlich bei der Ausübung ihrer Kunst sich mehr oder weniger mit Geheimnissen oder Zauberei befassen. Dennoch war es notwendig, dem Worte eine noch umfassendere Bedeutung zu geben, da es sowohl unter den Indianern, als unter den jene Gegenden besuchenden weißen Personen gab, die in den Geheimnissen bewandert waren, ohne von der Anwendung von Arzneien etwas zu verstehen; alle diese werden jetzt mit dem umfassenden Namen »Medizinmänner« bezeichnet. So erschien ich diesem abergläubischen Volke als ein Medizinmann ersten Ranges, weil die Malerei ihnen etwas Unbekanntes und Unerklärliches war und daher von ihnen die »größte Medizin« genannt wurde. Meine mit Perkussionsschlössern versehenen Flinte und Pistolen waren große Medizin und kein Indianer konnte dazu bewogen werden, sie abzufeuern, denn, sagten sie, sie wollten nichts mit des weißen Mannes Medizin zu tun haben.

Die Indianer bedienen sich jedoch nicht des Wortes »Medizin«, sondern jeder Stamm hat ein eigenes Wort dafür, das gleichbedeutend ist mit »Geheimnis« oder »Geheimnismann«.«

George Catlin, »Die Indianer Nordamerikas« (1841), Berlin 1924, S. 24–25

Karl Bodmer (1809–1893)
Biographie Seite 210

5

Birohkä, Hidatsa-Mann, 1833–1834

Aquarell, 32×24 cm
Omaha NE, Joslyn Art Museum, Geschenk
der Enron Art Foundation

»Every variety of dress can be seen here from the well dressed person down to the almost naked Osage. Plumes and feathers are worn with profusion and in every shape that can be imagined; hand kerchiefs of every color, silver bands for the arms, head and breast; medals, beads and hunting shirts of every shape and color; in truth, I cannot give you anything like a correct idea of the great variety of dress worn by the tawny sons of the forest. We have almost as great a variety in the color of persons as we have in dress. Where nature has not given the color, paint is used to supply the deficiency.«

Arkansas Intelligencer 24.6.1843

»Die dritte Art, sich zu kleiden, ist großen zeremoniellen Anlässen unter seinesgleichen vorbehalten. Der Indianer arbeitet ein Leben lang an einem solchen Festgewand; all sein Einfallsreichtum und das ganze Können und die Geduld seiner Frau werden zur Realisierung verwendet. Wenn man bedenkt, mit welchen Materialien die Indianer arbeiten müssen, sind viele dieser Kleidungsstücke ausgesprochen schön. Bocksleder bildet die Grundlage für alles, aber die Kleidungsstücke selbst variieren unendlich, je nach Geschmack und Mittel ihrer Besitzer. Manche wirken wie Satin, aus solch feinem dünnen und weißen Leder sind sie hergestellt, andere, mit gleichem Aufwand mit Ornamenten bestickt, sind aus dicken, dunkel geräucherten Häuten.

Das obere Kleidungsstück hat gewöhnlich die Form einer Tunika, doch wechselt es in Schnitt und Machart von einer Art orientalischen Überwurfs bis zu einer engen Jagdweste unserer weißen Nachbarn. Es ist bemalt, mit Perlen bestickt, mit Stachelschweinborsten und farbigen Gräsern besetzt; die Nähte sind mit feinen Streifen aus Reh- oder Antilopenleder, die nicht selten über einen Fuß lang sind, abgesetzt. Gelegentlich schneidet ein erfolgreicher Krieger, der eine Unmenge von Skalps besitzt, einen oder mehrere davon in Streifen und besetzt seinen Mantel mit dem Haar seiner Gegner. Die Gamaschenhosen haben zumeist dieselbe Form und denselben Schnitt; in ihren Ornamenten unterscheiden sie sich jedoch genauso voneinander wie die Tuniken. Die Mokassins sind von Stamm zu Stamm verschieden. Jene, die für festliche Anlässe gedacht sind, sind oft so überladen mit Ornamenten und Applikationen, daß sie zum Laufen völlig nutzlos sind. Der Büffelhautmantel ist ein Wunder an ausgefeilter und langwieriger Arbeit. Stachelschweinborsten, gebleicht und bunt gefärbt, sind mit Sehnen auf der glatten Lederseite in verschiedenen, oft auffälligen und nicht selten künstlerischen Mustern vernäht. Manchmal ist die Innenseite der Robe bedeckt mit aufwendigen Malereien, Bildern von Kämpfen und erinnerungswürdigen Handlungen des Besitzers. Dann wieder sind die Illustrationen mythologisch oder auch einfach nur dekorativ, während sie gelegentlich auch von solcher Natur sind, daß sie nicht zu beschreiben sind. Der indianische Geist ist, ob bei Frau oder Mann, letztendlich obszön, und es ist zu bedauern, daß viele ihrer größten künstlerischen Bemühungen solchen Themen dienen, die man nicht wiedergeben kann. Die Stickornamente werden immer von den Frauen angefertigt, die Bilder manchmal von den Frauen, doch zumeist von dem Manne selbst, besonders wenn sie seine eigenen Heldentaten darstellen.

Selbst wenn der Indianer in seinen Gamaschenhosen und Mokassins das Land bearbeitet, ist es sehr selten, daß er sich nicht mit viel Aufwand um seine Haarpracht bemüht hat. Indianer aller wilden Stämme lassen sich das Haar wachsen, und nachdem ihre Haare sich in Farbe und Form kaum unterscheiden, ist deren Länge ihr ganzer Stolz.«

Col. Richard Irwing Dogde, »Our Wild Indians: 32 Years Personal Experience Among the Red Men of the Great West«, Chicago 1883

218

6

**Männer der Mandan Buffalo Bull Gesell-
schaft (Men of the Mandan Buffalo Bull
Society), 1833–1834**

Aquarell, 26×16 cm
Omaha NE, Joslyn Art Museum, Geschenk
der Enron Art Foundation

»The Mandans are certainly a very interesting
and pleasing people in their personal appearance and manners; differing in many respects,
both in looks and customs, from all other
tribes which I have seen. They are not a war-
like people, for they seldom, if ever, carry war
into their enemies' country; but when invaded
show their valor and courage to be equal to
that of any people on earth... There is certainly great justice in the remark, and so forcibly
have I been struck with the peculiar ease and
elegance of these people, together with the di-
versity of complexions, the various colors of
their hair and eyes, the singularity of their language, and their peculiar and unaccountable
customs, that I am fully convinced that they
have sprung from some other origin than that
of the North American tribes, or that they are
an amalgam of natives with some civilized
race...

A stranger in the Mandan village is first
struck with the different shades of complexion
and various colors of hair which he sees in a
crowd about him, and is at once almost dis-
posed to exclaim that ›these are not Indians‹.
There are a great many of these people whose
complexions appear as light as half-breeds;
and amongst the women particularly there are
many whose skins are almost white, with the
most pleasing symmetry and proportion of
features; with hazel, with gray, and with blue
eyes; with mildness and sweetness of expression, and excessive modesty of demeanor,
which render them exceedingly pleasing and
beautiful.«

*George Catlin, »Notes«, zitiert in: The George
Catlin Indian Gallery, by Thomas Donaldson,
1885*

Böhrok-öh-cha-te den 9ͤ April 1834
Fort Mandan.

Peter Rindisbacher

(Emmental, Schweiz 1806–1834
St. Louis MO)

Mit 15 Jahren wanderte Rindisbacher zusammen mit seiner Familie nach West-Kanada aus. Er hatte nur eine rudimentäre künstlerische Ausbildung genossen, behielt aber einen wachen Blick für die Besonderheiten der Menschen und der Landschaft an der nördlichen Grenze der Vereinigten Staaten und in Kanada. Er hinterließ vor allem Aquarelle, die aber, weil sie die frühesten Eindrücke aus dieser Region wiedergeben, von besonderem Interesse nicht nur für die Völkerkundler, sondern auch für die Historiker sind. Er war der erste, der die Indianer und das Tierleben von Minnesota festhielt. Noch vor George Catlin, dem Chronisten der Plains-Indianer, schilderte Rindisbacher den Alltag und die Feierlichkeiten dieser Stämme in seinen Aquarellen. Er war der erste Künstler, der das Innere eines Tipis der Plains Indianer im Bild wiedergab. Selbst Maximilian von Wied, der mit Karl Bodmer 1833 in St. Louis weilte, erwarb von Rindisbacher einige Aquarelle, auf denen das Leben der Indianer dargestellt ist. 1821 ließ sich die Familie in der Gegend des Red River in Canada nieder, wo Rindisbacher wiederum das Leben der Indianerstämme beobachtete und festhielt. Mit dem Verkauf seiner Zeichnungen unterstützte er das harte Grenzerleben seiner Familie. Der junge Schweizer lebte von 1827 bis 1829 in Gratiot's Grove nahe der Grenze zu Illinois-Wisconsin und malte Miniaturporträts, Indianer und ihr Leben und die Tierwelt seiner Umgebung. Ehe er sich in St. Louis niederließ, konnte er noch das historische Ereignis der Begegnung anläßlich des Territorialvertrages in Prairie du Chien im Bild festhalten. Trotz seiner Jugend und des frühen Todes genoß Rindisbacher ein beträchtliches Ansehen, denn seine Aquarelle wurden als Stichvorlagen benutzt und veröffentlicht im »American Turf Register and Sporting Magazine«. 1829 erschien die erste graphische Wiedergabe »Sioux Warrior Charging (Ein Sioux Indianer greift an)«; bis 1832 berichtete das Blatt anhand seiner Zeichnungen von der ungezähmten Wildnis, die zuvor so noch niemand gesehen hatte. In St. Louis malte er auch Porträts in Kreidemanier. Er starb mit nur 28 Jahren an der Cholera.

Lit.: John F. McDermott, »Peter Rindisbacher: Frontier Reporter«, in: Art Quarterly 12, Spring 1949, S. 129–144. – Michael Benisovich/Anna M. Heilmaier, »Peter Rindisbacher, Swiss Artist«, in: Minnesota History 32, 1951, S. 155–162. – Alvin M. Josephy, Jr., »The Artist Was a Young Man«, Fort Worth TX 1970.

7

Abordnung von Indianern (Deputation of Indians), 1822–23

Aquarell, 38×48 cm
Saint Louis MO, Missouri Historical Society

»*Gentlemen* – I have this morning amused myself in the examination of Mr. Rindisbacher's port-folio. I am afraid it is not generally known that this artist now resides in this city, engaged in sketching from nature, taking miniature portraits and copying occasionally from engravings. Mr. Rindisbacher has marked out a new track, and almost invented a new style of painting – one, too, of much interest. His sketches of groups or single Indians, are deserving of the highest admiration. The proportions and development of muscle, in his delineations of the human figure, are extremely correct. There is a living and moving effect in the swell and contraction he gives to the muscular appearance of his figures, that evinces much observation, judgement and skill. Talent, I might almost say genius, like his, deserves encouragement, and, undoubtedly, were he in a place of more fashion and leisure, he would receive it. Those who have not yet examined his fine paintings of Indian dances, lodges, &c. will be well paid for their trouble by calling at his rooms and viewing a style of painting so new and novel.«

Brief eines Freundes von Rindisbacher, »R.«, in »St. Louis Beacon«, veröffentlicht 12.12.1829

»The great and constantly recurring disadvantages to which the artist is necessarily subject, while travelling through a wilderness, far removed from the abodes of civilization, and in ›pencilling by the way‹ with the rude materials he may be able to pick up in the course of his progress, will, he hopes, secure for him the approbation, not only of the critic, but of the connoisseur.

And when it is recollected that the time for holding Indian treaties is generally very limited, that the deep-felt anxieties of the artist to possess a large collection must be no small impediment in the way of his bestowing any considerable share of his time or attention on any one production, together with the rapidity with which he is obliged to labour – he confidently believes, as they are issued in their original state, that whatever imperfections may be discoverable, will be kindly ascribed to the proper and inevitable cause.«

James Otto Lewis, »Aboriginal Portfolio«, 1835

Deputation of Indians from the Mississippi tribes to the Governor General of British North America Sir George Prevost, Bart Lieut General &c &c in 1814.

Rudolf Friedrich Kurz

(Bern, Schweiz
1818–1871 Bern, Schweiz)

Die Künstler aus der deutschsprachigen Schweiz, die hier Erwähnung finden, zeichnen sich durch besonderen Forschungsdrang aus. Alle vier, Bodmer, Buchser, Kurz und Rindisbacher haben weite und beschwerliche Reisen in unbekannte Gegenden von Nord-Amerika unternommen. Außer Rindisbacher, sind sie alle zurückgekehrt, um ihre Beobachtungen in der Heimat in Form von Bildern oder Graphiken weiterzugeben. Mehr als alle anderen aus dieser Gruppe hat sich Rudolf Friedrich Kurz den exotischen Völkern der Indianer genähert. Er nahm sogar eine siebzehnjährige Indianerin aus dem Stamm der Iowa im Jahre 1850 zur Frau und mußte, ähnlich wie Buchser, auf öffentliche Angriffe im Land der Freiheit gefaßt sein. Wenige Wochen später hatte ihn aber die von Heimweh nach ihrem Stamm geplagte Indianerin schon wieder verlassen. Kurz war an der Universität Bern vom Mal- und Zeichenlehrer Joseph Volmar und anschließend in Paris ausgebildet worden. Der ältere und amerikaerfahrene Kollege Bodmer hatte ihm geraten, vor einer Reise nach Übersee die künstlerischen Fähigkeiten in der Wiedergabe von Naturbeobachtungen und Tieren weitgehend zu vervollkommnen. Zwar hatte sich Kurz zwölf Jahre lang in Europa ausbilden lassen, war aber dennoch im Zeichnen und Aquarellieren seinem Landsmann Bodmer unterlegen. Der Wert seiner Zeichnungen liegt in der Authentizität des Augenzeugen, der ein Stück amerikanische Geschichte mitten im 19. Jahrhundert miterlebt und mit seinem Stift festgehalten hat. 1846 kam Kurz in New Orleans an. Zwischen 1846 und 1852 reiste und zeichnete Kurz entlang dem Mississippi und dem oberen Missouri von New Orleans bis St. Louis. Längere Zeit hielt er sich in den Forts Berthold und Union auf, wo er als Angestellter der Pelzhandels-Gesellschaft Geld verdiente. Er zeichnete ebenso das bunte Grenzer-Leben im Fort mit den Soldaten, Händlern, Trappern und Indianern, wie das Treiben auf dem breiten Fluß und das Leben der Indianer in ihren Lagern mit ihren Beschäftigungen rund ums

Jahr. Zahlreiche Skizzenbücher, heute im Historischen Museum in Bern, zeugen von der Absicht Kurz', das Indianerleben in Wort und Bild zu veröffentlichen. Vier Jahre widmete er dem Ordnen und Sichten seiner Skizzen, um dann resigniert zu bemerken, daß weder Geld für eine Publikation vorhanden war noch Interesse in der Öffentlichkeit für ein solches Projekt. Den Rest seines Lebens verbrachte er als Zeichenlehrer in seiner Heimatstadt. Teile seines Tagebuches und die dazugehörigen Zeichnungen wurden erst 1894 von der Graphischen Gesellschaft Bern veröffentlicht. 1937 gab die Smithsonian Institution eine englische Übersetzung heraus.

Lit.: »Aus dem Tagebuch des Malers Friedrich Kurz über seinen Aufenthalt bei den Missouri-Indianern 1848–1852«, Jahresbericht der Geographischen Gesellschaft Bern 13, 1894/1: 27–82, 1894/2: 87–175, 1895/2: 176–229. – »Journal of Rudolph Friedrich Kurz«, Smithsonian Institution, Bureau of American Ethnology, Bulletin no. 115, 1937, S. 2. – John Francis McDermott, »R. F. Kurz«, in: American Scene Magazine, Tulsa OK 1967. – Berner Maler in Amerika: Friedrich Kurz um 1850, Victor Surbek um 1950, Bern 1976. – John C. Ewers, »Among the Fur Traders at the Mouth of the Yellowstone – Rudolph Friederich Kurz«, in: Artists of the West, New York 1982, S. 118–131.

8

Indianerdorf (Indian Village), 1852
Aquarell, 34×48 cm
Santa Fe NM, Gerald Peters Gallery

»After four years of strenuous work I finished last month the collection mentioned above, but for the most part only in sketches... with the hope of interesting some art dealer in a foreign country.

The time was unfavorable for my undertaking, owing to the wars in the East, and I see now that my project included too large a number of pictures. I was retarded, moreover, in my efforts to execute the paintings rapidly by having my head so overcrowded with ideas. Having met with refusals from several art dealers, I decided to paint for sale several works in water color and in oil to defray my living expenses. Things went badly enough.

In the first place, Indian life is of no interest to the public in Switzerland; furthermore, audacious critics, ignorant of the subject, went so far as to contend that my pictures were not true to life – as if I would have devoted 6 years to a genre merely for the sake of indulging fancies in the end. To be sure I could have followed here the example of Neu Wied and Catlin in their works. This year I have been particularly unfortunate with my Indian collection, but as I have now the position of drawing master and shall be henceforth, I trust, independent of a public composed of pendants, I am determined to complete my collection of paintings from Indian life, at least, in outline.

This accomplishment relieves my mind in a twofold sense: In the first place, I now feel at, come what may, my journey shall not have been made in vain, and, secondly, my brain is no longer burdened with so many crowding pictures... finding comfort in the progress I have made thus far, I look forward to the future with hope that, without neglecting the duties of my position, I shall be able to devote myself still further to my ideals, giving no thought to the public with its petty formalism.«

Rudolf Friedrich Kurz, 11.10.1856, in: Journal of Rudolph Friedrich Kurz, Bureau of American Ethnology, Bulletin 115, 1937

Alltag und Festtag in der Neuen Welt

Eingewanderte Künstler schenkten den Szenen des Alltags in Amerika besondere Aufmerksamkeit. Intensiv hat der württembergische Maler Johann Ludwig Krimmel zu Beginn des Jahrhunderts zwischen 1811 und 1821 die Gesellschaft und ihre Aktivitäten in und um Philadelphia beobachtet. Familienfeiern und Wirtshausszenen gehörten zu seinen Lieblingsthemen, und die Gesellschaft von Philadelphia war begeistert, wenn sie sich in ein oder dem anderen Dargestellten wieder erkannte. Krimmel versetzte diese Gesellschaft in eine biedermeierliche Atmosphäre des Wohlstands und der Fröhlichkeit. Aber nicht nur die unterhaltsamen Wirtshausszenen mit liebevoll und detailliert geschilderten Charakteren, auch die Versammlungen von Menschen auf den Straßen und Plätzen von Philadelphia waren Krimmel willkommener Anlaß zur Bildgestaltung. Mindestens dreimal hat er Wahlversammlungen an prominenten Plätzen der Stadt gemalt, auf denen ersichtlich ist, wie ernst seine Mitbürger die Wahl-Pflichten im Land der Freiheit nahmen. Genauso stolz wie auf die eindrucksvollen Gebäude der Stadt, aus weißem Marmor oder rotem Backstein, muß Krimmel auf das neue Vaterland seiner Wahl gewesen sein: Im Bild aus dem Jahr 1815 rahmen amerikanische Flaggen die turbulente Szene vor dem Wahllokal.

Ähnlich liebevoll gestalteten die Auswanderer Paul Rötter aus Nürnberg und Georg Ernst Fischer aus Coburg ihre ländlichen Gesellschaften. Während Rötter, der sich in St. Louis angesiedelt hatte, die Gruppe vor einem weiten Flußtal auf den Hochufern über dem Mississippi Platz nehmen ließ, haben sich bei Fischer die Familienmitglieder nach der Mahlzeit in einem Park zur Erholung versammelt. Sowohl die Namen der Dargestellten, eine wohlhabende Familie in Baltimore, wie auch der Ort sind zu identifizieren: in der Ferne ist die Silhouette von Baltimore zu erkennen. Die städtische Gesellschaft in New York fröhnte anderen Vergnügen. Man ritt aus oder fuhr in der Kutsche. Der 48er Auswanderer Johann Adam Simon Oertel hat die Vorbereitungen für eine solche Szene vor den Ställen des wohlhabenden New Yorkers Hyram Woodruff gestaltet. Oertel war ein Suchender, der nach seiner Ankunft in der neuen Heimat noch nicht seinen künstlerischen Weg gefunden hatte. Und so versuchte er sich zunächst an einer Vielzahl von Themen und erprobte die Reaktion des Publikums, ehe er sich ganz der religiösen Malerei widmete. Zu seinen Probestücken gehört auch eine Szene aus der Geschichte Amerikas, die Zerstörung der vergoldeten Statue des englischen Königs George III. Die Reiterstatue stand im Bowling Green, einem Rasenplatz in New York. Nach der Verlesung der Unabhängigkeitserklärung vor Washingtons Soldaten wurde das Denkmal von Militärs und aufgebrachten Bürgern gestürzt und so die gewonnen Freiheit gefeiert. Möglicherweise hat auch Oertel dieses Ereignis im Zusammenhang mit seiner eigenen neu gewonnenen Freiheit betrachtet, zumal er besonders auffällig im Vordergrund einen speerbewaffneten Indianer mit Frau und Kind plazierte: ein Votum dafür, daß auch für eine unterdrückte und aussterbende Rasse die Ideale der Freiheit Gültigkeit haben sollten.

Die amerikanischen Künstler, die in Düsseldorf studiert hatten, brachten ihre Vorliebe für Genremalerei über den Ozean. Ihre Lehrmeister waren Johann Peter Hasenclever, Ludwig Knaus und Carl Wilhelm Hübner. Richard Caton Woodville aus Baltimore gestaltete kleine Bühnen wie Guck-Kästen und ließ darin – winzigen Puppen gleich – die Menschen agieren. »Die Hochzeit des Seemanns« ist eine besonders gelungene Inszenierung, die auch an Genre-Stücke des englischen Mode-Malers David Wilkie erinnert. Woodville, ein schillernder Charakter, malte nur für den heimischen Markt und nahm gelegentlich auch politische Ereignisse in seine Genre-Malerei auf, wie die »Kriegsnachrichten aus Mexiko« (Abb. S. 80), wo ein aufgeregter Vorleser die neuesten Ereignisse seiner Umgebung mitteilt. Auch Kartenspieler, Wirtshausbesucher und alte und neue Kriegsteilnehmer haben von Woodville ihren Bühnenraum eingerichtet bekommen.

Eigentlich gehört der Indianer-Maler Carl Wimar, der als Sechzehnjähriger nach Amerika ausgewandert war, nicht zu den Schilderern von Alltagsszenen. Aber da er ebenfalls ein Student dieser Düsseldorfer Jahre war und damals ein ungewöhnliches Bild aus dem Alltag der Prahmschiffer auf dem Mississippi gemalt hat, soll er hier Erwähnung finden. Diese Bootsmänner gehörten zu den Spezialitäten von George Caleb Bingham. Die lustigen Bootsmänner repräsentierten das freie Leben auf dem breiten Mississippi, eine Welt für sich, die ihre eigenen Regeln und Gesetze hatte. Das kleine Bild sieht so aus, als habe Wimar mit Bingham, der ebenfalls 1856 bis 1858 Düsseldorf besuchte, wetten wollen, daß auch er ein solches Gemälde zustande bringen könne. Es scheint in den Kreisen der Düsseldorfer Künstler häufiger Sitte gewesen zu sein, den Stil oder das Sujet eines Malerkollegen zu imitieren. Bingham hat später Leutzes »Washington überquert den Delaware« variiert, Leutze Wimars »Überfall auf den Aussiedlerzug« und »Die Entführung von Daniel Boones Tochter«.

Mit Woodville zusammen war auch John Whetton Ehninger aus New York in Düsseldorf und von der Genremalerei angesteckt worden. Er war ein zuverlässiger Chronist jener Jahre und publizierte seine Erfahrungen in Europa in amerikanischen Zeitschriften. Zu Hause lebte er zunächst in New York, schaute sich in seiner näheren ländlichen Umgebung um und fand zum Beispiel den »Hausierer aus den Nordstaaten« oder beobachtete die Teilnehmer an einem winterlichen »Truthahn-Preisschießen«. Vermutlich wurde aber nicht ein Truthahn, sondern eine Tonscherbe getroffen und als Preis gab es dann den Truthahn, der zum Thanksgiving Dinner in großer Familienrunde verspeist werden sollte. Ehninger liebte besonders das Leben auf dem Land und schilderte ebenso die Kürbisernte wie das Einbringen von Heu.

Der Alltag, den die in München ausgebildeten amerikanischen Künstler wiedergaben, sah – der Zeit gemäß – nüchterner aus. Zwei amerikanische Maler haben sich besonders dem Tageslauf der kleinen Handwerker gewidmet: Henry Alexander aus San Francisco und Charles Frederick Ulrich aus New York. Hier finden sich sowohl der Tierpräparator wie der Schuster und der Drucker in ihren Werkstätten, auch Glasbläser und Stecher sind bei der Arbeit zu beobachten. Während Alexander ganz diesen vollgestopften Werkstatt- oder Laborbildern treu blieb, hat Ulrich 1884 ein ungewöhnliches Einwandererbild geschaffen, das die erschöpften Ankömmlinge im Ankunftsgebäude Castle Garden in New York zeigt. Es trägt den bezeichnenden Titel »Im gelobten Land«.

Im späten 19. Jahrhundert erschienen literarische Themen seltener in der amerikanischen Malerei. Der Auswanderer Oscar Kunath aus Dresden, der 1874 bis 1876 in München studiert hatte, hat dies gewagt und eine Passage aus Bret Hartes frühester Erzählung »The Luck of Roaring Camp« ins Bild übertragen. Die Szene spielt in einer Bergarbeiter-Siedlung. Die einzige Frau, eine Dirne, hatte einen Sohn geboren und war bei der Geburt verstorben. Die Bergleute haben versucht, den Kleinen aufzuziehen, was zu rührenden Szenen Anlaß gab; aber die Geschichte endet tragisch: Das Kind verunglückt später im reißenden Bach. All diese Szenen wurden für den amerikanischen Markt gemalt, einige in Düsseldorf, wenige in München, die meisten in der Heimat, mit einem wachen Blick für die kleinen Ereignisse des Alltags und die großen des Festtags. Heute erzählen sie von einer vergangenen, manchmal idyllischen Welt.

Johann Ludwig Krimmel

(Ebingen 1787–1821 Germantown PA)

1810 wanderte Johann Ludwig Krimmel nach Amerika aus, um in das Buchhalter-Geschäft seines Bruders in Philadelphia einzutreten. Seine künstlerischen Neigungen, die von Johann Baptist Seele in Stuttgart ausgebildet worden waren, nahmen aber überhand, und um Geld zu verdienen, begann er mit der Porträtmalerei. Seit 1812 hatte er eine Lehrstelle als Zeichenlehrer an einem Mädchenpensionat inne, die er fast bis zum Ende seines kurzen Lebens beibehielt. Krimmel war der erste bedeutende Genre-Maler Amerikas und ist oft mit Hogarth verglichen worden. Stilistische Hinweise lassen darauf schließen, daß Krimmel mit der zeitgenössischen Malerei in seiner Heimat gut vertraut war. 1817–1819 weilte er wieder dort. Er reiste durch Deutschland, Österreich und die Schweiz, und seine alpinen Landschaftsskizzen sind wohl die ersten, die von einem nunmehr amerikanischen Künstler angefertigt und in die neue Heimat mitgebracht wurden. Diese Einflüsse des beginnenden 19. Jahrhunderts und die neuesten Strömungen der englischen und französischen Malerei verschmolz er mit dem ihm eigenen Humor zu spezifischen Genre-Szenen, die das Philadelphia des frühen 19. Jahrhunderts wieder lebendig werden lassen. Nach seiner Rückkehr im Jahre 1819 konnte er seine Lehrstelle aufgeben, weil er mit dem Verkauf seiner Bilder genug zum Leben verdiente. Die Beliebtheit seiner Malerei zeigt sich auch darin, daß viele seiner Bilder als Graphiken erschienen sind. In seinen kleinformatigen Gemälden meisterte er sowohl Genreszenen in Innenräumen wie auf öffentlichen Plätzen und Straßen. Ihn interessierte nicht nur der Alltag seiner Mitbürger, sondern auch Feiern und Festlichkeiten. Kurz vor seinem Tod bekam er den Auftrag für ein großformatiges Gemälde, das William Penns Landung in New Castle zeigen sollte. Mit den vorbereitenden Skizzen hatte er schon begonnen. Im Frühjahr 1821 wurde er zum Präsidenten der Association of American Artists gewählt, ertrank aber beim Schwimmen im Juli des gleichen Jahres in der Nähe von Germantown.

Lit.: Milo M. Naeve, »John Lewis Krimmel: An Artist in Federal America«, Newark NJ 1987. – William T. Oedel, »Krimmel at the Crossroads«, in: Winterthur Portofolio 23, 1988, S. 273–281. – Janet Marstine, »John Lewis Krimmel: America's First Painter of Temperance Themes«, in: Rutgers Art Review 10, 1989, S. 111–134.

9

Dorfgasthaus (Village Tavern),
1813–1814
43 × 57 cm
Toledo OH, Toledo Museum of Art, erworben mit den Mitteln des Florence Scott Libbey Vermächtnisses im Gedenken an ihren Vater, Maurice A. Scott

»[Krimmel] has painted many pictures in which the style of Wilkie – so much admired in England – and Gerard Dow [sic] so much celebrated of yore – is most successfully followed. He avoids the broad humor of the Flemish school as much as possible, as not congenial to the refinement of modern taste, and aims rather at a true portraiture of nature in real, rustic life.«

»*Explanation of the Plates*«, *The Analectic Magazine, New Series, I:1, Februar 1820, S. 175*

»The bar is a large room with a stone floor, and there people stand and smoke, and lounge about, all the evening: dropping in and out as the humour takes them. There too the stranger is initiated into the mysteries of Gin-sling, Cocktail, Sangaree, Mint Julep, Sherry-cobbler, Timber Doodle, and other rare drinks. The House is full of boarders, both married and single, many of whom sleep upon the premises, and contract by the week for their board and lodging: the charge for which diminishes as they go nearer the sky to roost. A public table is laid in a very handsome hall for breakfast, and for dinner, and for supper. The party sitting down together to these meals will vary in number from one to two hundred: sometimes more. The advent of each of these epochs in the day is proclaimed by an awful gong, which shakes the very window-frames as it reverberates through the house, and horribly disturbs nervous foreigners. There is an ordinary for ladies, and an ordinary for gentlemen.«

Charles Dickens, »American Notes for General Circulation«, 1842, Neudruck London 1972, S. 110

Paul Rötter

(Nürnberg 1806–1894 St. Louis MO)

Nach einem Studium in Düsseldorf und München zog Rötter in die Schweiz, wo er zwanzig Jahre lang als Zeichenlehrer lebte und Miniaturlandschaften malte. Noch vor den Revolutionswirren wanderte er im Jahre 1845 nach Amerika aus, um in Dutzow, Missouri, eine Kolonie nach utopischen sozialistischen Ideen zu gründen. Er ließ sich dann aber in St. Louis als evangelischer Pfarrer und erster Zeichen-Lehrer an der Washington University nieder. 1859 hielt er die Gegend entlang der texanischen Grenze in seinen botanischen und landschaftlichen Studien fest. Vor dem Bürgerkrieg gehörte die Landschaftsmalerei zu den bevorzugten Gattungen der Malerei in St. Louis, an der sich auch Rötter beteiligte. Nachdem er im Bürgerkrieg gedient hatte, wurde er Mitarbeiter des Schweizer Naturforschers Ludwig Agassiz an der Harvard Universität in Cambridge MA. Agassiz war 1846 ausgewandert und Professor für Zoologie und Geologie. Er gründete in Cambridge ein Museum für vergleichende Zoologie und unternahm Forschungsreisen nach Brasilien und Tiefsee-Expeditionen nach dem Südatlantischen und Stillen Ozean. Es ist anzunehmen, daß Rötter seine künstlerischen Fähigkeiten ab dem Zeitpunkt der Zusammenarbeit ganz den Illustrationen von wissenschaftlichen Studien von Agassiz gewidmet hat.

Lit.: Kat. Mississippi Panorama, St. Louis 1950. – William H. Gerdts, »Art Across America«, III, New York 1990.

10

Steilufer am Mississippi (Mississippi River Bluffs), ca. 1835

51×76 cm
Saint Louis MO, Missouri Historical Society

»But what words shall describe the Mississippi, great father of river, who (praise be to Heaven) has no young children like him! An enormous ditch, sometimes two or three miles wide, running liquid mud, six miles an hour: its strong and frothy current choked and obstructed everywhere by huge logs and whole forest trees: now twining themselves together in great rafts, from the interstices of which a sedy, lazy foam works up, to float upon the water's top; now rolling past like monstrous bodies, their tangled roots showing like matted hair; now glancing singly by like giant leeches; and now writhing round and round in the vortex of some small whirlpool, like wounded snakes. The banks low, the trees dwarfish, the marshes swarming with frogs, the wretched cabins few and far apart, their inmates hollow-cheeked and pale, the weather very hot, mosquitoes penetrating into every crack and crevice of the boat, mud and slime on everything: nothing pleasant in its aspect, but the harmless lightning which flickers every night upon the dark horizon.

For two days we toiled up this foul stream, striking constantly against the floating timber, or stopping to avoid those more dangerous obstacles, the snags, or sawyers, which are the hidden trunks of trees that have their roots below the tide. When the nights are very dark, the look-out stationed in the head of the boat, knows by the ripple of the water if any great impediment be near at hand, and rings a bell beside him, which is the signal for the engine to be stopped: but always in the night this bell has work to do, and after every ring, there comes a blow which renders it no easy matter to remain in bed.«

Charles Dickens, »American Notes for General Circulation«, 1842, Neudruck 1972, S. 216

Georg Ernst Fischer

(Coburg 1815–1874 Coburg)

Da der Genremaler Fischer aus Coburg um 1848 in Baltimore auftauchte, wird angenommen, daß er zur Welle derjenigen politischen Flüchtlinge gehörte, die nach den Wirren des Revolutionsjahres Deutschland verließen. Eine ungewöhnliche Szene »Anxious Moment (Ängstlicher Augenblick)«, die einzige aufregende Szene in seinem sonst so idyllischen Werk, könnte als Hinweis auf die Turbulenzen jener Jahre gedeutet werden. Fischer, ursprünglich Porzellanmaler in Coburg, war zwei Jahre 1834–1835 an der Dresdner Akademie ausgebildet worden, ehe er sich längere Zeit in Antwerpen und Paris aufhielt. 1843 war er wieder in Dresden tätig, muß aber dann um 1848 diese Stadt verlassen haben, in der bekanntermaßen heftige Straßenkämpfe stattgefunden haben. Viele der dort studierenden Künstler haben daran teilgenommen, wie Richard Petri und Hermann Lungkwitz, die auch zu den Amerika-Auswanderern von 1848 zählten. Neun Jahre lang war Fischer in Baltimore als Maler, Kopist und Lehrer tätig und ließ sich von der dortigen Landschaft, den reich ausgestatteten Interieurs und dem friedlichen Familienleben der führenden Schicht der Stadt inspirieren. Nicht nur die Interieurs, auch die Szenen im Freien waren sorgfältig arrangiert und mit Möbeln und dekorativen Zutaten häufig überladen. Die kleinformatigen Genreszenen waren mit so vielen Personen angefüllt, daß nur die Modelle selbst noch erkennen konnten, wen der Maler darstellen wollte. Einer der eifrigsten Kunstsammler jener Jahre, Dr. Thomas Edmondson aus Baltimore, soll schließlich dreißig Gemälde von Fischer besessen haben, die alle die Gemütlichkeit und Zufriedenheit der oberen Mittelschicht so spiegelten, wie es das deutsche Biedermeier vorgestellt hatte. Um 1857 kehrte Fischer in sein Heimatland zurück und ließ sich in Dresden nieder, wo er seine bedeutendsten Werke schuf.

Lit.: Sona K. Johnston, »American Paintings 1750–1900«, Baltimore MD 1983 Nr. 43. – William H. Gerdts, »Art Across America«, I, New York 1990.

11

Landleben (Country Life), ca. 1850

38×51 cm
Baltimore MD, Maryland Historical Society, Geschenk von Mrs. Ruth Katz Strouse

»The villa, or the country house proper, then, is the most refined home of America – the home of its most leisurely and educated class of citizens. Nature and art both lend it their happiest influence. Amid the serenity and peace of sylvan scenes, surrounded by the perennial freshness of nature, enriched without and within by objects of universal beauty and interest – objects that touch the heart and awaken the understanding – it is in such houses that we should look for the happiest social and moral development of our people…«

»Here our poet, while secluded to his heart's content amidst the primitive wildness and wealth of Nature, has yet within his reach, when it pleases him to extend his hand, all the resources and delights of the most cultivated and generous society. On all sides villages, villas, and farms, teeming with happy, intelligent, and elegant life, encompass him about. …high as he seems to be above the great flood of life, he has only to don the ›wishing cap‹ of steam and stand in the heart of the metropolis.«

Andrew Jackson Downing, »Architecture of the Country House«, 1850

»The Society's picture is identified as: *Country life* (A Baltimore Family Conversation Piece probably at ›Harlem‹), ca. 1850. The charity of execution of the picture permits identification of elements in the settings shared by both paintings. The plinth on the right bears a bust of George Washington and what is only a suggestion of a view beyond the trees, on the left in the Museum's picture, is indeed a vista of Baltimore and the harbor beyond.

The identity of the figure seated on the right as Thomas Edmondson is strengthened by a comparison of the likeness with an 1845 portrait of him by the Baltimore artist, Richard Caton Woodville. Although the latter is a somewhat stiff, more formal depiction, the coloring and features are similar.

Sona K. Johnston, »American Paintings 1750–1900 from the Collection of The Baltimore Museum of Art«, 1983, S. 63

Johann Adam Simon Oertel

(Fürth 1823–1909 Vienna VA)

Mehr als 1500 Werke hat Johann Oertel im Laufe seines langen Lebens geschaffen. Die meisten dieser Arbeiten sind heute in Vergessenheit geraten, weil er sich nach dem Jahre 1865 fast nur noch religiösen Themen zuwandte und seine Bilder in Kirchen und ähnlichen Institutionen verschwanden. Aber der Bericht davon hat sich erhalten, sowohl in seinem eigenen Werksverzeichnis wie in der Biographie, die sein Sohn geschrieben hat. Oertel war Schüler des Polytechnikums in Nürnberg und der Münchner Akademie, ehe er im Revolutionsjahr 1848 nach Amerika auswanderte. Er fühlte sich ebenso zum Priesterberuf gezogen wie zu dem des Künstlers. Er ließ sich zunächst als Zeichenlehrer und Porträtmaler in Newark NJ nieder, zog aber dann nach Washington, wo er 1857–1858 die Decke des Repräsentantenhauses ausmalte. In Newark schuf er eines seiner am meisten beachteten Genre-Bilder »Country Connoisseurs (Kunstkenner vom Land)«, eine Gruppe von ländlichen Besuchern, die kritisch, verwundert und ehrfurchtsvoll vor einer Leinwand in einem Atelier stehen und ihre Meinung dazu abgeben. Als das Bild in New York ausgestellt wurde, erregte es zu Unrecht das Mißfallen der Kritiker, die sich karikiert sahen. In jenen Jahren gehörte Oertel zu den Suchenden, die ihre künstlerischen Themen noch nicht gefunden hatten. Er versuchte sich in Genre-Szenen, die auf dem Lande wie in der Stadt, z.B. in New York, spielten, ebenso wie in Historien-Bildern, die seine politische Haltung verrieten. So malte er die aufgebrachte Menge, die im Juli 1776 die Bronze-Statue George III. als verhaßten Despoten vom Denkmal in Bowling Green in New York stürzte, nachdem die Unabhängigkeitserklärung öffentlich verlesen worden war. Oertel gehörte in Washington zu der Gruppe von amerikanischen Künstlern, die gegen die Übermacht des Italieners Brumidi bei der Dekoration des Regierungsgebäudes protestiert hatten. 1871 wurde Oertel Geistlicher der Episkopalkirche und malte seitdem ausschließlich religiöse Themen mit einem Hang zur Mystik und Allegorie. Zu seinen Gemälden verfaßte er seitenlange Abhandlungen, die dem Verständnis dienen sollten. Zuletzt lebte Oertel bei Ocala, Florida, wo er Apfelsinen züchtete und ein Sägewerk betrieb.

Lit.: J. F. Oertel, »A Vision Realized: A Life Story of Rev. J. A. Oertel«, Milwaukee WI 1917.

12

Die Ställe des Hyram Woodruff
(The Stables of Hyram Woodruff), 1861

61×103 cm
New York, Museum of the City of New York, Geschenk von Harris Fahnestock

»In 1848, in company with his master and some other friends both artistic and musical, he bade farewell to his native land and with a heart full of hopes and undefined anticipations he set out for America, coming over in a sailing vessel which required 10 weeks to make the trip. During the voyage he quite astonished the sailors by his ability to go aloft – anywhere they could – and, as the quarters below were none of the best, he spent most of his days on deck or in the ›top‹ and at night slept on deck with the anchor chain for a pillow.

Nought awaited him here but disappointment. He found at that time little knowledge of art, no defined public taste, and a people who seemed to care nothing for ideals. The whole state of society was indeed foreign to him. He had been living for many years and idyllic sort of life in a quaint German village, his master and the group of pupils making his world, the gymnasium, the woods ramble, and the evening readings at the master's house supplying the recreation from study and labor; and when thrown loose on the rushing tide of American life his sensitive nature was shocked and hurt at every turn and he found himself in entirely unexpected surroundings and was as a child in his ability to meet them.

Another painful fact, which had to dawn upon him by degrees, was that he was no painter. Educated as a steel engraver, he had all materials with the point in full subjugation – pen, pencil, crayon, graver, but not the brush. This was a difficulty with which he had a life struggle and to which some of his failures are doubtless attributable, and was overcome only by persistent and continued effort.

He was advised during his first months in this country to turn his attention to teaching, and he obtained for a time a situation in a young ladies' seminary in Newark, N.J., although his knowledge of the language was very inadequate to the performance of his task.

He had studied English before leaving Germany, and knew much as learned from books, but found he had nothing practical at his command when he landed on these shores. That difficulty was soon mastered, for with constant study and an immediate putting in practice what he learned the lack of an avenue of expression was not a draw-back for any great length of time.

He eventually obtained a command of English equaled by few even of those born and educated in this country and exceeded by none entirely self taught.

He was told that it would be useless to make Christian pictures, that they would find no sympathy or sale; so, as the next best thing, he attempted as his first important painting in America a theme from ›Paradise Lost‹, thinking that the English-speaking people must have sympathy with their own classics.«

J. F. Oertel, »A Vision Realized, A Life Story of Rev. J. A. Oertel D. D.«, Milwaukee 1917, S. 6–7

Johann Adam Simon Oertel (1823–1909)
Biographie Seite 234

13
Sturz der Statue König Georges III., New York City (Pulling Down the Statue of King George III, N.Y.C.), 1853
83×108 cm
New York, New-York Historical Society

»Few indeed there are who could say as he did, ›I have accomplished all I had planned to do‹. The amount he did do was prodigious, and it is almost unbelievable that one man could have accomplished so much. Only the more important works have here been mentioned, not including the hundreds of animal, landscape, still life, portraits, and marines or steel engravings and drawings on wood which at various periods consumed much of his time.

His record of works produced during the years 1854 to 1909 (nine years no record kept) shows a total for the 46 years of 1,183 major works.

He worked in all branches of his profession, steel engraving, drawing, modeling, carving in wood, and painting in oil and water color, and in each executing with equal facility landscapes, animals, figures, marine, and still life. »But«, as he said, »why not?« If the knowledge, and ability to execute one form, why not others?

As to his landscapes, Halsey C. Ives, standing before one of them in the Nashville studio, said: »If George Innes had painted that it would be one of his best.« In animal painting his work was often classed with that of Rosa Bonheur and Landseer; his figure pieces, both as to composition and form have few equals; in his marine paintings, of which he made less than of any other class, note the power and beauty of »After the Struggle, Peace«, and in still life is to be seen a close attention to detail and most delicate handling of color.

In a Letter to the *Sunday Post* in 1884 Charles Lanman wrote:

»It is now about 20 years since I expressed the opinion that, in the higher characteristics of art, Mr. Oertel was without a peer in the United States, and that opinion remains unchanged. It was founded on his rare abilities as a draftsman; his consummate knowledge of the human form; his powers of grouping figures in large numbers and thereby depicting ideal scenes teeming with thought and instruction, and his thorough knowledge of color.

His skill in portraiture is also unusual; and his gifts as a painter of animals are simply marvelous. It has seemed to me, indeed, while looking through his portfolios, that there was no end to the variety of his studies, all of them teeming with beautiful thoughts and always betokening a most lofty purpose.«

CHARLES LANMAN.
Sunday Post, 1884, Washington, D.C.

J.F. Oertel, »A Vision Realized, A Life Story of Rev. J.A. Oertel D.D.«, Milwaukee 1917, S. 228–229

Richard Caton Woodville

(Baltimore MD 1825–1855 London)

Von Woodville wissen wir, daß er sowohl die Gipsklasse von Carl Ferdinand Sohn an der Düsseldorfer Akademie im Jahre 1845 als auch dessen Privatunterricht besucht hat. Trotz seines kurzen Lebens hat Woodville einige Inkunabeln der amerikanischen Kunstgeschichte des 19. Jahrhunderts geschaffen, darunter »War News from Mexico (Kriegsnachrichten aus Mexiko)« und »The Card Players (Die Kartenspieler)«. Eigentlich sollte Woodville Arzt werden, entschloß sich dann aber, sich als Künstler ausbilden zu lassen. Bis 1851 hielt er sich in Düsseldorf auf. Er gehörte dort zu einer liberalen Gruppe innerhalb eines Familienvereins von Düsseldorfer Künstlern, die sich »Crignac« nannten, nach den Anfangsbuchstaben der Gründungsmitglieder. Vermutlich gehörte er auch zu den gewählten Mitgliedern des »Malkastens«. Er kehrte zweimal zu seiner Familie nach Baltimore zurück und verlegte alle seine Genreszenen, die er in der Manier Hasenclevers und Knaus anfertigte, in seine Heimat Amerika. Sein Vorsatz war es, nur für den heimischen Markt zu arbeiten und hier vor allem für die American Art Union. Er malte viele humorvolle und manchmal satirische Ansichten des bürgerlichen Lebens in Amerika in dem technisch perfekten Stil der Düsseldorfer Schule. Kein anderer Amerikaner hat sich so sehr die Düsseldorfer Mal-Tradition zu eigen gemacht wie Woodville: solides Handwerk, perfekte Eleganz, größere Aufmerksamkeit für die Lichtverteilung als für die Farben. Zum Studium dienten ihm auch die holländischen Meister des Goldenen Zeitalters wie Vermeer und Steen. Er verließ Düsseldorf mit seiner Mitstudentin und Geliebten Antoinette Schnitzler und reiste nach Paris. Seit 1851 lebte er abwechselnd in Paris, London und Düsseldorf. Er soll in London an einer Überdosis Opium gestorben sein.

Lit.: R. Caton Woodville III., »Random Recollections«, London 1914. – Mary B. Cowdrey, »Richard Caton Woodville, An American Genre Painter«, in: American Collector XIII, 1944, S. 6–7, 14, 20. – Francis S. Grubar, »Richard Caton Woodville«, Baltimore MD 1966. – Kat. Richard Caton Woodville: An Early American Genre Painter, Washington DC 1967.

14

Die Hochzeit des Seemanns (The Sailor's Wedding), 1852

46×56 cm
Baltimore MD, Walters Art Gallery

»The Sailor's Wedding« represents the office of a Justice-of-the-Peace in Baltimore who is interrupted, just as he is being served with his luncheon, by a party consisting of a stalwart sailor and his modest little rose-bud of a sweetheart, with the groom's next man, his old father and mother, and a single bridesmaid. The groomsman, with an overpowering politeness, points with his gloved hand to the couple, and informs the judge that they are in immediate need of his services to splice them in a truelover's knot: while the judge himself, by no means pleased at the interruption, seems to hesitate as to whether he shall splice them and be done with it, or make them wait until he has finished his luncheon. Meanwhile, the old black servant continues her preparations for the Squire's meal, kneeling on the floor, and taking the good things out of the ample basket, while the little daughter who was just setting a jar of pickles on the broad windowsill, stands with it in her hands forgetful, absorbed in delighted wonder at the smart appearance of the bride. That pretty creature is dressed in a white muslin gown of a rather scrimped pattern, with deep tucks in the skirt, a waist of preternatural length, and long sleeves, with white cotton gloves. Her hair is neatly arranged, with a rose among the braids, and she is most delightfully sheep-faced, and

prettily modest, and would tremble if she did not have hold of that mighty Jack's arm, who looks as scrubbed, and brushed, and proud, and good-natured, as an American sailor should, especially when he is going to be married. To study the people in this little drama is a satisfying pleasure, for, without exaggeration of apparent effort, they are true to simple nature. And it shows how much of an artist Woodville really was that, although the minuteness of detail is extraordinary, yet the eye is long in coming to perceive how fine the work is; but is taken, first of all, with the story and with the way in which it is told, and the play of character; and then is pleased with the breadth and largeness of the treatment; and, little by little, begins to find out what a wonder of patient minuteness and truth this small canvas really is. For, reader, there is nothing in this room that is not finished as with a microscope, and yet with such freedom as to redeem the execution from all charge of pettiness or niggling. To go over the whole catalogue of details would be wearisome – from the Frankl Almanac pasted on the side of the book-case – too much paste having been used, the superfluity was smeared over the wood, to the old hair-trunk filled with bundles of papers which the judge has been examining; from the pattern on the old negro woman's gown or that on her child's apron – and while you are looking at her apron look at her hair, to the embossed ornament on the spittoon, or the figure on the oilcloth; everything is painted with an absolute perfection, true to nature at once in its delicacy and in its effect. The study of such a picture makes one deeply regret that the artist found no theme worthy of his high talent, a talent as high as that of Meissonier who also is without a subject, and great must also be our regret that such a master should have been without a pupil, and should have died without leaving more than an individual trace upon Art in America.

A gentleman who is a good judge of pictures said lately, after looking long at The Sailor's Wedding, »Woodville was born before his time«.«

Anonymer Kritiker, in: New-York Daily Tribune, 22.1.1867, zitiert in: Francis S. Grubar, »Richard Caton Woodville: An American Artist, 1825 to 1855«, Johns Hopkins University 1966, S. 152–153

Carl Ferdinand Wimar

(Siegburg 1828–1862 St. Louis MO)

Obwohl Wimar nur 34 Jahre alt wurde, gehört er zu den bekanntesten Malern von Indianerszenen. Ihm ging es nicht wie Bodmer und Catlin um die wissenschaftliche Erfassung von Aussehen, Gebräuchen und Leben der aussterbenden Rasse. Er war der Schilderer des abenteuerlichen Lebens, der Kriegszüge und der Jagd. Als deutschstämmiger Künstler war er fasziniert vom exotischen Aussehen und vom kriegerischen Gebaren der rothäutigen Stämme. Er selbst ähnelte mit seinen schwarzen Haaren und der dunklen Haut eher einem Indianer als einem Deutsch-Amerikaner, und im Kreis seiner Malerkollegen im »Malkasten« in Düsseldorf führte er zur Erheiterung der Runde nicht selten Indianertänze mit Kriegsbemalung und wildem Geschrei auf. Wimar war 16 Jahre alt, als ihn seine Eltern mit nach Amerika nahmen. Die Eltern zogen nach St. Louis, einem zentralen Handelsplatz der Indianerstämme, wo der junge Wimar bald Gelegenheit hatte, sich mit den Indianern der Great Plains und ihrem Leben bekannt zu machen. 1846 wurde er Schüler und Gehilfe von Leon Pomarede, einem Porträt- und Panorama-Maler. Mit ihm reiste er den Mississippi hinauf. 1851 machte er sich selbständig und eröffnete in St. Louis ein Geschäft für Malutensilien, das seine künstlerischen Ambitionen aber nicht lange befriedigte. Es lag nahe, daß der gebürtige Siegburger 1852 das benachbarte Düsseldorf zur Weiterbildung wählte. Sein Lehrer war zunächst der Historien- und Genremaler Josef Fay, der sich in jenen Jahren besonders der Darstellung italienischen Volkslebens widmete. Fay war mit Emanuel Leutze befreundet und gehörte wie dieser zu den Gründern der Künstlervereinigung »Malkasten«. Bis 1856 erhielt Wimar vor allem von Leutze Anregungen wie so viele andere Landsleute, die in jenen Jahren Düsseldorf besuchten. Wimar schrieb nach Hause, daß Leutze zwar keine Studenten in sein Atelier aufnehme, daß der Meister aber alles beobachte, was er mache und er gäbe freudig und jederzeit Ratschläge. Ausgerechnet in Düsseldorf mußte Wimar ein Thema aufgreifen, das sein Landsmann Bingham in die Kunstgeschichte eingeführt hatte und mit dem Wimar sich sonst nie wieder beschäftigt hat: die Männer auf den Flachbooten im Mississippi. Vielleicht hatte

Leutze ihm diese Aufgabe gestellt, ebenso wie Bingham später versuchte ein Thema von Leutze zu variieren: die Überquerung des Delaware durch General Washington. Ungefähr zwanzig Bilder soll Wimar in seiner Düsseldorfer Zeit gemalt haben, dreiviertel davon gaben Szenen aus dem Indianerleben wieder, viele davon waren in Düsseldorf, Köln, Hannover und Elberfeld ausgestellt. Diese Bilder fanden in Deutschland größere Aufmerksamkeit als in Amerika. Sein Thema der Konfrontation von Siedlern und eingeborenen Amerikanern hatte Wimar schon gefunden, in Düsseldorf erwarb er sich die technischen Fähigkeiten, seine Studien malerisch mit Sorgfalt und Liebe zum Detail umzusetzen. Er war der erste Maler, der das Motiv der Indianer und der Büffelherden in einer großartigen malerischen Weise anlegte. Die Düsseldorfer Historienmalerei, besonders die seines Landsmannes Leutze, beeinflußte seine Wiedergabe von Indianern und prägte sie als Helden oder Angreifer. Ihre Widersacher waren die weißen Siedler oder der Bison, der, wie sie selbst, zu einer aussterbenden Rasse gehörte. Motive wie der Angriff auf den Aussiedlerzug oder die Büffeljagd variierte Wimar in mehreren Versionen, einige davon in Düsseldorf angefangen und in St. Louis vollendet, andere erscheinen als veränderte Wiederholungen. Wimar war vertraut mit Coopers »Lederstrumpf« und wählte daraus melodramatische Szenen als Vorlagen für seine Gemälde. Nach drei Jahren intensiver Arbeit in Düsseldorf wollte sich Wimar eigentlich in Paris und München weitere Anregungen holen, war aber aus finanziellen Gründen gezwungen in Düsseldorf zu bleiben. Dort schuf er dann zwei seiner ehrgeizigsten und größten Bilder »The Abduction of Boone's Daughter (Die Entführung von Boones Tochter)« und »The Attack on an Emigrant Train (Der Angriff auf den Aussiedler-Zug)«. Zu diesem Thema hatte ihn die populäre Lektüre von Gabriel Ferrys »Impressions de Voyages et Aventures dans le Mexique, la Haute Californie et les Régions de l'Or«, die 1851 in Paris erschienen war, angeregt. Nach der Vollendung einer zweiten Version mit diesem Thema verließ Wimar nach vier Jahren Aufenthalt die Stadt am Rhein. Er hatte einen wesentlichen Beitrag zum künstlerischen und gesellschaftlichen Leben der Stadt geleistet. Sein Vermächtnis war die Einführung von Indianer-Szenen in die Tradition der Düsseldorfer Genre- und Historienmalerei. Zu Hause beeinflußte die Verbreitung eines Nach-

stiches seines Bildes vom Angriff auf den Aussiedler-Zug Generationen von amerikanischen Malern, und so blieb seine Bildfindung zentraler Fixpunkt für den Mythos vom Wilden Westen. Die Wirkung von Wimars Gemälden war so stark, daß sie sogar auf seinen Lehrer Leutze übergriff: Dieser malte eine Version des »Angriffs« und 1862 eine Entführungsszene, die Wimars »Entführung« zum Vorbild hatte. 1860 malte Wimar eines seiner fesselndsten Bilder, den Kriegstanz der Mandan Indianer. Als Bodmer 25 Jahre zuvor diesen Stamm besuchte, war er ein gesundes Volk von normaler Stammesgröße. Wimar fand nach einer Windpocken-Epidemie nur noch 64 Vertreter des Stammes vor. Er trug eine kostbare Sammlung von indianischem Kunsthandwerk zusammen und füllte damit sein Atelier wie ein Völkerkundemuseum an. Mehrere Reisen zu den Quellgebieten des Missouri versorgten ihn mit weiteren Bildthemen. 1861 bekam er den Auftrag, die Rotunde des Gerichtsgebäudes in St. Louis auszumalen.

Lit.: Kat. Perry Rathbone: Charles Wimar, 1828–1862, Painter of the Indian Frontier, Saint Louis MO 1946. – »Indian Portraits by Carl Wimar«, in: Missouri Historical Society Bulletin 6, April 1950, S. 416. – »Wimar Drawing: The Abduction of Daniel Boone's Daughter«, in: Antiques 69, May 1956, S. 450. – Alfred Englaender, »Der Indianermaler Wimar in Heidelberg«, in: Heidelberger Fremdenblatt Juli 15,1960. – Horst Matthey, »Indianermaler und posthumer Botschafter: Charles Wimar«, in: Zeitschrift für Kulturaustausch 19, Juli–September 1969, S. 250–252. – Horst Matthey, »Der ›unbekannte‹ Indianermaler Charles Wimar«, in: Kalumet 18, Mai–Juni 1969, S. 16–22. – »Charles Wimar 1828–1862«, in: Montana 22, Spring 1972, S. 8. – Lincoln B. Spiess, »Carl Wimar's Trip Up the Missouri River«, in: Westward 4, May 1975, S. 16. – Horst Matthey, »Ein Deutscher Maler: Karl Ferdinand Wimar (Siegburg 1828–1862 St. Louis)«, in: Ethnologia Americana 14, September 1977, S. 788–791. – Lincoln B. Spiess, »Some Little-Known – and Unknown – Portraits by Carl Wimar«, in: Missouri Historical Society Bulletin 34, January 1978, S. 83–88. – Martha L. Luft, »Charles Wimar's ›The Abduction of Daniel Boone's Daughter by the Indians‹, 1853 and 1855: Evolving Myths«, in: Prospects 7, 1982, S. 301–314. – Lincoln B. Spiess, »Carl Wimar: The Missouri Historical Society's Collection«, in: Gateway Heritage 3, Winter 1982/83, S. 16–29. – Kat. Carl Wimar, Fort Worth TX 1991. – Joseph D. Ketner II »The Indian Painter in Düsseldorf. Carl Wimar: Cronicler of the Missouri River Frontier«, New York 1991.

15

**Prahmschiffer auf dem Mississippi
(Flatboatmen on the Mississippi), 1854**

49×60 cm

Fort Worth TX, Amon Carter Museum

»No wonder, that to the young, who are reared in these remote regions, with that restless curiosity, which is fostered by solitude and silence, and who witness scenes like this so frequently, the severe and unremitting labors of agriculture, performed directly in the view of such spectacles, would become tasteless and irksome. No wonder, that the young, along the banks of the great streams, should detest the labors of the field, and embrace every opportunity, either openly, or, if minors, covertly to escape, and devote themselves to the pernicious employment of boating....

This boat, in the form of a parallelogram, lying flat and dead in the water, and with square timbers below its bottom planks, and carrying such great weight, runs on a sandbar with a strong headway, and ploughs its timbers into the sand; and it is, of course, a work of extreme labor to get the boat afloat again.... [Yet] all the toil and danger, and exposure, and moving incidents of this long and perilous voyage, are hidden... At this time there is no visible danger, or call for labor. The boat takes care of itself; and little do the beholders imagine, how different a scene may be presented in half an hour. Meantime one of the hands scrapes a violin, and the others dance.«

Timothy Flint, »History and Geography of the Mississippi Valley«, Cincinnati 1832 Vol. I, S. 152–153

John Whetton Ehninger

(New York 1827–1889 Saratoga NY)

Schon mit zwanzig Jahren, als Ehninger sich in der Düsseldorfer Akademie einschrieb, wußte er, welches Fach ihm zusagte: die Genremalerei. Es war das unruhige Revolutionsjahr 1848, als der junge New Yorker, der nach seinem Studienabschluß am Columbia College sich zunächst in Paris umgesehen hatte, sich im Antikensaal und in der Malklasse des renommierten Lehrers C.F. Sohn einschrieb. Im April des Jahres 1849 meldete die Zeitschrift Art Bulletin, daß sich in der Zeichenklasse der Düsseldorfer Akademie ein bemerkenswertes Talent befinde, nämlich Ehninger, der sich mit großem Fleiß unter den Augen des berühmten Lessing und mit Hilfe einiger Freunde wie Leutze und Camphausen weiterzubilden suche. Ehninger hatte herausgefunden, daß er sowohl die Abendklassen der Akademie besuchen wie tagsüber im Atelier von Lessing (Vermittler war Leutze) arbeiten und auf diese Weise die kurze Zeit der Ausbildung in Düsseldorf intensivieren konnte. Der Maler nahm gerne an den gesellschaftlichen Aktivitäten der amerikanischen und deutschen Kollegen teil; er unterzeichnete auch wie Leutze die Gründungsurkunde des Künstlervereins »Malkasten«. Ab 1849 hielten sich auch Eastman Johnson, George Hall und Worthington Whittredge in Düsseldorf auf. Im Gegensatz zu ihnen suchte Ehninger den Unterricht an der Akademie und war von den Vorzügen einer solchen Ausbildung überzeugt. Er gehört zu den wenigen Künstlern, die sich selbst schriftlich noch während oder kurz nach ihrer Ausbildungszeit in der Heimat zu Wort gemeldet haben. Unter dem Titel »Die Kunstschule in Düsseldorf« schrieb er im Art Bulletin im April 1850: »Die Ernsthaftigkeit des Grundstudiums unterscheidet hauptsächlich die Düsseldorfer Schule von unserer eigenen Ausbildung; dies mag der Grund für die vorzügliche Leistung sein.« Aus seiner frühen Düsseldorfer Zeit sind keine Gemälde bekannt, und man nimmt an,

daß er sich hier nur dem Studium hingab, vor allem wollte er hier eine grundlegende Kunstfertigkeit erwerben. Allerdings soll er im Jahre 1853 noch einmal in Düsseldorf gewesen sein und danach zwei Historiengemälde mit Szenen, die während der Regentschaft Louis XV. spielten, an die National Academy in New York geschickt haben. Sein Können verhalf ihm in späteren Jahren zu einer sicheren Laufbahn als Illustrator und Stecher. Der Einfluß Emanuel Leutzes ist sowohl in den Genreszenen wie in den Historienbildern des Malers zu finden, der nach seiner Rückkehr im Jahre 1850 in New York ein Atelier eröffnete.

Lit.: J.W. Ehninger, »The School of Art in Duesseldorf«, in: American Art-Union Bulletin, April 1, 1850. – Kat. American Artists in Düsseldorf: 1840–1865, Framingham MA, Danforth Museum of Art 1982. – Linda Joy Sperling, »Northern European Links to Nineteenth Century American Landscape Painting: The Study of American Artists in Duesseldorf«, Ann Arbor MI 1985, S. 323.

16

Hausierer in den Nordstaaten (Yankee Peddler), 1853

65×82 cm
Newark NJ, Newark Museum, Geschenk von William F. Laporte, 1925

»…a rawboned, long-sided, rosy-cheeked, light-haired lad, who seemed gaping about as if he had just thrust his nose into the world. He wore a light-blue linsey-woolsey coatee, no waistcoat, and a pair of tow linen trousers, that, by reason of his having outgrown them, reached just below the calf of his leg; but what they wanted in length they made up in breadth, being of that individual sort called by sailors cannon-mouthed. But what most particularly fixed the… attention was a white hat, which, on account of its having been often caught in the rain, had lost its original outline, and marvellously resembled a haystack in shape and color.

This figure was leaning over a gate, with one hand scratching his head, and supporting his chin with the other, in the true style of listlessness and simplicity.«

James Kirke Paulding, »The Diverting History of John Bull and Brother Jonathan«, New York, S. 81. (Beschreibung eines typischen »Yankees«)

»There is in the drawing salon of the Academy at Düsseldorf a young New Yorker, of whose progress the most flattering accounts have been received. We allude to Mr. Ehninger, who manifested… great talent, which he is now ripening and cultivating by assiduous study, under the eye of the famous Lessing with the advice and assistance of such friends as Leutze and Camphausen, all that generous brotherhood of artists who are as remarkable for their friendliness of feeling as their distinguished merit.«

*Bulletin of the American Art Union,
1.4.1849, S. 21*

»Very many of our painters show in their production a fine feeling for color, and generally a nice appreciation of character, and great natural vigor of action. Moreover, one of our prominent national attributes is enthusiasm. These are the germs which, with proper culture, may form eventually a great American school. But in many works hitherto produced, in which one or perhaps all of the above mentioned merits are observable, the eye is shocked by some palpable fault in drawing, some unmistakable evidence of haste or carelessness, some lamentable deficiency in anatomical knowledge. This is not to be wondered at, when we discover the short space of time usually devoted in our academies, to the study of drawing, the foundation and basis of all good painting… It is in the severity of its elementary studies that the Düsseldorf School chiefly differs from our own, and to this cause its excellence may be chiefly attributed.«

*Bulletin of the American Art Union,
1.4.1850, S. 5–7
J.W.E. (John Whetton Ehninger), »The School of Art in Düsseldorf«*

John Whetton Ehninger (1827–1889)
Biographie Seite 242

17
Truthahn Preis-Schießen (Turkey-Shoot),
1879

64×111 cm
Boston MA, Museum of Fine Arts, Geschenk
von Mrs. Maxim Karolik für die M. Karolik
Sammlung Amerikanischer Malerei,
1815–1865

»With six in a room, a cask of the best ›Lau-rish‹[?] beer always behind the canvas and a disposition to be jolly you may be sure it does not want for animation. Leutze is an energetic talkative fellow, generous and full of spirits. He is one of the [?] artists here, and in an atelier a vast deal of company, as he paints, talks, sings, and [?] altogether. To give a more decided tone to the place three cannons were recently brot [sic] and a battery constructed with the stars and stripes on one side and the black and white of Prussia on the other. Nothing could exceed the enjoyment produced by the entire battery, so that almost every one that enters is received with three guns, and accordingly up to the present time there has been a pretty uninterrupted cannonade. The fun has been increased by shooting with bullets also, and the walls are fearfully scarred with the continued bombardment…

Eastman Johnson 1851, in: John I. H. Baur,
»An American Genre Painter: Eastman John-
son 1824–1906«, Brooklyn Museum 1940,
S. 12–13

Charles Frederick Ulrich

(New York 1858–1908 Berlin)

Im Oktober 1875 ließ sich der 17jährige Ulrich an der Münchner Akademie einschreiben, wo er später die Malklassen bei Ludwig von Löfftz und Wilhelm Lindenschmit besuchte. Ihn faszinierten die alten Meister, die er in der Alten Pinakothek bewundern konnte, und er machte sich die altmeisterliche Manier dieser Feinmalerei erfolgreich zu eigen. Seine Aufmerksamkeit galt insbesondere den Stilleben und der Stofflichkeit der Dinge. Die beiden deutschen Genremaler Franz von Defregger und Ludwig Knaus beeinflußten seine Vorliebe für schwere, dunkle Farben und die erzählerische Komponente bei der Themenwahl. Ihre Vorliebe für ein besonderes Thema, das Leben der einfachen Leute auf dem Lande, machte sich auch im Gesamtwerk von Ulrich bemerkbar. Er blieb bei den Genre-Szenen und bei der liebevollen Beschreibung der Details. Aber auch die Werke seines Landsmannes Robert Koehler, der in jenen Jahren eine Privatschule in München unterhielt, übten auf die Arbeit Ulrichs ihre Wirkung aus. Zu den ländlichen Szenen kamen realistische Schilderungen des modernen industriellen Alltags. Zu Ulrichs Mit-Studenten gehörte auch der aus San Francisco stammende Henry Alexander, der wie Ulrich sich im Oktober 1875 an der Akademie eingeschrieben hatte und eine Vorliebe für Werkstattszenen entwickelte. Die akribisch gemalten Arbeiten beider Maler sind nicht sehr zahlreich. Zwischen 1879 und 1882 kehrte Ulrich in seine Heimat zurück. 1883 stellte er mehrmals in New York aus, fuhr aber dann im Jahre 1885 nach Europa zurück, um den Rest seines Lebens auf Reisen durch Holland, Deutschland, Italien, Frankreich und England zu verbringen. 1884 hatte er einen Preis der National Academy of Design gewonnen für sein Gemälde »In the Land of Promise – Castle Garden (Im gelobten Land)«, ein Einwanderer-Bild. 1888 und 1892 half er, Ausstellungen amerikanischer Kunst in München zu organisieren. Er heiratete in Deutschland im Jahr 1897, arbeitete um die Jahrhundertwende in Rom und starb dann, nur 50jährig, in Berlin.

Lit.: Doreen Bolger Burke »American Paintings in the Metropolitan Museum of Art«, Vol. III, New York 1980. – Wilmerding/Ayres/Powell, »An American Perspective« Washington 1981.

18

Die Dorf-Druckerei (The Village Print Shop), 1885

54×58 cm
Chicago, Terra Museum of American Art,
Daniel J. Terra Collection

»At the spring exhibition of the Academy of Design in 1880 appeared for the first time a young New Yorker, a painter of modern genre works of a singular brightness and elegance of execution, named Charles F. Ulrich. He was the son of a German photographer, who had himself practiced painting in former years, and was born in New York in 1858. Young Ulrich was taught drawing by Professor Venino, a well-known master in his day, studied in the National Academy schools, and in 1873 went abroad, where he remained for eight years. He studied at Munich … and exhibited his first pictures in German exhibitions.

… His cabinet pieces, full of character, minute in execution, and brilliant with their rendition of light, were entirely new to our art, and may be said to have marked a new departure in it. Without being in any sense imitations, they showed that the artist had been a close student of the old Dutch detail painters. …His manner and matter were, however, entirely modern. …Mr. Ulrich was elected an Associate of the National Academy in 1883, and was one of the founders of the Pastel Club. Some years ago he returned to Europe, and now has his studio in Venice.«

Catalogue of the Private Art Collection of Thomas B. Clarke, New York (New York: American Art Association, 1899), S. 110–111

Oscar Kunath

(Dresden 1830–1909 San Francisco CA)

Kunath kam 1860 nach Amerika, wo er zunächst in Philadelphia sich niederließ. Man weiß sehr wenig über die ersten dreißig Jahre seines Lebens. Vermutlich hatte er eine künstlerische Ausbildung in seiner Heimatstadt genossen. Im Jahre 1869 stellte er in der Pennsylvania Academy in Philadelphia eine Genre-Szene aus. Seine Adresse war damals New York. In den fünf Jahren, die sich Kunath in New York aufhielt, schloß er sich der deutschorientierten Künstlervereinigung »Palette« an, die 1869 gegründet worden war und mit den beiden anderen amerikanischen Künstler-Vereinigungen »The Century« und »Union League« rivalisierte. 1873 zog Kunath nach San Francisco. Zu dieser Zeit reisten viele Kunststudenten von dort nach München, und auch Kunath schloß sich ihnen an und blieb zwei Jahre von 1874–1876, um seine künstlerischen Fähigkeiten zu vervollkommnen. Seit 1878 ist Kunath nach einem kurzen Aufenthalt in New York wieder in San Francisco nachweisbar. Er lehrte an der School of Design. In diesen Jahren konnte er sich als Figuren- und Porträtmaler profilieren und Aufträge von den wohlhabenden Familien der Stadt, den Crockers, Parrotts und Stanfords erhalten. Daneben malte er Landschaften und Genreszenen. Einige seiner Arbeiten spiegeln die Frühzeit der Goldsucher, darunter sein Meisterwerk »The Luck of Roaring Camp (Das Glück von Roaring Camp)«, welches auf eine Kurzgeschichte von Bret Harte zurückgeht, die im August 1868 in der Zeitschrift »Overland Monthly« erschienen war. Seit 1896 unterhielt er ein Studio in Los Angeles. Zwischen 1883 und 1906 stellte er mehrfach in San Francisco seine Gemälde aus. Seine Arbeiten sind deshalb so selten, weil nach dem Erdbeben von San Francisco im Jahre 1906 eine nachfolgende Feuersbrunst die Werkstatt und alle Bilder zerstörte.

Lit.: E.M. Hughes »Artist in California 1786–1940«, San Francisco 1989. – William H. Gerdts, »Art Across America« III, New York 1990.

19

Das Glück von Roaring Camp (The Luck of Roaring Camp), 1884

106×139 cm

San Francisco CA, Fine Arts Museum of San Francisco, Geschenk von Mrs. Annette Taussig im Gedenken an ihren Ehemann, Louis Taussig

»The door was opened, and the anxious crowd of men, who had already formed themselves into a queue, entered in single file. Beside the low bunk or shelf, on which the figure of the mother was starkly outlined below the blankets, stood a pine table. On this a candle-box was placed, and within it, swathed in staring red flannel, lay the last arrival at Roaring Camp. Beside the candle-box was placed a hat. Its use was soon indicated. »Gentlemen«, said Stumpy, with a singular mixture of authority and *ex officio* complacency –, »gentlemen will please pass in at the front door, round the table, and out at the back door. Them as wishes to contribute anything toward the orphan will find a hat handy.« The first man entered with his hat on; he uncovered, however, as he looked about him, and so unconsciously set an example to the next. In such communities good and bad actions are catching. As the procession filed in comments were audible –, criticisms addressed perhaps rather to Stumpy in the character of showman: »Is that him?«; »Mighty small specimen«; »Hasn't more'n got the color«; »Ain't bigger nor a derringer«. The contributions were as characteristic: A silver tobacco box; a doubloon; a navy revolver, silver mounted; a gold specimen; a very beautifully embroidered lady's handkerchief (from Oakhurst the gambler); a diamond breastpin; a diamond ring (suggested by the pin, with the remark from the giver that he »saw that pin and went two diamonds better«); a slung-shot; a Bible (contributor not detected); a golden spur; a silver teaspoon (the initials, I regret to say, were not the giver's); a pair of surgeon's shears; a lancet; a Bank of England note for £ 5; and about $ 200 in loose gold and silver coin. During these proceedings Stumpy maintained a silence as impassive as the dead on his left, a gravity as inscrutable as that of the newly born on his right. Only one incident occurred to break the monotony of the curious procession. As Kentuck bent over the candle-box half curiously, the child turned, and, in a spasm of pain, caught at his groping finger, and held it fast for a moment. Kentuck looked foolish and embarrassed. Something like a blush tried to assert itself in his weather-beaten cheek. »The d—d little cuss!« he said, as he extricated his finger, with perhaps more tenderness and care than he might have been deemed capable of showing. He held that finger a little apart from its fellows as he went out, and examined it curiously. The examination provoked the same original remark in regard to the child. In fact, he seemed to enjoy repeating it. »He rastled with my finger«, he remarked to Tipton, holding up the member, »the d—d little cuss!««

Bret Harte, »The Luck of Roaring Camp«,
Overland Monthly 1870

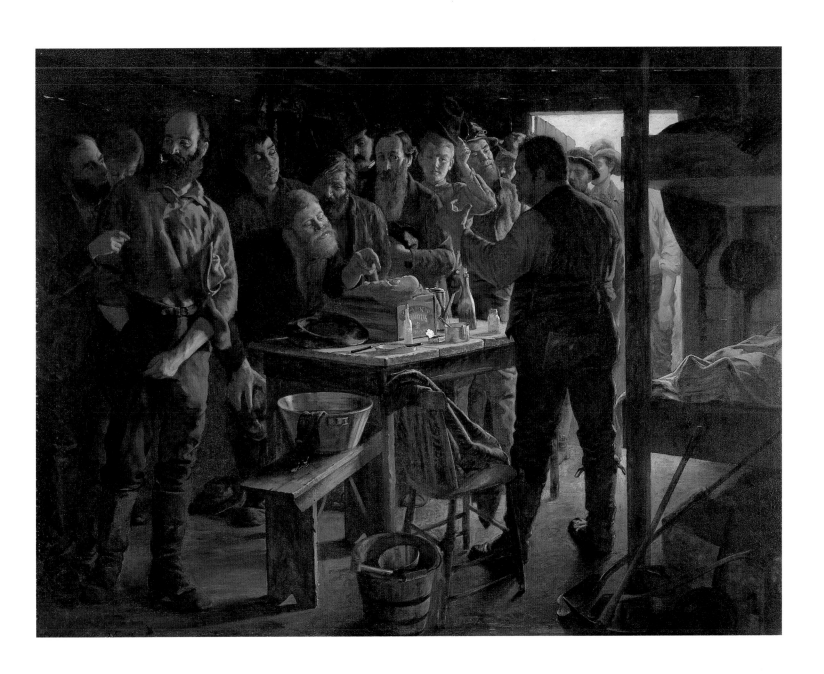

Richard Creifelds

(New York 1853–1939)

Nach einem Studium an der National Academy of Design in New York besuchte der aus New York stammende Creifelds sieben Jahre lang von 1872–1879 Münchner Schulen. Seine Lehrer waren Ferdinand Barth an der Kunstgewerbeschule und Alexander von Wagner an der Königlichen Akademie der Bildenden Künste. Nach seiner Rückkehr nach Amerika zog er zunächst nach Brooklyn, in der Mitte der 80er Jahre aber wählte er Manhattan zu seinem Wohnsitz. Er spezialisierte sich auf dichtgedrängte und detailreiche Genreszenen nach dem Vorbild der niederländischen Kleinmeister des 17. Jahrhunderts. Das Brooklyn Museum bewahrt heute neben den »Veteranen« aus dem Jahre 1886 auch das Porträt eines »Patriziers« mit Samtkappe und breitem gefälteltem Kragen auf, in dem er der Rubensschen Malweise sehr nahe kommt.

Lit.: William Gerdts, »Art Across America« I, New York 1990.

20

Die Veteranen (The Veterans), 1886

36×46 cm
Brooklyn NY, Brooklyn Museum, Geschenk der Vermögensverwalter von Colonel Michael Friedsam

»Homeward now, the wars are over; homeward, never more to rove;
Ah, what memories cluster round me! ah, what promised transports move!
Fireside faces – homestead gossips – mother's blessing…
On and ever onward bore me.«

The Knickerbocker, Januar 1854, XLIII, S. 40–41

»*General Order No. 9*
Headquarters Army of Northern Virginia, 10th April 1865

After four years of arduous service marked by unsurpassed courage and fortitude the Army of Northern Virginia has been compelled to yield to overwhelming numbers and resources.

I need not tell the survivors of so many hard fought battles, who have remained steadfast to the last, that I have consented to this result from no distrust of them. But feeling that valor and devotion could accomplish nothing that could compensate for the loss that would have accompanied the continuance of the contest. I determined to avoid the useless sacrifice of those whose past services have endeared them to their country.

By the terms of the agreement Officers and men can return to their homes and remain there until exchanged. You will take with you the satisfaction that proceeds from the consciousness of duty faithfully performed and I earnestly pray that a merciful God will extend to you his blessing and protection.

With an unceasing admiration of your constancy and devotion to your country and a grateful remembrance of your kind and generous consideration of myself, I bid you all an affectionate farewell.

R. E. LEE, GENERAL«

Robert E. Lee, »The General's Farewell Address to His Troops«, in: The South, New York 1993, S. 128

Die intime und die großartige Landschaft

Mehr als die Genremalerei hat die amerikanische Landschaft die Künstler des 19. Jahrhunderts beschäftigt. Die unendliche Weite der Prärien, die himmelhohen Felswände der Rocky Mountains, die majestätisch dahinfließenden breiten Flüsse, die dröhnenden Wasserfälle, die ungewohnten Formationen von Felsen, die riesenhaften alten Bäume, die unberührten Spiegel der kristallklaren Bergseen, all dies sprach natürlich nicht nur die Künstler, sondern auch die Siedler und Reisenden an. Die Amerikaner betrachteten, als junge Nation, ihre grandiose Landschaft als Ersatz für kulturelle Güter, die ihnen fehlten. Sie hofften, daß dort, wo die Natur monumental in Erscheinung tritt, ihr Eindruck den Betrachter inspiriert und ein Stück Zeitlosigkeit suggeriert wird. Dies führte zu einer Art Nationalstolz, so daß Regionen wie das Yosemite Tal in Kalifornien und der Yellowstone Park in Wyoming als Schutzzonen erklärt wurden und von nun an als Symbole nationaler Größe gelten konnten. Als erster nationaler Park wurde 1864 der Yosemite eingerichtet, ein besonderer Schutz für die jahrhundertealten Mammutbäume und die eigenartigen Felsformationen; 1872 verabschiedete der Kongreß dann ein Gesetz, das auch das Gebiet um den Yellowstone Lake zum Nationalpark erklärte.

Die Flüchtlinge der erfolglosen europäischen Revolution von 1848 allerdings suchten nicht die zeitlose Monumentalität der Landschaft, sondern flüchteten aus den Wirren der Revolution in die Idylle. Paul Weber kam aus Darmstadt nach Philadelphia. Er erkundete die malerische und liebliche Gegend um seine Wahlheimat, die er wohl auch deshalb ausgesucht hatte, weil es in Philadelphia – vor allem in der Nähe in Bethlehem – eine große deutsche Kolonie gab. Er reiste über die Appalachen den Hudson Fluß hinauf, malte 1852 seine ersten Ansichten von dieser Gegend und gehörte mit zur Hudson River School, die als erste eigenständige künstlerische Entwicklung in Amerika gefeiert wird. Sie entstand um 1825 mit den Landschaften von Thomas Cole. Ihr gehörten in späteren Jahren auch Künstler, die sich in Deutschland aufgehalten haben, wie John Casilear, John Frederick Kensett, Sanford Gifford und der in Düsseldorf ausgebildete Albert Bierstadt an. Die Gegend um den Hudson glich dem Rhein, auf den Hügeln erhoben sich statt der alten Burgen die neuen prachtvollen Villen der Wohlhabenden, die vor allem in den Sommermonaten aus dem heißen New York hierher flüchteten. Ähnlich verhaftet seiner neuen Heimat wie Weber war Emil Bott, zu dessen Lieblingsthemen Ansichten aus Pennsylvania gehörten. Weber kehrte nach

einigen Jahren wieder in seine alte Heimat zurück, Bott, ein in Düsseldorf geschulter Landschaftsmaler, blieb für immer in Amerika und hatte große Erfolge mit seinen glasklar gemalten Landschaften. Es sind vor allem die in Düsseldorf ausgebildeten Amerikaner, die ihre Heimat mit neuen Augen sahen. Es genügte der unprätentiöse Landschaftsausschnitt, eine Gruppe hoher Bäume in Licht und Schatten, die alte Sägemühle am Bach, um die neu erworbenen malerischen Fähigkeiten einzusetzen.

Die Forderung nach einer nationalen Malerei wurde von den amerikanischen Künstlervereinigungen immer lauter erhoben, und was würde sich wohl besser dazu eignen als die unmittelbare und alltägliche Landschaft. Manchmal erscheinen die anekdotischen Zugaben als überflüssig und als erzählerische Zugeständnisse an den Betrachter. So sind auch die Szenen, die William D. Washington aus dem Bürgerkrieg schilderte, eher an den Titeln zu erkennen als an der Darstellung. Denn die Hauptrolle spielt auch hier die Landschaft: Felsen, Bäume, Fluß und vor allem das Licht vom tiefsten Schatten im dunklen Graben bis zur gleißenden Helle des fernen Himmels.

Einige der in Deutschland ausgebildeten Maler flohen die Großstadt nach ihrer Rückkehr und suchten sich ganz bestimmte malerische Gegenden aus, die sie zu ihrem Lieblingsmotiv erklärten. Alexander Helwig Wyant malte im Winter in seinem Studio in New York, zog aber im Sommer aufs Land auf der Suche nach malerischen Flußtälern und Seen. Die Pittsburgher Maler um Georg Hetzel und Martin Leisser entdeckten die Gegend um Scalp Level. In den Sommermonaten fuhren sie hinaus in den lichten Wald an den Ausläufern der Appalachen. Sie stellten zusammen mit ihren Schülern die Staffeleien auf und hielten den Landschaftsausschnitt auf ihrer Leinwand fest. Die genaue Naturbeobachtung war vielen Malern ein ernsthaftes Anliegen, so studierten sie Wolken genauso wie Felsformationen. Aktuelle naturwissenschaftliche Veröffentlichungen wirkten sich auch auf die Sichtweise der Maler aus. Einer, der es zur Meisterschaft in der Wiedergabe von Felsen am Meer gebracht hat, ist William Stanley Haseltine, der sich auch in Düsseldorf aufgehalten hat. Immer wieder stößt die weiß schäumende Gischt der heranrollenden Wogen an die rotbraunen scharfen Felskanten, hell von der Sonne durchglüht und dunkel vom Wasser getränkt.

Unzweifelhaft der größte Naturschilderer, nicht nur was die Formate seiner Bilder angeht, war Albert Bierstadt. Der gebürtige

Solinger war als Kind nach Amerika gekommen und nach Düsseldorf zurückgekehrt, um im Umkreis von Emanuel Leutze und Worthington Whittredge die Landschaftsmalerei zu erlernen. Seine Bilder wurden in wahren Triumphzügen durchs Land geführt und gegen Eintritt dem Publikum gezeigt. Sein »Sturm in den Rocky Mountains« zeigt die Natur als monumentale Kulisse für die losgelassenen Elemente. Keiner konnte so wie Bierstadt die majestätische Felsenwelt der Rockies wiedergeben, keiner die spiegelglatte Stille der Bergseen und niemand vermochte so überzeugend Baumgruppen und Felsformen im Vordergrund zu verteilen wie Albert Bierstadt. Er hatte diese Welt nicht nur am eigenen Leib erfahren – viele Reisen in den Westen zeugen von seiner Gründlichkeit im Studium der Natur –, es gelang ihm auch, diese Beobachtungen zu inszenieren. Bei ihm wirken erzählerische Zutaten wie Aussiedler- oder Indianerlager natürlich: Sie unterstreichen in ihrer Winzigkeit noch die überwältigende Umgebung. Neben Emanuel Leutze, der sich der Historienmalerei widmete, gehört Albert Bierstadt, der Landschaftsmaler, zu den bedeutendsten künstlerischen Talenten, die in der Mitte des 19. Jahrhunderts in Deutschland ausgebildet worden sind.

Paul Weber

(Darmstadt 1823–1916 München)

Mehr Aufmerksamkeit als in Deutschland schenkte man dem Landschaftsmaler Paul Weber in den Vereinigten Staaten. Viele Jahre lang hat er in Philadelphia gelebt und gearbeitet und das Bild der Hudson River School mitgeprägt. Paul Weber, Sohn des Hofmusikers Johann Daniel Weber, hat in Darmstadt bei August Lucas gelernt, danach am Städel bei Jakob Becker und von 1844 bis 1848 an der Münchner Akademie. 1846 bis 1847 begleitete er Prinz Luitpold von Bayern auf einer Orientreise. Seine künstlerischen Studien schloß er in Antwerpen ab. Nach dem Revolutionsjahr 1848 und dem Tod seiner Eltern wanderte er 1849 nach Amerika aus. In den Wäldern Pennsylvanias und am Hudson suchte er vor allem nach Motiven, die ihn an seine Heimat erinnerten. Er stellte regelmäßig viele Arbeiten in der Pennsylvania Academy in Philadelphia aus, zu Anfang noch Motive aus seiner Heimat und aus der Schweiz, dann zunehmend Landschaften aus seiner Umgebung. 1858 – er hatte fünf amerikanische Landschaften ausgestellt, darunter einen Niagara-Fall – gewann er eine Silbermedaille. Elf seiner Gemälde waren 1864 auf der Great Central Fair auf dem Logan Square in Philadelphia zu sehen. Auch als er Philadelphia schon verlassen hatte, schickte er bis 1869 noch amerikanische, schottische und deutsche Landschaften zu den Ausstellungen nach Amerika. Zu seinen Schülern in Philadelphia gehörten William Stanley Haseltine und William Trost Richards. Beide konnte er überreden, mit ihm nach Deutschland zu fahren, um dort ihre Studien fortzusetzen. Als er 1860 als wohlhabender Mann nach Darmstadt zurückkehrte, machte ihn der Großherzog von Hessen zu seinem Hofmaler. Er wird als einer der Begründer der »Paysage intime« betrachtet, eine Gattung, die besonders die Münchner Maler pflegten. In München hatte sich Weber im Jahr 1871 niedergelassen. In seinen letzten Lebensjahren wählte er die flachen Gegenden des Dachauer und Schleißheimer Moores zu seinen Motiven.

Lit.: Hartmut Weber, »Paul Weber und sein Schwiegersohn Philipp Röth – Zwei Maler, die in München um die Jahrhundertwende wirkten«, Zulassungsarbeit für das Lehramt an Volksschulen, Typoscript München 1976. – Kat. Darmstädter Galerie 19. Jahrhundert, Darmstadt 1992, S. 185–203.

21
Hudson River Landschaft (Hudson River Landscape), 1854

89 × 125 cm
Elmira NY, Arnot Art Museum, Vermächtnis Matthias H. Arnot, 1910

»Um 10 Uhr begaben wir uns daher an Bord des Dampfschiffes *Richmond*, und eine Stunde später setzte sich das Schiff in Bewegung. Die Ufer des *Hudson*-Flusses sind recht schön, hin und wieder auch recht gut angebaut. Von *Albany* bis *New-York* sind es 144 Meilen, und bis *Westpoint* 96 M. *Hudson*, ein Städtchen 27½ Meile von *Albany* entfernt, das wir nach Mittag erreichten, scheint ein nahrhafter und ganz hübscher Ort zu sein. Bei demselben ist ein Hafen, in welchem wir mehrere Schooner erblickten; auch bemerkten wir am Ufer einige, 5 Stockwerk hohe, von Backsteinen erbaute Magazine. Gegenüber auf dem rechten Ufer des Stromes, liegt das Dorf *Athen*, und zwischen beiden Orten scheint viele Communication zu sein, da sie durch ein Pferdeboot unterhalten wird. Eine sehr flache Insel, die mitten im Strome zwischen diesen beiden Orten liegt, erschwerte früherhin diese Verbindung; denn die Fähre mußte einen großen Umweg nehmen. Um dieser Unbequemlichkeit vorzubeugen, hat man quer durch die Insel einen Canal gegraben, durch welchen das Pferdeboot nunmehr sehr schnell und gemächlich hindurchfährt. Von hier aus hat man einen schönen Blick auf das hohe *Katskill*-Gebirge.

Gegen 11 Uhr Abends landeten wir bei *Westpoint*, am rechten Ufer des *Hudson*, an einem hölzernen, mit einem Wachthause versehenen Quai. Ein Wache haltender Artillerist examinirte uns....

Es that mir sehr leid, daß wir schon am dritten Tage nach unserer Ankunft, den 19. Sept., das liebe *Westpoint*, das mir so äußerst wohlgefallen hatte, verlassen sollten; ich mußte aber doch endlich nach *New-York*! Um 11 Uhr Vormittags kam das Dampfschiff *Franklin* von *Albany* an, machte einen Augenblick am Quai Halt, und nahm uns an Bord. Unsere Freunde von *Westpoint* begleiteten uns bis ans Schiff, und hier nahmen wir einen recht herzlichen Abschied von ihnen. Ein Capitain *Randolph* aus Virginien, den ich in *Westpoint* kennen gelernt hatte, reisete mit seiner Frau ebenfalls nach *New-York*, so daß ich auf dem Schiff eine angenehme Unterhaltung hatte. Das Schiff war mit Menschen überfüllt; wir fanden kaum Platz zum Mittags-Essen. Die Ufer des Stromes blieben sehr schön; wir fuhren an mehreren hübschen Orten vorbei und an Landhäusern, welche bewiesen, daß wir uns auf dem Wege zu einer großen und blühenden Stadt befanden. Bei einer Biegung des Stromes nähern sich die Ufer. Daselbst liegt ein hübsches Landhaus mit einem Garten, *Verplancks point* genannt; gegenüber stand ein Fort, *stony point*, um dessen Besitz während des Revolutionskrieges mehrere blutige Gefechte Statt gefunden haben. Ein Städtchen *Singsing*, wo sich ein Zuchthaus befindet, hat eine sehr hübsche Lage; wir sahen die Züchtlinge mit Sprengen des Felsens beschäftiget. Der Fluß wird nunmehr breit, und bildet 2 aufeinanderfolgende Seen, der erste *Haverstrawbay* und der andere *Tappan-Sea* genannt. An dem rechten Ufer des letzten liegt das Städtchen *Tappan*, wo der unglückliche Major *André*, vom Kriegsrath für einen Spion erklärt, aufgehenkt und begraben worden ist. Das englische Gouvernement hat ihn vor wenigen Jahren ausgraben, seine Gebeine nach England transportiren, und, wenn ich nicht irre, in der *Westminster*-Abtei beisetzen lassen, während die Gebeine des Generals *Fraser*, der als ein Held in offener Schlacht an der Spitze königlicher Truppen fiel, ohne den geringsten Denkstein in der alten Redoute bei *Stillwater* liegen bleiben. Der auf *André's* Grab gewachsene Baum ist auch nach England geschafft, und wie man mir versicherte, in den königlichen Garten hinter *Carlton palace* verpflanzt worden.

Unterhalb des *Tappan-Sea* nähern sich die Ufer des Stromes abermals, und werden auf der rechten Seite sehr steil und hoch: sie nehmen sich aus, wie die Felsen bei Pirna an der Elbe, und werden *the palissades* genannt. Nach Sonnen-Untergang kamen wir in die Nähe von *New-York*, dieser größten Stadt in den V. St., die fast den ganzen Handel des Landes an sich zieht, und jetzt schon gegen 170,000 Einwohner zählt.«

»*Reise Sr. Hoheit des Herzogs Bernhard zu Sachsen-Weimar-Eisenach durch Nord Amerika in den Jahren 1825 und 1826*«, Weimar 1828, S. 177, 188–189

Paul Weber (1823–1916)
Biographie Seite 254

22
Sommerlandschaft bei Philadelphia, 1854

65×95 cm
Darmstadt, Städtische Kunstsammlung Darmstadt

»Den 3. Juni verließ ich Morgens um 4 Uhr *Philadelphia*, um die Kohlenwerke jenseits der blauen Berge zu sehen, dann noch einen Besuch bei meinen Freunden in *Bethlehem* abzustatten und mich hierauf nach *New-York* zu begeben, da zu meinem großen Leidwesen die Zeit meiner Einschiffung herannahte. Ich fuhr mit der gewöhnlichen *Mail-stage* bis *Reading*, 52 Meilen weit. Trotz eines gestern Abends Statt gehabten Gewitters, war es doch wieder sehr heiß, und wir wurden besonders auf dem letzten Theil des Weges vom Staub ungemein incommodirt.

Anfangs nahmen wir denselben Weg, den ich vorigen Herbst nach *Bethlehem* zu gefahren war, über *Sunville*, *Germantown* und *Chesnuthill*. Das gegenwärtige Ansehen der Gegend war sehr verschieden von dem Ansehen in der damaligen rauhen Jahreszeit. Jetzt war alles grün und lebendig; und die zahlreichen und eleganten Gärten von *Germantown* waren alle mit den schönsten Blumen angefüllt. Obgleich diese Stadt 3 Meilen lang ist, so gewährt ihr Anblick doch keine ermüdende Einförmigkeit; die verschiedenen Sommerwohnungen der bemittelten Einwohner von *Philadelphia*, die ziemlich dicht auf einander folgen, bieten vielmehr eine schöne Veränderung dar. Von *Chesnuthill* aus hat man eine ausgedehnte Aussicht über die schöne und dicht bevölkerte umliegende Gegend. Vorzüglich herrlich nahm sich das Thal des *Schuylkill* aus, den man vermittelst hineingelegter Dämme und durch Fragmente von Canälen, die man um die seichtesten Stellen herum geleitet, bis über die blauen Berge hinaus schiffbar gemacht hat.

Jenseits *Chesnuthill* verließen wir die oben erwähnte Straße und wendeten uns links nach *Norristown*, einem sehr romantisch, am linken Ufer des *Schuylkill* gelegenen Städtchen. Bevor wir dasselbe erreichten, kamen wir an ausgedehnten Marmorbrüchen vorbei, die gegen 100 Fuß tief sind und sehr malerische Schluchten bilden. Die Marmorblöcke werden vermittelst Maschinen, die man durch Pferdemühlen in Bewegung setzt, zu Tage gefördert. Der hiesige Marmor ist grau mit vielen weißen Adern; in den meisten anständigen Häusern in *Philadelphia* hat man ihn zu Kaminen benutzt. Mehrere der Meilensteine auf unserem Wege sind ebenfalls von diesem Marmor gemacht. Den Abfall brennt man theils zu Kalk und theils benutzt man ihn zu Chausseesteinen. Die Chaussee ist für eine amerikanische auf dieser Route noch ziemlich gut.

Jenseits *Norristown* fuhren wir wieder durch eine schöne Gegend. Zwischen *Chesnuthill* und den Marmorbrüchen hatten wir auf einer guten steinernen Brücke den *Wissahircan-Creek* passirt, der viele Mühlen treibt; zwischen *Norristown* und *Trap*, einem kleinen Orte, durch welchen die Straße läuft, kamen wir über zwei andere Flüßchen, den *Skippar* und den *Perkionem-Creek* und bei dem Städtchen *Pottsgrove* über ein drittes, *Monataway-Creek* genannt, das sich hier in den *Schuylkill* ergießt. In einer hügeligen Gegend ging es durch die Oerter *Warremsburg* und *Exertown* und über den *Mannokesy-* und den *Rush-Creek*. Endlich erblickten wir *Reading* in einem lachenden Thale vor uns liegend.«

»Reise Sr. Hoheit des Herzogs Bernhard zu Sachsen-Weimar-Eisenach durch Nord Amerika in den Jahren 1825 und 1826«, Weimar 1828, S. 235–236

Emil Bott

(Württemberg 1827–1908 Philipsburg PA)

Bott wird zwar fälschlich als ein Auswanderer des Jahres 1849 registriert und könnte deshalb mit den Revolutionsflüchtlingen von 1848 verwechselt werden, war aber schon als zweijähriges Kind nach Pennsylvania gekommen und auf einem Bauernhof aufgewachsen. Nach der Schule in Philipsburg schiffte er sich nach Europa ein, um in Düsseldorf an der Akademie zu studieren. Die Aufnahmelisten haben seinen Namen nicht verzeichnet. Dort soll er den realistischen Stil der Düsseldorfer Malschule übernommen haben. Besonders seine dunkeltonigen Landschaften spiegeln das Kunstverständnis seiner Lehrer. Er widmete sich der Landschaft und dem Porträt, aber nur wenige seiner Werke konnten bisher identifiziert werden. Wie so viele Künstler mit seiner Ausbildung wurde er nach seiner Rückkehr in die Heimat Amerika Zeichenlehrer. Von 1848 bis 1856 lehrte er in einer Privatschule in New Brighton PA. Vor dem Bürgerkrieg hat er sich in Pittsburgh angesiedelt. Hier zeigte er im Jahre 1859 seine Bilder auf der ersten Ausstellung der Pittsburgh Art Association. Er gehörte zu Pittsburghs bedeutendsten Künstlern in der Mitte des 19. Jahrhunderts. Der Beaver River wurde zu seinem Lieblingsmotiv. Außerdem galt er als Spezialist für Städteansichten. In den 60er Jahren fuhr er auf den Postschiffen auf dem Mississippi und Ohio, verkaufte viele seiner Gemälde an die Passagiere und dekorierte dort die Schiffsräume mit seinen Malereien. Diese Tätigkeit mag gewinnbringend gewesen sein, denn die Schiffe enthielten nachweislich Gemälde von einigen der besten Künstler jener Jahre. Er soll im Jahre 1873 noch einmal nach Düsseldorf gereist sein. Bis 1880 war er künstlerisch tätig und zog sich dann nach Philipsburg PA zurück.

Lit.: Kat. Southwestern Pennsylvanian Painters, Collection of the Westmoreland Museum of Art, Greensburg PA 1989, S. 22. – William H. Gerdts, »Art Across America« I, New York 1990.

23

Beaver Falls, Pennsylvania, 1854

64×97 cm

Greensburg PA, Westmoreland Museum of Art

»It is true that in the eastern part of this continent here are no mountains that vie in altitude with the snow-crowned Alps – that the Alleghanies and the Catskills are in no point higher than five thousand feet. ...[T]he Catskills, although not broken into abrupt angles like the most picturesque mountains of Italy, have varied, undulating, and exceedingly beautiful outlines – they heave from the valley of the Hudson like the subsiding billows of the ocean after a storm ...

I will now speak of another component of scenery, without which every landscape is defective – it is water. Like the eye in the human countenance, it is a most expressive feature ...

... The Hudson for natural magnificence is unsurpassed. ...[W]here can be found scenes more enchanting? The lofty Catskills stand afar off – the green hills gently rising from the flood, recede like steps by which we may ascend to a great temple, whose pillars are those everlasting hills, and whose dome is the blue boundless vault of heaven ...

... But American associations are not so much of the past as of the present and the future. Seated on a pleasant knoll, look down into the bosom of that secluded valley, begirt with wooded hills – through those enamelled meadows and wide waving fields of grain, a silver stream winds lingeringly along – here, seeking the green shade of trees – there, glancing in the sunshine: on its banks are rural dwellings shaded by elms and garlanded by flowers – from yonder dark mass of foliage the village spire beams like a star. You see no ruined tower to tell of outrage – no gorgeous temple to speak of ostentation; but freedom's offspring – peace, security, and happiness, dwell there, the spirits of the scene. ...[T]hose neat dwellings, unpretending to magnificence, are the abodes of plenty, virtue, and refinement.«

Thomas Cole, »Essay on American Scenery«, in: The American Monthly Magazine 7, Januar 1836, S. 5, 6, 8, 11–12

»Artists are now scattered, like leaves or thistle blossoms, over the whole face of the country, in pursuit of some of their annual study of nature and necessary recreation. Some have gone far toward the North Pole, to invade the haunts of the iceberg with their inquisitive and unsparing eyes – some have gone to the far West, where Nature plays with the illimitable and grand – some have become tropically mad, and are pursuing a sketch up and down the Cordilleras, through Central America and down the Andes. If such is the spirit and persistency of American art, we may well promise ourselves good things for the future.«

Cosmopolitan Art Journal, 1859, S. 183

James McDougal Hart

(Kilmarnock, Schottland 1828–1901 Brooklyn NY)

Zu den wenigen Künstlern, die sowohl in Düsseldorf als auch kurz in München gelebt haben, gehört James M. Hart. Er betrieb die Malerei zunächst in seiner Heimat als Handwerk und malte Schilder. Seine Begabung fiel auf, und er wurde zur Ausbildung nach Europa geschickt. In den Jahren 1850 bis 1853 weilte er in Düsseldorf, wo er sich der Naturschilderung seines Lehrers Johann Wilhelm Schirmer mehr als den Historienbildern seines Landsmanns Emanuel Leutze verbunden fühlte. Hier lernte er, die Verbindung zwischen den einzelnen Versatzstücken, die sich in der Landschaft vorfinden, und der deutlich erkennbaren Perspektive herzustellen und wie sich so eine traditionelle akademische Landschaft aufbaut. Im Metropolitan Museum hat sich eine Landschaftsstudie »Godesberg« aus dem Jahr 1852 erhalten. Von seinem Schema der ruhig geordneten Hügel und Täler wich er stilistisch später kaum mehr ab. Im Jahre 1853 schickte er eine »Landschaft in Süddeutschland« an die National Academy in New York. »Die Landschaft mit Burgruine (Godesburg)« aus dem Jahr 1854 erinnert besonders an sein Vorbild, seinen Lehrer Schirmer. Der Münchner Aufenthalt ist kaum belegt und kann aufgrund des Zeitplans nur in einer Durchreise bestanden haben. Vor seiner Rückreise nach Amerika im Jahre 1853 zeichnete er in Südtirol und am Rhein. Im Jahre 1857 zog er nach New York und wurde im gleichen Jahr Mitglied der National Academy, einer angesehenen und einflußreichen Künstlervereinigung. Für seine Düsseldorfer Maler-Kollegen war er in New York zeitweise Kunsthändler, Kritiker und Ratgeber.

Lit.: »American Painters – James M. Hart«, in; Art Journal 1, June 1875, S. 180–183.

24

Mittagspause der Heumacher (Haymakers' Noonday), 1858

62×100 cm
Pittsburgh PA, Carnegie Museum of Art, erworben mit Hilfe des Mr. und Mrs. James F. Hillmann Purchase Fund

»The Dusseldorf artists are not backward in appreciating the treasures spread before their view. Particularly in the autumn, little caravans of them cover the roads along the Rhine. While the genre painter delights in the gay and lively pursuits of the day, the landscape painter turns as soon as possible, away from the cultivated and modernized highway. In the loneliest of the adjacent valleys, on the tops of dizzily over-hanging rocks, he may be seen, busily engaged with his pencil and sketchbook.«

F. von Uechtritz, »Literary World« Nr. 275, Mai 1852, S. 333

»In the summer, during the vacation of the Academy, the painter packs a few clothes and some painting materials in a knapsack and sallies forth, with a comrade perhaps, upon a pedestrian excursion. This mode of travel is the most delightful possible for a young lover of nature and art, provided he possesses a moderate degree of enthusiasm and a healthy frame. He has thus opportunities of observing minutely the more rare and secluded parts of scenery and the most striking characteristics of the people… After having made a number of studies, and visited, perhaps, some fine collections of pictures, the artist returns to his labors, with a mind refreshed by relaxation and imagination invigorated by the new objects presented to him and a store of recollections to form subjects upon which his fancy may work anew.«

Bulletin of the American Art Union Vol. 3 Nr. 1, April 1850, S. 7 (John Whetton Ehninger aus Düsseldorf).

»I am glad that I came to Duesseldorf. This school excels in landscape, in which department there are quite a number of excellent artists of whom Lessing and Achenbach are Chiefs, and except our Cole, I know none better.«

Bulletin of the American Art Union Vol. 3, Mai 1850, S. 27 (Anonymer Kunststudent aus Düsseldorf)

John Robinson Tait

(Cincinnati OH 1834–1909 Baltimore MD)

Die Persönlichkeit Taits vereinigt in sich so viele Komponenten, daß er dazu bestimmt zu sein scheint, einen der Prototypen zum Thema dieser Ausstellung zu personifizieren: er war nicht nur in Cincinnati geboren, wo die bedeutendsten Künstler jener Jahre deutsche Akademien zur Weiterbildung aufsuchten, er besuchte auch noch die beiden berühmtesten Akademien, die von Düsseldorf und München. Dazu war er nicht nur Maler, sondern auch Dichter und hat die Erfahrungen seiner Italienreise 1860 niedergeschrieben mit dem Titel: »European Life, Legend, and Landscape (Europäisches Leben, Legende und Landschaft)«. Die Reise in den Jahren 1852–1855 zusammen mit dem vielversprechenden jungen Landschaftsmaler William Louis Sonntag aus Baltimore hatte Taits künstlerische Ambitionen angeregt. Er beschrieb die kulturelle und soziale Geschichte des fremden Landes mit den Augen des Künstlers. In dieser frühen Phase schrieb er Reisebücher und Gedichte und Kunstkritiken für Zeitschriften. Auch in späteren Jahren arbeitete er noch als Kunstkritiker für die Zeitungen New York Mail und Express. Zurück in Baltimore nahm er zunächst Unterricht bei seinem Reisebegleiter Sonntag. 1862 ließ er sich bei dem Professor der Bauschule, dem Architekten und Zeichner Rudolph Wiegmann, in der Klasse der Landschaftsmalerei an der Düsseldorfer Akademie einschreiben. Hier lernte er auch beim Mondschein-Weber, so genannt nach dessen Vorliebe für große Landschaften bei Mondbeleuchtung, und bei dem führenden Landschaftsmaler der Düsseldorfer Schule, Andreas Achenbach. Mehr als zehn Jahre blieb er in Düsseldorf, aber nur wenige Werke sind aus dieser Zeit bekanntgeworden, darunter eine Ansicht des Siebengebirges und das Gemälde »The Haunted House (Das Geisterhaus)«. Er kehrte 1871–1872 in seine Heimat zurück, um im darauffolgenden Jahr nach München zu fahren. Dort lebte und arbeitete er von 1873 bis 1876. Hier erfuhr er bei seinem Lehrer Hermann Baisch, die Natur so zu erfassen, wie sie ist, und mit Hilfe des Lichts den einfachsten Motiven Wirkung zu verschaffen. Zurück in Baltimore, wurde er der Anführer der dortigen Künstler-Gemeinschaft. In seinen Landschaften spiegeln sich in der Wahl der Motive die Düsseldorfer Einflüsse wie in der Ausführung die der Münchner Akademie: dramatisches Hell-Dunkel und eine Anhäufung von gebrochenen und unregelmäßigen Formen. Schon 1877 zog er eine Bilanz seines Lebens als Maler-Dichter in Lippincott's Magazine.

Lit.: John Robinson Tait, »The Three Epochs: or, Have Great Painters Become Impossible?«, in: Pen and Pencil 1, March 26, 1853, S. 385–390. – John Robinson Tait, »An Artist«, in: European Life, Legend, and Landscape, Philadelphia PA, 1859. – John Robinson Tait, »Reminiscences of a Poet-Painter«, in: Lippincott's Magazine, March 1877, S. 320ff. – Warder H. Cadbury/Henry F. Marsh, »Arthur Fitzwilliam Tait, Artist in the Adirondacks, An Account of His Career A Checklist of His Work«, Newark DE, 1986. – Warder H. Cadbury, »Arthur F. Tait«, in: American Frontier Life, New York 1987, S. 109–129.

25

Die alte Sägemühle (The Old Sawmill)

49×69 cm
Hagerstown MD, Washington County Museum of Fine Arts

»Auf Herrn *Lowndes* Rath nahmen wir einen kleinen Umweg von ungefähr 1 Meile, und fuhren nach einer Sägemühle, *Patterson's mill* genannt, um die Fälle des kleinen *Miami* zu sehen. Dieser kleine Umweg gereute mich keineswegs; vielmehr fand ich mich durch einen der schönsten Anblicke, die ich je gehabt, reichlich belohnt. Der kleine *Miami* zwängt sich beinahe eine Meile lang in den sonderbarsten Windungen durch eine wenigstens 50 Fuß tiefe Felsenschlucht hindurch, die an manchen Stellen höchstens 18 Fuß breit ist; er bildet kleine Wasserfälle, und verschwindet einmal beinahe gänzlich auf eine kleine Strecke. Große Cedern beschatten diese Schlucht, halten sie in einem gewissen Halbdunkel und tragen sehr viel zur Eigenthümlichkeit dieser imposanten Naturscene bei. Die Felsen sind schroff und auf einer Stelle durch einen Steg verbunden, von welchem aus man in eine schwindelnde Tiefe, in einen wahren Abgrund blickt. Durch eine enge Schlucht stieg ich bis ans Wasser hinab und befand mich fast im Dunkeln. Ich fühlte mich von der Welt gänzlich abgeschnitten und vermochte kaum das Gefühl meiner selbst festzuhalten. Es war eine eigenthümliche Empfindung, als ich wieder ans Tageslicht heraufging, und, den Lauf des rauschenden Wassers aufwärts verfolgend, an *Patterson's* Sägemühle gelangte, wo mich die, ums liebe Brod arbeitenden Menschen wieder an das menschliche Leben mahnten. Bei dieser Sägemühle ist übrigens durch ein Wehr ein künstlicher Wasserfall gebildet, der sich sehr artig ausnimmt und einige und 20 Fuß hoch ist. Die Sägemühle hat ein horizontales Wasserrad, wie ich schon mehrere in den V. St. gesehen hatte. Bei einem starken Falle des Wassers sind diese Räder wirksamer und wohlfeiler zu unterhalten, als die in andern Ländern gebräuchlichen.«

»Reise Sr. Hoheit des Herzogs Bernhard zu Sachsen-Weimar-Eisenach durch Nord Amerika in den Jahren 1825 und 1826«, Weimar 1828, S. 181

Heinrich Vianden

(Poppelsdorf bei Bonn 1814–1899 Milwaukee WI)

Zu Viandens berühmtesten Schülern zählen Robert Koehler und Carl von Marr. Heinrich Vianden, dessen Familie zu den 48er Flüchtlingen gehörte, konnte durch seine fast 50jährige Lehrtätigkeit in Milwaukee einige der besten Künstler Wisconsins des ausgehenden 19. Jahrhunderts unterrichten. Er selbst war 1836 Schüler der Münchner Akademie, wo er bis zum Jahre 1841 studierte. 1844 bis 1849 lebte und arbeitete er in Antwerpen, wo er eine Reihe von biblischen Themen radierte. Eigentlich war er Historien- und Genremaler. Aus seiner Frühzeit sind auch Szenen aus den 48er Straßenkämpfen bekannt. Aber in Milwaukee angekommen, wandte er sich ganz dem friedlicheren Thema der Landschaft zu. Keiner hat so wie er vermocht, in warmen, leuchtenden Tönen die Waldlandschaften Wisconsins wiederzugeben. Seine Zeichnung ist genau und detailliert, die Farbe tendiert zur Monochromie und die Konturen wirken unregelmäßig. Nachfolgende Künstler charakterisierten Viandens Malweise als »gußeisern«. Die Eiche scheint, wie in so vielen deutschen Gemälden dieser Zeit, auch auf seinen Darstellungen eine herausragende Rolle zu spielen, ein Symbol für Standfestigkeit und Ausdauer, das auch politisch interpretiert werden kann. Die Bilder von Vianden waren damals in Milwaukee sehr gesucht, aber seine einflußreiche Lehrtätigkeit überlebte den Ruhm seiner Werke. In Milwaukee unterrichtete er an der liberalen, nicht an eine Sekte gebundenen Deutsch-Amerikanischen Akademie, der Schule, die die meisten Nachkommen der deutschen 48er Flüchtlinge besuchten. Diese prägten weitgehend das Bild der künstlerischen Entwicklung Milwaukees jener Jahre.

Lit.: Walter Osten, »The Father of Milwaukee Painters«, in: Milwaukee Turner 5, July 1944, S. 1–2. – Peter C. Merrill, »Henry Vianden: Pioneer Artist in Milwaukee«, in: Yearbook of German-American Studies 22, 1987, S. 137–147.

26
Landschaft mit Bergen und Fluß (Landscape with Mountains and River)

107×182 cm
Milwaukee WS, Milwaukee Art Museum

»I shall never forget the wondrous stillness which brooded over earth and water. ...The deep, translucent water reposed at the base of the warm sunlit cliff like a great basin of glass, which I half expected to hear shiver and crack as our keel ploughed through it. And how color and sound stood out in the transparent air! ...The mossy rocks doubled themselves without a flaw in the clear, dark water. ...There is a certain purity in this Cragthorpe air which I have never seen approached – a lightness, a brilliancy, a *crudity*, which allows perfect liberty of self-assertion to each individual object in the landscape. The prospect is ever more or less like a picture which lacks its final process, its reduction to unity.«

Henry James, »A Landscape Painter«, in: The Atlantic Monthly 1866, zitiert in: John I. H. Baur, »American Luminism, A Neglected Aspect of the Realist Movement in Nineteenth Century American Painting«, in: Perspectives USA, Nr. 8, Herbst 1954, S. 93

»We seldom gaze upon one [mountain] with delight awakened by an individual charm, but usually on account of its grand effect as part of a vast landscape. Our scenery is on so large a scale as to yield sublime rather than distinct impressions; the artist feels that it is requisite to select and combine the materials afforded by nature, in order to produce an effective picture; and although our country is unsurpassed in bold and lovely scenes no ordinary patience and skill are needed to choose adequate subjects for the pencil.«

Henry Tuckerman, »Over the Mountains or the Western Pioneer«, in: Landscape Book by American Artists and American Authors, New York 1867, S. 71

William D. Washington

(Clarke County VA 1833–1870 New York?)

Zwei Maler aus Virginia haben sich besonders mit dem Thema des Soldatenlebens in den Südstaaten während des Bürgerkrieges befaßt. Beide waren zur gleichen Zeit zur Ausbildung in Düsseldorf, beide schlossen sich eng an ihren Landsmann Emanuel Leutze an. Der eine war John Adams Elder aus Fredericksburg (1833–1895), der andere und vielleicht begabtere William D. Washington aus Clarke County. Vermutlich kam Washington im Jahre 1852 in Düsseldorf an und blieb dort drei Jahre lang. Ab 1855 wurde er in den Einwohnermeldelisten von Washington DC als Porträtmaler angeführt. Elder wie Washington erhielten in Düsseldorf eine solide akademische Ausbildung und blieben ein Leben lang bei ihrer Bevorzugung von historischen Themen. 1856 schickte Washington an die Pennsylvania Academy in Philadelphia ein Historiengemälde »Attack upon the Huguenots (Angriff auf die Hugenotten)«. Einflüsse aus seiner Düsseldorfer Zeit zeigt das großformatige Gemälde »Marion's Camp (Marions Lager)«, gemalt 1859, einer Lagerfeuerszene vermutlich nach Simms romantischer Erzählung der populären Legende von »Swamp Fox«. Als Maler der Südstaaten profiliert ihn die Serie von Soldatenbildern, die sich mit dem militärischen Alltag beschäftigen. In Richmond Virginia bewahrt das Museum of the Confederacy drei dieser Gemälde von Washington auf: In einer Szene beobachten die Konföderierten ein Lager der Union, in der anderen begleiten sie einen Wagenzug, und in der dritten sind Scharfschützen der Konföderierten beim Zielen dargestellt. Besonders die fein gezeichneten und in harmonischen Farbtönen abgestimmten Landschaften auf diesen Bildern verraten die Düsseldorfer Schulung.

Lit.: Marshall W. Fishwick, »William D. Washington, Virginia's First Artist in Residence«, in: Commonwealth 19, March 14–15. – Ethelbert N. Ott, »William D. Washington (1833–1870): Artist of the South«, University of Delaware, 1968.

27
Konföderierte beobachten ein Lager der Unierten (Confederates Observing a Union Encampment) (Untitled Landscape),
ca. 1862
101×122 cm
Richmond VA, Museum of the Confederacy
Photography by Katherine Wetzel

William D. Washington (1833–1870)
Biographie Seite 266

28
**Konföderierte begleiten einen Versorgungs-
zug (Confederates Escorting a Supply Train)
(Wagon Train)**, ca. 1862
101×122 cm
Richmond VA, Museum of the Confederacy
Photography by Katherine Wetzel

»The tragic or pathetic element, except as developed in the numerous clever designs for the
illustrated newspapers, seems to be that with
which the artistic mind of the country is unable or unwilling to grapple. In the most excit-
ing periods of the war, when public attention
was absorbed with grave events, American artists seemed most occupied in reproducing on
the canvas the beautiful scenery of their country; and even the young members of the profession, just coming upon the stage, who might
be supposed to be influenced more strongly
than their older brethren by the ideas and feelings to which the epoch has given birth, were
content to follow in the beaten path marked
out by their predecessors. ...The time is not
yet ripe for the intellectual fruits... of art... of
which the great rebellion has sown the seeds.«

*Kritisches Urteil in Nach-Bürgerkriegs-Zeiten
1866, zitiert in: Harold Holzer/Mark E. Neely,
Jr., »Mine Eyes Have Seen the Glory«, New
York 1993, S. 35*

Alexander Helwig Wyant

(Evans Creek OH 1836–1892 New York)

Zu den letzten bedeutenden amerikanischen Künstlern, die Düsseldorf besuchten, in der Absicht ihre Ausbildung dort fortzusetzen, gehört der Landschaftsmaler Helwig Wyant. Bei seiner Ankunft in Düsseldorf 1865 wußte er schon: Der Lehrer Gude, bei dem er eigentlich seine Landschaftsstudien verbessern wollte, war wegen Überfüllung seiner Malkasse und der daraus resultierenden Behinderung seiner künstlerischen Aktivitäten nach Karlsruhe gewechselt. Er versuchte dennoch, in Düsseldorf einen Lehrer zu finden. Lessing soll ihm ohne ein Wort seine Künstlermappe zurückgegeben haben und fortgegangen sein. In Düsseldorf war er besonders an den Werken von Andreas Achenbach interessiert. Wyant reiste nicht nur für seine eigenen künstlerischen Bedürfnisse, sondern kaufte auch französische und deutsche Bilder für den heimischen Markt. 1866 konnte Wyant einige Monate in Karlsruhe unter Hans Gude arbeiten, erlebte aber die herbe Enttäuschung, daß er sein erstes großes Bild auf Wunsch seines strengen Lehrers zerstören mußte. Dennoch teilte Wyant nach Hause mit, daß für ihn die Dinge in Deutschland klarer würden, nach denen er in Amerika tastend gesucht habe. Der Unterricht bei Gude ermüdete Wyant und erstickte, seiner Meinung nach, seine Phantasie. Seinem Grundsatz folgend, die Prinzipien zu lernen, die in den Kunstwerken durch die Jahrhunderte sichtbar werden, ging er auf Reisen. Er sah sich in Paris um, machte eine Studienreise durch die Alpen und war noch einmal im März 1866 für einige Wochen in Düsseldorf. Er kehrte 1867 nach New York zurück.

Lit.: Kat. Alexander Helwig Wyant, University of Utah, 1968. – Robert S. Olpin, »Alexander Helwig Wyant (1836–1892). American Landscape Painter: An Investigation of His Life and Fame and Critical Analysis of His Work with a Catalogue Raisonné of Wyant Paintings«, Boston MA 1971. – Peggy O'Brien, »Alexander Wyant, 1836–1892«, in: Adirondack Life 3, Spring 1972, S. 38–41. – Peter Bermingham, »Alexander H. Wyant: Some Letters from Abroad«, in: Archives of American Art Journal 12, 1972, S. 1–8.

29
Tennessee

88×137 cm
New York NY, Metropolitan Museum of Art, Geschenk von Mrs. George E. Schanck, zum Gedenken an ihren Bruder, Arthur Hoppock Hearn, 1913

»Everything I learn opens my eyes to dozens of things which I had not before thought of. It is much like walking through a thick wood occasionally getting a glimpse of a beautiful opening beyond. The nearer you approach it the more beautiful vistas reveal themselves to you, until at last you may stand upon the border. Then, be the air of the scene bright and clear – or the brain in the other case – the scene stands a full recompense for the toll of overcoming the thorns and brambles of the way. But – as in most cases – the air or brain is befogged with no promising ray of sunshine breaking through anywhere, then it is indeed a melancholy case, and brings no compensatory joy.«

Alexander H. Wyant, Brief an seinen Vater vom 8.1.1866 aus Karlsruhe, Archives of American Art Microfilm Roll D 10 1774

»The largest – »Tennessee« scene 34¾×53½ inches. Water running into scene from foreground – spray seen rising from waterfall below: distance long & not clearly defined – river reappearing in middleground – cedar tree against cloudy sky rises from foreground on left.«

Zollerklärung vom 26.2.1866, zitiert in: Natalie Spassky, »American Paintings in the Metropolitan Museum of Art«, Vol. II, New York 1985, S. 412–413

»His pictures in the present exhibition are certainly not as pure in color as his »View on the Ohio River«…His »Tennessee« is full of truthful painting – full of natural characteristic – but it greatly lacks vitality of color, and displays t[h]roughout something of that harshness which is associated with the German school. The general impressiveness of the picture, as a unit, is hurt by the obtrusion of a solitary unsupported tree in the left foreground.«

Anonymer Kritiker in American Art Journal, 16.5.1866, zitiert in: Natalie Spassky, »American Paintings in the Metropolitan Museum of Art«, Vol. II, New York 1985, S. 413

Martin B. Leisser

(Pittsburgh PA 1845–1940)

Nach dem Elsässer Georg Hetzel wurde einer seiner Schüler, Martin B. Leisser, für das künstlerische Klima der Stadt Pittsburgh in Pennsylvania besonders prägend. Sohn deutschstämmiger Eltern und beeinflußt von den Anregungen seines Lehrers, der in Düsseldorf studiert hatte, reiste Leisser 1868 nach München, das inzwischen Düsseldorf als herausragende Ausbildungsstätte abgelöst hatte, um dort fast vier Jahre an der Akademie bei Karl von Piloty, Alexander von Wagner und Wilhelm von Diez zu studieren. Er freundete sich dort mit J. Frank Currier an und interessierte ihn für das Medium der Fotografie. Nach seiner Rückkehr im Spätjahr 1871 oder im Frühjahr 1872 ließ er sich in Pittsburgh zunächst als Porträtmaler nieder. Sein Interesse aber galt der Landschaft. 1886 fuhr er noch einmal nach Europa, um diesmal fünf Jahre in Paris zu verbringen. Seit den 90er Jahren unterrichtete er an der 1865 gegründeten Pittsburgh School of Design for Women. Sein Vorgänger war sein Lehrer und Mentor Georg Hetzel, der schon seine Schülerinnen in die Gegend des Scalp Level im Südwesten Pennsylvanias zum Zeichnen und Malen mitgenommen hatte. Auch Leisser fuhr mit dieser Tradition fort. Pittsburgh war um 1875 zum Zentrum der amerikanischen Schwerindustrie angewachsen. Die waldreiche Gegend um Scalp Level bildete dazu den vom Künstler ersehnten Kontrast. Leisser richtete außerdem nach dem Münchner Vorbild in Pittsburgh zum ersten Mal Klassen ein, in denen nach dem lebenden Modell gezeichnet wurde, allerdings vorläufig nur für männliche Studenten. Mehr als sechzig Jahre lang verbrachte er sein Leben als Maler in Pittsburgh, mit häufigen Reisen nach Europa. Sein Einfluß auf Andrew Carnegie und dessen mäzenatische Aktivitäten war nachhaltig. Leisser gehörte fünf Jahre lang zum Board of Trustees des Carnegie Institutes.

Lit.: Sigrid Nama, »Martin B. Leisser and the Life Class in Pittsburgh«, University of Pittsburgh 1989. – Paul A. Chew, »Geo. Hetzel and the Scalp Level Tradition«, Greensburg PA 1994.

30

Scalp Level, 1875

39×53 cm
Pittsburgh PA, Carnegie Museum of Art, Vermächtnis von Robert S. Waters, 72.14.7.

»Wir fuhren 58 Meilen weit, nach *Alexandria*, durch die Ortschaften *Ebensburg*, *Munster*, *Blairs Gap*, *Hollydaysburg* und *Williamsburg*. Wenige Meilen über *Armagh* hinaus kamen wir an einen andern der parallelen Bergrücken, *Laurel hill* genannt. Ich stieg den Berg zu Fuß hinauf; es war gerade Sonnenaufgang; das frische Grün des Waldes und die mit dem Geruche der vielen blühenden *Azaleas* erfüllte Luft machten einen schönen Eindruck auf mich. Diese *Azaleas* fanden sich auf fast allen Bergen, die wir während dieser Tage gesehen hatten, in voller Blüthe; rosenfarbene *Calmias* fingen zu blühen an; die *Rhododendrons* waren noch nicht in Blüthe. Zu dem Geruche der *Azalea* gesellte sich öfters der Geruch der weißen Acacien, die hier in großer Menge vorhanden sind. Die anderen Bäume, die wir auf diesen Gebirgen bemerkten, sind Kastanienbäume, Wallnuß- und *hickory*-Bäume, Sumach, einige großblätterige Linden, große Fichten, Ahorne und Platanen, letztere beiden Sorten jedoch vorzugsweise in den Thälern. Auf diesen Bergen mit ihren schönen Aussichten und in dieser herrlichen Vegetation fühlt sich der Geist gehoben und das Herz gestärkt. Dem Reisenden jedoch wird der Genuß etwas verdorben durch die schlechten Wege, für welche Nichts zu geschehen scheint, obgleich man das Chausseegeld nicht vergessen hat.

Nachdem wir den *Laurel hill* hinabgestiegen waren, fuhren wir mehrere Meilen durch einen ziemlich dichten Wald und erreichten *Ebensburg*, wo wir zum ersten Male die Pferde wechselten. Dieses ist ein kleiner, ganz hübsch liegender Ort, von ungefähr 300 Einwohnern, der jedoch eher im Abnehmen als im Zunehmen zu sein schien. Zwei Meilen weiter liegt ein kleiner, jetzt fast ganz verlassener Ort, *Beula* genannt, von Wallisern angelegt, die sich jedoch wieder zerstreut haben, weil sie hier ihre Rechnung nicht fanden. Von *Ebensburg* kamen wir durch *Munster*, und hinter diesem Orte über die *Allegheny*-Gebirge, die höchsten in dieser Gegend. Der höchste Punct, den wir passirten, heißt *Blairsgap* und soll über 3000 Fuß über die Oberfläche des Meeres erhaben sein. Die Chaussee, obgleich schlecht

unterhalten, ist nichts destoweniger gut angelegt, und man steigt die Gebirge durchaus nicht steil hinan. Diese Gebirge haben sämmtlich einen sonderbaren Charakter; sie bestehen aus langen Rücken, die an einander stoßen und eine prismatische Form haben; oben ist der Rücken völlig eben und nur gegen 30 Schritte breit. Wenn man vor so einer Bergreihe steht, so erscheint der eine Berg so hoch und so lang als der andere, der an denselben stößt.

Nachdem wir die *Allegheny mountains* hinter uns hatten, für deren Vegetation dasselbe gilt, was ich bei dem *Laurel hill* bemerkt habe, gelangten wir in ein reizendes Thal.«

»Reise Sr. Hoheit des Herzogs Bernhard zu Sachsen-Weimar-Eisenach durch Nord Amerika in den Jahren 1825 und 1826«, Weimar 1828, S. 220–221

»The city was a revelation to me, a mere boy from Pittsburgh of Civil War days. I went to the opera, enjoyed the architecture and frequented the public concert garden on Sunday afternoons.«

Martin B. Leisser über München, in: Douglas Naylor, »Veteran Painter Scores Modernist Art Movement«, Pittsburgh Press 17.6.1932, S. 38

William Stanley Haseltine

(Philadelphia PA 1835–1900 Rom, Italien)

Viele der amerikanischen Kunstschüler, die zur Weiterbildung nach Deutschland zogen, hatten schon in ihrer Heimat Lehrer, die aus Deutschland stammten und die ihren Eleven die gründliche Ausbildung an deutschen Akademien empfahlen. Zu ihnen gehörte auch Haseltine, der bei dem Landschaftsmaler Paul Weber, einem Flüchtling der 1848er Revolutions-Jahre, in Philadelphia gelernt hatte. Zwei Jahre, 1850 und 1854–55, genoß er diesen Unterricht, machte gleichzeitig 1854 den Studienabschluß an der Universität von Harvard und fuhr 1855 in Begleitung seines Lehrers, der in seine Heimat zurückkehrte, nach Düsseldorf, um an der Kunstakademie zu studieren. Weber empfahl ihn seinem alten Mentor Andreas Achenbach, der ihn in sein Atelier aufgenommen haben soll. Haseltine vervollkommnete hier zwei Jahre lang seine Zeichentechnik und nahm lebhaften Anteil an den Aktivitäten des Künstlervereins »Malkasten«. Er unternahm Reisen an den Rhein, die Ahr und Nahe, um zu zeichnen. Damals lernte er die sorgfältige Beobachtung der Naturformen, besonders von Felsformen und Flußufern, auf der Fläche wiederzugeben. In den Jahren 1854 bis 1856 stellte er in der Pennsylvania Academy of Fine Arts in Philadelphia fünf Rheinlandschaften aus. Nachhaltig beeinflußt wurde er von Studienreisen im Jahr 1856, die er zusammen mit Emanuel Leutze, Worthington Whittredge und zeitweise mit Albert Bierstadt rheinaufwärts und später nur mit Bierstadt und Whittredge nach Rom unternahm, wo er zum Kreis um Oswald Achenbach, dem Bruder seines Düsseldorfer Lehrers, gehörte. 1857 war er wieder in der Schweiz, offensichtlich mit Whittredge und Irving. Mit den drei Malerkollegen Leutze, Whittredge und Bierstadt blieb er ein Leben lang befreundet. Nach einigen Jahren in der Heimat Amerika, wählte er 1866 Italien zu seinem ständigen Wohnsitz. Von dort aus reiste Haseltine noch einige Male nach Deutschland, so im Sommer 1871, als er München besuchte. Im Herbst hielt er sich in Frankfurt, Wiesbaden und Bad Homburg auf. Seit 1883 verbrachte er die Sommerfrische mit seiner Familie in Vahrn bei Brixen, Südtirol. 1886 wurde er Mitglied des Kunstvereins in München und zog es seitdem vor, seine Sommerfrische in Traunstein, Bayern, zu verbringen. Einige Male fuhr er von dort aus mit seiner Tochter Helen nach Bayreuth, um Wagner-Opern zu sehen. 1899 hielt er sich zum letzten Mal im Herbst kurz vor seinem Tod in München auf.

Lit.: Helen Haseltine Plowden, »William Stanley Haseltine: Sea and Landscape Painter (1835 bis 1900)«, London 1947. – Kat. Memorial Exhibition: William Stanley Haseltine, National Academy of Design, New York 1958. – Kat. William Stanley Haseltine (1835–1900): Drawings of a Painter, New York 1983. – Kat. Expressions of Place: The Art of William Stanley Haseltine, San Francisco CA 1992.

31

Felsen bei Nahant (Rocks at Nahant), 1864

52×103 cm

Chicago IL, Terra Museum of American Art, Daniel J. Terra Sammlung

»Haseltine, who passed the summer months at Nahant, has brought back many admirable studies of the scenery of that neighborhood. Many of his studies are as elaborate in their completeness as finished pictures – the rocks, water, and sky being painted with such a closeness and fidelity to nature as to leave little for the artist to add when he comes to use them in large works. It is within three years that Mr. Haseltine has come into notice as a painter of coast scenes, and so marked has been his success, that his prominence and superiority in the portrayal of the rocky shores of Nahant and Narragansett are by all fully acknowledged. Agassiz pronounces the rocks of Nahant to be the oldest on the globe, and that they are of volcanic origin. Mr. Haseltine fully conveys their character in his pictures, and no one who has wandered over those huge masses of rough red rock, and watched the waves breaking against them, could fail to locate, from his studies, the very spot he has delineated.«

»Among the Studios«, Watson's Weekly Art Journal 1, Nr. 24, 8.10.1864, S. 372

»...ample evidence of his Düsseldorf studies, whereof the correct drawing and patient elaboration are more desirable than the color – although herein also he has often notably excelled. Few of our artists have been more conscientious in the delineation of rocks; their form, superficial traits, and precise tone are given with remarkable accuracy. His pencil identifies coast scenery with emphatic beauty; the shores of Naples and Ostia, and those of Narragansett Bay, are full of minute individuality.«

Henry Tuckerman, »Book of the Artists«, New York 1867, S. 556–557

»The lovers of art in America, and especially those in Eastern Massachusetts, will remember with pleasure the paintings of the rocks at Nahant, made by William Stanley Haseltine, during his sojourn there, twenty years ago. These paintings were so much in demand, that the artist was unable to produce them in sufficient numbers; they were executed in a manner which revealed a comprehensive knowledge of rock formation.«

President of the Fine Arts Committee of the Columbian Exposition 1893, in: Helen Haseltine Plowden, »William Stanley Haseltine Sea and Landscape Painter (1835–1900)«, London 1947, S. 174

Albert Bierstadt

(Solingen 1830–1902 New York)

Der berühmte Maler von Landschaften und Szenen aus dem amerikanischen Westen wurde als einjähriges Kind von seinen Eltern nach Amerika gebracht und kehrte mit Hilfe von Sponsoren aus New Bedford MA 1854 nach Düsseldorf zurück. Familienbande zogen ihn in diese Stadt, in der auch sein Onkel, der Genremaler Johann Peter Hasenclever, lebte und arbeitete. Kurz vor der Ankunft Bierstadts war aber dieser verstorben. Er studierte also privat bei Lessing und lernte in den Ateliers von Andreas Achenbach und seinem Landsmann Emanuel Leutze. Einige Monate arbeitet er unter der Anleitung von Worthington Whittredge; weder dieser noch Leutze waren sonderlich von den Talenten des jungen Bierstadt überzeugt, bis er nach einer einsamen Wanderung durch das gebirgige Westfalen mit einer Mappe von Zeichnungen zurückkam, die auch seine schon berühmten Kollegen überzeugten. Die späteren Arbeiten, die er zur Begutachtung in seine Heimat sandte, erweckten den Argwohn seiner Sponsoren. Man glaubte, Bierstadt habe Werke von begabteren Künstlern als seine ausgegeben. Ein offiziell aussehendes Schreiben von Leutze mit seiner und den Unterschriften anderer Düsseldorfer Künstler überzeugte die Zweifler und bekundete die außerordentliche Begabung des Schülers. 1856 bis 1857 reiste Bierstadt, teilweise begleitet von Whittredge und Haseltine, rheinaufwärts über die Schweiz nach Italien, ehe er nach Amerika zurückkehrte. Zunächst wohnte er in New Bedford, zog aber dann nach New York und lebte dann auf seinem Landhaus in Irvington am Hudson. In Amerika nahm er an zahlreichen Expeditionen teil, die ihn in den Westen des Kontinents führten. Neben Leutze zählt er auch in Deutschland zu den bekanntesten amerikanischen Malern des 19. Jahrhunderts. 1863 stellte er sein erstes Gemälde der Rocky Mountains aus und fand damit sofort den Beifall von Kunstkritikern und Publikum. Er gilt als der Begründer der Rocky Mountain School, die die Hudson River School ablöste, und spezialisierte sich auf Panoramen des amerikanischen Westens, die er auf großformatigen Leinwänden, aufgebaut wie die Kulissen eines Theaterprospekts und mit dramatischer Beleuchtung, vor den Betrachtern entfaltete. In Düsseldorf hatte er gelernt, wie eine Land-schaft aus verschiedenen Versatzstücken zusammengesetzt wird, genau und realistisch im Detail und ausgefeilt in der Technik. Wenn er auch später an Popularität verlor und vom Kunstpublikum ignoriert wurde, so sind seine Bilder heute wieder gesucht und werden mit hohen Geldsummen bezahlt. Zahlreiche kritische Studien aus neuerer Zeit machen ihn zum bekanntesten amerikanischen Maler des 19. Jahrhunderts.

Lit.: Richard S. Trump, »Life and Works of Albert Bierstadt«, Columbus OH 1963. – Kat. Albert Bierstadt 1830–1902, Santa Barbara Museum of Art, Santa Barbara CA 1964. – Richard S. Trump, »Life and Work of Albert Bierstadt«, Ann Arbor MI 1965. – Gordon Hendricks, »Albert Bierstadt«, Fort Worth TX 1972. – Gordon Hendricks, »Albert Bierstadt«, New York 1973. – Claudia Joan Himmelberg, »The Oil Sketches of Albert Bierstadt«, Santa Barbara CA 1978. – Matthew Baigell, »Albert Bierstadt«, New York 1981. – Carolyn Mae Appleton, »Albert Bierstadt's Early Oil Sketches: 1854–1859«, Austin TX 1985. – Anderson/Ferber, »Albert Bierstadt: Art and Enterprise«, New York 1990. – T. Robotham, »Albert Bierstadt«, New York 1993.

32

Merced River, Yosemite Valley, 1866

91×127 cm
New York, Metropolitan Museum of Art, Geschenk der Söhne von William Paton, 1909

»I am delighted with the scenery. The mountains are very fine; as seen from the plains, they resemble very much the Bernese Alps, one of the finest ranges of mountains in Europe. …They are of a granite formation, the same as the Swiss mountains, and their jagged summits, covered with snow and mingling with the clouds, present a scene which every lover of landscape would gaze upon with unqualified delight.«

Brief von Albert Bierstadt, in: The Crayon, 10.7.1859

»Sitting in their divine workshop, by a little after sunrise our artists began labor in that method which can ever make a true painter or a living landscape, *color*-studies on the spot; and though I am not here to speak of the results, I will assert that during their seven weeks' camp in the Valley they learned more and gained greater material for future triumphs than they had gotten in all their lives before at the feet of the greatest masters.«

Fitz Hugh Ludlow, in: Atlantic Monthly, 13.6.1864 (Ludlow begleitete Bierstadt auf seiner Reise in den Westen)

»The vegetation, which throughout the low mountains resembles very much that upon the plains this year – dry and parched for want of rain – becomes very luxuriant after getting half a dozen miles up Chicago Creek, owing to the frequent showers that hover around the snowy mountains at its head. The grass, where there is rock for it to grow, is fresh and juicy, and the wild oats quite abundant. The day was beautiful, and to anyone who enjoys adventure, the ride could not but be very interesting.

Mr. Bierstadt was in raptures with the scenery, but restrained his inclination try his pencils until within two or three miles of the upper limit of tree growth. Then upon suddenly turning the point of a mountain and entering a beautiful little grass park, a vast amphitheatre of snowy peaks, lofty cliffs and timbered mountain side burst suddenly upon the view. Patience vanished, and in nervous haste, canvass [*sic*] paints and brushes were unpacked and a couple of hours saw, under his skillful hands some miles of mountains, hills, forests and valley reproduced with all its vivid coloring, and the cloud shadows that were sweeping over it.«

William Byers, in: Rocky Mountain News, 23.6.1863

»And just think. Lizzie, of Bierstadt's splendid successes. He got $ 5,000 for that big canvas »Looking up the Merced River« which he painted for W. C. Ralston. As Mr. Avery says, he has stirred up the ambition of all the artists in California to a high point. Do you remember his »Crossing the Plains« two years ago at Snow & Roos: and what a sensation it created! But when I look at these prairies I think his picture is not true. His work is sensational and that's why it sells. But I think it is also because of the grand subjects he paints and the imposing size of his canvases.«

William Keith, September 1869 an seine Frau Lizzie, in: Brother Fidelis Cornelius, »Keith: Old Master of California«, 1942, S. 34–35

Die Amerikaner in Düsseldorf

Die Düsseldorfer Malerschule war in der Mitte des 19. Jahrhunderts die führende Kunstschule Deutschlands. Ihre Blüte hing zusammen mit dem Erscheinen von Wilhelm von Schadow als Direktor der Düsseldorfer Akademie (1826), und mit seinem Ruhestand (1859) geriet sie immer mehr in Vergessenheit. Schadow brachte aus Berlin viele renommierte Schüler mit, unter ihnen Karl Friedrich Lessing, Carl Ferdinand Sohn und Julius Benno Hübner. Die Kunststudenten erhielten an der Akademie eine gründliche handwerkliche Ausbildung. Als Fachmaler fühlten sich die Genre-, Landschafts- und Historienmaler in Düsseldorf besonders gut aufgehoben. Aber die Akademie war nur ein Faktor, der das künstlerische Klima der kleinen preußischen Provinzstadt am Rhein bestimmte. Einige der namhaftesten Künstler, die in Düsseldorf in jener Zeit lebten, gehörten nicht zur Akademie und nahmen nicht einmal offiziell Schüler an. Es muß neben der wohlwollenden Aufmerksamkeit der Düsseldorfer Einwohner den Kunstjüngern aus aller Welt gegenüber auch die anregende Spannung in der Kunstszene, nämlich zwischen den Anhängern der Akademie und den Mitgliedern von Kunstvereinen gewesen sein, welche die jungen Adepten nach Düsseldorf zog. Zur Akademie zählten die konservativen Kräfte, zu den Kunstvereinen die progressiven, deren politische Aktivitäten durchaus auch in der Öffentlichkeit deutlich wurden. Auch die Ausländer nahmen an diesen Demonstrationen teil; besonders die Amerikaner fühlten sich vom liberalen Gedankengut angezogen, das zum Beispiel in der gerade gegründeten Malervereinigung »Malkasten« herrschte.

Die politisch unruhigen Jahre um 1848 waren auch in Düsseldorf zu spüren, wenn dort auch nicht die Maler auf die Barrikaden gingen wie in Dresden. Von diesen Spannungen hatten die amerikanischen Mütter wenig Ahnung, die ihre Söhne in der kleinen unbedeutenden Stadt besser aufgehoben sahen als in der »sündigen« Großstadt Paris. Die Väter und Sponsoren in Amerika dachten eher an ihren Geldbeutel und bevorzugten deshalb die preiswertere Ausbildung an der Düsseldorfer Akademie. Die amerikanischen Kunstvereine versprachen sich damals nach der Präsentation der Düsseldorfer Maler in der 1849 gegründeten »Düsseldorf Gallery« in New York eine gründliche Ausbildung ihres Nachwuchses, welche dazu führen sollte, daß die lang ersehnte nationale amerikanische Malerei auf einer soliden Ausbildung an der Düsseldorfer Akademie aufgebaut werden konnte. Die jungen

Amerikaner genossen die kongeniale Gesellschaft in Düsseldorf und bemühten sich in der Regel redlich tagsüber ihre malerischen Fähigkeiten zu verbessern und abends die Gemeinschaft mit Freunden zu genießen. Man fuhr gemeinsam in die Umgebung und zeichnete an Rhein und Nahe oder im Harz. Man unternahm von Düsseldorf aus längere Reisen den Rhein hinauf bis nach Italien oder machte Abstecher nach Paris und in die benachbarten Niederlande und nach Belgien. Meistens wurde vor der Natur gezeichnet, und diese Vorlagen wurden dann im Atelier ausgearbeitet. Nur die wenigsten der amerikanischen Studenten, die nach Düsseldorf kamen, besuchten regelmäßig die Akademie. Manche kombinierten den Unterricht mit Privatstunden oder Abendkursen, um die kurz bemessene Zeit auf dem europäischen Kontinent besser ausnützen zu können. Man besuchte einander in den Ateliers, begutachtete die neuesten Schöpfungen, stand auch einmal Modell oder half bei Details, wie der Hintergrundgestaltung oder bei der Farbe des Himmels. Wirkliche Gemeinschaftsarbeiten aber waren selten, so wie Boser/Lessings »Düsseldorfer Künstler im Grafenberger Wald«. Während Lessing die Landschaft malte, hat Friedrich Boser die Porträts von fast allen wichtigen Künstlern Düsseldorfs im Jahre 1844 hier untergebracht. Im Mittelpunkt steht Karl Friedrich Lessing mit einem Pokal, den er gerade gewonnen hat. Vor ihm kniet mit Korb der in Kanada geborene Henry Ritter. Als Boser auch Leutze auf dem Bild unterbringen wollte, soll sich dieser geweigert haben, weil er Amerikaner sei und in der Gruppe deutscher Maler störe. Boser aber hat ihn doch in dieser Gruppe versteckt. Er sitzt abgewendet genau über der knienden Gestalt von Henry Ritter. In der linken stehenden Gruppe befindet sich auch der Landschaftsmaler Johann Wilhelm Schirmer und sitzend der Direktor der Akademie, Wilhelm von Schadow. Nicht anwesend ist der bedeutendste Landschaftsmaler Düsseldorfs, Andreas Achenbach, um dessen Bekanntschaft und Freundschaft sich viele Amerikaner bemühten, weil er gerade in Italien weilte. Er ließ die Kunstjünger zwar auch in seinem Haus wohnen, verweigerte aber nach Möglichkeit jede Kritik an ihrem Schaffen, wie es Worthington Whittredge schmerzlich erfahren mußte. Andere Wohngemeinschaften müssen allerdings sehr fruchtbar gewesen sein. Leutzes Atelier führte auf einen Innenhof, an dem einige andere Ateliers seiner Landsleute angrenzten, so daß ein gegenseitiger Austausch jederzeit möglich und erwünscht war.

So wie mit Wilhelm von Schadow das Schicksal der Akademie bestimmt war, so hing auch die Qualität und Quantität der amerikanischen Künstlerkolonie von der Anwesenheit Leutzes ab. Leutze muß ein sehr umgänglicher und hilfreicher Mensch gewesen sein. Daß er ein herausragender Historienmaler war, steht außer Frage. Für die neu ankommenden Amerikaner war er Freund, Dolmetscher, Vermittler und Anreger. In seinem Haus liefen alle Fäden zusammen, in seinem Atelier konnten die Landsleute immer auf Hilfe hoffen. Aber auch Leutze nahm, wie Achenbach, keine Schüler auf. Sie durften neben ihm malen, ihm beim Malen zusehen und konnten auf sein Urteil vertrauen. Seine Bilder und die von Achenbach, Lessing und Hübner hatte die amerikanische Öffentlichkeit in der »Düsseldorf Gallery« in New York kennengelernt.

Obwohl es durchaus nicht die wenigen Landschaften waren, die die »Düsseldorf Gallery« in New York gezeigt hatte, sondern eher die Genre- und Historienbilder, die das amerikanische Publikum begeisterten, waren es doch die amerikanischen Landschaftsmaler, die am meisten von ihrer Ausbildung am Rhein profitierten. Der Rhein war bei Düsseldorf nicht sehr romantisch, die Ufer zogen sich flach hin. Die Burgenromantik begann erst südlich von Köln mit den Ausläufern des Siebengebirges. Auch das Bergische Land östlich von Düsseldorf war nicht sehr ergiebig, dafür zog es die Kunstjünger in die stillen, ländlichen Gegenden zwischen Lippe und Ems in Westfalen. Worthington Whittredge, nach Bierstadt der bedeutendste Landschaftsmaler der Düsseldorfer Jahre, fand hier ebenso Motive wie im weiter östlich liegenden Harzgebirge. Lessing hatte den Amerikaner auf einer seiner Studienreisen in den Harz mitgenommen. Vielleicht spielte hier noch die Faszination, die einst die Ansichten des Harzes von Caspar David Friedrich ausgeübt hatten, eine Rolle. Beide Maler bevölkerten ihre weiten Harzlandschaften mit den charakteristischen Höhenzügen mit den passenden Staffagen: Lessing mit Pilgern, die ein nahes Kloster anstreben, und Whittredge läßt sogar Anklänge an eine Grimmsche Märchenlandschaft wach werden, wenn eine alte Frau im Vordergrund den Kindern Geschichten erzählt.

Malerisch ergiebiger als die Harzlandschaften aber war schon seit vielen Künstlergenerationen eine Reise von Düsseldorf rhein-aufwärts über die Alpen nach Italien. Die mittelalterlichen Burgen und Ruinen am Rhein regten ebenso Lessing wie Whittredge zur Gestaltung von kriegerischen Szenen aus längst vergangenen Zeiten an. Bei Bingen stieß Whittredge auf die Rochuskapelle, die ihn zur Darstellung eines Pilgerzuges in weiter Landschaft animierte. Vom Heiligenhäuschen weg bewegt sich der Zug zur Kapelle, die zwischen hohen Bäumen unterhalb versteckt liegt. Noch tiefer, entlang den sich ins Bild erstreckenden Höhenzügen schlängelt sich der Rhein durch sein Flußbett (»Niemals genug zu schauende Aussicht«, Goethe 1814 in seiner Schilderung des Rochusfestes bei Bingen). Ebenso wie die Märchenerzählerin, so soll auch der Pilgerzug zum Heiligen Rochus an Sitten und Gebräuche im alten Europa erinnern, und damit erhalten diese Landschaftsbilder von Whittredge – allerdings als Ausnahmefälle in seinem Werk – einen sentimentalen Zug, der besonders gut auf dem amerikanischen Markt ankam. In Bingen mündet die Nahe in den Rhein; auch im Nahetal und auf den benachbarten Höhenzügen ergaben sich romantische Anblicke, wie zum Beispiel bei Kirn das malerische Städtchen Kallenfels mit seinen Burgruinen. Bierstadt, der zuvor sich im westfälischen Flachland und an Architekturwiedergaben in Kassel geübt hatte, genoß die Rheinreise und war weiter südlich vor allem in Südtirol von dem Zusammenspiel zwischen altem Gemäuer, malerischen Seen und verschneiten Spitzen der hoch aufragenden Alpenkette begeistert. Hier traf er zum ersten Mal auf sein Thema der Bergregionen, und auch in den Rockies wird er sich immer wieder an Anblicke aus den europäischen Alpen erinnern. Möglicherweise ist auch George Caleb Bingham den Reisenden gefolgt und hat die Szenerie eines Alpensees im schräg einfallenden Abendlicht gemalt, ganz gegen seine sonstigen Gepflogenheiten fast ohne Staffage. Bingham kehrte wieder zu seinen Genreszenen zurück, Bierstadt, überwältigt von der grandiosen Bergkulisse der Rocky Mountains wurde zum Gründer der sogenannten »Rocky Mountain School«, einer Weiterentwicklung der »Hudson River School«. Nur Whittredge hat sich von den kompakten Formen und festen Linien der Düsseldorfer Schule weiter gelöst als seine Düsseldorfer Kollegen. Er fand in den lichten Wäldern und an der Küste in New Jersey und New England zu einer fast impressionistischen Palette.

Andreas Achenbach

(Kassel 1815–1910 Düsseldorf)

Zusammen mit seinem Bruder Oswald zählt Andreas Achenbach zu den herausragenden Landschaftsmalern in der zweiten Hälfte des 19. Jahrhunderts. Mit 12 Jahren wurde er Schüler der Düsseldorfer Kunstakademie und malte, nur vier Jahre später, die Ansicht der »Alten Akademie«. Er begann seine Laufbahn als Landschaftsmaler mit norwegischen Szenerien, wählte dann die See in ihrer vielfältigen Erscheinung zum Thema und schließlich die seinem Wohnort nahegelegene niederrheinische und westfälische Umgebung. Achenbach lebte seit 1846 ständig in Düsseldorf, war aber nie Lehrer an der Akademie. Seit dem Bestehen der »Düsseldorf Gallery« in New York war Achenbach in den Jahren 1849 bis 1857 mit fünf Gemälden und sechs Zeichnungen vertreten. Seine Bilder, Seestücke und Landschaften, wurden bewundert, aber nicht verkauft. Nur eine sizilianische Landschaft fand in diesen Jahren einen Abnehmer. Bis zum Jahre 1857 befand sich in der Galerie »Sturm an der Küste von Sizilien«, ein Gemälde, das Achenbach eigens für den amerikanischen Markt verändert hatte: am Felsen im Vordergrund lehnt eine zerrissene amerikanische Flagge (Abb. S. 57). Aufgrund seines Ruhms suchten viele amerikanische Kunststudenten den Rat des erfahrenen und erfolgreichen Malers in Düsseldorf. Emanuel Leutze stand zu ihm in ebenso engem und freundschaftlichem Kontakt aufgrund seiner Tätigkeit in der Künstlervereinigung »Malkasten« wie Worthington Whittredge, der ein Jahr lang im Hause Achenbach wohnte. Albert Bierstadt, aus Solingen gebürtig, aber als einjähriges Kind mit den Eltern nach Amerika ausgewandert, lernte bei Achenbach die dramatische Beleuchtung einer Landschaft kennen. Eastman Johnson zeichnete 1851 ein Porträt des Künstlers. Der Landschaftsmaler William Stanley Haseltine suchte genauso die Nähe von Achenbach wie John Robinson Tait und Alexander Helwig Wyant. Zu den angehenden Künstlern, die in den späten 60er und frühen 70er Jahren des 19. Jahrhunderts noch immer den Rat des Malers suchten, gehörten William Gedney Bunce, William Keith und Thomas Allen.

Lit.: Andreas Achenbach, Aus seiner Jugend, von ihm selbst erzählt, Kölnische Zeitung 30.2.1919. – Irene Markowitz, »Zu Andreas Achenbachs 50. To-destag«, in: Düsseldorfer Hefte Jg. V, Düsseldorf 1960. – Wolfgang Hütt, »Die Düsseldorfer Malerschule«, Leipzig 1964. – Kat. Die Düsseldorfer Malerschule, Düsseldorf 1979. – Hans Paffrath, »Meisterwerke der Düsseldorfer Malerschule 1819–1918«, Düsseldorf 1995. – B. Ponten, »Andreas Achenbach«, Kiel o.J.

33

Die Alte Akademie in Düsseldorf, 1831

65×81 cm
Düsseldorf, Kunstmuseum

»Very many of our painters show in their production a fine feeling for color, and generally a nice appreciation of character, and great natural vigor of action. Moreover, one of our prominent national attributes is enthusiasm. These are the germs which, with proper culture, may form eventually a great American school. But in many works hitherto produced, in which one or perhaps all of the above-mentioned merits are observable, the eye is shocked by some palpable fault in drawing, some unmistakable evidence of haste or carelessness, some lamentable deficiency in anatomical knowledge. This is not to be wondered at, when we discover the short space of time usually devoted in our academies, to the study of drawing, the foundation and basis of all good painting. ...It is in the severity of its elementary studies that the Düsseldorf School chiefly differs from our own, and to this cause its excellence may be chiefly attributed.«

Bulletin of the American Art Union, New York, April 1, 1849, S. 21

»Artists here outrank all other classes, below hereditary mobility; they are honored and respected in a manner scarcely conceivable in this utilitarian age. One secret of this is – the townspeople live and thrive on the renown of the place as an art city... Achenbach or Lessing would receive more popular notice in walking through the Alle Strasse than would Vanderbilt or Gould slipping through Wall Street...«

David Cronin, »The Evolution of a Life«, New York 1884, S. 116
(David Cronin in Erinnerung an seine Düsseldorfer Studentenzeit in den späten 50er Jahren).

»I found the professors of the Academy in Düsseldorf among the most liberal-minded artists I ever met, extolling English, French, Belgian, Norwegian and Russian art. The Düsseldorf School, when I reached there, was made up from students of all countries: there were few French students and only a few Englishmen, but Norway, Sweden, Russia, Belgium and Holland were strong in their representation. The School therefore was not alone the teachings of a few professors in the Academy but of the whole mass collected at that once famous rendezvous, and America had Leutze there, the most talked-about artist of them all in 1850.

I am mentioned sometimes in the catalogues of exhibitions as the pupil of Andreas Achenbach. This would be true if I could say that he ever gave me a regular lesson or in fact any lessons at all. He hated, with a hatred amounting to disgust, to see artists imitating his pictures, and he had no sympathy whatever for the usual French atelier where numbers of students were doing nothing more than imitating the techniques of their masters. He used to say these ateliers were not making artists at all, that not one teacher in a hundred could place himself in the shoes of his pupil and help him on in his own way.«

John I. H. Baur (Hrsg.), »The Autobiography of Worthington Whittredge 1820–1910«, New York 1969, S. 24

281

Karl Friedrich Lessing

(Breslau 1808–1880 Karlsruhe)

Im Jahre 1826 folgte Lessing seinem Lehrer Friedrich Wilhelm von Schadow von Berlin an die Düsseldorfer Akademie. Nach Abschluß der Meisterklasse betrieb er Naturstudien in der näheren Umgebung von Düsseldorf und reiste in gebirgigere Gegenden wie die Eifel und den Harz. 1841 schloß sich, aus Amerika kommend, Emanuel Leutze Lessing an, der nicht zum Lehrkörper der Akademie gehörte. Von ihm holte er sich künstlerischen Rat und Beistand und gestaltete sein Gemälde »Columbus vor dem Hohen Rat von Salamanca« nach seinen Vorschlägen. Der gegenseitige Einfluß der befreundeten Maler ist auch in einigen Werken Lessings spürbar. Auch Worthington Whittredge profitierte 1849 bis 1852 von der Freundschaft Lessings und zog mit auf Reisen, um zu malen. Sein »Fight Below the Battlement (Kampf vor der Burg)« ähnelt Lessings »Belagerung«, wobei die Burg Drachenfels am Rhein eine beherrschende Rolle im Hintergrund spielt. Auch die Harzlandschaften der beiden Maler ähneln unverkennbar einander. Bis 1867 wußte Lessing nicht, ob er sich als Landschaftsmaler oder als Historienmaler, wie es sein Lehrer Schadow wünschte, profilieren sollte. In beiden Sparten leistete er Hervorragendes, aber nach 1867 entschied er sich für die Landschaft. Seine Landschaften, die er häufig mit historischer Staffage versah, fanden Liebhaber und Käufer auch in New York. Er gilt als der Begründer der »historischen Landschaft«, weist aber mit seinen geologischen Studien schon den Weg zu einer neuen realistisch gesehenen Landschaft. Daneben war er der Begründer des politischen Historienbildes. Die Wirkung der Bilder mit Themen aus den Religionskriegen war ungeheuer. Das mehr als drei Meter hohe und über fünf Meter breite Gemälde mit Hus auf dem Scheiterhaufen, das Konsul Boker für seine Düsseldorf Galerie erworben hatte, regte die Kritiker in New York zu Beifallsbekundungen an. Die Stellungnahme für Hus galt als verkappte Sympathiekundgebung für die Revolution des Jahres 1848 und begeisterte die freiheitsliebenden Amerikaner. Das Bild wurde 1864 von der Nationalgalerie in Berlin angekauft und ist seit dem Zweiten Weltkrieg verschollen. 1850 gab die Düsseldorf Galerie zwei Kataloge heraus; der zweite wurde vermutlich eigens wegen des neu hinzugekommenen Hus-Bildes von Lessing gedruckt. Acht Seiten sind dem Katalog hinzugefügt mit Beschreibung des Bildes, einem Lebenslauf des Johannes Hus und der wohlwollenden Kritik von Graf Raczynski. Im Katalog von 1856/57 wird das Gemälde zwar an erster Stelle erwähnt, die Beschreibung fällt diesmal kürzer aus, dafür werden aber drei Landschaften von Lessing besonders herausgestellt. Wegen der Neuheit seiner Motive und Themen übte Lessing eine große Anziehungskraft auf die jüngeren Kunstschüler aus und gilt als Vermittler zwischen den älteren und jüngeren Künstlern der Düsseldorfer Schule.

Lit.: H. W. Hupp, »Die Belagerung von Carl Friedrich Lessing«, Düsseldorf 1925. – Ernst Scheyer, »Carl Friedrich Lessing und die deutsche Landschaft«, in: Aurora, Eichendorff-Almanach, Regensburg 1965. – Ernst Scheyer, »Leutze und Lessing. Amerika und Düsseldorf«, in: Aurora, Eichendorff-Almanach 26, 1966, S. 93–100. – I. Jenderko-Sichelschmidt, »Die Historienbilder Carl Friedrich Lessings«, Köln 1973. – V. Leuschner, »Carl Friedrich Lessing, 1808–1880. Die Handzeichnungen«, Göttingen 1978.

34

Karl Friedrich Lessing/Friedrich Boser
Düsseldorfer Künstler im Grafenberger Wald (The Düsseldorf Artists – Lunchtime in the Forest), 1844
79 × 100 cm
New York, New-York Historical Society

»The streets are clean and moderately wide; the houses elegant, but for the most part rather slightly built… The city, open at all points, or at least not surrounded by walls, loses itself, in the direction of the Hofgarten, almost insensibly, in its delightful and gracefully laid out promenades; on another side it is abounded by the Rhine, and the shore on this side, beyond the Hofgarten, presents to our view a level and fruitful region covered with gardens and fields of grain…

The environs of Düsseldorf, notwithstanding these isolated attractions can by no means be celebrated as particularly favored by nature. The soil inclines to sandy; the green of the vegetation and foliage has, as is always the result, a certain harsh and dry tone of color… The woods of the neighborhood of Düsseldorf bear the same proportion to a forest of [primeval beauty] as its houses, to the massive buildings, constructed for eternity, of many other cities.

But the deficiency of the Düsseldorf region in subjects for the painter, particularly the landscape painter, is most abundantly compensated by the neighborhood of the never to be sufficiently celebrated shores of the Rhine and its tributary streams, from Bonn upwards. The beauty, richness, and variety of these shores are too well known and too universally acknowledged, to render any detailed description of them necessary.«

F. von Uechtritz, »Blicke in das Düsseldorfer Kunst- und Künstlerleben«, Düsseldorf 1839–40, auszugsweise übersetzt in: The Literary World Nr. 275, Mai 1852, S. 333

»No. 5. The Dusseldorf Artists … *Boser*.

The interest now generally felt in these »representative men« renders this and the following painting (No. 6) doubly attractive. The scene is »lunch-time« in the forest, a favorite resort of Lessing and his brothers. The landscape is by Lessing, Boser having the honor of the figures. As a composition it is full of grace and life, while for the truthfulness of the portraits it is of inestimable value.

No. 6. The Artists of the Dusseldorf Academy … *Boser*.

This is called a »companion-piece« to the preceding, though it in no way depends upon that for its interpretation, being a perfect portrait-gallery in itself. As such, it has won a wide renown having not only been elegantly engraved for popular circulation in Europe, but also having been copied by the artist himself for preservation in Dusseldorf. It is the celebrated painters of this great school in their prime. The whole picture is marked with the extremest care and finish; and it may well serve as a study to those artists whose »dashing effects« are mere excuses for haste and want of real cultivation.«

The Dusseldorf Gallery, Catalogue of Paintings, by Artists of the Dusseldorf Academy of Art, New York 1856/57

»92 Group of Düsseldorf Artists. *C. F. Lessing*, 1844. Canvas, 31×40. The figures are by Lessing, the landscape by Boser [sic]. Purchased at the sale of the John Wolfe collection in 1863«

Catalogue of Paintings in the Picture Galleries, The New York Public Library, 1932

Worthington Whittredge

(Springfield OH 1820–1910 Summit NJ)

Einer der eindrucksvollsten Landschaftsmaler, die in Düsseldorf geprägt worden sind, war der aus Cincinnati angereiste und dort ausgebildete Worthington Whittredge. Whittredge kam 1849 aus Paris nach Düsseldorf, weil er eine ruhigere und preisgünstigere Umgebung suchte, und er blieb bis 1854, weil ihm die Düsseldorfer Gesellschaft und seine Künstlerfreunde behagten. Zu seiner Umgebung zählten Bierstadt, Haseltine, Richards, Johnson, Perry, Irving, Washington und Lewis. Der Neuankömmling suchte am Rhein vergebens die Bauernmädchen mit den tiefblauen Augen, die ihm Lord Byron in seinem Werk »Childe Harold« versprochen hatte. Dafür traf er schon in den ersten Stunden seiner Ankunft auf Emanuel Leutze, der ihm half, sich in der fremden Stadt zurechtzufinden. Er wurde ein enger Freund Leutzes, für dessen Gemälde »Washington Crossing« er Modell stand: einmal für George Washington selbst und dann auch für den Steuermann. Während seiner Düsseldorfer Jahre versuchte Whittredge, der nicht beabsichtigt hatte, die Akademie zu besuchen, von dem führenden Landschaftsmaler Anregungen zu erhalten. Doch Andreas Achenbach war bekannt dafür, daß er sich allzu eifrigen Schülern verweigerte. Obwohl Whittredge in seinem Haus wohnte, gelang es ihm kaum, dessen Beachtung in künstlerischer Hinsicht zu erringen. Auch ein eigens aus Amerika importierter Schaukelstuhl als Geschenk von Whittredge an Achenbach verfehlte seine Wirkung. Mehr Erfolg hatte er bei Lessing, mit dem er zusammen eine Studienreise in den Harz unternahm. Die gegenseitige Beeinflussung ist deutlich ablesbar, sowohl in den Harz- wie in den Rheinbildern. Der romantische Naturalismus Whittredges wandelte sich unter dem Einfluß der Düsseldorfer Schule, wo er seine Kompositionen zu ordnen lernte. Whittredge hatte das Glück, daß sein Aufenthalt in die fruchtbarsten Jahre der Düsseldorfer Kunstszene fiel. Wie kein anderer Künstler ließ er sich von der Rheinlandschaft tief beeindrucken und verwertete die Burgmotive wie Versatzstücke in seinen Landschaften. Die Bilder, die er von Düsseldorf in die Heimat schickte, konnten wider Erwarten erfolgreich verkauft werden. Zwischen 1853 und 1867 stellte der Maler fast 20 Landschaften in der Pennsylvania Academy in Philadelphia aus mit Themen aus Europa. Zum Abschluß seiner Studienjahre reiste Whittredge den Rhein aufwärts in die Schweiz und von da nach Italien. Vier Jahre lang arbeitete er in Rom und kehrte 1860 zurück nach New York. Whittredge, der nun zu den führenden Landschaftsmalern der Vereinigten Staaten gehörte, ließ sich 1880 in Summit NJ nieder und malte Landschaften, die die Vorzüge der Hudson River School mit denjenigen von Barbizon vereinigten. In Düsseldorf hatte er gelernt, unter dem Einfluß von Achenbach, Lessing und Schirmer, wie eine Landschaft aufgebaut wird, zu Hause übertrug er diese Kenntnis im Atelier auf größere Leinwände und bereicherte sie mit vielen präzisen Details.

Lit.: John I.H. Baur ed., »The Autobiography of Worthington Whittredge, 1820–1910«, in: Brooklyn Museum Journal 1942 (reprint 1969). – Kat. Worthington Whittredge: A Retrospective Exhibition, Utica NY 1969. – Anthony F. Janson, »The Paintings of Worthington Whittredge«, Harvard MA 1975. – Anthony F. Janson, »The Western Landscapes of Worthington Whittredge«, in: American Art Review 3, November/December 1976, S. 58–69. – Anthony F. Janson, »Worthington Whittredge: The Development of a Hudson River Painter, 1860–1868«, in: American Art Journal II, April 1979, S. 71–84. – C. Cibulka, »Quiet Places. The American Landscape of Worthington Whittredge«, Washington DC 1982. – Barbara J. Mittnick, »Worthington Whittredge: Artist of the Hudson River School«, New Jersey 1982. – Anthony F. Janson, »Worthington Whittredge«, Cambridge MA 1989. – Marc Simpson, »Recent Acquisition: Worthington Whittredge's From the Harz Mountains«, in: Tryptich No. 47, September–October 1989, S. 21–24.

35

Inneres einer westfälischen Hütte (Interior of a Westphalian Cottage), 1852

70×50 cm

Washington DC, National Museum of American Art

»Whittredge is remarkably accurate in drawing – a probable result of his Düsseldorf studies; and there is sometimes not only a feeling *for* but *in* his color, which betokens no common intimacy with the picturesque and poetical side of nature… There is a chastened power and faithful study in the best of this artist's works which appeal quietly, but with persuasive meaning, to the mind of every one who looks on nature with even an inkling of Wordsworth's spirit, and it has been justly said of Whittredge that his landscapes often »give the aspect of foreign scenes, treated with remarkable fidelity, and with a greater degree of repose in harmony with the sentiment of the country portrayed.«

Worthington Whittredge was born in Ohio, in 1820. His father was a Massachusetts farmer, and one of the earliest emigrants to the West… As soon as the future artist attained his majority he went to Cincinnati, with a view to establish himself in some kind of business. After trying several pursuits, and failing to succeed in any, he determined to follow his artistic tendencies, and at once applied himself to acquire the necessary preliminary instruction; and soon began to paint portraits… until 1849, when, receiving a number of commissions from the leading men of the place, he determined to visit Europe. He first went to London, and after passing a short time in that city, proceeded to Paris, where he remained several months; visiting the Rhine on a sketching tour, he stopped at Düsseldorf, and made the acquaintance, among others, of Andreas Achenbach, who kindly offered to take him as a pupil. Not very well pleased with the general style of German art, he still held Achenbach, Lessing, and a few others, in high estimation; and this rare opportunity being offered to obtain instruction, he embraced it, and remained under the tuition of this celebrated artist about three years. His summers were spent in making sketches on the Rhine, in Westphalia, the Harz Mountains, and in Switzerland.

…Nearly all Whittredge's pictures painted in Düsseldorf, as well as those afterward finished at Rome, were sent directly to his Western friends, and have never been exhibited in New York…

Whittredge is a progressive artist; he acquired with the dexterity, some of the mannerism of the Düsseldorf school; but constant and loving study of nature, since his return from abroad, has modified this habitude; he is more original, and applies his skill with deeper sentiment; conscientiously devoted to his art, for manly fidelity to the simple verities of nature, no one of our painters is more consistently distinguished than Worthington Whittredge.«

Henry Tuckerman, »Book of the Artists«
(1867), New York 1966, S. 514–515, 516, 518

36

Sonnenschein und Schatten (Sunshine and Shadow), 1855 (erste Fassung)

47×33 cm

Newark NJ, Sammlung des Newark Museums, Geschenk von Dr. J. Ackerman Coles, 1920

»No. 34, Sunlight and Shadow, by A. Bierstadt, is an effect of sunshine upon the stone wall and balustrade of an old church, and is more perfectly painted than any sunshine we ever saw. Look through your closed hand at it from a little distance. See how the light glances along the top of the balustrade, flecking the posts beneath, and how kind and placid and warm it lies upon the wall itself of the church. Inside the door the sunshine never comes, only the light. It is cool, and odorous, and still within. There are gorgeous gleams on the high painted windows, but far up in the vaulting nave and around the altar there is grave shade always, and a few cloaked solitary figures are silently kneeling. You do not see all this in the picture; oh no, but it is there, in the church. This is the court where the wicked cease from troubling, the pasture where the weary are at rest. And the sunlight, dropping through masses of leaves, rests like a benediction. This picture, too, is a poem.«

»The Lounger: The National Academy, No. II«, in: Harper's Weekly 6, 280, 10.5.1862, S. 290

»Among the younger landscape painters of the day, few occupy a better position in the world of art, than Albert Bierstadt... This mood [a predilection for strong contrasts of light and shade] is especially noticeable in his »Sunlight and Shadow«, a picture first exhibited in the Academy last year, and now holding a place in the just opened gallery of the Fine Arts Academy in Buffalo. It represents the entrance of an old stone church, across the front of which a gnarled oak throws its twisted boughs, wearing their midsummer robes. Ivy clings to its rough bark, the deep green of the leaves of which contrast finely with the lighter ones of the oak. Through the foliage the sunlight sifts, lighting up the sober gray of the church walls, or casting upon it the dark and flickering shadows of dancing leaves. Seated near the gateway is an old woman, poverty-stricken and ill, bearing a child in her arms. She, in another sense than that generally recognized by those who gaze on the picture, illustrates one of its titles, the »Shadow«; while in the richly clad man seen leaning against a marble column within the edifice, we find another example of the »Sunlight«. The management of the lights and shades in this picture is remarkable, and the effect produced extremely pleasing.«

Barry Gray, »Bierstadt, the Artist«, in: New York Leader, 17.1.1863

»His next tour, the following year [1855], was through Hesse-Cassel; and, while there, he was much struck, one afternoon, with a beautiful effect of light and shade, on the mossy, massive front and low arched door of a quaint medieval church [the Löwenburg Chapel at Castle Wilhelmshöhe was built 1793–1800 in imitation of the Gothic], with a wide-spread-

ing venerable tree beside the wall, and an old woman seated under the gateway. The whole scene was full of mellow, time-hallowed, and consecrated repose. Bierstadt caught, with singular vividness and truth, the details and expression of the scene, so familiar in its materials, yet so eloquent in its ›Sunshine and Shadow‹ – and by this appropriate name he called the picture which he subsequently elaborated from it, and which first made him generally and favorably known in art. It was so suggestive of the peaceful and picturesque old towns of Europe, that scores of travellers desired to possess it; while the agreeable surprise at so effective and real a picture, whose subject was so unpretending, added to his popularity, and to the merit of the artist as a fond and faithful student of nature.

...[T]he ›Sunshine and Shadows‹ has been exhibited repeatedly, and before his Rocky Mountain landscape appeared, was the best known of Bierstadt's pictures.«

Henry Tuckerman, »Book of the Artists« (1867), New York 1966, S. 388

Karl Friedrich Lessing (1808–1880)
Biographie Seite 282

37
Harzlandschaft, 1849
108×132 cm
Düsseldorf, Galerie Paffrath

»Wie im Traume fortwandelnd, hatte ich fast nicht bemerkt, daß wir die Tiefe des Ilsetales verlassen und wieder bergauf stiegen. Dies ging sehr steil und mühsam, und mancher von uns kam außer Atem. Doch wie unser seliger Vetter, der zu Mölln begraben liegt, dachten wir im voraus ans Bergabsteigen, und waren um so vergnügter. Endlich gelangten wir auf den Ilsenstein.

Das ist ein ungeheurer Granitfelsen, der sich lang und keck aus der Tiefe erhebt. Von drei Seiten umschließen ihn die hohen, waldbedeckten Berge, aber die vierte, die Nordseite, ist frei, und hier schaut man das untenliegende Ilsenburg und die Ilse, weit hinab ins niedere Land. Auf der turmartigen Spitze des Felsens steht ein großes, eisernes Kreuz, und zur Not ist da noch Platz für vier Menschenfüße.

Wie nun die Natur, durch Stellung und Form, den Ilsenstein mit phantastischen Reizen geschmückt, so hat auch die Sage ihren

Rosenschein darüber ausgegossen. Gottschalk berichtet: »Man erzählt, hier habe ein verwünschtes Schloß gestanden, in welchem die reiche, schöne Prinzessin Ilse gewohnt, die sich noch jetzt jeden Morgen in der Ilse bade; und wer so glücklich ist, den rechten Zeitpunkt zu treffen, werde von ihr in den Felsen, wo ihr Schloß sei, geführt und königlich belohnt!« Andere erzählen von der Liebe des Fräuleins Ilse und des Ritters von Westenberg eine hübsche Geschichte, die einer unserer bekanntesten Dichter romantisch in der »Abendzeitung« besungen hat. Andere wieder erzählen anders: es soll der altsächsische Kaiser Heinrich gewesen sein, der mit Ilse, der schönen Wasserfee, in ihrer verzauberten Felsenburg, die kaiserlichsten Stunden genossen. Ein neuerer Schriftsteller, Herr Niemann, Wohlgeb., der ein Harzreisebuch geschrieben, worin er die Gebirgshöhen, Abweichungen der Magnetnadel, Schulden der Städte und dergleichen mit löblichem Fleiße und genauen Zahlen angegeben, behauptet indes: »Was man von der schönen Prinzessin Ilse erzählt, gehört dem Fabelreiche an.« So sprechen alle diese Leute, denen eine solche Prinzessin niemals erschienen ist, wir aber, die wir von schönen Damen besonders begünstigt werden, wissen das besser. Auch Kaiser Heinrich wußte es. Nicht umsonst hingen die altsächsischen Kaiser so sehr an ihrem heimischen Harze. Man blättere nur in der hübschen »Lüneburger Chronik«, wo die guten, alten Herren in wunderlich treuherzigen Holzschnitten abkonterfeit sind, wohlgeharnischt, hoch auf ihrem gewappneten Schlachtroß, die heilige Kaiserkrone auf dem teuren Haupte, Zepter und Schwert in festen Händen; und auf den lieben, knebelbärtigen Gesichtern kann man deutlich lesen, wie oft sie sich nach den süßen Herzen ihrer Harzprinzes-

sinnen und dem traulichen Rauschen der Harzwälder zurücksehnten, wenn sie in der Fremde weilten, wohl gar in dem zitronen- und giftreichen Welschland, wohin sie und ihre Nachfolger so oft verlockt wurden von dem Wunsche, römischer Kaiser zu heißen, einer echtdeutschen Titelsucht, woran Kaiser und Reich zugrunde gingen.

Ich rate aber jedem, der auf der Spitze des Ilsensteins steht, weder an Kaiser und Reich, noch an die schöne Ilse, sondern bloß an seine Füße zu denken. Denn als ich dort stand, in Gedanken verloren, hörte ich plötzlich die unterirdische Musik des Zauberschlosses, und ich sah, wie sich die Berge ringsum auf die Köpfe stellten, und die roten Ziegeldächer in Ilsenburg anfingen zu tanzen und die grünen Bäume in der blauen Luft herumflogen, daß es mir blau und grün vor den Augen wurde und ich sicher vom Schwindel erfaßt, in den Abgrund gestürzt wäre, wenn ich mich nicht in meiner Seelennot ans eiserne Kreuz festgeklammert hätte. Daß ich in so mißlicher Stellung dieses letztere getan habe, wird mir gewiß niemand verdenken.«

Heinrich Heine, »Harzreise« (1824), Düsseldorf 1946, S. 118–119

Worthington Whittredge (1820–1910)
Biographie Seite 284

38

Landschaft im Harz (Landscape in the Harz Mountains), 1853

68×90 cm

Detroit MI, Detroit Institute of Arts, Founders Society Purchase, Dexter M. Ferry, Jr. Fund

»Our painters will not found a national historical school by painting red-skins and the scenes of the old French and Revolutionary wars, nor a school of landscape by giving us views of primeval forests in the gaudy dress of autumn. Germans, Englishmen and Italians can do this if they be familiar with the subjects, and their works will be not one whit more American than if they painted the Hartz mountains, the battles of the Great Rebellion, or altar pieces – It is not the subject but the manner of treating it which marks the school.

…The deeds and scenes which many hold up to our poets and painters as proper subjects for their pens and pencils, are nothing to us as Americans, save that they took place on our soil, because they have no American character. The actors in them were Englishmen, Frenchmen and Indians. Not until after the Revolution did we begin to lose our provincial character.«

»Something About Our Painters«, in: American Whig Review 4, August 1846, S. 180–181

Worthington Whittredge (1820–1910)
Biographie Seite 284

39

Die Pilger des Heiligen Rochus (The Pilgrims of St. Roch), 1856

122×189 cm
New York, Privatbesitz

»I soon prepared to change my domicile. One more sketching trip in Germany and then I was to be off for the Eternal City. A goodly number of American students had foregathered at Düsseldorf and I had been conspicuous among them in finding out new places to go to for summer sketching. I talked of a little village high up on the River Nahe, a tributary of the Rhine, emptying into that River at Bingen, a place I had wandered to alone in the month of March. I soon had applications to take along with me a goodly number – in fact, all the young American artists of the town, whether landscape painters or not, and in a little while I found myself at the head of a band of jolly fellows guiding them to the region I had so enthusiastically described. Among them was *Furness*, the gentle and gifted painter of beautiful women; *Perry*, his dear friend; *Haseltine*, of Philadelphia; *Irving*, of South Carolina; *Washington*, a descendent of the family of the father of our country; and *Lewis*, the well known painter of the panorama of the Mississippi River. There was a little »Wirtshaus« in the village where we were to put up, too small to accommodate many guests, but as strangers were few in the neighborhood, we had the whole house to ourselves. This particular hostelry was one of those peculiar inns found only in Germany where the landlord gives himself up, body and soul, to make his house and all under its roof comfortable and happy...

It was then, is now, and probably always will be a question whether our students going abroad to study art, are likely to make better artists than if they stayed at home. Frankly, *I doubt the desirability of long foreign study.* A flying visit across the water is not objectionable but rather to be commended. But to go abroad and to become so fascinated with the art life in Paris and other great centers as to take up permanent abode there is not everywhere believed to be the best thing for an American artist. We are looking and hoping for something distinctive in the art of our country, something which shall receive a new tinge from our peculiar form of Government, from our position on the globe, or something peculiar to our people, to distinguish it from the art of the other nations and to enable us to pronounce without shame the oft repeated phrase, »American Art«. That »Art is universal, belongs to no country, knows no boundary and is not to be shut up in any land«, is all true enough in a sense, but not in the best sense. We may well ask what is the use of all the old schools and academies – the very schools in which we have all studied and which are the pride of the nations possessing them. In discussing this question, we are driven to take refuge in first principles and to find some basis from which to start. Such a basis might well be the notion that a man is of no use in this world who does not have faith in the heritage of his own country.«

John I. H. Baur (Hrsg.), »The Autobiography of Worthington Whittredge 1820–1910«, New York 1969, S. 30, 39

Worthington Whittredge (1820–1910)
Biographie Seite 284

40
Ansicht von Kallenfels (View of Kallenfels),
1856
77×69 cm
Cincinnati OH, Cincinnati Art Museum,
Geschenk von Mary Hanna

»My works are widely scattered; some are in England, but most of them are in America. All my work during the few years that I was abroad I have already mentioned as being in Cincinnati. I remember having sold but one picture painted abroad in New York, and that was a small picture of the Hartz Mountains bought out of a shop window on Broadway by the late Mr. William H. Vanderbilt. At a large reception several years ago given by Mr. Vanderbilt, with whom I had no previous acquaintance, I was surprised to find when my name was announced that he remembered it. While others were waiting to greet him he held me in conversation about my picture. He said that he bought it because it reminded him of the Hartz Mountains which he had visited when a youth, and he called a servant to show me the picture in his bedroom.«

John I. H. Baur (Hrsg.), »The Autobiography of Worthington Whittredge 1820–1910«, New York 1969, S. 64

Albert Bierstadt (1830–1902)
Biographie Seite 276

41
Westfälische Landschaft (Westphalian Landscape), 1855

66×88 cm
früher Shelburne VT, Shelburne Museum, jetzt Kunsthandel

»Albert Bierstadt, who afterward sold his »Recollections Of The Rocky Mountains« for $ 30,000, came to Düsseldorf in 1852 and for a time worked in my studio which was in the same building with Leutze. While I did not give lessons, he called himself my pupil during the time that he was with me. He brought with him a few studies which he had made in America, in the hope that by showing them to us, he could induce us to intercede for him and persuade Achenbach to give him lessons. The studies had nothing in them to recommend Bierstadt as a painter. They were in fact absolutely bad and we felt compelled to tell him very decidedly that Achenbach never took pupils. He arrived in Düsseldorf with very little money, which fact he frankly told us, and when he was out of sight Leutze remarked, »Here is another waif to be taken care of«, no pleasant announcement to either of us. But Bierstadt was not made to be a waif. He soon proved that he was not likely to be a charge upon anybody. He refused to drink beer or wine, and if invited to dinner managed to get around all such invitations in a polite way, especially if they looked in the least as if they required dinners to be given in return. He had no money to spend in that way and preferred to be thought unsociable rather than impoverish himself by giving costly dinners. After working in my studio for a few months, copying some of my studies and a few others which he borrowed, he fitted up a paint box, stool and umbrella which he put with a few pieces of clothing into a large knapsack, and shouldering it one cold April morning, he started off to try his luck among the Westphalian peasants where he expected to work. He remained away without a word to us until late autumn when he returned loaded down with innumerable studies of all sorts, oaks, roadsides, meadows, glimpses of water, exteriors of Westphalian cottages, and one very remarkable study of sunlight on the steps of an old church which some years afterwards was turned into a picture that gave him more fame than anything he had ever painted. It was a remarkable summer's work for anybody to do, and for one who had had little or no instruction, it was simply marvellous. He set to work in my studio immediately on large canvases composing and putting together parts of studies he had made, and worked with an industry which left no daylight to go to waste.«

John I. H. Baur (Hrsg.), »The Autobiography of Worthington Whittredge 1820–1910«, New York 1969, S. 26–27

Albert Bierstadt (1830–1902)
Biographie Seite 276

42

Landschaft in Südtirol (Scene in the Tyrol), 1854

24×33 cm

Washington DC, Hirshhorn Museum and Sculpture Garden, Smithsonian Institution, Geschenk von Joseph H. Hirshhorn, 1966

»…a letter arrived from [Bierstadt's] mother, inquiring of Leutze and myself whether her son had any talent for painting. If he had not, she wanted us to advise him to come home. She enclosed a copy of a New Bedford newspaper in which the editor had made some damaging remarks concerning the originality of Bierstadt's paintings, intimating that they could not be by him, but were evidently the work of his Master, one Worthington Whittredge, a well known landscape painter, who took pupils and was associated with the celebrated Mr. Leutze, and that they all worked together. As I had never touched the pictures, nor Leutze either, we felt this to be such an unjust accusation that we went to work at once to correct the editor and set the people right in New Bedford, first endeavoring to make his mother happy… We drew up a paper which we signed stating that the pictures were the genuine work of Bierstadt, that we had never had anything to do with them, beyond a little criticism common to the profession. With this paper in our pocket we went that night to the »Malkasten« where as usual were assembled a large number of artists among whom were Achenbach and Lessing, seated around a long deal table with their mugs of beer and schoppens of wine. Anything new from America was always interesting to this company, especially as many of them had their works then on exhibition in New York, and when Leutze told the fate of Bierstadt, it struck Bierstadt that if Achenbach and Lessing would sign this paper, it would be a great gratification to his mother. After the paper was translated to them, they added their names without any hesitation. The Germans generally know the names of their old artists, and these two names were doubtless remembered by the old people, and when they saw them attached to a rather flaming document about their son's abilities, it may be believed that it gave them a great deal of pleasure.«

John I. H. Baur (Hrsg.), »The Autobiography of Worthington Whittredge 1820–1910«, New York 1969, S. 27

»We made the whole trip [nach Rom] before it was cold weather and made many studies on the way. The first sight of the Alps made a deep impression on my mind, particularly the ruggeder parts of them. I had been accustomed to measure grandeur, at the most, by the little hills of Western Virginia; I had never thought it might be measured horizontally as on our great Western plains. In fact, I believe it is the accepted idea that all grandeur *must* be measured up and down. However this may be, when I came to the Lake of Lucerne and stood at the little village of Brunnen and looked across at the great cliffs of Rutle and saw rising above them in one solid mass projected from the deep waters of the lake, the Uri Rothstock, capped with everlasting snow, shining like silver, I confess, I could but look with awe at the wonderful sight. The thought of a mountain rising almost perpendicularly some 14,000 feet, laved at the base by an inland sea, with the snows of ages upon its head, was quite enough to startle me and awaken some strange thoughts in my mind.«

John I. H. Baur (Hrsg.), »The Autobiography of Worthington Whittredge 1820–1910«, New York 1969, S. 31

George Caleb Bingham

(Augusta County VA 1811–1879 Kansas City MO)

Bingham war schon ein ausgereifter Künstler, der insbesondere das Leben der Prahmschiffer auf dem Mississippi und aktuelle politische Ereignisse seiner Heimat zu seinen Themen gemacht hatte, als er zur Vervollkommnung seiner Fähigkeiten 1856 beschloß, mit seiner Familie nach Düsseldorf zu reisen. Auslösend war die Überwachung von Graphiken, die in Düsseldorf nach einigen seiner politischen Szenen ausgeführt wurden. Für die Kunstakademie hatte er ein zu hohes Alter erreicht. In den zwei Jahren, die er am Rhein verbrachte, nahm sich vor allem Leutze seiner an. Leutze besorgte ihm ein Atelier und machte ihn mit einem seiner amerikanischen Schüler bekannt, der ihm sofort half, sich in der Fremde zurechtzufinden. Bingham lobte die Stadt als die einzige in der Welt, in der ein Künstler, der Wahrheit und Natur über alles liebt, eine kongeniale Atmosphäre und so viele Möglichkeiten vorfindet, seine Studien durchzuführen. Hier vollendete er seine zweite Version der »Jolly Flatboatmen (Fröhliche Prahmschiffer)«, in der er zum ersten Mal einen dunkelhäutigen Mann einführte, und verabschiedete sich damit gleichzeitig von dieser Art der Genremalerei. Neben den offiziellen Aufträgen für zwei Ganzfiguren-Porträts von George Washington und Thomas Jefferson für das Kapitol in Jefferson City MO wetteiferte Bingham vor allem mit seinem Malerkollegen Leutze und versuchte dessen Hauptwerk auf seine Weise umzugestalten, wie z. B. die Überquerung des Delaware durch George Washington. In Düsseldorf wurde zum ersten Mal die Landschaft ohne Staffage für ihn interessant. Nach den dort verbrachten zwei Jahren kam er noch einmal im Sommer 1859 für vier Monate nach Düsseldorf. Vielfach wird kritisiert, daß Bingham mit der Vervollständigung seiner technischen Fähigkeiten in Düsseldorf die Naivität und Erzählfreudigkeit seiner früheren Jahre verloren habe.

Lit.: Lew Larkin, »Bingham, Fighting Artist: The Story of Missouri's Immortal Painter, Patriot, Soldier and Statesman«, St. Louis MO 1955. – John F. McDermott, »George Caleb Bingham: River Portraitist«, Norman OK 1959. – E. Maurice Bloch, »George Caleb Bingham«, Los Angeles CA 1967. – Kat. George Caleb Bingham, Washington/Cleveland/Los Angeles 1967/68. – Alberta W. Constant, »Paintbox on the Frontier: The Life and Times of George Caleb Bingham«, New York 1974. – E. Maurice Bloch, »The Drawings of George Caleb Bingham«, Columbia OH 1975. – Albert Christ-Janer, »George Caleb Bingham: Frontier Painter of Missouri«, New York 1975. – E. Maurice Bloch, »The Paintings of George Caleb Bingham«, Columbia OH 1986. – Kat. George Caleb Bingham, Saint Louis MO 1990. – Nancy Rash, »The Painting and Politics of George Caleb Bingham«, New Haven CT 1991.

43

Blick auf einen Bergsee (A View of a Lake in the Mountains), 1856–1859

54×77 cm
Los Angeles CA, Los Angeles County Museum of Art

»I question much if there can be found a city in the world where an artist who sincerely worships Truth and nature, can find a more congenial atmosphere, or obtain more ready facilities in the prosecution of his studies.«

George Caleb Bingham über Düsseldorf, 1856, zitiert in: E. Maurice Bloch, »George Caleb Bingham«, Berkely 1967, S. 195

…I would take my best picture with me to Washington City and enter the list of competitors for an order for a national picture, Leutze expects to leave here for the United States with such an object in view during the approaching fall. He has for some time been an applicant and the encouragement he has received from individuals most likely to control these Art affairs of the Capital renders his chance, at present, better than mine. Leutze has been indirectly assured through some of his own personal friends near the seat of Government that he will be honored with a $ 10,000 commission as soon as the treasury shall recover from its present state of depletion. I receive the information through an intimate acquaintance of Leutze, who gives it to me without being questioned, not dreaming that I am indulging similar aspirations.«

C. B. Rollins, »Letter of George Caleb Bingham to James S. Rollins«, in: Missouri Historical Review 32, 1937–38, S. 364–65 (Datum des Briefes 18.7.1858)

»There are various and conflicting opinions as to what constitutes the ideal in Art. In the minds of those liberally endowed artists whose productions exhibit a wide range of thought, it seems to my judgment to be that general and much embracing idea necessarily derived from the love and study of nature in her varied and multitudinous aspects, as presented in form and color. It must, however, be necessarily limited by the taste of the artist, which may confine him to what is special rather than to what is general in nature. I say it may be limited and contracted by the taste of the artist. Artists permit themselves to be absorbed only by what they love. And as nature presents herself to them in a thousand phases, they may worship her in few or many. Such of her phases as take possession of their affections also take possession of their minds, and form thereon their ideal, it matters not whether it be animate or inanimate nature, or a portion of either.

All the thought which in the course of my studies, I have been able to give to the subject, has led me to conclude that the ideal in Art is but the impressions made upon the mind of the artist by the beautiful or Art subjects in external nature, and that our Art power is the ability to receive and retain these impressions so clearly and distinctly as to be able to duplicate them upon our canvass.«

George C. Bingham, »Art, the Ideal of Art and the Utility of Art«, Columbia MO 1879, S. 311–324

Karl Friedrich Lessing (1808–1880)
Biographie Seite 282

44
Die Belagerung, 1848
113×174 cm
Düsseldorf, Kunstmuseum

»We called on Lessing (painter of the Martyr-dom of Huss which you have seen in the »Düs-seldorf Gallery«). He is one of the first of the painters of Europe. He was occupied with a large picture of the arrest of some pope – I've forgotten the names [The Taking of Pope Pas-calis by Henry V of France]. It was drawn with great care on the canvass in the manner of a cartoon. It had some action and expression… Lessing, like all of the painters I have met here, is simple and pleasant in his manners… We afterwards called on the Achenbachs [Andreas and Oswald]. Andreas is one of the best land-scape painters living – nobody can paint water better. In his latter pictures he is adding rich-ness to his accurate drawing. Both their stu-dios are remarkable for their elegance… Call-ed on Weber, painter of classical landscapes. His works are much esteemed, but I did not like them. On Carl Hübner (there are several of his pieces in the New York Düsseldorf collection). He paints his pictures first in um-ber and white – a common method here; and probably what makes these pictures so black after a while. Called on Leu… and on Weimar… stopped at Leutze's house.«

Sanford R. Gifford, »European Letters«, Juni 1856, in: Barbara S. Groseclose, »Emanuel Leutze, 1816–1868: A German-American History Painter«, University of Wisconsin, 1973, S. 174

»As I was a picture buyer in Düsseldorf as well as a student it was easier perhaps for me to ob-tain entrance into the best families of the place than it would have been if I had appeared there as a penniless man (penniless I was in truth, but I did not seem so to them). I became intimate with Lessing and Mrs. Lessing. Less-ing's picture of John Huss was in Boker's Collection in New York. I bought several pic-tures of him for my friend. Mr. W. W. Scar-borough in Cincinnati, and other pictures by different artists for other friends in the same city. Lessing was a man of serious aspect. He never laughed and seldom smiled. In this re-spect as well as in the build of his frame, which was very large and ungainly, he was the exact opposite of Achenbach, who was a short, thick-set, active man and always joking. I often heard Lessing deplore his great un-wieldy hand and smilingly allude to Achen-bach, whose hand seemed to form objects without the slightest effort. He was a land-scape painter as well as a painter of historical subjects. His landscapes were always of a more or less sober character, again the oppo-site of Achenbach's works, which, though often low in tone, were always sprightly and full of grace. There was at that time considerable fric-tion between the Roman Catholics and the Protestants which extended to the different leading historical painters on both sides. Les-sing being the most prominent painter of these weighty subjects among the Protestants, he was very much petted by them. One of his best pictures was the one of John Huss, the reli-gious leader.«

John I. H. Baur (Hrsg.), »The Autobiography of Worthington Whittredge 1820–1910«, New York 1969, S. 25–26

Worthington Whittredge (1820–1910)
Biographie Seite 284

45

Kampf vor der Burg (Fight Below the Battlements), 1849

64×84 cm

East Lansing MI, Kresge Art Museum, Michigan State University, Erwerbung gestiftet von der Klasse des Jahrgangs 1927, Freunde des Kresge Art Museum und andere

»Not very well satisfied with anything I saw in Belgium, I packed my »traps« into a knapsack, left Brussels, took the *cars to Cologne* and from there, after a night's rest, proceeded on foot to *Bonn*, a long, unnecessary walk because boats were running, and the scenery between Cologne and Bonn was of the most uninteresting character. This journey was a simple sketching excursion. I bought a ticket on the boats from Bonn to Schaffhausen but never went further than a short distance above *Bingen*. On these boats I could be taken on or put off by signalling from the shore or mentioning on the boat that I wanted to get off. My first landing was *Drachenfels*. Guide-book in Hand and constantly watching for the »castled crag of Drachenfels«, I went miles beyond this renowned place without thinking that I might not know it when I came to it. I got off the boat as soon as possible and walked back and ascended the peak where I expected to meet the »peasant girls with deep blue eyes« which Byron had intimated were there to be found. I looked but saw nothing of them. Two rather shabbily dressed peasant girls with blue eyes, it is true, pressed me to buy wreaths made of oak leaves. I bought one and asked or tried to ask, for I knew no German at that time, what I was to do with the wreaths. I got no answer except a shake of the head, which revealed some rather sunny but unkempt locks, and this was all I ever saw of Byron's blue-eyed girls on Drachenfels.

I stayed all night at a little Wirtshaus on the summit. When I went to bed that night there was absolutely nothing I thought worthy of sketching. But next morning as the sun was rising over the »Seven Hills« I looked out of my window with the Rhine at my back, and saw a picture. It was but a moment, but I made some memoranda, and in the following winter painted a large picture of this subject for my Cincinnati friend, Mr. William Groesbeck.

It was exhibited, before it was sent home, in Düsseldorf, where at once it attracted attention and won for me a hearty recognition by the professors of the Düsseldorf Academy and other artists of distinction.

I soon left Drachenfels and proceeded on my way up the Rhine. It was some time before I began to find things which really interested me. Nevertheless, I kept on and made some sort of a sketch every day, stopping over night at one of the numerous little inns on either side of the river. At Bacharach, where there are the remains of a very beautiful Gothic church, I remained one week. Here I began to experience difficulty in getting along without some knowledge of German, of which I then knew only one word, and that was »Wasser«, a word little needed by anyone in a wine country. At the inn where I stopped (one of the humblest sort, the little donkeys with their pack saddles used for excursions occupying all the lower part of the house), I met no blue-eyed maids who »walk smiling o'er this paradise« but a prodigiously homely girl with a kind heart who waited on the table, so far as her attention could be called waiting. This girl knew no English and didn't want to know any, but she was patient and obliging and I resolved to stay there a few days and learn the names of a few necessary articles I was constantly wanting. Later I had *a teacher of German* and learned finally to speak quite fluently in the language and to read it with considerable pleasure, even to translate some of Heine's and Schiller's short poems. I had made sketches all along the Rhine that summer when I returned for a brief stay in Brussels with the Clemsens.«

John I. H. Baur (Hrsg.), »The Autobiography of Worthington Whittredge 1820–1910«, New York 1969, S. 20–21

Emanuel Leutze in Düsseldorf

In Düsseldorf schuf Emanuel Leutze das Historienbild, dem in der amerikanischen Historienmalerei des 19. Jahrhunderts kein anderes gleich kam. »Washington überquert den Delaware«. Die Darstellung, wie der Befehlshaber der revolutionären Truppen, General Washington, in der Weihnachtsnacht des Jahre 1776 den mit Eisschollen bedeckten Fluß Delaware überquert, um dann im Morgengrauen in Trenton NJ den entscheidenden Sieg über die »hessischen« Truppen im Unabhängigkeitskrieg zu erringen, ist zum Idealbild des amerikanischen Nationalhelden schlechthin geworden. Jedes Kind in Amerika kennt die Abbildung aus Schulbüchern oder Graphiken im Klassenzimmer, aber nur wenige kennen den Namen des Künstlers. Natürlich sah die historische Überquerung anders aus: Washington hat vermutlich nicht in dem Boot aufrecht gestanden, und die amerikanische Flagge gab es zu diesem Zeitpunkt noch nicht; auch war das Boot nicht mit Soldaten überfüllt, denn Boote gab es genug, aber zu wenig Truppen auf Seite Washingtons. Damals war das Gemälde keineswegs so gemeint, die patriotischen Gefühle der Amerikaner zu schüren. Der Wandel zum Revolutionsbild kam erst mit der Zeit. Die Zweitfassung, für amerikanische Auftraggeber gemalt, in der Größe von über dreieinhalb Metern Höhe und mehr als sechs Metern Breite hat einen würdigen Platz im New Yorker Metropolitan Museum gefunden. Es ist nicht so sehr die Malweise, die überzeugt, als der Ausdruck der mutigen Entschlossenheit in der Haltung des verehrten Präsidenten, der das Gemälde zum Lieblingsbild der Amerikaner gemacht hat. Leutze begann das Bild im Jahre 1849 in Düsseldorf zu malen, in einer politisch labilen Atmosphäre in Deutschland. Die Entschlossenheit der Revolutionäre, ihr Mut zum Aufbruch zu neuen Zielen wird in dem Gemälde Leutzes deutlich. Auf das Bild des Schiffes und der Flußüberquerung als Metapher könnte Leutze durch ein Gedicht Ferdinand Freiligraths aufmerksam geworden sein. Freiligrath, den Leutze in Düsseldorf kennengelernt hatte, sah die Revolution als ein Schiff auf der Suche nach der Freiheit auf dem Weg nach Amerika. Viele Amerikaner, die zu dieser Zeit in Düsseldorf weilten, nahmen am Entstehen des Bildes teil, manche von ihnen posierten als Modelle oder liehen ihre Kleider für Kostümstudien. Bei einer Feier des »Malkastens«, der Düsseldorfer demokratisch-nationalistischen Künstlervereinigung, zu dessen Gründungsmitgliedern Leutze gehörte, wurde dieses Gemälde von den Mitgliedern als lebendes Bild gestellt. Das übergroße Original hatte ein wechselvolles Schicksal: Bei einem Brand im Atelier im November des Jahres 1850 mußte das Bild aus dem Rahmen geschnitten und gerollt werden und brach an einigen Stellen; die Versicherung trat für den Schaden ein, und Leutze konnte im Dezember des gleichen Jahres das wiederhergestellte Bild in Deutschland ausstellen. Das Original kam nach 1863 nach Bremen in die Kunsthalle und wurde dort im Zweiten Weltkrieg zerstört. Inzwischen hatte die Kunsthandlung Goupil in Paris für die American Art Union eine zweite Version bestellt, die im Mai 1851 vollendet war. Es ist diejenige Fassung, die heute im Metropolitan Museum hängt. Sie war im Februar 1852 im Capitol in Washington ausgestellt und Leutze bot dem Kongress damals an, eine kleinere Replik für die Regierung anzufertigen. Aber auch ein ähnlich großes Gegenstück, »Washington ordnet seine Truppen bei Monmoth«, das heute fast vergessen in der Bibliothek der Universität von Berkeley hängt, führte zu keinem Auftrag der Regierung. Erst zehn Jahre später durfte Leutze eine Wand im Treppenhaus des Kapitols mit einem Auswandererzug ausmalen.

Die Frage, für welches Land Leutze sein Meisterwerk geschaffen hat, wird beantwortet, wenn man die Entstehung des Bildes vor dem Hintergrund der Revolution in Deutschland betrachtet. Der Maler war tief bewegt von den politischen Unruhen in seinem Geburtsland. Möglicherweise hat Leutze gehofft, ähnlich wie damals die Überquerung des Delaware Flusses in Amerika ein Signal für die Revolutionäre im Unabhängigkeitskrieg gesetzt hat, so würde auch dieses Bild die deutschen Landsleute dazu anregen, gegen die konservativen Regierungen zu rebellieren, die den 48er Aufstand blutig niedergeschlagen hatten. Erst dann kam eine Nachfrage der American Art Union nach dem Bild, der er freudig nachkam, weil er hoffte, auf diese Weise auch in Amerika auf das politische Schicksal Deutschlands aufmerksam machen zu können. Allerdings kehrte er 1852 enttäuscht nach der Vorstellung seines Bildes in Amerika wieder nach Düsseldorf zurück, denn trotz des großen Erfolges seines Gemäldes zog die Präsentation keine weiteren Aufträge nach sich. Noch fühlte sich Leutze in Deutschland besser aufgehoben, aber die jahrelangen Versuche, in seiner Wahlheimat Amerika größere Arbeiten durchführen zu dürfen, ließen nicht nach. Auch in Deutschland war man auf den unruhigen »Republikaner« aufmerksam geworden. Er wurde aufgrund seiner politischen Aktivitäten für die liberale Idee unter Druck gestellt und fühlte sich beobachtet.

Mehrere kleinere Repliken des Gemäldes »Washington überquert den Delaware« existieren, eines davon wurde möglicherweise von Leutze selbst vor 1852 in Amerika für einen Nachstich vorbereitet. Bei drei Versionen kennen wir die beteiligten Künstler: Einmal half Eastman Johnson bei der Fertigstellung der großen Replik für die American Art Union, einmal versuchte sich der nach Pittsburgh ausgewanderte Elsässer Georg Hetzel, der von 1847 bis 1849 in Düsseldorf studiert hatte, an einer kleineren Wiederholung, und die dritte Version gestaltete George Caleb Bingham recht eigenwillig. Auf seinen berühmten Flachbooten, auf dem sonst die Bootsmänner den Mississippi befahren, rudern die Soldaten den General über den Delaware. Beachtenswert ist, daß Bingham auch einen Schimmel auf das Boot gebracht hat, auf dem Washington in Siegerpose sitzt. Der Wunsch, dem Volkshelden ein ähnliches Denkmal zu setzen, wie es Leutze getan hatte, beseelte Bingham schon vor seiner Abreise nach Düsseldorf. In seiner Vorstellung muß dieses Bild damals schon vorhanden gewesen sein, vollendet hat er es nach seiner Rückkehr in die Vereinigten Staaten. Bingham wollte mit seinem berühmten Kollegen rivalisieren, indem er seine eigene Version vorführte.

Die Verlegung solcher und ähnlicher Themen in eine historische Vergangenheit behagte dem Maler Emanuel Leutze besonders, und die überwiegende Zahl seiner Bilder spielt dann auch im Spanien des Christoph Columbus, im England der Stuart und Tudor oder auch zur Zeit der Entdeckung Amerikas. Ein weibliches Gegenstück zu »Washington« schilderte Leutze fast zur gleichen Zeit in dem Gemälde, das eine Mrs. Schuyler darstellt, die ihre Weizenfelder beim Herannahen der britischen Truppen verbrennt. Auf diese Weise konnte sie nicht nur den Vormarsch der Engländer aufhalten, auch der Weizen konnte nicht von den Feinden als Proviant vereinnahmt werden. Ihr Mann kämpfte natürlich auf seiten der Revolutionäre. Mrs. Schuyler war mit Kindern und Bediensteten alleine zu Hause, als der Kutscher das Herannahen der feindlichen Truppen meldete. Die Figur der Mrs. Schuyler stammt vermutlich aus einer Erzählung von Elizabeth Ellet »Die Frauen der amerikanischen Revolution«, 1848 erschienen. Eine Überfahrt ganz anderer Art hat Leutze wenige Jahre zuvor gemalt: »Die Landung der Wikinger«. Vielleicht hat Leutze dabei an die Überfahrt des Norwegers Leif Eriksson gedacht, der um das Jahr 1000 eine kleine Siedlung an der Ostküste Nordamerikas gegründet haben soll, die er Vinland oder Neufundland nannte. Fast immer ist in diesen und ähnlichen Bildern auch das am eigenen Leib erfahrene Auswandererschicksal abzulesen. Wenn auch die romantische Inszenierung dieser Landung übertrieben theatralisch wirkt, so verrät sie doch die breite Skala der Gefühle, die ein solcher Lebensabschnitt beinhaltet: trauriger Abschied, Sorge über die Zukunft in einer neuen unbekannten Welt oder freudiges Begrüßen des angeblich jungfräulichen Landes der Freiheit. Zwischen den immer wieder in Angriff genommenen Themen aus der Vergangenheit, die einen

aktuellen Bezug offenbaren sollten, übte sich Leutze in unterhaltsamen Episoden aus Geschichte und Literatur, so in der Szene, in der der Dichter Milton an einem Tasteninstrument den englischen Staatsmann Cromwell unterhält: Kunst und Politik gehen hier eine friedliche Symbiose ein, oder in der Gondelfahrt Tizians in Venedig, eine Szene, zu der ihn ein Venedigaufenthalt angeregt haben könnte. Und wieder spielt ein Schiff und eine Flußüberquerung eine Rolle, in dem Preisbild, das Leutze zusammen mit Andreas Achenbach für den Neusser Männergesangverein malte. Auf einem Fest des Düsseldorfer Männergesangvereins 1852 zusammen mit den Düsseldorfer Künstlern traten 20 Gesangvereine im Wettstreit auf, und die Künstler entschlossen sich spontan, demjenigen einen ersten Preis – ein neu zu malendes Bild – zu stiften, der sofort ohne Probe und ohne Noten ein komisches Lied vortragen könne. Unter den neun Vereinen, die sich beteiligten, war auch der Neusser Männergesangverein, der den Wettbewerb gewann, und unter den Preisrichtern saßen Andreas Achenbach und Emanuel Leutze. Die Ausführung des Bildes zog sich noch hin, aber im Sommer 1854 konnte die feierliche Überreichung in Neuss vorgenommen werden. Die beiden Maler hatten ein einmaliges Preisbild des Gesangs, der Freundschaft und des Weines gemalt, und stolz kündet eine Bild-Überschrift von dem Ereignis: Der Malkasten dem Neusser Gesangverein.

Die Märchenwelt, die auch hier sich offenbart, hat offensichtlich weiterhin stark auf die Düsseldorfer Maler gewirkt. Leutze hat mehrere Szenen aus romantischen Dichtungen des frühen 19. Jahrhunderts in seine Bildersprache umgesetzt, so auch eine Szene in einem Verlies, wo der verwundete gefangene Ritter von einem schönen Fräulein betreut wird. Unerwartet erscheint im Dachgebälk ein Gnom, der offensichtlich in dieser verfahrenen Situation helfen kann. Die Quelle der Kerkerszene ist bis heute noch nicht gefunden worden. Jedenfalls kommt sie nicht in Hauffs Novelle »Liechtenstein« vor, wie immer wieder behauptet wird. Auch die Kinder des Künstlers mußten in malerische Kostüme schlüpfen, ehe sie vom Vater porträtiert wurden. Leutze hatte eine deutsche Frau, Juliane Lottner, geheiratet, und die Familiengründung war wohl mit ein Grund, warum Leutze so lange in Deutschland blieb und warum sich Leutze sowohl als Deutscher wie auch als Amerikaner fühlte. Juliane war Schwäbin, so wie Leutzes Vorfahren, und so tragen die Kinder Ida und Eugene, acht und neun Jahre alt, schwäbische Tracht. In Leutze wird die Tragik des Künstlers deutlich, der zwei »Vaterländer« sein eigen nannte. In Deutschland hoffte er immer auf Aufträge der Regierung in Amerika, als diese schließlich zu seiner Rückfahrt im Jahre 1858 führten, hoffte er dort noch immer, eine Berufung an die Düsseldorfer Akademie zu bekommen. Erst im Jahre 1863 holte er seine Familie nach Amerika. Er starb im Sommer 1868 an den Folgen eines Schlaganfalls mitten in den Vorbereitungen zu einem zweiten Wandbild für das Capitol, das die Befreiung der Sklaven zeigen sollte.

Emanuel Gottlieb Leutze

(Schwäbisch Gmünd 1816–1868 Washington DC)

Wenn es eine Künstlerpersönlichkeit gibt, die in idealer Weise auf künstlerischem Gebiet die Errungenschaften der beiden Länder Amerika und Deutschland in ihrem Werk verdeutlichen konnte, dann ist es Emanuel Gottlieb Leutze. Er schuf die Inkunabel des amerikanischen Patriotismus »Washington Crossing the Delaware (Washingtons überquert den Delaware)«, ein Bild, das jedem Amerikaner schon aus Schulbüchern vertraut ist, in seinem Atelier in Düsseldorf. Modell standen ihm seine amerikanischen Malerkollegen, Ratschläge für Landschaft und Himmel gaben seine deutschen Malerfreunde, zu denen vor allem Karl Friedrich Lessing gehörte. Der geborene Württemberger, der mit neun Jahren mit seiner Familie ausgewandert war (der Vater wurde als politisch Radikaler verfolgt), wuchs in Philadelphia auf und erhielt seinen ersten Zeichenunterricht dort. 1840 fuhr Leutze zusammen mit zwei anderen Studenten, Trevor McClurg und Johann Georg Schwartze, auf Betreiben seiner Förderer nach Europa. Schon die Eintragung in den Schülerlisten der Düsseldorfer Akademie klingt ungewöhnlich: 1841 schrieb er sich in die Anfangsklasse als »Historienmaler«, also schon fachgebunden ein. Die Lehrer erkannten seine Anlagen, bemängelten aber sein unregelmäßiges Erscheinen. Die folgende Eintragung ist einmalig in den Schülerlisten: »Hatt den Columbus, gefangen nach Spanien zurückkehrend gemalt. Ist abgegangen.« Keiner der anderen Schüler hatte ein ähnliches Projekt vorzuweisen, und so war es nur folgerichtig, daß er sich schon kurz nach dem Eintritt in die Akademie selbständig machte, um seine künstlerischen Ziele zwar in der Atmosphäre der kunstbegeisterten Stadt, aber ohne Abhängigkeit von der Akademie zu verfolgen. Eine Reise nach München und Italien im Jahr 1842 schloß seine künstlerische Ausbildung ab. In Düsseldorf lernte er ebenso die Technik zu beherrschen wie den gekonnten Einsatz von Farben in Licht und Schatten. Zu seinen natürlichen Gaben zählte eine schöpferische Phantasie und der Drang, Charaktere lebendig und geschickt in seine sorgfältigen Kompositionen einzusetzen. Neben der Historienmalerei, die er zunächst vor allem den Ereignissen aus dem Leben des Columbus und aus der englischen Geschichte widmete, pflegte er mit großem Erfolg die Por-

trätmalerei. Die Historienbilder, später aus der neueren Geschichte der Vereinigten Staaten, waren immer zugleich Lehrstücke für seine Zeitgenossen gegen Aberglauben und überhebliche Autorität, für Zivilcourage und individuellen Opfermut. Leutze spielte sowohl als Lehrer und Mentor für mehr als 30 amerikanische Kunststudenten, unter ihnen Bingham, Johnson, Wimar und Whittredge, wie auch als zuverlässiger Kollege für seine deutschen Freunde eine herausragende Rolle. Für die Amerikaner war er Freund, Ratgeber, Reisebegleiter, Übersetzer und Vorbild. 1845 hat er die Deutsche Juliane Lottner geheiratet, wohl auch ein Grund, warum sein Deutschlandaufenthalt so lange dauerte. Er gehörte mit zu den Gründern des Künstlervereins »Malkasten« im Jahr 1848 und war ihr erster Präsident. In seiner Rede anläßlich der Gründungsfeierlichkeiten meinte Leutze: »Ganz Deutschland ist vereinigt und frei… wir möchten alle zusammen gehören und auf die Fahne von Mutter Deutschland schwören.« Die erste Fassung des Gemäldes war in Düsseldorf verbrannt; eine zweite, die durch die Hauptstädte Amerikas reiste, wurde als sensationeller Erfolg gefeiert. Die politische Atmosphäre in Düsseldorf, die für Leutze immer eine Rolle gespielt hatte, beengte ihn in den kommenden Jahren zusehends. Als Amerikaner wurde er als möglicher Republikaner und Radikaler, vielleicht sogar als Unruhestifter verdächtigt. 1859 kehrte er nach Amerika zurück, in der Hoffnung von der amerikanischen Regierung größere Aufgaben zur Ausstattung des Capitols in Washington zu erhalten. Er übernahm dort die Gestaltung eines Wandfreskos, das noch heute zu den bedeutendsten in dem viel besuchten Gebäude gehört: »Westward the Course of the Empire Takes Its Way (Westwärts geht der Zug des Imperiums)«, der Zug der Siedler über die Rockies in das ersehnte Paradies, den Westen Amerikas (Abb. S. 96). Während er ein zweites Fresko für das Capitol vorbereitete, starb er.

Lit.: Emanuel Leutze, in: »Düsseldorfer Künstler aus den letzten fünfundzwanzig Jahren«, Leipzig 1854, S. 135–148. – Ann Hawkes Hutton, »Portrait of Patriotism: Washington Crossing the Delaware«, Philadelphia PA 1959. – Raymond L. Stehle, »›Westward Ho!‹ The History of Leutze's Fresco in the Capitol«, in: Records of the Columbia Historical Society of Washington 1963, S. 306–322. – Raymond L. Stehle, »Five Sketchbooks of Emanuel Leutze«, in: The Quarterly Journal of the Library of Congress, Vol. 21 No. 2, April 1964. – Raymond L. Stehle, »Washington Crossing the Delaware«, in: Pennsylvania History 31, July 1964, S. 269–294. – Ernst Scheyer, »Leutze und Lessing. Amerika und Düsseldorf«, in Aurora, Eichendorff-Almanach 26, 1966, S. 93–100. – John K. Howat, »Washington Crossing the Delaware«, in: Bulletin, Metropolitan Museum of Art 26, 1967/68, S. 289–299. – Raymond L. Stehle, »Emanuel Leutze 1816–1868«, in: Records of the Columbia Historical Society of Washington 1969/1970, S. 306–331. – Raymond L. Stehle, »Life and Works of Emanuel Leutze«, Washington DC 1972. – Barbara S. Groseclose, »Emanuel Leutze, 1816-1868: A German-American History Painter«, 1973, Werkverzeichnis. – Barbara S. Groseclose, »Emanuel Leutze, 1816–1868: Freedom Is the Only King«, Washington DC 1975. – Barbara S. Groseclose, »Washington Crossing the Delaware – the political context«, in: American Art Journal 7, 1975, S. 70–78. – Barbara Gaethgens, »Fictions of Nationhood: Leutze's Pursuit of an American History Painting in Düsseldorf«, in: American Icons: Transatlantic Perspectives on Eighteenth- and Nineteenth Century Art, Santa Monica CA, 1992.

46
Washington überquert den Delaware (Washington Crossing the Delaware),
nach 1855, Version, 76×102 cm

Philadelphia PA, American Swedish Historical Museum

Aus konservatorischen Gründen konnte die Fassung von Emanuel Leutze im Metropolitan Museum, New York, nicht ausgeliehen werden (Abb. auf dem Umschlag).

»Mr. Leutze left us young in years, and when just emerging on a career which his genius and talents have so greatly adorned. He returns with a reputation which confers credit and distinction on his country. He brings back to us not only the fame and honor he has acquired abroad and which we have as common property, but he comes to present his countrymen with a noble monument to the memory of the Father of his Country. I do not hesitate to say to you, gentlemen, that I consider the picture of »Washington Crossing the Delaware« as one of the greatest productions of the age, and eminently worthy to commemorate the grandest event in the military life of the illustrious man whom all nations delight to honor. I am quite sure you will join me in cordially wishing health and happiness to Mr. Leutze.«

Grußadresse an Leutze als Gast der American Art Union, in: Bulletin of the American Art Union, Oktober 1851, S. 116–117

»I suppose there is no artist now living who is as familiar as I am with the assembling of his great picture of »Washington Crossing the Delaware«. I had not been in Düsseldorf an hour before he showed me a pencil sketch of this subject, about six by ten inches in size... substantially the same in its arrangement as the completed picture. A large canvas for it had been ordered that day. When it came he set to work immediately drawing in the boat and figures with charcoal, and without a model. All the figures were carefully corrected from models when he came to paint them. But he found great difficulty in finding American types for the heads and figures, all the German models being either too small or too closely set in their limbs for his purpose. He caught every American that came along and pressed him in-to service. Mr. John Groesbeck of Cincinnati, a man over six feet, called to see me at Leutze's studio and was taken for one of the figures almost before he had time to ask me how I was getting along. My own arrival and that of my friend were a god-send to him. This friend, a thin sickly-looking man – in fact all his life a half-invalid – was seized, a bandage put around his head, a poor wounded fellow put in the boat with the rest, while I was seized and made to do service twice, once for the steersman with the oar in my hand and again for Washington himself. I stood two hours without moving, in order that the cloak of Washington could be painted at a single sitting, thus enabling Leutze to catch the folds of the cloak as they were first arranged. Clad in Washington's full uniform, heavy chapeau and all, spy-glass in one hand and the other on my knee, I was nearly dead when the operation was over. They poured champagne down my throat and I lived through it. This was all because no German model could be found anywhere who could fill Washington's clothes, a perfect copy [of] which Leutze, through the influence of Mr. Steward, had procured from the Patent Office in Washington. The head of Washington in this picture was painted from Houdon's bust [actually a cast taken from the face of a full-length statue now in the Virginia State House, Richmond], a profile being represented. It is a very dignified figure, looking intently but calmly through the cold mist to the opposite shore vaguely visible over fields of broken ice. One figure only in the boat was painted from any but an American and he was a tall Norwegian, acquainted with ice and accustomed to a boat and could be admitted. A large portion of the great canvas is occupied by the sky. Leutze mixed the colors for it over night and invited Andreas Achenbach and myself to help him cover the canvas the next day, it being necessary to blend the colors easily, to cover it all over in one day. It was done; Achenbach thought of the star, and painted it, a lone almost invisible star, the last to fade in the morning light.«

John I. H. Baur (Hrsg.), »The Autobiography of Worthington Whittredge 1820–1910«, New York 1969, S. 22–23

»No impression… was half so momentous as that of the epoch-making masterpiece of Mr. Leutze, which showed Washington crossing the Delaware in a wondrous flare of projected gaslight and with the effect of an revelation. …I live again in the thrill of that evening. …We went down, after dinner, quite as if going to the theater… but Mr. Leutze's drama left behind any paler proscenium.«

Henry James, »A Small Boy and Others«, London 1913, S. 279–280

Aus konservatorischen Gründen konnte die Fassung von Emanuel Leutze im Metropolitan Museum, New York, nicht ausgeliehen werden (Abb. auf dem Umschlag).

»Hört ihr Leute das Gedichte
Von dem grossen Wasserfluss
Der in der Naturgeschichte
Heisst der Delawarius

Dieser fliesst in fernen Westen
Zwischen Amerika und hier,
Und an seinen wüsten Küsten
Haus't manch grauses Ungetier.

Es geschah vor vielen Jahren,
Dass ein sich'rer Washington
Über diesen Fluss gefahren
Mit viel Pferden und Kanon!

Und er spricht zu einer Bande
In gar grimmig bösem Ton:
Frisch, Gesellen, seid zu Hande,
Folget Eurem Washington!

Und man schiffte lustig weiter
Mit Juchheisa didlumdei!
Schlug den Feind und sein' Begleiter
Und Amerika war frei!

Gerade an demselben Tage
Kam zur Welt ein kleines Kind,
Und sieh' da, es war ein Knabe,
Welcher Leutze war genannt.

Dieser kleine Wunderknabe,
Der das alles hat geseh'n,
Hat mit seiner Künstlergabe
Dieses Bild gemalt gar schön.

Welches man noch jetzt bewundert
An der Kölner Eisenbahn,
Das geschahe achtzehnhundert
Fünfzig Jahre und noch ein.«

Mitglieder der Künstlervereinigung »Malkasten« zu Leutzes Abschiedsfest im Juli 1851, »Malkasten«, Düsseldorf, Archiv

---

George Caleb Bingham (1811–1879)
Biographie Seite 300

47

Washington überquert den Delaware (Washington Crossing the Delaware),
1856/1871

93×146 cm

Norfolk VA, Chrysler Museum of Art, Geschenk von Walter P. Chrysler Jr., zu Ehren von Walter P. Chrysler, Sr.

»There are some men among us who are such scrupulous and exclusive patriots, who are so jealously devoted to the aggrandizement and glorification of our own dear country, that they insist upon the necessity incumbent upon all our artists of painting nothing but national subjects; otherwise, say they, the artists are false to the resources and reputation of the land that gave them birth, and do not deserve the name of *American*. If landscape is the artist's choice, let him paint nothing but American scenery, especially views of such places as have witnessed the triumph of American arms. If historical painting be the object of his devotion, let him illustrate only the great events of American history. … Now the great object of Art is, not to pander to National vanity, but to encourage and develop in man the sense of the beautiful, the good and the true, and by fit representations of them, to enchant him with their love. It is intended to appeal to the sympathies, the feelings, the principles, the belief, the hopes, the fears, the affections of man as man, and not as an American, or an Englishman, or a Frenchman. …There are then two grand requisites for the formation of an American School of Historical Painting.

First: *That there shall be American painters.*
Second: *That these American painters shall paint well.*«

Charles Lanman, »On the Requisites for the Formation of a National School of Historical Painting«, in: Southern Literary Messanger 14, Dezember 1848, S. 727–730

»I should like to present the ›Father of his Country‹, connected with some historical incident, in a manner that would rival the far famed picture by Leutze.«

George Caleb Bingham to James S. Rollins, Philadelphia 12. 1. 1855, in: Missouri Historical Review 32, 1938, S. 187

48

Mrs. Schuyler verbrennt ihre Weizenfelder beim Herannahen der Briten (Mrs. Schuyler Burning Her Wheat on the Approach of the British), 1852

81×102 cm
Los Angeles CA, Los Angeles County Museum of Art

»Historical painting has been cultivated with considerable success but with uncertain aim. Vanderlyn, Weir, Huntington and Leutze, have produced works in this department of much merit. And yet, in looking over them, we have been more than once pained with the conviction that they are not national. We regard them as incidental works rather than the fruits of true devotion to historical painting.«

»American Art: The Need and Nature of Its History«, in: Illustrated Magazine of Art, Nr. 3, April 1854, S. 263

»Leutze's *Mrs. Schuyler Burning Her Wheat Fields on the Approach of the British* (1852), which illustrates an apocryphal story from Elizabeth Ellet's *The Women of the American Revolution* (1848), honors a woman for heroic action on behalf of and according to the direction of her absent husband: setting his crops alight to prevent them from falling into the hands of invading British troops.«

Wendy Greenhouse, »Imperial Ideals British Historical Heroines in Antebellum American History Painting«, in: Redefining American History Painting, Cambridge 1995, S. 263

Emanuel Leutze (1816–1868)
Biographie Seite 308

49

**Die Landung der Wikinger in Amerika
(The Landing of the Norsemen), 1845**

153×204 cm
Sammlung Volmer-Wuppertal

»Jenseits der grauen Wasserwüste
wie liegt die Zukunft winkend da!
Eine grüne lachende Küste,
ein geahndet Amerika!
ein geahndet Amerika!
Und ob auch hoch die Wasser springen,
ob auch Sandbank droht und Riff:
ein erprobt und verwegen Schiff
wird die Mut'gen hinüberbringen!
Frisch auf denn, springt hinein! Frisch auf, das
Deck bemannt!
Stoßt ab! Stoßt ab! Kühn durch den Sturm!
Sucht Land und findet Land!
…
So fährt es aus zu einer Reisen,
so trägt es Männer in den Streit: –
mit den Helden haben die Weisen
seine dunkeln Borde geweiht!
seine dunkeln Borde geweiht!
Ha, wie Kosciuszko dreist es führte!
Ha, wie Washington es gelenkt!
Lafayette's und Franklin's denkt,
und wer sonst seine Flammen schürte!
Frisch auf denn, springt hinein! Frisch auf, das
Deck bemannt!
Stoßt ab! Stoßt ab! Kühn durch den Sturm!
Sucht Land und findet Land!

Ihr fragt erstaunt: Wie mag es heißen?
Die Antwort ist mit festem Ton:
Wie in Österreich so in Preußen
heißt das Schiff: »Revolution!«
heißt das Schiff: »Revolution!«
Es ist die einzig richt'ge Fähre –
Drum in See, du kecker Pirat!
Drum in See, und kapre den Staat,
die verfaulte schnöde Galeere!
Frisch auf denn springt hinein! Frisch auf, das
Deck bemannt!
Stoßt ab! Stoßt ab! Kühn durch den Sturm!
Sucht Land und findet Land!«

*Ferdinand Freiligrath, »Vor der Fahrt«, in:
»Ça Ira!«, 1846*

50

Cromwell und Milton, 1855

78×109 cm

Schwäbisch Gmünd, Museum für Natur &
Stadtkultur

» *Was tut der deutschen Historienmalerei not?*
so fragten wir schon vor sechs Jahren, als die
Resultate der Verhandlungen bekannt wurden, welche von der damals neubegründeten
»Verbindung für historische Kunst« in ihrer
Hauptversammlung zu Berlin gepflogen worden. Unsre Antwort war *damals* gegenüber
dem Standpunkte, den die Versammlung eingenommen hatte, ein *Zweifel* an der Ersprieß-
lichkeit ihrer beginnenden Tätigkeit; *heute* ist
es kein Bedenken mehr, das wir aussprechen,
sondern die feste, aus der bisherigen Art ihrer
Wirksamkeit gewonnene Überzeugung von der
völligen Nutzlosigkeit dieser Verbindung.
Nutzlosigkeit aber ist auf solchem Gebiete, wo
es sich um die zwecklose Verwendung von vielen Tausenden handelt, die den wahren
Zwecken der Kunst entzogen werden, gleichbedeutend mit Schädlichkeit; ganz abgesehen
von den Fehlgriffen und Taktlosigkeiten, deren
sich die Leitung der Verbindung nach andern
Seiten hin schuldig gemacht hat. [...]

Wir sind nämlich der Ansicht, daß die *historische Kunst*, ebenso wie die Monumental-
malerei, die Skulptur und die Architektur, auf
eine ihrer würdige und großartige Weise nur
durch großartige Mittel gefördert und am Leben erhalten werden könne. Solche Mittel aber
liegen außerhalb der Grenzen, welche die
Kräfte von Privaten zu umfassen im Stande
sind. Unsere Historienmalerei ist fast in nichts
zusammengeschwunden. [...]

Denn welcher Privatmann hat, falls das Bild
nicht einem Fürsten gefällt, oder von einem
städtischen Museum angekauft wird, die Mit-
tel oder auch die Räumlichkeiten, um dergleichen Werke für sich zu erwerben und plazieren
zu können? Der Künstler ist also gezwungen,
sein nach dem Größten und Erhabensten stre-
bendes Talent in kleineren Kompositionen zu
zersplittern und zu erschöpfe; eine Sisyphusar-
beit, die seinen Mut zuletzt brechen und seine
Lust am Schaffen ersticken muß.

Zur Rechtfertigung der deutschen Kunst,
die unserer Ansicht Kräfte besitzt, welche des
Höchsten fähig sind, müssen wir darauf hin-
weisen, daß die Historienmalerei in Frankreich
und Belgien, welche in den letzten Jahren eine
bedeutende Menge großer Werke geschaffen
hat, in der angedeuteten Rücksicht viel günstiger gestellt ist, als die Kunst in unserem Vater-
lande. Die dortigen Künstler haben das Glück,
nicht nur von den eignen Fürsten, sondern
auch von fremden Aufträge zu erhalten, an denen sie zeigen können, was sie zu leisten im-
stande sind.

*Denn ohne direkte Beteiligung des Staats
kann die große Kunst nicht blühen.* [...]

Man wirft vielleicht ein, daß ein Historienbild auf sich selbst beruht, daß es ein in sich
abgeschlossenes Ganzes und deshalb unabhängig von lokalen Bedürfnissen sei. Aber ist es
unabhängig von *nationalen* Bedürfnissen?
Liegt nicht etwas Großes und Erhabenes in
dem Gedanken, der Nation eine Vorstellung
von ihrer eignen Größe und Bedeutung da-

durch zu geben, daß man ihr die herrlichen
Taten ihrer Fürsten und Vorfahren in einem
Zyklus von großartigen Bildern vorführt, an
denen ihr Stolz geweckt und der Patriotismus
gekräftigt wird? Und welcher Ort wäre pas-
sender für die Aufstellung einer solchen Bilder-
reihe als die *Nationalgalerie*, welche wir jetzt
durch die hochherzige Liberalität eines Privat-
mannes besitzen. [...]

Möge daher – dies ist unser aufrichtiger
Wunsch – der lebenerweckende Tau und der
befruchtende Regen recht bald und recht
reichlich von den Stufen des Thrones unsers
erhabenen Monarchen auf die vaterländische
Historienmalerei herabträufeln: so wird
schnell das frische lebendige Grün einer Saat
emporsprossen, deren Halme später tausend-
fältige Früchte tragen werden. Denn nur von
oben herab ist die natürliche Befruchtung der
Kunst möglich; alle Anstrengungen von Privaten oder von Vereinen bringen nur eine dürfti-
ge und künstliche Bewässerung zuwege, bei
welcher entweder die einzelnen Tropfen im
Sande verrinnen, oder höchstens auf kurze
Zeit zerstreute kleine Oasen hervorrufen, welche die übrige Dürre nur um so trostloser erscheinen lassen.«

*Max Schasler, »Was tut der deutschen Histori-
enmalerei not?«, in: Die Dioskuren, Nr. 3,
19.1.1862, S. 17, und Nr. 14, 16.4.1862,
S. 105*

51

Tizian auf der Lagune (Tizian on the Lagoons), 1857

64×76 cm

Schwäbisch Gmünd, Museum für Natur &
Stadtkultur

»Von streng geschiedenen Lokalschulen kann
füglich nicht gesprochen werden, wenn man
die jüngste Tätigkeit auf dem Gebiete der Malerei betrachtet. Der eigentümliche Stempel,
welcher früher den Düsseldorfer und Münchener Arbeiten anklebte, erscheint verwischt und
abgegriffen, neuere Münchener Werke z.B.
den ältern hier erzeugten beinahe stärker entgegengesetzt als den gleichzeitigen Düsseldorfer Schöpfungen. Auf der einen Seite freilich
stoßen wir auf Kolonien der Mutterschulen.
Die Münchener Kunst hat in Prag und Wien
eine neue Pflanzstätte gefunden, Düsseldorfer
Künstler haben in Dresden und Frankfurt eine
zweite Heimat angebaut. Auf der anderen Seite wieder begegnen wir Mischungen und Neu-
tralisierungen. [...] Schwerlich wird man den
Rücktritt der deutschen Lokalschulen bedauern können. Auf Persönlichkeiten basiert, in
der betreffenden Lokalbildung selbst ohne tiefe Wurzeln, mußten sie, einmal des äußern
Eignungsbandes beraubt, auseinanderfallen.
Als Lehr- und Erziehungsanstalten haben sie
ihre alte Wichtigkeit bewahrt: die Münchener
Akademie zählte z.B. im Jahre 1855 etwa
200 Schüler, darunter die Hälfte Nichtbayern.
Ihren kunstgeschichtlichen Wert haben aber
diese Anstalten teilweise verloren, so daß gegenwärtig mit größerm Rechte als je zuvor von
einer allgemeinen deutschen Kunst gesprochen
werden darf. [...] Dazu kommt noch, daß die
Anschauungsweise, von welchen die Künstler
ausgehen, häufig scharfe Gegensätze aufweisen
und kaum ein einziger Kulturstandpunkt der
Gegenwart unvertreten bleibt. Das spricht für
eine gesteigerte Empfänglichkeit und offenbar
ein vielseitiges, mannichfaches Leben, aber es
lähmt die klare Entwickelung und verringert
die nationale Bedeutung der Kunst. [...]

Das Verwischen zahlreicher lokaler Unterschiede, das Näherrücken der einzelnen Schulen erklärt sich aus der gemeinsamen Krisis,
welche dieselben betroffen hat. Die Malerei
fühlte sich auf die Länge auf ihrer einsamen
idealen Höhe nicht heimisch und erkannte die
Notwendigkeit, sich an das Volk anzulehnen
und mit der Wirklichkeit enger zu verbinden.
Vor allem erkannte dies die historische Malerei, die doch nicht immer und überall den
Weltgeist unmittelbar darstellen und mit dem
tiefinnersten ewigen Wesen der Geschichte sich
beschäftigen konnte, die auch schwerlich darauf rechnen dürfte, stets den Mangel an Lebendigkeit durch das Großartige der Konzeption und das Tiefpoetische des Gedankens zu
ersetzen. Wurde der historischen Malerei die
Aufgabe gestellt, in einem Zyklus von Gemälden den Charakter und das Wesen einer historischen Periode zu zeichnen, so war der Idealismus in seinem Rechte. Anders jedoch, wenn
man eine einzelne Tat aus der Geschichte her-
vorhob. Hier die Bedeutung und die Idee hinter der äußern Erscheinung zu suchen, hieß
sich an derselben versündigen und der Willkür
in der Anschauung der historischen Dinge Tür
und Angel öffnen.«

*Anton Heinrich Springer, »Die Krisis in der
historischen Malerei«, in: Geschichte der
bildenden Künste im 19. Jahrhundert«, Leipzig 1858, S. 147, 150–155*

52

Andreas Achenbach/Emanuel Leutze
»Preisbild des Neusser Männergesangvereins (Rheinfahrt)«, 1854

81×108 cm
Neuss, Clemens-Sels-Museum

»The lively and enthusiastic interest which the whole body of Düsseldorf artists, almost without exception, manifests in everything great and genuine hitherto produced in music, is not confined merely to enjoyment of it, and conversation regarding it. Many members of this society of artists contribute their aid, as practised singers and virtuosi, in the public performances of important musical compositions which have taken place so frequently in Düsseldorf. …The period of the great Rhenish musical festival, particularly when it is celebrated in Düsseldorf, is truly a period of the most intoxicating and delightful excitement for them. Music then monopolizes so entirely all their energies and all their time, that the Academy is almost deserted…«

F. von Uechtritz, »Blicke in das Düsseldorfer Kunst- und Künstlerleben«, Düsseldorf 1839–40, auszugsweise übersetzt in: The Literary World, Nr. 275, Mai 1852, S. 333–334, und Nr. 277, S. 363–366

»Das festlich geschmückte Neusser Dampfboot führte gegen 4 Uhr die zu dieser Feierlichkeit eingeladenen Söhne der edlen Malkunst unserer Stadt zu. Mit Jubel wurden sie von der zahlreich am Ufer versammelten Menge empfangen, mit herzlicher Freundlichkeit von den Sängern bewillkommnet, und bald bewegte sich ein langer Zug, Maler und Sänger vereint, die prachtvollen Fahnen beider Vereine an der Spitze, dem Rathaus zu, wo ein festlicher Empfang von Seiten der Stadt sie erwartete. Der Herr Bürgermeister Frings begrüßte sie hier in herzlichen Worten, und lauter Jubel hallte beim Klange der Becher durch die Räume des schönen Rathaussaales, als er, der hohen Bedeutung des Festes gedenkend, der Künstlerschaft ein Hoch ausbrachte, welches dann ebenso herzlich von den Gästen mit einem Hoch auf die Stadt Neuss erwidert wurde. Bald setzte sich der fröhliche Zug wieder in Bewegung und gelangte durch die auf's Festlichste geschmückte Oberstraße in die nahegelegene, große Tonhalle auf dem Gütchen. Nachdem hier die Pause bis zu dem auf 6 Uhr angesagten Concerte durch Garten-Harmonie auf passende Weise ausgefüllt und beide Vereine die Gelegenheit wahrgenommen hatten, sich in freundlichen Gesprächen einander zu nähern, nahm nach Verlauf einer Stunde die Feierlichkeit selbst ihren Anfang…

Wer beschreibt das Staunen, das den ganzen Kreis der Anwesenden erfaßte, als sie das herrlichste Meisterwerk vor sich sahen, ein Gemälde, wie es nur von solchen hochbegabten Künstlern geschaffen werden konnte.«

Neusser Kreis-, Handels- und Intelligenzblatt Nr. 67, 4. 7. 1854
(Anläßlich der Übergabe des Preisbildes von Emanuel Leutze und Andreas Achenbach an den Neusser Männergesangverein)

Emanuel Leutze (1816–1868)
Biographie Seite 308

53
Unerwartete Freude (Unexpected Friends, sic)
75×104 cm
Stuttgart, Galerie der Stadt Stuttgart

»There, the romantic ruins of what were once free cities, with their grey walls and frowning towers, in which a few hardy persevering burghers bade defiance to their noble oppressors, …led me to think how glorious had been the course of freedom from those small isolated manifestations of the love of liberty to where it has unfolded all its splendor in the institutions of our own country. …This course represented itself in pictures to my mind, forming a long cycle from the first dawning of free institutions in the middle ages, to the reformation and revolution in England, the causes of emigration, including the discovery and settlement of America, the early protestation against tyranny, to the Revolution and Declaration of Independence.«

Emanuel Leutze, in: Bulletin of the American Art-Union September 1851, S. 95–96

»Düsseldorf is probably one of the best schools now in existence. The brotherly feeling which exists among the artists is quite cheering, and only disturbed by their speculative dissensions. Two parties divide the school – the one actuated by a severe and almost bigoted Catholic tendency, at the head of which stands the Director of the Academy; and the other by a free and essentially Protestant spirit, of which Lessing is the chief representative. The consistency and severity in the mechanical portion of the art taught at this school, are carried into the theory, and have led, by order and arrangement, to a classification of the subjects, which is of essential service; and soon confirmed me in the conviction that a thorough poetical treatment of a picture required that the anecdote should not be so much the subject, as the means of conveying some one clear idea, which is to be the inspiration of the picture. But the artist, as a poet, should first form the clear thought as the groundwork, and then adopt or create some anecdote from history or life, since painting can be but partially narrative and is essentially a contemplative art.«

Henry Tuckerman, »Book of the Artists«, New York 1867, S. 176

Emanuel Leutze (1816–1868)
Biographie Seite 308

54
Die Kinder des Künstlers in schwäbischer Tracht (The Leutze Children in Swabian Costume), 1855
145×107 cm
Stuttgart, Staatsgalerie Stuttgart

»Gestärkt und ungeirrt kehrte Leutze nach längerer Abwesenheit in unsere Stadt zurück. Mit einer deutschen Frau gründete er sich einen deutschen Heerd und lebt seit jener Zeit mit unverdrossener Thätigkeit der Kunst. Das Resultat seiner Erfahrungen in fremden Ländern und unter anderen Einflüssen ist ein durchaus glückliches gewesen. Er steht nunmehr fest und sicher in sich, einzig und allein seiner Individualität vertrauend, so wie ein Baum, der in gesundem Boden starke Wurzeln geschlagen hat und mit seiner Krone unbekümmert bei Regen oder Sonnenschein in die Lüfte ragt. Ist im Beginne seines deutschen Aufenthaltes das große Vorbild Lessing nicht ohne Einfluß auf ihn geblieben, so hat er sich doch gegenwärtig von aller äußeren Einwirkung befreit. Dagegen hat sein Beispiel vortheilhaft auf andere junge Naturen gewirkt. Die Bilder, welche er in der Folge malte, gehören der englischen, spanischen und amerikanischen Geschichte an, und zwar alle der neuen Periode. Seinen reellen Geist spricht das Mittelalter nicht mehr an. Wir haben das schon aus den früheren Darstellungen gesehen, und auch die letzten werden es uns zeigen. Er wählt sich stets Ereignisse, deren treibende Gedanken auch noch in unsere Tage herüberwirken…

Sehr zu bedauern ist es, daß der Künstler meistens nur kleinere Maßstäbe für seine Bilder nimmt. Wie trefflich würden sich manche derselben in Lebensgröße machen! Indeß hier ist nicht ihm, sondern dem heutigen Mäcenatenthume vorzuwerfen, daß es seinen Beutel nicht gern für umfangreiche Gemälde öffnet.

In der technischen Ausführung thut Leutze es übrigens fast allen seinen Düsseldorfer Kollegen zuvor. Er concipirt, entwirft und vollendet mit einer wahrhaft rapiden Schnelligkeit. Außer den genannten Bildern hat er nämlich noch eine bedeutende Anzahl sehr geistreicher Zeichnungen entworfen, die sich theilweise an die Geschichte anlehnen und theilweise als Illustrationen nordamerikanischer Werke dienen. Eben so hat er viele Portraits angefertigt, von welchen manche trefflich gelungen genannt werden müssen. Da er sie indeß selbst als Nebenarbeiten ansieht, so will auch ich nicht näher darauf eingehen. Bei dieser großen Fruchtbarkeit liegt es nahe, daß die Zeichnung nicht so correct sein kann, wie man es wohl wünschen darf. Die übergroße Lebendigkeit des Künstlers verführt ihn mitunter zu einer Leichtigkeit, die er bei seinem großen Talente leicht vermeiden könnte. Ganz ausgezeichnet ist dagegen seine Farbengebung. Hier wagt er freilich auch zuweilen allzu kecke Lichteffecte. Durchgängig aber zeigen seine Arbeiten ein rundes, saftiges, lebensfrisches Colorit, das ganz aus den mitunter scharfen und grauen Farben der Düsseldorfer Schule herausgeht und an die trefflichen Arbeiten der französischen und niederländischen Künstler erinnert. Bei diesen Erfolgen und bei dem schönen Talente geht Leutze gewiß noch einer hoffnungsreichen Zukunft entgegen.«

Wolfgang Müller von Königswinter, »Düsseldorfer Künstler aus den letzten fünfundzwanzig Jahren«, Leipzig 1854, S. 140 und 148

Eingeborene und Sklaven

Es kann in dieser Ausstellung nicht darum gehen, die Geschichte der Indianer und der schwarzen Sklaven zu erzählen. Einige ausgewählte Beispiele aber sollen zeigen, daß Künstler, die entweder aus Deutschland stammten oder hier ausgebildet worden waren, ein besonderes Gespür für brisante Themen in ihrer neuen oder alten Heimat aufbrachten und diesen Beobachtungen in ihren Bildern Ausdruck geben wollten. Das wissenschaftliche Interesse, das noch die Expeditionsbegleiter im frühen 19. Jahrhundert bewogen hatte, die fremden Völker und Gebräuche mit dem Stift festzuhalten, war einer Anteilnahme am Schicksal dieser Volksgruppen gewichen. Zwar geisterte immer noch das Bild vom »Edlen Wilden« aus der Zeit der französischen Aufklärung, geschürt durch die Erzählungen von James Fenimore Cooper, durch die Vorstellungswelt vor allem der Europäer. Doch auch Cooper übte zunehmend Kritik an den amerikanischen Mißständen und sah die fast völlige Vernichtung dieser Völker voraus. Leutze postierte zwar seinen Indianer, der trauernd auf das brennende Land unter sich schaut, wie eine antike Statue auf einem Felsen, aber er zeigt auch den Adler, der um das verlassene Nest kreist. Angeblich soll ein Zeitungsartikel über das Erscheinen eines Indianerhäuptlings vor der Frankfurter Paulskirchen-Versammlung Leutze zu diesem Bild angeregt haben. Die Botschaft ist klar: Der Indianer trauert um den Verlust seines Landes und seines Volkes. Anders Bierstadt, der vom friedlichen Miteinander der roten und der weißen Rasse träumte, wenn er das Indianerdorf an einem malerischen Flußufer errichtet und den Trapper ungestört seine Pferde im Fluß tränken läßt. Viel spannender waren da die Berichte von Überfällen, Entführungen und Angriffen, die angeblich von Indianern auf friedliche Weiße verübt worden sind: Da lauern Indianer im Hinterhalt, wie sie der Schweizer Frank Buchser schildert, und warten auf den einsamen Reiter. Ein Meister in der Wiedergabe der Konfrontation zwischen Zivilisation und Wilden war Carl Wimar. In Siegburg geboren, mit 16 Jahren mit seinen Eltern nach Amerika ausgewandert, kam er nach Düsseldorf zurück zum Studium und profilierte sich hier schon bald als der »Indianermaler«. Diese Szenen hatten in Deutschland mehr Erfolg als in Amerika, wenn auch nur wenige mit der Erzählung von Daniel Boone vertraut waren, dem frühesten Trapper und Pionier, der Kentucky entdeckt und sich dort mit seiner Familie angesiedelt hatte. Er war Vorbild für Coopers »Lederstrumpf«-Erzählungen, die zwischen 1825 und 1841 erschienen und zu de-nen auch »Der letzte Mohikaner« gehörte. Sowohl die »Entführung von Daniel Boones Tochter« von Wimar, wie »Der Angriff auf den Aussiedlerzug«, sein Meisterwerk aus der Düsseldorfer Zeit, versuchte Emanuel Leutze später in eigenen Versionen wiederzugeben.

Lebensgefährte des Indianers war der Büffel. Von einem erlegten Büffel wurde tatsächlich jedes Teil genutzt, sei es zum Bau der Tipis, als Kleidung, als Schmuck für die Kleidung, als Halsschmuck, für Waffen. Das Fleisch wurde entweder frisch gegessen, meist aber getrocknet, zerkleinert, mit Fett und Gewürzen vermischt, und hielt sich so monatelang. Der Indianer jagte Büffel nur, wenn er Bedarf hatte, niemals aus reiner Freude an der Jagd wie die Weißen. Die Indianer zogen den riesigen Büffelherden nach, jagten auf Pferden mit Pfeil und Bogen oder schlichen sich als Wölfe verkleidet an die Herde heran. Wenn sie nicht aufgeschreckt wurden, grasten die Büffel friedlich in der Nähe der Menschen. Aber der Büffel war schnell reizbar und dann in seiner Angriffslust nicht zu bremsen. Häufig kam es in den heißen trockenen Sommermonaten in der Steppe zu Flächenbränden, dann raste die ganze aufgebrachte Herde vor der Feuerwand weg, ein dumpfes Dröhnen lag in der Luft, Staub wirbelte auf, die Kleintiere ließen sich mitreißen. Eine solche Szene hat Meyer Straus, der aus Bayern nach Amerika ausgewandert war, auf seinem Bild festgehalten. Weit seltener begegnete ein Jäger einem Bär oder einer Bärin, diese war natürlich um so gefährlicher, wenn sie ein Junges dabei hatte. Die riesigen Bären hatten keine Schwierigkeit, Pferde in Panik zu versetzen, und der abgeworfene Reiter war dann auf die Mithilfe eines Kameraden angewiesen, sonst hätte ihm der sichere Tod gedroht. Charles Schreyvogel aus New York, ein Schüler von Carl von Marr in München, der zusammen mit dem Elsässer Henry Farny und Frederic Remington das heute noch gültige Bild vom Wilden Westen um die Jahrhundertwende prägte, hat die Begegnung eines abgeworfenen Reiters mit einem Bären geschildert.

Neben dem Leben der Indianer und in den Jagdgründen bot auch das Leben der Negersklaven im Süden einen malerischen Reiz. Zwar waren sie nicht so angriffslustig wie die Indianer – sie hatten kein Land zu verteidigen – und nicht ganz so malerisch angezogen – ihr Wohlstand hielt sich in Grenzen, aber ihr Leben, ihre Fröhlichkeit, ihr Sinn für Komik, ihre Schlauheit verlangten nach bildnerischen Ausdrucksformen. Buchser beobachtete den heimkehrenden Freiwilligen, wie er stolz den Daheimgebliebenen seine Heldentaten erzählt. Thomas Waterman Woods bestürzende Reihung von immer dem gleichen dunkelhäutigen Kriegsteilnehmer beinhaltet zweifellos eine sozialkritische Komponente und macht die skeptische Haltung Woods deutlich, der sich von der Politik der Südstaaten distanzierte. Vor dem Büro des Kommandeurs der Militärpolizei ist in der geöffneten Tür eine Trommel und die Fahne der Nordstaaten, der Union, sichtbar. Links ist immer das gleiche angepflockte Zelttuch zu sehen, auf dem der Maler seine Signatur angebracht hat. In berührender Weise ist der Soldat stolz auf die Rolle, die er in diesem unseligen Bürgerkrieg gespielt hat. Drei Rollen führt er hier vor: Der Kriegswillige mit seinen wenigen Habseligkeiten, der Rekrut, der stolz seine Uniform und die Verdienstmedaille um den Hals am roten Band trägt, der Veteran, der trotz Krücke und abgeschossenem Bein militärisch grüßt. Ihm fehlen die Trauer und Melancholie, die Edwin White seinem Neger mitgegeben hat: Er sitzt vor dem Kamin, auf der Suche nach Wärme, und denkt, so der Titel, an seine Heimat Liberia. Seine Sehnsucht nach Befreiung ist einer Resignation gewichen. Nur wenige Maler haben die tatsächliche Flucht der Negersklaven geschildert, so wie Eastman Johnson, dessen junges Paar mit Kind auf einem Pferd flüchtet, oder aber einer, der selbst schon einmal vor ähnlich widrigen Umständen geflohen ist: Theodor Kaufmann. Er war ein Flüchtling der 48er Revolution und entzog sich seiner Verhaftung durch die Auswanderung. Er hat die Negersklaven mit ihren Kindern beobachtet, wie sie einem Soldaten-Lager zueilen, in dem die Unionsfahne gehißt ist. Der hastige Aufbruch – die Kinder sind aus dem Bett geholt worden und haben noch ihre Nachtkleidung an –, die wenigen Habseligkeiten in malerisch

bunte Tücher gebunden auf dem Kopf, eilen die Sklaven dem heraufdämmernden Morgen entgegen. Ihre Gesichter verraten noch Schreck und ungläubiges Erstaunen über eine mögliche Flucht.

Noch vor dem Bürgerkrieg hat sich Eastman Johnson das Leben der Neger in den Südstaaten viel malerischer vorgestellt. Seltsamerweise diente sein Gemälde »Alte Heimat Kentucky« aus dem Jahre 1859 beiden Lagern zur Illustration ihrer politischen Ideen zur Frage der Sklavenhaltung. Die Bühne ist bekannt, es ist der Hinterhof von Johnsons Elternhaus in Washington. Die einen sahen im Bild das zufriedene Leben der Schwarzen, die anderen sahen die Armut, die die Schwarzen, Sklaven oder freigelassenen Sklaven erdulden mußten. Heute gilt das Bild eher als Beleg für die These, daß im Washington jener Jahre den Schwarzen gegenüber eine sentimentale Haltung eingenommen wurde. So lauschen die beiden weißen jungen Frauen am rechten Bildrand heimlich dem fröhlichen Treiben im schäbigen Hinterhof des verfallenden Hauses. Das Bild ist Johnsons Meisterwerk und entstand bald nach seiner Rückkehr aus Düsseldorf. Ursprünglich hatte es den Titel »Neger Leben im Süden«, wurde aber um 1867 umbenannt nach einem bekannten Lied von Stephen Forster, möglicherweise die Melodie, die der Banjospieler seinen Zuhörern gerade vorspielt. Aufgrund dieses Gemäldes wurde Johnson in die Academy of Design in New York aufgenommen und galt fortan als renommierter Genremaler. Er hat den Erwartungen, die in ihn gesetzt wurden, alle Ehre gemacht. Niemand hat so wie er in der zweiten Hälfte des 19. Jahrhunderts das ländliche Amerika liebevoll geschildert und ausgeschmückt. Ändern konnten die Maler am Los der Eingeborenen und Sklaven nichts, sie konnten nur darauf aufmerksam machen.

55

Der letzte Mohikaner, ca. 1850

98×65 cm

Rheine, Ludwig Kümpers u. Geschwister

»Der Friedens-Kongreß in Frankfurt

Frankfurt, 24. August.

Bei Beginn der heutigen Sitzung des Friedens-Congresses wurde der Eintritt neuer Mitglieder, unter ihnen der Professor Liebig aus Gießen, angezeigt. Prof. Biedermann in Leipzig zeigt in einem offenen Briefe an, daß die Verhältnisse Schleswig-Holsteins ihn vom Besuche des Congresses abgehalten. Auch von Arnold Ruge in Brighton und vom Erzbischof von Paris sind Adressen eingelaufen. Letztere wurde verlesen. Ueber Artikel 5 der Beschlüsse (»Der Congreß erklärt sich entschieden für den Grundsatz der Nicht-Einmischung, und erkennt es als das ausschließliche Recht eines jeden Staates, seine eigenen Angelegenheiten zu ordnen«) spricht zuerst Ka.Ge.Ga.Gak. Bowh (von Anderen Gigaga.Bu genannt), Häuptling des nord-amerikanischen Stammes der Odschibbewah-Indianer Er drückt sich in gutem Englisch und mit Leichtigkeit aus. Nachdem er bemerkt, daß er vor 16 Jahren, als er noch in den Wildnissen seiner Heimat umherirrte, noch nicht einmal geahnt habe, daß er eine andere Sprache lernen würde, als seine Muttersprache und jetzt in ein so fernes Land gekommen, welches ihm in wissenschaftlicher und literarischer Beziehung eine erhabene Stellung einzunehmen scheine, gelangt er zu einigen sehr interessanten Bemerkungen. Den unnatürlichen Zustand des Krieges zu entfernen, scheine ihm von den Bestrebungen des Congresses nicht scharf genug hinsichtlich der Mittel und Wege ins Auge gefaßt. Nichts weiter könne helfen, als der Friede, der Friede in Gott. Und dieser Friede, er könne erstrebt werden; die Bestrebungen des Vereins selbst, seine Pilgerschaft über das Meer beweise dies; noch mehr aber die Geschichte. Wo jetzt Kinder spielen in den Spazirgängen Frankfurts, da standen einst Wälle und Mauern, und nun gar

America, einst im Besitze seines Volkes, sei jetzt von Europäern bewohnt, besessen, weil sie es civilisirt hätten. Die indischen Krieger irrten weit hinausgedrängt in den Wäldern umher, die europäischen Männer des Friedens und der Gesittung bewohnten unzählige Städte und erfüllten Fluren, die einst Wälder gewesen. Hier sei das Bild der Segnungen des Friedens, und auch seine Vorfahren würden, könnten sie aufstehen aus ihren Gräbern, diesen Frieden segnen. Darum lege man Hand ans Werk, und arbeite, und warte nicht, und trage durch Wort und Predigt den Frieden von Land zu Land von Welttheil zu Welttheil. Und so erscheine er hier, den Anglo-Sassen den Frieden zu bieten von den Söhnen der rothen Race, die den Frieden verehren müßten, weil der Krieg sie aufreibe. Und zum Zeichen überreicht der Redner unter ungeheurem Enthusiasmus der Versammlung dem Präsidenten die Friedenspfeife. Er sehe die Hoheit des Friedensgedankens wiederleuchten auf aller Antlitz im weiten Kreise, in den Zügen der Männer und Frauen, und die Idee werde siegen, wie das Christenthum, das vom kleinsten Umfange ausging und die Welt ohne Waffen eroberte, immer anwachsend wie die Riesenströme Nordamerica's, deren viele er an der Quelle und als Bächlein gesehen. Er schloß mit den Zeilen eines amerikanischen Dichters:

Wast, wast, ye winds his story
And you, ye waters roll
Fill like a sea of glory
It spreads from pole to pole.

Der Vortrag des Redners zeichnete sich durch große Wärme und mitunter durch ein gewisses poetisches Pathos aus. Zu dem starken Eindruck, den sein Auftreten machte, trug übrigens ohne Zweifel seine ungewöhnliche persönliche Erscheinung viel bei.«

Kölnerzeitung, 27.8.1850

»James Fenimore d'Cooper der letzte der Mohikaner möchte noch Herrn Robert Mendering (?) das Bild von Leutze vorstellen. Nach anderem soll es den Häuptling des nordamerikanischen Stammes Kangengangok Bowhes (?) (von anderen Wigagan...) darstellen, er bezog sich auf den Frankfurter Friedenskongress vom 21. August 1850, wo er bemerkte, daß er Häuptling des nordamerikanischen Stammes der Odschibbewah-Indianer war und ist das wohl (?) aus der Kölnerzeitung vom 27. August 1850 zu ersehen.«

Handschriftliche Aufzeichnung auf der Rückseite des Leutze-Bildes

»It seems to us that the Indian has not received justice in American art. ...It should be held in dutiful remembrance that he is fast passing away from the face of the earth. Soon the last red man will have faded forever from his native land, and those who come after us will trust to our scanty records for their knowledge of his habits and appearance. ...Absorbed in his quiet dignity, brave, honest, eminently truthful, and always thoroughly in earnest, he stands grandly apart from all other known savage life. As such, let him be, for justice sake, sometimes represented.«

»The Indians in American Art«, in: The Crayon III, Januar 1856, S. 28

Albert Bierstadt (1830–1902)
Biographie Seite 276

56
The Wolf River, Kansas, 1859
123×97 cm
Detroit MI, Detroit Institute of Arts Founders
Society Purchase, Dexter M. Ferry, Jr. Fund

»We are now at Wolf River, where we intend stopping some two weeks to sketch – the trees are wonderfully fine, and such beautiful trailing vines, growing in the wildest profusion, forming graceful arches across the river, the wildness and abandon of nature here is very attractive to an artistic eye, and every day nature seems to grow more lovely and beautiful.«

Brief von Bierstadt, in: Mercury, New Bedford 14.9.1859

»In many respects Bierstadt has been very successful. …He seeks to depict the absolute qualities and forms of things. The botanist and geologist can find work in this rocks and vegetation. He seizes upon natural phenomena with naturalistic eyes. In the quality of American light, clear, transparent, and sharp in outlines, he is unsurpassed.«

James Jackson Jarves, 1864, zitiert in: Gordon Hendricks, »Albert Bierstadt«, New York 1975, S. 144

»[Bierstadt] is able to do what he wants with his brush. Much of that power comes from study in Europe. He was born in Duesseldorf and studied under Achenbach and his pupils Whittredge and Leutze. But I'm sure his ability comes also from much direct sketching face to face with nature roaming far in Europe and America. Direct to nature: that's the way. Lizzie: but also true to nature. Yet Duesseldorf is the place for us to study. Its royal academy, they say, is over a hundred years old.«

William Keith, September 1869, an seine Frau Lizzie, in: Brother Fidelis Cornelius, »Keith: Old Master of California«, 1942, S. 34–35

Frank Buchser

(Feldbrunn, Schweiz 1828–1890 Feldbrunn, Schweiz)

Fünf Jahre hielt sich der vielgereiste Frank Buchser seit dem Jahre 1866 in Nordamerika auf. Hier wollte er Material sammeln für ein Riesengemälde im Berner Bundeshaus. Dargestellt werden sollten die wichtigsten Personen und Ereignisse des gerade beendeten amerikanischen Sezessionskrieges. Einige der führenden Generäle konnte Buchser zwar porträtieren, doch das Berner Projekt zerschlug sich. Er unternahm in Nordamerika ausgedehnte Reisen, um das Land vom Norden bis zum Süden, von den Ebenen bis zu den Felsengebirgen kennenzulernen. Schon im Jahr seiner Ankunft konnte er General Sherman auf einer Expedition in den Westen begleiten und lernte dabei Colorado, Wyoming und Idaho kennen. Er war fasziniert von der Weite der unberührten Landschaft und versuchte diese auf die Leinwand zu bannen. Aber er verschloß auch seine Augen nicht vor den zwar malerischen, aber deprimierenden Szenen des amerikanischen Südens, den Problemen der dunkelhäutigen Bevölkerung, der Sklaven, der Indianer. Er schilderte ohne Sentimentalität und manchmal mit Humor das Leben der Schwarzen in Virginia. Auf der Suche nach Motiven stieß er bei der dunkelhäutigen Bevölkerung nicht immer auf Gegenliebe. Aufsehen und Ablehnung erregte sein Gemälde »Negerin mit ihrem von einem Weißen stammenden Kinde an der Brust«, das er 1870 in West Virginia gemalt hatte. Die Bilder, die das Leben der Schwarzen widerspiegeln, konnten in Amerika nicht verkauft werden, er nahm sie wieder mit in seine Heimat, die Schweiz. 1872 entschloß sich die Basler Kunstkommission zu zwei Ankäufen, einmal »Die Rückkehr des Freiwilligen« und »Stromschnellen von St Mary«.

Lit.: Paul H. Boerlin, »Frank Buchser im Kunstmuseum Basel«, Basel 1977. – Paul H. Boerlin, »Frank Buchser: 1828–1890«, Basel 1990.

57

Indianer im Hinterhalt (The Lonesome Rider), 1866

45×66 cm
Basel, Öffentliche Kunstsammlung Basel, Kunstmuseum

»I have more or less succeeded in illustrating with my palette my travels to the West. Some paintings appealed even to these prosaic people, the newspaper were full of praise, but so far I have sold none.«

Gottfried Wälchli (Hrsg.), »Frank Buchser, Mein Leben und Streben in Amerika, Begegnungen und Bekenntnisse eines Schweizer Malers 1866–1871«, Zürich/Leipzig 1942, S. 42

»…from Laramie I have followed the regular California and Oregon Overland Trail, already many times described, and by this time familiar to hundreds of thousands. Suffice it that, for over two hundred miles from Laramie, it traverses a region substantially described in my notes of my journey from the buffalo-range to Denver, and from Denver to Laramie; a region, for the most part, rainless in summer and autumn, yet on whose soil of more or less sandy clay, lacking support from ridges of underlying rock, has been more seamed, and gouged, and gullied, and washed away, by the action of bluffs and buttes, and deep ravines, and intervales, and shallow alkaline lakelets, now mainly dried up, and streams running milky, even when low, when the clay gullied from their banks, and sent off to render the Missouri a river of mud, and to fertilize the bottoms of the lower Mississippi.«

Horace Greeley, »An Overland Journey, from New York to San Francisco«, 1860

»When an Indian sentinel intends to watch for an enemy approaching from the rear, he selects the highest position available, and places himself near the summit in such an attitude that his entire body shall be concealed from the observation of any one in the rear, his head only being exposed above the top of the eminence. Here he awaits with great patience so long as he thinks there is any possibility of danger, and it will be difficult for an enemy to surprise him or to elude his keen and scrutinizing vigilance. Meanwhile his horse is secured under the screen of the hill, all ready when required. Hence it will be evident that, in following Indian depredators, the utmost vigilance and caution must be exercised to conceal from them the movements of their pursuers. They are the best scouts in the world, proficient in all the artifices and stratagems available in border warfare, and when hotly pursued by a superior force, after exhausting all other means of evasion, they scatter in different directions; and if, in a broken or mountainous country, they can do no better, abandon their horses and baggage, and take refuge in the rocks, gorges, or other hiding-places.«

Randolph B. Marcy, »Thirty Years of Army Life on the Border«, 1866

Carl Wimar (1828–1862)
Biographie Seite 240

58

Die Entführung von Boones Tochter durch Indianer (The Abduction of Boone's Daughter by the Indians), ca. 1855

47×64 cm

Fort Worth TX, Amon Carter Museum

»Back to the bank, their little beechen Boats,
At Beauty's word, the dexterous rowers shot,
And o'er the fruit-hung flower-empurpled shore,
To gather Garlands to inwreathe their brows
The sweetly-blooming Maidens gaily ran;
When from a dark cane thicket growing near,
A band of Ruffian Indians fiercely sprang,
And seizing fair Eliza Callaway,
Her charming Sister Frances too, and Boone's
High-soul'd Jemima, bore them through the Brake!«

Daniel Bryan, »The Mountain Muse«, Harrisburg VA 1813, Zeile 547–556

»The Indian has become the foe of peace, the foe of humanity, the foe of civilization. He might have abided with and acquired all with profit, and preserved his race indefinitely; but every effort to better his condition has been responded to with savage treachery and with defiance of all the instincts of chivalry and mercy. His chief ambition is not merely to murder alike innocent and guilty, friend and foe, but he is master of the most exquisite tortures to practice upon his victims. He dooms his female captives to wrongs so cruel that language is beggared to portray them; and his proudest trophies are the silken tresses of the wives and daughters of the pale-faces.«

A. K. McClure, »Three Thousand Miles through the Rocky Mountains«, 1869

»On the afternoon of Sunday, July 14, 1776, Jemima Boone and Elizabeth and Frances Callaway, daughters of Richard Callaway, »tired of the confinement of the fort«, took a canoe out onto the Kentucky River. Jemima had hurt her foot a few days before, and she wanted to soak it in the cool river. She »was so fond of playing in the water«, her cousin recalled, »her common name was Duck.« The other girls went along to gather flowers and wild grapes along the riverbank. Jemima and Fanny were thirteen and fourteen, respectively, Bets was sixteen and already engaged to marry Samuel Henderson, nephew of Richard Henderson. Jemima would say later that her father had warned her to stay close to the cabins and never to cross to the opposite shore. The Callaway girls teased her caution: »Perhaps she was more afraid of the yellow boys than she was of disobeying her father.« Betsy guided the canoe through the eddies near the sycamore hollow, but suddenly it was caught up by the swift flow of the river. »Mother war an expert hand in managing a canoe«, wrote Betsy's daughter, but »the current proved too strong« and the girls found themselves quickly carried downriver, toward the north bank.

A small war party of two Cherokees and three Shawnees, five men in all, were watching the settlement from the timber across the river. They had been in the area for a week or more and already had murdered an isolated farmer some miles away. Now they trailed the progress of the canoe downstream, and when the girls got within a few feet of the north shore, one of the warriors jumped into the river and grabbed the buffalo tug dangling from its bow. Little Fanny Callaway was sitting up front, and seeing the Indian dive in the water, she jumped up; but thinking he was a familiar Indian man who lived among the settlers at Boonesborough, she cried, »Law! Simon, how you scared me!« At almost the same instant she realized her mistake and laid into the warrior's head with the paddle. All three girls began to scream. »Grandmother said she screamed as loud as she could«, wrote one of Jemima's descendants, »so her father would pursue them.« But silently and swiftly the Indians drew the canoe to shore, where a warrior grabbed the hair of one of the girls, making signs with his knife that indicated clearly what would happen if they did not shut up. Then the Indians pulled them into the woods.

This Kidnapping, and the subsequent rescue, was to become one of the most famous incidents of Boone's life.«

John Mack Faragher, »Daniel Boone«, New York 1992, S. 131

59

Der Angriff auf einen Zug von Emigranten
(The Attack on an Emigrant Train), 1856

140×201 cm

Ann Arbor MI, University of Michigan Museum of Art, Vermächtnis Henry C. Lewis

»...Imagine our consternation and dismay, when, upon descending into the valley of the Cimarron, on the morning of the 19th of June, a band of Indian warriors on horseback suddenly appeared before us from behind the ravines – an imposing array of death-dealing savages! There was no merriment in this! It was a genuine alarm – a tangible reality! These warriors, however, as we soon discovered, were only the van-guard of a ›countless host‹, who were by this time pouring over the opposite ridge, and galloping directly towards us. ›The Wagons were soon irregularly ›formed‹ upon the hillside: but in accordance with the habitual carelessness of caravan traders, a great portion of the men were unprepared for the emergency. Scores of guns were ›empty‹, and as many more had been wetted by the recent showers, and would not ›go off‹. Here was one calling for balls – another for powder – a third for flints. Exclamations, such as, ›I've split my caps‹ – ›I've rammed down a ball without powder‹ – ›My gun is choked, give me yours‹ – were heard from different quarters; while a timorous ›greenhorn‹ would perhaps cry out, ›Here, take my gun, you can outshoot me!‹ ...The Indians who were in advance made a bold attempt to press upon us, which came near costing them dearly; for some of our fiery backwoodsmen more than once had their rusty but unerring rifles directed upon the intruders,... The savages made demonstrations no less hostile, rushing, with ready sprung bows, upon a portion of our men who had gone in search of water.«

Josiah Gregg, »Commerce of the Prairies«, 1844

»It represents«, (he told his parents) »a caravan of golddiggers encamped on the prairie who are defending themselves in the camp against an attack by an Indian band. You will already get the idea from the enclosed picture which I took after my first drawing.«

Charles Wimar an seine Eltern, zitiert in: Perry T. Rathbone, »Charles Wimar«, St. Louis 1946, S. 16

»I beg to impress this important and, to Western men, self-evident truth upon your readers and the national authorities –, that there are no friendly Indians on the Plains. There has been no peace since the settlement of Colorado, although hostile tribes have not confederated to make war until recently. There is not a single nomadic tribe east of the mountains that is a heart friendly with the whites – not one that does not, when opportunity is offered with apparent safety, steal, and murder if necessary, and often murder wantonly. The Indian, in his nomadic state, must henceforth be at war with the white man; and one or the other must recede. The time was when he could be at peace, when his hunting grounds were not encroached upon by the march of civilization, and he met his rivals only on his borders to traffic with them. Now the surges of progress break upon his buffalo and deer from both the Atlantic and the Pacific.«

A. K. McClure, »Three Thousand Miles through the Rocky Mountains«, 1869

Meyer Straus

(Bayern 1831–1905 San Francisco CA)

Viele der ausgewanderten Künstler mußten sich in der neuen Heimat einer handwerklichen Tätigkeit widmen, um ihren Unterhalt zu verdienen. Die meisten fanden im Druckereigewerbe Beschäftigung, einige wenige konnten an ungewöhnlichen Orten ihrer künstlerischen Begabung nachgehen. Zu ihnen gehörte ein Flüchtling der 48er Revolution in Deutschland, der in Bayern geborene Meyer Straus. Er wurde Bühnenmaler und reiste dementsprechend häufig und lang durch den großen Kontinent. Mehr als 25 Jahre verbrachte er im Mittleren Westen und im Süden, ehe er sich 1873 in San Francisco niederließ. Zu den Städten, in denen er lebte und arbeitete, gehören St. Louis MO, New Orleans LA, Mobile AL und Chicago IL. Auch in Kalifornien widmete er sich zunächst der kurzlebigen Bühnenmalerei, gab aber im Jahre 1877 diese Tätigkeit auf und wurde Landschaftsmaler mit einem eigenen Atelier. Er suchte von hier aus die malerischsten Plätze Kaliforniens auf: die Halbinsel von Monterey, Marin County und den Yosemite Park, und kam auf seinen ausgedehnten Reisen bis hinauf nach Oregon. Straus malte zwar auch Stilleben, ist aber bekannt geworden durch seine nordkalifornischen Landschaften. 1890 wurde er amerikanischer Staatsbürger und konnte zu dieser Zeit von seinem Einkommen als freischaffender Künstler leben.

Lit.: E.M. Hughes, »Artists in California 1786–1940«, San Francisco 1989. – William H. Gerdts, »Art Across America« III, New York 1990. – Peter C. Merrill, »German Immigrant Artists in America: A Biographical Dictionary«, 1996.

60

Büffelherde, vor einem Präriefeuer fliehend (Herd of Buffalo Fleeing from Prairie Fire), 1888

46×76 cm
Fort Worth TX, Amon Carter Museum

»Einen anderen Charakter hat dagegen die brennende Prärie, auf der das Gras, wie an den Ufern des Missouri, mehrere Meilen weit sieben bis acht Fuß hoch ist und die Flammen vom Orkan, der oft über die weiten entblößten Prärien hinstürmt, mit reißender Schnelligkeit fortgetrieben werden. Es gibt Wiesen am Missouri, Arkansas und Platteflusse, die mehrere englische Meilen breit und mit so hohem Grase bedeckt sind, daß wir uns in den Steigbügeln erheben mußten, wenn wir über seine Spitzen hinwegsehen wollten. Auf einer solchen Prärie und bei einem solchen Winde verbreitet sich das Feuer mit furchtbarer Schnelligkeit und wird oft den Indianern auf ihren schnellsten Pferden verderblich, wenn sie unglücklicherweise davon überrascht werden. Die Flamme hat zwar keine größere Schnelligkeit als ein Pferd im vollen Laufe, aber zwischen dem hohen Grase finden sich die Ranken der knolligen Erdnuß (Apios tuberosa) und andere Hindernisse, die den Reiter nötigen, den im Zickzack gehenden Hirsch- und Büffelpfaden zu folgen; dies hält ihn auf, die dichte, dem Feuer vorausgehende Rauchsäule erreicht ihn, und das dadurch erschreckte Pferd bleibt unbeweglich stehen, bis das vom Winde fortgerissene brennende Gras um ihn her niederfällt und an tausend Punkten zugleich neue Feuer entzündet, die augenblicklich in die Rauchmasse eingehüllt werden und die sich dann gleich einer schwarzen Gewitterwolke mit ihren leuchtenden Blitzen und ihrem rollenden Donner dicht am Boden fortbewegt.«

George Catlin, »Die Indianer Nordamerikas« (1841), Berlin 1924, S. 176

»The Stampede
The immense herds of Bison which roam over the prairies are sometimes seized with fright, from some real or imaginary cause, and the panic, beginning perhaps with but few, is at last communicated to the whole herd, when, with headlong fury, they dash and drive each other on, in wildest fear. The picture represents the arrival of a herd, during one of these panics, upon the brink of one of the small cañons, or ravines, which everywhere intersect the prairies, and are generally invisible until their edge is nearly approached. The foremost animals, despite their fear, discover their danger and frantically struggle to retain their foothold, but the immense pressure of the terror-stricken creatures in the rear renders it impossible; they are forced forward, and plunge into the ravine, their bodies serving as a bridge for the rest of the herd, which continues its mad career until exhausted. A stampede is the great dread of emigrants crossing the plain, as it is almost impossible to prevent the cattle and horses from being carried off with it. The soil of the rolling prairie is chiefly sand and clay, which, baked dry by the intense heat, is raised by the wind in intolerable clouds of dust. The vegetation is principally buffalo grass, amid which flourish the most delicate wild flowers; in the foreground may be noticed the cactus opuntia, or prickly pear, which, in this region, is found in abundance.«

»The Herd on the Move«, Ausstellungskatalog New York 1861–62

Charles Schreyvogel

(New York 1861–1912 Hoboken NJ)

Zu den Künstlern, die bis heute das Bild vom Wilden Westen geprägt haben, gehört neben Remington, Russell und dem Elsässer Farny auch der deutschstämmige Charles Schreyvogel. Schreyvogel wuchs im turbulenten New York der Nach-Bürgerkriegs-Jahre auf. Er war zunächst Lehrling bei einem Goldschmied, dann bei einem Lithographen. In Newark traf er den aus Deutschland ausgewanderten Maler Heinrich Schwabe, der in München studiert hatte, und wurde von diesem überredet, die Kunstschule der Newark Art Students League zu besuchen. Von Schwabe stammt sicher auch die Anregung, das Studium in München fortzusetzen. Dort hat er nicht die Akademie besucht, sondern nur Privatunterricht erhalten. Das solide Handwerk der Malerei lernte Schreyvogel bei seinem in München lebenden Landsmann Carl von Marr, der außerdem auch Akademieprofessor war. Im Jahre 1886 hatten ihm zwei Sponsoren das Studium in München ermöglicht, wo er bis zum Jahre 1890 außer bei Marr auch bei dem Historien- und Genremaler Frank Kirchbach studierte. Möglicherweise besuchte er in München auch die private Kunstschule seines Landsmannes Robert Koehler. Seine angegriffene Gesundheit machte es erforderlich, nach seiner Heimkehr in den Westen Amerikas aufzubrechen, um seine Kräfte wieder zu erlangen. In diesen Jahren zeichnete er Indianer und Cowboys, die mit der berühmten Wild West Show von Buffalo Bill, mit richtigem Namen William F. Cody, reisten. Cody schätzte Schreyvogels Arbeit und ermunterte ihn, damit fortzufahren. So spezialisierte sich Schreyvogel auf dieses Thema und auf das militärische Leben der Grenzregionen und variierte es als Illustrator, Lithograph, Maler und Bildhauer. Besonders fasziniert war er von der Bewegung der Pferde und brachte es in der Wiedergabe von Reiterszenen zu unangefochtener Meisterschaft. Er starb in Hoboken NJ, damals eine deutsch-amerikanische Siedlung, wohin seine Familie schon vor seinem Münchenaufenthalt gezogen war, an einer Blutvergiftung.

Lit.: James D. Horan, »The Life and Art of Charles Schreyvogel«, New York 1969.

61

Ein unerwarteter Feind (An Unexpected Enemy), 1900

86×63 cm

Corning NY, Rockwell Museum

»Am Morgen vor Sonnenaufgang erhob sich Bogard (ein Yankee und ein wachsamer Bursche, der eben von den Rocky Mountains zurückkehrte, wo er zehn Jahre als Jäger und Trapper gelebt hatte) unter seiner Büffelhaut, rieb sich die Augen und rief, indem er nach seiner Flinte griff: »Seht da den alten Kaleb! Wollt Ihr!« Baptiste, der den Schlaf mehr liebte, schnarchte weiter und murmelte etwas vor sich hin, was ich nicht verstand, aber Bogard faßte ihn so hastig an, daß er augenblicklich erwachte. Ich sprang ebenfalls auf, und alle Augen richteten sich sogleich auf Kaleb (oder Kale, wie der wütende Bär von den Trappers in den Rocky Mountains vertraulich genannt wird), eine Bärin, welche nebst zwei Jungen mit der ganzen Würde und Wut ihres Geschlechts wenige Ruten von uns saß und uns angaffte. Es war dies ein Gegenstand für den Maler, aber ich hatte nichts zum Malen – ich wandte meine Augen nach dem Boote, das wenige Schritte von uns am Strande befestigt war, und sah, daß alles, was darin gewesen, herausgeworfen und alles Eßbare ohne Umstände verzehrt worden war. Meine Pakete mit indianischen Kleidungsstücken und Merkwürdigkeiten waren ans Ufer geworfen, geöffnet und untersucht, selbst der Strick von rohem Leder, womit wir das Boot an einem Pfahl gebunden hatten, war verschwunden und also wahrscheinlich auch aufgefressen worden. Auch war dieser Blick in unser Gepäck nicht genug gewesen für ihre unersättliche Neugier – wir sahen an den Spuren ihrer großen Tatzen im Boden, daß sie um uns herumgegangen, unsere Zehen und Nasen berochen hatte, ohne uns zu belästigen. Es bestätigt dies das alte Sprichwort in diesem Lande: »Ein am Boden liegender Mann ist »Medizin« für den wütenden Bären«; während es allgemein bekannt ist, daß sowohl Menschen als Tiere unfehlbar angegriffen werden, wenn sie diesem wütenden und grimmigen Tiere begegnen, das der Schrecken des ganzen Landes ist und oft ein Gewicht von 800–1000 Pfund erreicht.

Während wir uns in dem soeben erwähnten Dilemma befanden, und jeder schnell seine Waffen zur Verteidigung instand setzte, gab ich an, auf welche Weise wir die Bärin töten, die Jungen fangen und das Fell als Siegeszeichen mit nach Hause bringen könnten. Mein Plan wurde aber, obgleich wir gut bewaffnet waren, gänzlich verworfen, denn Bogard und Baptiste widersetzten sich ihm mit großer Heftigkeit und sagten, es sei stehende Regel im Gebirge, »niemals Kaleb anzugreifen, außer zur Selbstverteidigung.« Ich war hingegen fast entschlossen, die Bärin allein anzugreifen, da ich eine Büchse in der Hand, ein paar große Pistolen, einen Tomahawk und ein Skalpiermesser im Gürtel hatte, als Baptiste plötzlich seinen Arm über meine Schulter streckte und, nach einer anderen Richtung zeigend ausrief: »Da ist ein Reservekorps, Herr Cataline – da ist ihr Ehemann! Fort, schnell nach dem Flusse, schnell!« Und Bogard fügte hinzu: »Diese verdammten Tiere sind zu stark für uns, es ist besser, wir machen uns davon.« Dies kühlte meinen Mut etwas ab, wir packten ein und fuhren so schnell wie möglich davon, während noch jeder von uns seine Flinte abschloß, worauf die Bärin voll Wut auf die Stelle hinstürzte, wo wir wenige Augenblicke zuvor unseren heilsamen Entschluß gefaßt hatten.«

George Catlin, »Die Indianer Nordamerikas«, Berlin 1924, S. 49–50

Frank Buchser (1828–1898)
Biographie Seite 332

62

Die Heimkehr des Freiwilligen (The Volunteer's Return), 1867

97×67 cm
Basel, öffentliche Kunstsammlung Basel, Kunstmuseum

»*April 7th*. With the dawn came the roar of battle; but the combat did not wax very warm until later in the day. Early, all the wounded that could walk, were given passes to go to the rear, and those not able to walk, were placed in wagons, and started for Corinth. Many poor fellows were not able to be moved at all. Once that morning, a body of Federal cavalry came close enough to fire on us, tearing up the tents, but fortunately hurting no one. Dr. P. and I were standing close together talking, when a ball passed between our noses, which instantly stopped our conversation. We soon hung up strips of red flannel to prevent further accidents of the kind. A little after the middle of the day, the battle raged terribly – it was the last struggle of the Confederates, ending in defeat. Soon after, I saw Gen'l Beauregard, accompanied by one or two of his staff, ride leisurely back to the rear, as cool and unperturbed as if nothing had happened. A line was being formed in the rear of us, and we had to move. Jim B. and I put the only remaining wounded of our regiment who could be moved, into a large spring wagon, and started back. We had to leave some that it would have been death to put them in wagons. We hated to do so, but we could not do otherwise. The wagon was heavy, the horses were balky, and the roads were rough and muddy – besides the driver was inexperienced – all combined, we came near not getting out. B. was strong, and would tug at the wheels – I would plan, abuse the driver, and try to cheer up the horses. At last we came up with brother Jo, who was slightly wounded, and he assisted us. I believe if it had not been for him, we never would have gotten out. Night overtook us before we got far, and we drove off to the side of the road to wait till morning. The rain commenced pouring down, and continued all night. The road was in a perfect slush, and the shattered columns were plouting [plodding] over it all night. As luck would have it, a tent fly was in the wagon, and we cut bows and stretched it over the wag-on-bed. I crept in, and with my feet propt up across Adjt Bell, managed to sleep a little.«

John S. Jackman, »Diary of a Confederate Soldier«, 1862, in: The South, New York 1993, S. 107

Thomas Waterman Wood

(Montpelier VT 1823–1903 New York)

Als Bürgerkriegs-Maler, als Maler von Farbigen und Einwanderern hat sich Thomas Wood profiliert. Aufgrund eines Nachrufs anläßlich seines Todes im American Art Journal kann man annehmen, daß Wood einige Studienjahre in Düsseldorf verbracht hat. Die Schülerlisten und Meldelisten der Stadt geben keine Nachricht über einen Aufenthalt Woods in der Stadt. Da aber in dem Nachruf auch sein Lehrer, der in Düsseldorf lebende Norweger Hans Gude, genannt ist, und stilistische Hinweise die Düsseldorfer Studienjahre bekräftigen können, muß wohl als gesichert vorausgesetzt werden, daß Wood in den Jahren 1858 bis 1859 an der Düsseldorfer Akademie weilte. Damals war Gude, der sich auf Landschaften und Marinestücke spezialisiert hatte, Nachfolger Wilhelm Schirmers an der Düsseldorfer Akademie. Eine Reise Woods im Frühling 1859 von Italien rheinabwärts ist belegt. Damals könnte er auch in Düsseldorf gewesen sein. Seine Absicht war es, so seine Tagebücher, die alten Meister zu studieren und Bilder zu schaffen, die er nach Hause seinen Mäzenen in Baltimore schicken konnte. Die ersten Arbeiten, die schon vor seiner Europareise Aufsehen erregten, waren Bilder von Farbigen, die er in Baltimore vor 1858 gemalt hatte. Begonnen hatte er mit der Porträtmalerei und war dann zur Genremalerei übergewechselt. Im spätviktorianischen Amerika bewegten seine deutlichen politischen Botschaften, wiederholt anhand von einander ähnelnden Charakteren, die Aufmerksamkeit nicht nur des kunstinteressierten Publikums. Ihn beschäftigte das Schicksal der schwarzen Bevölkerung, der Wechsel von der Sklaverei zur Freiheit. Nach seiner Rückkehr 1859 ließ er sich zunächst in Vermont nieder und lebte ab 1866 ständig in New York. Die Arbeiten aus den Jahren 1859 bis 1866 unterscheiden sich erkennbar von der späteren Phase durch den manchmal sentimentalen Charakter und das erzählerische Moment. Eines der besten Bilder der Jahrhundertmitte, die vom Leben der Schwarzen berichten, heißt »A Southern Cornfield, Nashville, Tennessee (Kornfeld im Süden, Nashville, Tennessee)« und zeigt mehrere Generationen von Farbigen, die im Kornfeld arbeiten, das sie wie eine Mauer umgibt: ein deutliches Symbol für ihre Isolierung.

Lit.: Jermayne MacAgy, »Three Paintings by Thomas Waterman Wood«, in: California Palace of the Legion of Honor Bulletin II, May 1944, S. 9–15. – Cosette L. Laffargo, »Thomas Waterman Wood: American Artist of the Nineteenth Century«, Chicago IL 1947. – Kat. Thomas Waterman Wood PNA 1823–1903, Montpelier VT 1972. – Leslie A. Hasker/J. Kevin Graffagnino, »Thomas Waterman Wood and the Image of Nineteenth-Century America«, in: Antiques 118, November 1980, S. 1032–1042.

63–65

Ein Stück Kriegsgeschichte: Der kriegsfreiwillige, ehemalige Sklave, Der Soldat, Der Veteran (A Bit of War History: The Contraband, The Recruit, and The Veteran), 1866

72×51 cm (3×)
New York NY, Metropolitan Museum of Art, Geschenk von Charles Stewart Smith, 1884

»…Colonel Fribley's black men met the enemy at short range. They had reported to me only two or three days before; I was afterward told that they had never had a day's practice in loading and firing. Old troops, finding themselves so greatly overmatched, would have run a little and re-formed – with or without orders. The black men stood to be killed or wounded – losing more than 300 out of 550… [T]hey fell back and reorganized.«

Buel and Johnson, »Battles and Leaders of the Civil War«, Vol. IV, S. 78–80, zitiert in: Harold Holzer/Mark E. Neely, Jr., »Mine Eyes have Seen the Glory«, New York 1993, S. 254/256

»The three pictures referred to illustrate three eras in the life of an American negro, and tell his story so well that no one can fail to understand it. In the first the newly-emancipated slave approaches a provost-marshal's office with timid step, seeking to be enrolled among the defenders of his country. This is the genuine »contraband«. He has evidently come a long journey on foot. His only baggage is contained in an old silk pocket-handkerchief. He is not past middle age, yet privation and suffering have made him look prematurely old. In the next we see him accepted, accoutred, uniformed, and drilled, standing on guard at the very door where he entered to enlist. This is the »volunteer«. His cares have now vanished, and he looks younger, and, it is needless to say, happy and proud. In the third picture he is a one-legged veteran, though two years since we first saw him can scarcely be said to have passed. He approaches the same office to draw his »additional bounty« and pension, or perhaps his back pay.

These pictures have little value as far as their technical qualities are concerned. Whatever merits they have are of drawing rather than color. But heir best qualities consist in the clearness with which they tell their story, and the evident sympathy of the artist with his subject. These are the charms by which all who see them are attracted… But Mr. Wood's backgrounds are all very conventional in treatment, being disagreeably and unnecessarily black, and injure rather than improve the general effect of the pictures.«

Henry Tuckerman, »Book of the Artists«, New York 1867, S. 488–489

346

Edwin White

(South Hadley MA 1817–1877 Saratoga Springs NY)

White war zunächst Schüler der National Academy of Design in New York. Die Zeugnisse über Whites Aufenthalt in Düsseldorf sind sehr spärlich. In einem Brief vom 26. Februar 1851 aus Paris an die American Art Union kündigte er an, daß er, obwohl er in Paris alles gefunden habe, wonach er als Künstler suche, dennoch nach Düsseldorf gehen wolle. Im Katalog der National Academy of Design aus dem Jahr 1852 sowohl wie im Katalog der Pennsylvania Academy in Philadelphia des Jahres 1853 ist als seine Adresse Düsseldorf angegeben. Dennoch scheint er nicht an der Akademie studiert zu haben. Statt dessen muß er zwei Jahre bei dem Genre-Maler Carl Wilhelm Hübner gelernt haben. Die Pennsylvania Academy in Philadelphia stellte in den Jahren 1852–1856 sowohl Genreszenen wie auch Historiengemälde von ihm aus. Zwei Themen erinnern an Gemälde von Emanuel Leutze, eines aus der englischen Geschichte (»Queen Katherine and Cardinal Wolsey, Königin Katharina und Kardinal Wolsey«) und eines an die frühe amerikanische Geschichte (»The Burial of De Soto, Die Beerdigung De Sotos«). Dieser Themenwahl sollte er auch treu bleiben nach seiner Rückkehr nach New York, dazu kamen noch Szenen aus dem Leben berühmter Maler wie Leonardo und Rubens. 1855 kehrte er nach Besuchen von Florenz, Rom und Paris in die Heimat zurück. Sein berühmtestes Gemälde entstand im Jahre 1859 »Washington Resigning His Commission (Washington gibt seinen Auftrag zurück)«, das er für Maryland State Senate Chamber in Annapolis malte. Der Künstler war damals besonders produktiv; zeitgenössische Kritiker aber bezweifelten seine Originalität. Er übertreffe zwar seine Düsseldorfer Lehrer, weil er wahrhaftiger und wirksamer male, was vielleicht auf seinen Aufenthalt in Italien zurückzuführen sei. Als Kolorist jedenfalls sei er weit besser als seine Lehrer. Er habe guten Geschmack, ein feines Gefühl, Fleiß und eine korrekte intellektuelle Auffassung der historischen Szenen. Sein Ziel sei es gewesen, historische Ereignisse zu illustrieren. In seinem Nachruf hieß es, wenn er auch nicht immer erfolgreich gewesen sei, so wäre doch seine Ernsthaftigkeit nicht anzuzweifeln. Besonders in seinen Genreszenen erinnert White heute an ähnliche Darstellungen von Eastman Johnson, der einige Jahre vor ihm in Düsseldorf weilte.

Lit.: Natalie Spassky, »American Paintings in the Metropolitan Museum of Art«, New York 1985.

66

Gedanken an Liberia: Befreiung (Thoughts of Liberia: Emancipation), 1861

45×53 cm
New York, New-York Historical Society

»Ring, ring! O Bell of Freedom, ring!
And to the ears of bondmen bring
The sweet and freeman-thrilling tone.
On Autumn's blast, from zone to zone,
The joyful tidings go proclaim,
In Liberty's hallowed name:
Emancipation to the slave,
The rights which his Creator gave,
To live with chains asunder riven,
To live free as the birds of heaven,
To live free as the air he breathes,
Entirely free from galling greaves;
The right to act, to know, to feel,
That bands of iron and links of steel
Were never wrought to chain the mind,
Nor human flesh in bondage bind;
That Heaven, in its generous plan,
Gave like and equal rights to man.
Go send thy notes from shore to shore,
Above the deep-voiced cannon's roar;
Go send Emancipation's peal
Where clashes North with Southern steel,
And nerve the Southern bondmen now
To rise and strike the final blow,
To lay Oppression's minions low.
Oh! rouse the mind and nerve the arm
To brave the blast and face the storm;
And ere the war-cloud passes by,
We'll have a land of liberty.«

Ode geschrieben anläßlich der Freilassung von Sklaven (Preliminary Emancipation Proclamation), gesungen in Washington DC um Mitternacht des 1.1.1863. Zitiert in: William W. Brown, »The Negro in American Rebellion«, New York 1971, S. 69–73

Theodor Kaufmann

(Ülzen 1814–1887 Boston MA)

Einer, der aktiv am Maiaufstand 1849 in Dresden teilgenommen hat, war der Historien- und Genremaler Theodor Kaufmann. Seine Ausbildung hatte er bei Kaulbach und Peter von Heß in München erhalten. Er lebte und arbeitete in Hamburg und Dresden. Nach dem Aufstand floh er zunächst in die Schweiz und dann über Belgien nach Amerika, und es nimmt nicht wunder, daß er sich auch in seiner neuen Heimat mit wachen Augen den politischen und zeitgeschichtlichen Themen widmete. Seit 1850 unterhielt er ein Atelier in New York, das aber bald durch ein Feuer zerstört wurde. In seiner kurzlebigen Kunstschule war er um 1855 Lehrer für einen der bekanntesten und streitbarsten Karikaturisten jener Jahre, für Thomas Nast, einen deutschen Einwanderer aus der Pfalz, der später auch die Symbole der beiden großen amerikanischen Parteien, der Republikaner und der Demokraten entwarf: den Elefanten und den Esel. Kaufmann war nicht nur Beobachter, sondern nahm auch trotz seines fortgeschrittenen Alters aktiv auf seiten der Union am Bürgerkrieg teil, während Nast als Kriegsberichterstatter für Harper's Weekly arbeitete. Auf der Wiener Internationalen Kunstausstellung konnte er 1869 drei aktuelle Bildthemen vorstellen: einen Überfall auf die Pazifik-Eisenbahn (Indianer sprengen die Gleise, um ihr Gebiet vor den Errungenschaften der Technik und den daraus entstehenden Folgen freizuhalten), ein Kriegslager mit General Sherman und das eindrucksvolle Gemälde mit den flüchtenden Negersklaven, auch genannt »On to Liberty (Freigelassene Sklaven nach dem Lande der Freiheit ziehend oder der Unionsfahne zueilend)«. Seine Themen um den Begriff »Freiheit« entnahm er auch weiterhin dem amerikanischen Indianer- und Kriegsleben. Erfolg errang er 1853 mit einer Serie von neun historischen Szenen, die die Entwicklung der Glaubensfreiheit verdeutlichten; die meisten von ihnen sind heute verschollen. Verschollen sind auch zehn Gemälde, vermutlich aus den 70er Jahren, die den Einfluß der Elektrizität auf die menschliche Gesellschaft veranschaulichen sollten. 1871 gab er das »American Painting Book« heraus.

Lit: Ludwig Kaufmann Hoffman, »Theodore Ludwig Kaufmann: Maler und Freiheitskämpfer«, Heimatverein des Kreises Ülzen 1977.

67
Auf zur Freiheit (On to Liberty), 1867

91×142 cm
New York NY, Metropolitan Museum of Art, Geschenk von Erving und Joyce Wolf, 1982

»›Cash for negroes‹, ›cash for negroes‹, ›cash for negroes‹, is the heading of advertisements in great capitals down the long columns of the crowded journals. Woodcuts of a runaway negro with manacled hands, crouching beneath a bluff pursuer in top boots, who, having caught him, grasps him by the throat, agreeably diversify the pleasant text. The leading article protests against ›that abominable and hellish doctrine of abolition, which is repugnant alike to every law of God and nature‹. The delicate mamma, who smiles her acquiescence in this sprightly writing as she reads the paper in her cool piazza, quiets her youngest child who clings about her skirts, by promising the boy ›a whip to beat the little niggers with‹. – But the negroes, little and big, are protected by public opinion.

The following are a few specimens of the advertisements in the public papers. It is only four years since the oldest among them appeared; and others of the same nature continue to be published every day, in shoals.

›Ran away, Negress Caroline. Had on a collar with one prong turned down.‹

›Ran away, a black woman, Betsy. Had an iron bar on her right leg.‹

›Ran away, the negro Manuel. Much marked with irons.‹

›Ran away, the negress Fanny. Had on an iron band about her neck.‹

›Ran away, a negro boy about twelve years old. Had round his neck a chain dog-collar with »De Lampert« engraved on it.‹

›Ran away, the negro Hown. Has a ring of iron on his left foot. Also, Grise, *his wife*, having a ring and chain on the left leg.‹

›Ran away, a negro boy named James. Said boy was ironed when he left me.‹

›Committed to jail, a man who calls his name John. He has a clog of iron on his right foot which will weigh four or five pounds.‹

›Detained at the police jail, the negro wench, Myra. Has several marks of LASHING, and has irons on her feet.‹

›Ran away, a negro woman and two children. A few days before she went off, I burnt her with a hot iron, on the left side of her face. I tried to make the letter M.‹

›Ran away, a negro man named Henry; his left eye out, some scars from a dirk on and under his left arm, and much scarred with the whip.‹

›One hundred dollars reward, for a negro fellow, Pompey, 40 years old. He is branded on the left jaw.‹

›Committed to jail, a negro man. Has no toes on the left foot.‹

›Ran away, a negro woman named Rachel. Has lost all her toes except the large one.‹

›Ran away, Sam. He was shot a short time since through the hand, and has several shots in his left arm and side.‹

›Ran away, my negro man Dennis. Said negro has been shot in the left arm between the shoulder and elbow, which has paralysed the left hand.‹

›Ran away, my negro man named Simon. He has been shot badly, in his back and right arm.‹

›Ran away, a negro named Arthur. Has a considerable scar across his breast and each arm, made by a knife; loves to talk much of the goodness of God.‹

›Twenty-five dollars reward for my man Isaac. He has a scar on his forehead, caused by a blow; and one on his back, made by a shot from a pistol.‹

›Ran away, a negro girl called Mary. Has a small scar over her eye, a good many teeth missing, the letter A is branded on her cheek and forehead.‹

›Ran away, negro Ben. Has a scar on his right hand; his thumb and forefinger being injured by being shot last fall. A part of the bone came out. He has also one or two large scars on his back and hips.‹

›Detained at the jail, a mulatto, named Tom. Has a scar on the right cheek, and appears to have been burned with powder on the face.‹

›Ran away, a negro man named Ned. Three of his fingers are drawn into the palm of his hand by a cut. Has a scar on the back of his neck, nearly half round, done by a knife.‹

Charles Dickens, »American Notes for General Circulation«, 1842, Neudruck London 1972, S. 273–275

Eastman Johnson

(Lovell ME 1824–1906 New York)

Neben Emanuel Leutze gehört Eastman Johnson zu den beeindruckendsten Figurenmalern, die in Düsseldorf gearbeitet haben. Während Leutze historische Stoffe wählte, hat sich Johnson mit den Menschen seiner Zeit und ihrer Umgebung beschäftigt. Johnson war zunächst nicht Eleve der Königlichen Kunstakademie zu Düsseldorf, sondern er besuchte wöchentlich sechs Stunden lang den Unterricht in der Anatomie und den Proportionen des menschlichen Körpers in den Studienjahren 1849/1850 bei Professor Heinrich Mücke. Johnson hatte in Boston bei einem Lithographen gelernt und erste Erfolge mit fotographisch genauen Bleistift- und Kreideporträts von Prominenten errungen. 1849 fuhr er auf Empfehlung der American Art Union nach Düsseldorf mit dem Ziel, an der Akademie seine Ausbildung fortzuführen. Bald aber zog ihn das Atelier seines Landsmannes Emanuel Leutze mehr an als die Akademie, und obwohl Leutze offiziell keine Schüler aufnahm, scheint Johnson mit ihm zusammen dort gearbeitet zu haben. Schon im Jahre 1850 konnte er zwei Genregemälde an die American Art Union nach New York schicken. Er schrieb nach Hause, daß er seit dem ersten Januar 1851 mit Leutze zusammen in einer großen Halle male, in der sechs Künstler bequem arbeiten könnten, drei davon auf großen Leinwänden. Hier hat er zusammen mit Leutze an dessen Kopie von »Washington Crossing…« gemalt, die für Goupils graphischen Druck des berühmten Gemäldes vorbereitet wurde. Johnson selbst hat keine anderen Lehrer genannt. Es existieren zwar Zeichnungen, aber keine Ölbilder mehr aus seiner Düsseldorfer Zeit. Wohl aber ist seine Teilnahme an den Zusammenkünften des »Malkasten« und des Kunstvereins bezeugt. Den ersten bevorzugte er wegen der kongenialen Gesellschaft von Malern, den anderen – obwohl politisch nicht opportun – wegen seiner Billardtische und der englischen Tageszeitung, die dort bezogen wurde. Obwohl Johnson nur knapp sieben Monate mit Leutze zusammen arbeitete, gelang es ihm, in seinen Genreszenen und Porträts den Einfluß der Düsseldorfer Schule mit dem der Niederländer des 17. Jahrhunderts zu verschmelzen. Er entwickelte dann aus dem amerikanischen Alltag heraus einen einmaligen Typus des erzählerischen Bildes.

Seine abschätzigen Urteile über den Düsseldorfer Lehrbetrieb sind bekannt, aber hier erwarb sich Johnson zweifellos die Fähigkeit der exakten Zeichnung und hier erweiterte sich sein Horizont der Bildthemen. Als Johnson in Düsseldorf ankam, war er Porträtist, als er es verließ, war er Genremaler. Vier Jahre lang von 1851 bis 1855 arbeitete E. Johnson dann in Den Haag als Porträtmaler. 1854 besuchte er noch einmal Düsseldorf und seine Kollegen. Ehe er Ende 1855 nach Washington zurückkehrte, schrieb er sich von Mai bis Oktober noch bei Couture in Paris ein. Die Düsseldorfer Künstler Knaus, Hasenclever und Lessing haben alle seine Themenwahl beeinflußt. Johnsons Familienszenen haben Leutzes Entwürfe zum Vorbild. Sein reicher, malerischer, koloristischer Stil, mit dem er die Herbstszenen, das Leben der Schwarzen und der Indianer malte, sind sein eigenes Verdienst. Hier wird der französische Einfluß sichtbar, ein lockerer und zeitgemäßerer Pinselstrich, abgerückt vom polierten Stil der Düsseldorfer Malerschule.

Lit.: John B. Grant Jr., »An Analysis of the Paintings and Drawings by Eastman Johnson at the St. Louis County Historical Society«, University of Minnesota 1960. – John I. H. Baur, »An American Genre Painters: Eastman Johnson 1824–1906«, New York 1940, reprint 1969. – Kenneth Ames, »Eastman Johnson: The Failure of a Successful Artist«, in: Art Journal XXXIX No. 2, Winter 1969/70, S. 174–183. – Patricia Hills, »Eastman Johnson«, New York 1972, Whitney Mus. of American Art, NYC. – Patricia Hills, »The Genre Painting of Eastman Johnson: The Sources and Development of His Style and Themes«. New York University 1973. – Patricia Hills, »The Genre Painting of Eastman Johnson«, Ann Arbor MI, 1979.

68

Alte Heimat Kentucky (Old Kentucky Home), 1859

92×113 cm
New York, New-York Historical Society

»One of the best pictures in respect to Art and the most popular, because presenting familiar aspects of life, is E. Johnson's »Negro Life at the South«. Here are several groups of negroes, who are assembled in the rear of a dilapidated house. We never saw a better rendering of American architectural ruins… Any one of the groups on this canvas forms a picture by itself. The melancholy banjo player arrests our attention first, and he is so completely absorbed, it is but natural to look for the effect of his music upon the parties who surround him. Immediately in front we see a knotty-limbed wench and one or two dancing »pickaninnies«, and behind those, near the player, a boy completely lost in wonder as he gazes at the musician; off to the right are noisy children, representing that element of a musical party that cannot be made to keep quiet under any circumstances; perhaps they hear the approach of »white folks« as two ladies step out from a garden door on the extreme right to enjoy »Poor Lucy Neal«; leaving these groups, the eye goes to the second story, and, glancing at a cat about to disappear through a broken sash, comes to a mulatto-woman in the adjoining window and her child, the latter seated upon the moss-covered shingles on top of the shed, perfectly alive with infantile glee. This is one of the best episodes of the picture. The only group that appears not to be directly under the influence of the external music, but no doubt alive to a better music within, is that of a graceful mulatto-girl on the left, who is listening to the blandishments of a colored gallant, whose face we cannot see, because his back is very poetically and very properly turned upon all the rest of the world. The accessories are in harmony with the subject. A peculiar curly-haired dog in the foreground shows his ownership unmistakably, besides serving the artistic purpose of connecting the groups; and not the least poetical incident on the canvas is that by which we recognize the time of day to be the evening hour, namely, the attitude of a hen on the top of the old shed, who is in the act of springing into a tree where her lord and master has preceded her to select (a roosting-place. Although a very humble sub-

ject, this picture is a very instructive one in relation to Art. It is conscientiously studied and painted, and full of ideas. Notwithstanding the general ugliness of the forms and objects, we recognize that its sentiment is one of beauty, for imitation and expression are vitalized by conveying to our mind the enjoyment of human beings in new and vivid aspects. We speak of this picture at length, because the Art by which the *beauty* of the subject is conveyed to our minds is of the most excellent description. The picture of »Negro Life at the South« ranks with Wilkie's »Blind Fiddler«, and is of a kind of Art that will be always popular, so long as lowly life exists to excite and to reveal the play of human sympathy. But »Negro Life at the South« is not »high Art«, for the reason that the most beautiful thoughts and emotions capable of Art representation, are not embodied in the most beautiful forms, and in the noblest combinations.«

Anonym, in: The Crayon, Juli 1859, S. 191

»In his delineation of the negro, Eastman Johnson has achieved a peculiar fame. One may find in his best pictures of this class a better insight into the normal character of that unfortunate race than ethnological discussion often yields. The affection, the humor, the patience and serenity which redeem from brutality and ferocity the civilized though subjugated African, are made to appear in the creations of this artist with singular authenticity. ... »The Old Kentucky Home« is not only a masterly work of art, full of nature, truth, local significance, and character, but it illustrates a phase of American life which the rebellion and its consequences will either uproot or essentially modify; and therefore this picture is as valuable as a memorial as it is interesting as an art-study.«

Henry Tuckerman, »Book of the Artists«,
New York 1867, S. 470

Das Stilleben: Einrichtungsstück und Malübung

Das Stilleben hat, seinem Namen entsprechend, eine untergeordnete Rolle in den wechselseitigen künstlerischen Beziehungen zwischen deutschen und amerikanischen Künstlern gespielt. Die Einwanderer brachten in altmeisterlicher Manier, manchmal als Porzellanmaler ausgebildet, das Stilleben als Teil der Wohnungseinrichtung mit nach Amerika. Auftraggeber für Stilleben dieser Art, meist harmlose und bunte Arrangements von Blumen, Früchten und Gläsern oder anderen Gefäßen, war in den amerikanischen Städten das aufstrebende, reich gewordene Bürgertum. So wie man in den Wohnungseinrichtungen bestrebt war, europäischen Vorbildern zu folgen, so bemühte man sich auch, mit Wandschmuck einem kultivierten europäischen Wohnstil nachzueifern. Die ab 1850 mit Holzstichen illustrierten amerikanischen Zeitschriften und Zeitungen unterrichteten über die immer üppiger werdenden Stilrichtungen, die auf den ab dem Jahr 1851 regelmäßig – 1876 erstmals in den USA, in Philadelphia – abgehaltenen Weltausstellungen gezeigt wurden. Zu den Eß- und Wohnzimmer-Einrichtungen, den Empfangszimmern, Gesellschaftszimmern oder Salons, den sogenannten »Drawing-Rooms«, gehörten selbstverständlich die Gemälde an der Wand. Im Wohnzimmer wurde der Spiegel über dem Kamin durch ein Stilleben ersetzt. Im geräumigen Eßzimmer bevorzugte man großformatige Stilleben über der Anrichte, die außer ihrer dekorativen Wirkung auch noch den Appetit anregen sollten. Schon sehr bald konnte ein einzelner Maler, wie zum Beispiel Severin Roesen, den Nachfragen nicht mehr nachkommen, und er mußte eine Werkstatt mit vielen Gehilfen einrichten, die alle in seiner Manier die üppigen, farbig delikat abgestimmten Stilleben auf die Leinwand produzierten. Nur so ist die Fülle von Bildern mit seinem Namen zu erklären.

An der vielbesuchten und vielbeachteten Kunstakademie in Philadelphia spielte in der Mitte des Jahrhunderts die Stillebenmalerei als Lehrgegenstand eine Rolle. Hier, in einem durch eine sektenhaft-religiöse Umgebung geprägten etwas nüchternen Milieu, entwickelte sich eine amerikanische Variante der schlichten »Trompe-l'oeil«–Stillebenmalerei. Diese Stillebenart ist eine »Augentäuschung« durch die veristische Abbildung einfacher Gegenstände, orientiert an niederländischen Vorgaben des 17. Jahrhunderts. Dazu gehörte auch die detailgetreue Abschilderung der Jagdbeute, denn die Jagd war in Amerika, im Gegensatz zum alten Europa, wo sie ein Privileg vor allem der Adligen war, ein Volkssport. Einer, der es schon in Amerika zur Meisterschaft gebracht hatte, war William Michael Harnett. In den fünf Jahren, die er in München verbrachte, veränderte sich seine Sehweise und erweiterte sich die Auswahl seiner Sujets. Er fand hier zum Beispiel das Münchner Frühstücksbild als Vorbild, das sogenannte »Bocksbier-Stilleben«, bestehend aus einer Maß Bier, zwei Rettichen und einer Pfeife. Seine Stilleben sind während seines Deutschlandaufenthaltes dichter gepackt, gewöhnlich mit kostbaren antiquarischen Objekten, statt der alltäglichen in Amerika. Die großformatige Leinwand wurde reduziert, die auserlesenen Gegenstände aus Bibliotheken oder Antiquitätengeschäften sind vor Draperien auf Marmor- oder polierten Holz-Unterlagen plaziert. Hier fand Harnett zu einem Motiv, das er viermal variierte und das als das amerikanische Stilleben schlechthin des ausgehenden 19. Jahrhunderts gilt: »Nach der Jagd«. Jagdgerät und erlegte Vögel wurden auf eine detailgetreu wiedergegebene alte Tür montiert. Der Eindruck, der gerade von der Jagd zurückgekommene Jäger habe seine Utensilien an einen Nagel gehängt, wirkt durch die altmeisterliche Feinmalerei täuschend echt.

In München suchten die amerikanischen Maler den Anschluß an die um 1880 von Courbet und der Schule von Barbizon beeinflußten deutschen Maler um Wilhelm Leibl. Die Stillebenmalerei war ein Teilaspekt auf der Suche nach der Darstellung des »Rein-Malerischen«. Gefragt war das »Atelierstilleben«, das alle Möglichkeiten des Arrangements, der Lichtführung, der Farbnuancierungen bot. William Merritt Chase und J. Frank Currier bemühten sich dazu, in den mit breiten Pinselstrichen angelegten Fisch-Stilleben alle Erscheinungsformen der »Farbe« Weiß zum Ausdruck zu bringen, vom stumpfen Kreideton bis zur schillernden Perlmuttoberfläche. In Nordamerika fanden diese meist großformatigen Gemälde einen Markt, der von den amerikanischen Künstlern in München aus bedient wurde.

Severin Roesen

(Deutschland 1815–nach 1873 Williamsport PA?)

Die Ausbildung als Porzellan- und Schmelzmaler ist an den zahlreichen Stilleben von Severin Roesen leicht zu erkennen. Er gehört zu den Revolutionsflüchtlingen von 1848 und war von Köln, wo er seinen Beruf ausgeübt hatte, vermutlich zuerst nach New York gezogen, der Stadt, die für die meisten einreisenden Künstler zum Tor wurde für weitere Ziele im gelobten Land der Freiheit. Roesen ist von 1850 bis 1857 in New York nachweisbar. Er konnte hier elf seiner Stilleben an die American Art Union verkaufen. 1858 ist er in Baltimore und 1863 in Philadelphia registriert. Danach lebte und arbeitete er in Williamsport PA, und hier und in Lycoming County sind auch die meisten seiner mehr als 300 bekannten Stilleben aufzufinden. Roesen hat die Gattung der Stillebenmalerei in den Vereinigten Staaten um die Mitte des 19. Jahrhunderts zu einem Höhepunkt geführt. Die enorm produktive Tätigkeit läßt eine Werkstatt vermuten, die auf Bestellung arbeitete. Roesen soll nach 1873, wo er noch in Brooklyn genannt wird, gestorben sein. Seine Bilder mit üppigen Blumen- und Früchte-Arrangements erschienen seinen Zeitgenossen weniger als Kunstwerke, sondern als Einrichtungsstücke, die selbstverständlich als dekoratives Element über die Kommode oder Anrichte im Eßzimmer gehörten. Ganze Zimmereinrichtungen scheinen zusammen mit seinen Stilleben verkauft worden zu sein. Heute weiß man die altmeisterliche Feinmalerei der Blumen und Früchte wieder zu schätzen, und die Bilder Roesens sind in den großen Museen der Vereinigten Staaten anzutreffen.

Lit.: Richard B. Stone, »Not Quite Forgotten: A Study of the Williamsport Painter, S. Roesen«, in: Lycoming Historical Society Proceedings and Papers 9, November 1951, S. 1–40. – Maurice A. Mook, »Severin Roesen and His Family«, in: Journal of the Lycoming Historical Society 8, Fall 1972, S. 8–12. – Maurice A. Mook, »Severin Roesen, The Williamsport Painter«, in: Lycoming College Magazine 25, June 1972, S. 33–41. – Maurice A. Mook, »Severin Roesen: Also the Huntington Painter«, in: Lycoming College Magazine 26, June 1973, S. 13–16. – Lois G. Marcus, »Severin Roesen: A Chronology«, Williamsport PA 1976. – Judith H. O'Toole, »Search of 1860 Census Reveals Biographical Information on Severin Roesen«, in: American Art Journal 16, Spring 1984, S. 90–91.

69

Stilleben (Still Life), 1854–1855

76×102 cm

Philadelphia PA, Museum of American Art of the Pennsylvania Academy of the Fine Arts, Geschenk von William C. Williamson, als Austausch, und Henry S. McNeil und der Henry D. Gilpin Stiftung, 1976. 4

»In our private room the cloth could not, for any earthly consideration, have been laid for dinner without huge glass dish of cranberries in the middle of the table; and breakfast would have been no breakfast unless the principal dish were a deformed beefsteak with a great flat bone in the centre, swimming in hot butter, and sprinkled with the very blackest of all possible pepper. Our bedroom was spacious and airy, but (like every bedroom on this side of the Atlantic) very bare of furniture, having no curtains to the French bedstead or to the window. It had one unusual luxury, however, in the shape of a wardrobe of painted wood, something smaller than an English watch-box; or if this comparison should be insufficient to convey a just idea of its dimensions, they may be estimated from the fact of my having lived for fourteen days and nights in the firm belief that it was a shower-bath.«

Charles Dickens, »American Notes for General Circulation«, 1842, Neudruck 1972, S. 110

Severin Roesen (1815 – nach 1873)
Biographie Seite 356

70
Stilleben (Still Life)

64×89 cm
Santa Barbara CA, Santa Barbara Museum of
Art, Geschenk von Mrs. Sterling Morton für
die Preston Morton Sammlung

»His studio was much frequented by his
friends, who would sit all day with this genial,
well read and generous companion, smoking
his pipe and drinking his beer, and he was seldom without this beverage. There was a boy's
school in the same building and his quarters
were a rendezvous for many of our well
known citizens, who would listen for hours to
his stories and watch him paint…

A typical Bohemian den«, (it had) »about
a hundred pictures, mostly half finished and
covered with dust, standing about the room,
and about a half dozen easels holding canvases.«

»Severin Roesen, Artist, an Interesting Wil-
liamsport Genius Recalled in His Works«, in:
Williamsport Sun and Banner, 27.6.1895

David Dalhoff Neal

(Lowell MA 1838–1915 München)

Neal fiel zuerst als Holzschneider auf. Sein erster Lehrer war der deutsche Einwanderer Carl
Christian Nahl, der ihm eine Ausbildung in
Deutschland nahelegte. Ein wohlhabender Ka-
lifornier, S. P. Dewey, ermöglichte dem talentierten jungen Mann ein Studium in München,
und so gehörte Neal 1862 mit zu den frühesten amerikanischen Studenten, die die
Münchner Akademie besuchten. Es blieb nicht
bei dem Besuch alleine, denn schon im gleichen Jahr heiratete Neal die Tochter Max
Emanuel Ainmillers, des Leiters der Königlichen Glasmalereianstalt in München, Marie
Ainmiller. Sieben Jahre lang arbeitete Neal im
Atelier von Karl von Piloty und konnte in dieser Zeit das Historien-Gemälde »The First
Meeting of Mary Stuart and Rizzio (Das erste
Zusammentreffen von Maria Stuart und Rizzio)« vollenden. Sein Bild wurde in München,
London, Boston und Chicago ausgestellt, gewann die höchste Auszeichnung der Akademie
und wurde graphisch vervielfältigt. Der junge
Amerikaner hatte mehr als alle seine anderen
Kollegen die Münchner Technik und den idealen Münchner Stil so angenommen, daß in seinen Werken kaum mehr ein anderer Einfluß
deutlich wurde. Neal blieb bei der Historienmalerei, widmete sich später aber auch dem
Porträt, vor allem dem reicher Amerikaner in
seiner Heimat. Viele bekannte Persönlichkeiten Kaliforniens ließen sich von ihm malen,
darunter Mitglieder der Crocker- und Hopkins-
Familie und der Bergbauingenieur Adolph
Sutro. Neal reiste häufig zwischen Kalifornien
und Bayern hin und her, seine Heimat aber
blieb München bis zu seinem Tod.

Lit.: »After the Chase«, in: Aldine 5, November
1872, S. 227. – John R. Tait, »David Neal«, in: Magazine of Art 9, 1886, S. 95–101.

71
Nach der Jagd (After the Hunt), 1870
158×119 cm
Los Angeles CA, Los Angeles County Museum, Geschenk von Mr. and Mrs. Will Riche-
son, Jr.

»Piloty's students are attached to him by the
strongest ties of love and reverence. He seeks
opportunity to give them every advantage in
his power, and whenever he makes journeys to
picturesque localities for artistic study, he is always accompanied by some of his favourite
pupils. Some years since, David Neal and
young Kaulbach were his companions on a
journey to Venice, where Neal made studies
which have already proved of service to him.«
*»Art: David Neal«, in: The Aldine 7, Nr. 7 Juli
1874, S. 147*

»…In Deutschland ist gute Malerei so gut wie
unbekannt. Man ist dort ganz im Negativen
der Kunst befangen; eines der wichtigsten Dinge ist in ihren Augen die Perspektive; man
spricht den ganzen Tag davon. Weiterhin
spielt die genaue Wiedergabe der historischen
Kostüme eine große Rolle. Die Malerei ist
ganz nahe an die Anekdote geraten. Die Wände Münchens starren von Fresken, so daß der
Eindruck entsteht, man habe alles mit Tapeten
überklebt, mit roten, blauen, grünen, gelben
und rosafarbenen Mänteln etc., mit Seiden-
strümpfen, mit Reitstiefeln und Wämsern darauf; hier ist ein König, der einen Eid leistet,
dort dankt einer ab, wieder ein anderer unter-
zeichnet einen Vertrag, einer heiratet, der andere stirbt etc. Und erst die Skulpturen! Es ist
ja unglaublich! Man kann leicht 3000 Statuen
in der Stadt zählen; dabei ist es immer dieselbe: ich machte ihnen den einfachen Vorschlag:
wenn die Köpfe Schrauben hätten, könnte
man sie alle 14 Tage auswechseln und man

brauchte in diesem Fall nur etwa 10 Statuen.
Ein Spötter soll bemerkt haben, daß die Fremden bei ihnen nur eines zu fürchten hätten,
nämlich in Stein verewigt zu werden.

Die Jugend Münchens taugt etwas; ich blieb
ziemlich lange, um mich mit ihnen zu unterhalten. Sie sind fest entschlossen, den ganzen
alten Zopf fahren zu lassen; ich habe zugese-
hen, wie junge Maler ausspuckten, wenn man
von den ungekrönten Königen der deutschen
Kunst sprach. (…)«
*Gustave Courbet an Jules-Antoine Castagnary
20.11.1869, zitiert in: münchen 1869–1958
aufbruch zur modernen kunst, München 1958,
S. 29*

Wiliam Michael Harnett

(Philadelphia PA 1849–1892 New York)

Harnett war schon ein bekannter und versierter Stilleben-Maler, ausgebildet an der New Yorker National Academy, als er 1880 von New York aus nach Frankfurt am Main reiste, um dort einige Aufträge auszuführen. Ein halbes Jahr lang konnte er hier vom Verkauf seiner Bilder leben. Im Herbst des Jahres 1881 versuchte er, sich an der Münchner Akademie einzuschreiben, wurde aber nicht aufgenommen. Dennoch blieb er in München fast vier Jahre lang. Die künstlerische Atmosphäre der Stadt hatte auch ihn in ihren Bann gezogen. Seine Stilleben verwandelten sich zunächst unmerklich. Die Formate wurden kleiner, die dargestellten Objekte zahlreicher und kostbarer. Der Hintergrund ist sorgfältig ausgewählt, eine Vorhangdrappierung oder die Maserung von Holz. Die Objekte liegen häufig auf geschnitzten oder marmornen Tischplatten, auf orientalischen Teppichen oder kostspieligen Stoffen. Angeregt wurde er von Vorbildern altdeutscher und niederländischer Malerei, die er in der Alten Pinakothek betrachten konnte. Hier fand er auch die Motive zu seinem großformatigen Hauptwerk »After the Hunt (Nach der Jagd)«, das er in vier Versionen in den Jahren 1883 bis 1885 ausführte, ein Stilleben mit erlegtem Wild und Jagdgeräten. Die Objekte liegen nicht auf einem Tisch, sondern hängen an der Wand. Möglicherweise hatte er das »Stilleben mit Huhn« von 1881 – ein gerupftes Huhn hängt kopfüber an einem Nagel – von einem der späteren Münchner Akademielehrer gesehen, Nikolaus Gysis. Harnett malte danach ähnliche hängende Vögel, mit Federn oder gerupft, und fügte dann die hängenden Tiere auch in sein berühmtes Stilleben »Nach der Jagd« ein. 1883 stellte er an mehreren bedeutenden Orten erfolgreich aus: in London in der Royal Academy, in Paris im Salon und in München im Glaspalast. Bevor er im Jahre 1886 offensichtlich als wohlhabender Mann wieder nach New York zurückkehrte, besuchte er noch Paris und London und kurte mehrere Monate in Karlsbad und Wiesbaden. Viel Erfolg hatte er mit Stilleben für einen örtlich begrenzten Markt, indem er jeweils die Tageszeitung einfügte, die an dem besagten Ort gerade gelesen wurde. So gibt es Stilleben mit dem »New York Herald« ebenso wie mit dem Pariser »Figaro« oder der »London Times«, aber auch mit einer Münchner Tageszeitung, der »Staatszeitung« oder der »Deutschen Presse«. Auffallend sind auch die unterschiedlichsten Musikinstrumente, die Harnett mit altmeisterlicher Akribie seinen Stilleben zuordnete.

Lit.: Wolfgang Born, »William M. Harnett: Bachelor Artist«, in: Magazine of Art 39, October 1946, S. 248–254. – Kat. Harnett, Centennial Exhibition, New York 1948. – Alfred Frankenstein, »After the Hunt, William Harnett and other American Still Life Painters 1870–1900«, Berkeley CA 1953. – Kat. The Reminiscent Object: Paintings by William Michael Harnett, John Frederick Peto and John Haberle, Santa Barbara CA 1965. – Carol Oja, »The Still-Life Paintings of William Michael Harnett«, in: Musical Quarterly 63, October 1977, S. 505–523. – Barbara Groseclose, »Vanity and the Artist: Some Still-Life Paintings by William Michael Harnett«, in: American Art Journal 19, No. 1, 1987, S. 51–59. – Kat. William Harnett, Forth Worth/New York 1992.

72

Meergans (Merganser), 1883

87×52 cm
San Diego CA, San Diego Museum of Art, Geschenk von der Gerald und Inez Grant Parker Stiftung

»In telling you how I paint pictures from still-life models, it would be well for me to give you in brief a sketch of my early career in art, for the trials and hardships that I underwent were the sole reasons for my taking up that line of art work…

When I was seventeen years old, I began to learn the engraver's trade. I worked on steel, copper and wood, and finally developed considerable skill in engraving silverware. This latter work then became my chief occuption. In 1867, when I was 19 years old, I entered the Philadelphia Academy of Fine Arts as a pupil, studying with the night class. Two years later I found work in this city [New York], and came here to study in the National Academy of Design and take advantage of the free art school in the Cooper Institute. In this way I worked for various large jewelry firms during the day and at the art schools at night until 1875, when I gave up engraving and went wholly into painting…

…I devoted more than half my days and evenings to my art studies, only working at my trade enough to supply me with money for clothes, food, shelter, paints and canvas. Consequently I had no money to spare.

This very poverty led to my taking up the line of painting that I have followed for the past 15 years… I could not afford to hire models as the other students did, and I was forced to paint my first picture from still life models. These models were a pipe and a German beer mug. After the picture was finished I sent it to the Academy and to my intense delight it was accepted. What was more it was sold. I think it brought $ 50. That was the first money I ever earned with my brush and it seemed a small fortune to me…

Now, let me tell you something about the painting of pictures from still life models… I endeavor to make the composition tell a story. The chief difficulty I have found has not been the grouping of my models, but their choice. To find a subject that paints well is not an easy task. As a rule, new things do not paint well… I want my models to have the mellowing effect of age.«

William M. Harnett, in New York News 1889 oder 1890, zitiert in: Alfred Frankenstein, »After the Hunt: William Harnett and Other American Still Life Painters 1870–1900«, 1969, S. 29, 55

William M. Harnett (1849–1892)
Biographie Seite 362

73

Nach der Jagd (After the Hunt), 1883

132×91 cm

Columbus OH, Columbus Museum of Art,
Vermächtnis von Francis C. Sessions

»One would think it is possible to remove the hat, the hunting horn, the flintlock, the sword, the powder horn and the game bag from their nails and with them equip one's self for the hunt. One could become a veritable Nimrod with these hunting utensils which project so plastically from the old door that serves as background. There is not a tiny splinter, not a nailhead, nothing that is not depicted to perfection, so that one does not know which to admire more – the artist's gigantic patience or his astonishing powers of observation and imitation. But the pendantry shown in the rendering also dominates the composition. For us this is… far too painstaking in its orderliness, so that its painterly effect is impaired… Harnett's still life is surrounded by an astonished, admiring crowd, and we do not wish to be last to voice our wonder at this eminent ›work of art‹.«

»Aus dem Kunstverein«, Handelsblatt 1884, zitiert in: Kat. William M. Harnett, New York 1992, S. 93

»In 1884, I determined to test the merits of my work. I decided to discover whether the line of work I had been pursuing [trompe l'œil, or ›fool-the-eye‹ painting] had or had not artistic merit. Some of the Munich professors and students had criticised me severely and I wanted to refer the question of my ability as a painter to a higher court. Accordingly I went to Paris and spent three months painting one picture.

I put into it the best work I was capable of. I called it ›After the Hunt.‹…«

In painting from still life I do not closely imitate nature. Many points I leave out and many I add. Some models are only suggestions…

I always group my figures, so as to try and make an artistic composition, I endeavor to make the composition tell a story. The chief difficulty I have found has not been the grouping of my models, but their choice. To find a subject that paints well is not an easy task. As a rule, new things do not paint well. New silon does not look well in a picture. I want my models to have the mellowing effect of age. For instance, some old and most new ivory paints like bone. From other pieces I can get the rich effect that age and usage gives to it – a soft tint that harmonizes well with the tone of the painting.

New models selected without judgment as to their painting qualities, would be utterly devoid of picturesqueness, and would mar the effect of the painting beyond all hope of reparation.«

William M. Harnett, Interview um 1889/1890, zitiert in: Alfred Frankenstein »After the Hunt: William Harnett and Other American Still Life Painters 1840–1900«, Berkeley/Los Angeles 1953, S. 55

Joseph Frank Currier

(Boston MA 1843–1909 Boston MA)

Zu den großen Anregern, die aber inzwischen weitgehend in Vergessenheit geraten sind, gehört J. Frank Currier. Fast dreißig Jahre (1870–1898) hat er, nach seiner zweijährigen Lehrzeit bei Alexander von Wagner und Johann Leonhard Raab, in München und in der Umgebung von München zugebracht. Er hat mit Porträts und Landschaften in Öl angefangen, ging dann aber mehr und mehr zur reinen Landschaft ohne Staffage und zur Aquarellmalerei über. Seine Malweise wurde schon damals als eine impressionistische erkannt. Seine Aquarellmalerei ist einmalig und ohne Vorbild oder Vergleichsmöglichkeit. Er gehörte zum engsten Kreis um Duveneck und seinen Boys, und viele von ihnen bezeugten noch sehr viel später, daß ihr eigentlicher Lehrer Currier gewesen sei, ein Lehrer allerdings, der keine regelmäßigen Stunden abhielt, sondern zu dem man ging und sich Rat und Kritik holte oder mit dem man zusammen arbeitete. Currier malte und aquarellierte zusammen mit Duveneck, Chase, Shirlaw und andern in Polling, einem kleinen Ort, den die Amerikaner südlich von München für sich entdeckt hatten. Currier brachte Duveneck, der fünf Jahre jünger war, bei, wie man sich unvoreingenommen der Landschaft nähert und adäquate Ausdrucksformen in der Malerei findet. Als die Duveneck-Boys Deutschland verlassen hatten, blieb Currier als bedeutendster Vertreter der amerikanischen Maler in München und fand weitere Orte in der Umgebung von München, die Themen für seine Art von Landschaftsmalerei bereithielten, wie Dachau, nach Meinung mancher Kunstkritiker das Barbizon von Mün-chen, und Schleißheim, wo er die Gruppe der Maler aus Indianapolis, die sogenannte »Hoosier Group«, betreute. Viele seiner Landsleute, die in den 80er Jahren München zur Fortbildung in der Malerei besuchten, betrachteten Currier als ihren Freund und Mentor. Der Maler gehörte zum festen Kern des American Artist's Club und zu den Münchner Sezessionisten. Er stellte regelmäßig sowohl in Amerika wie in München und Wien aus, fand aber sowohl bei Kritikern wie beim Publikum zu seiner Zeit kein großes Verständnis.

Lit.: Nelson C. White, »The Life and Art of J. Frank Currier«, Cambridge MA 1936. – Martin F. Krause Jr., »Realities and Impressions. Indiana Artists in Munich 1880–1890«, Indianapolis IN 1985.

74

Stilleben – Fisch und Austern (Still Life – Fish and Oysters)

41×64 cm
Waterford CT, Sammlung Nelson Holbrook White

»Mr. Currier had a fondness for large canvases, so large we used to wonder how he ever managed to get them into his attic studio. What a treat it was to visit that studio; what stacks and piles of pictures and studies there were, in almost every known medium.

There seemed to be no phase of Nature Mr. Currier did not love and study, from the splendid glories of sunset skies, to the tenderest of grey days, soft mists and wind-swept trees. In all his work there was energy and directness of expression, as well as poetic interpretation. In manner and conversation he was exceedingly enthusiastic, and one could not be long in his presence without feeling the influence of his genial personality.

Mr. Currier, as I have said, was fond of large canvases. One time he and Mr. Wenban were interested in a *motif* across the main canal. It being summer, and the water very low, they crossed the canal on a narrow plank. One afternoon as they were returning from their work, a puff of wind struck Mr. Currier's large canvas as they were crossing, forcing it and him over into the water. Mr. Wenban was safely over, having preceded him; imagine his consternation as, hearing the splash, he turned and beheld Mr. Currier's sad plight. After that when they crossed the stream they waded.«

Mary E. Steele, »Impressions« (Eindrücke ihres Münchner Aufenthalts), Indianapolis 1893

J. Ottis Adams

(Amity IN 1851–1927 Indianapolis IN)

Sieben Jahre hat Adams an der Münchner Akademie studiert (1880–1887), wo er sich am 15. Oktober 1880 in der »Naturklasse« anmeldete. William Merritt Chase, dessen »Stilleben mit Wassermelone« ihn dazu angeregt hatte, selber Künstler zu werden, hatte ihm empfohlen, sein Taschengeld in München mit Kopieren von Meisterwerken in der Alten Pinakothek aufzubessern. Adams kam nicht alleine, sondern war in Begleitung seiner Malerkollegen T. C. Steele, dessen Familie, August Metzner, Carrie Wolff und Samuel Richards. Diese Maler, zu der auch noch Forsyth gehörte, mit dem Adams ein Studio teilte, werden als eine eigenständige und geschlossene Gruppe innerhalb der amerikanischen Kunstgeschichte betrachtet und mit dem Namen »Hoosier Group« bezeichnet. Adams Lehrer in München waren Gyula Benczur für zwei Jahre und dann der Lehrer, der die meisten amerikanischen Studenten geprägt hat, Ludwig von Löfftz. Er hielt seine Schüler an, ohne Vorzeichnung direkt auf die Leinwand zu malen. Adams war nicht nur ein eifriger Akademieschüler, sondern betätigte sich auch im American Artist's Club, dessen Präsident er für zwei Jahre war. Die Münchner Tradition prägte seinen Stil, der in seinen Porträts und Landschaften deutlich wurde. Adams wählte nach seiner Rückkehr in die Heimat, zu der ihn sein Kollege Steele aufgefordert hatte, zunächst vor allem das ländliche Leben der Bauern und Farmer zu seinem Thema, ehe er sich mehr der Landschaft widmete. Im Oktober 1887 eröffnete Adams in Muncie IN, seinem neuen Heimatort, ebenso wie in Fort Wayne IN eigene Malklassen.

Lit.: Kat. Impressionistic Trends in Hoosier Painting, South Bend IN 1979. – Kat. The Hoosier Group, Five American Painters, Indianapolis IN 1985. – Kat. The Best Years, Indiana Paintings of the Hoosier Group 1880–1915, Indiana State Museum Indianapolis IN 1985. – Martin F. Krause Jr., »Realities and Impressions Indiana Artists in Munich 1880–1890«, Indianapolis IN 1985. – Kat. The Hoosier Scene, Evansville IN 1989. – Martin Krause, »The Passage«, Indianapolis IN 1990. – Martin Krause, »Zwischen Tradition und Moderne«, Indianapolis IN 1990.

75

Stilleben (Still Life), 1883

64×76 cm

Indianapolis IN, Indiana State Museum and Historic Sites

»Der Künstler hat nicht zu zeigen, daß der Stoff ist, sondern wie er ist… Der Umschwung war da, ohne daß wir in unsrem Winkel dies merkten, neue Ideen waren maßgebend – eine neue Kunst war aufgegangen: der Realismus, die Erkenntnis des Schönen im Wahren hatte sich endlich Bahn gebrochen – Es kann nicht meine Aufgabe sein auf kurzem Raum die Consequenzen dieser Anschauung – ihre Äußerung in den einzelnen Kunstzweigen auch nur kurz erläutern zu wollen – daher nur soviel – Dieser Gedanke des Wahren als Kunstvorwurf mußte natürlich ein viel innigeres Verhältnis zur Natur erzeugen. – Man trat ihr näher, studierte sie gründlicher und erwarb daraus für das Kunstwerk eine Lebensfülle, gegen die die alten ›Ideale‹ sich sehr schattenhaft ausnehmen.

In München habe ich übrigens erst das Handwerk gelernt und Kunstverständnis – der Naturalismus zieht jeden Stoff in seinen Bereich natürlicher Vorstellung, der Realismus beschränkt sich auf das Stoffgebiet des Selbsterlebten, Gesehenen.«

Unveröffentlichte Tagebücher von Carl Schuch, S. 3, 20, 21, 24, zitiert in: Kat. münchen 1869–1958 aufbruch zur modernen kunst, München 1958, S. 84

»Meine Stilleben sind mir alle zu aufdringlich an Realität. Es fehlt Distanz, Luft, die Dämmerung des Raumes. Meine Sachen sind alle bis an die stärkste Lokalfarbe getrieben, woraus sich ein Widerspruch ergibt; denn die Lokalfarbe ist so genommen, als hätte man das Objekt unter der Nase und durch Zeichnung und Perspektive als stünd's doch in der Entfernung. Der Ton deutet letzteres auch an, aber die Lokalfarbe widerspricht und ist zu hart, zu laut. Was ist denn der Ton (anderes) als die Modifikation, die die Lokalfarbe erleidet durch die zweifache Bedingung des Lichts und der Entfernung? […] Und die Bedeutung des Tons ist die, daß er den Dingen das Materielle nimmt und nur die ätherische Essenz der Erscheinung festhält.«

Carl Schuch, Brief an Karl Hagemeister aus seiner Münchner Zeit 1869–76, in: Karl Hagemeister, »Karl Schuch. Sein Leben und seine Werke«, Berlin 1913, S. 34–36

Die Amerikaner und ihre Modelle in München

Ab etwa 1850 bis über die Jahrhundertwende hinaus zog es mehr als 400 amerikanische Kunststudenten nach München. Auch hier, wie in Düsseldorf, waren es zunächst Lehrerpersönlichkeiten wie Wilhelm von Diez und sein Schüler Ludwig von Löfftz, Karl Piloty und seine Schüler Gyula Benczur, Gabriel von Hackl und Alexander von Wagner, die eine große Anziehungskraft ausübten, aber auch amerikanische Künstler, die sich von der Akademie lösten und einen eigenen Kreis um sich bildeten wie Frank Duveneck, J. Frank Currier und Robert Koehler. Dazu kam der Glücksfall, daß einer der angesehensten Akademielehrer des ausgehenden 19. Jahrhunderts in München ein Amerikaner war, Carl von Marr. Hatten sich in Düsseldorf die amerikanischen Künstler noch mit den deutschen Kollegen gemischt, gemeinsam eine Künstlervereinigung gegründet und deren Festlichkeiten fröhlich mitgefeiert, so bildeten diese Kunststudenten in München einen eigenen Club, den American Artists' Club, wo sie sich nach den Unterrichtsstunden fast wie zu Hause fühlten. Von Anfang an versuchten die Amerikaner, als reguläre Schüler in der Akademie zu lernen. So war die Bindung an die Akademie und an ihre Lehrer auch weit enger als die der Düsseldorfer Kunststudenten. Auch blieben die Amerikaner, die in München studierten, in der Regel länger in Deutschland als die Düsseldorfer Studenten. Ähnlich wie in Düsseldorf spielte das künstlerische Klima der Stadt eine große Rolle. Es gab nicht nur die Akademie. Es gab Wilhelm Leibl, der dem Kreis um Frank Duveneck wesentliche Impulse vermittelte. Es gab Ateliergemeinschaften, und es gab weit mehr Ausstellungsmöglichkeiten als in Düsseldorf: im Kunstverein und später im Glaspalast. Die Künstler durften auf ein lebhaftes Echo auf ihre ausgestellten Werke hoffen. Die meisten Arbeiten, die die amerikanischen Künstler in München schufen, sind in der Akademie oder aber in enger Anlehnung an dieselbe entstanden.

Die Münchner legten großen Wert auf die Figurenmalerei. Das Zeichnen und Malen vor dem lebenden Modell gehörte zur Grundausbildung und wurde fleißig auch von denjenigen befolgt, die mehr zur Landschaftsmalerei tendierten. Immer noch konnten gute Portraitmaler in Amerika genügend Aufträge erwarten. Die Modelle wurden in der Akademie im großen Zeichensaal portraitiert. Es heißt, daß in München eine ganze Menge von Leuten von diesem Nebenerwerb leben konnten. Meist stammten die Modelle aus ärmeren Bevölkerungsschichten; besonders beliebt waren junge Mädchen oder sehr alte Menschen, deren Gesichter mit dem Alter verwittert und ausdrucksvoll waren. Die jungen Mädchen posierten in ihrer Tracht oder als Akt. Die Aktmalerei diente zur Übung im Zeichnen, wurde aber in jenen Jahren noch nicht häufig in malerische Kompositionen umgesetzt. Neben dieser Modellmalerei in der Akademie holten sich die Kunstjünger ihre Modelle von der Straße oder aus Gasthäusern und nahmen sie mit in ihre Ateliers. Häufig teilten sich aus Geldnot mehrere Künstler ein Modell. Die Modelle, die in der Akademie saßen, unterschieden sich meist von denen im Atelier durch eine starre, undifferenzierte Haltung. Sie nahmen in der Regel keinen Blickkontakt mit dem Betrachter auf, denn sie mußten für viele Studenten still sitzen, und keiner der angehenden Maler konnte die Haltung oder Kostümierung nach seinen Vorstellungen ändern. Anders bei den Modellen, die sich in den Ateliers aufhielten. Berühmt ist der altkluge Schusterbub oder Lehrling, den sowohl Frank Duveneck wie William Merritt Chase und J. Frank Currier wiedergegeben haben. Es ist zwar immer ein anderes Modell, sollte aber doch den gleichen Typus repräsentieren. Zweimal pfeift der Junge auf den Bildern ein Lied, einmal raucht er sogar eine dicke Zigarre. Immer sieht er so aus, als habe ihn der Maler direkt von der Straße geholt, wo er gerade für seinen Meister eine Besorgung machen mußte. Bei Chase hat er eine leere Kanne in der Hand, in der er das Bier für die Vesper holen soll. Berühmt ist jener Knabe, den Chase in sein Atelier mitbrachte und der dann mit Hilfe einer roten Kappe, einem Leopardenfell und einem weißen Papagei zu einem »Türkischen Pagen« verwandelt wurde, ein gestelltes Bild, das sowohl Duveneck wie Chase malten. Von Chase existiert dazu eine malerische Skizze »Duveneck malt den Türkischen Pagen«. Wilhelm Leibl hat einen Jungen mit der Halskrause gemalt, Wilhelm Trübner und Carl Schuch den Jungen, der dabei ertappt wird, wie er am geöffneten Schrank verbotenerweise Wein trinkt. Franz von Lenbach hat sich die Hirtenjungen in der Mittagspause ausgesucht. Den älteren Modellen, die im Atelier posierten, wurde öfter eine Rolle zugewiesen: Sie wurden zum Beispiel als Mönche angezogen oder mimten mit weißer Halskrause historische Bürgermeister. Frank Duveneck gab einem seiner Modelle, möglicherweise einem Malerkollegen, einen Totenschädel in die Hand und ließ ihn so über Leben und Tod meditieren. Erinnerungen an Shakespeare, der Typ des Falstaff oder die Pose des Hamlet tauchen auf. Robert Koehler läßt einen alten Bauern sonntäglich gekleidet in der Bibel lesen, neben ihm steht das gefüllte Bierseidel. Robert Koehler lag eigentlich das bäuerliche Genre eines Franz von Defregger nicht, aber er malte neben seinen zeitgeschichtlichen Bildern auch Alltagsszenen aus dem Großstadtleben von München. Sein Modell des Bibellesers dürfte aus der Akademie übernommen sein. Das Gesicht des alten Mannes taucht auf vielen Arbeiten der amerikanischen Studenten jener Jahre auf.

Die Malerei nach dem lebenden Modell gipfelte in der eigentlichen Portraitmalerei. Hier saßen die Kollegen häufig Modell, aber auch ein feiner Charakterkopf wie der des Apothekers Clemens von Sicherer, genannt »Der alte Professor«, regte sowohl Frank Duveneck wie Wilhelm Leibl zu Meisterwerken an. Selten sind Familienmitglieder der Maler dargestellt. In der Regel waren die amerikanischen Studenten noch zu jung und gründeten erst eine Familie nach ihrer Rückkehr in die Vereinigten Staaten. Carl von Marr, der den Rest seines Lebens als Lehrer in München zubrachte, hat gezeigt, wie die Portraitmalerei zu Ende des 19. Jahrhunderts aussehen kann. Seine Eltern saßen ihm während eines Amerikaaufenthaltes Modell, und es gibt nur wenige vergleichbare Bilder aus dieser Zeit, die so feinfühlig psychologisch die Persönlichkeiten der dargestellten Menschen lebendig werden lassen. Der Vater war Marrs großes Vorbild; er war ein Graphiker, Ziseleur und Bildhauer. Er ist in seiner gewohnten Arbeitsatmosphäre gezeigt, auf dem Tisch die Werkzeuge, im Schoß das zu bearbeitende metallene Gefäß, in der Rechten den Stichel. An der Wand hängen Reliefs: ihm ist die Bildhauerei zugeordnet, der Mutter die Malerei. Neben ihr steht auf der Staffelei ein noch nicht fertiges Frauenportrait, vermutlich eine Arbeit des Sohnes. Die Mutter hat sich in einer Arbeitspause im Atelier des Sohnes niedergelassen, und dieser hat die Gelegenheit ergriffen, sie in diesem Augenblick festzuhalten. Viele dieser Modell-Gemälde waren Aufgaben der Akademie, viele waren Übungsstücke, manche sind Erinnerungen an Freunde und Bekannte, wenige sind Familienbilder.

Frank Duveneck

(Covington KY 1848–1919 Cincinnati OH)

Der bedeutendste Künstler und Lehrer aus dem Kreis der amerikanischen Maler, die zu Ende des 19. Jahrhunderts in München gelebt und gearbeitet haben, war Frank Duveneck. Er verbrachte nicht nur seine abschließenden Studienjahre von 1870 bis 1873 in der bayerischen Metropole, sondern auch eine intensive Phase von 1875 bis 1878 zunächst als fortgeschrittener Student und dann als Lehrer der nachfolgenden amerikanischen Malergeneration. Ursprünglich wollte Duveneck in München seine Studien als Altarmaler vorantreiben, einer Tätigkeit, der er in seiner Heimat erfolgreich nachgegangen war. Aber er schrieb sich schon bald bei der Königlichen Akademie als Student ein und konnte nach nur drei Monaten in der Anfangsklasse, dem Antikensaal, in die Kompositionsklasse bei Alexander Straehuber und in die Klasse, die nach dem lebenden Modell zeichnete, bei Wilhelm von Diez aufrücken. Zu seinen Studienkollegen zählten Wilhelm Trübner und Ludwig von Löfftz, der spätere einflußreiche Lehrer der Akademie. Schon als Kunststudent an der Münchner Akademie überzeugten seine dunkeltonigen, manchmal dramatisch beleuchteten Modell- und Porträtstudien nach dem Vorbild Leibls, die er nach Boston und Cincinnati schickte und dort auch verkaufen konnte. Er führte anhand seiner Porträts, seiner Genrebilder und Landschaftsdarstellungen den Stil der Münchner Realisten, die sich um Leibl geschart hatten, mit großem Erfolg in Amerika ein. Zunehmend unzufrieden mit dem konservativen Stil der Münchner Akademie und die wachsende amerikanische Kolonie aufmerksam beobachtend, eröffnete er 1878 seine eigene Schule, die er zunächst in München und dann in Polling einrichtete. Polling hatte er schon als Student 1872 entdeckt und hielt sich 1875 öfters dort auf. Aber erst ab 1876 widmete sich Duveneck, beeinflußt von seinem Kollegen J. Frank Currier, vermehrt der Landschaftsmalerei. Dem erfolgreichen Vorbild Duveneck folgend, reisten damals scharenweise die angehenden Künstler des mittleren Westens nach München. Duveneck unterrichtete zeitweise mehr als 60 Schüler. Cincinnati war Ausgangspunkt dieser Wanderbewegung.

Heute noch ist die Wirkung der Münchner Schule am deutlichsten in dieser Stadt und in ihrem Museum zu spüren. Duveneck gehörte auch zu den Gründern des American Artist's Club und war eng mit William Merritt Chase und Frank Shirlaw verbunden. Die drei wurden unter den Mitstudenten aufgrund ihres gemeinsamen Auftretens als die Heilige Dreifaltigkeit bezeichnet, Vater, Sohn und Heiliger Geist. Chase und Duveneck waren nicht nur eng befreundet, sie malten auch zusammen und teilten sich häufig das gleiche Modell. Unter seinen zahlreichen Studenten, eine damals homogene Gruppe, die als »Duveneck-Boys« in die Kunstgeschichte eingegangen sind, waren die Amerikaner Julius Rolshoven, Otto Bacher, Theodore Wendel, Walter McEwen, Thodore Wores, Joseph DeCamp und John White Alexander. Ende des Jahres 1879 begab er sich mit einem Teil seiner Schüler nach Florenz in Italien, wo er sich bis zum Jahre 1888 aufhielt. Er kehrte nach Cincinnati zurück und wurde dort 1904 Direktor der Kunstakademie, eine einflußreiche Stellung, die er 25 Jahre lang bis zu seinem Tod innehatte.

Lit.: Elizabeth R. Kellogg, »The Duveneck Story«, Cincinnati OH 1966. – Billy Ray Booth, »A Survey of Portraits and Figure Paintings by Frank Duveneck, 1848–1919«, Athens GA 1970. – J. W. Duveneck, »Frank Duveneck Painter-Teacher«, San Francisco CA 1970. – Kat. Frank Duveneck 1848–1919, New York 1972. – Kat. Munich and American Realism in the Nineteenth Century, Sacramento CA 1978. – Robert Neuhaus, »Unsuspected Genius«, San Francisco CA 1987. – Jan Newstrom Thompson, »Duveneck: Lost Paintings Found«, 1987. – Michael Quick, »An American Painter Abroad: Frank Duveneck's European Years«, Cincinnati OH 1988. – Kat. Explorations in Realism: 1870–1880, Framingham MA, Danforth Museum of Art 1989.

76

Pfeifender Junge (Whistling Boy), 1872

71 × 54 cm
Cincinnati OH, Cincinnati Art Museum, Geschenk des Künstlers

»The good people of Boston have recently been flattering themselves that they have discovered an American Velásquez. In the rooms of the Boston Art Club hang some five remarkable portraits by Mr. Frank Duveneck of Cin-

cinnati. This young man, who is not yet, we believe in his twenty-fifth year, took his first steps in painting in the Bavarian capital, and it is hardly hyperbolical to say that these steps were, for a mere lad, giant strides. He came back a while since, if we are not mistaken to his native city, where his genius was not highly appreciated, and where depressing obscurity was his portion, until aesthetic Boston held out a friendly hand.«

Henry James, »On Some Pictures Lately Exhibited«, in: The Galaxy XX, Juli 1875, S. 94

»In 1877, the National Academy Exhibition in New York, including a group of canvases by the American painters from the Munich School, became a fresh landmark, and with the founding in the following year of ›The Society of American Artists‹ and their subsequent exhibition at the Kurtz Gallery in New York in 1878, the new era in American Art was fairly launched. The younger men among the American painters had been brought into contact with a vital influence from outside and had been taught to respect their own reaction to it.«

Norbert Heermann, »Frank Duveneck«, Boston 1918, S. 9–10

»Mr. Cortissoz, commenting on Duveneck, quotes Sargent's remark, ›After all's said, Frank Duveneck is the greatest talent of the brush of this generation‹, and then writes:

›Precisely. Of the brush. He was a prodigious virtuoso and what he inculcated in his disciples was nothing less than a consuming passion for the sheer manipulation of paint… Paint was used with a lavish hand in his *cénacle*. It was used as the old Dutchmen used it, in thick impasto. Only the important thing was to use it lovingly, understandingly, so that you gave the genius of pigment its chance and left a painted surface sensuously beautiful.‹«

Nelson C. White, »The Life and Art of J. Frank Currier«, Cambridge 1936, S. 63–64

Joseph Frank Currier (1843–1909)
Biographie Seite 366

77
Der pfeifende Junge (The Whistling Boy),
ca. 1873

67×50 cm
Indianapolis IN, Indianapolis Museum of Art,
John Herron Fonds

»As a friend to the real student, many of the ›boys‹ in those old Munich days will recall, no effort was too great for Mr. Currier. He freely gave his aid by criticism, advice, and even by financial assistance. It seemed natural for him to do these things, without any expectation of a feeling of obligation on the part of those who were the recipients of his bounty. He was modest and not given to loud talk. By many it was said, very truthfully, that his advice and aid did more for some students than a semester in the academy. One of the most eminent artists in Munich group said: ›Whenever I feel as if the way was closed, and inspiration and courage dead, I go over to see Currier, and always return refreshed, invigorated, and ready for work.‹ Nor was he alone in this appreciation of Mr. Currier, for many who met him and received from him encouragement and counsel will testify to the truth of all that has been said here, and will look deep in the innermost sanctuary of their memories to recall his simple helpful talk on art matters; for he gave us the real truth, truth older than any of the academies or art institutions could give, handed down from generations of workers to workers, more precious than whole libraries of art books and theories, no matter how grandly they may set forth the subject or how elaborately the details may be carried out.«

Ross Turner, Mitstudent von Currier, in seinen Erinnerungen nach Curriers Tod, in: Boston Evening Transcript, zitiert in: Nelson C. White, »The Life and Art of J. Frank Currier«, Cambridge 1936, S. 48–49

»Erkenne die gegenseitige Wechselwirkung aller Dinge. Darin liegt der Grund für ihre gegenwärtige Existenz und die Voraussage für ihre Zukunft. Erdbeben und Wasser sind die Bildhauer der Erde. Wind, die Wellen und der Himmel – der Himmel ist der Wind – ihr Ausdruck. Felsen sind die Knochen – Erde ist Fleisch.«

Nelson C. White, »The Life and Art of J. Frank Currier«, Cambridge 1936, S. 46 (Zitat Curriers)

William Merritt Chase

(Williamsburg IN 1849–1916 New York)

Einer der anregendsten und bedeutendsten Lehrer der Jahrhundertwende in Amerika war William Merritt Chase. Finanziell unterstützt von hochrangigen Persönlichkeiten der Stadt St. Louis, wählte Chase zum Abschluß seiner Studien die bayerische Metropole. Hier trat er am 1. November 1872 in die Antikenklasse ein. Zu seinen Lehrern zählten Alexander von Wagner, Karl von Piloty und außerhalb der Akademie der große Anreger Wilhelm Leibl. Für seinen Lehrer Piloty malte er die Porträts von dessen Kindern. In den Jahren zwischen 1873 und 1876 erwarb Chase jährlich Auszeichnungen für seine Arbeiten. Er beherrschte die dunkeltonige Münchner Palette und den spontanen, ausdrucksvollen, aber präzisen Pinselzug mit der breiten Farbbahn, der so sehr in den Kreisen Leibls bewundert wurde. Dieser Stil sollte so lange seine Malweise beeinflussen, bis er über die städtischen Parklandschaften Amerikas zu einer helleren, mehr vom französischen Impressionismus beeinflußten, farbigeren Sicht fand. Immer blieb seine Malerei – Landschaften, Stilleben und Porträts – von erstaunlicher und überzeugender Stofflichkeit. Zusammen mit Walter Shirlaw teilte sich Chase ein Studio am Promenadeplatz in München, wo er so erfolgreich war, daß er 1877 aufgefordert wurde, dem Lehrkörper der Akademie beizutreten, eine Ehre, die er ablehnte. Duveneck war nicht nur mit Chase befreundet, auch er teilte mit ihm das Atelier und die gleichen Modelle. Eines der beliebtesten war ein halberwachsener Junge, ein Lehrling, etwas gewitzt und altklug und immer in einer Arbeitspause dargestellt. Chase gehörte zusammen mit Duveneck, Shirlaw und Currier zu den älteren Mitgliedern des American Artist's Club, der zweimal in der Woche zusammentraf und in dem, neben allgemeiner Geselligkeit, Kunstfragen aller Art erörtert wurden. Vier Jahre Akademiebesuch schlugen sich in bemerkenswerten Gemälden nieder, wie im »Court Jester (Hofnarr)« (Abb. S. 109), für den Chase auf der Jahrhundertausstellung in Philadelphia 1876 einen Preis erhielt. Statt ein Lehramt in München anzustreben, reiste er lieber mit seinen Kollegen Twachtman und Duveneck nach Venedig, ehe er in seine Heimat zurückkehrte. Bevor er am 30. August 1878 wieder nach New York abreiste, bereitete ihm die gesamte Münchner Künstlerkolonie der Amerikaner ein grandioses Abschiedsfest in Polling. 1878 richtete er sich zunächst sein Atelier in New York ein. Er lehrte im Lauf seines langen Lebens an der Art Student's League in New York, in Brooklyn, an der Pennsylvania Academy of Fine Arts in Philadelphia und unterhielt seine eigene, vielbesuchte Schule in Shinnecock, Long Island.

Lit.: Katherine M. Roof »The Life and Art of William Merritt Chase« 1917 (Nachdruck New York 1975). – Thomas B. Brumbaugh, »William Merritt Chase Reports to St. Louis from Munich«, in: The Bulletin of the Missouri Historical Society 15 n. 2, January 1959, S. 118–124. – Abraham D. Milgrome, »The Art of William Merritt Chase«, Pittsburgh PA 1969. – Ronald G. Pisano, »William Merritt Chase«, New York 1979. – Ronald G. Pisano, »A Leading Spirit in American Art: William Merritt Chase«, Washington DC 1983. – Keith L. Bryant Jr., »William Merritt Chase: A Genteel Bohemian«, Columbia OH 1991. – Ronald G. Pisano, »Summer Afternoons«, 1993. – Barbara Dayer Gallati, »William Merritt Chase«, New York 1995.

78

Der Lehrling (The Apprentice), 1875

94×58 cm

Hartford CT, Wadsworth Atheneum, erworben durch die Spende von James Junius Goodwin

»Early in the sixties there was a new impulse, this time coming from Germany and the new school in Munich, where the masters were painting on grounds of the brownest, warmest bitumen, with broad, sweeping brush-work, achieving a fascinating effect of dashing mastery which displaced Paris artits for a time. The first of American students went there in 1861, soon to be followed by many others, and for a time Munich became the Mecca for American artists, who worked in the same schools with the men who are the leaders of European art to-day.

In 1872 Chase, accompanied by Duveneck and Shirlaw, went abroad and entered the Academy of Munich, where he remained for six years. He studied under Wagner and Piloty and was one of the most brilliant pupils; but, possessing a certain independence of thought and character, his main trouble was his desire to compose his own pictures, along his own ideas, instead of the usual conventional exhibition picture. Even at this time he painted his still-life subjects always with innovations and the possibilities of brilliant execution, thus working and developing along independent lines. Life in Munich was not all clear sailing. With insufficient money and much independence of spirit that almost amounted to being a revolutionist in the school, his career was somewhat tempest-tossed. He was severely criticized by the teachers for his original treatment of themes, and the dealers would not have his work: consequently there followed a starving period. Then the tide changed. He had painted a study of a woman in a black riding habit, which he took to his master, Piloty, for criticism. After looking at it, Piloty said: ›Mr. Chase, I want you to paint the portraits of my children; I will advance you one-half of the price before you begin work.‹ Immediately every one in Munich art circles knew that Chase had received the commission, and his reputation was assured: the seal of approval had been given by the highest authority of his day. Dealers were ready enough now to buy, but Chase's independence was greater than ever; it was his turn to say no.

He remained in Munich four years longer, taking prize after prize and medal after medal, finally attaining the highest of school awards, a free studio. During this period he preferred his still-life studies to everything else.

He entered the art life in Munich in the truest sense. All Munich men were enthusiastic lovers of the great old masters. He worked while daylight lasted, and in the evening frequented the haunts of the students, to talk of their art with them over their pipes; when they wanted to see pictures, they went to the galleries and studied Rubens, Hals, or Rembrandt. He cared for nothing but his art and how to paint, and so he became an enthusiastic workman, handling his colors freely and well, growing in the power to discern what was paintable, not caring for story, subject, or composition, simply painting for the love of painting. During his stay in Munich he made tours to other cities and other countries to study the masters, and saw Salon after Salon in Paris.«

Mary Q. Burnet, »Art and Artists of Indiana«, New York 1921, S. 136–138

Joseph Frank Currier (1843–1909)
Biographie Seite 366

79

Ein Münchner Junge (A Munich Boy)

69×51 cm
Pittsburgh PA, Carnegie Museum of Art,
Museumserwerbung

»The most artistic personality of the American colony in Munich is J. F. Currier, as much to-day as he was twenty years ago. He is a true colourist. His portraits are painted with the dexterity of an old master, and his studies from the outskirts of Munich, or moorland scenes with stormy sunset skies, are observations of the various moods of nature, rendered in a bold and spirited style. All his work is characterised by simplicity of material and breadth of execution. He was a man who see-med destined to become one of the greatest painters of his generation, and who, after all, was satisfied with simple studies in which his artistic temperament could make itself felt merely through colour and clever brushwork. His influence on American contemporary art can hardly be over-rated, as his studio, within the ruined walls of a convent, at Polling, was always thronged with devoted pupils and disciples of his brilliant style.«

Sadakichi Hartmann, »A History of American Art« Vol. II, 1901, S. 202–205

»My first remembrances of Munich go back to about 1880, when we lived in Karlstrasse in view of the Glaspalast, and, about two years later when we moved into a private house in Nymphenburg, a suburb of Munich. My ear-liest impressions of my father were that he was profoundly serious and industrious, and that he demanded absolute obedience from my brothers and me. My Grandfather Currier, from America, visited us during this time, as he was wont to do every few years, hoping to take us all back with him, and I remember him also as very serious, walking up and down the room by the hour with his hands behind his back, saying nothing.«

Erinnerungen von Curriers Tochter, zitiert in: Nelson C. White, »The Life and Art of J. Frank Currier«, Cambridge 1936, S. 28

John White Alexander

(Allegheny PA 1856–1915 New York)

1875 war John White Alexander von Pittsburgh nach New York gekommen. Der ehrgeizige junge Mann hatte keine Ausbildung aufzuweisen, fand aber bald eine Stelle als Karikaturist für politische Themen bei »Harper's Weekly«. Diese Beschäftigung hatte nur einen Zweck, soviel Geld zu verdienen, daß er in Europa eine Ausbildung als Porträtmaler beginnen konnte. Zukünftiger Ruhm und Einkommen hingen von dieser Erziehung ab, die immer noch höher eingeschätzt wurde als eine vergleichbare auf amerikanischen Schulen. Aber nur wenige Monate hat es der Sohn eines Kaufmanns aus Pittsburgh, John White Alexander, in der Zeichenschule von Julius Benczur an der Münchner Akademie ausgehalten, dann zog es ihn hinaus aufs Land in den Kreis seiner amerikanischen Freunde um Frank Duveneck in Polling. Hier fand er im Sommer 1878 die Modelle, die er suchte, und er konnte, so erinnerte sich seine Frau in späteren Jahren, mit einem Minimum von 12 Dollar im Monat auskommen. Die Schulkinder und die Bauern von Polling standen ihm und anderen Amerikanern für wenige Pfennige Modell. Hier glaubte Alexander seine Ausbildung besser vervollkommnen zu können als im streng geregelten Lehrplan der Akademie. Dennoch hatte ihn sein Lehrer Benczur an der Münchner Akademie nicht vergessen und forderte ihn auf, einige seiner Zeichnungen für den alljährlichen Wettbewerb der Klasse einzusenden. Mühsam mußte sich Alexander die schon verschenkten Zeichnungen von seinen Freunden zurückholen, sandte sie nach München und gewann – sehr zum Ärger seiner früheren Klassenkameraden – die Medaille. Sein Lehrer aber lobte ihn, er habe in den drei Monaten, die er an der Akademie geweilt habe, mehr gelernt als alle seine Mitschüler, die ein ganzes Semester abgesessen hatten. Alexander schulte sich an Landschaften, Stilleben und an Porträts der Dorfbevölkerung, die er in der schweren Impasto-Technik seines Mentors Frank Duveneck ausführte. Dieser wiederum war zu jener Zeit dem realistischen Stil von Wilhelm Leibl nahe gekommen. Aus Polling schrieb Alexander an seinen Gönner Colonel Edward Jay Allen in Pittsburgh, daß alles darauf hindeute, daß er ein Porträtmaler würde. Er könne sich nichts sehnlicher wünschen, als erstklassige Porträts zu malen. Nach einem Jahr harter und intensiver Arbeit in Polling zog er mit Frank Duveneck und seinen »Boys« nach Italien. 1881 kehrte er nach New York zurück, nicht ohne vorher noch Paris und Holland besucht zu haben.

Lit.: Kat. John White Alexander, National Collection of Fine Arts, Washington 1977. – Kat. John White Alexander, 1856–1915: Fin de Ciècle American, New York, Graham Gallery 1980. – Mary Anne Goley, »Out of the Kitchen, into the Parlor, The Art of Still Life by John White Alexander«, Washington 1995.

80

Bayerischer Bauer (Bavarian Peasant), 1878–79

50×40 cm
New York, Mrs. Eliza Reed

»John could live in Polling on $ 12 a month, including his models. The children all went to school at five o'clock in the morning and got through about nine, so they could go out and work in the fields, so they were very glad to pose for a fraction of a pfennig a pose. That was a large sum for them and the older girls and men were willing to pose for very little. Very few men in this group had any money to spend and they were glad to combine on a model. John spent all his time working hard, he kept on painting and drew constantly from life and that really was his schooling.

When the year at the Royal Academy closed, there was a competition for a medal which was given there. Benz ... sent down to Polling and asked John to send up drawings and compete for the medal. John had no drawings, because any drawings he made were picked up and carried off by the men. I don't believe I have a single drawing that was done in that period. But he collected enough among his friends to send up to Munich and he took the medal on that group. There were a great many protests by the men who were working in the drawing class at the royal Academy because they said he had only been there three months, while they had gone through the entire term, but Benz ... said if John could do more in two months than they could do in a year, he thought he deserved the medal. It is a very beautiful medal. On one side it has the head of Ludwig II and on the other side a beautiful Winged Pegasus. It is bronze. My son and I own the medals.«

Interview von DeWitt Lochman mit Mrs. John White Alexander 14.1.1898, Unterlagen von Mary Anne Goley, Director Fine Arts Program, Board of Governors of the Federal Reserve System, Washington DC

Charles Frederick Ulrich (1858–1908)
Biographie Seite 246

81

Kopf eines alten Mannes (Head of an Old Man), zwischen 1875–1882

50×39 cm

Brooklyn NY, Brooklyn Museum

»We draw from life from 6 to 8 hours every day with charcoal, pencil, crayon, pen and ink, anything we may fancy, but generally charcoal. In the teaching they follow Albrecht Durer and Holbein where close and accurate contour is what they desire more than light and shade or tone, for these things they say belong to painting. It is surprising in drawing the head, how close they make the scholar study the eye, the nose, the mouth, to its utmost detail. Not that all details is to be painted, but because the artist must know all detail to be able to seize the characteristic ones in painting broadly.«

T. C. Steele an Herman Lieber, 20.3.1881, Steele Papers, Indianapolis IN, Indiana Historical Society

»…der Professor Loefftz hat uns ordentlich in den Fingern. Ich lerne den Mann immer mehr schätzen… Jedesmal, wenn er korrigiert, fühlt man, wie man ordentlich was gelernt… Er lehrt uns nicht nur, etwas möglichst talentvoll zu malen, sondern er strebt an, uns das Wesen der Kunst auseinanderzusetzen, d. h. uns das Gefühl für Schönheit, Auffassung, Form und Farbe zu wecken und so weit wie möglich zu vervollkommnen. Er opfert sich vollständig für seine Schüler…

…Ruinen der Menschheit nannten wir sie (die Modelle). Man suchte etwas darin in ihren Gesichtern zu finden und bemühte sich, die Studie in grau-grünlicher Stimmung wiederzugeben. Wir nannten eine derartige Arbeit ›Fein im Ton‹«

Lovis Corinth, »Selbstbiographie«, Leipzig 1926, S. 85–86.

Lovis Corinth war von 1880–1884 Schüler bei Ludwig von Löfftz

Joseph Frank Currier (1843–1909)
Biographie Seite 366

82
Mann mit Kragen (Man with a Collar)
45×56 cm
Privatsammlung

»Whish you could see one of Currier's heads… They look as if they were painted with a stick. In some places the paint is loaded up fully a quarter of an inch – and so rough that one can hardly tell whether they are upside down or not unless he gets away about six or eight feet.

He is thought by the artists to be the strongest man we have.«

John White Alexander an Col. Allen 22.9.1878, Unterlagen von Mary Anne Goley, Director Fine Arts Program, Board of Governors of the Federal Reserve System, Washington DC

»…The yearly exhibition is now in full swing and there are some things I wish you could see. A Leibl painted in his old manner only still finer in color if you can imagine that possible. Then the Dutch have sent some beautiful work, wonderfully true to nature. The Germans, as usually, trying hard to do something but not quite succeeding. It's all too theatrical. Leibl is the best man. I am glad to see that they have bought his picture for the Pinakothek. Harrison has some fine things. Very interesting in color.«

J. Frank Currier, in: Nelson C. White, »The Life and Art of J. Frank Currier«, Cambridge 1936, S. 45

Frank Duveneck (1848–1919)
Biographie Seite 372

83
Der Mann und der Tod
59×44 cm
Schweinfurt, Sammlung Georg Schäfer

»The writer regard as among the most improving and delightful evenings he has enjoyed those passed with some of the talented and enthusiastic art students at the table where a number regularly met to dine, at the Max Emmanuel cafe in Munich. Dinner over, huge flacons of beer were placed before each one, and pipes were lit, whose wreaths of upward-curling smoke softened the gleam of the candles, and gave a poetic haze to the dim nooks of the hall highly congenial to the hour and topics discussed. The leonine head of Duveneck, massively set on his broad shoulders, as from time to time behind a cloud of smoke he gave forth an opinion, lent much dignity to the scene, while the grave, thoughtful features of Shirlaw, and the dreamy, contemplative face of Chase, occasionally lit by a flash of impetuous emotion, aided by an eloquent gesture, made the occasion one of great interest. Others there were around the board whose sallies of humor or weighty expression of opinion made an indelible impression.«

S. G. W. Benjamin, »Present Tendencies of American Art«, in: Harper's New Monthly Magazine, März 1879, S. 484–485

»Diez was a bitter enemy of all ›sweet colors‹, for which he could forgive not even the best artists. All his students aimed primarily at a ›fine tuning‹ of their painting, so that the entire school eventually deteriorated into complete greyness. The timid souls could only feel good, and safe from ›sweet colors‹, by painting effects of dimness. The talented American, Duveneck, was the one who decided to stage a decisive revolution against this state of affairs. He covered his canvas with pure cinnabar, put some bright white on it, and painted a head in this key. To our current way of thinking, it shone dreadfully, naturally making all previous studies seem even greyer than ever. We all ran together to see it. Diez was delighted. He made a real cult of Duveneck and hung up in the studio this epoch-making head, while we all went to buy cinnabar. Now we worked on impressive effects; the grey-painting was out of date.«

Isidor Krsnjavi, »Der Kunstunterricht an der Münchner Akademie«, in: Zeitschrift für bildende Kunst 15, 1880, S. 113–114

Robert Koehler

(Hamburg 1850–1917 Minneapolis MN)

Als Kind deutscher Auswanderer lebte Koehler seit seinem 4. Lebensjahr in Milwaukee WI. An der liberalen German-English-Academy, die er besuchte, unterrichtete ihn der Zeichenlehrer Henry Vianden, der zuvor in München ausgebildet worden war. Bis 1871 bereitete er sich auf seinen künstlerischen Beruf vor, indem er das Handwerk des Lithographen erlernte und die Malerei bei Heinrich Roese, nicht zu verwechseln mit Severin Roesen, einem Porträtmaler in Milwaukee, studierte. Nachdem er in New York die Abendklassen der National Academy of Design besucht hatte, wo ihn ein anderer Lehrer auf München aufmerksam machte, der Genre-Maler Lemuel Wilmarth, bereitete er sich auf die Reise in die bayerische Metropole vor. Eigentlich wollte er seine Lithographie-Technik vervollkommnen. Er war ein guter Stecher, wollte aber jetzt mit Kreide auf Stein arbeiten. Aber wie so viele amerikanische Mitstudenten wurde er von der Atmosphäre der Stadt überwältigt, in der jeder sich künstlerisch angeregt fühlte und sich weiterzubilden suchte. Also besuchte er ab dem Jahre 1873 die Akademie, lernte zunächst bei Alexander Straehuber, der ihn eigentlich wegen seiner überfüllten Klasse wegschicken wollte, aber der sich von den Zeichnungen des jungen Koehler überzeugen ließ. 1875 waren Koehlers Mittel aufgebraucht, und er mußte in seine Heimat Amerika zurückkehren. Vier Jahre später aber, 1879 konnte er wieder nach München reisen. Diesmal studierte er bei dem Maler von Landschaften und Genreszenen, Ludwig von Löfftz, und erhielt später Unterricht in der Komposition bei Franz von Defregger. Er gewann einige Medaillen für seine Arbeiten. Erfolg hatte er vor allem mit Porträts und Münchner Straßenszenen. Von den Münchner Malern übernahm er deren Vorliebe für Genreszenen aus dem bäuerlichen Leben und übertrug ihren optimistischen Realismus auf Szenen aus dem städtischen Alltag. Zeitweise war er Präsident des American Artists' Club in München. In den Jahren 1883 und 1888 war er verantwortlich für den amerikanischen Teil der jährlichen Internationalen Kunstausstellung in München. In den 80er Jahren fuhr er einige Male in die Vereinigten Staaten, um Ausstellungen amerikanischer Gemälde in München zu arrangieren. Seit 1887 leitete er eine private Kunstschule in München. Die meisten seiner Schüler waren Amerikaner. Möglicherweise gehörte Charles Schreyvogel zu seinen Studenten, der später für seine Szenen aus dem Wilden Westen berühmt wurde. Zu seinen Freunden in München zählte auch William Merritt Chase, der wie er die National Academy of Design besucht hatte. Koehler könnte auch Charles Frederick Ulrich in München gekannt haben, der sich, wie er, den realistischen Szenen des modernen industriellen Lebens zugewandt hatte. Seine eigenen Werke zeigte er sowohl in München wie in Berlin. Außerdem konnte er Bilder in seine Heimat schicken. Das berühmte Gemälde »Der Streik« erhielt eine ehrenvolle Erwähnung in New York im Jahre 1889. Zwar vertrat Koehler nicht, wie der Schriftsteller Peter Weiss behauptete, die sozialen Belange der arbeitenden Bevölkerung, aber sein Bewußtsein und sein Engagement für das Anliegen dieser Bevölkerungsschicht waren außergewöhnlich, verglichen mit dem seiner Malerkollegen. 1892 kehrte Robert Koehler in seine Heimat zurück und ließ sich zunächst als Porträt-Maler in New York nieder. Aber schon ein Jahr später wurde er Direktor der Minneapolis School of Fine Arts und blieb in diesem einflußreichen Amt weitere 22 Jahre.

Lit.: Robert and Marie Koehler, »History of the Koehler Family«, Minnesota Historical Society 1898/1927. – Robert Koehler, »Chapters from a Student's Life«, in: Minneapolis Society of Fine Arts Bulletin 1–2, September 1906–1907. – Roy A. Boe, »The Development of Art Consciousness in Minneapolis and the Problem of the Indigenous Artist«, University of Minnesota 1947. – Peter Weiss, »Ästhetik des Widerstandes«, Frankfurt 1975. – Peter C. Merrill, »Robert Koehler German-American Artist in Minneapolis«, in: Hennepin County History Vol. 47, No. 3 Summer 1988, S. 20–22. – Agnete von Specht, »Streik: Realität und Mythos«, Berlin 1992. – Thomas O'Sullivan, »Robert Koehler and Painting in Minnesota, 1890–1915«, in: Minnesota 1900, Art and Life on the Upper Mississippi 1890–1915, 1994, S. 93–116.

84

Eine Ferienbeschäftigung (A Holiday Occupation), 1881

95×83 cm
Philadelphia PA, Museum of American Art of the Pennsylvania Academy of the Fine Arts, Geschenk von Joseph E. Temple, 1882.2

»to become a lithographic draughtsman… There was probably not another student who had entered the academy for such a purpose, and Professor Straehuber had looked at me in surprise when I made that entry on the application-blank…«

Robert Koehler, in: Minneapolis Society of Fine Arts Bulletin Nr. 3, März 1907, S. 5

»My ambition on going to Munich was to be a first-class lithographer. I had been an engraver for about eight years, but desired to devote myself entirely to crayon work instead, which was more fascinating, besides paying well, too. But I was now living in a different atmosphere. Business, money-making, wealth and luxury seemed to live entirely outside of our sphere, which appeared to propagate that one desire: to study, to advance, learn to do and to be something.

Early in the morning after my arrival I took my roll of drawings and went to the academy, a sombre looking old pile of stones – a former monastery. The janitor decided that Professor Straehuber was the man I wanted to see. With all the imposing dignity of his office [the janitor] conducted me to the studio door and after tapping with becoming respect he left me to wait. I waited a long while.

›Your are too late, my class is full; you had better go to the Kunstgewerbeschule and come again next year‹, the professor said.

But I had not come all the way from America to wait another year. ›Will you look at my drawings?‹

›Well, let me see, perhaps I can give you some advice.‹ Undoing the roll, he mustered them – antique drawings, life drawings, the result of a year and a half's study at the night school at the National Academy.

›I see, I must again grant an exception‹, he finally said and signed my application.«

Robert Koehler, in: Minneapolis Journal 29.4.1917

Joseph R. DeCamp

(Cincinnati OH 1858–1923 Bocagrande FL)

DeCamp war Schüler von Frank Duveneck an der McMicken School of Design in Cincinnati und begleitete seinen Lehrer im Jahr 1878 nach München. Er gehörte zu den sogenannten »Duveneck Boys« und zusammen mit Frank Duveneck, William Merrit Chase, Walter Shirlaw und J. Frank Currier zu den älteren Mitgliedern des American Artist's Club in München. Im Oktober 1878 ließ er sich an der Münchner Akademie in der »Naturklasse« einschreiben. Ihn zog es aber mehr in die Gesellschaft der Boys, und so verdanken wir ihm die Kopie einer verlorengegangenen Zeichnung von Frank Duveneck, auf der 20 Boys im Jahre 1880 in Florenz als Karikaturen dargestellt sind. Die Profilumrisse sind sorgfältig identifiziert worden. Außer einem (Kuhfuss) waren alle Boys mit in München; zu den bekannten Namen zählen: John Anderson, Otto Bacher, Joseph DeCamp, Charles Forbes, Charles Freeman, Oliver Grover, George Hopkins, Charles Mills, Harper Pennington, Louis Ritter aus dem Elsass, Julius Rolshoven, Henry Rosenberg, Marshall Smith, Ross Turner, John Twachtman, Theodore Wendel und Theodore Wores. 1883 kehrte DeCamp nach Cincinnati zurück, zog aber ein Jahr später schon nach Boston, wo er von 1885 bis 1889 an der Schule des Museums of Fine Art unterrichtete. Gegenüber anderen Mitgliedern der »Duveneck Boys« hielt sich DeCamp an einen konservativeren Stil, der nach 1890 von seinem Malerkollegen Edmund Tarbell und dessen lichterer Palette beeinflußt wurde. DeCamp wurde als Porträtist hoch geschätzt. Er lehrte an mehreren Kunstschulen, darunter auch an der Pennsylvania Academy of Fine Arts in Philadelphia. Um 1900 gehörte er zur Gruppe »The Ten«, wo er einige seiner Malerfreunde aus München wiedertraf, so John Twachtman, Charles Abel Corwin und Edward Potthast. DeCamps Malweise, vor allem der Porträts in eleganten Interieurs, trug mit dazu bei, daß der Kunstkritiker Paul Clemen im Jahre 1910 anläßlich einer Ausstellung amerikanischer Kunst in Berlin meinte: »Wenn die Kunst wirklich Spiegel und abgekürzte Chronik eines Zeitalters sein soll… dann würde jemand, der vor diese Aufgabe gestellt wäre, aus dieser Kunst… das Amerikanertum zu rekonstruieren, ein empfindsames, ängstlich puritanisches, schwächliches und etwas langweiliges, gesittetes Geschlecht herauslesen mit einer fast überfeinerten Kultur… Die Amerikaner haben im raschen Anlauf sich alle künstlerischen Techniken zu eigen gemacht. Nun gilt es, den Rahmen mit eigenem Leben zu füllen, das Fremde abzustoßen.« (in: Die Kunst für Alle 15.5.1910 S. 376)

Lit.: Cat. The Work of Joseph R. DeCamp: Special Exhibition, October 1924, Cincinnati OH 1924. – P. J. Pierce, »The Ten«, North Abington MA 1976. – Laurene Buckley, »Joseph DeCamp: The Boston Technician«, New York 1995.

Thomas Satterwhite Noble

(Lexington KY 1835–1907 New York)

Von dem allgemeinen Wunsch in Cincinnatis Künstlerkreisen, sich in München weiterzubilden, wurde in relativ hohem Alter auch Thomas Noble angesteckt. Im Unterschied zu seinen vielen Kollegen dürfte es Noble schwerer gefallen sein, diese Entscheidung zu treffen, denn der bei Couture in Paris ausgebildete Maler war seit 1869 der erste Direktor der McMicken School of Design in Cincinnati. Diese Gründung führte später zur Einrichtung der Universität, des Museums und der Kunstakademie von Cincinnati. Dennoch war die Atmosphäre Cincinnatis in jenen Jahren für zeitgenössische Künstler bedrückend. Duveneck, gerade von München nach Cincinnati zurückgekehrt, ließ im November 1881 in der Cincinnati Gazette einen Artikel erscheinen mit der Überschrift: »A Talk with Duveneck: How Artists in Our Midst Are Ignored (Ein Gespräch mit Duveneck: Wie Künstler in unserer Mitte ignoriert werden)«. Im Frühling 1881 hatte Noble um Urlaub zur Weiterbildung gebeten. An der Münchner Akademie studierte er bei dem Genre- und Landschaftsmaler Alexander von Wagner. Er zeichnete und malte in München die Modelle in der Akademie, aber auch Ansichten in und um München. Der Akademie in Cincinnati berichtete er von den Unterrichts-Methoden und vom Lehrbetrieb an der Münchner Akademie und zitierte vor allem deren Direktor Karl von Piloty, der sich zur Malweise des großen Franzosen Couture geäußert hatte: Dieser sei ein Genie, das die Technik beherrsche und die Flamme der alten Meister wieder aufflackern ließ. Seinen Europaaufenthalt nutzte Noble zu Reisen nach Italien, Frankreich, Belgien und England. Im Sommer 1883 kehrte er nach Cincinnati zurück, um sich dort neben seiner Tätigkeit als Direktor der McMicken School der Genre- und Porträtmalerei zu widmen. Der Münchner Einfluß war ab diesem Zeitpunkt deutlich in seinem Malstil ablesbar. Bis 1904 verwaltete er die McMicken School, um dann seinen Posten an den auch in München ausgebildeten jüngeren Kollegen Frank Duveneck abzugeben. Noble zog nach New York in der Hoffnung, dort neue Aufgaben zu finden, starb aber enttäuscht und verarmt nach einer Operation. Im Gegensatz zu Duveneck, dessen Werke vor allem in Cincinnati hochgeschätzt und in großer Zahl aufbewahrt werden, sind die Arbeiten Nobles, selbst die aus seiner Zeit vor München, die im allgemeinen höher bewertet wurden, meistens in Privatsammlungen verborgen.

Lit.: Mary Noble Welleck Garretson, »Thomas S. Noble and His Paintings«, in: New York Historical Society Quarterly Bulletin 24, October 1940, S. 113–123. – James D. Birchfield, »Thomas Satterwhite Noble: Made for a Painter«, in: Kentucky Review 6, Winter and Summer 1986, S. 35–40, 45–73. – Birchfield/Boime/Hennessy, »Thomas S. Noble 1835–1907«, Lexington KY 1988.

85
Joseph R. DeCamp (Thomas S. Noble?)
Wassermädchen aus Polling (Polling Water Girl), 1881–1882

107×86 cm
Newburyport MA, Lepore Fine Arts

»As may be supposed, model hunting is a very necessary sport; not that one need go far, unless a particular character is wanted. The professional models come round to the studios and announce themselves as such, with the words, ›Brauchen Sie kein Modell?‹ One shows his hands; another impresses on you the fact that he is always painted as a monk, and possesses a Carmelite cowl in which he will happily sit; a shepherd with crook in hand and dog at heels recommends himself to you; and a Dachauer peasant woman in full costume implores to be employed. The price for which these various advantages may be procured varies also, the old people being cheaper than the young ones. These latter are well paid at three

shillings a day of six hours; the old people can be had for about fourpence an hour. At the Spitäler, or kind of refuge for old paupers, you may go in and walk around the different rooms and inspect the inmates, while the younger models are to be found in the kitchen of the Cafe Dauner, between twelve and one, refreshing themselves with coffee and bread.«

Charlotte J. Weeks in: Magazine of Art 1881, zitiert in: Martin F. Krause Jr., »Realities and Impressions«, Indianapolis 1985, S. 23

Theodore Clement Steele

(Owen County IN 1847–1926 Brown County IN)

Steele war schon 33 Jahre alt, als er sich an der Münchner Akademie in die Naturklasse einschrieb. Er war der Anführer und der älteste einer Gruppe von Indiana-Malern, die »Hoosier Group« nach einem Spitznamen der dortigen Bevölkerung genannt wurden. Mit Steele reisten seine Frau Libby, die 1893 ihre Erinnerungen an München niederschrieb, John Ottis Adams, August Metzner, Carrie Wolff, die als Frau an der Münchner Akademie nicht aufgenommen wurde, und der Figurenmaler Samuel Richards. Außer Richards waren diese Künstler Landschaftsmaler und begründeten nach ihrer Rückkehr in die Vereinigten Staaten in ihrer Heimat eine neue Schule der Landschaftsmalerei, ausgehend von der Erkenntnis, daß, wenn in Europa eine neue Sicht der Landschaft möglich war, diese Sehweise auch auf die amerikanische Landschaft übertragen werden könne. Die Indiana-Maler nahmen ihre Ausbildung in München sehr genau: Steele besuchte während seines fünfjährigen Aufenthalts nicht nur die Zeichenklasse von Benczur, sondern auch die technische Malklasse von Löfftz, ehe er in die reguläre Malklasse dieses gesuchten Lehrers eintreten durfte. Viele Skizzenbücher aus seiner Münchner Zeit, entstanden in den Jahren 1881, 1882 und 1884, belegen den Fleiß des Malers. Die Indiana-Maler, zu denen im Jahre 1882 auch William Forsyth stieß, kannten nicht nur München, sondern auch die Umgebung. Sie malten und wohnten zusammen in Schleißheim und Mittenheim. Auch ihr weiterer Lebensweg in der Heimat wird von der Kunstgeschichte gemeinsam erfaßt. Steele war als Porträtist nach München gekommen, hatte mit seinem »The Boatman

(Der Bootsmann)« im Jahre 1884 den ersten Preis seiner Klasse gewonnen und wandte nun unter Einfluß seines Landsmannes J. Frank Currier seine Aufmerksamkeit der Landschaft zu. Nach seiner Rückkehr malte er sowohl Porträts wie Landschaften, erkennbar an der reichen, dunkeltonigen Palette und an der gekonnten Modellierung der Hell-Dunkel Kontraste. Schon im Jahr seiner Rückkehr veranstaltete die Indianapolis Art Association eine Ausstellung der Gruppe mit dem Titel »Ye Hoosier Colony in Munchen«. Die Maler blieben auch nach ihren Münchner Studienjahren in der Heimat miteinander in Verbindung. Vor allem als Maler unprätentiöser Landschafts-Ausschnitte haften die Maler der Hoosier-Group der Nachwelt im Gedächtnis.

Lit.: Mary Elizabeth Steele, »Impressions«, Indianapolis IN 1893. – Selma N. Steele/Theodore L. Steele/Wilbur D. Peat, »The House of the Singing Winds: The Life and Work of T. C. Steele«, Indianapolis IN 1966. – Kat. A Retrospective Exhibition of Paintings by Theodore Clement Steele 1847–1926, Terre Haute IN 1966. – Kat. T. C. Steele: Indiana Painter, 1847–1926, Fort Wayne IN 1967. – Judith V. Newton/William H. Gerdt, »The Hoosier Group: Five American Painters« Indianapolis IN 1985. – Martin F. Krause Jr., »Realities and Impressions Indiana Artists in Munich 1880–1890«, Indianapolis IN 1985. – Martin Krause, »Zwischen Tradition und Moderne«, Indianapolis IN 1990. – Thomas L. Creveling, »A Vision: The Portraits of T. C. Steele«, Evansville IN 1992.

86

Münchner Mädchen (Munich Girl), 1884

51×41 cm
Indianapolis IN, Indianapolis Museum of Art, Geschenk von Mr. und Mrs. Alpheus Snow zum Gedenken an Mr. und Mrs. John M. Butler

»Then October came and brought a change: schools opened and work began. Our artists exchanged the fields and sky for academy walls, and we listened with eager delight to the experiences of those first days of art student life. We became familiar with the characteristics which distinguished the academy professors: men who had made Munich glorious in the world of Art. (…)

The little group of Indianians, with many from Ohio, and a host from the East, formed quite a colony of Americans in Munich. It really seemed quite home-like and the winter went quickly enough. (…)

Sunday mornings usually found us at the Kunst-Verein, a gallery where all new pictures were usually put upon exhibition for one week. The large rooms were always well filled with a quiet crowd of visitors, earnestly studying the pictures. They were from all classes, the trades people as well as the titled people, and always many artists and art students. This union buys yearly twenty-five thousand dollars worth of pictures, which are distributed by lot, among the members.«

Mary E. Steele, »Impressions«, Indianapolis 1893

»Some articles by Benjamin in 1879 appeared in the old *Scribner's*, afterward the *Century*, on American art students in Munich, and the spirit of enthusiasm penetrated to the struggling and isolated artists in Indiana who had little to encourage them and who were working without standards after the closing of the Indiana School of Art. There was something of an exodus from the state when, in 1880, a group left, consisting of T. C. Steele and family, J. Ottis Adams, Samuel Richards and his wife, Carrie Wolff, and August Metzner, who went directly to Munich, where they entered the Royal Academy; William Forsyth joined them in January, 1883.«

Mary Q. Burnet, »Art and Artists of Indiana«, New York 1921, S. 156

J. Ottis Adams (1851–1927)
Biographie Seite 368

87
Halbfigurenstudie (Half-length Figure Study), 1883–1884
88×64 cm
Indianapolis IN, Indianapolis Museum of Art, Geschenk der Söhne von J. Ottis Adams

»Noch nie habe ich etwas Unheimlicheres als dieses Amphitheater gesehen. Ein Teil des Raumes wird von Gaslicht hell beleuchtet, während der Rest im Schatten liegt. Das große, ernste Gesicht des Professors, sein rundlicher, mit schwarzem Samt bekleideter Körper erscheint düster gegen die weiß eingehüllte Figur auf dem Marmortisch und den nackten, sehnigen und kräftigen Körper des Modells daneben, dessen Brustkorb ebenso schön ist wie der einer antiken Figur. Es lohnt sich, dieses Bild für eine zukünftige Arbeit in Erinnerung zu behalten.«

T. C. Steele an Dr. William B. Fletcher,
15.2.1881; Steele Papers, Indianapolis IN,
Indiana Historical Society

»In 1880 he [J. Ottis Adams] again went abroad and became a student in the art schools of Munich, Germany, where he studied for seven years, most of the time in the Royal Academy. He was an active worker in the American Artists' Club of Munich, serving as its president for two years.

Upon Adams' return to the United States in 1887 he again selected Munich as his home, opened a studio, painted landscapes and portraits and taught classes in art.«

Mary Q. Burnet, »Art and Artists of Indiana«,
New York 1921, S. 164

Samuel Richards

(Spencer IN 1853–1893 Denver CO)

Richards gehört zu der Gruppe von Malern aus Indianapolis, die im Sommer des Jahres 1880 nach München reisten, um dort ihre Studien fortzusetzen. Richards, Sohn eines Rechtsanwalts, war wohl der talentierteste Figurenmaler der Gruppe. Er zeichnete zwei Jahre nach antiken Modellen bei seinem Lehrer Alexander Straehuber und besuchte daneben die Anatomie-Vorlesungen an der Münchner Universität. Malunterricht nahm er viele Jahre lang bei Gyula Benczur, Nikolaus Gysis und Ludwig von Löfftz, wo im Oktober 1883 auch die anderen Indiana-Maler, die sogenannte »Hoosier-Group«, Forsyth, Steele, Adams und Metzner, studierten. An der Akademie gewann er einige Medaillen für seine Arbeiten, so für die »The Hour of Prayer (Betstunde)«, ein kniender Mönch verrichtet sein Abendgebet, im Jahre 1887. Er wählte seine Figuren mit Vorliebe aus der unteren Schicht der Bevölkerung oder, im Gegensatz dazu, aus literarischen Vorlagen, wie in seinem ehrgeizigen Meisterwerk »Evangeline Discovering Her Affianced in the Hospital (Evangeline entdeckt ihren Verlobten im Spital)«. Hier verschmelzen alle ästhetischen Einflüsse der Münchner Akademie zu einem Kunstwerk: die dramatische Lichtführung, die genaue Perspektive und die Übertragung des Ereignisses in die Gegenwart. In der Szene muß Richards persönliche Erlebnisse verarbeitet haben. Er war in München sehr krank geworden und sollte in der Schweiz kuren. Aber der Heilerfolg blieb aus, so daß er 1891 wieder in die Heimat Amerika zurückkehrte. In Denver, wo er sich eine Besserung seiner Krankheit erhoffte, wurde er Direktor der Denver Art League, konnte dieses Amt aber nur ein Jahr ausüben, bevor er starb.

Lit.: Marguerite Hall Albjerg, »A nineteenth Century Hoosier Artist: Samuel Richards, 1853–1893«, in: Indiana Magazine of History 44, June 1948, S. 143–160. – Martin F. Krause Jr., »Realities and Impressions Indiana Artists in Munich 1880–1890«, Indianapolis IN 1985. – Martin Krause, »Zwischen Tradition und Moderne«, Indianapolis IN 1990.

88

Junges Mädchen (Young Girl, The Presumed Portrait of Little Gretchen),
ca. 1887–1889

72×58 cm

Indianapolis IN, Indianapolis Museum of Art, Geschenk von Mrs. Samuel Richards

»Benczurs Schule ist vollkommen überlaufen. Ein regelrechter Staffeleiwald läßt einen Mann, der Montags spät kommt, kaum einen Platz zum Zeichnen finden. Im Studienkopfzimmer posieren gleichzeitig drei Modelle umgeben von jeweils fünfzehn oder mehr Kameraden. Wenn ich vor meiner Staffelei stehe, könnte ich jederzeit Männer aus vier oder fünf Nationen berühren.«

*William Forsyth an Thomas E. Hibben
13.5.1882, Brief in Privatbesitz*

»Während Löfftz im Besitz eines vortrefflichen erzieherischen Talentes war und neben Diez eine reiche Wirksamkeit ausübte, griffen von den Schülern Pilotys nur Alexander von Wagner und Benczur energisch in die Zügel, ohne eine durch persönliche Vorbildlichkeit gewährte Sonderstellung einzunehmen. Ihre künstlerische Sprache hatten sie von Piloty und Makart gelernt, und sie fanden auch keinen Anlaß zu selbständigen Äußerungen. *Alexander von Wagner* (1838–1919) malte anfangs die üblichen historischen Dekorationen, dann spanische und ungarische Szenerien mit Pferden, hie und da mit einem Geschick, das er seinem Landsmann Pettenkofen abgesehen haben mochte, aber münchnerisch umgestimmt, nebst seinem Freundeskreis vor allem abhängig von Makart. *Alexander Liezen-Mayer* (1839–1898) stellte sich seine Diagnose erst auf Historie mit sentimentalem Beigeschmack (sein erstes Werk war eine Maria Theresia, die das Kind einer armen Frau stillt) und war später mit Ramberg einer der gesuchtesten, aber auch unerfreulichsten Illustratoren der deutschen Klassiker. Den stärksten Erfolg der drei Ungarn erreichte *Julius Benczúr* (1844–1920), der von Vorwürfen aus der französischen Geschichte zu ungarischen Historienbildern über-

ging und daneben als repräsentativer Meister des Porträts, als Partner Fritz August Kaulbachs, in seiner Heimat, wohin er 1883 zurückberufen wurde, gefeiert ward, übrigens dort auch kunstpolitisch die entsprechende fortschrittfeindliche Gesinnung zeigte.«

Hermann Uhde-Bernays, »Münchner Malerei im 19. Jahrhundert« II, München 1927, S. 191

Frank Duveneck (1848–1919)
Biographie Seite 372

89
Der alte Professor (The Old Professor),
1871
61×49 cm
Boston MA, Museum of Fine Arts, Geschenk
von Martha B. Agnell

»The Head of a Professor is exceedingly powerful. The old fellow scowls out of the canvas with a pedagogic ferocity which might well call back to the stoutest heart some memory of boyish tremors from a similar cause. The relief into which the face is thrown, by the management of light and shade and the liberal application of thick paint to the illuminated portions, is high and startling; the small canvas is fairly blistered with the pigment that goes to the construction of the rough chin, protuberant cheeks, and war-worn nose while the connecting piece of the spectacles is literally buried in the substance of this latter feature.«

Henry James, »Art«, in: The Atlantic Monthly 35, Juni 1875, S. 751

»His (Duvenecks) pallet is very simply made up: the only thing essentially different from that in use by most portrait painters, being his use of black in the grays instead of blue. Upon a slight drawing, he begins painting in thick square patches of color, laying a broad mass wherever it is possible, and imitating the model as closely as he can. He depends very much upon his background color to assist in modelling the face; as, for instance, on the shadow side, he will paint that color in first, then overlay the flesh tones firmly... He finds it impossible to work on a head until thus laid in, with thick masses of wet color. When it is desirable to finish very smoothly and closely, he allows his first painting to dry thoroughly, and rubs the surface down with *ossa sepia* until he obtains a surface almost as smooth as glass, and by using raw linseed oil upon it, and with his color, keeps it wet as long as possible. In this manner he worked several weeks upon one of his pictures.«

F. P. V(inton?), Boston Evening Transcript 10.8.1875, S. 5

»Frank Duveneck was without question the ablest American portrait painter of the nineteenth century whose career is identified with his native country. His portraits are without evidence of flattery in any sense whatever, and have all the appearance of actuality in so far as resemblance goes. Further than that they reveal the character of his sitters, as if it were the inner being as much as the outward semblance of a man that he put upon his canvas.«

Frederick Fairchild Sherman, »Frank Duveneck«, in: Art in America XVI, Februar 1928, S. 91

397

Carl von Marr

(Milwaukee WI 1858–1936 München)

Einige wenige amerikanische Kunststudenten, die in Deutschland ausgebildet worden waren, kamen später wieder als Lehrer nach Deutschland zurück. Sie gründeten ihre eigenen Schulen, wie Duveneck, beeinflußten auf ähnliche Weise nachfolgende Künstlergenerationen, wie Leutze und Currier, oder aber sie wurden als Lehrer an deutsche Akademien berufen. So folgte Gari Melchers einem Ruf nach Weimar, und Carl von Marr lehrte an der Münchner Akademie. Er zog gerade aus seiner Heimatstadt eine Menge Kunstjünger an. Marr war als Sohn deutscher Einwanderer in Milwaukee geboren, hatte in Weimar und Berlin gelernt, ehe er 1877 nach München kam, um dort unter den Lehrern Seitz, Max und Lindenschmit zu studieren. Marrs Vater war Goldschmied und Graveur und gab ihm den ersten Zeichenunterricht. Marr hat seinen Eltern später liebevoll gestaltete Porträts gewidmet. München war ihm von seinem Lehrer in Milwaukee, Henry Vianden, empfohlen worden, auch ein früherer Student der Münchner Akademie. Mit Marr zusammen weilten gleichzeitig drei andere Kollegen aus seiner Heimatstadt in München: Frank Enders, Robert Schade und Robert Koehler, alle Schüler von Vianden. 1879 gewann eines von Marrs Gemälden »Ahasver, der wandernde Jude« (Abb. S. 127) auf der Internationalen Ausstellung in Berlin eine Silbermedaille. Dieses Werk bildete den Anfang einer langen Reihe von allegorischen Gemälden, die auf metaphysische, religiöse und historische Vorlagen zurückgehen. Als er 1880 nach Milwaukee zurückkehrte, fand seine Malerei dort nicht die Aufmerksamkeit, die er sich erhofft hatte. Für Harper's durfte er Coopers »Der Letzte Mohikaner« illustrieren. Das allein genügte nicht seinen künstlerischen Ansprüchen. Er bemerkte später, daß er lieber Hunger ertragen hätte, als geistig auszuhungern, wie es ihm in jener Zeit in Amerika ergangen war. Nach zwei Jahren kehrte er nach München zurück, um dort bis zu seinem Lebensende zu leben und zu arbeiten. 1893 erhielt er gleich drei Angebote für eine Professur: in Berlin, Wien und München. Er wählte München und war seit 1919 auch Direktor der Akademie. Er übte einen intensiven Einfluß auf seine Landsleute aus in den vielen Jahrzehnten, die er in München wirkte. In seinen kleineren dunkeltonigen Landschaften zeigte er das bäuerliche Leben in der bayerischen Landschaft. Später entwickelte er anhand von historischen Szenen aus dem Mittelalter einen monumentalen Stil auf großformatigen Leinwänden und auf Fresken. Die Palette wurde heller, die Farbwahl differenzierter. Sein bekanntes Werk ist »Die Flagellanten« (Abb. S. 130), ein 4×8 Meter großes Gemälde, das er 1884 begann und das 1889 vollendet wurde. Es stellt eine Szene aus einer mittelalterlichen Prozession dar, in der sich Freiwillige für Geld stellvertretend für die Sünden anderer selbst geißeln. Das Gemälde brachte ihm zahlreiche Goldmedaillen und internationalen Ruhm auf der Weltausstellung von Chicago im Jahre 1893. Es blieb seitdem in den Vereinigten Staaten. Seine Historienbilder sind erzählerisch und dekorativ mit einem Hang zum Mystizismus und ohne einen Bezug zur Zeitgeschichte. Seit 1915 leitete er als Präsident die Münchner Künstler-Genossenschaft. Auch für die Ausstellungen im Glaspalast war er zeitweise verantwortlich. 1909 wurde er aufgrund seiner Verdienste als Künstler und Lehrer vom preußischen Kaiser Wilhelm geadelt. Ein bedeutender Freskenzyklus von Marrs, betitelt »Das Leben« (Abb. S. 133) und ausgeführt in den Jahren 1908–1910, befindet sich in Schloß Stein bei Nürnberg. In seinen Figurenbildern klingen Jugendstileinflüsse an. Zwischen 1918 und 1919 mußte Marr vor den Bolschewiken aus München in die Schweiz fliehen, konnte aber nach der Unterdrückung des Aufstandes sein neues Amt als Direktor der Münchner Akademie aufnehmen. Diese Erfahrungen trugen dazu bei, daß er in den frühen 30er Jahren jüdischen Künstlern half, vor dem Naziregime zu fliehen. Hitler soll Marr sehr bewundert und ein Porträt von ihm besessen haben. Der Künstler aber distanzierte sich von dem Diktator. Schon 1923 hatte er sich aus Altersgründen von seinem Lehramt zurückgezogen. Er starb an einem Krebsleiden in seinem Wohnort Solln, einem Vorort von München. Das Museum in West Bend WI beherbergt den Großteil seiner Werke, darunter auch »Die Flagellanten«.

Lit.: Fritz von Ostini, »Carl Marr«, in: Velhagen & Klasings Monatshefte 23, September 1908, S. 33–46. – Georg J. Wolf, »Carl von Marr«, in: Die Kunst für Alle XXVI 5, 1. Dezember 1910, S. 96–108. – Bruno Storp, »Carl von Marr«, München 1979. – Thomas Lidtke, »Carl von Marr«, West Bend WI 1986.

90
John Marr – Vater (John Marr – Father), 1891
129×129 cm
West Bend WI, West Bend Art Museum

Carl von Marr ist Amerikaner, und sein Wirken in Deutschland ist eines der wenigen Beispiele, daß auch einmal Amerika der Alten Welt einen Kulturwert anzubieten hat und überläßt; für gewöhnlich ist das Umgekehrte der Fall. In Milwaukee ist Marr am 14. Februar 1858 geboren. Das Milieu, in dem er aufwuchs, hatte etwas ausgesprochen Künstlerisches: sein Vater war nicht nur ein begeisterter Kunstfreund, sondern befleißigte sich auch berufsmäßig der Gravier- und Holzschneidekunst – er, dessen wundervollen strengen, ernsten Greisenkopf Marr wiederholt in ausgezeichneten Porträten fixierte, war des Sohnes erster Lehrer im Zeichnen. Marr war beiläufig 20 Jahre alt, als er über das große Wasser nach Deutschland herüberschwamm, um »Kunst zu studieren«. Irgendwelche Umstände führten ihn nach Weimar, wo er zuerst bei Gehrts Privatunterricht nahm und dann zu Schauß an die Akademie ging. Aber schon das nächste Semester sah ihn bei Gussow in Berlin, der ihn zwar als interessante und ausgeprägte künstlerische Persönlichkeit mehr zu packen wußte als der Lehrer in Weimar, aber trotzdem nicht dauernd zu fesseln vermochte. Denn bald darauf war Marr in München, zuerst bei Otto Seitz, dann bei Gabriel Max, der damals Lehrer an der Akademie war. Max hat auf die Frühwerke Marrs einen entscheidenden Einfluß gehabt.«

Georg Jacob Wolf, »Carl von Marr«, in: Die Kunst für Alle XXVI. 5., 1. Dezember 1910, S. 104–105

Carl von Marr (1858–1936)
Biographie Seite 398

91
Bertha Marr – Mutter (Bertha Marr – Mother), 1891
129×129 cm
West Bend WI, West Bend Art Museum

»Marr selbst [ist] der geborene Vermittler zwischen Konservativen und Fortschrittlichen. Er selbst gehörte der Mittelpartei der Münchner Künstlerschaft an, früher der »Luitpoldgruppe«, seit deren Spaltung den »Bayern«. Auch an der Akademie, wo er seit 1893 eine Professur bekleidet, hat er oft genug Gelegenheit gehabt, zwischen Älteren und Jüngeren zu schlichten und zu richten. Im Münchner Kunstleben spielt Marr aus diesen Gründen eine große Rolle, und Ehren aller Art haben sich wohlverdientermaßen auf ihn herabgesenkt. Wertvoller indessen als solche äußere Anerkennung muß ihm die Genugtuung sein, daß in der Geschichte der deutschen Kunst die Spur seiner Arbeit und seiner künstlerischen Persönlichkeit unaustilgbar ist.«

Georg Jacob Wolf, »Carl von Marr«, in: Die Kunst für Alle XXVI. 5., 1. Dezember 1910, S. 108

Historien- und Genremaler in München

Nach der Übung am Modell oder Porträt durften die Malschüler der Münchner Akademie sich in der Komposition üben. Der Lehrer stellte eine Aufgabe, ein Thema, und der Schüler begann mit der Skizze auf der Leinwand. Von diesem Arbeitsprozeß sind nur wenige Zeugnisse übriggeblieben, zwei davon wurden erst kürzlich vom Los Angeles County Museum erworben. Piloty hatte die Aufgabe gestellt, Columbus vor dem Rat von Salamanca zu malen, ein Thema, das schon Emanuel Leutze in seiner Reihe von Darstellungen aus dem Leben des Columbus in Düsseldorf hingebungsvoll gestaltet hatte. William Merritt Chase wählte eine ungewöhnliche Sichtweise für diese Szene und zeigte Columbus als Rückenfigur. Hoch über ihm thronen am rot bespannten Pult die versammelten Ratsherren, deren mehr oder weniger aufmerksame Haltung Ratlosigkeit suggeriert. Unordnung an der Ablage neben der Gestalt des Columbus ebenso wie die erhobene Hand mit den gespreizten Fingern lassen das Bild unruhig wirken. Chase gewann zwar einen Preis für diese Darstellung, mußte aber auf Pilotys Drängen hin die Komposition verändern und den Seehelden und Entdecker Amerikas von der günstigeren Seite zeigen. Columbus erscheint jetzt prominenter, die Hand mit dem gerollten Papier auf dem Globus verrät Ordnung, der Tumult bei den Ratsherren hält sich in Grenzen. Die Skizze wurde nie zu einem fertigen Gemälde ausgearbeitet. Einen anderen Studenten aus Münchner Tagen drängte es noch in Amerika lange nach seiner Rückkehr, das gleiche Thema zu formulieren. Frank Duveneck schuf 1886 einen Entwurf nach einer früheren Skizze mit dem gleichen Thema für ein Wandgemälde, und die Nähe zu seiner Münchner Zeit und zu Chase wird wieder deutlich. Auch dieses Wandgemälde wurde niemals ausgeführt.

Historienbilder konnten im Atelier inszeniert werden, was William Merritt Chase mit Vorliebe tat. Sein Atelier war zu einem wahren Sammelsurium von Kostümen, Teppichen, Gefäßen, Möbeln, Waffen und sogar lebenden Tieren geworden, alles Dinge, die er auf seinen vielen Reisen erworben hatte. Traf Chase auf ein markantes Gesicht, einen Charakterkopf, sei es auf der Straße oder unter seinen Malerkollegen, dann nahm er den Betreffenden mit in sein Atelier, verkleidete ihn, zum Beispiel mit vielen weißen Tüchern als »Maurischen Krieger«, und schon konnte er eine morgenländische Atmosphäre auf die Leinwand bannen. Sichtbar ist nicht mehr das Münchner Atelier, sondern das Zelt eines arabischen Scheichs, eines Kriegers, der kritisch die Schärfe seines Säbels prüft.

William Merritt Chase, Frank Duveneck und Walter Shirlaw wurden von den jüngeren Malerkollegen als »Heilige Dreifaltigkeit« bespöttelt. Während Chase und Duveneck nach ihrer Rückkehr nach Amerika machtvolle Lehrerpersönlichkeiten wurden, ist der Name Shirlaw heute nur noch wenigen bekannt. In seiner Münchner Zeit hat er eine rührende Szene gestaltet, in der ein alter Geiger den Ton vorgibt und der Glockengießer mit einem Hammer den gleichen Ton bei seiner Glocke hervorzurufen sucht. Zu den kritischen Zuhörern gehören auch die kleine Tochter und der Hund. Ähnlich genrehaft ist von ihm eine »Schafschur im Bayerischen Hochland« gestaltet. Zurück in der Heimat, widmete sich Shirlaw dem Porträt und dem Leben der Indianer in fast impressionistischer Manier.

Von Robert Koehler, der in München eine eigene Schule gründete, bleiben die zeitgeschichtlichen Bilder eher im Gedächtnis als die Großstadtszenen auf den Straßen oder in den Cafés von München. Das Porträt eines Sozialisten wirkt wie eine Vorbereitungsstudie für das große Gemälde »Der Streik«. Die sozialkritischen Themen blieben in Koehlers Werk eine Ausnahme, erregen aber heute die Kritiker weit mehr als seine Porträts, hat er sie doch gesehen und in seinen Bildern auf das Elend und die Unruhe der Arbeiter aufmerksam gemacht. Religiösen Themen haben sich nur diejenigen ausgewanderten deutschen Maler zugewandt, die mit Aufträgen von Kirchen und religiösen Institutionen ihr Auskommen verdienen mußten. Für die Amerikaner gab es keinen Grund, sich so wie Fritz von Uhde, Max Liebermann oder Eduard von Gebhardt mit religiösen Themen auseinanderzusetzen. Etwas anderes war es, wenn sich Religion als folkloristische Darbietung abspielte, wie zum Beispiel in Oberammergau bei den Passionsspielen. Diese Aufführung mußte auch dem durchreisenden amerikanischen Maler ein willkommenes Sujet sein, und so hat es der Globetrotter Edward Lamson Henry auch aufgefaßt: Nicht die Heilsgeschichte auf der Bühne, sondern das Zuschauerhaus, das Publikum, die Architektur des Bühnenhauses, die Gruppierung der Menschenmassen auf der Bühne haben ihn zu einem Gemälde inspiriert. Henry, der einige Male Deutschland auf seinen vielen Reisen besucht hat, bleibt ansonsten in Erinnerung als sorgfältiger Chronist der amerikanischen Stadtarchitektur. Seine Ansichten ziehen heute noch Denkmalpfleger und Restauratoren zu Rate.

92

**Columbus vor dem Rat von Salamanca
(Columbus before the Council of Salamanca) (zweite Version),** 1877

57×92 cm
Los Angeles CA, Los Angeles County Museum
of Art

»Yours will yet be the great country of artists
and art-lovers. Everything points to it: you have
the subjects, and you have the great inspiration of the place where life is being lived. Italy,
France, Germany, Spain, England, these have
had their day, the future is to America. It is not
merely that it is the land of opportunity, but also because it is the land where opportunity is
seized and utilized.«

*Karl Piloty zu William Merritt Chase, zitiert
in: New York Evening Post, 27.4.1907*

»A youngster – and a very fresh one – when I
first reached Munich I went first to the old gallery where the old masters were; and I distinctly remember that at that day I thought it was
all nonsense – that these dark, terrible things
were not all they were claimed to be. I thought
that seriously. Then I turned over in my mind
how easy it is for people to say of these things
that they are great things.

Then the next thought I had was: ›There
must be a reason why all these things are here,
and so cherished, and so placed and so guard-
ed as they are.‹ And I thought, ›I think, William, it would be wise for you to keep a hold
upon your counsel, and not to say this out
loud, or even to whisper such a thought.‹«

*William M. Chase, »Lecture to Art Students,
January 15, 1916« – typescript 2–4, Thomas J.
Watson Library, Metropolitan Museum of Art*

»It was the custom of the Royal Academy of
Munich to give out each year a subject for the
prize competition. During Chase's last year the
subject given was some incident from the life
of Christopher Columbus. Most of the students submitted conventional compositions.
Chase, who loathed the idea of the historical
subject, put off the evil day until the time was
almost up. He set to work then in the presence
of a number of his fellow students and painted
his sketch with the figure of Columbus placed
with his back to the spectator, which was the
young painter's way of showing his contempt
for the academic. Despite this highly irregular
treatment of his theme, Chase was awarded
the prize by the jury, but old Piloty was fu-
rious when he discovered it. How dared he,
Herr Chase, thus represent the distinguished
adventurer with his back to the public! He first
raved, then implored his gifted pupil to make a
more dignified presentment. At last, Chase,
most concessive of human beings, promised to
change his composition, and turn the figure of
Columbus so that it was in profile. Both of
these pictures, as well as the original ink-
sketch, are the property of Mrs. Chase, and
are most interesting in their suggestion of a
certain touch and use of colour that we have
come to associate with the mature Chase.«

*Katherine Metcalf Roof, »The Life and Art of
William Merritt Chase«, New York 1917,
S. 38–39*

Frank Duveneck (1848–1919)
Biographie Seite 372

93
**Columbus vor dem Rat von Salamanca
(Columbus in the Court of Salamanca),**
1886

53×120 cm
New York, Spanierman Gallery

»The Professor is out of town but comes in once a week and gives me two lessons, generally two hours long. He is an admirable teacher and with his great facility and technical power, his standard is very high and he keeps me up to the mark. He paints a great deal for me and his finish is wonderful, as you all know. But to see him do it with large brushes is more wonderful still. The paint seems to squirm round at his bidding in the most extraordinary manner and model itself.«

*Elizabeth Boott, später Mrs. Duveneck, Brief
aus dem Jahr 1878 an ihre Freunde in William
Morris Hunts Klasse in Boston, in: Josephine
Duveneck, »Frank Duveneck Painter-Teacher«, San Francisco 1970, S. 78*

»Lizzie (Duveneck's wife) and her sposo are painting downstairs. We have a number of large rooms on the lower floor they use for studio purposes. Duveneck seems to be quite in the vein. He has been thinking for some years of painting a big picture of Columbus arguing in the convent at Salamanca in favor of trying his discovery. We have got a big room, as big as a church and he is drawing it out on the walls in full size from the sketch he painted years ago.«

*Vater von Elizabeth Boott im Tagebuch
17.7.1886, zitiert in: Josephine W. Duveneck,
»Frank Duveneck: Painter and Teacher«, San
Francisco 1970, S. 117*

»In Cincinnati and throughout the country, singing waiters and other Americans – with or without German ancestry – were singing the new ›in‹ lyrics to the ›Schnitzelbank‹ song.
›Ist das nicht ein Duveneck?
Ja, das ist ein Duveneck!‹«

*Zeitungsbericht, zitiert in: Sigman Byrd, »The
Duveneck Story«, in: The Kentucky Post and
Times-Star Juli 1967*

William Merritt Chase (1849–1916)
Biographie Seite 376

94

Der Maurische Krieger (The Moorish Warrior), ca. 1876

48×238 cm

Brooklyn NY, Brooklyn Museum, Geschenk von John R. H. Blum und A. Augustus Healy Fonds

»Europe is a storehouse of Art, but its value and lessons are lost in a great measure upon the nations that gave it birth. Still those silent voices speak. Out of old churches, mouldering tombs, time-honored galleries, there go forth eternal principles of truth, if rightly studied able to guide the taste and warm the heart of young America, and urge her on in the race of renown... I ... would press home to the heart of every American who goes abroad, the necessity, if he would do his duty to his own country, of reading and interpreting to his countrymen, so far as in him lies, these sacred writings on the wall.«

James Jackson Jarves, »Art Hints«, New York 1855, S. 13–14

»The artist brought home with him a great variety of curios and interesting objects which he picked up abroad... Faded tapestries that might tell strange stories, quaint decorated stools, damaskeened blades and grotesque flint-locks, are picturesquely arranged around the studio with a studied carelessness... It is altogether a nook rich in attractions that carries the fancy back to... the romance of bygone ages.«

Mary S. Haverstock, »The Tenth Street Studio«, in: Art in America 54, September–Oktober 1966, S. 57

»How this able artist could bring himself to part with this delightful houseful of beautiful things is no matter of the public's concern. Yet the thought will not down, for the dispersal of these interesting trophies of travel, of research, and good taste seems positively pitiful when the studio itself is recalled, and one remembers how each separate piece seemed to be a part and parcel of a harmonious and picturesque whole.«

»In the World of Art: William Merritt Chase's Studio Sale«, in: New York Times 5.1.1896

Walter Shirlaw

(Paisly, Schottland 1838–1909 Madrid, Spanien)

Zu der sogenannten »Dreifaltigkeit« gehörte neben Duveneck und Chase auch Walter Shirlaw. »Dreifaltigkeit« wurden die drei amerikanischen Maler von ihren Kollegen und Studenten genannt, weil sie häufig gemeinsam auftraten, gemeinsam malten und gemeinsam die gleichen Kunsttheorien vertraten. Zusammen mit Duveneck, Chase und Currier gehörte Shirlaw zum festen Kern des American Artist's Club, der 1875 gegründet worden war. Shirlaw ist, im Gegensatz zu seinen beiden Freunden, heute fast in Vergessenheit geraten. Seine Malweise erschien zu seinen Münchner Zeiten altmodischer als die der Freunde, sowohl was den Inhalt als auch was die Form seiner Bilder angeht. Der geborene Schotte kam 1871 von Chicago nach München und war damals schon 33 Jahre alt. Zusammen mit ihm waren James F. Gookins und Otto Sommer nach München gereist. Die heimische Kunstkritik kommentierte die Abreise und berichtete von den Fortschritten der angehenden Künstler in München. Sieben Jahre lang studierte Shirlaw an der Akademie bei Raab, Wagner, Ramberg und Lindenschmit und gewöhnte sich die geläufige dunkeltonige Münchner Malweise an. Hier schuf er 1874 sein Meisterwerk »The Toning of the Bell (Das Stimmen der Glocke)«, das sowohl auf der Philadelphia Centennial Exhibition 1876 wie auf der Columbia-Weltausstellung in Chicago 1893 gezeigt wurde. Sein Gemälde »Sheep-Shearing in the Bavarian Highlands (Schafschur in Oberbayern)«, das heute verschwunden ist, war in New York in der Academy of Design 1877 ausgestellt und gewann eine ehrenvolle Erwähnung im Pariser Salon im darauffolgenden Jahr. Neben den Genreszenen malte Shirlaw auch Porträts, ein Fach, das er auch nach seiner Rückkehr in die Heimat weiter pflegte. Hier aber widmete er sich im Gegensatz zu seinen berühmteren Kollegen auch der Wiedergabe von Szenen aus dem Indianerleben. Es faszinierte ihn die Bewegung in der Landschaft, und er fand dabei zu einem fast impressionistisch anmutenden Stil. Außerdem malte er in der Library of Congress in Washington im 2. Stock des Westkorridors die Decke mit Fresken aus, die die Wissenschaften versinnbilichen sollten. Kurz nach seiner Rückkehr nach Amerika wurde er zum Präsidenten der Gesellschaft Amerikanischer Künstler in der New Yorker Akademie gewählt, die sich ironischerweise gegen den Einfluß derjenigen Maler wehrten, die in Paris oder München studiert hatten. Es sollten hier in erster Linie die Werke der jüngeren amerikanischen Akademiker ausgestellt werden, die nicht vom Ausland beeinflußt worden waren.

Lit.: Walter Shirlaw, »Artist's Adventures: The Rush to Death«, in: Century Magazine 47, November 1893, S. 41–45. – »Indians Taxed and Indians Not Taxed: Walter Shirlaw, Gilbert Gaul and the 1890 Census«, in: The Gilcrease Magazine of American History and Art 7, January 1985, S. 28–32.

95
Das Stimmen der Glocke (The Toning of the Bell), 1874
101×76 cm
Chicago, Art Institute of Chicago

»In 1870 he began his studies abroad in Munich with WAGNER, ROMBURGH and KAULBACH. Here his abilities as an artist were so marked that the German Government provided for him a studio and every facility that he required for the practice of his art for several years. On returning to America in 1875 he settled in New York City, and this city was his home and the center of his art life for nearly thirty-five years, or during the period of the American Renaissance in art.

Mr. SHIRLAW was catholic in mind and in taste. He had lived and painted at various times in Italy, Spain, France, Germany, Holland, England and America, and he knew well the great art, past and present, in each of these countries. He had the true historic sense in all that he did. He was a great draftsman and in composition of lines and colors is exceeded by no American painter. His art had great versatility; he was at home in all mediums, and his subjects were drawn from a very wide range. His Vermont hills, that he loved so dearly, responded to his brush almost equally with his mural designs for the Congressional Library building in Washington, his portraits and his genre pictures.

Mr. SHIRLAW'S reputation was perhaps first firmly established by a small painting entitled ›The Toning of the Bell.‹ This is an interior of a foundry where the great bell is being toned by the striking of the violin chords by an old fiddler – a picture that is charming in the sentiment which pervades the grouping, and has made it one of the most popular of Mr. SHIRLAW'S works. It was medaled at the Centennial Exposition in Philadelphia in 1876, and is now owned in Chicago.«

»Walter Shirlaw«, in: The Bulletin of the Brooklyn Institute of Arts and Sciences, Vol. V, Nr. 6 Brooklyn New York City, 15.10.1910, S. 128

411

Robert Koehler (1850–1917)
Biographie Seite 386

96
Der Sozialist (The Socialist), 1885
40×31 cm
Berlin, Deutsches Historisches Museum

»Der Streik

Es gährte schon lange unter den Arbeitern; täglich fanden Versammlungen statt, in einer Reihe von Gegenden hatten sie die Arbeit bereits eingestellt, nun wurde es auch unter den Ladern unruhig. Das war nicht mehr jenes fröhlich geschäftige Treiben in den Speichern, ein ernser mürrischer Geist ging um und lähmte die Arbeit. Wenn zwei Arbeiter zusammenstanden, hatten sie heimlich mit einander zu flüstern, und nahte der Aufseher, so fuhren sie scheu auseinander. Des Abends war noch einmal große Versammlung; dabei ging es sehr stürmisch her, ein sozialdemokratischer Agitator sprach, und seinen Ausführungen gelang es, die Köpfe noch heißer zu machen. Unter Geschrei und Lärm wurde, falls die Arbeitgeber nicht auf die Mehrforderungen eingehen sollten, ein allgemeiner Streik beschlossen. Des andern Morgens saß der Kaufherr im Komptoir über seinen Büchern, da wurde ihm gemeldet, daß die Arbeiter die Speicher verlassen und sich vor der Wohnung versammelt hätten, ihn zu sprechen. Kurz entschlossen trat er hinaus – und stand seinen Arbeitern gegenüber, sein Blick sah halb trotzige halb scheue Gesichter. Der Sprecher der Arbeiter trat vor, und während er die Forderungen begründete, redete er sich mehr und mehr in Zorn. Auch von den Andern wich die Spannung des ersten Augenblicks und mit zahlreichen Zwischenrufen unterstützten sie den Redner. Ernst und streng war die Antwort, die Forderungen wurden abgewiesen, der Streik war da. Als der Kaufherr wieder bei seinen Büchern saß, rechnete er hin und her, und schwere Sorgen machten ihm den Kopf heiß: Wie lange wird es bei den vielen Verbindlichkeiten auszuhalten sein? Auch von den Arbeitern rechnete mancher gewiß seine kleinen Ersparnisse zusammen und fragte sich besorgt: Wie lange wird es auszuhalten sein? Wochen, vielleicht Monate voll Noth und Elend! Sorgen auf beiden Seiten; in die Hofwohnung, vier Treppen hoch, ist die Sorge eingekehrt, aber auch in der Villa des Arbeitgebers klopft sie an. Wer Schuld daran war? Vielleicht beide. Hier ein wenig mehr freundliches Entgegenkommen, dort ein wenig mehr zufriedene Willigkeit, dann hätte es sich machen lassen.«

»Der Streik«, in: Kaiserzeitung 1893 Nr. 10, S. 12

Robert Koehler (1850–1917)
Biographie Seite 386

97
Der Streik (The Strike), 1886
182×276 cm
Berlin, Deutsches Historisches Museum

»Mr. Koehler has done well to show the earnest group of sweaty workmen, quite possibly with justice on their side, but ready, some of them, to take the law in their own hands. He has contrasted with them fairly well the prim capitalist. But in trying to rouse our sympathies with a beggar woman his moral gets heavy. American workmen are not beggars, nor do their women become so through the faults of the capitalists. Mr. Koehler has put more stress on his note just here than the instrument will bear. All the same ›The Strike‹ is the most significant work of this Spring exhibition.«
The New York Times 4.4.1886, S. 4

»Es konnte nicht ausbleiben, daß die an aufregenden Szenen so reichen Konflikte, welche die soziale Bewegung mit sich bringt, auch in der Literatur – es sei nur erinnert an Zolas ›Germinal‹ – wie in der bildenden Kunst der Gegenwart ihr Echo fanden… Vollkommen frei von tendenziöser Parteinahme hält sich dagegen die Schilderung, zu welcher Robert Koehler die belgische Arbeiterbewegung des Jahres 1886 den Stoff bot. In dem gewählten Moment ist der Streik noch nicht in Gewaltsamkeit ausgeartet, allein die Arbeit in der Fabrik ist eingestellt, die Arbeiter haben sich vor den Geschäftsräumen zusammengerottet, und ihre drohenden Gebärden wie die erregte Haltung, in welcher ihr Wortführer dem Chef entgegentritt, lassen kaum darüber in Zweifel, daß der ausgebrochene Konflikt bereits die Bahn einer gemütlichen Unterhaltung verlassen hat und bald einen ähnlichen Charakter annehmen wird, wie ihn die Vorgänge in den Kohlendistrikten von Lüttich, Charleroi u. s. w. zeig-

ten, wo die in Szene gesetzten Plünderungen und Verheerungen die Versicherungen jener Sozialistenführer Lügen straften, die so oft betont hatten, daß sie nur auf gesetzlichem Wege eine Veränderung der gesellschaftlichen Zustände anstrebten… In jedem Falle haben die belgischen Unruhen wieder zu ernstem Nachdenken über eine hochwichtige Frage angeregt, deren Lösung voraussichtlich noch geraume Zeit erfordern, doch, wie zu hoffen, sich schließlich ebenfalls auf jener humanitären Grundlage vollziehen wird, auf welcher die moderne Kulturwelt schon so manche scheinbar unbezwingliche Schwierigkeit überwunden hat.«
Moderne Kunst in Meisterholzschnitten nach Gemälden und Skulpturen berühmter Meister der Gegenwart, Bd. 1, Berlin 1887, S. 37

»*The Strike* was in my thoughts for years. It was suggested by the Pittsburgh strike [of 1877]. Its actual inception was in Munich and there the first sketches were made. I had always known the working man and with some I had been intimate. My father was a machinist and I was very much at home in the works where he was employed. Well, when the time was good and ready, I went from Munich over to England and in London and Birmingham, I made studies and sketches of the working man – his gestures, his clothes. The atmosphere and setting of the picture were done in England, as I wanted the smoke. The figures were studies from life, but were painted in Germany. Yes, I consider *The Strike* the best, that is the strongest and most individual work I have yet done.«
Robert Koehler, in: The Journal, Minneapolis 23.3.1901, S. 10

Edward Lamson Henry

(Charleston SC 1841–1919 New York)

Henry verkörpert denjenigen amerikanischen Studenten, der zum Abschluß seiner Ausbildungszeit und zur Erweiterung seines Bildungshorizontes eine große Rundreise durch Europa unternahm. Er könnte in Philadelphia bei Paul Weber studiert haben. Nach einem kurzen Arbeitsaufenthalt in Paris im Jahre 1860 reiste er nach Italien, besuchte Rom, Florenz, die oberitalienischen Seen, Deutschland, die Niederlande, England und Irland. Überall hielt er seine Reiseeindrücke in Skizzen fest, die ihn dann in der Heimat, in die er 1862 zurückkehrte, zu seinen ersten künstlerischen Arbeiten inspirierten und noch viele Jahre lang Vorlagen für seine weiteren Gemälde mit Städte- und Landschaftsansichten aus Europa lieferten. So malte er das Parlament in London, den Aufstieg auf den Vesuv, eine Straße in Neapel, eine Kanalszene in Venedig, die Kirchen Santo Spirito in Florenz und Sta. Maria del Sassa am Lago Maggiore. Er entwickelte eine Vorliebe für das quirlige Leben an Haltestellen, sei es von Omnibussen in Paris, von italienischen Reisekutschen oder von Eisenbahnen in seiner Heimat. Für Historiker und Architekten sind seine minutiös gemalten Reisebilder und Stadtprospekte, die häufig nach vorher angefertigten Fotografien entstanden, eine zuverlässige Fundgrube zur Erforschung der Mitte und der beginnenden zweiten Hälfte des 19. Jahrhunderts. Dreimal reiste er noch nach Europa, 1871, 1875 und 1881–1882. Nach der zweiten Reise entstand eine Kreuzigungsszene aus den Oberammergauer Passionsspielen, die eine Ausnahme in seinem Werk bildet und als Reiseerinnerung gewertet werden kann. Fern stehen ihm die deutschen Historienmaler, die eine solche Szene in jenen Jahren lebensnah zu gestalten versuchten. Ihn faszinierte nicht die Kreuzigung auf der Bühne, sondern das Geschehen drumherum: die Bühne, das Publikum, der Aufbau der Requisiten und der Schauspieler auf der Bühne. Alljährlich zeigte Henry seine Arbeiten in der National Academy in New York. Die meiste Zeit verbrachte er in seinem Atelier im Tenth Street Studio Building in New York. Henrys Arbeiten waren anscheinend so beliebt, daß sie, so erzählt man sich, sofort nach dem Trocknen des Firnisses verkauft worden seien.

Lit.: Elizabeth McCausland, »The Life and Work of Edward Lamson Henry N. A., 1841–1919«, Albany NY 1945. – Kat. The Paintings of E. L. Henry: Serene Visions of a Time Gone By, in: American Heritage 26, February 1975, S. 19–29. – Maureen Radl/Jan P. Christman, »E. L. Henry's Country Life: An Exhibition«, 1981–1982. – Kat. The Works of E. L. Henry: Recollections of a Time Gone By, Shreveport LA 1987.

98

Passionsspiele, Oberammergau (Passion Play, Oberammergau), ca. 1872

52×88 cm

Santa Barbara CA, Santa Barbara Museum of Art, Anonymes Geschenk für die Preston Morton Sammlung

»Aber selbst ein so vorurteilsfreier Kritiker, wie Bruno Meyer, der zu jener Zeit in der Berliner Kunstwelt die Rolle des Hechts im Karpfenteiche spielte, vermochte sich noch nicht völlig mit der realistischen Strenge des Gebhardtschen Stils zu befreunden. Der hatte kurz vorher das Oberammergauer Passionsspiel gesehen, kam aber trotz dieser Vorschule über einzelne Schroffheiten des jungen Düsseldorfers nicht hinweg, die ihn besonders an dem ›Einzug Christi‹ und der im Jahre darauf gemalten ›Auferweckung von Jairi Töchterlein‹ mißfielen. ›Wenn man jenen Einzug Christi von Gebhardt zu Gesicht bekam‹, so schrieb er, ›kurz nachdem man die Szene auf der Bühne in Oberammergau gesehen hatte, wo die Darstellung in allen Teilen ja so realistisch wie möglich ist, bis zu dem Grade, daß viele an ihrem Realismus, wenn auch unberechtigten Anstoß genommen haben, so erkennt man ganz deutlich, daß nicht bloß die Natürlichkeit der Darstellungsform, sondern auch ein gewisser Mangel an poetischem Gefühl, welches sich mit der natürlichsten Auffassung vereinigen läßt, der Grund des Mißbehagens ist, das sich dem Beschauer aufdrängt: die Darstellung ist eben nicht bloß natürlich, sie ist auch trivial. Leute, die man nicht so malen will, wie wenn man glaubte, sie seien halb Gott und halb Mensch, die kann man doch so malen, wie Menschen aussehen, die von einer Idee begeistert und getragen sind; also zwischen dem Gottmenschen und einem ursimplen, aus dem Handwerkerstande hervorgegangenen fanatischen oder asketischen Reiseprediger liegt doch noch manches in der Mitte, womit sich die naturalistische oder vielmehr die realistische Kunst sehr wohl befreunden kann, und worin die Gestalt Jesu für den bibelgläubigen unanstößiger und auch für den Nicht-Bibelgläubigen mit seiner berechtigten Vorstellung von einer ganz hervorragenden historischen Erscheinung übereinstimmender entgegentritt. Und ebenso ist es in der Komposition sehr richtig, von jener systematischen Parallelgruppierung, von jenem architektonischen Gruppenbau der hoch idealistischen, streng kirchlichen Kunst sich zur einfachen Naturwahrheit zu wenden. Aber wenn man dem Zufall die Gruppierung überläßt, so soll man sich immer doch das Recht vorbehalten, unter den zufälligen Formationen wählen und die unschöne Formation ablehnen zu können. Der Zufall der ganz freien Massenbewegung, in der vom Posieren des einzelnen keine Spur ist, bietet of überraschend schöne Gruppierungen dar, wie das beispielsweise bei den sehr figurenreichen Volksscenen der Oberammergauer Spiele auf die überzeugendste und erfreulichste Weise hervortritt. Darin also muß der Künstler wählerischer sein und muß nicht die Unschönheit an Stelle der Natur als reformatorisches Princip in die Kunst hineinbringen wollen.«

Adolf Rosenberg, »E. v. Gebhardt«, Bielefeld/Leipzig 1899, S. 18–19

Landschaft um München, mit und ohne Menschen

Immer wieder gab es im 19. Jahrhundert bestimmte Gegenden, in die die Maler aus München wanderten oder fuhren, wo sie zeichneten, malten und wohin sie manchmal auch mit ihrem ganzen Haushalt umzogen. Waren es zunächst die Isargegenden und das Voralpenland, das die Romantiker bewegte, vor der Landschaft zu zeichnen und zu aquarellieren, so kristallisierten sich später einzelne Orte heraus, die eine besondere Anziehungskraft auf die Künstler ausübten. Für die Amerikaner hießen diese Orte Polling, Schleißheim und Dachau. Im Sommer, wenn die Akademie ihre Pforten schloß, packten die Kunstjünger ihre Malutensilien zusammen und suchten sich zeitweise Wohnungen in diesen Orten. Häufig mietete man zusammen eine Wohnung, und ein glücklicher Zufall war es, wenn, wie in Mittenheim bei Oberschleißheim, ein aufgelassenes Klostergebäude genug Raum für alle Freunde, Familienmitglieder und Kollegen bot oder in den verlassenen Klosterräumen von Polling Duveneck seine »Boys« um sich scharen konnte. Die jungen Maler schwärmten tagsüber aus, suchten ihre meist unspektakulären Motive, eine Pappelallee, eine Dorfstraße, eine Brücke, das ruhige Flußtal oder die sanften bewaldeten Höhenzüge. Immer wieder malten sie Flußtäler oder sumpfige Gegenden wie die Ammer bei Polling oder das Dachauer Moos. Nicht die heiter glänzenden Sommertage lieferten ihnen Vorlagen, sondern eher die verhangenen grauen Tage, wenn das Licht sich silbrig in den Wassern spiegelte und die Landschaft feine graugrüne Nuancierungen zeigte. Immer sehen diese Landschaftsstudien wie Farbübungen vor der Natur aus, besonders beim Altmeister J. Frank Currier, dem sich viele junge Amerikaner anschlossen. Currier suchte die dramatischen Effekte in den Wolkenbildungen und in den jahreszeitlich unterschiedlichen Stimmungen. Silber-grau-grün war die vorherrschende Farbstimmung und »Silbergrauer Himmel bei München« nannte auch William Keith, der zum führenden Landschaftsmaler Kaliforniens wurde, seine Landschaftsstudie, die er in der Nähe von München angefertigt hat. In den von Wasser durchtränkten Landschaften haben Menschen nichts verloren. Und so sehen die Figurenmaler, auch wenn sie mit den Landschaftsmalern hinaus aufs Land gereist sind, ihre Motive dort in einem anderen Licht und in einer anderen Umgebung. Zur Gruppe der Maler aus Indiana, zu der auch William Forsyth und Theodore Clement Steele gehörten, zählt auch J. Ottis Adams. Adams suchte seine Szenen im bäuerlichen Milieu, in bayerischen Hinterhöfen und bei den Erntearbeitern auf dem Feld. Er blieb vor allem Landschaftsmaler, schenkte aber der Staffage mehr Aufmerksamkeit als seine anderen Malerkollegen. Die Maler aus Indiana zog es vorzugsweise nach Dachau, das im späten 19. Jahrhundert ein blühender Künstlerort war. Adams enthielt sich aber in seinen Schilderungen des bäuerlichen Lebens in der Landschaft jeglicher Erzählung; die Menschen hängen Wäsche auf oder ruhen sich in der Mittagspause auf dem Feld aus.

Anders Carl von Marr, der nach seinen Ausbildungsjahren in München für kurze Zeit 1880–1882 nach Amerika zurückkehrte und die Landschaft an einem der Seen in der Nähe von Milwaukee als Kulisse für eine Erzählung benutzte: An einen Baumstamm gelehnt, schaut die junge Kuhhirtin aus dem dunkel verschatteten Vordergrund hinaus auf den lichtdurchfluteten Weg, wo gerade eine Kutsche mit einem Liebespaar vorbeirollt. Die Phantasie des Betrachters ist aufgerufen: Träumt die Hirtin von einem ähnlichen Glück, ist sie gar die verschmähte Liebhaberin und durchglüht von Eifersucht? Carl von Marrs großer Erfolg stellte sich erst im Jahr 1889 mit der Gestaltung der riesigen Leinwand »Die Flagellanten« ein, einer Prozession im Mittelalter. Religiöse Malerei und Historienmalerei waren hier eine pompöse Verbindung eingegangen, die dem sensationslüsternen Geschmack der Gründerzeitjahre entsprach.

Daß es daneben auch ganz ruhige und intime Szenen gab, die inhaltlich an die Freundschaftsbilder der romantischen Maler erinnern, zeigt Robert Koehler, dessen sozialkritische Bilder nur eine Seite des Künstlers ausmachen. Zwanzig Jahre vorher hat schon der zum Leibl-Kreis zählende Theodor Alt eine solche Münchner Gartenwirtschaft gemalt, in der Leibl mit Freunden und einem Hund Platz genommen hat. Wenn eine solche Szene nicht typisch wäre für die Münchner Biergärten, die zur warmen Jahreszeit zum Sitzen und Trinken auffordern, dann wäre man versucht zu sagen, Koehler habe Theodor Alts Skizze gekannt. Die Malweise aber verrät die Distanz von zwanzig Jahren: Bei Theodor Alt, in früher Leiblscher Manier mit breitem Pinsel und viel Freude an der Verteilung von Licht und Schatten, steht die Malerei im Vordergrund, bei Koehler aber die Botschaft, mit viel Liebe zum Detail eine heitere Stunde des Ausruhens und der Erholung wiederzugeben.

Joseph Frank Currier (1843–1909)
Biographie Seite 366

99

Moorlandschaft bei Dachau (Moors at Dachau)

New York, Mr. George C. White
(Ohne Abbildung)

»Die Moore sind an einem regnerischen Tag herrlich und manchmal, wenn ich nichts anderes tun kann, wandere ich stundenlang auf den Straßen zu den Torffeldern. Dort stoße ich auf Themen, die sich mir zum Malen geradezu aufdrängen… Am schönsten ist es, wenn ein leichter Regen fällt oder eine schwache Brise weht, dann erscheint alles in gedämpftem Grau. Die wenigen Bäume neigen sich im Wind und der Sprühnebel überzieht alles. Beinahe herrscht Monotonie, doch voll zarter, feiner Halbtöne.«

William Forsyth an Thomas E. Hibben
28.8.1882, Brief in Privatbesitz

»…I came in touch with Currier first after he had retired to the country where it was connected with some little difficulty to meet him. He had then, as it appeared to me, secluded himself from contact with current life in studios and with students. Only now and then did he exhibit some of his work; mostly landscapes rendered in what I should call ›thundering color‹. His work was so exceptional, it was of such power, ran so far ahead of general artistic apprehension in those days that it was only natural that few should understand and follow him. What a charming fellow he was, what enthusiasm he could display and arouse in others when listeners proved approachable, when he felt that his words found an echo…«

Carl von Marr an Nelson C. White, München, Februar 1935, zitiert in: Nelson C. White, »The Life and Art of J. Frank Currier«, Cambridge 1936, S. 29

100

Schleißheim, ca. 1883

61×91 cm
Indianapolis IN, Indiana State Museum and Historic Sites

»Currier malt mit schroffen Pinselstrichen unter völliger Mißachtung verfeinerter Formen und belädt sein Gemälde stellenweise mit einem zentimeterdicken Farbauftrag… Er gibt vor, niemals länger als einige wenige Stunden an einem Bild zu arbeiten: anschließend rührt er es kein einziges Mal mehr an und malt auch in seinem Studio nicht weiter… seine Ausführungen sind gewöhnlich sehr kühn, doch furchtbar nachlässig und meistens unfertig und schluderig. Manchmal aber erzielt er strahlende Farben, häufiger jedoch arten sie in tiefe Schwärze und Düsterkeit aus.«

William Forsyth an Thomas E. Hibben
13.5.1882, in: Kat. The Hoosier Group, Indianapolis 1985, S. 121

»It was a dreamful August day when we first saw Schleissheim, and as we passed from the station down a carriage way lined with trees, through an archway into the great court of the old castle and over a stream of purling water so clear we could see the pebbles on the bottom and the fish swimming about, we felt deliciously happy, such a contrast was it all, to the narrow streets and high walls of the city.

The artists were in raptures over the color and picturesqueness of everything, and were continually finding *motifs* that drew from them exclamations of joy.

We went to the royal residence and spent some time looking through the gallery of pictures; sauntering through the lofty rooms; enjoying the fine tapestries; the rich mosaic of the floors; the grand entrance hall; with its famous marble stairway and stately columns of green porphyry.

Out in the park, where Nature and Art combine to make one of the most winsome spots on earth, we found Mr. Currier and Mr. Wenban, making charcoal studies of the mossy old Castanea trees, which line the walks.

Down through the long vistas of the *Allee* we could see the white walls of the hunting castle; the air was filled with the melodious notes of myriads of birds; the cry of the cuckoo floated from the forest beyond, much to our entertainment, but to the disgust of Mr. Currier and his friend, who had long ago grown tired of the monotonous song. But in spite of the cuckoo it was an idyllic painting ground and we returned to Munich that night perfectly in love with Schleissheim.

Its nearness to Munich – six English miles – made Schleissheim a desirable suburban residence, and many artists spent their summers there, while a few lived there the year round. Mr. Currier had his school of landscape at Schleissheim – that is, Mr. Currier worked out there with some fifteen or twenty other Americans, he being the leading spirit.

During the day these artists would be scattered up and down the village streets; in the *Hof-Garten*, out on the moor, and even in the lesser villages of Unterschleissheim, Mittenheim and Lustheim. But at night, if you should have happened into the Hochenrieder inn, you would have found them sitting around a table sipping beer, and discussing the day's work.«

Mary E. Steele, »Impressions«, Indianapolis 1893

Frank Duveneck (1848–1919)
Biographie Seite 372

101
Landschaft bei Polling (Landscape at Polling), ca. 1876
100×147 cm
Detroit MI, Detroit Athletic Club

»The great moor is an inexhaustable source of delight to us. We wander along by boggy places, the haunt of the crane, the snipe, and the bright little wagtail. The air is filled with plaintive cries; there is a peculiar whistling note which would alarm us not a little, did we not know it proceeded from one of those feathered creatures. There is a sound too, which seems to come from out of the tall reeds close by; beginning in a soft, low key, wavering and melancholly, gradually it rises to a shrill, but not unmusical climax; then descending, dies away. Is it Pan, piping a lament for the sylvan days that are gone forever?

We pass along the water courses which cross and re-cross each other; over old water gates, picturesque in their decay, tufted over with lichen and moss; putting to flight many wild creatures. Not so far off but that we can see how graceful is every movement, a herd of deer are feeding. They raise their beautiful heads and after looking at us with startled eyes a moment, go bounding away. We take the path along the fields and watch the peasant turn the rich soil with his rude plow; or the sower, as he paces to and fro, scattering the grain with a measured sweep of his arm; a fit subject for the brush of a Millet.«

Mary E. Steele, »Impressions«, Indianapolis 1893

Frank Duveneck (1848–1919)
Biographie Seite 372

102
Landschaft bei Polling (Polling Landscape),
1881

41×61 cm
Indianapolis IN, Indianapolis Museum of Art,
Geschenk von Mrs. Charles P. Mattingly zum
Gedenken an Charles Slayton Drake

»Instead of completing an elaborately shaded drawing and then painting over it with a careful observance of the lines and details and more or less finishing up each part as one proceeded, he (Duveneck) taught the student to cover his canvas with paint, boldly blocking in the large masses of the subject; afterwards superimposing the various succeeding planes to produce the modelling, and, in order to secure an ensemble of effect, gradually advancing the whole canvas through the separate stages to a finish.«

Charles H. Caffin, »The Story of American Painting«, New York 1907, S. 114–115

»Always, at the beginning of the year, Mr. Duveneck would address the class and at the close of his talk he would say. ›Now I don't want any geniuses in this class, I don't care for pupils who claim to have an abundance of talent; but what I do want is a crowd of good workers.‹ This is the thought that I have always tried to instill into my pupils.«

Frank Duvenecks Unterlagen, Archives of American Art, Smithsonian Institution, Rolle 1151
»Frank Duveneck, Noted Painter, Gives Interview«, in: Christian Science Monitor, März 1916

»We remember Duveneck telling of his tramps over the fields and how he became interested in out-of-door light, the way it fell across the surfaces and got lost in the shadows;... and how he became interested in a different aspect of light. It was the color and atmosphere of out-of-door light and the way it permeated the air and transformed shadows.«

Mary Alexander, »The Carpenter of Polling«, in: Cincinnati Times Star 9.7.1925

Theodore Clement Steele (1847–1926)
Biographie Seite 390

103

Später Nachmittag, Dachauer Moos (Late Afternoon, Dachau Moor), 1885

64×97 cm

Indianapolis IN, Indianapolis Museum of Art, Geschenk von Mr. Frank Churchman

»Wenn ich heimkehre, möchte ich ebensoviele Landschaftsbilder wie Porträts malen. Ich stehe der Landschaft sehr nahe und ich glaube, die Arbeit im Freien trägt sehr zu meiner Gesundheit und meinem Wohlbefinden bei…

Ich möchte mehrere Monate mit Skizzen und Studien bemerkenswerter Plätze und Motive verbringen, damit nicht nur ich nach meiner Rückkehr über reizvolle und nützliche Vorlagen für Gemälde verfüge, sondern auch die Menschen in der Heimat etwas Neues und Interessantes kennenlernen.«

T. C. Steele an Herman Lieber, 28. 2. 1883, Steele Papers, Indianapolis IN, Indiana Historical Society

»Langsam erkannten sie, daß wenn eine solche Arbeit in Holland und Norwegen entstehen konnte, sie auch in Amerika denkbar war. Und angenommen, sie ließ sich in Amerika verwirklichen, warum dann nicht in Indiana oder einem anderen Teil der Vereinigten Staaten, falls sich dort gelernte Künstler in ihrer Heimat ansiedelten und ihre Kenntnisse bei den Dingen, die sie am besten kannten, anwandten.

Der aus München zurückgekehrte Hoosier hegte Zweifel darüber, wie sich Indiana für die Malerei eignen würde und unterzog es einem Test. Eine der härtesten Proben für einen heimkehrenden Studenten, der im Ausland daran gewöhnt war, mit Kameraden zusammenzusein, bestand darin, allein zu arbeiten, und viele verheißungsvolle Künstler sind bei diesem Versuch gescheitert. Die Hoosier hatten das Glück, in den vielen Semesterferien während ihres Auslandsstudiums Vereinen anzugehören, und nach ihrer Rückkehr hielten sie an dieser Gewohnheit fest. Ihr über lange Zeit gemeinsam verfolgtes Ziel ließ ein Kameradschaftsgefühl und eine Sympathie zueinander wachsen, die sie in ihrer Arbeit hier zu Hause bestärkten. Zunächst malten sie selten allein und selbst wenn in einer Saison ein Kamerad von einem anderen abgelöst wurde, arbeiteten einige von ihnen immer zusammen.«

William Forsyth, »Art in Indiana«, Indianapolis 1916, S. 15

William Keith

(Aberdeenshire, Schottland 1839–1911
Berkeley CA)

William Keith ist ein Nachkomme des Feldmarschalls und Freundes Friedrichs des Großen, Jakob Keith. Seit 1850 lebte und arbeitete er in New York, zunächst als Holzschneider. Jahrelang betrieb er dann die Malerei nur als Liebhaberei in Kalifornien. Eine Reise nach Düsseldorf 1869 bis 1871 zusammen mit seiner Frau Elizabeth, die Stillebenmalerin war, veränderte seine Haltung. Er wurde beeinflußt von Andreas Achenbach, lernte bei Albert Flamm und reiste dann nach Dresden und Paris, um sich die Sammlungen in den Museen anzuschauen. Die künstlerischen Ergebnisse seiner ersten Europa-Reise veranlaßten ihn zu einer zweiten im Jahre 1883 bis 1886 nach München, die er Theodore Wores zu verdanken hatte, der vor ihm in München studiert hatte und 1881 nach San Francisco zurückgekehrt war. In München widmete sich Keith monatelang der Malerei nach dem lebenden Modell. Einer seiner Lehrer war Carl von Marr, ein Amerikaner, der an der Münchner Akademie lehrte und mit dem es keine Sprachprobleme gab. Von ihm lernte er Figurenmalerei. Von einem anderen Amerikaner, der in München geblieben war, von J. Frank Currier, ließ er sich in der Landschaftsmalerei

beeinflussen. Keith blieb drei Jahre lang in München und machte auch noch später Reisen nach Europa, 1893 und 1899. Den Reisezielen entsprechend kann seine Arbeit in zwei Perioden eingeteilt werden: in die erste, in der er realistisch Gebirgs-Idyllen beschreibt, die von der Düsseldorfer Schule beeinflußt sind, die zweite, in der eine diffuse Ton-in-Ton-Malerei und die Wahl der Sujets – intime, poetische Landschaftsausschnitte wie Eichenhaine, verträumte Weiher, Weiden mit grasendem Vieh – an Münchner Landschaftsmaler und an die Maler von Barbizon erinnert. Zu Anfang des 20. Jahrhunderts zählte man ihn zu den bedeutendsten Landschaftsmalern Kaliforniens. Keith war Anhänger der Swedenborgianer, einer Sekte, die sich nach dem schwedischen Gelehrten und Theosophen Swedenborg nannte, der die Gründung einer neuen Kirche nach der Offenbarung des Johannes verkündete. In der Kirche der Swedenborgianer in San Francisco hängen heute noch vier Landschaftsdarstellungen von Keith, die vermutlich die vier Jahreszeiten versinnbildlichen.

Lit.: William Keith, »The Future of Art in California«, in: San Francisco Call December 25, 1895, S. 2. – Brother Fidelis Cornelius, »Keith, Old Master of California«, Vol. I New York 1942, Vol. II, Fresno CA 1956. – Kat. An Introduction to the Art of William Keith, Oakland CA 1957. – Kat. William Keith, The Saint Mary's College Collection, Moraga CA 1988.

it would require a canvas as big as a house and then it would only be a panorama.

I found out after a while that there were lots of things in Nature that to look at were beautiful, but that were not fit to be painted.... After a while I got down to more simple things and my enjoyment increased a hundredfold. A clump of trees with a sky behind as background – the best painters have been satisfied with such simple things, and they are enough to satisfy future generations of painters...

Since I have got to look at Nature in this way and in a sense have turned my back on the mountains and objective nature, Mr. Muir thinks of me as a son of perdition.«

William Keith, Mitte der 90er Jahre, in: Brother Fidelis Cornelius, »Keith: Old Master of California«, 1942, S. 274–275

»When I began to paint, I could not get mountains high enough or sunsets gorgeous enough for my brush [and colors]. After a considerable number of years' experience I was contented with very slight material, a clump of trees, a hillside and sky. I find these hard enough and varied enough to express any feeling I may have about them.«

William Keith, in: Eugen Neuhaus, »William Keith. The Man and the Artist«, Berkeley 1938, S. 49

104

Silbergrauer Himmel bei München (Silver Grey Sky near Munich), ca. 1880

38×50 cm
Moraga CA, Hearst Art Gallery, Saint Mary's College of California

»I think it is the experience of every painter that when they begin to paint they are seized with the desire to paint lurid things, and mountains miles high. I know I was and I used to got in company with John Muir all over the Sierra Nevada... At that time I was almost as crazy about the mountains as he was and was continually trying to paint them, but the trouble with painting mountains is that you are so hampered with the bigness of them, that

J. Ottis Adams (1851–1927)
Biographie Seite 368

105
Waschtag, Bayern (Wash Day, Bavaria),
1885
47×60 cm
Indianapolis IN, Indianapolis Museum of Art,
Geschenk der Söhne von J. Ottis Adams

»Wahrscheinlich werde ich Dir nach Deiner Heimkehr sagen wollen, daß Du bis auf Deine Ausbildung alles aus Deiner Münchner Zeit verbannen solltest. Bewahre Dein technisches und künstlerisches Verständnis und setze es bei amerikanischen Themen, amerikanischen Porträts, Genre- und Landschaftsdarstellungen ein.«

*T. C. Steele an J. Ottis Adams, 12.9.1887,
Brady Papers, Privatbesitz*

»Mr. Adams, who died last January in his seventy-sixth year, was the third artist of what was long known as »The Hoosier Group« to die within a twelfth month. He had been preceded by Otto Stark and Theodore C. Steele. He was born in 1851 in Johnson county, which was also the birthplace of William M. Chase, a noted figure in American art who left Indiana in his young manhood. Mr. Adams, after early art studies in London and a return to Europe for several years of study in Munich, came back in 1887 to Indiana, which was his home throughout his life, except for summers in Michigan and winters in Florida. He was one of the first teachers of painting at the Herron Art School and he had earlier conducted classes in Muncie and Fort Wayne, but he dropped teaching and devoted himself entirely to painting a good many years before his death.«

*»J. Ottis Adams Exhibition Opens at Herron
Art Institute Sunday«, anonymer Zeitungsausschnitt aus dem Jahre 1928 im Archiv des
Indianapolis Museum of Art*

J. Ottis Adams (1851–1927)
Biographie Seite 368

106
Mittagspause (Nooning), 1886
72×99 cm
Muncie IN, Ball State University Museum of Art, Geschenk von Mrs. Fred D. Rose

»Jeden Morgen, während der ganzen Erntezeit sahen wir zwischen fünf und sechs Uhr früh, wie sich Männer und Frauen mit Sensen, Rechen und Heugabeln ausgerüstet und angetan mit den malerischsten Kostümen zu den Feldern schlängelten.«

Mary E. Steele an Mrs. Maggie Lockridge 29.1.1884, Steele Papers, Indianapolis IN, Indiana Historical Society

»As the days went by the cuckoo called from the wood, and the skylark built his nest in the tall grass and soared toward the sky to tell of the bliss that filled his heart. From the great sheep-fold the flocks were brought to feed in the meadows. *Hirten Seppie* drove his cows to the forest pastures, and beguiled the lonely hours, as he kept his watch, by singing the quaint folk songs. Groups of peasant men and women were busy in the fields; what delicious color harmonies they were, in their faded tints of blue and red; and the white head cloths of the women.

Old grand dames brought their latest descendants and came to sit in the sunshine against the cottage walls; knitting or sewing as they watched their little charges, or sat with a babe on their knee. Down through the avenue came slowly the Mittenheim oxen, drawing the rude cart; there is a drowsy humming of bees in the linden blossoms overhead and a faint music of rustling leaves.«

Mary E. Steele, »Impressions«, Indianapolis 1893

433

Carl von Marr (1858–1936)
Biographie Seite 398

107
Die Liebenden (The Lovers), 1884
70×100 cm
West Bend WI, West Bend Art Museum

»Forty years ago Carl Marr returned to Milwaukee after studying in Europe and painted this landscape, called »The awakening of Spring« from a scene at Pewaukee lake. His sister Mrs. Bruno E. Fink posed for the figure in the picture.«

Archiv der West Bend Gallery of Fine Arts, West Bend WI

»Dagegen konnte der Amerikaner *Karl Marr* (1858–1936), der für eine lange Reihe von Jahren Direktor der Akademie war, zwischen der älteren und der jüngeren Richtung in der Lindenschmitschule, nach beiden Seiten hin nachgiebig, den besten Ausgleich finden. Er hatte zwei historische Kompositionen ausgeführt, aus den Jahren 1805 und 1813, und eine »Flagellantenprozession« folgen lassen, an der über die helle Malweise der Verzicht auf den pathetischen Zug gerühmt wurde. Dann blieb er ein eifriger, mit vortrefflicher technischer Gewissenhaftigkeit schaffender Künstler, dessen kühle objektive Reserve den Ruf der akademischen Vorbildlichkeit in jeder Beziehung verdient.«

Hermann Uhde-Bernays, »Die Münchner Malerei im 19. Jahrhundert«, II, München 1927, S. 208

Theodor Alt

(Döhlau bei Hof 1846–1937 Ansbach)

Von 1864 bis 1873 studierte Alt an der Münchner Akademie, wo er Wilhelm Leibl kennenlernte. Mit ihm zusammen und noch weiteren Malerkollegen bildete Alt spätestens ab 1868 in der Münchner Schillerstraße eine Ateliergemeinschaft, die zur Keimzelle des sogenannten Leibl-Kreises wurde. Alts künstlerisches Talent ist an und mit Leibl gewachsen. Stilleben und Landschaften sind seine Spezialität. Um 1870 soll er zu den begabtesten Mitgliedern dieser Gruppe gehört haben. Dieser Kreis und die Malweise des spontanen, pastosen Farbauftrags mit den sichtbaren Spuren des Pinsels hat besonders die Gruppe um den Amerikaner Frank Duveneck, die sogenannten Duveneck Boys, fasziniert. Wilhelm Leibl und seine an Courbet geschulte Malweise wurde zum herausragenden Vorbild für eine ganze Generation von nachwachsenden amerikanischen Malern.

Lit.: Kat. München 1869–1958 – aufbruch zur modernen kunst, München 1958. – Kat. Wilhelm Leibl und sein Kreis, München 1974. – Eberhard Ruhmer, »Der Leibl-Kreis und die Reine Malerei«, Rosenheim 1984. – Klaus Jörg Schönmetzler, »Wilhelm Leibl und seine Malerfreunde«, Rosenheim 1994.

108

Leibl im Kreis seiner Freunde, 1867

31×41 cm
München, Bayerische Staatsgemäldesammlungen

»München, 14. Oktober 1867. Ich würde die Sachen längst schon geschickt haben, wenn nicht die Kette und Nadel dabei gewesen wäre. So aber mußte ich warten, bis meine Mittel es erlaubten, dieselben auszulösen. S. und H. konnten mit dem besten Willen keinen Pfennig dazu beisteuern. Bedenke nur, daß S. mir selbst noch über 5 Fl. schuldet. Derselbe ist überhaupt längere Zeit zu einem wahren Hundeleben verurteilt gewesen. Brot und Wasser war oft sein tägliches Brot, und wenn es ihm jetzt nicht anfinge, besser zu ergehen, so wäre der arme Teufel sicher noch einer Krankheit anheimgefallen. Im Hinblick auf die Leiden dieses meines Kollegen muß ich mich freilich noch glücklich schätzen, obgleich auch ich wahrlich nicht auf Rosen gebettet bin. Theater, Musik und dergleichen kenne ich gar nicht mehr, und muß auch ich oft von Tag zu Tag pumpen, um des Magens Knurren zu beruhigen. Der Graf war zwar hier, hat mir aber, da er auf der Durchreise nach Paris begriffen war und nicht genug beistecken hatte, nicht mehr als 100 Fl. gegeben; er vertröstete mich bis auf vierzehn Tage, wann er wieder zurückkommt. Die 100 waren im Nu weg. Den größten Teil meiner Schulden habe ich jedoch noch nicht berichtigt. Dies alles behindert mich auch sehr an der Lust zum Arbeiten. Zum Beispiel kann ich mir, was sehr notwendig ist, in meinem Atelier weder Vorhänge noch Teppiche noch sonst etwas anschaffen. Da das Semester noch nicht angefangen, so konnte ich auch das mir versprochene Holz noch nicht beanspruchen und so bei der grimmigen Kälte, die hier herrschte, kaum arbeiten. Ich hoffe jedoch, daß dies alles sich in kurzem bessern wird.

Wenn nur das Stipendium bald käme. Frage doch meine Eltern, ob keine Aussicht dazu vorhanden. Ein neues Porträt habe ich im Auftrage und werde dasselbe anfangen, sobald mein Atelier in wohnlichem Zustande sein wird. Von dem Grafen bekam ich ferner Aufträge zum Kopieren eines oder mehrerer van Dycks in der alten Pinakothek. Für eins werde ich wahrscheinlich 300 Fl. bekommen. Derselbe hatte die Kopie, welche ich für Kaulbach angefertigt, gesehen, die mir vortrefflich gelungen ist.«

Wilhelm Leibl an Baurat A. Wingen in Köln, in: Else Cassirer, »Künstlerbriefe aus dem neunzehnten Jahrhundert«, Berlin 1923, S. 355–356

»Dies ist der Kreis, den Alt in einem feinen Bildchen festhielt, wie er in einer Wirtschaft am Starnberger See beisammensitzt, eine bedeutsame Gruppe in einer bedeutsamen Malerei, die noch gelegentlich der Berliner Jahrhundert-Ausstellung 1906 Leibl selbst zugeschrieben wurde … falsch signiert, wie es war, konnte es nach der Qualität der Malerei wohl für Leibl beansprucht werden und als sein Werk glaubhaft erscheinen. Indessen ist es jetzt für Alt gesichert und nachträglich von ihm auch signiert worden.«

Georg Jacob Wolf, »Leibl und sein Kreis«, München 1923, S. 79, 165 f.

Robert Koehler (1850–1917)
Biographie Seite 386

109
Im Park (In the Park) 1887
72×60 cm
Milwaukee WI, Milwaukee Art Museum,
Vermächtnis von Frederick C. Winkler

»Business, money-making, wealth and luxury seemed to lie entirely outside of our sphere, which appeared to propagate but that one desire: to study, to advance, learn to do and to be something!

…my first visit to the ›New Pinakothek‹ had filled me with the profoundest admiration for modern art, and I could not understand how it was possible that anybody could fail to see its superior merits over the work of the old masters. True, I had not yet seen any old masters; in fact, I had never before seen any great (or large!) paintings anywhere, that could compare with the huge canvases at the New Pinakothek.«

Robert Koehler, in: Minneapolis Society of Fine Arts Bulletin Nr. 3, März 1907, S. 5

»Die anmutige Bescheidenheit und die eigene, gleich dem ausgestorbenen Typus Meister Spitzwegs vor überlautem Selbstlob zurückschreckende Friedlichkeit der guten alten Münchner Lebenskunst waren längst dahingeschwunden. Nur ein kleiner, holder Rest Altmünchner Daseins erhielt sich bis in die Zeit kurz vor 1890. Wer in den achtziger Jahren in München zur Schule gegangen ist, hatte das Glück, wenn er es verstand, sie am richtigen Fleck aufzusuchen, den Widerschein verlorener Schönheit für seine dankbaren Erinnerungen aufzufangen. Nicht allzu bedrohend sprachen sich, wie Lichtwark schreibt, in der Stadt des Bieres die Gegensätze zwischen arm und reich aus, aber bereits begannen an der Isar und in Schwabing, wo eine für sich bestehende Kolonie von auswärtigen Elementen, stark durcheinander gemischt, steife Geheimräte bei wilden Bohemiens, entstanden war, vornehme Häuser der wohlhabenden Bürger und Fremden hergestellt zu werden, deren Luxus der Einfachheit einstiger Sitte widersprach. Die Bevölkerungszahl stieg rasch, um am Ende des Jahrhunderts die Ziffer von einer halben Million zu erreichen. Der ebenfalls zunehmende allgemeine Wohlstand bewirkte außer der ans Krankhafte grenzenden unsystematischen Bauwut in der Fürsorge für den gärtnerischen Schmuck der vielen Anlagen eine höchst verdienstliche stille Tat der städtischen Verwaltung, deren Verschönerungssucht beim Ausbau des Rathauses um so bedenklicher auftrat.«

Hermann Uhde-Bernays, »Die Münchner Malerei im 19. Jahrhundert« II, München 1927, S. 225

Abschied von der gegenständlichen Malerei?

Mit dem epochemachenden Ereignis der Armory Show in New York im Jahre 1913 schließt ein bis dahin überschaubares Kapitel der Kunstgeschichte: die wechselseitigen Beziehungen zwischen Amerika und Deutschland. Zu diesem Zeitpunkt gab es keine allein führende Kunstschule mehr in Deutschland, sondern mehrere herausragende, deren Qualität die Lehrerpersönlichkeiten bestimmten. München spielte zwar immer noch eine Rolle, aber die meisten Ausländer, darunter auch Amerikaner, zogen es vor, ihren Studienabschluß in Paris zu absolvieren. Düsseldorf hatte fast vollständig an Bedeutung verloren, dafür bildeten sich Zentren in Norddeutschland (Hamburg) und im Osten des Landes (Berlin, Weimar und Leipzig). Schnellere Verkehrsverbindungen verkürzten die Entfernungen auch zwischen den Kontinenten. Die Weiterentwicklung der Photographie und der Drucktechniken brachte bald Abbildungen der neuesten Kunstschöpfungen auch in die abgelegenen Gegenden der Erde. Die Große Bildungsreise des 19. Jahrhunderts war außer Mode gekommen. Kinder reicher Eltern, Literaten oder exzentrische Künstler, die genug Geld aufbringen konnten, wählten beliebige Aufenthaltsorte auf der Welt, die der jeweiligen Mode entsprachen oder wo sie sich Anregung und Erfolg versprachen. Neben Paris hatte sich in Europa nach 1900 auch Berlin als Weltstadt profiliert. In München wohnten und wirkten zwar noch die einheimischen Künstler, aber Ausstellungen von Format wurden in Berlin oder auch in Köln abgehalten. So bildete die Sonderbundausstellung in Köln im Jahre 1912 die Anregung für die Armory Show in New York, und Herwarth Waldens Galerie »Der Sturm« in Berlin wurde zur Plattform avantgardistischer Künstler. Vom Kreis, in dem sich der Künstler bewegte, die Beziehungen, die er knüpfen konnte, vom künstlerischen Gedankenaustausch, der weit mehr als früher auf Kunsttheorien basierte, davon hing das Wohlergehen des Künstlers und damit das Gedeihen seiner Kunst ab. Man reiste von Paris nach München und von dort nach Berlin, man war informiert durch Ausstellungen, durch kritische Berichte in Zeitschriften und Zeitungen. Die Organisatoren der Armory Show schickten ihre Mitarbeiter unter anderem nach Köln, nach München und nach Berlin. Die Zentren gab es zwar noch, und aus ihnen heraus entwickelten sich spezifische Kunstströmungen, aber diese verbreiteten sich in den interessierten Künstlerkreisen bald weltweit. Dem Galeristen, dem Kunsthändler, kam eine bedeutendere Rolle als in der Vergangenheit zu. Galeristen waren nicht nur Freunde, sondern auch Sponsoren; sie stellten nicht nur aus, sondern erwarben auch selbst Kunstsammlungen und setzten Akzente durch die Wahl ihrer Künstler.

In New York spielte der Sohn wohlhabender deutscher Einwanderer, Alfred Stieglitz, eine solche Rolle. Seine Aufmerksamkeit galt zwar der Fotografie, aber in seiner berühmten Galerie »291«, genannt nach der Hausnummer, in der sich seine Galerie auf der 5th Avenue befand, zeigte er auch die umstrittenen und fortschrittlichen Künstler seiner Zeit. Er war es, der auf der Armory Show das Bild »Improvisation Nr. 27« von Wassily Kandinsky erwarb, das heute im Metropolitan Museum hängt und das damals niemand beachtet hatte. Heute gehört die Serie der »Improvisationen« zu den Meilensteinen am Beginn der abstrakten Malerei. Einer der exzentrischsten amerikanischen Künstler jener Jahre wurde von Stieglitz gefördert und freundete sich in München mit Kandinsky an. Sein Name war Marsden Hartley. Mit ihm begann die abstrakte Malerei in der amerikanischen Kunstgeschichte. Auf der Armory Show stellte er noch ein relativ gegenständliches Stilleben mit kubistischen Zügen aus. Hartley war ein Suchender wie Lyonel Feininger, der Sohn deutsch-stämmiger New Yorker Musiker, der nach Hamburg gekommen war, um sein Violinspielen zu vervollständigen. In Deutschland entdeckte er seine malerischen Talente, die sich zunächst in Karikaturen ausdrückten und dann auf der Suche nach den Gesetzen der Natur für Licht und Farbe in einer Malerei der kristallinen Formen endeten. Ehe sich seine Vorlagen ganz in Linie und Licht auflösten, suchte er Motive, die seinen sperrigen Vorstellungen entgegenkamen, und fand sie in Heringsdorf an der Ostsee-Küste. An der Grenze zwischen gegenständlicher und abstrakter Sehweise ist auch Albert Bloch anzusiedeln, der das Glück hatte, in München Kandinsky und Franz Marc kennenzulernen, und der eingeladen wurde, zusammen mit der Gruppe »Blauer Reiter« auszustellen. Das »Porträt des Knaben Johannes« ist noch als gegenständlich zu erkennen, verflacht aber schon ins Zweidimensionale; das Bild »Nacht I« zeigt nur noch Farbflächen, die hart aufeinanderstoßen. Marsden Hartley hatte inzwischen Paris und damit seine kubistische Phase verlassen, hatte Kandinskys Abhandlung »Über das Geistige in der Kunst« gelesen und versuchte nun in Berlin die neuen Erkenntnisse auf die Leinwand umzusetzen. Hartley war ein unruhiger Geist, am Rande des Minimums lebend, stets die Freundschaft bedeutender Künstler und einflußreicher Mäzene suchend. Seine ganze Liebe galt Deutschland auch noch über den Ersten Weltkrieg hinaus, und zwar dem Deutschland, das er im Berlin des angehenden Jahrhunderts kennengelernt hatte. Er liebte den Pomp der militärischen Aufzüge, bewunderte die weiß gekleideten wilhelminischen Soldaten auf ihren Pferden. Nachdem sein deutscher Freund im Krieg gefallen war, fanden militärische Symbole Eingang in seine Malerei.

In der Armory Show war auch der deutsch-stämmige Oscar Bluemner vertreten. Er war in Berlin ausgebildet worden, lebte dann als Architekt in New York und zeigte nach einer Berlinreise im Jahre 1912 fünf starkfarbige Landschaften, die von den Amerikanern sehr beachtet wurden, weil sich in ihnen amerikanische Vorstellungen mit denen der europäischen Avantgarde verbanden. 1915 räumte ihm Alfred Stieglitz in seiner Galerie eine eigene Ausstellung ein. Bluemner kämpfte für die Vorherrschaft der reinen Farbe. Einer der ersten deutsch-amerikanischen Maler, der Kandinsky entdeckt hatte, war Konrad Cramer aus Würzburg, der 1911 nach Amerika emigriert war. Seine Arbeiten zeigten ab diesem Zeitpunkt eine enge Verbindung zu Kandinskys Malweise. Wie eng diese Verbindung war, verrät eine Serie von sechs Gemälden, die er im November des Jahres 1913 ausstellte und die alle den Titel »Improvisation« (nach Kandinsky) trugen.

Mit Kandinskys Einfluß in Amerika, welcher aufgrund seines Münchner Aufenthaltes und seiner fruchtbaren Tätigkeit dort vielleicht als eine Strömung aus Deutschland betrachtet werden kann, findet die wechselseitige Beziehung in der Kunst zwischen den Vereinigten Staaten und Deutschland ihren vorläufigen Abschluß. Daß eine solche Vorstellung aber einseitig ist, beweist die Tätigkeit von zwei amerikanischen Akademieprofessoren: Carl von Marr in München und Gari Melchers in Weimar. Melchers hat noch einmal, ebenso wie Marr, die Figurenmalerei zu Beginn des neuen angehenden Jahrhunderts zu einem Höhepunkt geführt. Sein »Fechtmeister« ist ein einmaliges Zeugnis für eine genaue Beobachtungsgabe, für psychologisches Einfühlungsvermögen und monumentale malerische Umsetzung. Obwohl Melchers bei seinen Studenten als altmodisch galt, zeigt seine Malweise einen direkten Weg zur neuen realistischen Sehweise der Maler von heute, die mit fotographischer Genauigkeit ihre Motive auf die Leinwand bannen. Sein »Roter Husar« war wohl eine Reaktion auf die ungerechtfertigte Empörung von Kaiserin Augusta Victoria, die im Jahr 1912 verlangt hatte, daß ein Aktbild von Melchers aus der Großen Berliner Kunstausstellung entfernt werden sollte. Das Bild blieb, denn Melchers hatte sich geweigert, es zu entfernen. Jedenfalls wird ein roter Husarenrock heute noch sorgfältig als Hinterlassenschaft in seinem ehemaligen Wohnsitz in Belmont bei Fredericksburg VA aufbewahrt. Die amerikanische Malerei des frühen zwanzigsten Jahrhunderts mündet nicht nur in die Abstraktion (Jackson Pollock, Barnett Newman usw.), sondern es führt auch eine kontinuierliche Linie von der Ash Can School über die Helga-Bilder von Andrew Wyeth zu den neuen Realisten. Andere Impulse gingen von den deutschen Malern aus, die in den dreißiger Jahren vor der Naziherrschaft in den Vereinigten Staaten Zuflucht suchten; die internationale Verflechtung künstlerischer Ideen wurde zum Kennzeichen unseres Jahrhunderts.

Albert Bloch

(Saint Louis MO 1882–1961 Lawrence KS)

Vor seiner Übersiedlung nach München im Jahre 1908 war Albert Bloch Illustrator und Karikaturist der Tageszeitung seiner Heimatstadt »St. Louis Mirror«. In München traf er vermutlich im Jahr 1911 Wassily Kandinsky und Franz Marc, die ihn in ihre Kreise aufnahmen. Seinen Ruhm jedenfalls verdankt Bloch der Teilnahme an der ersten Ausstellung der Münchner Gruppe »Blauer Reiter« in der Galerie Thannhauser im Dezember 1911. Gründer dieser legendären Künstlergruppe, die nur zwei Ausstellungen und sechs Monate überdauerte, waren Kandinsky und Marc. Bloch war mit sechs Gemälden vertreten und gehörte damit zu denjenigen Künstlern, die mit diesem Ereignis dem Beginn der modernen Kunst in Deutschland einen Meilenstein setzten. Bei der zweiten Ausstellung der Gruppe in der Münchner Kunsthandlung Hans Goltz im Jahre 1912 mit dem Untertitel »Schwarz-Weiß«, auf der nur Arbeiten auf Papier gezeigt wurden, war Bloch mit acht Graphiken vertreten. 1913 stand Bloch auf dem Zenit seines Ruhmes in Deutschland: Er hatte Bilder auf der Sonderbund-Ausstellung in Köln gezeigt, und ihm war eine Einzelausstellung in Herwarth Waldens Berliner Galerie »Der Sturm« gewidmet. Die Nähe zur Gruppe »Der Blaue Reiter« hat Bloch in seinen späteren Lebensjahren noch verwundert: er meinte, er sei ein eher abseitiger Künstler, der ganz entschieden auf dem Boden der Tradition stehe. Bloch war weniger Kunsttheoretiker als Augenmensch. Seine Bilder leben aus den Formen und Inhal-

ten, weniger aus den Farben heraus. Er wählte vielfach Schausteller aus dem fahrenden Volk, dem Zirkus, die in der Lage sind, die Realität in Frage zu stellen oder gar zu karikieren. Bloch blieb bis zum Jahre 1921 in München, kehrte dann nach Chicago zurück und lehrte ab 1923 als Professor Malerei und Zeichnen an der University of Kansas in Lawrence KS.

Lit.: Kat. Albert Bloch, Lawrence KS 1955. – Donald G. Humphrey »Albert Bloch: A Retrospective Exhibition of His Work from 1911 to 1956«, Tulsa OK 1961. – Kat. Albert Bloch (1882–1961). An exhibition of Watercolors, Drawings and Drypoints, Lawrence KS, University of Kansas Museum of Art 1963. – Kat. Albert Bloch. Selected Paintings and Drawings, New York Goethe House 1963/64. – Kat. Albert Bloch 1882–1961: An American Expressionist, Utica NY 1974. – Richard C. Green »Albert Bloch, His Early Career: Munich and Der Blaue Reiter«, Pantheon 6 (1981) S. 70–76. – Anna Bloch »Albert Bloch's silent spirit« in: Art & Antiques October 1987 S. 88–91. – Maria Schuchter, »Albert Bloch«, Universität Innsbruck 1992.

110

Der Knabe Johannes, 1913

85×69 cm
Lawrence KS, Mrs. Albert Bloch

»About a year later (1910) a visitor to my studio suggested that I invite Kandinsky and his associates to have a look at my work. This I was reluctant to do, for various reasons; but after some persuasion I consented to see Kandinsky and ask him round to my place, if he would only come. As it turned out Kandinsky was glad to come, and when he did come – well, the upshot was, that I was invited to cast my lot with him and his friends. However, this was not the immediate result. The immediate result, as I learned much later, was that, quite unwittingly and innocently, I was indirectly responsible for the breaking up of the New Society of Munich. There had been long discussion among the members who very soon after the formation of the society divided sharply into two opposing factions, of compromisers, or as we would call them: pussy-footers, and inexorables, or as we would call them: radicals. There is no point in calling over the names of the members in the first group, for they would all be unknown to you, and it is indeed astonishing to realize how unknown almost every one of them has become in Europe since that day. Outwardly, when they came to my study in a body, soon after Kandinsky's first visit, all was sweetness and light and harmony amongst them, and an outsider like myself could not suspect that there was anything else. The friction arose out of the fear and distrust felt by the compromisers, the backsliding respectables among the group, of the uncompromising independence and honesty shown by the radicals. The reactionaries feared that the radicals were going too far, and they had lost sympathy for their aims; while the other group were disgusted with the smugness and growing exclusiveness and snobbishness of the backsliders, and were by this time convinced that they were only a thinly disguised lot of not too capable academicians. And that was the situation when I came into the picture. It was simply the violent disagreement between the two factions concerning my worthiness to be admitted to membership that finally precipitated the already inevitable break. I had not put myself forward as a candidate for membership in the society, I did not particularly desire membership, and indeed, the thought of membership in any formally organized group of painters has always been unpleasant to me. But there the one faction was determined not to have me, while the other was quite as determined that I should be admitted – although I rather suspect that their determination was at least to some degree conditioned by the resistance of their opponents, and that I happened to be merely one of those convenient though fundamentally unimportant bones of contention which are so often made the excuses for a decisive squabble and the ultimate showdown; although, to be just, I believe that the separation took place under all the dignified aspects of a gentlemen's disagreement...«

Albert Bloch 1934, zitiert in: Hans Konrad Roethel, »The Blue Rider«, New York 1971, S. 38

443

Albert Bloch (1882–1961)
Biographie Seite 442

111
Die Nacht I, 1913
83×104 cm
Topeka KS, Harold M. Voth M. D.

»At the other extreme his »Night I« is almost a pure creation of the imagination as well as a beautiful composition of line and color. It is, as a matter of fact, a synthesis of Bloch's impressions of Munich by night, a summary of things he saw and felt during his wanderings about the city; it is vision on vision, dream on dream, a composite of a hundred glimpses, the fusion of a hundred impressions; it represents no part of the city, but *is* the city by night. Of this particular canvas a distinguished Japanese art-lover said, ›I would rather have it than any modern painting I have seen.‹«

Arthur Jerome Eddy, »Cubists and Post Impressionism«, Chicago 1919, S. 201

»It is to be remembered, whatever my critical reservations regarding the actual *work* of Kandinsky, that never had I listened to such inspired and inspiring talk upon the subjects which interested me most and that I had never failed in those days to find his work most stimulating. He was bursting with ideas, and his work between 1909–1914 showed this in every canvas, every scrap of paper. He had thought long and earnestly, often fruitfully, upon all aspects of the subject which so engaged my own thought. How could a receptive hearer sixteen years younger, fail to learn from a man like that, who was not trying to teach?«

Albert Bloch, zitiert in: Donald G. Humphrey, »Albert Bloch: A Retrospective Exhibition of his works from 1911 to 1956«, Tulsa OK 1961

Oscar Julius Bluemner

(Prenzlau 1867–1938 South Braintree MA)

Auf der Suche nach Beschäftigung als Architekt ging Bluemner 1893 nach Chicago, wo in diesem Jahr die World's Columbian Exposition abgehalten wurde. Ein Jahr zuvor hatte Bluemner, der ein Architekturstudium abgeschlossen hatte und später zur Malerei gewechselt war, an der Kunstakademie in Berlin eine Auszeichnung für eine Architekturmalerei erhalten. Er führte später eine erfolgreiche Architekturfirma in Manhattan. Ein Streit mit seinem Partner über den Entwurf für ein Gerichtshaus in der Bronx, das er im Beaux-Arts-Stil ausführen wollte, verleitete ihn dazu, die Architektur für immer zu verlassen und sich der Malerei zuzuwenden. Daß er sich danach besonders mit geometrischen Linien- und Flächenproblemen beschäftigte, nimmt nach diesem Werdegang nicht wunder. 1912 reiste er von New York aus für sieben Monate zurück nach Europa. In Berlin beachtete er vor allem die italienischen Futuristen, die Herwarth Walden in seiner Galerie »Der Sturm« ausgestellt hatte. Bluemner konnte zum ersten Mal seine Bilder in der Galerie Gurlitt in Berlin zeigen. Für das Kölner Tagblatt besprach er die Sonderbund-Ausstellung in Köln und verkündete, daß der Anfang einer neuen Malerei bevorstehe: Die reine Farbe wird die Oberherrschaft über alle anderen Mittel erhalten. Er übersiedelte 1913 rechtzeitig nach Amerika, um der Auswahlkommission für die Armory Show seine Werke vorzuführen. Fünf starkfarbige Landschaften von ihm, deren Stil mit »symbolischer Realismus« gekennzeichnet wurden, waren auf der Armory Show zu sehen. 1915 richtete ihm der einflußreiche Fotograf und Galerist Alfred Stieglitz eine eigene Ausstellung in seiner berühmten Galerie 291 ein.

Lit.: Kat. Oscar Bluemner: American Colorist, Cambridge MA 1967. – Kat. Oscar Bluemner, New York Cultural Center 1970. – Judith Zilczer, »Oscar Bluemner: The Hirshhorn Museum and Sculpture Garden Collection«, Washington DC 1979. – Jeffrey R. Hayes, »Oscar Bluemner«, New York 1985. – Jeffrey R. Hayes, »Oscar Bluemner«, Cambridge MA 1991. – Patricia Joan McDonnell, »American Artists in Expressionist Berlin«, 1991.

112
Alter Kanal, Rot & Blau (Old Canal, Red & Blue, Rockaway River), 1916–1917

36×50 cm
Washington DC, Hirshhorn Museum and Sculpture Garden, Smithsonian Institution, Geschenk von Joseph H. Hirshhorn, 1966

»Pure art, literature, music, painting, is a transformation in physical form and beauty, of our spiritual activity, stimulated by the experienced (life) or nature (appearances), i. e. (what) has been felt... Impressionism... conceals the spiritual feeling, the truly artistic in art... The entire problem of the painter is then to perceive, from among matter... existing before him, the purely beautiful and the purely human, and by all legitimate means of his art, composition, color harmony, technique, to nurture [it] to the highest possible expression.«

Oscar Bluemner 4.11.1907, zitiert in: Jeffrey R. Hayes, »Oscar Bluemner« New York 1985, S. 29–30

»Color, artistic, painterly, cannot separate itself from the concept of the object, but both enter into a personally interpreted rendering through the brush of the artist and in this manner the painting the artistic unity [Einheit] is realized as a personal act. Therefore I want to firmly adhere to the American cultivated landscape (not primal forest) which surrounds and stands so close to us as a motif and use it as a motif of personal sensitivity [Empfindung] to colored form. I see clearly that the multiplicity of the visible, really always offers me less... and that all of nature does not offer pictures, rather that art, the painterly comes from the internal self. Therefore one must compose, form, alter, in order to attain colored expression instead of impression.«

Oskar Bluemner 1911, in: Archives of American Art, Smithsonian Institution Washington DC, 339:221

»Beauty does not exist outside the human brain. It is a conception of our mind... The only scale or criterion by which a picture or statue is to be judged is its expression of its idea... Art is a form corresponding to an idea. The correspondence is the life of art... Art selects from life or nature and transforms the visible manifestations into corresponding effects – equivalents – such as the materials of art make possible. Further, art composes or rearranges, since it imitates for the purpose of expression.«

Oskar Bluemner, »Audiatur et Altera Pars: Some Plain Sense on the Modern Art Movement«, in: Camera Work Special Number, Juni 1913, S. 33

Lyonel Feininger

(New York 1871–1956 New York)

Sowohl Deutsche wie Amerikaner halten Feininger für einen der ihren: er gehört tatsächlich beiden Nationen. In New York geboren, verbrachte er fast ein halbes Jahrhundert in Europa, und das fast ganz in Deutschland. In ihm spiegeln sich die besten Charakterzüge beider Länder, Erfindungsgabe und Individualismus von der amerikanischen Seite und Disziplin und Arbeitseifer mit einem Hang zur Genauigkeit von der deutschen Seite. So hat ihn Serge Sabarsky in einem Katalog aus dem Jahre 1979 beschrieben. 1887 fuhr der junge Feininger, der schon mit 12 Jahren Violine im Konzert gespielt hatte, nach Hamburg, um dort Musik zu studieren. Von seinen Eltern, beide Musiker, die er in Berlin traf, erhielt er die Erlaubnis, in Hamburg an der Kunstgewerbeschule sein Studium fortzusetzen. 1888 bestand er die Aufnahme an der Königlichen Akademie der Künste in Berlin. Mit der Veröffentlichung seiner Zeichnungen in den »Humoristischen Blättern« begann Feiningers Laufbahn als Karikaturist. Bis 1892 besuchte Feininger, mit Unterbrechungen in Lüttich, Brüssel und auf Rügen, die Berliner Akademie. In jenen Jahren war er als Karikaturist bei verschiedenen Publikationen wie »Ulk«, »Lustige Blätter« und »The Chicago Sunday Tribune« beschäftigt. Im Jahr 1907 malte er in Paris sein erstes Bild. 1910 stellte er auf der 20. Berliner Secession erstmals ein Gemälde aus. Nach Aufenthalten in Weimar und Paris lernte er 1912 die Brücke-Maler Erich Heckel und Karl Schmidt-Rottluff kennen und befreundete sich mit Alfred Kubin. 1913 lebte er wieder in Berlin und Weimar, von wo aus er die Thüringer Dörfer erkundete. Franz Marc lud ihn in diesem Jahr zum Ersten Deutschen Herbstsalon in Herwarth Waldens Galerie »Der Sturm«

ein. Mit ihm zusammen stellten Albert Bloch und Marsden Hartley dort aus. Feininger hatte versucht, sich von allen Strömungen freizumachen und den Geheimnissen der atmosphärischen Perspektive auf die Spur zu kommen. Von den Kubisten wollte er sich dadurch unterscheiden, daß er auf seine Art Monumentalität und Konzentration darzustellen versuchte. Hilfsmittel waren Licht- und Schattenstufungen, Rhythmus und Balance zwischen den verschiedenen Objekten der Natur.

Lit.: Alfred Werner, »Lyonel Feininger and German Romanticism«, in: Art in America XLIV, 1956, S. 23–27. – Johannes Langner, »Lyonel Feininger – Segelschiffe«, Stuttgart 1962. – Eila Kokkinen, »Lyonel Feininger, The Ruin by the Sea«, Museum of Modern Art New York 1968. – Kat. Lyonel Feininger, Haus der Kunst München 1973. – Kat. Lyonel Feininger: Drawings and Watercolors, Serge Sabarsky Gallery New York 1979. – Roland März »Lyonel Feininger«, Berlin 1981. – Kat. Lyonel Feininger. Gemälde, Aquarelle und Zeichnungen, Kunsthalle zu Kiel 1982. – Ulrich Luckhardt, »Lyonel Feininger«, München 1989. – Astrid Plato, »Die Marinebilder Lyonel Feiningers«, Westfälische Wilhelmsuniversität Münster 1990. – Kat. Lyonel Feininger. Städte und Küsten, Kunsthalle Nürnberg 1992. – Kat. Lyonel Feininger, Die Reisen an die Ostsee 1892–1935, Museum Ostdeutsche Galerie Regensburg 1992.

113
Am Quai, 1912
41×48 cm
Hannover, Sprengel Museum Hannover

»Ich könnte ebensowenig wie Sie zur rein abstrakten Form greifen – denn dann hört alles Fortschreiten auf... Man braucht nur das Auge zu verfeinern, sich intensiv mit Lichtproblemen, Problemen des Volumens von Licht und Farbe zu beschäftigen, dann sieht man ein, daß das Gesetz der Natur ebenso streng ist, wie irgend ein mathematisches Gesetz, das wir Menschen aufstellen können.« – »Durch das jetzige Zusammenhängen mit anderen wirklichen Gestalten, sehe ich... zum ersten Male, zugleich meine Schwächen und meine Eigenart. Der Gedanke ›Partei‹ ist mir von jeher greulich gewesen. Aber das Bewußtsein, mit Anderen, die Jeder in seiner eigenen Weise zum innersten Ausdruck gelangen wollen, zusammenzuwirken, ist ein stärkendes Gefühl...« – »Es ist am Ende das Schöne eben, heute, daß es ungezählte Möglichkeiten gibt, Kunst zu schaffen...« – »Ich zum Beispiel, könnte nicht anders [malen] als ich's eben tue; und dies ganz unabhängig davon, ob Andere in gleicher Weise sich betätigen oder nicht, ob meine Arbeiten ›modern‹ oder ›neue Kunst‹ sind oder nicht... Ich sehe und empfinde seit Kindheit in einer bestimmten Richtung und ringe nur um die Verwirklichung meiner ununterdrückbaren Sehnsucht. Die Gesetze suche ich in der Natur zu ergründen aber die Natur selbst ist für mich als Ziel ausgeschaltet und erledigt, in dem Augenblick, wo ich diese Gesetze entziffert habe. Die äußere Gewandung tut's nicht. Neue Kunst gibt es nur mit der Entstehung einer eigenen unbeirrbaren Persönlichkeit...« (21.1., 5.9. und 5.10.1913 an Alfred Kubin).

Lyonel Feininger an Alfred Kubin 1913, in: Florens Deuchler, »Lyonel Feininger«, Leipzig 1996, S. 255

449

Lyonel Feininger (1871–1956)
Biographie Seite 448

114
Fischerflotte in Dünung, 1912
41×49 cm
Hannover, Sprengel Museum Hannover

»Bei Goltz zeigt der Berliner Maler Lyonel Feininger das Ergebnis zähen Arbeitens während der letzten sechs Jahre. Die Ausstellung bedeutet zugleich wohl die Höhe eines persönlichen Lebens. Feininger ist 1871 geboren: er nähert sich also den Fünfzig. Sein Werk entstammt – trotz zeitgenössischer, zumal kubistischer Reflexe – einer angestrengten Einsamkeit. Man glaubt, der nach innen gewandten Monomanie seines Malens diese Tatsache anzumerken. Die Art seines Daseins scheint mit diesem Charakter seiner Arbeit übereinzustimmen. An äußeren Wendungen ist sein Leben nicht reich. Das einzig Besondere daran ist wohl die Geburt in New York. Vielleicht, daß sie Voraussetzungen gab: Neigung zum Konstruktiven, Gefühl für die technischen Linien im Aufbau modernen Daseins, Hang zu einer atomistischen und mit sausendem Tempo erfüllten Psychologie. Vielleicht. Denn es ist fast unmöglich, solchen Bestimmungen nachzuspüren: so lebhaft die Versuchung dazu gerade im Angesicht derart absonderlicher Erscheinungen auch bleiben mag. Die sichtbare Entwicklung Feiningers ist mit Berlin verknüpft. Dort trat er 1888 in die Akademie ein – um sie während dreier Jahre sehr unregelmäßig zu besuchen. Der eigentliche Einfluß der Stadt lag in ihrer technisch gearteten Modernität, die frühe New Yorker Eindrücke bestätigen und fortsetzen mochte. Im Rückplan solcher Zusammenhänge steht eine kleinstädtische süddeutsche Abkunft. Der Vater war vom badischen Durlach ausgegangen, die Mutter von der nämlichen Welt. Damit ist die Kreuzung bestimmt: Amerika und Berlin auf der Basis eines südwestdeutschen Kleinbürgertums, dessen Art einmal durch den in seiner Harmlosigkeit hintergründigen Johann Peter Hebel dargestellt wurde. Von diesem Anfang schon könnte das Eingezogene, Nachdenkliche, ja Versponnene und Hintersinnige, auch das Erfinderische und – im Sinn der Weltbetrachtung – Spekulative herrühren: das Pedantische auch; das in der Verwirrung Geordnete und Saubere, im Chaotischen doch Deutliche und Gefügte: das in der Enge der Hypochondrie wieder welthaft Dimensionale, in der Beirrung und Verschrobenheit Unendliche. Dies alles verquickt sich mit weltstädtischer Nervenspannung.

Dies sind Gedanken eines Landsmanns. Wieweit sie zum unmittelbaren Bild dieser Malerei überleiten können, wagt er nicht zu bemessen.

Feiningers Kunst wirkt in der direkten Erscheinung zunächst wie ein System idealer Perspektive. Man sieht Flucht der Linien. Nicht Perspektive im Sinn des unmittelbaren Natur-Sehens. Vielmehr gleichsam Übertragung der sinnlichen Perspektive in eine reflektierende.«

Wilhelm Hausenstein, Bericht über die Lyonel Feininger-Ausstellung in München bei »Neue Kunst Haus Goltz«, Oktober 1918, in: Florens Deuchler, »Lyonel Feininger«, Leipzig 1996, S. 190–191

Konrad Cramer

(Würzburg 1888–1963 Woodstock NY)

Nach einem Studium in Karlsruhe, wanderte der aus Würzburg stammende Konrad Cramer im Jahre 1911 nach Amerika aus. Im Februar dieses Jahres hatte er seine zukünftige Frau, die Malerin Florence Ballin, kennengelernt und mit ihr noch einmal die Ateliers von Adolf Erbslöh und Franz Marc in München besucht. Florence stand Lee Simsonson und dem Kubisten Andrew Dasburg nahe. Zu Ende des Sommers 1911 ließ sich das Paar in Woodstock NY nieder. Cramer, der auch als Entwerfer und Fotograf arbeitete, gehörte bald zum Kreis um Alfred Stieglitz und war einer der ersten glühenden Bewunderer der Malweise von Kandinsky. Im November 1913 stellte er sechs Gemälde aus, die alle den Titel »Improvisation« trugen, ein Titel, den Kandinsky seinen bahnbrechenden Werken gegeben hatte. Cramer zählt zu dem Teil der amerikanischen Avant-Garde, der sich der Malweise Kandinskys bedingungslos anschloß.

Lit.: Gail Levin, »Konrad Cramer. Link from the German to the American Avant-Garde«, Arts Magazine 56. – Kat. Konrad Cramer, Brooklyn Center, Long Island University 1958. – Kat. Retrospective of Konrad Cramer, Rochester NY 1964. – Gail Levin, »Wassily Kandinsky and the American Avant-Garde, 1912–1950«, Newark NJ 1976. – Gail Levin/Marianne Lorenz, »Theme & Improvisation: Kandinsky & the American Avant-Garde 1912–1950«, Dayton OH 1992.

115

Streit (Strife), 1913

71×61 cm

Washington DC, Hirshhorn Museum and Sculpture Garden, Smithsonian Institution, Joseph H. Hirshhorn Vermächtnis, 1981

»Before long, Cramer also had become acquainted with Alfred Stieglitz and the circle of 291 in New York City. By 1914 Stieglitz had photographed Cramer, who had written a letter in answer to Stieglitz's query, ›What is 291?‹, which he circulated to many in his circle. Cramer's reply, subsequently published with many others in *Camera Work*, was approptiately abstract:

It is like a straight line rising, a line of living red, rising above gray formlessness, and other straight lines run towards the big, straight, rising line at many angles. Some almost run parallel, others melt gradually into it: some meet it at right angles; others cross it like the slash of a sword. Towards the bottom, some undefined lines of insipid colors, but only a few. But all is rising, is straight – but not the line of least resistance.«

Konrad Cramer, »What is 291?«, in: Camera Work Nr. 47, Juli 1914, S. 33

»In the beginning, I consciously broke away from painting ›reality‹ in order to explore the extent to which communication between painter and beholder could be maintained when painting became more and more abstract.«

Konrad Cramer (Ausstellungskatalog mit Bemerkungen des Künstlers), Brooklyn Center, Long Island University, Mai 1958

Marsden Hartley

(Lewiston ME 1877–1943 Ellsworth ME)

Die Talente Hartleys zeichneten sich durch Vielseitigkeit aus: Er war Maler, Graphiker, Schriftsteller und Dichter. Seine malerische Tätigkeit bildet nicht nur das Bindeglied zwischen zwei Jahrhunderten und deren unterschiedlichen Kunstverständnissen, sondern seine gefühlsmäßige Bindung gleichermaßen an das Land seiner künstlerischen Anregungen Deutschland wie an seine Heimat lassen ihn als den Prototyp erscheinen, in dem noch einmal die künstlerischen Vorstellungen der alten und neuen Welt sich treffen und in idealer Weise verschmelzen. Hartley kommt von den impressionistischen Anschauungen der heimatlichen Landschaft her, verarbeitet die kubistischen Formen der Spanier und Franzosen in seinen Stilleben und findet im kaiserlichen Berlin zur abstrakten Malerei, die nur noch aus Farbe und Form auf der Fläche besteht. Nach Paris war Berlin für Hartley im Januar 1913 zunächst die Anlaufstelle im alten Europa; zwei Wochen später aber zog er schon nach München, um Kandinsky zu treffen, denn Kandinsky war sein großes künstlerisches Vorbild. Ende Januar traf er wieder in Paris ein, um im April ganz dort seine Zelte abzubrechen und nach Deutschland überzusiedeln. Ordnung und Sauberkeit zogen ihn in Berlin an. Berlin gewährte ihm die geistige Freiheit, die er brauchte, und war für ihn vor allem das Zentrum des modernen Lebens in Europa. Gegen das allgegenwärtige Militär hatte er nichts. Die Soldaten erschienen ihm »alle so blond und strahlend vor Gesundheit«. Wieder ging dem langen Berlinaufenthalt eine Reise nach München voran. In der Galerie Goltz bewunderten Wassily Kandinsky, Gabriele Münter, Franz Marc und Albert Bloch seine Arbeiten. Ab Mitte Mai 1913 bis Mitte November wohnte und arbeitete Hartley in Berlin. Dort schloß er sich der Gruppe der Expressionisten an und stellte fünf Gemälde im Herbstsalon von Herwarth Walden aus. Mit ihm zusammen waren noch folgende Amerikaner vertreten: Albert Bloch, Patrick Henry Bruce und Lyonel Feininger. Er zeigte auf der Armory Show 1913 sein kubistisches Stilleben, fiel aber im Schatten der überwiegend ausgestellten Franzosen weniger auf, als es ihm gebührt hätte. Im Frühling 1914 war er zurück in Berlin und nahm lebhaften Anteil am künstlerischen Leben der Stadt. Militärische Themen dominierten zusehends sein Werk, einige der eindrucksvollsten und kühnsten Vorhaben, die ein amerikanischer Künstler jener Jahre eingehen konnte. In Berlin bewunderte er die Kürassiere des Kaisers, besonders hochgewachsene Gestalten, ganz in Weiß gekleidet mit glänzenden Brustschildern, in denen die Sonne sich schmerzhaft spiegelte, alle auf weißen Pferden. Deutschland erschien ihm in jenen Jahren als ausgesprochen männlich, grob und vital, Eigenschaften, die der exzentrische Künstler für seine Entwicklung suchte. Hier begann er auch seine Serie von vier Bildern mit indianischen Symbolen. Über die Ursache dieser Themenwahl wird noch gerätselt. Im Dezember 1915 verließ er Berlin, um erst sechs Jahre später wieder dorthin zurückzukehren. In seiner Heimat fanden die militärischen Darstellungen wenig Gegenliebe, und die amerikanische Öffentlichkeit stand allem, was mit Deutschland zu tun hatte, ablehnend gegenüber. Hartleys Liebe zu Deutschland war ungebrochen. Er sah Berlin im Jahre 1921 wieder, reiste Ende 1923 über Wien und Italien zurück in die Heimat und konnte 1933–1934 noch einmal sein geliebtes Deutschland besuchen, diesmal mit Schwerpunkt Hamburg und München. Er zeigte sogar für die Judenverfolgung Verständnis und vergaß, daß im Berlin 1913–15 seine besten Freunde zu der verfolgten Gruppe gezählt hatten. Sein größter Wunsch war es, einmal Hitler zu begegnen, aber er wurde ihm nie erfüllt. Aufgrund seiner unverhohlenen Liebe zu Deutschland und der einmaligen Bevorzugung militärischer Themen geriet Hartley lange Zeit nach den beiden Weltkriegen in Vergessenheit. Die Bedeutung Hartleys als Anreger der abstrakten Malerei wurde erst in der Mitte dieses Jahrhunderts erkannt. Bezeichnend ist es, daß ein Vertreter der zeitgenössischen Malerei, Robert Indiana, seine Vorbilder bei Hartley suchte.

Lit.: Elizabeth McCausland, »Marsden Hartley«, 1952. – Robert N. Burlingame, »Marsden Hartley: A Study of His Life and Creative Achievement«, Brown University 1953. – Kat. Marsden Hartley, New York 1961. – James Harithas, »Marsden Hartley's German Period Abstractions«, in: Corcoran Gallery of Art Bulletin 16, November 1967, S. 22–26. – Kat. Marsden Hartley: Painter/Poet, 1877–1943, Los Angeles 1968. – H. Gary Gillespie, »A Collateral Study of Selected Paintings and Poems from Marsden Hartley's Maine Period«, 1974. – Gail Levin, »Hidden Symbolism in Marsden Hartley's Military Pictures«, in: Arts Magazine 54, 1979, S. 154–158. – Gail Levin, »Marsden Hartley and the European Avant-Garde«, in: Arts Magazine 54, 1979, S. 158–163. – Roxana Barry, »The Age of Blood and Iron: Marsden Hartley in Berlin«, in: Arts Magazine 54, 1979, S. 166–171. – Kat. Marsden Hartley, Whitney Museum New York 1980. – Marsden Hartley, »On Art by Marsden Hartley«, New York 1982. – Gary Garrels, »Sequence and Significance of the 1914 Marsden Hartley Paintings«, Boston University 1984. – Lawrence B. Salander, »Marsden Hartley«, New York 1987. – Thomas W. Gaethgens, »Paris–München–Berlin Marsden Hartley und die europäische Avantgarde«, in: Kunst um 1800 und die Folgen, München 1988, S. 367–382. – Gail R. Scott, »Marsden Hartley«, New York 1988. – Patricia Joan McDonnell, »Dictated by Life: Spirituality in the Art of Marsden Hartley and Wassily Kandinsky 1910–1915«, Archives of American Art Journal 29, 1989, S. 27–34. – Patricia Joan McDonnell, »Letters of Marsden Hartley to Wassily Kandinsky and Franz Marc, 1913–1915«, Archives of American Art Journal 29, 1989, S. 35–44. – William H. Robinson, »Marsden Hartley's Military«, in: Bulletin of The Cleveland Museum of Art 76, January 1989, S. 2–26. – Gail R. Scott, »Marsden Hartley«, New York 1990. – Patricia Joan McDonnell, »American Artists in Expressionist Berlin«, 1991. – Townsend Ludington, »Marsden Hartley«, Boston MA 1992. – Jeanne Hokin, »Pinnacles and Pyramids: The Art of Marsden Hartley«, Albuquerque NM 1993. – Weinberg, »Speaking for Vice: Homosexuality in the Art of Charles Demuth, Marsden Hartley, and the First American Avant-Garde«, New Haven CT 1993. – Kat. Dictated By Life, Marsden Hartley's German Paintings – Robert Indiana's Hartley Elegies, Minneapolis MN 1995.

116

Stilleben No. 1 (Still Life No. 1), 1912

80×65 cm

Columbus OH, Columbus Museum of Art, Geschenk von Ferdinand Howald

»It is not like Picasso – it is not like Kandinsky not like any ›cubism‹ – It is what I call for want of a better name subliminal or cosmic cubism – It will surprise you – I did these things before I went to London as a result of spiritual illuminations and I am convinced that it is my true and real utterance – It combines a varied sense of form with my own sense of color which I believe has never needed stimulation – I am convinced of the Bergson argument in Philosophy, that the intuition is the only vehicle for art expression and it is on this basis that I am proceeding – My first impulses

came from the mere suggestion of Kandinsky's book [on] the spiritual in art. Naturally I cannot tell what his theories are completely but the mere title opened up the sensation for me – & from this I proceeded – In Kandinsky's own work I do not find the same convincing beauty that his theories hold – He seems to be a fine theorist first and a good painter after.«

Marsden Hartley an Alfred Stieglitz, empfangen am 20.12.1912, Stieglitz Sammlung, Yale Collection of American Literature

»I am probably the first to express pure mysticism in this modern tendeny… I am making every effort by way of concentration and faith toward going to Berlin early in January and if it is in any way possible to come back by way of Munich, as I would like to meet Kandinsky and size up the Blaue Reiter group and its activity there.«

Marsden Hartley an Alfred Stieglitz 30.12.1912, Stieglitz Sammlung, Yale Collection of American Literature

»The members of this association have shown you that American artists – young American artists, that is – do not dread, and have no need to dread, the ideas or the culture of Europe. They believe that in the domain of art only the best should rule. This exhibition will be epoch making in the history of American art. Tonight will be the red-letter night in the history not only of American but of all modern art.

The members of the Association felt that it was time the American people had an opportunity to see and judge for themselves concerning the work of the Europeans who are creating a new art. Now that the exhibition is a fact, we can say with pride that it is the most complete art exhibition that has been held in the world during the last quarter century. We do not except any country or any capital.«

John Quinn bei der Eröffnung der Armory Show 17.2.1913, zitiert in: Milton W. Brown »The Story of the Armory Show«, New York 1988, S. 43

Marsden Hartley (1877–1943)
Biographie Seite 454

117
Gemälde No. 1 (Painting No. 1), 1913
101×81 cm
Lincoln NE, Sheldon Memorial Art Gallery, University of Nebraska-Lincoln, F. M. Hall Sammlung, 1971. H-39

»I have every sense of being at home among the Germans and I like the life color of Berlin… It is essentially the center of modern life in Europe –«

Marsden Hartley an Alfred Stieglitz, Mai/Juni 1913, Stieglitz Sammlung, Yale Collection of American Literature

»I am leaving Paris in April to live in Germany as I found much there that is agreeable to me – I do not find the atmosphere of the french people conduc(t)ive to the best growth – It is as if art were a great war here – they are so busy talking about each other and not to each others good… I intend going to Munich first on my way to Berlin – chiefly to meet you and see Kandinsky () again. I feel as if I am at home among you – and I have a feeling that a new art will come there – an art mystical in its essence. Whereas here in Paris art is all art intellectual.«

Marsden Hartley an Franz Marc, 12.3.1913, Germanisches Nationalmuseum Nürnberg, Archiv für Bildende Kunst

»I am certain Germany will help me to greater freedom. It was so important for me to get away from Paris where art is so tired of itself – It is good for one of my nature to be here – where the people are more calm and the spiritual atmosphere more still and self contained.
I am very busy looking for a place to live and it is not easy to find just what one wants when one is rich and I am so poor – It is difficult to work well unless one have freedom from anxiety as to how one will live and I have no means of support except by a possible sale of work well. I earnestly hope this will come to me here so I can live. I want to call on Herwarth Walden and did not find him at the number he gave me in Paris Potsdamerstr. 134 A – He must have moved from there.

Will you tell me where I shall find him. I don't know the address of Der Sturm Galerie or I would go there and ask. Please therefore send me this at once.«

Marsden Hartley an Franz Marc, 29.5.1913, Germanisches Nationalmuseum Nürnberg, Archiv für Bildende Kunst

»As for being in Europe – well I can only praise the gods… I am freer here in Germany and in Europe –… Berlin is helping me much – I am getting something from the German life impulse which is most excellent for me. It gives a new crescendo to my sensations –… I am very much a citizen of the place – I am at home –«

Marsden Hartley an Alfred Stieglitz, August 1913, Stieglitz Sammlung, Yale Collection of American Literature

»I knew that the last of September would bring this condition but I had faith that when the Herbst Salon opened I would be fortunate and sell something there – My condition is as you can see very desperate – I want to live – I must live – want to work and express those inner longings of my nature – to paint those visions which are the visions of my soul. I have no other object. I know that what I want to say is individual with me because my personality is such in itself. I have these inward experiences and I want to give them out. To do this I must live and to live I must like all other human beings have something to live on… The summer has been hard for me because I had not money enough to paint as I wish – but I have worked as well as I could under the conditions.«

Marsden Hartley an Franz Marc 26.9.1913, Germanisches Nationalmuseum Nürnberg, Archiv für Bildende Kunst

Marsden Hartley (1877–1943)
Biographie Seite 454

118
Porträt (Portrait), ca. 1914–1915

82×54 cm

Minneapolis MN, Frederick R. Weisman Art Museum, Vermächtnis von Hudson Walker aus der Ione und Hudson Walker Sammlung

»I feel the need of writing you today because the event of Munich for which I had waited so long here came off today – Kandinsky, Münter (Frau Kandinsky), Marc and Bloch were at the Galerie Goltz to see my pictures with me – Quite naturally as I expected Kandinsky volunteered a discourse on the law of form – that of the individual as applied to the universal – mainly a discourse on technical [sic] in dissections which however left me unmoved. All most friendly of course – It was an interesting conference – the one a complete logician trying so earnestly to disperse with logic and I a simple one and without logic having an implicit faith in what is higher than all intellectual solutions – knowing that intuition if it be organized has more power to create truly than all the intellect ever can – It was an interesting parallel as I watched the scene impersonally. In myself and Kandinsky, I saw the likeness of the situation between Emerson and Whitman discussing Leaves of Grass on the Boston Common. Whitman listening with reverence to all of Emerson's ideas and leaving him with the firm descision to change nothing in his book... I have no knowledge – only an organized instinct – Kandinsky has a most logical and ordered mind which appeals so earnestly to the instinct which has been soon mastered – In other words in my heart of hearts I think he is not creative – I think he is an interpreter of ideas – He knows why everything and that simply must not – cannot be in real creation – This is itself illogical. Gertrude Stein is right when she says that true art cannot explain itself that Cézanne could not Picasso cannot – that I cannot – that Matisse can explain everything and it probably accounts for the fact that all Matisse's pictures now are studied logic and studied simplicity. Kandinsky also – all legitimate enough naturally – but not products of creation – that element of life which insists on self-expression before the mind has power –

However – we had a fine day and they finished by saying that what they admired so much was the intensity of personality in them – the sense of truth they give and their real naiveté of spirit...«

Marsden Hartley an Alfred Stieglitz, Ende Mai 1913, Stieglitz Sammlung, Yale Collection of American Literature

»A mystical presentation of the number 8 as I get it from everywhere in Berlin. Of course you know that mysticism was very strong in Germany – and the element remains although not as strongly as once. One instance is that everywhere in Berlin one sees the eight pointed star – all the kings wore it over their heart – the soldier on the forehead – I find also the same stars in the Italian primitives – This is a real reason for all these signs but it remains mystical – and explanations are not necessary.«

Marsden Hartley an Alfred Stieglitz, August 1913, Stieglitz Sammlung, Yale Collection of American Literature

Gari Melchers

(Detroit MI 1860–1932 Fredericksburg VA)

Als sehr begabt und fleißig wurde Gari Melchers in den Einschreibelisten von 1878 bis 1881 der Düsseldorfer Akademie bezeichnet. Er war einer der letzten Amerikaner von Bedeutung, der die dortige Akademie besuchte, die seit den 60er Jahren ihren Ruf als herausragende Ausbildungsstätte an München verloren hatte. Nach Düsseldorf zogen ihn Familienbande: Sein Vater Julius, ein bekannter Bildhauer, war Westfale aus Soest und Garis Großvater lebte noch in Dortmund. Garis Großonkel, Paulus Melchers, war Erzbischof von Köln, und möglicherweise lebten in Düsseldorf noch weitere Verwandte. Zu seinen Lehrern in Düsseldorf gehörten Hugo Crola, Heinrich Lauenstein, Peter Janssen und Carl Müller. Bei Eduard von Gebhardt und Julius Roeting lernte er die Ölmalerei. Allerdings wählte Melchers zum Abschluß seiner Studien 1881 dann doch noch die Lehrer Boulanger und Lefèbvre in Paris. Jahrelang arbeitete und lebte er dann in Frankreich und Holland. Er widmete sich in seinen Arbeiten sowohl den Figuren wie der Landschaft. 1909 erhielt Melchers vom Großherzog von Sachsen-Weimar einen Ruf an die Weimarer Akademie. Die Wohnung und das Atelier in Egmond aan Zee, Holland, die er 1884 bezogen hatte, behielt er bei. Auch im benachbarten Belgien spielte seine Kunst eine herausragende Rolle. So begleiteten ihn auch weiter die Themen aus seinem holländischen Domizil, das Leben der Bauern, der Fischer, die Landschaft am Meer. An seine Weimarer Jahre erinnern nur wenige Bilder, einige Winterlandschaften, einige Ölskizzen der Wartburg mit flüchtigen Pinselstrichen atmosphärisch duftig festgehalten. Die fortschrittlicheren Studenten an der Weimarer Akademie kritisierten seine Malweise als altmodisch. Er liebte die helle Palette der Impressionisten, blieb aber der realistischen und manchmal sentimentalen Darstellung von Genre- und religiösen Szenen treu bis zu seinem Tod. Der Ausbruch des Ersten Weltkrieges erzwang seine Rückreise nach Amerika. Zwei Jahre später erwarb er das Anwesen Belmont in Falmouth, Virginia, das zu einer Erinnerungsstätte an sein Leben und Wirken eingerichtet worden ist.

Lit.: Kat. Gari Melchers, 1860–1932, Fredericksburg VA 1973. – Feay Shellman, »Aspects of Late-Nineteenth Century and Early-Twentieth Century Painting as Reflected by Gari Melchers in His Capacity as an American Painter and Collector, 1906–1916«, University of Georgia 1976. – Kat. Gari Melchers: American Painter, New York Graham Gallery 1978. – Richard S. Reid, »Gari Melchers, An American Artist in Virginia«, in: Virginia Cavalcade 28, Spring 1979, S. 154–171. – Joyce L. Watson, »Melcher's Portraits at Michigan: Three Examples of American Juste-Milieu«, University of Michigan 1982. – George Mesman, »Julius Garibaldi Melchers at Egmond: A Discussion of His Religious Art«, City University of New York 1983. – Joseph G. Dreiss, »Gari Melchers: His Work in the Belmont Collection«, Charlottesville VA 1984. – Dewhurst/MacDowell, »The Art of Julius and Gari Melchers«, in: The Magazine Antiques April 1984, S. 862–873. – Kat. Gari Melchers, St. Petersburg FL 1990.

119

Der Rote Husar (The Red Hussar), ca. 1910–1915

121×101 cm

Fredericksburg VA, Belmont Gari Melchers Estate

»Although modern in the best interpretation of the world, Gari Melchers is no restless, precipitate innovator. One of his most typical characteristics is a respect for his predecessors. As he himself says, ›Nothing counts in this world with the painter but a good picture; and no matter how good a one you may paint, you have only to go to the galleries and see how many better ones there are.‹ One of his few theories is that the fine things in art are nearly always so for the same or similar reasons; and he also believes that the really big men of all times are strikingly alike. Wholly undisturbed by sudden and apparently radical changes of manner in others, he paints with a breadth and assurance that never fail to convey the desired impression. Behind the slightest of his sketches or the most ambitious full-length is visible a sound, disciplined certainty of purpose which can hardly go astray. Though in glancing at his work you may vaguely be reminded of this painter or that, you will scarcely think of anyone not in the highest degree a master-craftsman. Melchers is not a subjective or an imaginative artist. He belongs to the sturdy, positive race of observers. The spirit of his art, as well as its expression, is frankly objective. He continues that tradition which is represented with such impregnable strength and security by some of the foremost painters the world has ever known – by Hals in Holland and Holbein in Germany. No change of taste or temper can ever dislodge men whose work is characterized by a similar directness, simplicity, and ample, generous humanity. They offer a splendid counterpoise to tendencies which are nervous and effete. Their very solidity defies all transition, all fluctuation.«

Christian Brinton, »Modern Artists«, New York 1908, S. 224

»In art there are two preëminent qualities. The greater of these is personality, which lifts an artist from the ranks of general excellence and bids him stand forth master; and the second is sincerity. If every other quality were denied Melchers, personality and sincerity would still be his. He has none of that facile, aristocratic grace (I had almost called it arrogance) that made Sargent – that grace of the normal registering eye, and the perfectly taught hand obeying. Neither has he the sweet sensitiveness of Whistler, that master of exquisite taste. His special quality is more robust, fuller of earthly humanity, more straightforward than either.

His pictures – love them or hate them, for there can be no luke-warm appreciation here – have that faculty of never growing ›thin‹ in technique, ›second-hand‹ in quality, or faded into a ghostly semblance of their pristine look. Are they painted for posterity? Melchers is not interested at all, apparently, in the appreciation of his contemporaries; rather, in some strange, prescient sense, he is interested tremendously in the status of his accomplishment for those who come after us. Nothing on earth matters so much to this man as the painting of a good picture. ›You are a long time dead, and your account will be gauged by your faithfulness to your work, not by the wordly gain you might have made if you had been unfaithful to your craft‹ – this you can almost hear him say, in his fierce, insistent manner.«

Henriette Lewis-Hind, »Foreword«, in: Gari Melchers Painter, New York 1928

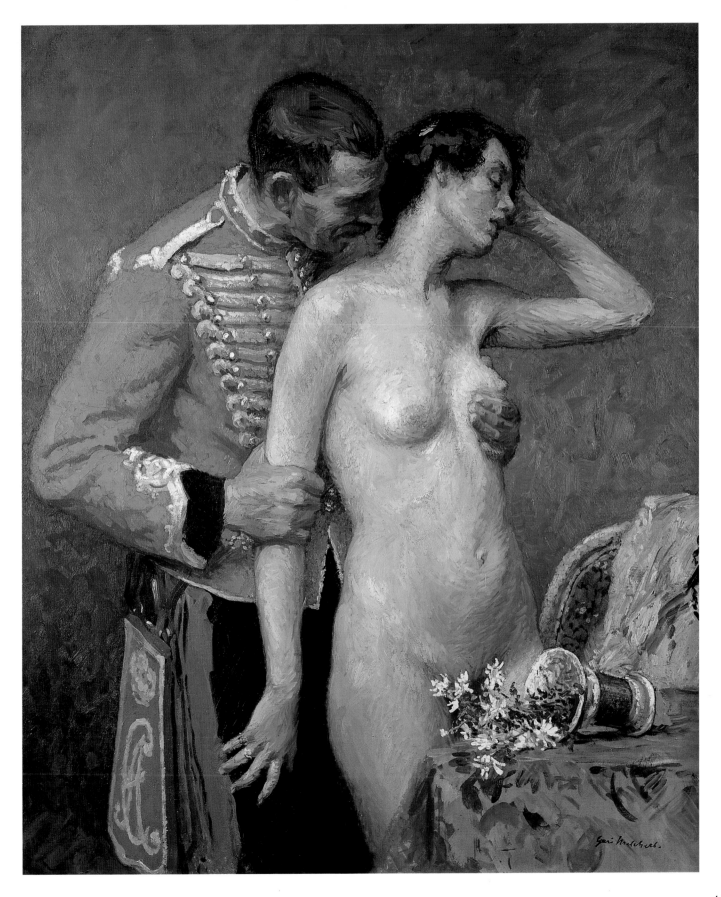

Abbildungsnachweis

Die Abbildungen wurden uns von folgenden Museen, Institutionen und Leihgebern zur Verfügung gestellt:

Ann Arbor MI, University of Michigan Museum of Art 337
Baltimore MD, Maryland Historical Society 33, 233
Baltimore MD, Walters Art Gallery 57, 77, 239
Basel, Öffentliche Kunstsammlung Basel, Kunstmuseum 333, 343
Berkeley CA, University Art Museum 132
Berlin, Deutsches Historisches Museum 413, 415
Boston MA, Museum of Fine Arts 142, 245, 397
Brooklyn NY, Brooklyn Museum 112, 116, 251, 409
Chicago IL, Art Institute of Chicago 115, 411
Chicago IL, Chicago Historical Society 31
Chicago IL, Terra Museum of American Art 247, 275
Cincinnati OH, Cincinnati Art Museum 110, 137–140, 143–144, 146–147, 155, 295, 373
Cincinnati OH, Cincinnati Historical Society 156–160
Columbus OH, Columbus Museum of Art 365, 455
Corning NY, Rockwell Museum 341
Darmstadt, Städtische Kunstsammlung Darmstadt 257
Dearborn MI, Manoogian Collection 80
Detroit MI, Detroit Athletic Club 423
Detroit MI, Detroit Institute of Arts 291, 331
Düsseldorf, Galerie Paffrath 289
Düsseldorf, Künstler–Verein Malkasten 67
Düsseldorf, Kunstmuseum 49, 51, 64, 73, 281, 303, 315
East Lansing MI, Kresge Art Museum 305
Elmira NY, Arnot Art Museum 255
Fort Worth TX, Amon Carter Museum 241, 335, 339
Fredericksburg VA, Belmont 178, 181, 461
Greensburg PA, Westmoreland Museum of Art 259
Hagerstown MD, Washington County Museum of Fine Arts 263
Hamburg, Hamburger Kunsthalle 176
Hannover, Sprengel Museum Hannover 449, 451
Hartford CT, Wadsworth Atheneum 109, 189, 377
Indianapolis IN, Indianapolis Museum of Art 123, 138, 375, 391, 393, 395, 425, 427, 431
Indianapolis IN, Indiana State Museum 369, 421
Kochel, Franz Marc Museum 201

Köln, Wallraf-Richartz-Museum 143–144
Lawrence KS, Mrs. Albert Bloch 443
Lincoln NE, Sheldon Memorial Art Gallery 457
Los Angeles CA, Los Angeles County Museum of Art 301, 313, 361, 405
Milwaukee WI, Milwaukee Art Museum 265, 439
Milwaukee WI, Haggerty Museum of Art 48
Milwaukee WI, Milwaukee County Historical Society 31
Minneapolis MN, Frederick R. Weisman Art Museum 459
Minneapolis MN, Regis Collection 188
Moraga CA, Hearst Art Gallery 429
München, Bayerische Staatsgemäldesammlungen 48, 115, 437
München, Galerie R. Neumeister 107
München, Städtische Galerie im Lenbachhaus 108, 202
Muncie IN, Ball State University Museum of Art 433
Neuss, Clemens-Sels-Museum 321
Newark NJ, Newark Museum 243, 287
Newburyport MA, Lepore Fine Arts 389
New Haven CT, Yale University 188
New York, Leonard Hutton Galleries 203
New York, Metropolitan Museum of Art 180, 190, 192, 271, 277, 345–347, 351
New York, Museum of the City of New York 88, 235
New York, New-York Historical Society 47, 237, 283, 349, 353
New York, Spanierman Gallery 407
Norfolk VA, Chrysler Museum of Art 311
Nürnberg, Germanisches Nationalmuseum 121
Nürnberg, Museen der Stadt 152
Omaha NE, Joslyn Art Museum 211, 213, 215, 217, 219, 221
Osnabrück, Kulturgeschichtliches Museum 154
Philadelphia PA, American Swedish Historical Museum 309
Philadelphia PA, Museum of American Art 110, 357, 387
Philadelphia PA, Philadelphia Museum of Art 109
Pittsburgh PA, Carnegie Museum of Art 261, 273, 379
Rheine, Ludwig Kümpers u. Geschwister 329

Richmond VA, Museum of the Confederacy 267, 269
Rochester NY, George Eastman House 185
San Antonio TX, James Patrick McGuire 34
San Diego CA, San Diego Museum of Art 363
San Francisco CA, Fine Arts Museum of San Francisco 249
San Marino CA, Art Collections, Huntington Library 88
Santa Barbara CA, Santa Barbara Museum of Art 359, 417
Santa Fe NM, Gerald Peters Gallery 225
Sarasota FL, John & Mabel Ringling Museum 127
Schwäbisch Gmünd, Museum für Natur & Stadtkultur 317, 319
Schweinfurt, Sammlung Georg Schäfer 385
Shelburne VT, Shelburne Museum 297
St. Louis MO, Saint Louis Art Museum 79, 95
St. Louis MO, Missouri Historical Society 223, 231
St. Louis MO, Washington University Gallery 186
St. Paul MN, Minnesota Historical Society 32
Stein bei Nürnberg, Sammlung Anton-Wolfgang Graf von Faber-Castell 133
Stuttgart, Galerie der Stadt Stuttgart 323
Stuttgart, Staatsgalerie Stuttgart 325
Toledo OH, Toledo Museum of Art 229
Topeka KS, Harold M. Voth M.D. 445
Tuscaloosa AL, Warner Collection 95, 97
Washington DC, Adams Davidson Galleries 293
Washington DC, American Institute of Architects 84
Washington DC, Corcoran Gallery of Art 99
Washington DC, Hirshhorn Museum and Sculpture Garden 299, 447, 453
Washington DC, National Gallery of Art 78
Washington DC, National Museum of American Art 175, 285
Washington DC, US Capitol Historical Society 96
Washington DC, Smithsonian Institution 89, 100
Waterford CT, Nelson H. White 118, 367
West Bend WI, West Bend Art Museum 36, 128–130, 132–133, 399, 401, 435
Wien, Galerie Moderner Meister S. 89
Winston–Salem NC, Reynolda House 86

Alle weiteren Abbildungen wurden uns freundlicherweise von den Autoren der Beiträge überlassen.

Allgemeine Literatur zum Thema der Ausstellung

Catalogue of Paintings and Original Drawings by the Artists of the Düsseldorf Academy of Fine Arts, New York 1849 (Düsseldorf Gallery)

»Fine Arts. The Dusseldorf Gallery«, in: The Albion 8, 1849 S. 309

»European Artists in the United States«, in: Bulletin of the American Art-Union 3.6.1850, S. 45

Catalogue of a Private Collection of Paintings and Original Drawings by Artists of the Düsseldorf Academy of Fine Arts, New York 1850 (3 verschiedene Ausgaben im gleichen Jahr, Düsseldorf Gallery)

J(ohn) W(hetton) E(hninger) »The School of Art at Düsseldorf«, in: Bulletin of the American Art-Union 3, April 1850, S. 6

Catalogue of Paintings and Original Drawings by Artists of the Düsseldorf Academy of Fine Arts, New York 1851 (Düsseldorf Gallery)

»Düsseldorf and the Artists«, in: The Literary World X, 1852, S. 333

»Humboldt on Landscape Painting«, in: The Crayon 1, March 1855, S. 199–200

»The Collection of Pictures by the Artists of Dusseldorf«, in: The Crayon, January 1856, S. 22

The Dusseldorf Gallery. Catalogue of Paintings, by Artists of the Dusseldorf Academy of Art, New York 1856/57

Descriptive Catalogue of the Paintings Now on Exhibition at the Institute of Fine Arts, 625 Broadway, Comprising the Wellknown Dusseldorf Gallery, New York 1860

»Gems from the ›Duesseldorf Gallery‹ Photographed from the Original Pictures«, New York 1863

J. Beavington Atkinson, »Düsseldorf: Its Old School and its New Academy«, in: The Art Journal (London), Vol. VI, April 1880, S. 97–100

George, McLaughlin, »Cincinnati Artists of the Munich School«, in: The American Art Review 2.1, November 1880, S. 382–384

Henry James, »Our Artists in Europe«, in: Harper's Monthly 79, June 1889, S. 50–66

Cornelius Gurlitt, »Die amerikanische Malerei in Europa«, in: Die Kunst unserer Zeit, München 1893, S. 21–56

Mary Elizabeth Steele, »Impressions«, Indianapolis IN 1893

Edgar M. Ward, »Carl von Piloty and His Pupils«, in: Monthly Illustrator 12, 1896, S. 162

Albert B. Faust, »The German Element in the United States«, Boston 1909

Paul Clemen, »Die Ausstellung amerikanischer Kunst in Berlin«, in: Die Kunst für Alle, 16. Heft XXV. Jg. 15. Mai 1910

Charles F. Thwing, »The American and the German University«, New York 1928

John A. Walz, »German Influence in American Education and Culture« 1936, Philadelphia, reprint 1969

Aloysius G. Weimer, »The Munich Period in American Art«, Ann Arbor 1940

A. J. F. Ziegelschmid, »Unpublished Richter Sketches in the United States«, in: American-German Review 9 No. 3, February 1943, S. 18–21

Albert Smith, »European Influence on American Painting of the Nineteenth Century«, Huntington NY 1947

Ruth A. Musselman, »Attitude of American Travellers in Germany, 1815–1890: A Study in the Development of Some American Idea«, unpublished Michigan State College 1952

Carl Wittke, »Refugees of Revolution: The German Forty-Eighters in America«, Philadelphia PA 1952

Henry A. Pochmann, »German Culture in America, Philosophical and Literary Influences, 1600–1900«, Madison WI 1957

Kat. The Art of J. Frank Currier and the Painters of the Munich School, New London CT 1958

Charles L. Sanford, »The Quest for Paradise, Europe and the American Moral Imagination«, Urbana IL 1961

Cushing Strout, »The American Image of the Old World«, New York 1963

Suzanne L. Epstein, »The Relationship of the American Luminists to Caspar David Friedrich«, Columbia University 1964

Ernst Scheyer, »Leutze und Lessing. Amerika und Düsseldorf«, in: Aurora Eichendorff-Almanach 26, 1966, S. 93–100

Thomas B. Brumbaugh, »Lost in Storage: Ludwig Knaus in American Collections«, in: Art Journal XXVII No. 3, September 1968, S. 262–265

Ernest Earnest, »Expatriates and Patriots, American Artists, Scholars and Writers in Europe«, Durham NC 1968

Jean T. Hannaford, »The Cultural Impact of European Settlement in Central Texas in the Nineteenth Century«, University of Texas, Austin 1970

William H. Gerdts, »On the Tabletop: Europe and America«, in: Art in America 60, No. 5, September–October 1972, S. 62–69

Donelson F. Hoopes, »The Duesseldorf Academy and the Americans. An Exhibition of Drawings and Watercolors«, Atlanta GA 1972

»Drawings by Karl Friedrich Lessing in the Collection of the Cincinnati Art Museum«, Cincinnati 1972

Raymond L. Stehle, »The Duesseldorf Gallery in New York«, in: New York Historical Society Quarterly Vol. 58, No. 4, October 1974, S. 305–314

Kathleen Luhrs, »Düsseldorf Artists«, in: New York Historical Society Quarterly Vol. 58, No. 4, October 1974, S. 315 ff.

Hugh Honour, »The New Golden Land, European Images of America from the Discoveries to the Present Time«, New York 1975

Kat. The European Vision of America, Cleveland OH 1975

Anneliese Harding, »America through the Eyes of German Immigrant Painters«, Boston MA 1975–1976

Sandra G. Levin, »Wassily Kandinsky and the American Avant-Garde, 1912–1950«, Rutgers University NJ 1976

Kat. American Expatriate painters of the Late Nineteenth Century, Dayton Art Institute, Dayton OH 1976

Wend von Kalnein, »The Hudson and the Rhine: Die amerikanische Malerkolonie in Düsseldorf im 19. Jahrhundert«, Düsseldorf 1976

Barbara S. Groseclose, »The Hudson and the Rhine: die amerikanische Malerkolonie im 19. Jahrhundert«, in: The Magazine American Art Review Vol. III/4, 1976, S. 114–126

W. R. Yates, »American Artists in Dresden and Düsseldorf, 1844–1860«, in: Archives of California Art, The Oakland Museum 1976

E. Morris, »American Artists in Europe 1800–1900«, Liverpool England 1976–1977

William W. Newcomb Jr., »German Artists on the Pedernales«, in: Southwestern Historical Quarterly 82, No. 2, October 1978, S. 149–172

Kat. Munich and American Realism in the Nineteenth Century, Sacramento CA 1978

Christa von Helmholt, »Die zweite Entdeckung Amerikas. Deutsche Künstler auf den Spuren Alexander von Humboldts«, in: Kunst und Antiquitäten IV, 1979

Albert Boime, »America's Purchasing Power and the Evolution of European Art in the Late Nineteenth Century«, in: Saloni, Gallerie, Musei e loro influenza sullo sviluppo dell'arte dei secoli XIX e XX, Bologna o. J. (1979/80), S. 123–139

James P. McGuire, »Views of Texas: German Artists on the Frontier in the Mid-Nineteenth Century«, in: German Culture in Texas, Boston MA 1980

Kat. Post-Impressionism: Cross-Currents in European and American Painting 1880–1906, Washington DC, National Gallery of Art 1980

Ekkehard Koch, »Karl Mays Vater: Die Deutschen im Wilden Westen«, Husum 1982

Brucia Witthoft, »AmericaÏn Artists in Duesseldorf: 1840–1865«, Framingham MA, Danforth Museum of Art 1982

Linda Joy Sperling, »Northern European Links to Nineteenth Century American Landscape Painting: The Study of American Artists in Duesseldorf«, Santa Barbara CA, 1985

Martin F. Krause, »Realities and Impressions: Indiana Artists in Munich 1880–1890«, Indianapolis IN 1985

Kat. American Artists Abroad: The European Experience in the Nineteenth Century, Nassau County Museum of Art 1985

Michael Quick, »An American Painter Abroad: Frank Duveneck's European Years«, Cincinnati OH 1988

Patricia Joan McDonnell, »Letters of Marsden Hartley to Franz Marc and Wassily Kandinsky, 1913–1914«, in: Archives of American Art Journal 29, No. 1/2, 1989, S. 35–44

Kat. German Academic Painters in Wisconsin, West Bend WI 1989

Kat. Explorations in Realism: 1870–1880, Framingham MA, Danforth Museum of Art 1989

Martin F. Krause »The Passage, Return of Indiana Painters from Germany 1880–1905«, Bloomington IN 1990

Martin F. Krause, »Zwischen Tradition und Moderne. Amerikanische Malerei der Jahre 1880–1905«, Indianapolis IN 1990

Patricia Joan McDonnell, »American Artists in Expressionist Berlin«, 1991

Peter C. Merrill, »Aus Milwaukee stammende Künstler an der Münchner Akademie«, in: Magazin für Amerikanistik, Heft 4, 4. Quartal 1995, S. 15–18

Peter C. Merrill, »German Immigrant Artists in America: A Biographical Dictionary«, Metuchen NJ 1996

Peter C. Merrill, »German-American Artists in Early Milwaukee: A Biographical Dictionary«, Madison WI 1996

Nora H. Faires, »The Germans in Allegheny 1850–1860«, Archives of an Industrial Society, Hillman Library, University of Pittsburgh, Pittsburgh PA o. J.

Nora H. Faires, »The Germans in Pittsburgh 1860«, Archives of an Industrial Society, Hillman Library, University of Pittsburgh, Pittsburgh PA o. J.

Register

Die **fett** gedruckten Zahlen verweisen auf Seiten mit Abbildungen und Künstlerbiographien.